Amigo

La 23ª edición
España Portugal le proporciona
selección de hoteles y restaurantes debidamente actualizada.

En ella encontrará un amplio abanico de establecimientos, elegidos imparcialmente por nuestros inspectores, en los distintos niveles de confort y precio.

Hemos puesto al día cuidadosamente la presente edición, deseosos como siempre de proporcionar a nuestros lectores la información más reciente.

Por eso, debe usted confiar cada año en la nueva edición de la Guía.

Le agradecemos de antemano el envío de sus comentarios, que nos serán de gran utilidad.

MICHELIN le desea "¡Buen viaje!".

Sumario

3 Amigo lector

5 a 12 Cómo utilizar la guía

62 Los vinos

65 a 73, 504 y 505 Mapa de buenas mesas con estrellas, buenas comidas a precios moderados y de hoteles y restaurantes agradables, aislados y muy tranquilos

63 ESPAÑA :

74 Léxico

89 Nomenclatura de las poblaciones

503 PORTUGAL :

507 Léxico

521 Nomenclatura de las poblaciones

Consejos para sus neumáticos
(páginas con borde azul)

618 Distancias

620 Atlas : principales carreteras. Paradores y Pousadas

629 Mapas y Guías Michelin

La elección
de un hotel, de un restaurante

Esta guía propone una selección de hoteles y restaurantes para uso de los automovilistas. Los establecimientos, clasificados según su confort, se citan por orden de preferencia dentro de cada categoría.

CATEGORÍAS

	Gran lujo y tradición	XXXXX
	Gran confort	XXXX
	Muy confortable	XXX
	Bastante confortable	XX
	Confortable	X
	Sencillo pero correcto	
sin rest	El hotel no dispone de restaurante	sem rest
con hab	El restaurante tiene habitaciones	com qto

ATRACTIVO Y TRANQUILIDAD

Ciertos establecimientos se distinguen en la guía por los símbolos en rojo que indicamos a continuación. La estancia en estos hoteles es especialmente agradable o tranquila.
Esto puede deberse a las características del edificio, a la decoración original, al emplazamiento, a la acogida y a los servicios que ofrece, o también a la tranquilidad del lugar.

a	Hoteles agradables
XXXXX a X	Restaurantes agradables
« Parque »	Elemento particularmente agradable
	Hotel muy tranquilo, o aislado y tranquilo
	Hotel tranquilo
⇐ mar	Vista excepcional
⇐	Vista interesante o extensa

Las localidades que poseen establecimientos agradables o muy tranquilos están señaladas en los mapas de las páginas 65 a 73, 504 y 505.
Consúltenos para la preparación de sus viajes y envíenos sus impresiones a su regreso. Así nos ayudará en nuestras averiguaciones.

La instalación

Las habitaciones de los hoteles que recomendamos poseen, en general, cuarto de baño completo. No obstante puede suceder que en las categorías 🏨, 🏨 y 🏨 algunas habitaciones carezcan de él.

30 hab **30 qto**	Número de habitaciones
	Ascensor
	Aire acondicionado
TV	Televisión en la habitación
☎	Teléfono en la habitación directo con el exterior
♿	Habitaciones de fácil acceso para minusválidos
	Comidas servidas en el jardín o en la terraza
	Fitness club (gimnasio, sauna...)
	Piscina : al aire libre - cubierta
	Playa equipada - Jardín
18	Tenis - Golf y número de hoyos
25/150	Salas de conferencias : capacidad de las salas
	Garaje en el hotel (generalmente de pago)
P	Aparcamiento reservado a la clientela
	Prohibidos los perros (en todo o en parte del establecimiento)
Fax	Transmisión de documentos por telefax
mayo-octubre	Período de apertura comunicado por el hotelero
temp.	Apertura probable en temporada sin precisar fechas. Sin mención, el establecimiento está abierto todo el año
✉ 28 012 ✉ 1 200	Código postal

La mesa

LAS ESTRELLAS

Algunos establecimientos merecen ser destacados por la calidad de su cocina. Los distinguimos con **las estrellas de buena mesa.**
En estos casos indicamos tres especialidades culinarias que pueden orientarles en su elección.

✿✿✿ **Una de las mejores mesas, justifica el viaje**
Mesa exquisita, grandes vinos, servicio impecable, marco elegante... Precio en consonancia.

✿✿ **Mesa excelente, vale la pena desviarse**
Especialidades y vinos selectos... Cuente con un gasto en proporción.

✿ **Muy buena mesa en su categoria**
La estrella indica una buena etapa en su itinerario.
Pero no compare la estrella de un establecimiento de lujo, de precios altos, con la de un establecimiento más sencillo en el que, a precios razonables, se sirve también una cocina de calidad.

BUENAS COMIDAS A PRECIOS MODERADOS

Hemos realizado una selección de restaurantes que ofrecen, con una acertada relación calidad-precio, una buena comida, generalmente de tipo regional, para cuando Vd. desee encontrar establecimientos más sencillos a precios moderados.
Estos restaurantes se señalan con **Comida** en el texto y **C** en el mapa (España), y **Refeição** en el texto y **R** en el mapa (Portugal). Ej. **Comida** 2800/3500, **Refeição** 2200/3000.

Consulte los mapas de las localidades que poseen establecimientos con estrella **Comida** *o* **Refeição***, páginas 65 a 73, 504 y 505.*

Los vinos : ver página 62

Los precios

Los precios que indicamos en esta guía nos fueron proporcionados en otoño de 1994. Pueden producirse modificaciones debidas a variaciones de los precios de bienes y servicios. El servicio está incluido. En España el I.V.A. se añadirá al total de la factura (7 %), salvo en Andorra (exento), Canarias (4 % I.G.I.C. ya incluído), y Ceuta y Melilla (4 % I.T.E.). En Portugal (5 o 17 %) ya está incluído.

En algunas ciudades y con motivo de ciertas manifestaciones comerciales o turísticas (ferias, fiestas religiosas o patronales...), los precios indicados por los hoteleros pueden sufrir importantes aumentos.

Los hoteles y restaurantes figuran en negrita cuando los hoteleros nos han señalado todos sus precios comprometiéndose, bajo su responsabilidad, a respetarlos ante los turistas de paso portadores de nuestra guía.

Entre en el hotel o en el restaurante con su guía en la mano, demostrando, así, que ésta le conduce allí con confianza.

Los precios se indican en pesetas o en escudos.

COMIDAS

Comida 2 000 **Refeicão** 1 800	**Menú a precio fijo.** Almuerzo o cena servido a las horas habituales
Carta 2 450 a 3 800 Lista 1 800 a 2 550	**Comida a la carta.** El primer precio corresponde a una comida normal que comprende : entrada, plato fuerte del día y postre. El 2° precio se refiere a una comida más completa (con especialidad de la casa) que comprende : dos platos y postre
☕ 325	Precio del desayuno

HABITACIONES

hab. 4 500/6 700	Precio de una habitación individual / precio de una habitación doble, en temporada alta
hab ☕ 4 800/7 000 **qto** ☕ 4 400/6 300	Precio de la habitación con desayuno incluido

PENSIÓN

PA 3 600	Precio de la pensión alimenticia (desayuno, comida y cena). El precio de la pensión completa por persona y por día se obtendrá añadiendo al importe de la habitación individual el de la pensión alimenticia. Conviene concretar de antemano los precios con el hotelero.

LAS ARRAS - TARJETAS DE CRÉDITO

Algunos hoteleros piden una señal al hacer la reserva. Se trata de un depósito-garantía que compromete tanto al hotelero como al cliente. Conviene precisar con detalle las cláusulas de esta garantía.

AE ⓓ E VISA JCB	Tarjetas de crédito aceptadas por el establecimiento

Las curiosidades

GRADO DE INTERÉS

★★★	De interés excepcional
★★	Muy interesante
★	Interesante

SITUACIÓN DE LAS CURIOSIDADES

Ver	En la población
Alred. **Arred.**	En los alrededores de la población
Excurs.	Excursión en la región
N, S, E, O	La curiosidad está situada al Norte, al Sur, al Este, al Oeste
①, ④	Salir por la salida ① o ④, localizada por el mismo signo en el plano
6 km	Distancia en kilómetros

Las poblaciones

2200	Código postal
✉ 7800 Beja	Código postal y Oficina de Correos distribuidora
918	Indicativo telefónico provincial (para las llamadas desde fuera de España, no se debe marcar el 9, tampoco el 0 para Portugal)
P	Capital de Provincia
445 M 27	Mapa Michelin y coordenadas
24 000 h.	Población
alt. 175	Altitud de la localidad
3	Número de teleféricos o telecabinas
7	Número de telesquíes o telesillas
AX A	Letras para localizar un emplazamiento en el plano
18	Golf y número de hoyos
✻ ⋞	Panorama, vista
✈	Aeropuerto
☏ 22 98 36	Localidad con servicio Auto-Expreso. Información en el número indicado
⛴	Transportes marítimos
i	Información turística

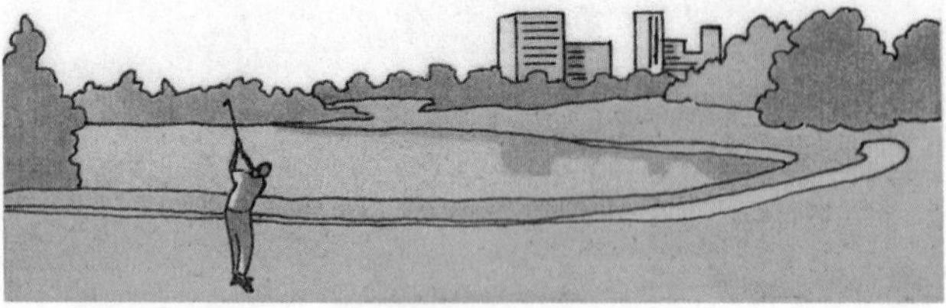

Los planos

Hoteles

Restaurantes

Curiosidades

Edificio interesante y entrada principal

Edificio religioso interesante :
Catedral, iglesia o capilla

Características de las calles

Autopista, autovía
número del acceso : completo-parcial

Vía importante de circulación

Sentido único – Calle impracticable, reglamentada

Calle peatonal – Tranvía

Colón — Calle comercial – Aparcamiento

Puerta – Pasaje cubierto – Túnel

Estación y línea férrea

Funicular – Teleférico, telecabina

Puente móvil – Barcaza para coches

Signos diversos

Oficina de Información de Turismo

Mezquita – Sinagoga

Torre – Ruinas – Molino de viento – Depósito de agua

Jardín, parque, bosque – Cementerio – Crucero

Estadio – Golf – Hipódromo

Piscina al aire libre, cubierta

Vista – Panorama

Monumento – Fuente – Fábrica – Centro comercial

Puerto deportivo – Faro

Aeropuerto – Boca de metro – Estación de autobuses

Transporte por barco :
pasajeros y vehículos, pasajeros solamente

3 — Referencia común a los planos y a los mapas detallados Michelin

Oficina central de lista de correos – Teléfonos

Hospital – Mercado cubierto

Edificio público localizado con letra :

- D H G — Diputación – Ayuntamiento – Gobierno civil
- J — Palacio de Justicia
- M T — Museo – Teatro
- U — Universidad, Escuela Superior
- POL. — Policía (en las grandes ciudades : Jefatura)

En los planos de las ciudades el Norte está situado en la parte superior.

El coche, los neumáticos

TALLERES DE REPARACIÓN
PROVEEDORES DE NEUMÁTICOS MICHELIN

A continuación indicamos los números de teléfono del Servicio 24 horas de las principales marcas de automóviles en España capacitadas para efectuar cualquier clase de reparación en sus propios talleres :

ALFA ROMEO	900.10.10.06	MERCEDES BENZ	91/431.95.96
BMW	900.10.04.82	NISSAN MOTOR IBERICA	900.20.00.94
CITROEN	91/519.13.14	PEUGEOT-TALBOT	900.44.24.24
FIAT	91/519.16.16	RENAULT	91/556.39.99
LANCIA	91/519.10.22	SEAT	900.11.22.22
FORD	900.14.51.45	VOLVO	91/555.81.00
OPEL	900.14.21.42		
GENEREL MOTORS	91/597.21.25		

Cuando un agente de neumáticos carezca del artículo que Vd necesite, diríjase a la División Comercial Michelin en **Madrid** o a cualquiera de sus Sucursales en las poblaciones siguientes : Montcada i Reixac (Barcelona), Lasarte (Guipúzcoa), Coslada (Madrid), Santiago de Compostela (La Coruña), Sevilla, Valencia, Burgos. En **Portugal**, diríjase a la Dirección Comercial Michelin en Sacavém (Lisboa).

Las direcciones y números de teléfono de las Sucursales Michelin figuran en el texto de estas localidades.

Nuestras sucursales tienen mucho gusto en dar a nuestros clientes todos los consejos necesarios para la mejor utilización de sus neumáticos.

Ver también las páginas con borde azul.

LOS "AUTOMÓVIL CLUB"

RACE	Real Automóvil Club de España
RACC	Real Automóvil Club de Cataluña
RACVN	Real Automóvil Club Vasco Navarro
RACV	Real Automóvil Club de Valencia
ACP	Automóvel Clube de Portugal

Ver las direcciones y los números de teléfono en el texto de las localidades correspondientes.

Amigo Leitor

A edição 23ª do Guia Michelin España Portugal devidamente actualizado proporciona-lhe uma selecção de hotéis e restaurantes. Nele encontrará um amplo leque de estabelecimentos escolhidos imparcialmente pelos nossos inspectores dentro de distintos níveis de conforto e preço.

A presente edição foi cuidadosamente actualizada, têm como objectivo proporcionar aos nossos leitores a mais recente informação.

Por isso, deve confiar em cada edição anual do Guia Michelin. Agradecemos desde já, o envio dos vossos comentários que nos serão de grande utilidade.

Michelin deseja-lhe "Boa viagem !"

Sumário

15 a 22 Como utilizar este guia

62 Os vinhos

65 a 73 Mapa dos hotéis e restaurantes agra-
504 e 505 dáveis, isolados, e muito calmos, boas mesas classificadas por estrelas e refeicões cuidadas a preços moderados

63 ESPANHA :

74 Léxico

89 Nomenclatura das localidades

503 PORTUGAL :

507 Léxico

521 Nomenclatura das localidades

Conselhos para os seus pneus
(páginas marginadas a azul)

618 Distâncias

620 Atlas : principais estradas, Paradores e pousadas

629 Mapas e guias Michelin

A escolha
de um hotel, de um restaurante

A nossa classificação está estabelecida para servir os automobilistas de passagem. Em cada categoria, os estabelecimentos são classificados por ordem de preferência.

CLASSE E CONFORTO

⌂⌂⌂⌂⌂	Grande luxo e tradição	XXXXX
⌂⌂⌂⌂	Grande conforto	XXXX
⌂⌂⌂	Muito confortável	XXX
⌂⌂	Bastante confortável	XX
⌂	Confortável	X
⛱	Simples, mas aceitáveis	
sin rest	O hotel não tem restaurante	sem rest
con hab	O restaurante tem quartos	com qto

ATRACTIVOS

A estadia em certos hotéis torna-se por vezes particularmente agradável ou repousante.
Isto pode dar-se, por um lado pelas características do edifício, pela decoração original, pela localização, pelo acolhimento e pelos serviços prestados, e por outro lado pela tranquilidade dos locais.
Tais estabelecimentos distinguem-se no Guia pelos símbolos a vermelho que abaixo se indicam.

⌂⌂⌂⌂⌂ ... ⌂	Hotéis agradáveis
XXXXX ... X	Restaurantes agradáveis
« Parque »	Elemento particularmente agradável
⟡	Hotel muito tranquilo, ou isolado e tranquilo
⟡	Hotel tranquilo
⋞ mar	Vista excepcional
⋞	Vista interessante ou ampla

As localidades que possuem hotéis e restaurantes agradáveis ou muito tranquilos encontram-se nos mapas páginas 65 a 73, 504 e 505.
Consulte-as para a preparação das suas viagens e dê-nos as suas impressões no seu regresso. Assim facilitará os nossos inquéritos.

A instalação

Os quartos dos hotéis que lhe recomendamos têm em geral quarto de banho completo.
No entanto pode acontecer que certos quartos, na categoria 🏘, 🏠 e ⛱, o não tenham.

30 hab **30 qto**	Número de quartos
🛗	Elevador
▤	Ar condicionado
TV	Televisão no quarto
☎	Telefone no quarto, directo com o exterior
♿	Quartos de fácil acesso para deficientes físicos
⛱	Refeições servidas no jardim ou no terraço
🚲	Fitness club
🏊 🏊	Piscina ao ar livre ou coberta
⛱ 🪑	Praia equipada - Jardim de repouso
🎾	Ténis
⛳18	Golfe e número de buracos
25/150	Salas de conferências : capacidade mínima e máxima das salas
🚗	Garagem (geralmente a pagar)
Ⓟ	Parque de estacionamento reservado aos clientes
🐕	Proibidos os cães : em todo o parte do estabelecimento
Fax	Transmissão de documentos por telecopias
maio-octubre	Período de abertura comunicado pelo hoteleiro
temp.	Abertura provável na estação, mas sem datas precisas Os estabelecimentos abertos todo o ano são os que não têm qualquer menção
✉ 28 012 ✉ 1 200	Código postal

A mesa

AS ESTRELAS

Entre os numerosos estabelecimentos recomendados neste guia, alguns merecem ser assinalados à sua atenção pela qualidade de cozinha. Nós classificamo-los por **estrelas**.

Indicamos, para esses estabelecimentos, três especialidades culinárias que poderão orientar-vos na escolha.

✿✿✿ **Uma das melhores mesas, vale a viagem**

Óptima mesa, vinhos de marca, serviço impecável, ambiente elegante... Preços em conformidade.

✿✿ **Uma mesa excelente, merece um desvio**

Especialidades e vinhos seleccionados ; deve estar preparado para uma despesa em concordância.

✿ **Uma muito boa mesa na sua categoria**

A estrela marca uma boa etapa no seu itinerário.

Mas não compare a estrela dum estabelecimento de luxo com preços elevados com a estrela duma casa mais simples onde, com preços moderados, se serve também uma cozinha de qualidade.

REFEIÇÕES CUIDADAS A PREÇOS MODERADOS

Deseja por vezes encontrar mesas mais simples a preços moderados. É por isso que nós selecionamos restaurantes propondo por um lado uma relacão qualidade-preço particularmente favorável, por outro uma refeicão cuidada frequentemente de tipo regional. Estes restaurantes estão sinalizados por Comida (Espanha) ou Refeição (Portugal). Exemplo : Comida 2800/3500, Refeição 2200/3000.

Consulte os mapas das localidades que possuam estabelecimentos de estrelas, Comida *ou* Refeição *páginas 65 a 73, 504 e 505.*

Os vinhos : ver pág. 62

Os preços

Os preços indicados neste Guia foram estabelecidos no Outono de 1994. Podem portanto ser modificados, nomeadamente se se verificarem alterações no custo de vida ou nos preços dos bens e serviços. Em Espanha o I.V.A. será aplicado à totalidade da factura (7 %), salvo em Andorra (exento), Canarias (4 % I.G.I.C. já-incluido) e Ceuta e Melilla (4 % I.T.E.). Em Portugal (5 ou 17 %) já está incluido.

Em algumas cidades, por ocasião de manifestações comerciais ou turísticas os preços pedidos pelos hotéis são possíveis de serem aumentados considerávelmente.

Os hotéis e restaurantes figuram em caracteres destacados, sempre que os hoteleiros nos deram todos os seus preços e se comprometeram sob a sua própria responsabilidade, a aplicá-los aos turistas de passagem, portadores do nosso Guia.

Entre no hotel ou no restaurante com o guia na mão e assim mostrará que ele o conduziu com confiança.

Os preços indicados em pesetas ou em escudos, incluem o serviço.

REFEIÇÕES

Comida 2 000 **Refeição** 1 800	**Preço fixo** - Preço da refeição servida às horas normais
Carta 2 450 a 3 800 Lista 1 800 a 2 550	**Refeições à lista** - O primeiro preço corresponde a uma refeição simples, mas esmerada, compreendendo : entrada, prato do dia guarnecido e sobremesa O segundo preço, refere-se a uma refeição mais completa (com especialidade), compreendendo : dois pratos e sobremesa.
☕ 325	Preço do pequeno almoço

QUARTOS

hab. 4 500/6 700	Preço para um quarto de uma pessoa / preço para um quarto de duas pessoas em plena estação
hab ☕ 4 800/7 000 **qto** ☕ 4 400/6 300	O preço do pequeno almoço está incluído no preço do quarto

PENSÃO

PA 3 600	Preço das refeições (almoço e jantar). Este preço deve juntar-se ao preço do quarto individual para se obter o custo de pensão completa por pessoa e por dia. É indispensável um contacto antecipado com o hotel para se obter o custo definitivo.

O SINAL - CARTÕES DE CRÉDITO

Alguns hoteleiros pedem por vezes o pagamento de um sinal. Trata-se de um depósito de garantia que compromete tanto o hoteleiro como o cliente.

AE ⓓ E VISA JCB | Principais cartões de crédito aceites no estabelecimento

As curiosidades

INTERESSES

★★★	De interesse excepcional
★★	Muito interessante
★	Interessante

LOCALIZAÇÃO

Ver	Na cidade
Alred. **Arred.**	Nos arredores da cidade
Excurs.	Excursões pela região
N, S, E, O	A curiosidade está situada no Norte, no Sul, no Este, no Oeste
①, ④	Chega-se lá pela saída ① ou ④, assinalada pelo mesmo sinal sobre o plano
6 km	Distância em quilómetros

As cidades

2200	Código postal
✉ 7800 Beja	Código postal e nome do Centro de Distribução Postal
✆ 918	Indicativo telefónico provincial (nas chamadas interurbanas para Espanha deve marcar o 9, assim como o 0 para Portugal)
P	Capital de distrito
445 M 27	Mapa Michelin e quadrícula
24 000 h.	População
alt. 175	Altitude da localidade
3	Número de teleféricos ou telecabinas
7	Número de teleskis e telecadeiras
AX A	Letras determinando um local no plano
18	Golfe e número de buracos
※ <	Panorama, vista
✈	Aeroporto
✆ 22 98 36	Localidade com serviço de transporte de viaturas em caminho-de-ferro. Informações pelo número de telefone indicado
	Transportes marítimos
i	Informação turística

Planos

□ ●	**Hotéis**
■ ●	**Restaurantes**

Curiosidades

	Edifício interessante e entrada principal
	Edifício religioso interessante : Sé, igreja ou capela

Vias de circulação

	Auto-estrada, estrada com faixas de rodagem separadas número do acesso : completo-parcial
	Grande via de circulação
	Sentido único - Rua impraticável, regulamentada
	Via reservada aos peões - Eléctrico
Colón	Rua comercial - Parque de estacionamento
	Porta - Passagem sob arco - Túnel
	Estação e via férrea
	Funicular - Teleférico, telecabine
	Ponte móvel - Barcaça para automóveis

Diversos símbolos

	Centro de Turismo
	Mesquita - Sinagoga
	Torre - Ruínas - Moinho de vento - Mãe de água
	Jardim, parque, bosque - Cemitério - Cruzeiro
	Estádio - Golfe - Hipódromo
	Piscina ao ar livre, coberta
	Vista - Panorama
	Monumento - Fonte - Fábrica - Centro Comercial
	Porto de abrigo - Farol
	Aeroporto - Estação de metro - Estação de autocarros
	Transporte por barco : passageiros e automóveis, só de passageiros
③	Referência comum aos planos e aos mapas Michelin detalhados
	Correio com posta-restante principal - Telefone
	Hospital - Mercado coberto
	Edifício público indicado por letra :
D H G	Conselho provincial - Câmara municipal - Governo civil
J	Tribunal
M T	Museu - Teatro
U	Universidade, grande escola
POL.	Polícia (nas cidades principais : comissariado central)

Nos planos das cidades o Norte está situado na parte superior.

O automóvel, os pneus

OFICINAS DE REPARAÇÃO E VENDA DE PNEUS MICHELIN

Abaixo indicámos os numeros de telefone do Serviço 24 h das principais marcas de viaturas em Espanha com possibilidades de reparar automóveis nas suas próprias oficinas :

ALFA ROMEO	900.10.10.06
BMW	900.10.04.82
CITROEN	91/519.13.14
FIAT	91/519.16.16
LANCIA	91/519.10.22
FORD	900.14.51.45
OPEL	900.14.21.42
GENERAL MOTORS	91/597.21.25
MERCEDES BENZ	91/431.95.96
NISSAN MOTOR IBERICA	900.20.00.94
PEUGEOT-TALBOT	900.44.24.24
RENAULT	91/556.39.99
SEAT	900.11.22.22
VOLVO	91/555.81.00

Desde que um agente de pneus não tenha o artigo de que necessita, dirija – se : em **Espanha**, à Divisão Comercial Michelin, em Madrid, ou à Sucursal da Michelin de qualquer das seguintes cidades : Montcada i Reixac (Barcelona), Lasarte (Guipúzcoa), Coslada (Madrid), Santiago de Compostela (La Coruña), Sevilla, Valencia, Burgos. Em **Portugal** : à Direcção Comercial Michelin em Sacavém (Lisboa).

As direcções e os números de telefone das agências Michelin figuram no texto das localidades correspondentes.

Ver também as páginas marginadas a azul.

AUTOMÓVEL CLUBES

RACE	Real Automóvil Club de España
RACC	Real Automóvil Club de Cataluña
RACVN	Real Automóvil Club Vasco Navarro
RACV	Real Automóvil Club de Valencia
ACP	Automóvel Clube de Portugal

Ver no texto da maior parte das grandes cidades, a morada e o número de telefone de cada um dos Clubes Automóvel.

Ami lecteur

Cette 23e édition
du Guide MICHELIN España Portugal
propose une sélection actualisée
d'hôtels et de restaurants.

Réalisée en toute indépendance
par nos inspecteurs,
elle offre au voyageur de passage
un large choix d'adresses
à tous les niveaux de confort et de prix.

Toujours soucieux d'apporter
à nos lecteurs l'information
la plus récente, nous avons
mis à jour cette édition avec
le plus grand soin.

C'est pourquoi, seul, le Guide de l'année
en cours mérite votre confiance.

Merci de vos commentaires toujours
appréciés.

Michelin vous souhaite "Bon voyage !"

Sommaire

25 à 32 Comment se servir du guide

62 Les vins

65 à 73
504 et 505 Carte des bonnes tables à étoiles, repas soignés à prix modérés ; établissements agréables, isolés, très tranquilles

63 ESPAGNE :

74 Lexique

89 Nomenclature des localités

503 PORTUGAL :

507 Lexique

521 Nomenclature des localités

Des conseils pour vos pneus
(pages bordées de bleu)

618 Distances

620 Atlas : principales routes, Paradores et Pousadas

629 Cartes et Guides Michelin

Le choix
d'un hôtel, d'un restaurant

Ce guide vous propose une sélection d'hôtels et restaurants établie à l'usage de l'automobiliste de passage. Les établissements, classés selon leur confort, sont cités par ordre de préférence dans chaque catégorie.

CATÉGORIES

	Grand luxe et tradition	XXXXX
	Grand confort	XXXX
	Très confortable	XXX
	De bon confort	XX
	Assez confortable	X
	Simple mais convenable	
sin rest	L'hôtel n'a pas de restaurant	sem rest
con hab	Le restaurant possède des chambres	com qto

AGRÉMENT ET TRANQUILLITÉ

Certains établissements se distinguent dans le guide par les symboles rouges indiqués ci-après. Le séjour dans ces hôtels se révèle particulièrement agréable ou reposant.
Cela peut tenir d'une part au caractère de l'édifice, au décor original, au site, à l'accueil et aux services qui sont proposés, d'autre part à la tranquillité des lieux.

à	Hôtels agréables
XXXXX à X	Restaurants agréables
« Parque »	Élément particulièrement agréable
	Hôtel très tranquille ou isolé et tranquille
	Hôtel tranquille
mar	Vue exceptionnelle
	Vue intéressante ou étendue.

Les localités possédant des établissements agréables ou très tranquilles sont repérées sur les cartes pages 65 à 73, 504 et 505.

Consultez-les pour la préparation de vos voyages et donnez-nous vos appréciations à votre retour, vous faciliterez ainsi nos enquêtes.

L'installation

Les chambres des hôtels que nous recommandons possèdent, en général, des installations sanitaires complètes. Il est toutefois possible que dans les catégories 🏘, 🏠 et ⛱, certaines chambres en soient dépourvues.

30 hab **30 qto**	Nombre de chambres
🛗	Ascenseur
▤	Air conditionné
TV	Télévision dans la chambre
☎	Téléphone dans la chambre, direct avec l'extérieur
♿	Chambres accessibles aux handicapés physiques
⛱	Repas servis au jardin ou en terrasse
🚲	Salle de remise en forme
	Piscine : de plein air ou couverte
	Plage aménagée – Jardin de repos
18	Tennis – Golf et nombre de trous
25/150	Salles de conférences : capacité des salles
🚗	Garage dans l'hôtel (généralement payant)
P	Parking réservé à la clientèle
	Accès interdit aux chiens (dans tout ou partie de l'établissement)
Fax	Transmission de documents par télécopie
mayo-octubre	Période d'ouverture, communiquée par l'hôtelier
temp.	Ouverture probable en saison mais dates non précisées. En l'absence de mention, l'établissement est ouvert toute l'année.
✉ 28 012 ✉ 1 200	Code postal

La table

LES ÉTOILES

Certains établissements méritent d'être signalés à votre attention pour la qualité de leur cuisine. Nous les distinguons par **les étoiles de bonne table**.

Nous indiquons, pour ces établissements, trois spécialités culinaires qui pourront orienter votre choix.

✿✿✿ **Une des meilleures tables, vaut le voyage**

Table merveilleuse, grands vins, service impeccable, cadre élégant... Prix en conséquence.

✿✿ **Table excellente, mérite un détour**

Spécialités et vins de choix... Attendez-vous à une dépense en rapport.

✿ **Une très bonne table dans sa catégorie**

L'étoile marque une bonne étape sur votre itinéraire.

Mais ne comparez pas l'étoile d'un établissement de luxe à prix élevés avec celle d'une petite maison où à prix raisonnables, on sert également une cuisine de qualité.

REPAS SOIGNÉS A PRIX MODÉRÉS

Vous souhaitez parfois trouver des tables plus simples, à prix modérés ; c'est pourquoi nous avons sélectionné des restaurants proposant, pour un rapport qualité-prix particulièrement favorable, un repas soigné, souvent de type régional. Ces restaurants sont signalés par **Comida** (Espagne) ou **Refeição** (Portugal) ; Ex. **Comida** 2800/3500, **Refeição** 2200/3000.

Consultez les cartes des localités possédant des établissements à étoiles, **Comida** **ou** **refeição** *pages 65 à 73, 504 et 505.*

Les vins : voir p. 62

Les prix

Les prix que nous indiquons dans ce guide ont été établis en automne 1994. Ils sont susceptibles de modifications, notamment en cas de variations des prix des biens et services. Ils s'entendent services compris.

En Espagne la T.V.A. (I.V.A.) sera ajoutée à la note (7 %), sauf en Andorre (pas de T.V.A.), aux Canaries (4 % I.G.I.C. comprise), Ceuta et Melilla (4 % I.T.E.). Au Portugal (5 ou 17 %) elle est comprise dans les prix.

Dans certaines villes, à l'occasion de manifestations commerciales ou touristiques, les prix demandés par les hôteliers risquent d'être considérablement majorés.

Les hôtels et restaurants figurent en gros caractères lorsque les hôteliers nous ont donné tous leurs prix et se sont engagés, sous leur propre responsabilité, à les appliquer aux touristes de passage porteurs de notre guide.

Entrez à l'hôtel le Guide à la main, vous montrerez ainsi qu'il vous conduit là en confiance.

Les prix sont indiqués en pesetas ou en escudos.

REPAS

Comida 2 000 **Refeição** 1 800	**Menu à prix fixe** : Prix du menu servi aux heures normales
Carta 2 450 a 3 800 Lista 1 800 a 2 550	**Repas à la carte** – Le premier prix correspond à un repas normal comprenant : hors-d'œuvre, plat garni et dessert. Le 2ᵉ prix concerne un repas plus complet (avec spécialité) comprenant : deux plats et dessert
☕ 325	Prix du petit déjeuner

CHAMBRES

hab 4 500/6 700	Prix pour une chambre d'une personne / prix pour une chambre de deux personnes en haute saison
hab ☕ 4 800/7 000 **qto** ☕ 4 400/6 300	Prix des chambres petit déjeuner compris

PENSION

PA 3 600	Prix de la « Pensión Alimenticia » (petit déjeuner et les deux repas), à ajouter à celui de la chambre individuelle pour obtenir le prix de la pension complète par personne et par jour. Il est indispensable de s'entendre par avance avec l'hôtelier pour conclure un arrangement définitif.

LES ARRHES - CARTES DE CRÉDIT

Certains hôteliers demandent le versement d'arrhes. Il s'agit d'un dépôt-garantie qui engage l'hôtelier comme le client. Bien faire préciser les dispositions de cette garantie.

AE (D) E VISA JCB | Cartes de crédit acceptées par l'établissement

Les curiosités

INTÉRÊT

★★★	Vaut le voyage
★★	Mérite un détour
★	Intéressant

SITUATION

Ver	Dans la ville
Alred. Arred.	Aux environs de la ville
Excurs.	Excursions dans la région
N, S, E, O	La curiosité est située : au Nord, au Sud, à l'Est, à l'Ouest
①, ④	On s'y rend par la sortie ① ou ④ repérée par le même signe sur le plan du Guide et sur la carte
6 km	Distance en kilomètres

Les villes

2200	Numéro de code postal
✉ 7800 Beja	Numéro de code postal et nom du bureau distributeur du courrier
✆ 918	Indicatif téléphonique interprovincial (pour les appels de l'étranger vers l'Espagne, ne pas composer le 9, vers le Portugal le 0)
P	Capitale de Province
445 M 27	Numéro de la Carte Michelin et carroyage
24 000 h.	Population
alt. 175	Altitude de la localité
3	Nombre de téléphériques ou télécabines
7	Nombre de remonte-pentes et télésièges
AX A	Lettres repérant un emplacement sur le plan
18	Golf et nombre de trous
✳ ≤	Panorama, point de vue
✈	Aéroport
✆ 22 98 36	Localité desservie par train-auto. Renseignements au numéro de téléphone indiqué
	Transports maritimes
i	Information touristique

Les plans

Hôtels

Restaurants

Curiosités

Bâtiment intéressant et entrée principale

Édifice religieux intéressant :
Cathédrale, église ou chapelle

Voirie

Autoroute, route à chaussées séparées
échangeur : complet, partiel, numéro

Grande voie de circulation

Sens unique – Rue impraticable, réglementée

Rue piétonne – Tramway

Colón — Rue commerçante – Parc de stationnement

Porte – Passage sous voûte – Tunnel

Gare et voie ferrée

Funiculaire – Téléphérique, télécabine

Pont mobile – Bac pour autos

Signes divers

Information touristique

Mosquée – Synagogue

Tour – Ruines – Moulin à vent – Château d'eau

Jardin, parc, bois – Cimetière – Calvaire

Stade – Golf – Hippodrome

Piscine de plein air, couverte

Vue – Panorama

Monument – Fontaine – Usine – Centre commercial

Port de plaisance – Phare

Aéroport – Station de métro – gare routière

Transport par bateau :
passagers et voitures, passagers seulement

③ — Repère commun aux plans et aux cartes Michelin détaillées

Bureau principal de poste restante – Téléphone

Hôpital – Marché couvert

Bâtiment public repéré par une lettre :

D H G — Conseil provincial – Hôtel de ville – Préfecture

J — Palais de justice

M T — Musée – Théâtre

U — Université, grande école

POL. — Police (commissariat central)

Les plans de villes sont disposés le Nord en haut.

La voiture, les pneus

ASSISTANCE DÉPANNAGE, FOURNISSEURS DE PNEUS MICHELIN

Nous avons indiqué ci-dessous les numéros de téléphone du service Assistance 24/24 h. des principales marques de voitures en mesure d'effectuer en Espagne dépannage et réparations dans leurs propres ateliers.

ALFA ROMEO	900.10.10.06	MERCEDES BENZ	91/431.95.96
BMW	900.10.04.82	NISSAN MOTOR IBERICA	900.20.00.94
CITROEN	91/519.13.14	PEUGEOT-TALBOT	900.44.24.24
FIAT	91/519.16.16	RENAULT	91/556.39.99
LANCIA	91/519.10.22	SEAT	900.11.22.22
FORD	900.14.51.45	VOLVO	91/555.81.00
OPEL	900.14.21.42		
GENERAL MOTORS	91/597.21.25		

Lorsqu'un agent de pneus n'a pas l'article dont vous avez besoin, adressez-vous : en **Espagne** à la Division Commerciale Michelin à Madrid ou à la Succursale Michelin de l'une des villes suivantes : Montcada i Reixac (Barcelone), Lasarte (Guipúzcoa), Coslada (Madrid), Santiago de Compostela (La Coruña), Sevilla, Valencia, Burgos. Au **Portugal**, à la Direction Commerciale à Sacavém (Lisbonne).

Les adresses et les numéros de téléphone des agences Michelin figurent au texte des localités correspondantes.

Dans nos agences, nous nous faisons un plaisir de donner à nos clients tous conseils pour la meilleure utilisation de leurs pneus.

Voir aussi les pages bordées de bleu.

AUTOMOBILE CLUBS

RACE	Real Automóvil Club de España
RACC	Real Automóvil Club de Cataluña
RACVN	Real Automóvil Club Vasco Navarro
RACV	Real Automóvil Club de Valencia
ACP	Automóvel Clube de Portugal

Voir au texte de la plupart des grandes villes, l'adresse et le numéro de téléphone de ces différents Automobile Clubs.

Amico Lettore

Questa 23esima edizione della Guida Michelin España Portugal propone una selezione aggiornata di alberghi e ristoranti. Realizzata dai nostri ispettori in piena autonomia offre al viaggiatore di passaggio un'ampia scelta a tutti i livelli di comfort e prezzo.

Con l'intento di fornire ai nostri lettori l'informazione più recente, abbiamo aggiornato questa edizione con la massima cura. Per questo solo la Guida dell'anno in corso merita pienamente la vostra fiducia.

Grazie delle vostre segnalazioni sempre gradite.

MICHELIN vi augura "Buon Viaggio !".

Sommario

35 a 42 Come servirsi della Guida

62 I vini

65 a 73 Carta delle ottime tavole con stelle
504 e 505 pasti accurati a prezzi contenuti, degli alberghi e ristoranti ameni, isolati, molto tranquilli

63 SPAGNA :

74 Lessico

89 Elenco delle località

503 PORTOGALLO :

507 Lessico

521 Elenco delle località

Consigli per i vostri pneumatici
(Pagine bordate di blu)

618 Distanze

620 Carta di Spagna e Portogallo : principali strade, Paradores e Pousadas

629 Carte e guide Michelin

La scelta
di un albergo, di un ristorante

Questa guida Vi propone una selezione di alberghi e ristoranti stabilita ad uso dell'automobilista di passaggio. Gli esercizi, classificati in base al confort che offrono, vengono citati in ordine di preferenza per ogni categoria.

CATEGORIE

	Gran lusso e tradizione	XXXXX
	Gran confort	XXXX
	Molto confortevole	XXX
	Di buon confort	XX
	Abbastanza confortevole	X
	Semplice, ma conveniente	
sin rest	L'albergo non ha ristorante	sem rest
con hab	Il ristorante dispone di camere	com qto

AMENITÀ E TRANQUILLITÀ

Alcuni esercizi sono evidenziati nella guida dai simboli rossi indicati qui di seguito. Il soggiorno in questi alberghi dovrebbe rivelarsi particolarmente ameno o riposante.
Ciò può dipendere sia dalle caratteristiche dell'edifico, dalle decorazioni non comuni, dalla sua posizione e dal servizio offerto, sia dalla tranquillità dei luoghi.

a	Alberghi ameni
XXXXX a X	Ristoranti ameni
« Parque »	Un particolare piacevole
	Albergo molto tranquillo o isolato e tranquillo
	Albergo tranquillo
mar	Vista eccezionale
	Vista interessante o estesa

Le località che possiedono degli esercizi ameni o molto tranquilli sono riportate sulle carte da pagina 65 a 73, 504 e 505. Consultatele per la preparazione dei Vostri viaggi e, al ritorno, inviateci i Vostri pareri ; in tal modo agevolerete le nostre inchieste.

Installazioni

Le camere degli alberghi che raccomandiamo possiedono, generalmente, delle installazioni sanitarie complete. È possibile tuttavia che nelle categorie 🏨, 🏠 e ⛱ alcune camere ne siano sprovviste.

30 hab **30 qto**	Numero di camere
(ascensore)	Ascensore
(aria condizionata)	Aria condizionata
TV	Televisione in camera
☎	Telefono in camera comunicante direttamente con l'esterno
♿	Camere di agevole accesso per i minorati fisici
(pasti in giardino)	Pasti serviti in giardino o in terrazza
(palestra)	Palestra
(piscina) (piscina coperta)	Piscina : all'aperto – coperta
(spiaggia) (giardino)	Spiaggia attrezzata – Giardino da riposo
(tennis) (golf) 9	Tennis – Golf e numero di buche
(sale) 25/150	Sale per conferenze : capienza minima e massima delle sale
(garage)	Garage nell'albergo (generalmente a pagamento)
Ⓟ	Parcheggio riservato alla clientela
(cani vietati)	Accesso vietato ai cani (in tutto o in parte dell'esercizio)
Fax	Trasmissione telefonica di documenti
mayo-octubre	Periodo di apertura, comunicato dall'albergatore
temp.	Probabile apertura in stagione, ma periodo non precisato. Gli esercizi senza tali menzioni sono aperti tutto l'anno.
✉ 28 012 ✉ 1 200	Codice postale

La tavola

LE STELLE

Alcuni esercizi meritano di essere segnalati alla Vostra attenzione per la qualità tutta particolare della loro cucina. Noi li evidenziamo con le « **stelle di ottima tavola** ».

Per questi ristoranti indichiamo tre specialità culinarie che potranno aiutarVi nella scelta.

✿✿✿ **Una delle migliori tavole, vale il viaggio**

Tavola meravigliosa, grandi vini, servizio impeccabile, ambientazione accurata... Prezzi conformi.

✿✿ **Tavola eccellente, merita una deviazione**

Specialità e vini scelti... AspettateVi una spesa in proporzione.

✿ **Un'ottima tavola nella sua categoria**

La stella indica una tappa gastronomica sul Vostro itinerario. Non mettete però a confronto la stella di un esercizio di lusso, dai prezzi elevati, con quella di un piccolo esercizio dove, a prezzi ragionevoli, viene offerta una cucina di qualità.

PASTI ACCURATI A PREZZI CONTENUTI

Talvolta desiderate trovare delle tavole più semplici a prezzi contenuti. Per questo motivo abbiamo selezionato dei ristoranti che, per un rapporto qualità-prezzo particolarmente favorevole, offrono un pasto accurato spesso a carattere tipicamente regionale. Questi ristoranti sono evidenziati nel testo con la parola Comida (Spagna) o Refeição (Portogallo), davanti ai prezzi dei menu, es Comida 2800/3500, Refeição 2200/3000.

Consultate le carte delle località con stelle, Comida *o* Refeição, *pagine 65 a 73, 504 e 505.*

I vini : vedere p. 62

I prezzi

I prezzi che indichiamo in questa guida sono stati stabiliti nell' autunno 1994. Potranno pertanto subire delle variazioni in relazione ai cambiamenti dei prezzi di beni e servizi. Essi s'intendono comprensivi del servizio. In Spagna l'I.V.A. sarà aggiunta al conto (7 %) salvo in Andorra (non c'è l'I.V.A.), Canárie (4 % I.G.I.C. già compresa), Ceuta e Melilla (4 % I.T.E.). In Portogallo (5 o 17 %) è già comprésa.

In alcune città, in occasione di manifestazioni turistiche o commerciali, i prezzi richiesti dagli albergatori possono risultar considerevolmente più alti.

Gli alberghi e i ristoranti vengono menzionati in carattere grassetto quando gli albergatori ci hanno comunicato tutti i loro prezzi e si sono impegnati, sotto la propria responsabilità, ad applicarli ai turisti di passaggio, in possesso della nostra guida.

Entrate nell'albergo o nel ristorante con la guida alla mano, dimostrando in tal modo la fiducia in chi vi ha indirizzato.

I prezzi sono indicati in pesetas, o in escudos.

PASTI

Comida 2 000 **Refeição** 1 800	**Menu a prezzo fisso** – Prezzo del menu servito ad ore normali
Carta 2 450 a 3 800 Lista 1 800 a 2 550	**Pasto alla carta** – Il primo prezzo corrisponde ad un pasto semplice comprendente : antipasto, piatto con contorno e dessert. Il secondo prezzo corrisponde ad un pasto più completo (con specialità) comprendente : due piatti e dessert.
☕ 325	Prezzo della prima colazione

CAMERE

hab 4 500/6 700	Prezzo per una camera singola / prezzo per una camera per due persone in alta stagione.
hab ☕ 4 800/7 000 **qto** ☕ 4 400/6 300	Prezzo della camera compresa la prima colazione

PENSIONE

PA 3 600	Prezzo della « Pension Alimenticia » (prima colazione più due pasti) da sommare a quello della camera per una persona per ottenere il prezzo della pensione completa per persona e per giorno. E' tuttavia indispensabile prendere accordi preventivi con l'albergatore per stabilire le condizioni definitive.

LA CAPARRA - CARTE DI CREDITO

Alcuni albergatori chiedono il versamento di una caparra. Si tratta di un deposito-garanzia che impegna tanto l'albergatore che il cliente. Vi raccomandiamo di farVi precisare le norme riguardanti la reciproca garanzia di tale caparra.

AE ⓓ E VISA JCB | Carte di credito accettate dall'esercizio.

Le curiosità

GRADO DI INTERESSE

★★★	Vale il viaggio
★★	Merita una deviazione
★	Interessante

UBICAZIONE

Ver	Nella città
Alred. Arred.	Nei dintorni della città
Excurs.	Nella regione
N, S, E, O	La curiosità è situata : a Nord, a Sud, a Est, a Ovest
①, ④	Ci si va dall'uscita ① o ④ indicata con lo stesso segno sulla pianta della guida e sulla carta stradale
6 km	Distanza chilometrica

Le città

2200	Codice di avviamento postale
✉ 7800 Beja	Numero di codice e sede dell'Ufficio Postale
918	Prefisso telefonico interprovinciale (per le chiamate dall'estero alla Spagna, non formare il 9, per il Portogallo, lo 0)
P	Capoluogo di Provincia
445 M 27	Numero della carta Michelin e del riquadro
24 000 h.	Popolazione
alt. 175	Altitudine della località
3	Numero di funivie o cabinovie
7	Numero di sciovie e seggiovie
AX A	Lettere indicanti l'ubicazione sulla pianta
18	Golf e numero di buche
	Panorama, punto di vista
	Aeroporto
22 98 36	Località con servizio auto su treno. Informarsi al numero di telefono indicato
	Trasporti marittimi
i	Ufficio informazioni turistiche

Le piante

Alberghi

Ristoranti

Curiosità

Edificio interessante ed entrata principale

Costruzione religiosa interessante :
Cattedrale, chiesa o cappella

Viabilità

Autostrada, strada a carreggiate separate
svincolo : completo, parziale, numero

Grande via di circolazione

Senso unico – Via impraticabile,
a circolazione regolamentata

Via pedonale – Tranvia

Colón — Via commerciale – Parcheggio

Porta – Sottopassaggio – Galleria

Stazione e ferrovia

Funicolare – Funivia, Cabinovia

Ponte mobile – Battello per auto

Simboli vari

Ufficio informazioni turistiche

Moschea – Sinagoga

Torre – Ruderi – Mulino a vento – Torre idrica

Giardino, parco, bosco – Cimitero – Calvario

Stadio – Golf – Ippodromo

Piscina : all'aperto, coperta

Vista – Panorama

Monumento – Fontana – Fabbrica – Centro commerciale

Porto per imbarcazioni da diporto – Faro

Aeroporto – Stazione della Metropolitana – Autostazione

Trasporto con traghetto :
passeggeri ed autovetture, solo passeggeri

③ Simbolo di riferimento comune alle piante ed alle carte Michelin particolareggiate

Ufficio centrale di fermo posta e telefono

Ospedale – Mercato coperto

Edificio pubblico indicato con lettera :

D H G — Sede del Governo della Provincia – Municipio – Prefettura

J — Palazzo di Giustizia

M T — Museo – Teatro

U — Università, grande scuola

POL — Polizia (Questura, nelle grandi città)

Le piante topografiche sono orientate col Nord in alto.

L'automobile, i pneumatici

SERVIZIO RIPARAZIONI D'EMERGENZA, RIVENDITORI DI PNEUMATICI MICHELIN

Abbiamo indicato qui sotto i numeri telefonici del Servizio Assistenza 24/24 h. delle principali case automobilistiche in grado di effettuare in Spagna il servizio e le riparazioni nelle proprie officine :

ALFA ROMEO	900.10.10.06
BMW	900.10.04.82
CITROEN	91/519.13.14
FIAT	91/519.16.16
LANCIA	91/519.10.22
FORD	900.14.51.45
OPEL	900.14.21.42
GENERAL MOTORS	91/597.21.25
MERCEDES BENZ	91/431.95.96
NISSAN MOTOR IBERICA	900.20.00.94
PEUGEOT-TALBOT	900.44.24.24
RENAULT	91/556.39.99
SEAT	900.11.22.22
VOLVO	91/555.81.00

Se vi occorre rintracciare un rivenditore di pneumatici potete rivolgervi : in **Spagna** alla Divisione Commerciale Michelin di Madrid o alla Succursale Michelin di una delle seguenti città : Montcada i Reixac (Barcelona), Lasarte (Guipúzcoa), Coslada (Madrid), Santiago de Compostela (La Coruña), Sevilla, Valencia, Burgos. Per il **Portogallo**, potete rivolgervi alla Direzione Commerciale Michelin di Sacavém (Lisboa).

Gli indirizzi ed i numeri telefonici delle Succursali Michelin figurano nel testo delle relative località.

Le nostre Succursali sono in grado di dare ai nostri clienti tutti i consigli relativi alla migliore utilizzazione dei pneumatici.

Vedere anche le pagine bordate di blu.

AUTOMOBILE CLUBS

RACE	Real Automóvil Club de España
RACC	Real Automóvil Club de Cataluña
RACVN	Real Automóvil Club Vasco Navarro
RACV	Real Automóvil Club de Valencia
ACP	Automóvel Clube de Portugal

Troverete l'indirizzo e il numero di telefono di questi Automobile Clubs al testo della maggior parte delle grandi città.

Lieber Leser

Die 23. Ausgabe des MICHELIN-Hotelführers España Portugal bietet Ihnen eine aktualisierte Auswahl an Hotels und Restaurants.

Von unseren unabhängigen Hotelinspektoren ausgearbeitet, bietet der Hotelführer dem Reisenden eine große Auswahl an Hotels und Restaurants in jeder Kategorie sowohl was den Preis als auch den Komfort anbelangt.

Stets bemüht, unseren Lesern die neueste Information anzubieten, wurde diese Ausgabe mit größter Sorgfalt erstellt.

Deshalb sollten Sie immer nur dem aktuellen Hotelführer Ihr Vertrauen schenken.

Ihre Kommentare sind uns immer willkommen.

MICHELIN wünscht Ihnen "Gute Reise !"

Inhaltsverzeichnis

S. 45 bis 52 Zum Gebrauch dieses Führers

62 Weine

S. 65 bis 73 Karte : Stern-Restaurants, sorgfältig
S. 504 und zubereitete, preiswerte Mahlzeiten und
505 angenehmen, abgelegenen, besonders ruhigen Hotels und Restaurants

63 SPANIEN :

74 Lexikon

89 Alphabetisches Ortsverzeichnis

503 PORTUGAL :

507 Lexikon

521 Alphabetisches Ortsverzeichnis

Einige Tips für Ihre Reifen
(Blau umrandete Seiten)

618 Entfernungen

620 Atlas : Hauptverkehrsstraßen, Paradores und Pousadas

629 Michelin-Karten und -Führer

Wahl
eines Hotels, eines Restaurants

Die Auswahl der in diesem Führer aufgeführten Hotels und Restaurants ist für Durchreisende gedacht. In jeder Kategorie drückt die Reihenfolge der Betriebe (sie sind nach ihrem Komfort klassifiziert) eine weitere Rangordnung aus.

KATEGORIEN

	Großer Luxus und Tradition	XXXXX
	Großer Komfort	XXXX
	Sehr komfortabel	XXX
	Mit gutem Komfort	XX
	Mit ausreichendem Komfort	X
	Bürgerlich	
sin rest	Hotel ohne Restaurant	sem rest
con hab	Restaurant vermietet auch Zimmer	com qto

ANNEHMLICHKEITEN

Manche Häuser sind im Führer durch rote Symbole gekennzeichnet (s. unten.) Der Aufenthalt in diesen Hotels ist wegen der schönen, ruhigen Lage, der nicht alltäglichen Einrichtung und Atmosphäre und dem gebotenen Service besonders angenehm und erholsam.

bis	Angenehme Hotels
XXXXX bis X	Angenehme Restaurants
« Parque »	Besondere Annehmlichkeit
	Sehr ruhiges, oder abgelegenes und ruhiges Hotel
	Ruhiges Hotel
mar	Reizvolle Aussicht
	Interessante oder weite Sicht

Die Übersichtskarten S. 65 – S. 73, 504 und 505, auf dener
Orte mit besonders angenehmen oder sehr ruhig
eingezeichnet sind, helfen Ihnen bei der Reisevo
len Sie uns bitte nach der Reise Ihre Erfahrungen u
mit. Sie helfen uns damit, den Führer weiter zu ve

Einrichtung

Die meisten der empfohlenen Hotels verfügen über Zimmer, die alle oder doch zum größten Teil mit Bad oder Dusche ausgestattet sind. In den Häusern der Kategorien 🏨, 🏠 und 🏝 kann diese jedoch in einigen Zimmern fehlen.

30 hab **30 qto**	Anzahl der Zimmer
🛗	Fahrstuhl
▤	Klimaanlage
TV	Fernsehen im Zimmer
☎	Zimmertelefon mit direkter Außenverbindung
♿	Für Körperbehinderte leicht zugängliche Zimmer
⛱	Garten-, Terrassenrestaurant
🚲	Fitneßraum
🏊 🏊	Freibad – Hallenbad
⛱ 🛏	Strandbad – Liegewiese, Garten
🎾 ⛳18	Tennisplatz – Golfplatz und Lochzahl
🧑‍🏫 25/150	Konferenzräume : Mindest- und Höchstkapazität
🚗	Hotelgarage (wird gewöhnlich berechnet)
🅿	Parkplatz reserviert für Gäste
🐕	Hunde sind unerwünscht (im ganzen Haus bzw. in den Zimmern oder im Restaurant)
Fax	Telefonische Dokumentenübermittlung
mayo- *octubre*	Öffnungszeit, vom Hotelier mitgeteilt
temp.	Unbestimmte Öffnungszeit eines Saisonhotels. Fettgedruckte Häuser ohne Angabe von Schließungszeiten sind ganzjährig geöffnet.
✉ 28 012 ✉ 1 200	Postleitzahl

Küche

DIE STERNE

Einige Häuser verdienen wegen ihrer überdurchschnittlich guten Küche Ihre besondere Beachtung. Auf diese Häuser weisen die Sterne hin.

Bei den mit « **Stern** » ausgezeichneten Betrieben nennen wir drei kulinarische Spezialitäten, die Sie probieren sollten.

✿✿✿ **Eine der besten Küchen : eine Reise wert**

Ein denkwürdiges Essen, edle Weine, tadelloser Service, gepflegte Atmosphäre... entsprechende Preise.

✿✿ **Eine hervorragende Küche : verdient einen Umweg**

Ausgesuchte Menus und Weine... angemessene Preise.

✿ **Eine sehr gute Küche : verdient Ihre besondere Beachtung**

Der Stern bedeutet eine angenehme Unterbrechung Ihrer Reise. Vergleichen Sie aber bitte nicht den Stern eines sehr teuren Luxusrestaurants mit dem Stern eines kleineren oder mittleren Hauses, wo man Ihnen zu einem annehmbaren Preis eine ebenfalls vorzügliche Mahlzeit reicht.

SORGFÄLTIG ZUBEREITETE, PREISWERTE MAHLZEITEN

Für Sie wird es interessant sein, auch solche Häuser kennenzulernen, die eine sehr gute, vorzugsweise regionale Küche zu einem besonders günstigen Preis/Leistungs-Verhältnis bieten. Im Text sind die betreffenden Restaurants durch das Wort **Comida** (Spanien) **Refeição** (Portugal) vor dem Menupreis kenntlich gemacht, z. B. **Comida** 2800/3500, **Refeição** 2200/3000.

Siehe Karten der Orte mit « Stern », **Comida** *oder* **Refeição** *S. 65 bis S. 73, 504 und 505.*

Weine : siehe S. 62

Preise

Die in diesem Führer genannten Preise wurden uns im Herbst 1994 angegeben. Sie können sich mit den Preisen von Waren und Dienstleistungen ändern. Sie enthalten das Bedienungsgeld ; in Spanien, die MWSt. (I.V.A.) wird der Rechnung hinzugefügt (7 %), mit Ausnahme von Andorra (keine MWSt), Kanarische Inseln (4 % inkl.), Ceuta und Melilla (4 %). In Portugal sind die angegebenen Preise Inklusivpreise (MWSt 5 oder 17 %).

In einigen Städten werden bei kommerziellen oder touristischen Veranstaltungen von den Hotels beträchtlich erhöhte Preise verlangt.

Die Namen der Hotels und Restaurants, die ihre Preise genannt haben, sind fettgedruckt. Gleichzeitig haben sich diese Häuser verpflichtet, die von den Hoteliers selbst angegebenen Preise den Benutzern des Michelin-Führers zu berechnen.

Halten Sie beim Betreten des Hotels den Führer in der Hand. Sie zeigen damit, daß Sie aufgrund dieser Empfehlung gekommen sind.

Die Preise sind in Pesetas oder Escudos angegeben.

MAHLZEITEN

Comida 2 000 **Refeição** 1 800	**Feste Menupreise** : Preis für ein Menu, das zu den normalen Tischzeiten serviert wird
Carta 2 450 a 3 800 Lista 1 800 a 2 550	**Mahlzeiten « à la carte »** – Der erste Preis entspricht einer einfachen Mahlzeit und umfaßt Vorspeise, Tagesgericht mit Beilage, Dessert. Der zweite Preis entspricht einer reichlicheren Mahlzeit (mit Spezialgericht) bestehend aus zwei Hauptgängen und Dessert
☕ 325	Preis des Frühstücks

ZIMMER

hab 4 500/6 700	Preis für ein Einzelzimmer / Preis für ein Doppelzimmer während der Hauptsaison
hab ☕ 4 800/7 000 **qto** ☕ 4 400/6 300	Zimmerpreis inkl. Frühstück

PENSION

PA 3 600	Preis der « Pensión Alimenticia » (= Frühstück und zwei Hauptmahlzeiten). Die Addition des Einzelzimmerpreises und des Preises der « Pensión Alimenticia » ergibt den Vollpensionspreis pro Person und Tag. Es ist unerläßlich, sich im voraus mit dem Hotelier über den definitiven Endpreis zu verständigen.

ANZAHLUNG - KREDITKARTEN

Einige Hoteliers verlangen eine Anzahlung. Diese ist als Garantie sowohl für den Hotelier als auch für den Gast anzusehen. Es ist ratsam, sich beim Hotelier nach den genauen Bestimmungen zu erkundigen.

AE ⓓ E VISA JCB | Vom Haus akzeptierte Kreditkarten

Sehenswürdigkeiten

BEWERTUNG

★★★	Eine Reise wert
★★	Verdient einen Umweg
★	Sehenswert

LAGE

Ver	In der Stadt
Alred. Arred.	In der Umgebung der Stadt
Excurs.	Ausflugsziele
N, S, E, O	Im Norden (N), Süden (S), Osten (E), Westen (O) der Stadt
①, ④	Zu erreichen über die Ausfallstraße ① bzw. ④, die auf dem Stadtplan und auf der Michelin-Karte identisch gekennzeichnet sind
6 km	Entfernung in Kilometern

Städte

2200	Postleitzahl
✉ 7800 Beja	Postleitzahl und Name des Verteilerpostamtes
☏ 918	Vorwahlnummer (bei Gesprächen vom Ausland aus wird für Spanien die 9, für Portugal die 0 weggelassen)
P	Provinzhauptstadt
445 M 27	Nummer der Michelin-Karte und Koordinaten des Planquadrats
24 000 h.	Einwohnerzahl
alt. 175	Höhe
3	Anzahl der Kabinenbahnen
7	Anzahl der Schlepp- oder Sessellifts
AX A	Markierung auf dem Stadtplan
18	Golfplatz und Lochzahl
	Rundblick – Aussichtspunkt
	Flughafen
22 98 36	Ladestelle für Autoreisezüge – Nähere Auskunft unter der angegebenen Telefonnummer
	Autofähre
	Informationsstelle

Stadtpläne

Hotels

Restaurants

Sehenswürdigkeiten

Sehenswertes Gebäude mit Haupteingang

Sehenswerter Sakralbau
Kathedrale, Kirche oder Kapelle

Straßen

Autobahn, Schnellstraße
Anschlußstelle : Autobahneinfahrt und/oder -ausfahrt, Nummer

Hauptverkehrsstraße

Einbahnstraße – Gesperrte Straße, mit Verkehrsbeschränkungen

Fußgängerzone – Straßenbahn

Colón — Einkaufsstraße – Parkplatz

Tor – Passage – Tunnel

Bahnhof und Bahnlinie

Standseilbahn – Seilschwebebahn

Bewegliche Brücke – Autofähre

Sonstige Zeichen

Informationsstelle

Moschee – Synagoge

Turm – Ruine – Windmühle – Wasserturm

Garten, Park, Wäldchen – Friedhof – Bildstock

Stadion – Golfplatz – Pferderennbahn

Freibad – Hallenbad

Aussicht – Rundblick

Denkmal – Brunnen – Fabrik – Einkaufszentrum

Jachthafen – Leuchtturm

Flughafen – U-Bahnstation – Autobusbahnhof

Schiffsverbindungen :
Autofähre – Personenfähre

Straßenkennzeichnung (identisch auf Michelin Stadtplänen und -Abschnittskarten)

Hauptpostamt (postlagernde Sendungen), Telefon

Krankenhaus – Markthalle

Öffentliches Gebäude, durch einen Buchstaben gekennzeichnet :

D H G — Sitz der Landesregierung – Rathaus – Präfektur

J — Gerichtsgebäude

M T — Museum – Theater

U — Universität, Hochschule

POL. — Polizei (in größeren Städten Polizeipräsidium)

Die Stadtpläne sind eingenordet (Norden = oben).

Das Auto, die Reifen

PANNENHILFE
LIEFERANTEN VON MICHELIN-REIFEN

In Spanien gibt es einen 24 Stunden Pannenhilfsdienst. Die Telefonnummern, der wichtigsten Automarken die Ihnen durch ihre eigenen Werkstätten Abschleppdienst und Reparaturen bieten, sind unten angegeben :

ALFA ROMEO	900.10.10.06	MERCEDES BENZ	91/431.95.99
BMW	900.10.04.82	NISSAN MOTOR	
CITROEN	91/519.13.14	IBERICA	900.20.00.94
FIAT	91/519.10.22	PEUGEOT-TALBOT	900.44.24.24
LANCIA	91/519.11.13	RENAULT	91/556.39.99
FORD	900.14.51.45	SEAT	900.11.22.22
OPEL	900.14.21.42	VOLVO	91/555.81.00
GENERAL MOTORS	91/597.21.25		

Sollte ein Reifenhändler den von lhnen benötigten Artikel nicht vorrätig haben, wenden Sie sich bitte in **Spanien** an die Michelin-Hauptverwaltung in Madrid, oder an eine der Michelin-Niederlassungen in den Städten : Montcada i Reixac (Barcelona), Lasarte (Guipúzcoa), Coslada (Madrid), Santiago de Compostela (La Coruña), Sevilla, Valencia, Burgos. In **Portugal** können Sie sich an die Michelin-Hauptverwaltung in Sacavém (Lissabon).

Die Anschriften und Telefonnummern der Michelin-Niederlassungen sind jeweils bei den entsprechenden Orten vermerkt.

In unseren Depots geben wir unseren Kunden gerne Auskunft über alle Reifenfragen.

Siehe auch die blau umrandeten Seiten.

AUTOMOBIL-CLUBS

RACE	Real Automóvil Club de España
RACC	Real Automóvil Club de Cataluña
RACVN	Real Automóvil Club Vasco Navarro
RACV	Real Automóvil Club de Valencia
ACP	Automóvel Clube de Portugal

Im Ortstext der meisten großen Städte sind Adresse und Telefonnummer der einzelnen Automobil-Clubs angegeben.

Dear Reader

This 23rd edition of the Michelin Guide to España Portugal offers the latest selection of hotels and restaurants.

Independently compiled by our inspectors, the Guide provides travellers with a wide choice of establishments at all levels of comfort and price.

We are committed to providing readers with the most up to date information and this edition has been produced with the greatest care.

That is why only this year's guide merits your complete confidence.

Thank you for your comments, which are always appreciated.

Bon voyage !

Contents

55 to 61 How to use this guide

62 Wines

65 to 73, 504 and 505 Map of star-rated restaurants, good food at moderate prices and pleasant, secluded and very quiet hotels and restaurants

63 SPAIN:

74 Lexicon

89 Towns

503 PORTUGAL:

507 Lexicon

521 Towns

Useful tips for your tyres
(Pages bordered in blue)

618 Distances

620 Atlas: main roads and Paradores and Pousadas

629 Michelin maps and guides

Choosing
a hotel or restaurant

This guide offers a selection of hotels and restaurants to help the motorist on his travels. In each category establishments are listed in order of preference according to the degree of comfort they offer.

CATEGORIES

🏨🏨🏨🏨🏨	Luxury in the traditional style	XXXXX
🏨🏨🏨🏨	Top class comfort	XXXX
🏨🏨🏨	Very comfortable	XXX
🏨🏨	Comfortable	XX
🏨	Quite comfortable	X
⛱	Simple comfort	
sin rest	The hotel has no restaurant	sem rest
con hab	The restaurant also offers accommodation	com qto

PEACEFUL ATMOSPHERE AND SETTING

Certain establishments are distinguished in the guide by the red symbols shown below.
Your stay in such hotels will be particularly pleasant or restful, owing to the character of the building, its decor, the setting, the welcome and services offered, or simply the peace and quiet to be enjoyed there.

🏨🏨🏨🏨🏨 to 🏨	Pleasant hotels
XXXXX to X	Pleasant restaurants
« Parque »	Particularly attractive feature
🐦	Very quiet or quiet, secluded hotel
🐦	Quiet hotel
≤ mar	Exceptional view
≤	Interesting or extensive view

The maps on pages 65 to 73, 504 and 505 indicate places with such peaceful, pleasant hotels and restaurants.
By consulting them before setting out and sending us your comments on your return you can help us with our enquiries.

Hotel facilities

In general the hotels we recommend have full bathroom and toilet facilities in each room. However, this may not be the case for certain rooms in categories , and .

30 hab **30 qto**	Number of rooms
	Lift (elevator)
	Air conditioning
TV	Television in room
	Direct-dial phone in room
	Rooms accessible to disabled people
	Meals served in garden or on terrace
	Exercise room
	Outdoor or indoor swimming pool
	Beach with bathing facilities - Garden
18	Tennis court - Golf course and number of holes
25/150	Equipped conference hall (minimum and maximum capacity)
	Hotel garage (additional charge in most cases)
P	Car park for customers only
	Dogs are not allowed in all or part of the hotel
Fax	Telephone document transmission
mayo-octubre	Dates when open, as indicated by the hotelier
temp.	Probably open for the season - precise dates not available. Where no date or season is shown, establishments are open all year round.
28 012 1 200	Postal number

Cuisine

STARS

Certain establishments deserve to be brought to your attention for the particularly fine quality of their cooking. **Michelin stars** are awarded for the standard of meals served.

For each of these restaurants we indicate three culinary specialities to assist you in your choice.

✿✿✿	**Exceptional cuisine, worth a special journey** Superb food, fine wines, faultless service, elegant surroundings. One will pay accordingly!
✿✿	**Excellent cooking, worth a detour** Specialities and wines of first class quality. This will be reflected in the price.
✿	**A very good restaurant in its category** The star indicates a good place to stop on your journey. But beware of comparing the star given to an expensive « de luxe » establishment to that of a simple restaurant where you can appreciate fine cuisine at a reasonable price.

GOOD FOOD AT MODERATE PRICES

You may also like to know of other restaurants with less elaborate, moderately priced menus that offer good value for money and serve carefully prepared meals, often of regional cooking.
In the guide such establishments bear **Comida** (Spain) or **Refeição** (Portugal) just before the price of the menu, for example **Comida** 2800/3500, **Refeição** 2200/3000.

Please refer to the map of star-rated restaurants and good food at moderate prices **Comida** *or* **Refeição**, *on pp 65 to 73, 504 and 505.*

Wines : see page 62

Prices

Prices quoted are valid for autumn 1994. Changes may arise if goods and service costs are revised. The rates include service charge. In Spain the V.A.T. (I.V.A.) will be added to the bill (7 %), except in Andorra (no V.A.T.), Canary Islands (4 % incl.), Ceuta and Melilla (4 %). In Portugal, the V.A.T. (5 or 17 %) is already included.
In some towns, when commercial or tourist events are taking place, the hotel rates are likely to be considerably higher.
Hotels and restaurants in bold type have supplied details of all their rates and have assumed responsability for maintaining them for all travellers in possession of this guide.
Your recommendation is self-evident if you always walk into a hotel, Guide in hand.
Prices are given in pesetas or in escudos.

MEALS

Comida 2 000 **Refeição** 1 800	**Set meals** – Price for set meal served at normal hours
Carta 2 450 a 3 800 Lista 1 800 a 2 550	**« A la carte » meals** – The first figure is for a plain meal and includes hors-d'œuvre, main dish of the day with vegetables and dessert The second figure is for a fuller meal (with speciality) and includes two main courses and dessert
☕ 325	Price of continental breakfast

ROOMS

hab 4 500/6 700	Price for a single room / price for a double in the season
hab ☕ 4 800/7 000 **qto** ☕ 4 400/6 300	Price includes breakfast

FULL-BOARD

PA 3 600	Price of the « Pensión Alimenticia » (breakfast, lunch and dinner). Add the charge for the « Pensión Alimenticia » to the room rate to give you the price for full board per person and per day. To avoid any risk of confusion it is essential to make a firm arrangement in advance with the hotel.

DEPOSITS – CREDIT CARDS

Some hotels will require a deposit, which confirms the commitment of customer and hotelier alike. Make sure the terms of the agreement are clear.

AE ⓓ E VISA JCB | Credit cards accepted by the establishment

Sights

STAR-RATING

★★★	Worth a journey
★★	Worth a detour
★	Interesting

LOCATION

Ver	Sights in town
Alred. **Arred.**	On the outskirts
Excurs.	In the surrounding area
N, S, E, O	The sight lies north, south, east or west of the town
①, ④	Sign on town plan and on the Michelin road map indicating the road leading to a place of interest
6 km	Distance in kilometres

Towns

2200	Postal number
✉ 7800 Beja	Postal number and name of the post office serving the town
☎ 918	Telephone dialling code (when dialling from outside Spain omit the 9, from outside Portugal omit the first 0)
P	Provincial capital
445 M 27	Michelin map number and co-ordinates
24 000 h.	Population
alt. 175	Altitude (in metres)
3	Number of cable-cars
7	Number of ski and chair-lifts
AX A	Letters giving the location of a place on the town plan
18	Golf course and number of holes
※ ≤	Panoramic view, viewpoint
✈	Airport
☎ 22 98 36	Place with a motorail connection; further information from telephone number listed
	Shipping line
ℹ	Tourist Information Centre

Town plans

Hotels

Restaurants

Sights

Place of interest and its main entrance

Interesting place of worship:
Cathedral, church or chapel

Roads

Motorway, dual carriageway
Junction complete, limited, number

Major through route

One-way street – Unsuitable for traffic, street subject to restrictions

Pedestrian street – Tramway

Colón — Shopping street – Car park

Gateway – Street passing under arch – Tunnel

Station and railway

Funicular – Cable-car

Lever bridge – Car ferry

Various signs

Tourist Information Centre

Mosque – Synagogue

Tower – Ruins – Windmill – Water tower

Garden, park, wood – Cemetery – Cross

Stadium – Golf course – Racecourse

Outdoor or indoor swimming pool

View – Panorama

Monument – Fountain – Factory – Shopping centre

Pleasure boat harbour – Lighthouse

Airport – Underground station – Coach station

Ferry services:
passengers and cars, passengers only

③ Reference number common to town plans and Michelin maps

Main post office with poste restante and telephone

Hospital – Covered market

Public buildings located by letter:

D H G	Provincial Government Office – Town Hall – Prefecture
J	Law Courts
M T	Museum – Theatre
U	University, College
POL	Police (in large towns police headquarters)

North is at the top on all town plans.

Car, tyres

BREAKDOWN ASSISTANCE, MICHELIN TYRE SUPPLIERS

We have indicated below the telephone numbers of the 24 h rescue services for the main makes of car who are able to provide a repair service, in Spain, on their own premises :

ALFA ROMEO	900.10.10.06
BMW	900.10.04.82
CITROEN	91/519.13.14
FIAT	91/519.16.16
LANCIA	91/519.10.22
FORD	900.14.51.45
OPEL	900.14.21.42
GENERAL MOTORS	91/597.21.25
MERCEDES BENZ	91/431.95.96
NISSAN MOTOR IBERICA	900.20.00.94
PEUGEOT-TALBOT	900.44.24.24
RENAULT	91/556.39.99
SEAT	900.11.22.22
VOLVO	91/555.81.00

When a tyre dealer is unable to supply your needs, get in touch : in **Spain** with the Michelin Head Office in Madrid or with the Michelin Branch in one of the following towns : Montcada i Reixac (Barcelona), Lasarte (Guipúzcoa), Coslada (Madrid), Santiago de Compostela (La Coruña), Sevilla, Valencia, Burgos. In **Portugal** with the Michelin Head Office in Sacavém (Lisbon).

Addresses and phone numbers of Michelin Agencies are listed in the text of the towns concerned.

The staff at our depots will be pleased to give advice on the best way to look after your tyres.

See also the pages bordered in blue

MOTORING ORGANISATIONS

RACE	Real Automóvil Club de España
RACC	Real Automóvil Club de Cataluña
RACVN	Real Automóvil Club Vasco Navarro
RACV	Real Automóvil Club de Valencia
ACP	Automóvel Clube de Portugal

The address and telephone number of the various motoring organisations are given in the text concerning most of the large towns.

LOS VINOS - OS VINHOS - LES VINS
I VINI - WEINE - WINES

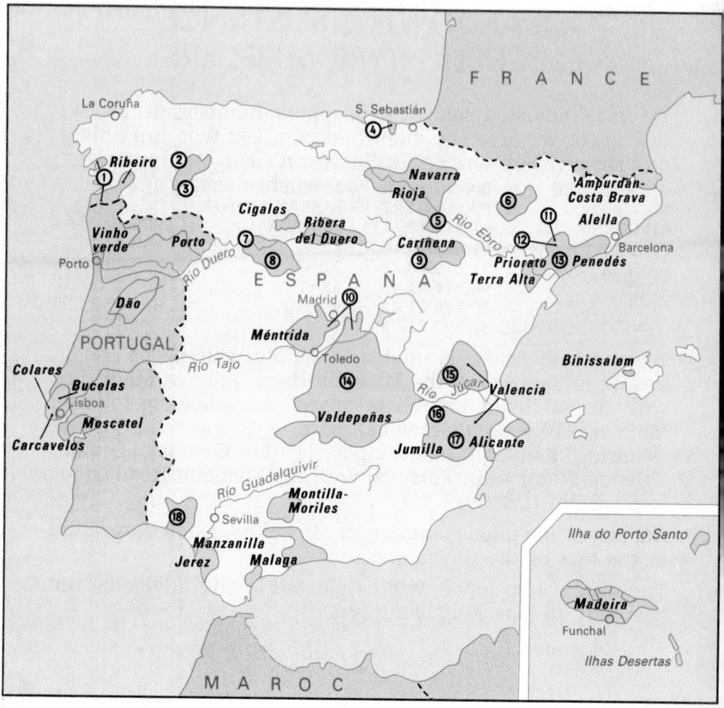

① Rías Baixas
② Bierzo
③ Valdeorras
④ Chacoli de Guetaria
⑤ Campo de Borja
⑥ Somontano
⑦ Toro
⑧ Rueda
⑨ Calatayud
⑩ Vinos de Madrid
⑪ Costers del Segre
⑫ Conca de Barbera
⑬ Tarragona
⑭ La Mancha
⑮ Utiel-Requena
⑯ Almansa
⑰ Yecla
⑱ Condado de Huelv

España

MICHELIN

LAS ESTRELLAS AS ESTRELAS
LES ÉTOILES LE STELLE
DIE STERNE THE STARS

Comida (C)

BUENAS COMIDAS A PRECIOS MODERADOS
REFEIÇÕES CUIDADAS A PREÇOS MODERADOS
REPAS SOIGNÉS A PRIX MODÉRÉS
PASTI ACCURATI A PREZZI CONTENUTI
SORGFÄLTIG ZUBEREITETE, PREISWERTE MAHLZEITEN
GOOD FOOD AT MODERATE PRICES

ATRACTIVO Y TRANQUILIDAD
ATRACTIVOS
L'AGRÉMENT
AMENITÀ E TRANQUILLITÀ
ANNEHMLICHKEIT
PEACEFUL ATMOSPHERE AND SETTING

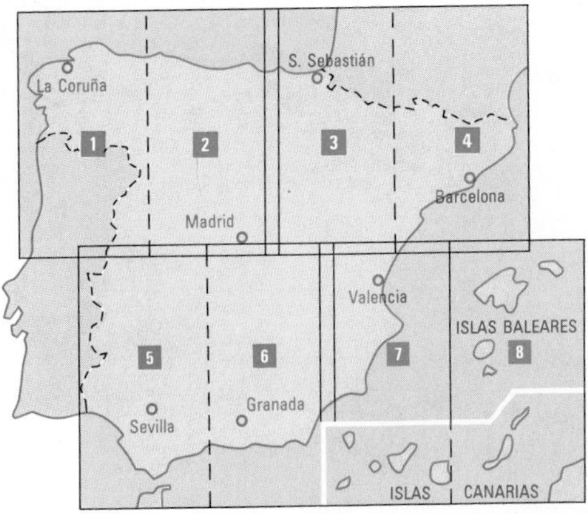

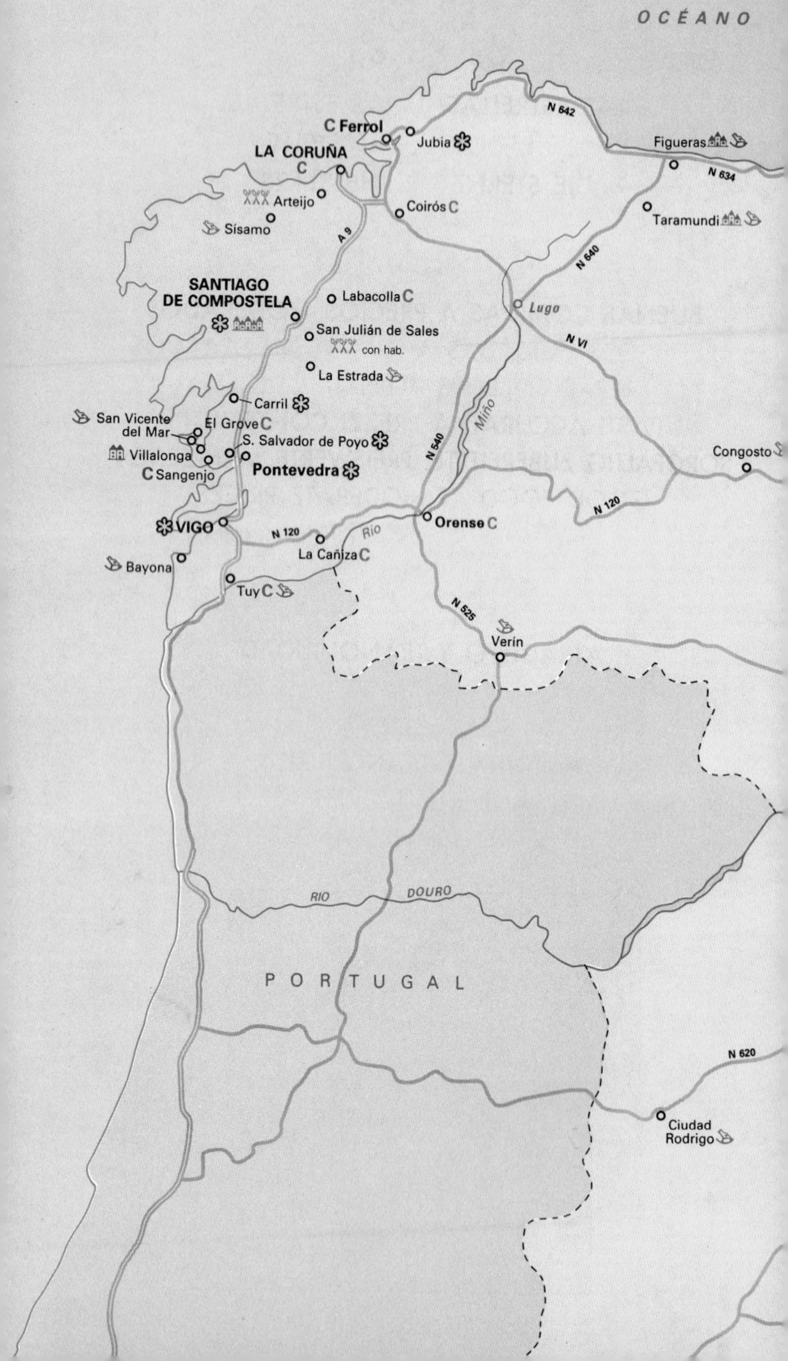
OCÉANO
N 642
C Ferrol
Jubia
Figueras
LA CORUÑA
C
N 634
Arteijo
Coirós C
Sísamo
Taramundi
A 9
N 640
SANTIAGO
DE COMPOSTELA
Labacolla C
Lugo
San Julián de Sales
con hab.
N VI
La Estrada
Carril
Miño
San Vicente
del Mar
El Grove C
S. Salvador de Poyo
N 540
Congosto
Villalonga
C Sangenjo
Pontevedra
N 120
VIGO
Orense C
N 120
Río
La Cañiza C
Bayona
Tuy C
N 525
Verín
RIO
DOURO
PORTUGAL
N 620
Ciudad
Rodrigo

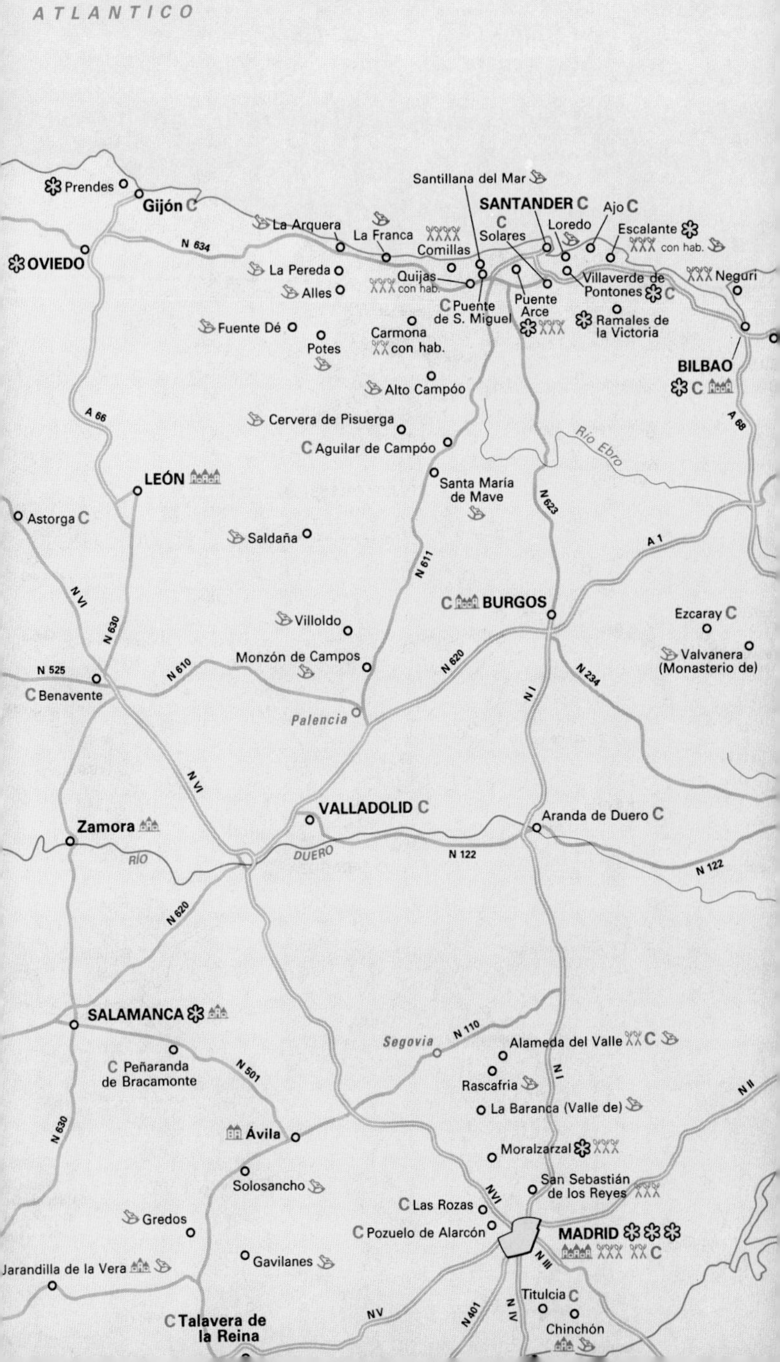
ATLANTICO
Prendes
Gijón C
OVIEDO
La Arquera
La Franca
Comillas
Santillana del Mar
SANTANDER C
C Solares
Loredo
Ajo C
Escalante
con hab.
Neguri
La Pereda
Alles
Quijas
con hab.
C Puente de S. Miguel
Puente Arce
Villaverde de Pontones C
Ramales de la Victoria
Fuente Dé
Potes
Carmona
con hab.
BILBAO
C
Alto Campóo
Cervera de Pisuerga
C Aguilar de Campóo
Río Ebro
A 66
A 68
N 634
LEÓN
Santa María de Mave
N 623
Astorga C
Saldaña
A 1
N 611
N VI
C BURGOS
Ezcaray C
Villoldo
Valvanera (Monasterio de)
N 630
N 525
N 610
Monzón de Campos
N 620
N 234
C Benavente
N I
Palencia
N VI
VALLADOLID C
Aranda de Duero C
Zamora
RÍO
DUERO
N 122
N 122
N 620
SALAMANCA
Segovia
N 110
Alameda del Valle C
C Peñaranda de Bracamonte
N 501
Rascafria
N I
N II
La Baranca (Valle de)
N 630
Ávila
Moralzarzal
Solosancho
San Sebastián de los Reyes
N VI
C Las Rozas
Gredos
C Pozuelo de Alarcón
MADRID
C
Gavilanes
N III
Jarandilla de la Vera
Titulcia C
N V
N 401
N IV
C Talavera de la Reina
Chinchón

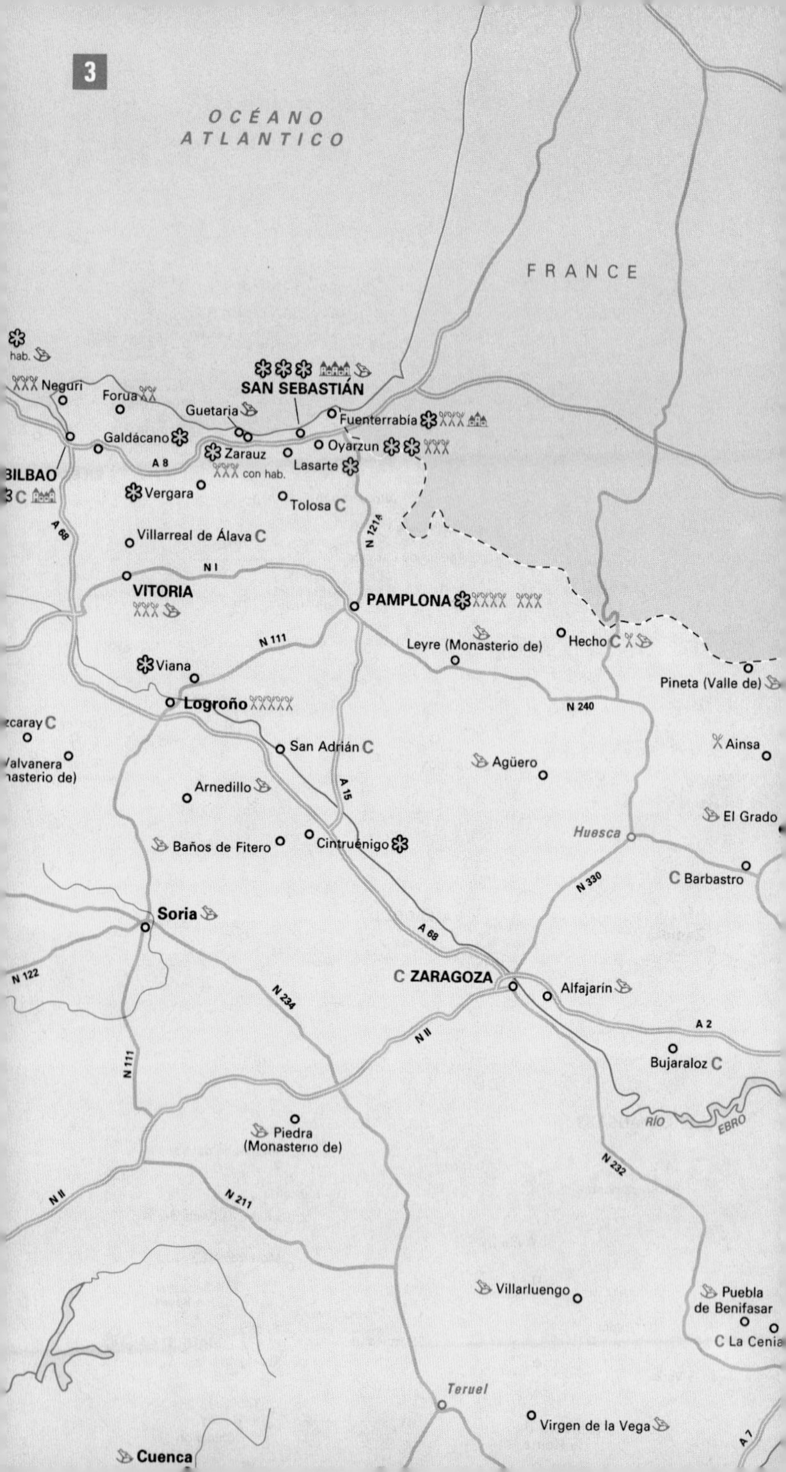

3
OCÉANO ATLANTICO
FRANCE
hab.
Neguri
Forua
SAN SEBASTIÁN
Guetaria
Fuenterrabía
Galdácano
Oyarzun
Zarauz
Lasarte
A 8
con hab.
BILBAO
C
Vergara
Tolosa C
A 68
N 1214
Villarreal de Álava C
N I
VITORIA
PAMPLONA
Leyre (Monasterio de)
Hecho C
N 111
Viana
Logroño
Pineta (Valle de)
N 240
zcaray C
San Adrián C
Ainsa
Valvanera
nasterio de)
Agüero
Arnedillo
A 15
El Grado
Huesca
Baños de Fitero
Cintruénigo
N 330
C Barbastro
Soria
A 68
C ZARAGOZA
N 122
Alfajarín
N 234
A 2
N II
Bujaraloz C
N 111
RÍO EBRO
Piedra
(Monasterio de)
N 232
N II
N 211
Villarluengo
Puebla
de Benifasar
C La Cenia
Teruel
Virgen de la Vega
A 7
Cuenca

Maranges con hab.
Llivia
Bolvir
La Molina
El Baell
Castellar de Nuch
C 151
A 7
Pont de Molins
Rosas
Puerto de la Selva C
Cala Montjoi
Figueras
con hab.
C Olot
C Esponellà
Sta. Pau
Nª Sª de la Salut
Olost
C 1411
N 152
C Gerona
Pals con hab.
Bagur
Aigua Blava
Vich
Torrent
Santa Coloma de Farnés
Seva
Castillo de Aro
C Riudarenas
Playa de Aro con hab.
S'Agaro
Manresa
Montseny
C Sils
Santa Cristina de Aro
San Feliu de Guíxols
Tossa de Mar
San Celoni
San Pol de Mar
Playa de Fanals
Granollers
Playa de Santa Cristina
A 19
Blanes C
Sabadell
Arenys de Mar

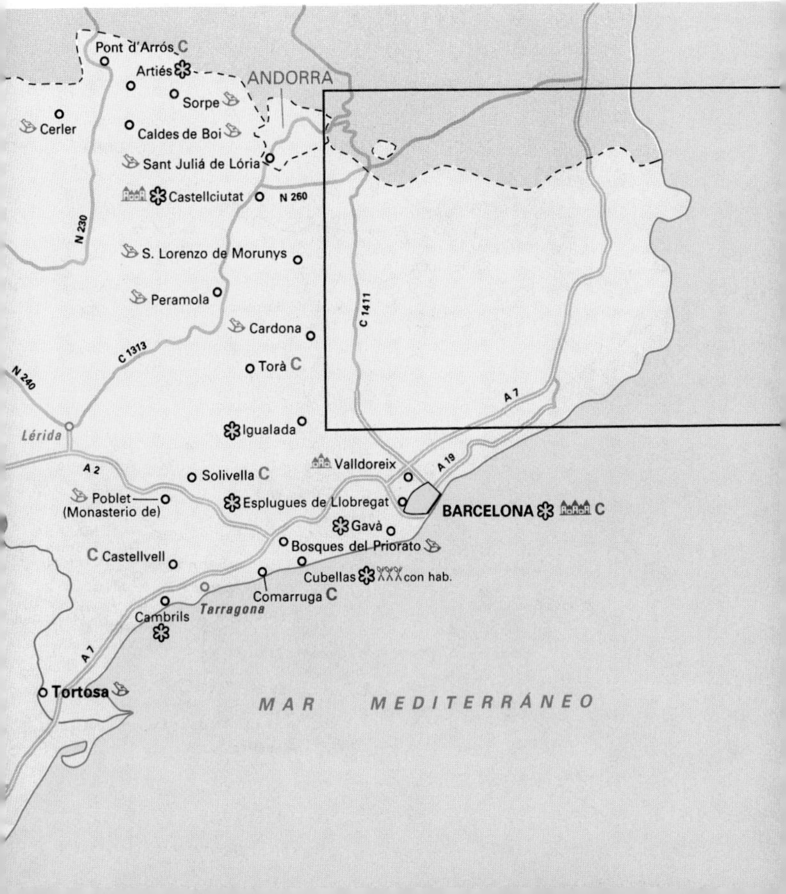
Pont d'Arrós C
Artiés
ANDORRA
Sorpe
Cerler
Caldes de Boi
Sant Juliá de Lória
Castellciutat
N 260
N 230
S. Lorenzo de Morunys
Peramola
C 1411
Cardona
C 1313
N 240
Torà C
A 7
Lérida
Igualada
A 2
Valldoreix
Solivella C
A 19
Poblet (Monasterio de)
Esplugues de Llobregat
BARCELONA C
Gavà
Bosques del Priorato
C Castellvell
Cubellas con hab.
Comarruga C
Tarragona
Cambrils
A 7
Tortosa
MAR MEDITERRÁNEO

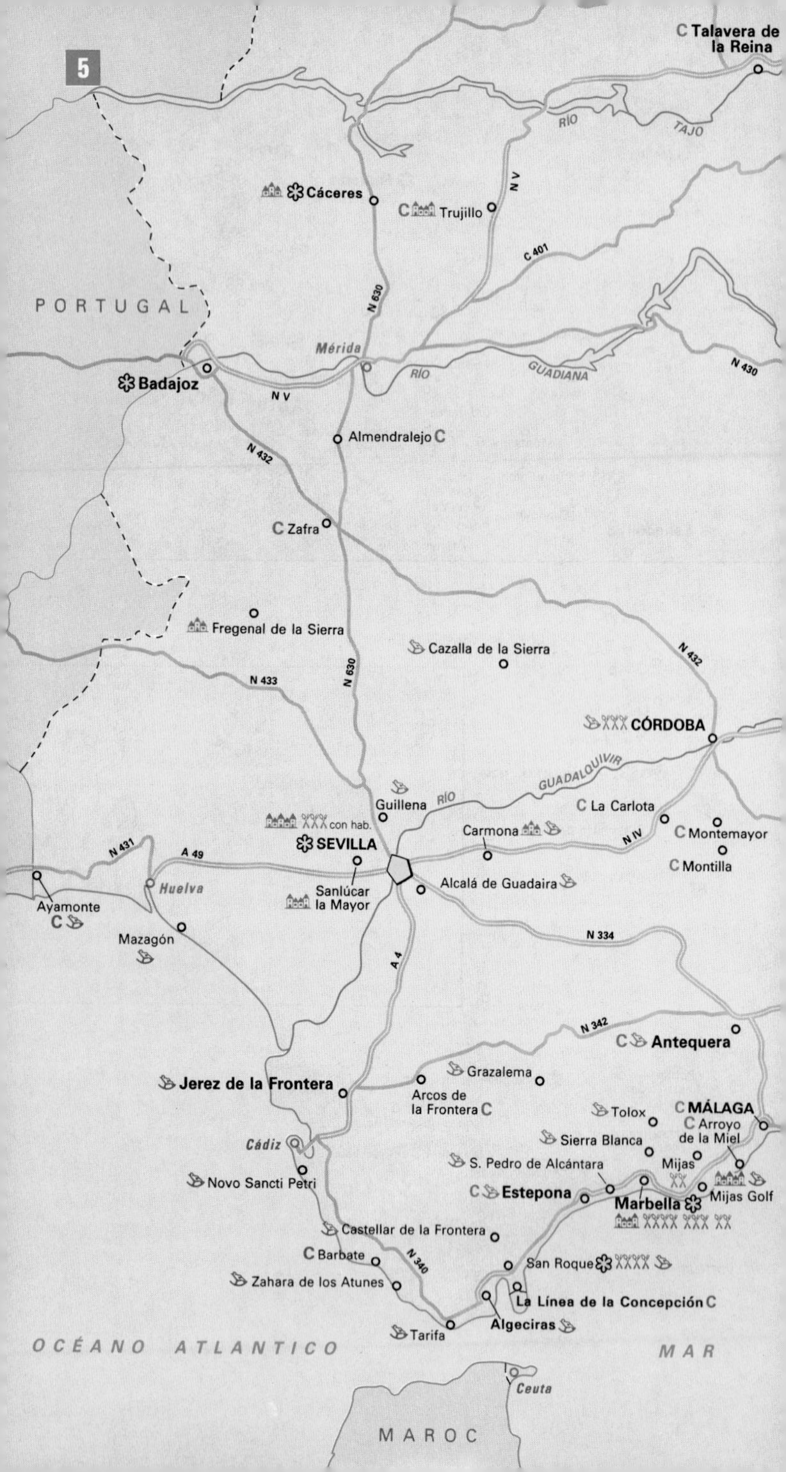
5
C Talavera de la Reina
RÍO TAJO
N V
Cáceres
C Trujillo
C 401
PORTUGAL
Mérida
RÍO GUADIANA
N 430
Badajoz
N V
Almendralejo C
N 432
C Zafra
Fregenal de la Sierra
Cazalla de la Sierra
N 432
N 433
N 630
CÓRDOBA
RÍO GUADALQUIVIR
Guillena
C La Carlota
con hab.
SEVILLA
Carmona
N IV
C Montemayor
C Montilla
N 431
A 49
Ayamonte C
Huelva
Sanlúcar la Mayor
Alcalá de Guadaira
N 334
Mazagón
A 4
N 342
C Antequera
Grazalema
Jerez de la Frontera
Arcos de la Frontera C
Tolox
C MÁLAGA
C Arroyo de la Miel
Cádiz
Sierra Blanca
S. Pedro de Alcántara
Mijas
Novo Sancti Petri
C Estepona
Marbella
Mijas Golf
Castellar de la Frontera
C Barbate
N 340
San Roque
Zahara de los Atunes
La Línea de la Concepción C
Algeciras
Tarifa
OCÉANO ATLANTICO
MAR
Ceuta
MAROC

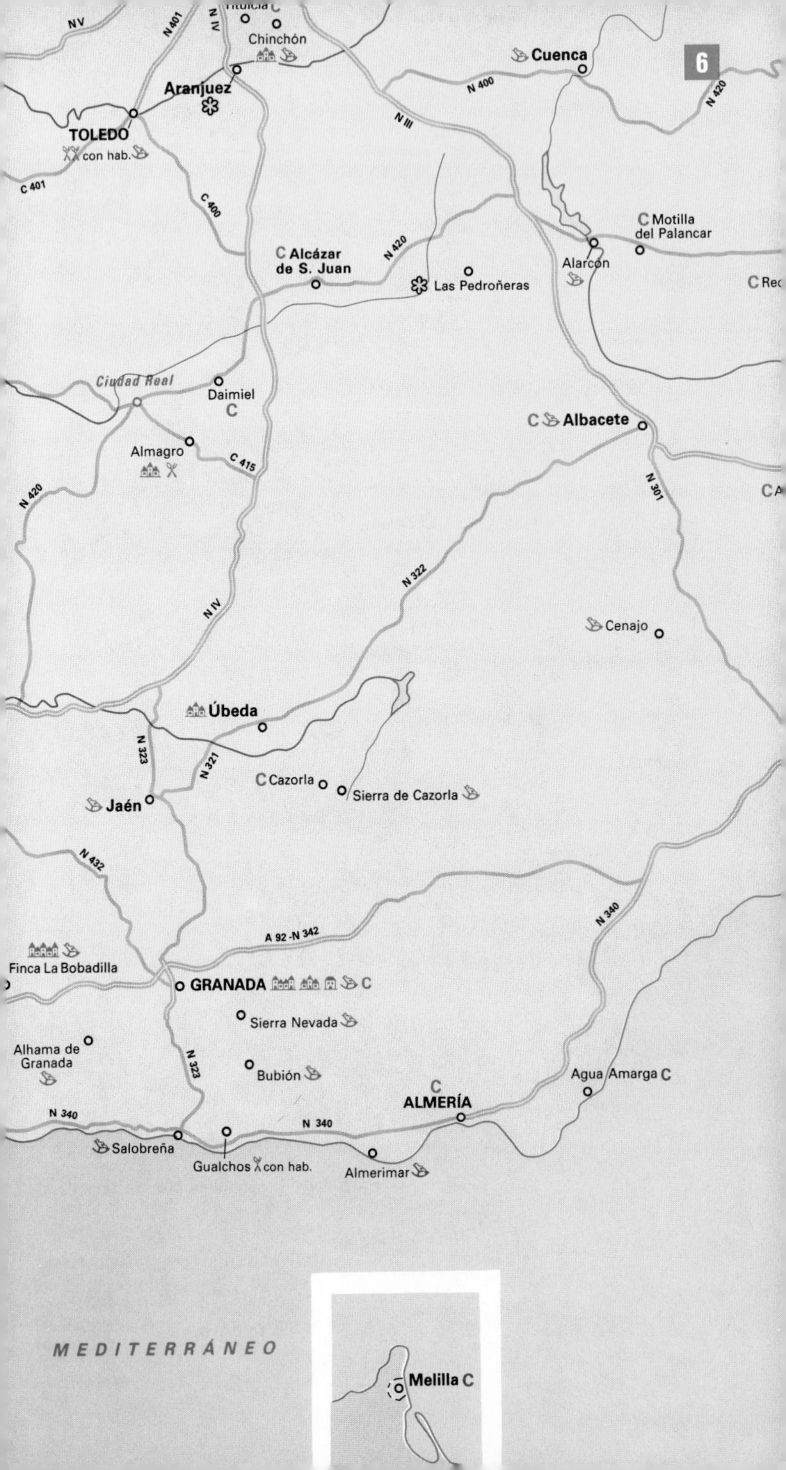
6
N V
N 401
N IV
Chinchón
Cuenca
N 400
N 420
Aranjuez
TOLEDO
con hab.
N III
C 401
C 400
C Alcázar de S. Juan
N 420
Las Pedroñeras
C Motilla del Palancar
Alarcón
Ciudad Real
Daimiel
C
C Albacete
Almagro
C 415
N 420
N 301
N 322
N IV
Cenajo
Úbeda
N 323
N 321
C Cazorla
Sierra de Cazorla
Jaén
N 432
N 340
A 92 -N 342
Finca La Bobadilla
GRANADA C
Sierra Nevada
Alhama de Granada
N 323
Bubión
Agua Amarga C
C
ALMERÍA
N 340
N 340
Salobreña
Gualchos con hab.
Almerimar
MEDITERRÁNEO
Melilla C

7
Virgen de la Vega
N 420
Manzanera
C Alcora
A 7
N 234
Castellón de la Plana C
la
ncar
Puzol
C Requena
N III
VALENCIA C
El Saler
Cofrentes
RÍO JÚCAR
Cullera
N 430
Guardamar
C Almansa
Rugat
A 7
Jávea
N 330
Penáguila
Benisa
Moraira
Monnegre
Altea
Cala Finestrat C
Villajoyosa
Playa de San Juan
Elche
Alicante
Santa Pola
A 7
MURCIA C
MAR
MEDITERRÁNEO
N 301
El Algar
Los Belones
Cartagena

Barlovento
LA PALMA
Santa Cruz de la Palma
TENERIFE
Puerto de la Cruz
Santa Cruz de Tenerife C
C Puerto de Santiago
GOMERA
Las Cañadas del Teide
C
LAS PALMAS
C Arucas
Caldera
de Bandama
San Sebastián
LAS PALMAS
DE GRAN CANARIA
HIERRO
Maspalomas
Las Playas

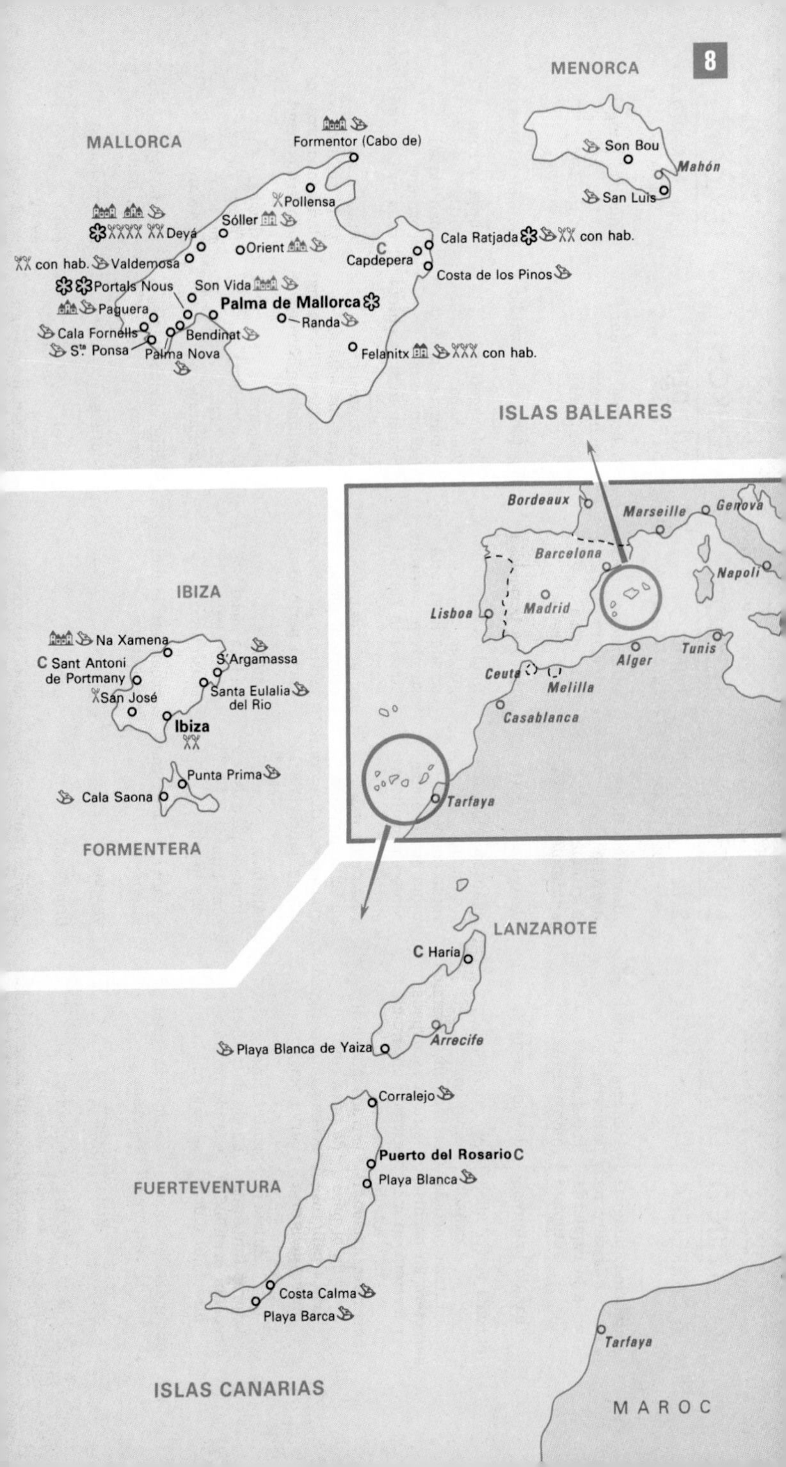
MENORCA
Son Bou
Mahón
San Luis
MALLORCA
Formentor (Cabo de)
Pollensa
Sóller
Deyá
Orient
Cala Ratjada
con hab.
C
Capdepera
con hab.
Valdemosa
Costa de los Pinos
Portals Nous
Son Vida
Palma de Mallorca
Paguera
Randa
Cala Fornells
Bendinat
S.ta Ponsa
Palma Nova
Felanitx
con hab.
ISLAS BALEARES
Bordeaux
Marseille
Genova
Barcelona
Napoli
IBIZA
Lisboa
Madrid
Na Xamena
Tunis
C Sant Antoni de Portmany
S'Argamassa
Alger
Ceuta
Melilla
San José
Santa Eulalia del Rio
Casablanca
Ibiza
Punta Prima
Cala Saona
Tarfaya
FORMENTERA
LANZAROTE
C Haría
Arrecife
Playa Blanca de Yaiza
Corralejo
Puerto del Rosario C
FUERTEVENTURA
Playa Blanca
Costa Calma
Playa Barca
Tarfaya
ISLAS CANARIAS
MAROC

LÉXICO EN LA CARRETERA	LÉXICO NA ESTRADA	LEXIQUE SUR LA ROUTE	LESSICO LUNGO LA STRADA	LEXIKON AUF DER STRASSE	LEXICON ON THE ROAD
¡ atención, peligro !	atenção! perigo !	attention ! danger !	attenzione ! pericolo !	Achtung ! Gefahr !	caution ! danger !
a la derecha	à direita	à droite	a destra	nach rechts	to the right
a la izquierda	à esquerda	à gauche	a sinistra	nach links	to the left
autopista	auto-estrada	autoroute	autostrada	Autobahn	motorway
bajada peligrosa	descida perigosa	descente dangereuse	discesa pericolosa	gefährliches Gefälle	dangerous descent
calzada resbaladiza	piso resvaladiço	chaussée glissante	fondo sdrucciolevole	Rutschgefahr	slippery road
cañada	rebanhos	troupeaux	greggi	Viehherde	cattle
carretera cortada	estrada interrompida	route coupée	strada interrotta	gesperrte Straße	road closed
carretera en cornisa	estrada escarpada	route en corniche	strada panoramica	Höhenstraße	corniche road
carretera en mal estado	estrada em mau estado	route en mauvais état	strada in cattivo stato	Straße in schlechtem Zustand	road in bad condition
carretera nacional	estrada nacional	route nationale	strada statale	Staatsstraße	State road
ceda el paso	dê passagem	cédez le passage	cedete il passo	Vorfahrt achten	yield right of way
cruce peligroso	cruzamento perigoso	croisement dangereux	incrocio pericoloso	gefährliche Kreuzung	dangerous crossing
curva peligrosa	curva perigosa	virage dangereux	curva pericolosa	gefährliche Kurve	dangerous bend
despacio	lentamente	lentement	adagio	langsam	slowly
desprendimientos	queda de pedras	chute de pierres	caduta sassi	Steinschlag	falling rocks
dirección prohibida	sentido proibido	sens interdit	senso vietato	Einfahrt verboten	no entry
dirección única	sentido único	sens unique	senso unico	Einbahnstraße	one way
encender las luces	acender as luzes	allumer les lanternes	accendere le luci	Licht einschalten	put on lights
esperen	esperem	attendez	attendete	warten	wait, halt
hielo	gelo	verglas	ghiaccio	Glatteis	ice (on roads)
niebla	nevoeiro	brouillard	nebbia	Nebel	fog
nieve	neve	neige	neve	Schnee	snow
obras	trabalhos na estrada	travaux (routiers)	lavori in corso	Straßenbauarbeiten	road works

parada obligatoria	paragem obrigatória	arrêt obligatoire	fermata obbligatoria	Halt !	compulsory stop
paso de ganado	passagem de gado	passage de troupeaux	passaggio di mandrie	Viehtrieb	cattle crossing
paso a nivel sin barreras	passagem de nível sem guarda	passage à niveau non gardé	passaggio a livello incustodito	unbewachter Bahnübergang	unattended level crossing
peaje	portagem	péage	pedaggio	Gebühr	toll
peatones	peões	piétons	pedoni	Fußgänger	pedestrians
¡ peligro !	perigo !	danger !	pericolo !	Gefahr !	danger !
precaución	prudência	prudence	prudenza	Vorsicht	caution
prohibido	proibido	interdit	vietato	verboten	prohibited
prohibido aparcar	estacionamento proibido	stationnement interdit	divieto di sosta	Parkverbot	no parking
prohibido el adelantamiento	proibido ultrapassar	défense de doubler	divieto di sorpasso	Überholverbot	no overtaking
puente estrecho	ponte estreita	pont étroit	ponte stretto	enge Brücke	narrow bridge
puesto de socorro	pronto socorro	poste de secours	pronto soccorso	Unfall-Hilfsposten	first aid station
salida de camiones	saída de camiões	sortie de camions	uscita di camion	LKW-Ausfahrt	lorry exit
travesía peligrosa	perigoso atravessar	traversée dangereuse	attraversamento pericoloso	gefährliche Durchfahrt	dangerous crossing

PALABRAS DE USO CORRIENTE	PALAVRAS DE USO CORRENTE	MOTS USUELS	PAROLE D'USO CORRENTE	ALLGEMEINER WORTSCHATZ	COMMON WORDS
abierto	aberto	ouvert	aperto	offen	open
abril	Abril	avril	aprile	April	April
acantilado	falésia	falaise	scogliera	steile Küste	cliff
acceso	acesso	accès	accesso	Zugang, Zufahrt	access
acueducto	aqueduto	aqueduc	acquedotto	Aquädukt	aqueduct
adornado	adornado, enfeitado	orné, décoré	ornato	geschmückt	decorated
agencia de viajes	agencia de viagens	bureau de voyages	ufficio viaggi	Reisebüro	travel bureau
agosto	Agosto	août	agosto	August	August
agua potable	água potável	eau potable	acqua potabile	Trinkwasser	drinking water

alameda	alameda	promenade	passeggiata	Promenade	promenade
alcazaba	antiga fortaleza árabe	ancienne forteresse arabe	antica fortezza araba	alte arabische Festung	old Arab fortress
alcázar	antigo palácio árabe	ancien palais arabe	antico palazzo arabo	alter arabischer Palast	old Arab palace
almuerzo	almoço	déjeuner	colazione	Mittagessen	lunch
alrededores	arredores	environs	dintorni	Umgebung	surroundings
altar esculpido	altar esculpido	autel sculpté	altare scolpito	Schnitzaltar	carved altar
ambiente	ambiente	ambiance	ambiente	Stimmung	atmosphere
antiguo	antigo	ancien	antico	alt	ancient
aparcamiento	parque de estacionamento	parc à voitures	parcheggio	Parkplatz	car park
apartado	apartado, caixa postal	boîte postale	casella postale	Postfach	post office box
arbolado	arborizado	ombragé	ombreggiato	schattig	shady
arcos	arcadas	arcades	portici	Arkaden	arcades
artesanía	artesanato	artisanat	artigianato	Handwerkskunst	craftwork
artesonado	tecto de talha	plafond à caissons	soffitto a cassettoni	Kassettendecke	coffered ceiling
avenida	avenida	avenue	viale, corso	Boulevard, breite Straße	avenue
bahía	baía	baie	baia	Bucht	bay
bajo pena de multa	sob pena de multa	sous peine d'amende	passibile di contravvenzione	bei Geldstrafe	under penalty of fine
balneario	termas	établissement thermal	terme	Kurhaus	health resort
baños	termas	bains, thermes	terme	Thermen	public baths, thermal bath
barranco	barranco, ravina	ravin	burrone	Schlucht	ravine
barrio	bairro	quartier	quartiere	Stadtteil	quarter, district
bodega	adega	chais, cave'	cantina	Keller	cellar
bonito	bonito	joli	bello	schön	beautiful
bosque	bosque	bois	bosco, boschi	Wäldchen	wood
bóveda	abódada	voûte	volta	Gewölbe, Wölbung	vault, arch
cabo	cabo	cap	capo	Kap	headland
caja	caixa	caisse	cassa	Kasse	cash-desk

cala	enseada	crique, calanque	seno, calanca	Bucht	creek
calle	rua	rue	via	Straße	street
callejón sin salida	beco	impasse	vicolo cieco	Sackgasse	no through road
cama	cama	lit	letto	Bett	bed
camarero	criado, empregado	garçon, serveur	cameriere	Ober, Kellner	waiter
camino	caminho	chemin	cammino	Weg	way, path
campanario	campanário	clocher	campanile	Glockenturm	belfry, steeple
campo, campiña	campo	campagne	campagna	Land	country, countryside
capilla	capela	chapelle	cappella	Kapelle	chapel
capitel	capitel	chapiteau	capitello	Kapitell	capital (of column)
cartuja	cartuxa	chartreuse	certosa	Kartäuserkloster	monastery
casa señorial	casa senhorial	manoir	villa	Herrensitz	seignorial residence
cascada	cascata	cascade	cascata	Wasserfall	waterfall
castillo	castelo	château	castello	Burg Schloß	castle
cena	jantar	dîner	pranzo	Abendessen	dinner
cenicero	cinzeiro	cendrier	portacenere	Aschenbecher	ash-tray
centro urbano	baixa, centro urbano	centre ville	centro città	Stadtzentrum	town centre
cercano	próximo	proche	prossimo	nah	near
cerillas	fósforos	allumettes	fiammiferi	Zündhölzer	matches
cerrado	fechado	fermé	chiuso	geschlossen	closed
certificado	registado	recommandé (objet)	raccomandato	Einschreiben	registered
césped	relvado	pelouse	prato	Rasen	lawn
circunvalación	circunvalação	contournement	circonvallazione	Umgehung	by-pass
ciudad	cidade	ville	città	Stadt	town
claustro	claustro	cloître	chiostro	Kreuzgang	cloisters
climatizado	climatizado	climatisé	con aria condizionata	mit Klimaanlage	air conditioned
cocina	cozinha	cuisine	cucina	Kochkunst	kitchen
colección	colecção	collection	collezione	Sammlung	collection
colegiata	colegiada	collégiale	collegiata	Stiftskirche	collegiate church
colina	colina	colline	colle, collina	Hügel	hill
columna	coluna	colonne	colonna	Säule	column
comedor	casa de jantar	salle à manger	sala da pranzo	Speisesaal	dining room
comisaría	esquadra de policia	commissariat de police	commissariato di polizia	Polizeistation	police headquarters
conjunto	conjunto	ensemble	insieme	Gesamtheit	group
conserje	porteiro	concierge	portiere, portinaio	Portier	porter

convento	convento	couvent	convento	Kloster	convent
coro	coro	chœur	coro	Chor	chancel
correos	correios	bureau de poste	ufficio postale	Postamt	post office
crucero	transepto	transept	transetto	Querschiff	transept
crucifijo, cruz	crucifixo, cruz	crucifix, croix	crocifisso, croce	Kruzifix, Kreuz	crucifix, cross
cuadro, pintura	quadro, pintura	tableau, peinture	quadro, pittura	Gemälde, Malerei	painting
cuenta	conta	note	conto	Rechnung	bill
cueva, gruta	gruta	grotte	grotta	Höhle	cave
cuchara	colher	cuillère	cucchiaio	Löffel	spoon
cuchillo	faca	couteau	coltello	Messer	knife
cúpula	cúpula	coupole, dôme	cupola	Kuppel	dome, cupola
dentista	dentista	dentiste	dentista	Zahnarzt	dentist
deporte	desporto	sport	sport	Sport	sport
desembocadura	foz	embouchure	foce	Mündung	mouth
desfiladero	desfiladeiro	défilé	forra	Engpaß	pass
diario	jornal	journal	giornale	Zeitung	newspaper
diciembre	Dezembro	décembre	dicembre	Dezember	December
dique	dique	digue	diga	Damm	dike, dam
domingo	Domingo	dimanche	domenica	Sonntag	Sunday
embalse	barragem	barrage	sbarragmento	Talsperre	dam
encinar	azinhal	chênaie	querceto	Eichenwald	oak-grove
enero	Janeiro	janvier	gennaio	Januar	January
entrada	entrada	entrée	entrata, ingresso	Eingang, Eintritt	entrance, admission
equipaje	bagagem	bagages	bagagli	Gepäck	luggage
ermita	eremitério, retiro	ermitage	eremo	Einsiedelei	hermitage
escalera	escada	escalier	scala	Treppe	stairs
escuelas	escolas	écoles	scuole	Schulen	schools
escultura	escultura	sculpture	scultura	Schnitzwerk	carving
espectáculo	espectáculo	spectacle	spettacolo	Schauspiel	show, sight
estanco	tabacaria	bureau de tabac	tabaccaio	Tabakladen	tobacconist
estanque	lago, tanque	étang	stagno	Teich	pond, pool
estatua	estátua	statue	statua	Standbild	statue
estrecho	estreito	détroit	stretto	Meerenge	strait
estuario	estuário	estuaire	estuario	Mündung	estuary

fachada	fachada	façade	facciata	Vorderseite	façade
farmacia	farmácia	pharmacie	farmacia	Apotheke	chemist
faro	farol	phare	faro	Leuchtturm	lighthouse
febrero	fevereiro	février	febbraio	Februar	February
festivo	feriado	férié	festivo	Feiertag	holiday
florido	florido	fleuri	fiorito	mit Blumen	in bloom
fortaleza	fortaleza	forteresse, château fort	fortezza	Festung, Burg	fortress, fortified castle
fortificado	fortificado	fortifié	fortificato	befestigt	fortified
frescos	frescos	fresques	affreschi	Fresken	frescoes
frío	frio	froid	freddo	kalt	cold
friso	friso	frise	fregio	Fries	frieze
frontera	fronteira	frontière	frontiera	Grenze	frontier
fuente	fonte	source	sorgente	Quelle	source, stream
garganta	garganta	gorge	gola	Schlucht	gorge, stream
gasolina	gasolina	essence	benzina	Benzin	petrol
guardia civil	polícia	gendarme	gendarme	Polizist	policeman
habitación	quarto	chambre	camera	Zimmer	room
hermoso	belo, formoso	beau	bello	schön	beautiful
huerto (a)	horta	potager	orto	Gemüsegarten	kitchen-garden
iglesia	igreja	église	chiesa	Kirche	church
informaciones	informações	renseignements	informazioni	Auskünfte	information
instalado	instalado	installé	installato	eingerichtet	established
invierno	Inverno	hiver	inverno	Winter	winter
isla	ilha	île	isola, isolotto	Insel	island
jardín	jardim	jardin	giardino	Garten	garden
jueves	5ª feira	jeudi	giovedì	Donnerstag	Thursday
julio	Julho	juillet	luglio	Juli	July
junio	Junho	juin	giugno	Juni	June
lago	lago	lac	lago	See	lake
laguna	lagoa	lagune	laguna	Lagune	lagoon
lavado	lavagem de roupa	blanchissage	lavatura	Wäsche, Lauge	laundry

lonja	bolsa de comércio	bourse de commerce	borsa	Handelsbörse	Trade exchange
lunes	2ª feira	lundi	lunedì	Montag	Monday
llanura	planície	plaine	pianura	Ebene	plain
mar	mar	mer	mare	Meer	sea
martes	3ª feira	mardi	martedì	Dienstag	Tuesday
marzo	Março	mars	marzo	März	March
mayo	Maio	mai	maggio	Mai	May
médico	medico	médecin	medico	Arzt	doctor
mediodía	meio-dia	midi	mezzogiorno	Mittag	midday
mesón	estalagem	auberge	albergo	Gasthof	inn
mezquita	mesquita	mosquée	moschea	Moschee	mosque
miércoles	4ª feira	mercredi	mercoledì	Mittwoch	Wednesday
mirador	miradouro	belvédère	belvedere	Aussichtspunkt	belvedere
mobiliario	mobiliário	ameublement	arredamento	Einrichtung	furniture
molino	moinho	moulin	mulino	Mühle	windmill
monasterio	mosteiro	monastère	monastero	Kloster	monastery
montaña	montanha	montagne	montagna	Berg	mountain
muelle	cais, molhe	quai, môle	molo	Mole, Kai	quay
murallas	muralhas	murailles	mura	Mauern	walls
nacimiento	presépio	crèche	presepio	Krippe	crib
nave	nave	nef	navata	Kirchenschiff	nave
Navidad	Natal	Noël	Natale	Weihnachten	Christmas
noviembre	Novembro	novembre	novembre	November	November
obra de arte	obra de arte	œuvre d'art	opera d'arte	Kunstwerk	work of art
octubre	Outubro	octobre	ottobre	Oktober	October
orilla	orla, borda	bord	orlo	Rand	edge
otoño	Outono	automne	autunno	Herbst	autumn
pagar	pagar	payer	pagare	bezahlen	to pay
paisaje	paisagem	paysage	paesaggio	Landschaft	landscape
palacio real	palácio real	palais royal	palazzo reale	Königsschloß	royal palace
palmera, palmeral	palmeira, palmar	palmier, palmeraie	palma, palmeto	Palme, Palmenhain	palm-tree, palm grove

pantano	barragem	barrage	sbarramento	Talsperre	dam
papel de carta	papel de carta	papier à lettre	carta da lettere	Briefpapier	writing paper
parada	paragem	arrêt	fermata	Haltestelle	stopping place
paraje, emplazamiento	local	site	posizione	Lage	site
parque	parque	parc	parco	Park	park
pasajeros	passageiros	passagers	passeggeri	Fahrgäste	passengers
Pascua	Páscoa	Pâques	Pasqua	Ostern	Easter
paseo	passeio	promenade	passeggiata	Spaziergang, Promenade	walk, promenade
patio	pátio interior	cour intérieure	cortile interno	Innenhof	inner courtyard
peluquería	cabeleireiro	coiffeur	parrucchiere	Friseur	hairdresser, barber
peñón	rochedo	rocher	roccia	Felsen	rock
pico	pico	pic	pizzo, picco	Gipfel	peak
pinar, pineda	pinhal	pinède	pineta	Pinienhain	pine wood
piso	andar	étage	piano (di casa)	Stock, Etage	floor
planchado	engomado	repassage	stiratura	Büglerei	pressing, ironing
plato	prato	assiette	piatto	Teller	plate
playa	praia	plage	spiaggia	Strand	beach
plaza de toros	praça de touros	arènes	arena	Stierkampfarena	bull ring
portada, pórtico	portal, pórtico	portail	portale	Haupttor, Portal	doorway
prado, pradera	prado, pradaria	pré, prairie	prato, prateria	Wiese	meadow
primavera	Primavera	printemps	primavera	Frühling	spring (season)
prohibido fumar	proibido fumar	défense de fumer	vietato fumare	Rauchen verboten	no smoking
promontorio	promontório	promontoire	promontorio	Vorgebirge	promontory
propina	gorjeta	pourboire	mancia	Trinkgeld	tip
pueblo	aldeia	village	villaggio	Dorf	village
puente	ponte	pont	ponte	Brücke	bridge
puerta	porta	porte	porta	Tür	door
puerto	colo, porto	col, port	passo, porto	Gebirgspaß, Hafen	mountain pass, harbour
púlpito	púlpito	chaire	pulpito	Kanzel	pulpit
punto de vista	vista	point de vue	punto di vista	Aussichtspunkt	viewpoint
recinto	recinto	enceinte	recinto	Ringmauer	perimeter walls
recorrido	percurso	parcours	percorso	Strecke	course
reja, verja	grade	grille	cancello	Gitter	iron gate
reliquia	reliquia	relique	reliquia	Reliquie	relic

reloj	relógio	horloge	orologio	Uhr	clock
Renacimiento	Renascença	Renaissance	Rinascimento	Renaissance	Renaissance
recepción	recepção	réception	ricevimento	Empfang	reception
retablo	retábulo	retable	postergale	Altaraufsatz	altarpiece, retable
río	rio	fleuve	fiume	Fluß	river
roca, peñón	rochedo, rocha	rocher, roche	roccia	Felsen	rock
rocoso	rochoso	rocheux	roccioso	felsig	rocky
rodeado	rodeado	entouré	circondato	umgeben	surrounded
románico, romano	românico, romano	roman, romain	romanico, romano	romanisch, römisch	Romanesque, Roman
ruinas	ruínas	ruines	ruderi	Ruinen	ruins
sábado	Sábado	samedi	sabato	Samstag	Saturday
sacristía	sacristia	sacristie	sagrestia	Sakristei	sacristy
sala capitular	sala capitular	salle capitulaire	sala capitolare	Kapitelsaal	chapterhouse
salida	partida	départ	partenza	Abfahrt	departure
salida de socorro	saída de socorro	sortie de secours	uscita di sicurezza	Notausgang	emergency exit
salón	salão, sala	salon, grande salle	sala, salotto, salone	Salon	drawing room, sitting room
santuario	santuário	sanctuaire	sacrario	Heiligtum	shrine
sello	selo	timbre-poste	francobollo	Briefmarke	stamp
septiembre	Setembro	septembre	settembre	September	September
sepulcro, tumba	sepúlcro, túmulo	sépulcre, tombeau	sepolcro, tomba	Grabmal	tomb
servicio incluido	serviço incluído	service compris	servizio compreso	Bedienung inbegriffen	service included
servicios	toilette, casa de banho	toilettes	gabinetti	Toiletten	toilets
sierra	serra	chaîne de montagnes	giogaia	Gebirgskette	mountain range
siglo	século	siècle	secolo	Jahrhundert	century
sillería del coro	cadeiras de coro	stalles	stalli	Chorgestühl	choir stalls
sobres	envelopes	enveloppes	buste	Briefumschläge	envelopes
sótano	cave	sous-sol, cave	sottosuolo	Keller	basement
subida	subida	montée	salita	Steigung	hill
tapices, tapicerías	tapeçarias	tapisseries	tappezzerie, arazzi	Wandteppiche	tapestries
tarjeta postal	bilhete postal	carte postale	cartolina	Postkarte	postcard
techo	tecto	plafond	soffitto	Zimmerdecke	ceiling
tenedor	garfo	fourchette	forchetta	Gabel	fork

tesoro	tesouro	trésor	tesoro	Schatz	treasure, treasury
torre	torre	tour	torre	Turm	tower
tribuna	tribuna, galeria	jubé	tramezzo	Lettner	roodscreen
valle	vale	val, vallée	val, valle, vallata	Tal	valley
vaso	copo	verre	bicchiere	Glas	glass
vega	veiga	vallée fertile	valle fertile	fruchtbare Ebene	fertile valley
verano	Verão	été	estate	Sommer	summer
vergel	pomar	verger	frutteto	Obstgarten	orchard
vidriera	vitral	verrière, vitrail	vetrata	Kirchenfenster	stained glass windows
viernes	6ª feira	vendredi	venerdì	Freitag	Friday
viñedos	vinhedos, vinhas	vignes, vignoble	vigne, vigneto	Reben, Weinberg	vines, vineyard
víspera, vigilia	véspera	veille	vigila	Vorabend	preceding day, eve
vista pintoresca	vista pitoresca	vue pittoresque	vista pittoresca	malerische Aussicht	picturesque view
vuelta, circuito	volta, circuito	tour, circuit	giro, circuito	Rundreise	tour

COMIDAS Y BEBIDAS | COMIDAS E BEBIDAS | NOURRITURE ET BOISSONS | CIBI E BEVANDE | SPEISEN UND GETRÄNKE | FOOD AND DRINK

aceite, aceitunas	azeite, azeitonas	huiles, olives	olio, olive	Öl, Oliven	oil, olives
agua con gas	água gaseificada	eau gazeuse	acqua gasata, gasosa	Sprudel	soda water
agua mineral	água mineral	eau minérale	acqua minerale	Mineralwasser	mineral water
ahumado	fumado	fumé	affumicato	geräuchert	smoked
ajo	alho	ail	aglio	Knoblauch	garlic
alcachofa	alcachofra	artichaut	carciofo	Artischocke	artichoke
almendras	amêndoas	amandes	mandorle	Mandeln	almonds
alubias	feijão	haricots	fagioli	Bohnen	beans
anchoas	anchovas	anchois	acciughe	Anschovis	anchovies
arroz	arroz	riz	riso	Reis	rice
asado	assado	rôti	arrosto	gebraten	roast
atún	atum	thon	tonno	Thunfisch	tunny
ave	aves, criação	volaille	pollame	Geflügel	poultry
azúcar	açúcar	sucre	zucchero	Zucker	sugar

bacalao	bacalhau fresco	morue fraîche, cabillaud	merluzzo	Kabeljau, Dorsch	cod
bacalao en salazón	bacalhau salgado	morue salée	baccalà, stoccafisso	Laberdan	dried cod
berenjena	beringela	aubergine	melanzana	Aubergine	egg-plant
bogavante	lavagante	homard	gambero di mare	Hummer	lobster
brasa (a la)	na brasa	à la braise	brasato	gedämpft, geschmort	braised
café con leche	café com leite	café au lait	caffè-latte	Milchkaffee	coffee with milk
café solo	café simples	café nature	caffè nero	schwarzer Kaffee	black coffee
calamares	lulas, chocos	calmars	calamari	Tintenfische	squids
caldo	caldo	bouillon	brodo	Fleischbrühe	clear soup
cangrejo	caranguejo	crabe	granchio	Krabbe	crab
caracoles	caracóis	escargots	lumaca	Schnecken	snails
carne	carne	viande	carne	Fleisch	meat
castañas	castanhas	châtaignes	castagne	Kastanien	chestnuts
caza mayor	caça grossa	gros gibier	cacciagione	Wildbret	game
cebolla	cebola	oignon	cipolla	Zwiebel	onion
cerdo	porco	porc	maiale	Schweinefleisch	pork
cerezas	cerejas	cerises	ciliege	Kirschen	cherries
cerveza	cerveja	bière	birra	Bier	beer
chipirones	lulas pequenas	petits calmars	calamaretti	kleine Tintenfische	small squids
chorizos	chouriços	saucisses au piment	salsicce piccanti	Pfefferwurst	spiced sausages.
chuleta, costilla	costeleta	côtelette	costoletta	Kotelett	cutlet
ciervo venado	veado	cerf	cervo	Hirsch	deer
cigalas	lagostins	langoustines	scampi	Meerkrebse, Langustinen	crayfish
ciruelas	ameixas	prunes	prugne	Pflaumen	plums
cochinillo, tostón	leitão assado	cochon de lait grillé	maialino grigliato, porchetta	Spanferkelbraten	roast suckling pig
cordero	carneiro	mouton	montone	Hammelfleisch	mutton
cordero lechal	cordeiro	agneau de lait	agnello	Lammfleisch	lamb
corzo	cabrito montês	chevreuil	capriolo	Reh	venison
fiambres	charcutaria	charcuterie	salumi	Aufschnitt	pork-butchers' meat
dorada, besugo	dourada, besugo	daurade	orata	Goldbrassen	dory

ensalada	salada	salade	insalata	Salat	green salad
entremeses	entrada	hors-d'œuvre	antipasti	Vorspeise	hors d'œuvre
espárragos	espargos	asperges	asparagi	Spargel	asparagus
espinacas	espinafres	épinards	spinaci	Spinat	spinach
fiambres	carnes frias	viandes froides	carni fredde	kaltes Fleisch	cold meats
filete	filete, bife de lombo	filet	filetto	Filetsteak	fillet
fresas	morangos	fraises	fragole	Erdbeeren	strawberries
frutas	fruta	fruits	frutta	Früchte	fruit
frutas en almíbar	fruta em calda	fruits au sirop	frutta sciroppata	Früchte in Sirup	fruit in syrup
galletas	bolos sêcos	gâteaux secs	biscotti secchi	Gebäck	cakes
gambas	camarões	crevettes (bouquets)	gamberetti	Garnelen	prawns
garbanzos	grão	pois chiches	ceci	Kichererbsen	chick peas
guisantes	ervilhas	petits pois	piselli	junge Erbsen	garden peas
helado	gelado	glace	gelato	Speiseeis	ice cream
hígado	figado	foie	fegato	Leber	liver
higos	figos	figues	fichi	Feigen	figs
horno (al)	no forno	au four	al forno	im Ofen gebacken	baked in the oven
huevos al plato	ovos estrelados	œufs au plat	uova fritte	Spiegeleier	fried eggs
huevo pasado por agua	ovo quente	œufs à la coque	uovo al guscio	weiches Ei	soft boiled egg
jamón	presunto, fiambre	jambon (cru ou cuit)	prosciutto (crudo o cotto)	Schinken (roh, gekocht)	ham (raw or cooked)
judías verdes	feijão verde	haricots verts	fagiolini	grüne Bohnen	French beans
langosta	lagosta	langouste	aragosta	Languste	craw fish
langostino	gamba	crevette géante	gamberone	große Garnele	prawns
legumbres	legumes	légumes	verdura	Gemüse	vegetables
lenguado	linguado	sole	sogliola	Seezunge	sole
lentejas	lentilhas	lentilles	lenticchie	Linsen	lentils
limón	limão	citron	limone	Zitrone	lemon
lobarro, perca	perca	perche	pesce persico	Barsch	perch
lomo	lombo	filet, échine	lombata, lombo	Rückenstück	spine, chine
lubina	robalo	bar	ombrina	Barsch	bass

mantequilla	manteiga	beurre	burro	Butter	butter
manzana	maçã	pomme	mela	Apfel	apple
mariscos	mariscos	fruit de mer	frutti di mare	"Früchte des Meeres"	sea food
mejillones	mexilhões	moules	cozze	Muscheln	mussels
melocotón	pêssego	pêche	pesca	Pfirsich	peach
membrillo	marmelo	coing	cotogna	Quitte	quince
merluza	pescada	colin, merlan	merluzzo	Kohlfisch, Weißling	hake
mero	cherne	mérou	cernia	Rautenscholle	brill
naranja	laranja	orange	arancia	Orange	orange
ostras	ostras	huîtres	ostriche	Austern	oyster
paloma, pichón	pombo, borracho	palombe, pigeon	palomba, piccione	Taube	pigeon
pan	pão	pain	pane	Brot	bread
parrilla (a la)	grelhado	à la broche, grillé	allo spiedo	am Spieß	grilled
pasteles	bolos	pâtisseries	dolci, pasticceria	Süßigkeiten	pastries
patatas	batatas	pommes de terre	patate	Kartoffeln	potatoes
pato	pato	canard	anitra	Ente	duck
pepino, pepinillo	pepino	concombre, cornichon	cetriolo, cetriolino	Gurke, kleine Essiggurke	cucumber, gherkin
pepitoria	fricassé	fricassée	fricassea	Frikassee	fricassée
pera	pêra	poire	pera	Birne	pear
perdiz	perdiz	perdrix	pernice	Rebhuhn	partridge
pescados	peixes	poissons	pesci	Fische	fish
pimienta	pimenta	poivre	pepe	Pfeffer	pepper
pimiento	pimento	poivron	peperone	Pfefferschote	pimento
plátano	banana	banane	banana	Banane	banana
pollo	frango	poulet	pollo	Hähnchen	chicken
postres	sobremesas	desserts	dessert	Nachspeise	dessert
potaje	sopa	potage	minestra	Suppe mit Einlage	soup
queso	queijo	fromage	formaggio	Käse	cheese
rape	lota	lotte	rana pescatrice, pesce rospo	Aalrutte, Quappe	eel-pout, angler fish
raya	raia	raie	razza	Rochen	skate

relleno	recheado	farci	ripieno, farcito	gefüllt	stuffed
riñones	rins	rognons	rognoni	Nieren	kidneys
rodaballo	pregado	turbot	rombo	Steinbutt	turbot
sal	sal	sel	sale	Salz	salt
salchichas	salsichas	saucisses	salsicce	Würstchen	sausages
salchichón	salpicão	saucisson	salame	Wurst	salami, sausage
salmón	salmão	saumon	salmone	Lachs	salmon
salmonete	salmonete	rouget	triglia	Barbe, Rötling	red mullet
salsa	molho	sauce	sugo	Soße	sauce
sandía	melancia	pastèque	cocomero	Wassermelone	water-melon
sesos	miolos, mioleira	cervelle	cervella	Hirn	brains
setas, hongos	cogumelos	champignons	funghi	Pilze	mushrooms
sidra	cidra	cidre	sidro	Apfelwein	cider
solomillo	bife de lombo	filet	filetto	Filetsteak	fillet
sopa	sopa	soupe	minestra, zuppa	Suppe	soup
tarta	torta, tarte	tarte, grand gâteau	torta	Kuchen	tart, pie
ternera	vitela	veau	vitello	Kalbfleisch	veal
tortilla	omelete	omelette	frittata	Omelett	omelette
trucha	truta	truite	trota	Forelle	trout
turrón	torrão de Alicante, nougat	nougat	torrone	Nugat, Mandelkonfekt	nougat
uva	uva	raisin	uva	Traube	grapes
vaca, buey	vaca, boi	bœuf	manzo	Rindfleisch	beef
vieira	vieira	coquille St-Jacques	cappesante	Jakobsmuschel	scallop
vinagre	vinagre	vinaigre	aceto	Essig	vinegar
vino blanco dulce	vinho branco doce	vin blanc doux	vino bianco amabile	süßer Weißwein	sweet white wine
vino blanco seco	vinho branco seco	vin blanc sec	vino bianco secco	herber Weißwein	dry white wine
vino rosado	vinho « rosé »	vin rosé	vino rosato	« Rosé »	« rosé » wine
vino de marca	vinho de marca	grand vin	vino pregiato	Prädikatswein	famous wine
vino tinto	vinho tinto	vin rouge	vino rosso	Rotwein	red wine
zanahoria	cenoira	carotte	carota	Karotte	carrot
zumo de frutas	sumo de frutas	jus de fruits	succo di frutta	Fruchtsaft	fruit juice

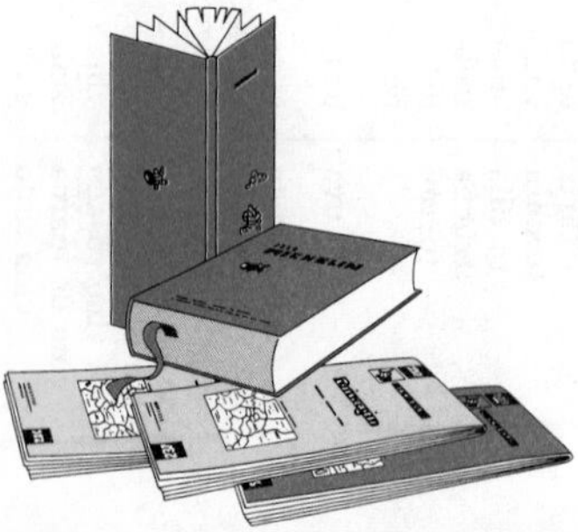

POBLACIONES
CIDADES
VILLES – CITTÀ
STÄDTE – TOWNS

ABADIANO o **ABADIÑO** 48220 Vizcaya 442 C 22 – 7 008 h. alt. 133 – ☎ 94.
♦Madrid 399 – ♦Bilbao/Bilbo 35 – Vitoria/Gasteiz 43.

en la carretera N 634 N : 2 km – ✉ 48220 Abadiano – ☎ 94 :

San Blas, Laubideta 7 ✆ 681 42 00 – ▤ rest TV ☎ P. AE ① E VISA. ✻ rest
Comida 950 – ☕ 270 – **17 hab** 4100/6200 – PA 1800.

ACANTILADO DE LOS GIGANTES Santa Cruz de Tenerife – ver Canarias (Tenerife) : Puerto de Santiago.

ADEMUZ 46140 Valencia 445 L 26 – 1 208 h. – ☎ 978.
♦Madrid 286 – Cuenca 120 – Teruel 44 – ♦Valencia 136.

Casa Domingo, av. de Valencia 1 ✆ 78 20 30, Fax 78 20 56 – ▤ rest 🚗. ✻
Comida 1300 – ☕ 330 – **30 hab** 2350/3725 – PA 2535.

ADRALL 25797 Lérida 443 F 34 – ☎ 973.
♦Madrid 596 – ♦Lérida/Lleida 127 – Seo de Urgel/La Seu d'Urgell 6.

La Brasa, carret. de Lleida 21 ✆ 38 70 57 – P
temp.

AGAETE Las Palmas – ver Canarias (Gran Canaria).

AGINAGA Guipúzcoa – ver Aguinaga.

AGOITZ Navarra – ver Aoiz.

AGRAMUNT 25310 Lérida 443 G 33 – 4 702 h. alt. 337 – ☎ 973.
♦Madrid 520 – ♦Barcelona 123 – ♦Lérida/Lleida 51 – Seo de Urgel/La Seu d'Urgell 98.

Kipps, carret. de Tarragona ✆ 39 08 25, Fax 39 05 73, 🏊 – |♦| ▤ TV ☎ P – 25/80.
E VISA
Comida 1500 – **16 hab** ☕ 3370/4840.

Blanc i Negre 2, carret. de Cervera SE : 1,2 km ✆ 39 12 13, Fax 39 12 13 – ▤ rest ☎ P.
E VISA
Comida 1200 – ☕ 600 – **18 hab** 3000.

ÁGREDA 42100 Soria 442 G 24 – 3 617 h. – ☎ 976.
♦Madrid 276 – ♦Logroño 115 – ♦Pamplona/Iruñea 118 – Soria 50 – ♦Zaragoza 107.

Doña Juana y Rest. Juani, av. de Soria 16 ✆ 64 72 16, Fax 64 76 69 – ☎ P
47 hab.

AGUA AMARGA 04149 Almería 446 V 24 – ☎ 950 – Playa.
♦Madrid 568 – Almería 62 – Mojácar 33 – Níjar 32.

La Chumbera, carret. de Carboneras N : 1 km ✆ 16 83 21, 🏖 – P. E VISA
cerrado martes salvo festivos y 15 enero- febrero – **Comida** (sólo cena en verano) carta 2200 a 3850.

AGUADULCE 04720 Almería 446 V 22 – ☎ 950 – Playa.
♦Madrid 560 – Almería 10 – Motril 102.

Andarax, Santa Fé (carret. N 340) ✆ 34 07 08, Fax 34 07 55, 🏊 – |♦| ▤ TV ☎ 🚗 – 25/100. AE ① E VISA. ✻ rest
Comida 1700 – **108 hab** ☕ 6000/10000 – PA 3400.

Casa El Valenciano 2, paseo de los Robles ✆ 34 26 74, 🏖, Pescados y mariscos – ▤.
E VISA. ✻
cerrado jueves (octubre-marzo) y diciembre – **Comida** carta aprox. 5000.

Casa El Valenciano, paseo Marítimo 6 ✆ 34 04 56, ≤, 🏖, Pescados y mariscos – ▤. E
VISA. ✻
abril-septiembre – **Comida** carta aprox. 5000.

Chez Philippe, av. Carlos III (Centro Comercial Neptuno) ✆ 34 46 13 – ▤. VISA
cerrado sábado mediodía, domingo y Semana Santa – **Comida** carta 3300 a 3800.

Para los grandes viajes de negocios o de turismo,
Guía Roja MICHELIN : main cities EUROPE.

AGÜERO 22808 Huesca 443 E 27 - 165 h. - ☎ 974.
Alred. : Los Mallos★ E : 11 km.
♦Madrid 432 - Huesca 42 - Jaca 59 - ♦Pamplona Iruñea 132.

La Costera, San Pedro ✆ 38 03 30, ←, - P. E VISA JCB. ✱
Comida 1650 - ☐ 650 - **12 hab** 5250 - PA 3350.

AGUILAR DE CAMPÓO 34800 Palencia 442 D 17 - 7 594 h. alt. 895 - ☎ 979.
i pl. Mayor 32 ✆ 12 20 24.
♦Madrid 323 - Palencia 97 - ♦Santander 104.

Valentín, av. Generalísimo 21 ✆ 12 21 25, Fax 12 24 42 - TV ☎ P - 25/140. AE ① E VISA. ✱
Comida carta 2850 a 3800 - ☐ 550 - **50 hab** 7100/9400.

Posada de Santa María la Real sin rest, carret. de Cervera de Pisuerga ✆ 12 20 00, Fax 12 56 80, Conjunto rústico con jardín - TV ☎. VISA. ✱
18 hab ☐ 4000/5000.

Cortés con hab, Puente 39 ✆ 12 30 55, - TV ☎. E VISA. ✱
Comida carta 3550 a 4350 - ☐ 450 - **12 hab** 4000/5000.

ÁGUILAS 30880 Murcia 445 T 25 - 24 610 h. - ☎ 968 - Playa.
i pl. Antonio Cortijo ✆ 41 33 03 Fax 41 12 77.
♦Madrid 494 - ♦Almería 132 - Cartagena 84 - Lorca 42 - ♦Murcia 104.

Carlos III, Rey Carlos III - 22 ✆ 41 16 50, Fax 41 16 58 - TV. AE VISA. ✱ rest
Comida 1000 - ☐ 500 - **32 hab** 6000/9000.

El Paso, carret. de Calabardina 13 ✆ 44 71 25, Fax 44 71 27 - TV ☎ P. E VISA. ✱
Comida 1200 - **24 hab** ☐ 4500/6500 - PA 2250.

Madrid, pl. Robles Vives 4 ✆ 41 05 00 - rest ☎. E VISA. ✱ rest
Comida 1000 - ☐ 250 - **33 hab** 4500/5700 - PA 1850.

Las Brisas, explanada del Muelle ✆ 41 00 27, ←, , Pescados y mariscos - P.

en Calabardina NE : 8,5 km - ✉ 30880 Águilas - ☎ 968 :

El Paraíso, ✆ 41 94 44, - rest. VISA. ✱
Comida 1000 - ☐ 250 - **37 hab** 3500/6000 - PA 1900.

AGUINAGA o **AGINAGA** 20170 Guipúzcoa 442 C 23 - ☎ 943.
♦Madrid 489 - ♦Bilbao/Bilbo 93 - ♦Pamplona/Iruñea 92 - ♦San Sebastián/Donostia 12.

Aguinaga, carret. de Zarauz N 634, ✉ 20170 Usurbil, ✆ 36 27 37, - P
Comida (sólo almuerzo).

AIGUA BLAVA Gerona - ver Bagur.

AIGUADOLÇ (Puerto de) Barcelona - ver Sitges.

AINSA 22330 Huesca 443 E 30 - 1 387 h. alt. 589 - ☎ 974.
Ver : Plaza Mayor★.
i av. de Pineta, ✆ 50 07 67 (temp.).
♦Madrid 510 - Huesca 120 - ♦Lérida/Lleida 136 - ♦Pamplona/Iruñea 204.

Dos Ríos sin rest, con cafetería, av. Central 4 ✆ 50 09 61, Fax 50 01 06 - TV ☎. AE E VISA. ✱
☐ 700 - **18 hab** 5600/7400.

Mesón de L'Ainsa, Sobrarbe 12 ✆ 50 00 28, Fax 50 07 33 - TV ☎ P. E VISA. ✱ rest
cerrado enero - **Comida** 1350 - ☐ 500 - **40 hab** 4950/5950 - PA 2600.

Dos Ríos sin rest, av. Central 2 ✆ 50 00 43, Fax 50 01 06 - AE E VISA. ✱
☐ 700 - **22 hab** 3500/4600.

Bodegas del Sobrarbe, pl. Mayor 2 ✆ 50 02 37, Fax 50 09 37, « Antiguas bodegas decoradas en estilo medieval » - AE E VISA. ✱
cerrado 12 diciembre- 19 enero - **Comida** carta 2350 a 3400.

Bodegón de Mallacán, pl. Mayor 6 ✆ 50 09 77, - . AE E VISA
Comida carta 2200 a 3600.

AJO 39170 Cantabria 442 B 19 - ☎ 942 - Playa.
♦Madrid 416 - ♦Bilbao/Bilbo 86 - ♦Santander 38.

La Casuca, Benedicto Ruiz ✆ 62 10 54 - P. ✱
cerrado miércoles (salvo de julio a septiembre) Navidades y enero - **Comida** carta aprox. 3100.

ALACANT - ver Alicante.

ALAGÓN 50630 Zaragoza 443 G 26 - 5 487 h. - ✆ 976.
♦Madrid 350 - ♦Pamplona/Iruñea 150 - ♦Zaragoza 23.

Los Ángeles, pl. de la Alhóndiga 4 ✆ 61 13 40, Fax 61 21 11 - ▤ TV ☎. E VISA. ✂
Comida 1200 - ☐ 325 - **17 hab** 3500/6000 - PA 2700.

ALAIOR Palma de Mallorca - ver Baleares (Menorca).

ALAMEDA DE LA SAGRA 45240 Toledo 444 L 18 - 2 724 h. - ✆ 925.
♦Madrid 52 - Toledo 31.

La Maruxiña, carret. de Ocaña NO : 0,7 km ✆ 50 04 92, Fax 50 02 11 - ▤ P. E VISA. ✂ hab
Comida 950 - ☐ 200 - **32 hab** 3250/6275.

☞ *Benutzen Sie für weite Fahrten in Europa die Michelin-Länderkarten :*

970 Europa, 980 Griechenland, 984 Deutschland, 985 Skandinavien-Finnland,
986 Großbritannien-Irland, 987 Deutschland-Österreich-Benelux, 988 Italien,
989 Frankreich, 990 Spanien-Portugal, 991 Jugoslawien.

ALAMEDA DEL VALLE 28749 Madrid 444 J 18 - 137 h. alt. 1 135 - ✆ 91.
♦Madrid 83 - Segovia 59.

La Posada de Alameda ♨, Grande 34 ✆ 869 13 37, Fax 869 01 63 - TV ☎ P - 🏛 25/35. AE E VISA. ✂
Comida 3000 - **22 hab** ☐ 7500/9200.

Hostal del Marqués, carret. de Navacerrada ✆ 869 12 64 - ✂
cerrado lunes, jueves y 23 diciembre- 4 febrero - **Comida** (sólo almuerzo) carta 2050 a 3400.

ALARCÓN 16213 Cuenca 444 N 23 - 245 h. alt. 845 - ✆ 969.
Ver : Emplazamiento★★.
♦Madrid 189 - ♦Albacete 94 - Cuenca 85 - ♦Valencia 163.

Parador de Alarcón ♨, av. Amigos de los Castillos 3 ✆ 33 13 50, Fax 33 11 07, « Castillo medieval sobre un peñón rocoso dominando el río Júcar » - |‡| ▤ TV ☎ P. AE ⦿ E VISA. ✂
Comida 3200 - ☐ 1100 - **13 hab** 15000 - PA 6375.

ALÁS o **ALÀS i CERC** 25718 Lérida 443 E 34 - 388 h. alt. 768 - ✆ 973.
♦Madrid 603 - ♦Lérida/Lleida 146 - Seo de Urgel/La Seu d'Urgell 7.

Alás, Zulueta 10 ✆ 35 41 92 - E VISA. ✂
cerrado lunes - **Comida** carta 2475 a 4200.

ALAYOR Palma de Mallorca - ver Baleares (Menorca).

ALBACETE 02000 P 444 O 24 P 24 - 135 889 h. alt. 686 - ✆ 967.
Ver : Museo (Muñecas romanas articuladas★) BY **M1**.
ℹ Virrey Morcillo 1, ✉ 02005, ✆ 21 56 11, Fax 21 91 59 - **R.A.C.E.** Marqués de Villores 45, ✉ 02003, ✆ 22 25 69, Fax 22 26 83.
♦Madrid 249 ⑥ - ♦Córdoba 358 ④ - ♦Granada 350 ④ - ♦Murcia 147 ③ - ♦Valencia 183 ②.

Plano página siguiente

Los Llanos sin rest, av. de España 9, ✉ 02002, ✆ 22 37 50, Fax 23 46 07, 🏋 - |‡| ▤ TV ☎ 🚗 - 🏛 25/100. AE ⦿ E VISA. ✂ BZ **a**
☐ 550 - **102 hab** 10500/14200.

Manila sin rest, San José de Calasanz 12, ✉ 02002, ✆ 50 74 02, Fax 50 61 27 - |‡| ▤ TV ☎ 🚗. AE ⦿ E VISA. ✂ ABZ **u**
☐ 500 - **46 hab** 6500/8000, 1 apartamento.

Europa, San Antonio 39, ✉ 02001, ✆ 24 15 12, Fax 21 45 69, 🏋 - |‡| ▤ TV ☎ 🚗 - 🏛 25/350. AE E VISA JCB. ✂ rest BY **a**
Comida 1600 - **116 hab** 8000/13000, 3 suites - PA 3500.

San Antonio, San Antonio 8, ✉ 02001, ✆ 52 35 35, Fax 52 31 30 - |‡| ▤ TV ☎ 🚗 - 🏛 25/40. AE E VISA JCB. ✂ rest BY **t**
Comida 2000 - **32 hab** 11000/16000 - PA 4500.

Gran Hotel sin rest, Marqués de Molins 1, ✉ 02001, ✆ 21 37 87, Fax 24 00 63 - |‡| ▤ TV ☎ - 🏛 25/60. AE ⦿ VISA. ✂ BY **r**
☐ 450 - **69 hab** 7500/11200.

Albar sin rest, con cafetería, Isaac Peral 3, ✉ 02001, ✆ 21 68 61, Fax 21 43 79 - |‡| TV ☎. AE E VISA. ✂ BY **e**
☐ 400 - **52 hab** 7000/9000.

ALBACETE

Marqués de Molins . . . . . BZ 24
Mayor . . . . AYZ 28

Arcángel San Gabriel . . . AZ 3
Arquitecto Julio Carrilero (Av. del) . . . . . AY 4
Batalla del Salado . . . . . . BZ 5
Caba . . . . AZ 6
Carretas (Pl. de las) . . . . . BZ 7
Catedral (Pl. de la) . . . . . . AY 8
Comandante Padilla . . . . . AZ 9
Fernán Pérez de Oliva . . . AY 14
Francisco Fontecha . . . . . . BY 16
G. Lodares (Pl. de) . . . . . . AZ 17
Granada . . . . AY 18
Iris . . . . BY 19
Isabel la Católica . . . . AY 20
Joaquín Quijada . . . . AY 21
Libertad (Pas. de la) . . . . . BY 22
Martínez Villena . . . . BY 26
Mayor (Pl.) . . . . AY 29
Pedro Martínez Gutiérrez . . . AY 30
Pedro Simón Abril (Pas. de) . AZ 32
Rosario . . . . AY 33
San Antonio . . . . BY 34
San Julián . . . . AY 35
San Sebastián . . . . AY 36
Santa Quiteria . . . . BZ 37
Tesifonte Gallego . . . . AZ 38
Tinte . . . . AZ 39
Valencia (Puerta de) . . . . . . BZ 42
Virgen de las Maravillas . . . . AY 44
Zapateros . . . . AY 46

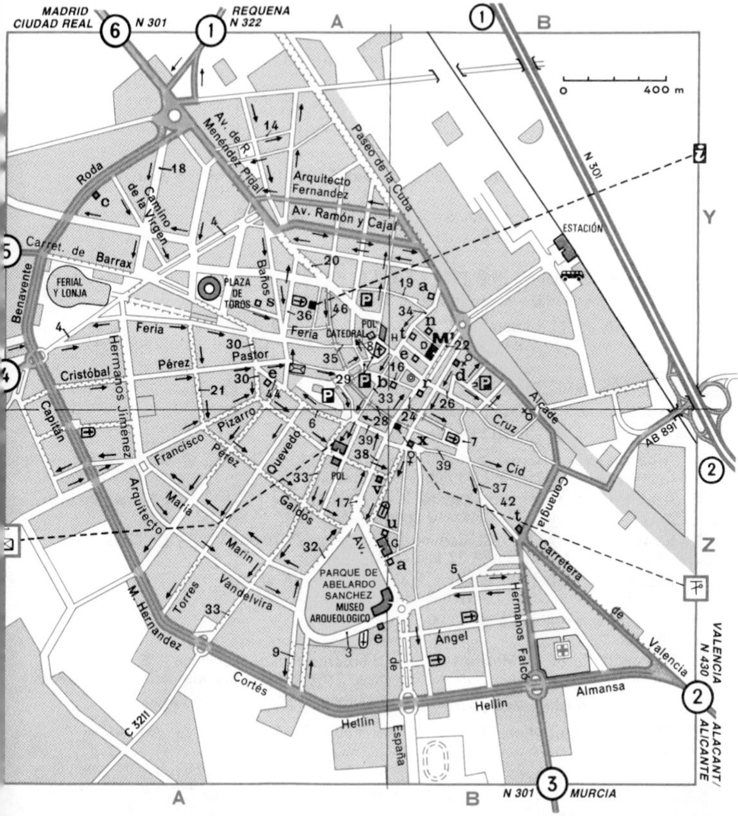

Florida, Ibáñez Ibero 14, ✉ 02005, ✆ 22 70 58, Fax 22 91 15 – |♦| ▤ TV ☎ 🚗. AE E VISA. ✻ — AY **s**
Comida 1250 – ☕ 250 – **79 hab** 3900/7900 – PA 2500.

Altozano sin rest y sin ☕, pl. Altozano 7, ✉ 02001, ✆ 21 04 62, Fax 52 13 66 – |♦| ▤ TV ☎ 🚗. ✻ – **40 hab** 4500/7900. — ABY **b**

Cardinal sin rest, con cafetería, Virgen de las Maravillas 5, ✉ 02004, ✆ 50 87 78, Fax 50 87 79 – |♦| ▤ TV ☎. AE ⓓ E VISA JCB. — AY **e**
☕ 300 – **15 hab** 4500/6500.

Albacete, Carcelén 8, ✉ 02001, ✆ 21 81 11, Fax 21 87 25 – ▤ TV ☎. AE ⓓ E VISA — BY **n**
Comida *(cerrado sábado, domingo, julio y agosto)* 1200 – ☕ 400 – **36 hab** 3500/6500.

Nuestro Bar, Alcalde Conangla 102, ✉ 02002, ✆ 22 72 15, ⛱, Cocina regional – ▤. AE ⓓ E VISA. ✻ — BZ **t**
cerrado domingo noche y julio – **Comida** carta 2200 a 3400.

Álvarez, Salamanca 12, ✉ 02001, ✆ 21 82 69 – ▤. AE VISA. ✻ — BY **d**
cerrado domingo y agosto – **Comida** carta aprox. 3800.

Rincón Gallego, Teodoro Camino, ✉ 02002, ✆ 21 14 94, Cocina gallega – ▤. AE E VISA. ✻ — BZ **x**
Comida carta 2700 a 3850.

- **Las Rejas,** Dionisio Guardiola 9, ✉ 02002, ☎ 22 72 42, Mesón típico – ▤. AE ⓓ E VISA. ✻ AZ **v**
  cerrado domingo y 2 semanas en agosto – **Comida** carta 2600 a 3900.
- **Casa Paco,** La Roda 26, ✉ 02005, ☎ 50 06 18, Fax 50 06 18 – ▤. AE ⓓ VISA. ✻
  cerrado domingo noche y 15 julio- 15 agosto – **Comida** carta 1650 a 3200. AY **c**
- **Mesón El Museo,** Arcángel San Gabriel 5, ✉ 02002, ☎ 22 52 08, Decoración regional – ▤. VISA. ✻ AZ **e**
  cerrado lunes y agosto – **Comida** carta 1800 a 2500.

al Sureste 5 km por ② o ③ – ✉ 02000 Albacete – ☎ 967 :

- **Parador de Albacete** ⛰, ☎ 50 93 43, Fax 22 60 92, ←, « Conjunto de estilo regional », ⛱, ✂ – ▤ TV ☎ P – 25/90. AE ⓓ E VISA. ✻
  Comida 3000 – ☕ 1000 – **70 hab** 10500 – PA 5950.

ALBA DE TORMES **37800** Salamanca 441 J 13 – 4 422 h. alt. 826 – ☎ 923.
Ver : Iglesia de San Juan (grupo escultórico★).
♦Madrid 191 – Ávila 85 – Plasencia 123 – ♦Salamanca 19.

- Alameda, av. Juan Pablo II ☎ 30 00 31, Fax 37 02 81, ⛱ – ▤ rest ☎ P
  34 hab.
- **La Villa,** carret. de Peñaranda 49 ☎ 30 09 85 – ▤. E VISA. ✻
  Comida carta aprox. 2700.

ALBAIDA **46860** Valencia 445 P 28 – 5 862 h. – ☎ 96.
♦Madrid 381 – ♦Albacete 132 – ♦Alicante/Alacant 80 – ♦Valencia 82.

- **El Bessó,** av. El Romeral 6 ☎ 239 02 91 – ▤. AE ⓓ E VISA. ✻
  cerrado domingo noche y del 15 al 31 de agosto – **Comida** carta 2400 a 4100.

ALBARRACÍN **44100** Teruel 443 K 25 – 1 164 h. alt. 1 200 – ☎ 978.
Ver : Pueblo típico ★ Emplazamiento ★ Catedral (tapices★).
♦Madrid 268 – Cuenca 105 – Teruel 38 – ♦Zaragoza 191.

- **Albarracín** ⛰, Azagra ☎ 71 00 11, Fax 71 00 11, ←, ⛱ – TV ☎. AE ⓓ E VISA. ✻ rest
  Comida 3025 – ☕ 675 – **38 hab** 7100/13200.
- **Arabia** sin rest, Bernardo Zapater 2 ☎ 71 02 12, Fax 71 02 12, ← – TV ☎. VISA. ✻
  ☕ 390 – **11 hab** 5950/6800, 10 apartamentos.
- **Santo Cristo** ⛰ sin rest, Camino Santo Cristo ☎ 70 03 01 – TV P. E VISA
  abril-diciembre – ☕ 350 – **12 hab** 4600.
- **Mesón del Gallo,** Los Puentes 1 ☎ 71 00 32 – TV ☎. ✻
  Comida 1200 – ☕ 300 – **17 hab** 2500/5000.
- Olimpia, San Antonio 5 ☎ 71 00 83
  15 hab.
- **El Portal,** Portal de Molina 14 ☎ 70 03 90, Decoración castellana – E VISA. ✻
  cerrado domingo noche, lunes y 10 enero-15 febrero – **Comida** carta 1950 a 2950.

en la carretera de Teruel NE : 1,5 km – ✉ 44100 Albarracín – ☎ 978 :

- **Montes Universales,** ☎ 71 01 58, Fax 71 02 12 – TV ☎ ⛟ P. VISA. ✻
  Comida 1250 – ☕ 350 – **24 hab** 3950/4950 – PA 2590.

La ALBERCA **37624** Salamanca 441 K 11 – 958 h. alt. 1 050 – ☎ 923.
Ver : Pueblo típico★★.
Alred. : S : Carretera de Las Batuecas★ – Peña de Francia★★ : ✻★★ O : 15 km.
♦Madrid 299 – Béjar 54 – Ciudad Rodrigo 49 – ♦Salamanca 94.

- **Las Batuecas** ⛰, carret. de Las Batuecas ☎ 41 51 88, Fax 41 50 55 – ▤ rest TV ☎ P. E VISA. ✻ rest
  cerrado 10 enero- 10 febrero – **Comida** 1500 – ☕ 450 – **24 hab** 3900/6800 – PA 2825.
- **París** ⛰, San Antonio ☎ 41 51 31, Fax 26 09 91 – ▤ rest TV ☎ P. E VISA. ✻
  Comida 1500 – ☕ 450 – **22 hab** 5000/7000 – PA 2650.

ALBERIQUE o **ALBERIC** **46260** Valencia 445 O 28 – 8 587 h. alt. 28 – ☎ 96.
♦Madrid 392 – ♦Albacete 145 – ♦Alicante/Alacant 126 – ♦Valencia 41.

en la carretera N 340 S : 3 km – ✉ 46260 Alberique – ☎ 96 :

- **Balcón del Júcar,** ☎ 244 00 87, ⛱ – ▤ TV P. AE ⓓ E VISA. ✻
  Comida 2000 – ☕ 475 – **18 hab** 3400/5700.

ALBIR (Playa de) Alicante – ver Alfaz del Pi.

ALBOLOTE 18220 Granada 446 U 19 – 10 070 h. alt. 654 – ✪ 958.
♦Madrid 415 – Antequera 91 – ♦Granada 8.

🏨 **Príncipe Felipe,** av. Jacobo Camarero 32 ℘ 46 54 11, Fax 46 54 46, ⛱ – |♦| ▤ 📺 ☎ 🚗 – 🎤 25/200. AE VISA. ✂ rest
Comida *(cerrado domingo)* 1000 – ☕ 425 – **57 hab** 4000/6000 – PA 2425.

en la autovía N 323 NE : 3 km – ✉ 18220 Albolote – ✪ 958 :

🏨 **Villa Blanca,** urb. Villas Blancas ℘ 45 30 02, Fax 45 31 61, ≤, ⛱ – ▤ 📺 ☎ Ⓟ. AE ⓓ E VISA. ✂ rest
Comida 1500 – ☕ 500 – **36 hab** 5500/7900.

La ALBUFERETA (Playa de) Alicante – ver Alicante.

ALBUQUERQUE 06510 Badajoz 444 O 8 y 9 – 5 714 h. alt. 440 – ✪ 924.
♦Madrid 372 – ♦Badajoz 46 – ♦Cáceres 72 – Castelo de Vide 65 – Elvas 59.

🏨 **Las Alcabalas,** carret. C 530 ℘ 40 11 02, Fax 40 11 89, ≤ – ▤ 📺 ☎ Ⓟ. AE E VISA. ✂
Comida carta aprox. 2250 – **14 hab** ☕ 3500/5500.

ALCALÁ DE CHIVERT 12570 Castellón de la Plana 445 L 30 – 4 779 h. – ✪ 964 – Playa.
♦Madrid 471 – Castellón de la Plana 49 – Tarragona 134 – Tortosa 73 – ♦Valencia 123.

✕ **Jacinto,** carret. N 340 ℘ 41 02 86, Fax 41 04 79 – ▤ Ⓟ. VISA. ✂
cerrado domingo noche – **Comida** carta 1925 a 4200.

ALCALÁ DE GUADAIRA 41500 Sevilla 446 T 12 – 52 515 h. – ✪ 95.
♦Madrid 529 – ♦Cádiz 117 – ♦Córdoba 131 – ♦Málaga 193 – ♦Sevilla 14.

🏨 **Oromana** 🌙, av. de Portugal ℘ 568 64 00, Fax 568 64 00, ≤, 🌳, « Edificio de estilo andaluz rodeado de un pinar », ⛱ – ▤ 📺 Ⓟ – 🎤 25/180. AE ⓓ VISA. ✂
Comida *(cerrado lunes en invierno)* 2200 – **30 hab** ☕ 8500/11700.

🏨 Silos, Silos ℘ 568 00 59, Fax 568 44 57 – ▤ 📺 ☎ Ⓟ – 🎤 25/40
Comida (ver rest. Nuevo Coliseo) – **53 hab.**

🏨 **Guadaira,** Mairena 8 ℘ 568 14 00, Fax 568 14 00 – |♦| ▤ 📺 ☎. E VISA. ✂
Comida 1100 – ☕ 190 – **23 hab** 4000/6000.

✕✕ **Zambra,** av. Antonio Mairena 98 ℘ 561 28 29, Fax 561 07 13, 🌳, Pescados y mariscos – ▤. E VISA. ✂
Comida carta 2900 a 4200.

✕✕ Nuevo Coliseo, Silos ℘ 568 00 59, Fax 568 44 57 – ▤.

ALCALÁ DE HENARES 28800 Madrid 444 K 19 – 162 780 h. alt. 588 – ✪ 91.
Ver : Antigua Universidad o Colegio de San Ildefonso (fachada plateresca★) – Capilla de San Ildefonso (sepulcro★ del Cardenal Cisneros).
⛳ Club Valdeláguila SE : 8 km ℘ 885 96 59.
ℹ Callejón de Santa María 1, ℘ 889 26 94, ✉ 28801 – R.A.C.E. Nebrija 9, ℘ 882 91 29.
♦Madrid 31 – Guadalajara 25 – ♦Zaragoza 290.

🏨 Topeca 40, Cánovas del Castillo 4, ✉ 28807, ℘ 882 47 45, Fax 882 81 67 – |♦| ▤ 📺 ☎ 🚗
21 hab.

🏨 **El Bedel** sin rest, con cafetería, pl. San Diego 6, ✉ 28801, ℘ 889 37 00, Fax 889 37 16 – |♦| 📺 ☎ – 🎤 25/90. AE ⓓ E VISA. ✂
☕ 650 – **51 hab** 7900/10700.

🏨 **Bari,** vía Complutense 112, ✉ 28804, ℘ 888 14 50, Fax 883 38 36 – |♦| ▤ 📺 ☎ Ⓟ. ⓓ E VISA JCB. ✂
Comida 2300 – ☕ 550 – **49 hab** 5500/9500 – PA 4120.

✕✕✕ **Hostería de Alcalá de Henares,** Colegios 3, ✉ 28801, ℘ 888 03 30, Fax 888 05 27, « Decoración de estilo castellano - claustro del siglo XV » – ▤. AE ⓓ E VISA. ✂
Comida carta aprox. 3500.

ALCALÁ DE LA SELVA 44432 Teruel 445 K 27 – 409 h. alt. 1 500 – ✪ 978.
♦Madrid 360 – Castellón de la Plana/Castelló de la Plana 111 – Teruel 59 – ♦Valencia 148.

en Virgen de la Vega SE : 2 km – ✉ 44431 Virgen de la Vega – ✪ 978 :

✕ **Mesón de la Nieve** 🌙 con hab, ℘ 80 10 83, Fax 80 10 83, ≤ – Ⓟ. ✂
cerrado 5 septiembre- 5 octubre – **Comida** carta 1950 a 2250 – ☕ 400 – **9 hab** 3500/6000.

ALCANAR 43530 Tarragona 443 K 31 – 7 828 h. alt. 72 – ✪ 977 – Playa.
♦Madrid 507 – Castellón de la Plana/Castelló de la Plana 85 – Tarragona 101 – Tortosa 37.

en Cases d'Alcanar NE : 4,5 km – ✉ 43569 Cases d'Alcanar – ✪ 977 :

✕ **Racó del port,** Lepanto 41 ℘ 73 70 50, 🌳, Pescados y mariscos – VISA. ✂
cerrado lunes y del 5 al 30 de noviembre – **Comida** carta 3650 a 4500.

ALCANTARILLA 30820 Murcia 445 S 26 - 30 070 h. alt. 66 - ☎ 968.
◆Madrid 397 - ◆Granada 276 - ◆Murcia 7.

X **Mesón de la Huerta,** av. del Príncipe (carret. N 340) ☎ 80 23 90, Mesón típico - ▤ ℗.

junto a la autovía N 340 SO : 5 km - ✉ 30835 Sangonera La Seca - ☎ 968 :

La Paz, ☎ 80 13 37, Fax 80 13 37, ⛱ - |♦| ▤ TV ☎ ⇔ ℗ - 25/500. AE E VISA. ✻
Comida 1650 - ☐ 800 - **111 hab** 4850/8000 - PA 3480.

ALCAÑIZ 44600 Teruel 443 I 29 - 12 820 h. alt. 338 - ☎ 978.
Ver : Colegiata (portada★).
◆Madrid 397 - Teruel 156 - Tortosa 102 - ◆Zaragoza 103.

Parador de Alcañiz ⛰, castillo de Calatravos ☎ 83 04 00, Fax 83 03 66, ≤ valle y colinas cercanas, « Edificio medieval-decoración castellana » - |♦| ▤ TV ☎ ℗. AE ⓓ E VISA. ✻
Comida 3200 - ☐ 1100 - **12 hab** 12500 - PA 6375.

Calpe, carret. de Zaragoza O : 1 km ☎ 83 07 32, Fax 83 00 54 - |♦| ▤ ☎ ⇔ ℗ - 25/350. AE ⓓ E VISA. ✻ rest
Comida *(cerrado domingo noche)* 1300 - ☐ 400 - **40 hab** 4000/8000 - PA 2600.

Meseguer, av. Maestrazgo 9 ☎ 83 10 02, Fax 83 01 41 - ▤ TV ☎. AE ⓓ E VISA. ✻
Comida *(cerrado domingo y del 14 al 30 de septiembre)* 1275 - ☐ 400 - **24 hab** 3800/6300.

Senante, carret. de Zaragoza 13 ☎ 83 05 50, Fax 87 02 67 - ▤ rest ℗ - 25/500. AE E VISA. ✻
Comida 1000 - ☐ 200 - **29 hab** 4500/6500.

ALCÁZAR DE SAN JUAN 13600 Ciudad Real 444 N 20 - 25 706 h. alt. 651 - ☎ 926.
◆Madrid 149 - ◆Albacete 147 - Aranjuez 102 - Ciudad Real 87 - Cuenca 156 - Toledo 99.

Ercilla Don Quijote y Rest. Sancho, av. de Criptana 5 ☎ 54 38 00, Fax 54 63 00 - |♦| ▤ TV ☎ ⇔. AE ⓓ E VISA. ✻ rest
Comida *(cerrado domingo noche y festivos noche)* carta 2850 a 5450 - ☐ 415 - **44 hab** 5000/8000.

XX **Casa Paco,** av. Álvarez Guerra 5 ☎ 54 06 06 - ▤. E VISA. ✻
cerrado lunes - **Comida** carta 2100 a 3100.

X **La Mancha,** av. de la Constitución ☎ 54 10 47, ☂, Cocina regional - ▤. AE E VISA. ✻
cerrado miércoles y agosto - **Comida** carta aprox. 2100.

en la carretera de Herencia O : 2 km - ✉ 13600 Alcázar de San Juan - ☎ 926 :

Ercilla Barataria, av. de Herencia ☎ 54 06 17, Fax 54 32 32 - ▤ TV ☎ ℗ - 25/500. AE ⓓ E VISA. ✻ rest
Comida *(cerrado domingo y festivos noche)* 1300 - ☐ 415 - **37 hab** 5000/8000 - PA 3015.

Los ALCÁZARES 30710 Murcia 445 S 27 - 4 052 h. - ☎ 968 - Playa.
ℹ Fuster 63 (edificio Pintor Hernández Canpe) ☎ 17 13 61 (ext. 33), Fax 57 52 49.
◆Madrid 444 - ◆Alicante/Alacant 85 - Cartagena 25 - ◆Murcia 54.

Corzo, La Base 6 ☎ 57 51 25, Fax 17 14 51 - |♦| ▤ TV ☎ ⇔ - 25/40. E VISA. ✻
cerrado 22 diciembre-6 enero - **Comida** 1500 - **44 hab** ☐ 7000/10000 - PA 4700.

Cristina sin rest, La Base 4 ☎ 17 11 10, Fax 17 11 10 - |♦| TV ☎ ⇔. VISA. ✻
cerrado del 2 al 22 de octubre - **15 hab** ☐ 4600/6800.

ALCIRA o **ALZIRA** 46600 Valencia 445 O 28 - 40 055 h. alt. 24 - ☎ 96.
◆Madrid 387 - ◆Albacete 153 - ◆Alicante/Alacant 127 - ◆Valencia 39.

Reconquista, Sueca 14 ☎ 240 30 61, Fax 240 25 36 - ▤ TV ☎ ⇔. AE E VISA
Comida 1500 - ☐ 600 - **78 hab** 6155/8585 - PA 3075.

ALCOBENDAS 28100 Madrid 444 K 19 - 78 916 h. alt. 670 - ☎ 91.
◆Madrid 16 - Ávila 124 - Guadalajara 60.

junto a la autovía N I SO : 3 km - ✉ 28100 Alcobendas - ☎ 91 :

La Moraleja, av. de Europa 17 - Parque Empresarial La Moraleja ☎ 661 80 55, Fax 661 21 88, Fō, ⛱ - |♦| ▤ TV ☎ ⇔ ℗. AE ⓓ E VISA. ✻
Comida carta aprox. 4000 - ☐ 1350 - **37 suites** 22000.

en la Moraleja S : 4 km - ✉ 28109 La Moraleja - ☎ 91 :

XX **Ascot,** pl. de la Moraleja ☎ 650 13 53, ☂ - ▤. AE E VISA. ✻
Comida carta 4375 a 4850.

ALCOCÉBER o **ALCOSSEBRE** **12579** Castellón de la Plana 445 L 30 - 964 - Playa.
♦Madrid 471 - Castellón de la Plana/Castelló de la Plana 49 - Tarragona 139.

en la playa - ✉ 12579 Alcocéber - 964 :

Jeremías ⑤, S : 1 km ☎ 41 44 37, Fax 41 45 12, - rest TV ☎ P. AE ① E VISA
Comida 1900 - ☐ 1000 - **39 hab** 3000/12000.

Can Roig, S : 3 km ☎ 41 43 91, - AE ① E VISA.
cerrado miércoles (salvo en verano) y noviembre-15 marzo - **Comida** carta 2500 a 3900.

hacia la carretera N 340 NO : 2 km - ✉ 12579 Alcocéber - 964 :

D'el Tossalet sin rest, ☎ 41 44 69, ≤, - P.
julio-septiembre - ☐ 240 - **16 hab** 3000/5000.

ALCORA o **L'ALCORA** **12110** Castellón de la Plana 445 L 29 - 8 372 h. alt. 279 - 964.
♦Madrid 407 - Castellón de la Plana/Castelló de la Plana 19 - Teruel 130 - ♦Valencia 94.

Sant Francesc, av. Castelló 19 ☎ 36 09 24 - . AE E VISA.
cerrado sábado y domingo en julio-agosto - **Comida** carta 2300 a 3300.

ALCOSSEBRE Castellón de la Plana - ver Alcocéber.

ALCOY o **ALCOI** **03803** Alicante 445 P 28 - 64 579 h. alt. 545 - 96.
Alred. : Puerto de la Carrasqueta★ S : 15 km.
♦Madrid 405 - ♦Albacete 156 - ♦Alicante/Alacant 55 - ♦Murcia 136 - ♦Valencia 110.

Reconquista y Rest. La Terraza, puente de San Jorge 1 ☎ 533 09 00, Fax 533 09 55, ≤ - rest TV ☎ - 25/260. AE ① E VISA. rest
Comida *(cerrado sábado y domingo en verano y domingo resto del año)* carta aprox. 3400 - ☐ 725 - **70 hab** 6900/9775.

Lolo, Castalla 5 ☎ 533 69 42 - . AE ① E VISA.
cerrado domingo noche y lunes - **Comida** carta 2175 a 3800.

ALCOZ o **ALKOTZ** **31797** Navarra 442 C y D 24 alt. 588 - 948.
♦Madrid 425 - ♦Bayonne 94 - ♦Pamplona/Iruñea 30.

Anayak ⑤ con hab, San Esteban 30 ☎ 30 50 05 - P. VISA.
cerrado 2ª quincena de septiembre - **Comida** carta aprox. 2600 - ☐ 350 - **10 hab** 2750/4100.

ALCUDIA DE CARLET o **L'ALCUDIA** **46250** Valencia 445 O 28 - 9 988 h. - 96.
♦Madrid 362 - Albacete 153 - ♦Alicante/Alacant 134 - ♦Valencia 33.

Galbis, av. Antonio Almela 15 ☎ 254 10 93, Fax 299 65 84 - .

ALDEA o **L'ALDEA** **43896** Tarragona 443 J 31 - 3 543 h. alt. 5 - 977.
Madrid 498 - Castellón de la Plana/Castelló de la Plana 118 - Tarragona 72 - Tortosa 13.

Can Quimet, av. Catalunya 328 ☎ 45 00 03, Fax 45 00 03 - TV ☎ . AE E VISA.
cerrado 22 diciembre-6 enero - **Comida** 1500 - ☐ 450 - **25 hab** 3800/7500 - PA 2800.

ALDEANUEVA DE LA VERA **10440** Cáceres 444 L 12 - 2 476 h. alt. 658 - 927.
Madrid 217 - Ávila 149 - ♦Cáceres 128 - Plasencia 49.

Chiquete, av. Extremadura 3 ☎ 56 08 62 - rest.
Comida 1000 - ☐ 200 - **13 hab** 2500/3500.

La ALDOSA - ver Andorra : La Massana.

ALELLA **08328** Barcelona 443 H 36 - 6 865 h. - 93.
Madrid 641 - ♦Barcelona 15 - Granollers 16.

El Niu, rambla Angel Guimerá 16 (interior) ☎ 555 17 00, Fax 555 17 00 - . AE ① E VISA.
cerrado domingo noche, lunes y del 16 al 31 de agosto - **Comida** carta 3050 a 4700.

ALFAJARÍN **50172** Zaragoza 443 H 27 - 1 546 h. alt. 199 - 976.
Madrid 342 - ♦Lérida/Lleida 129 - ♦Zaragoza 23.

por la carretera N II y carretera particular E : 3 km - ✉ 50172 Alfajarín - 976 :

Casino de Zaragoza ⑤ sin rest, ☎ 10 20 04, Fax 10 20 87, ≤, - TV ☎ P - 25/200. AE ① E VISA
☐ 800 - **37 hab** 10400/13000.

ALFARO **26540** La Rioja 442 F 24 - 9 432 h. alt. 301 - ✆ 941.
♦Madrid 319 - ♦Logroño 78 - ♦Pamplona/Iruñea 81 - Soria 93 - ♦Zaragoza 102.

Palacios, av. de Zaragoza 6 ✆ 18 01 00, Fax 18 36 22, Museo del vino de Rioja, ⛱, - |‡| ▤ rest TV ☎ P - 25/250. AE ⓞ E VISA. rest
Comida 1125 - ☕ 495 - **86 hab** 4015/5655.

ALFAZ DEL PÍ **03580** Alicante 445 Q 29 - 6 671 h. alt. 80 - ✆ 96.
♦Madrid 468 - ♦Alicante/Alacant 50 - Benidorm 7.

El Molí, Calvari 12 ✆ 588 82 44, Fax 588 82 44, , ⛱ - TV ☎. ⓞ E VISA. rest
Comida 1750 - ☕ 700 - **10 hab** 3975/6500.

en la carretera N 332 E : 3 km - ✉ 03580 Alfaz del Pí - ✆ 96 :

La Torreta, ✆ 686 65 07, - ▤ P. AE ⓞ E VISA.
cerrado sábado mediodía y domingo - **Comida** carta 2800 a 3500.

en la playa de Albir E : 4 km - ✉ 03580 Alfaz del Pi - ✆ 96 :

La Riviera, camino al faro I ✆ 686 53 86, Fax 686 66 53, ← mar, montaña y Altea, ⛱ - TV ☎. E VISA
Comida *(cerrado jueves y 15 enero-17 febrero)* 1300 - **11 hab** ☕ 4700/8500.

La ALGABA **41980** Sevilla 446 T 11 - 12 298 h. alt. 9 - ✆ 95.
♦Madrid 560 - Huelva 61 - ♦Sevilla 11.

en la carret. C 431 N : 2 km - ✉ 41980 La Algaba - ✆ 95 :

Torre de los Guzmanes sin rest, ✆ 578 91 75, Fax 578 92 05, ⛱ - ▤ TV ☎ P - 25/120. AE E VISA.
☕ 400 - **40 hab** 10000/15000.

ALGAIDA Palma de Mallorca - ver Baleares (Mallorca).

ALGAR **11369** Cádiz 446 W 13 - 1 846 h. alt. 204 - ✆ 956.
♦Madrid 597 - Algeciras 74 - Arcos de la Frontera 20 - ♦Cádiz 87 - Marbella 121.

Villa de Algar, Camino Arroyo Vinateros ✆ 71 02 75, Fax 71 02 66 - |‡| ▤ TV ☎ P. AE ⓞ E VISA.
Comida 1575 - ☕ 315 - **20 hab** 3415/5250 - PA 2775.

El ALGAR **30366** Murcia 445 T 27 - ✆ 968.
♦Madrid 457 - ♦Alicante/Alacant 95 - Cartagena 15 - ♦Murcia 64.

✿ **José María Los Churrascos,** av. Filipinas 24 ✆ 13 60 28, Fax 13 62 30 - ▤ P. AE ⓞ E VISA.
Comida carta 3100 a 4950
Espec. Ensalada estilo José María, Bacalao a lo Don Bibiano, Leche asada con arrope.

ALGECIRAS **11200** Cádiz 446 X 13 - 101 556 h. - ✆ 956 - Playa.
Ver : ←★★ (Peñón de Gibraltar).
✆ 65 49 07.
para Tánger y Ceuta : Cía Trasmediterránea, recinto del puerto ✆ 66 52 00, Telex 7800[illegible] Fax 66 52 16.
Juan de la Cierva ✆ 57 26 36.
♦Madrid 681 ① - ♦Cádiz 124 ② - Jerez de la Frontera 141 ② - ♦Málaga 133 ① - Ronda 102 ①.

Plano página siguiente

Reina Cristina , paseo de la Conferencia, ✉ 11207, ✆ 60 26 22, Telex 7805[illegible] Fax 60 33 23, , « En un parque », ⛱, , - |‡| ▤ TV ☎ P - 25/100. [illegible] ⓞ E VISA. AZ
Comida 2500 - ☕ 1500 - **158 hab** 9400/15800, 2 suites.

Octavio sin rest, San Bernardo 1, ✉ 11207, ✆ 65 27 00, Fax 65 28 02 - |‡| ▤ TV ☎ - 25/30. AE ⓞ E VISA. BZ
☕ 800 - **74 hab** 9000/14000, 3 suites.

Al-Mar, av. de la Marina 2, ✉ 11201, ✆ 65 46 61, Telex 78181, Fax 65 45 01, ← - |‡| ▤ TV ☎ - 25/40. AE ⓞ E VISA. BZ
Comida 1600 - **192 hab** ☕ 4800/9000 - PA 3000.

Alarde sin rest, Alfonso XI-4, ✉ 11201, ✆ 66 04 08, Fax 65 49 01 - |‡| ▤ TV ☎ - 2[illegible] AE ⓞ E VISA BY
☕ 495 - **68 hab** 5775/8950.

Don Manuel sin rest y sin ☕, Segismundo Moret 4, ✉ 11201, ✆ 63 46 06, Fax 63 47 1[illegible] - |‡| ▤ TV ☎. VISA. BZ
15 hab 3500/6500.

ALGECIRAS

Alta (Pl.) . . . . BY 2
Emilio Santacana . . . . BY 14
Monet . . . . BZ 27
Regino Martinez . . . . BY 31
Tarifa . . . . BZ 37
Velarde . . . . BZ 40

Cádiz (Carret. de) . . . . BZ 3
Cayetano del Toro . . . . BZ 4
Carteya . . . . AZ 5
Conferencia (Pas. de la) . . . AYZ 8
Domingo Savio . . . . AY 9
Duque de Almodóvar . . . . . BZ 10
Fray Tomás del Valle . . . . . . BY 17
Fuente Nueva . . . . AY 18
Fuerzas Armadas (Av. de las). BY 20
José Antonio . . . . BY 21
José Santacana . . . . BZ 23
Juan de la Cierva . . . . BZ 24
Marina (Av. de la) . . . . BZ 26
Muñoz Cobos . . . . BY 28
N.S. de la Palma (Pl.) . . . . . . BY 29
Ramón Puyol (Av.) . . . . AY 30
Reyes Católicos . . . . AZ 32
Salvador Allende . . . . BY 33
San Bernardo . . . . BZ 34
Santiago Ramón y Cajal . BY 35
Segismundo Moret (Av.) . BZ 36
Teniente Miranda . . . . BY 39
Vicente de Paul . . . . AY 42
Virgen de Europa (Av.) . . BY 43

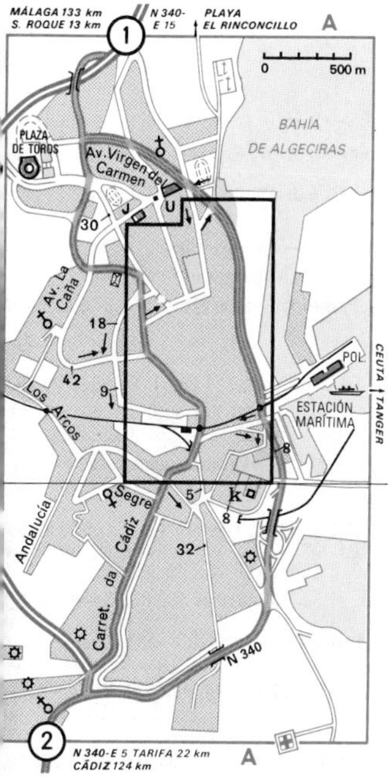

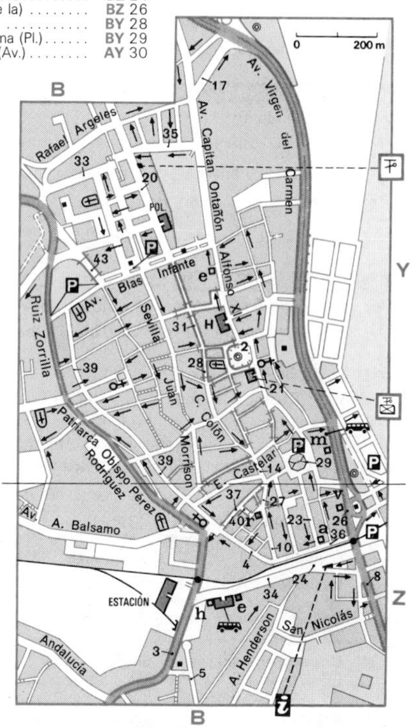

El Estrecho sin rest y sin ☕, av. Virgen del Carmen 15 - 7°, ✉ 11201, ☎ 65 35 11, ≤ - 🛗. AE VISA. BY **m**
20 hab 3200/4000.

Iris, San Bernardo 1, ✉ 11207, ☎ 65 58 06, Fax 65 28 02 - ▤. AE ⓓ E VISA BZ **e**
Comida carta 2375 a 3275.

Pazo de Edelmiro, pl. Miguel Martín 1, ✉ 11201, ☎ 66 63 55 - ▤. VISA. BZ **r**
Comida carta aprox. 2300.

en la carretera N 340 por ① : 4 km - ✉ 11205 Algeciras - ☎ 956 :

Alborán sin rest, Álamo ☎ 63 28 70, Fax 63 23 20 - 🛗 ▤ TV ☎ P - 25/550. AE E VISA
☕ 550 - **79 hab** 7000/10000.

en la playa de Palmones por ① : 8 km - ✉ 11379 Palmones - ☎ 956 :

La Posada del Terol sin rest, ☎ 67 75 50, Fax 67 71 42, ≤, - 🛗 TV ☎ - **24 hab.**

Mesón El Copo, Trasmayo 2 ☎ 67 77 10, Fax 67 77 86 - ▤. AE ⓓ E VISA.
cerrado domingo - **Comida** carta 3350 a 4350.

Besonders angenehme Hotels oder Restaurants
sind im Führer rot gekennzeichnet.

Sie können uns helfen, wenn Sie uns die Häuser angeben,
in denen Sie sich besonders wohl gefühlt haben.

Jährlich erscheint eine komplett überarbeitete Ausgabe
aller Roten Michelin-Führer.

ALGORTA Vizcaya - ver Getxo.

ALHAMA DE ARAGÓN 50230 Zaragoza 443 I 24 - 1 195 h. alt. 634 - ☎ 976 - Balneario.

♦Madrid 206 - Soria 99 - Teruel 166 - ♦Zaragoza 115.

Baln. Termas Pallarés, Constitución 20 ☎ 84 00 11, Fax 84 05 35, « Estanque de agua termal en un gran parque », Ls, ⛱ de agua termal, % - |‡| ☎ P. AE ⓘ E VISA JCB. ✻ rest *abril-diciembre* - **Comida** 2800 - ☕ 500 - **143 hab** 4500/8700.

Ver ambién : ***Piedra (Monasterio de)*** SE : 17 km.

ALHAMA DE GRANADA 18120 Granada 446 U 17 y 18 - 5 783 h. alt. 960 - ☎ 958 - Balneario.

Ver : Emplazamiento★★.

♦Madrid 483 - ♦Córdoba 158 - ♦Granada 54 - ♦Málaga 82.

al Norte : 3 km - ✉ 18120 Alhama de Granada - ☎ 958 :

Balneario ⛰, carret. de Granada ☎ 35 00 11, Fax 35 02 97, En un parque, ⛱ de agua termal - |‡| TV P. VISA. ✻
10 junio-10 octubre - **Comida** 2500 - ☕ 550 - **116 hab** 4300/7500 - PA 4200.

ALICANTE o **ALACANT** 03000 P 445 Q 28 - 275 111 h. - ☎ 96 - Playa.

Ver : explanada de España★ DEZ - Museo de Arte del S. XX "La Asegurada"★ EY **M**.

✈ de Alicante por ②: 12 km ☎ 528 50 11 - Iberia : av. Federico Soto 9, ✉ 03001, ☎ 520 60 00 DYZ.

🚗 ☎ 592 50 47.

⛴ Cia : Trasmediterránea, explanada de España 2, ✉ 03002, ☎ 514 25 51, Fax 520 45 26.

ℹ explanada de España 2, ✉ 03002, ☎ 520 00 00, Fax 520 02 43 Portugal 17, ✉ 03003, ☎ 900 21 10 27, Fax 592 01 12 - R.A.C.E. Orense 3, ✉ 03003, ☎ 522 93 49, Fax 512 55 97.

♦Madrid 417 ③ - ♦Albacete 168 ③ - Cartagena 110 ② - ♦Murcia 81 ② - ♦Valencia (por la costa) 174 ①.

Planos páginas siguientes

Meliá Alicante, playa de El Postiguet, ✉ 03001, ☎ 520 50 00, Telex 66131, Fax 520 47 56, ←, ⛱ - |‡| ▤ TV ☎ P - 🔏 25/500. AE ⓘ E VISA. ✻ EZ r
Comida 3300 - ☕ 1100 - **540 hab** 13325/16650, 5 suites - PA 6545.

Eurhotel, Pintor Lorenzo Casanova 33, ✉ 03003, ☎ 513 04 40, Fax 592 83 23 - |‡| ▤ TV ☎ - 🔏 25/300. AE ⓘ E VISA. ✻ CZ a
Comida *(cerrado domingo y 15 julio- 20 agosto)* 2400 - ☕ 900 - **116 hab** 9950/10950.

Covadonga sin rest, pl. de los Luceros 17, ✉ 03004, ☎ 520 28 44, Fax 521 43 97 - |‡| ▤ TV ☎ 🚗. AE ⓘ VISA. ✻ CY d
☕ 500 - **83 hab** 4500/7500.

NH Cristal sin rest. con cafetería por la noche, López Torregrosa 9, ✉ 03002, ☎ 514 36 59, Fax 520 66 96 - |‡| ▤ TV ☎ - 🔏 35/40. AE ⓘ E VISA. ✻ DY c
☕ 950 - **53 hab** 8640/12000.

Sol Alicante sin rest, Gravina 9, ✉ 03002, ☎ 521 07 00, Fax 521 09 76 - |‡| ▤ TV ☎ 🚗 - 🔏 25/150. AE ⓘ E VISA. ✻ EY
☕ 800 - **66 hab** 6500/8200.

Leuka sin rest. con cafetería, Segura 23, ✉ 03004, ☎ 520 27 44, Telex 66272, Fax 521 95 58 - |‡| ▤ TV ☎ 🚗. AE ⓘ E VISA. ✻ CY h
☕ 650 - **108 hab** 5760/9370.

La Reforma sin rest, con cafetería por la noche, Reyes Católicos 7, ✉ 03003, ☎ 592 81 47, Fax 592 39 50 - |‡| ▤ TV ☎ 🚗. AE ⓘ E VISA DZ h
☕ 650 - **52 hab** 4770/8780.

XXX **Delfín,** explanada de España 12, ✉ 03001, ☎ 521 49 11, Fax 521 99 07, ←, 🏖 - ▤. AE ⓘ E VISA. ✻ DZ y
Comida carta aprox. 4200.

XXX **Curricán,** Canalejas 1, ✉ 03001, ☎ 514 08 18, Fax 514 37 45 - ▤. AE ⓘ E VISA JCB ✻ DZ
cerrado domingo - **Comida** carta 3200 a 4700.

XX **Nou Manolín,** Villegas 3, ✉ 03001, ☎ 520 03 68, Fax 521 70 07, Vinoteca - ▤. AE ⓘ E VISA DY m
Comida carta 3450 a 4200.

XX **Dársena,** paseo del Puerto, ✉ 03001, ☎ 520 75 89, Fax 520 84 31, ←, 🏖, Arroces - ▤ AE ⓘ E VISA JCB. ✻ DZ e
Comida carta 2875 a 4075.

XX **Jumillano,** César Elguezábal 62, ✉ 03001, ☎ 521 29 64, Fax 514 28 81, Vinoteca - ▤. AE ⓘ E VISA. ✻ DY
cerrado domingo - **Comida** carta aprox. 4200.

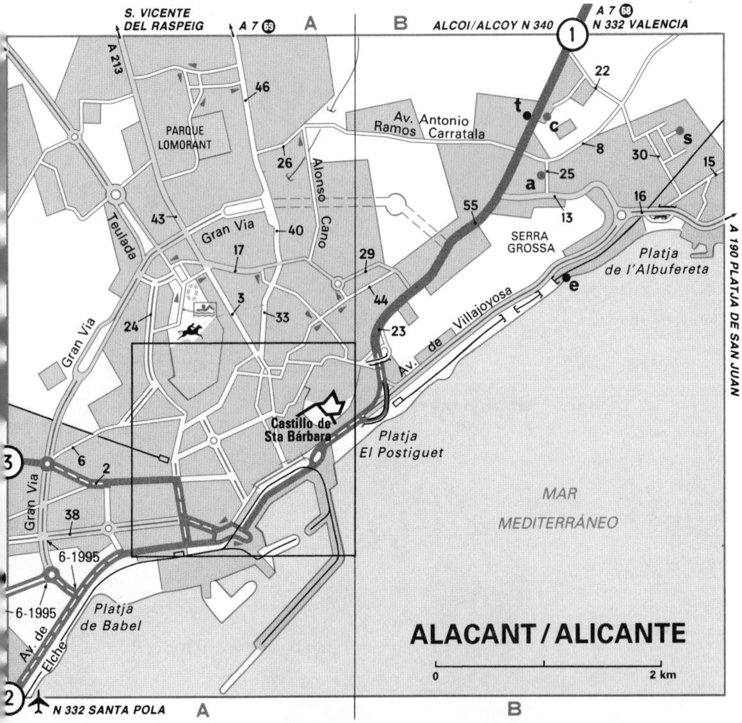

Aguilera (Av. de)	A 2	Conde Lumiares (Av.)	A 17	Flora de España (Vial)	B 30
Alcoy (Av. de)	A 3	Costa de España (Camino)	B 22	Jijona (Av. de)	A 33
Auso y Monzo	A 6	Denia (Av. de)	B 23	Llorenç Carbonell	A 38
Caja de Ahorros (Av. de)	B 8	Doctor Rico (Av.)	A 24	Maestro Alonso	A 40
Camarada Jaime Llopis	B 13	Duque de Rivas	B 25	Novelda (Av. de)	A 43
Colonia (Camino de la)	B 15	Ejercitos Españoles (Av.)	A 26	Padre Esplá	B 44
Condomina (Av. de la)	B 16	Enrique Madrid	B 29	Pintor Gastón Castelló (Av.)	A 46
				Vistahermosa (Av. de)	B 55

X **Quo Vadis,** pl. Santísima Faz 3, ✉ 03002, ☎ 521 66 60, Fax 520 05 67, 🏠 – ▤. AE ⓓ E VISA. ⛔ – *cerrado domingo noche y lunes* – **Comida** carta 2520 a 4150. EY **q**

X **Valencia Once,** Valencia 11, ✉ 03012, ☎ 521 13 09 – ▤. AE ⓓ E VISA. ⛔ DY **a**
cerrado domingo noche, lunes y 15 julio- 15 agosto – **Comida** carta 2450 a 4000.

X **El Bocaíto,** Isabel la Católica 22, ✉ 03007, ☎ 592 26 30 – ▤. AE ⓓ E VISA JCB. ⛔
cerrado domingo – **Comida** carta 2100 a 3150. CZ **d**

X **Bar Luis,** Toledo 20, ✉ 03002, ☎ 521 14 46 – ▤. AE ⓓ E VISA. ⛔ EY **e**
cerrado domingo, lunes mediodía, del 16 al 26 de enero y del 10 al 20 de julio – **Comida** carta 2600 a 4600.

X **China,** av. Dr. Gadea 11, ✉ 03003, ☎ 592 75 74, Rest. chino – ▤. AE ⓓ E VISA. ⛔
Comida carta 1225 a 1970. DZ **c**

X **La Cava,** General Lacy 4, ✉ 03003, ☎ 522 96 46 – ▤. AE ⓓ E VISA CZ **e**
Comida carta 2300 a 3100.

X **La Goleta,** explanada de España 8, ✉ 03002, ☎ 521 43 92, 🏠 – ▤. AE ⓓ E VISA. ⛔
Comida carta 2900 a 4500. EZ **c**

en la carretera de Valencia – ⊛ 96 :

🏨 **Europa** sin rest, con cafetería, av. de Denia 93 : 5 km, ✉ 03015, ☎ 516 09 11, Fax 526 03 99, 🏊 – 🛗 ▤ 📺 ☎ 🚗 🅿 – 🏛 25/30. AE E VISA – ☕ 800 – **141 hab** 7000/9000. B **t**

XXX **Maestral,** Andalucía 18-Vistahermosa, cruce Albufereta : 3 km, ✉ 03016, ☎ 516 46 18, 🏠, « Villa con terraza rodeada de jardín » – ▤. AE ⓓ E VISA. ⛔ B **a**
cerrado lunes – **Comida** carta 3700 a 5000.

XX La Piel del Oso, Vistahermosa : 3,5 km, ✉ 03016, ☎ 526 06 01, Fax 515 20 47 – ▤ 🅿.
JCB B **c**

ALACANT
ALICANTE

Alfonso X el Sabio (Av. de)	DY	
Constitución (Av. de la)	DY	21
Mayor	EY	
Méndez Núñez (Rambla)	DYZ	
Adolfo Muñoz Alonso (Av.)	CY	
Aguilera (Av. de)	CZ	
Alcoy (Av. de)	DY	
Ayuntamiento (Pl. del)	EY	7
Bailén	DY	
Bazán	DY	
Benito Pérez Galdós (Av.)	CY	
Bono Guarner	CY	
Calderón de la Barca	DY	
Calvo Sotelo (Pl.)	DZ	10
Canalejas	DZ	
Capitán Segarra	DY	
Castaños	DYZ	14
Catedrático Soler (Av.)	CZ	
Churruca	CZ	
Condes de Soto Ameno (Av.)	CY	20
Díaz Moreu	DY	
Doctor Gadea (Av. del)	DZ	
Doctor Rico (Av.)	CY	
Elche (Av. de)	CZ	
Elche (Portal de)	DZ	28
España (Explanada de)	DEZ	
España (Pl. de)	DY	
Estación (Av. de la)	CY	
EusebioSempere (Av.)	CZ	
Fábrica (Cuesta de la)	EY	
Federico Soto (Av. de)	DZ	
Foglieti	CZ	
Gabriel Miró (Pl. de)	DZ	31
García Morato	DY	
General Marvá (Av. del)	CY	
Gerona	DZ	
Gomiz (Paseo de)	EY	
Hermanos Pascual (Pl.)	DY	
Isabel la Católica	CZ	
Italia	CZ	
Jijona (Av. de)	DY	33
Jorge Juan	EY	
Jovellanos (Av. de)	EY	35
López Torregrosa	DY	37
Loring (Av. de)	CZ	
Maisonnave (Av. de)	CZ	
Montañeta (Pl. de la)	DZ	41
Navas	DYZ	
Oscar Esplá (Av.)	CZ	
Pablo Iglesias	DY	
Padre Mariana	DY	
Pintor Aparicio	CZ	
Pintor Gisbert	CY	
Pintor Murillo	DY	
Poeta Carmelo Calvo (Av.)	DY	47
Portugal	DZ	
Puerta del Mar (Pl.)	EZ	48
Rafael Altamira	EZ	50
Rafael Terol	DZ	
Ramiro (Pas.)	EY	51
Ramón y Cajal (Av. de)	DZ	
Reyes Católicos	CZ	
Salamanca (Av. de)	CY	
San Antonio (Pl. de)	DY	
San Carlos	EY	
San Fernando	DEZ	53
San Francisco	DZ	
San Vicente	DY	
Santa Teresa (Pl.)	DY	
Teatre Chapí	DY	58
Vázquez de Mella (Av.)	EY	

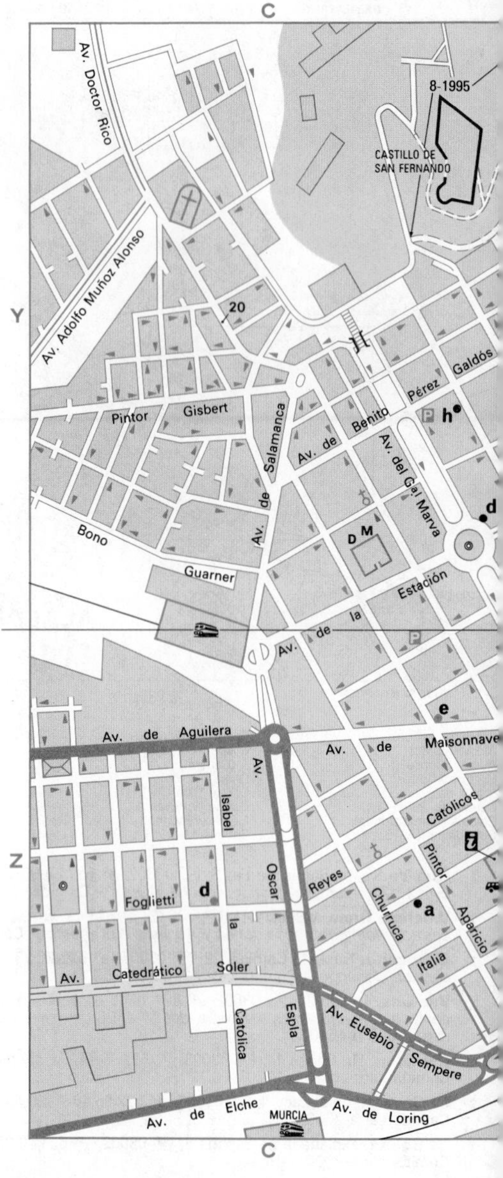

en la playa de la Albufereta – ✉ 03016 Alicante – ☎ 96 :

Adoc sin rest, con cafetería, 4 km ☎ 526 59 00, Fax 516 59 50, <, ⛱, 🏊, 🎾 – |♦| ▤ TV ☎. AE ⓓ E VISA JCB – ☕ 525 – **88 hab** 5000/7800, 4 suites. B e

Auberge de France, Flora de España 32-Finca Las Palmeras : 5 km ☎ 526 06 02, 🌳, Cocina francesa, « En un pinar » – ▤ Ⓟ. AE ⓓ E VISA B s
cerrado martes y 1ª quincena de noviembre – **Comida** carta 3350 a 3700.

Ver ambién : ***Playa de San Juan*** por A 190 : 7 km
San Juan de Alicante por ① : 9 km.

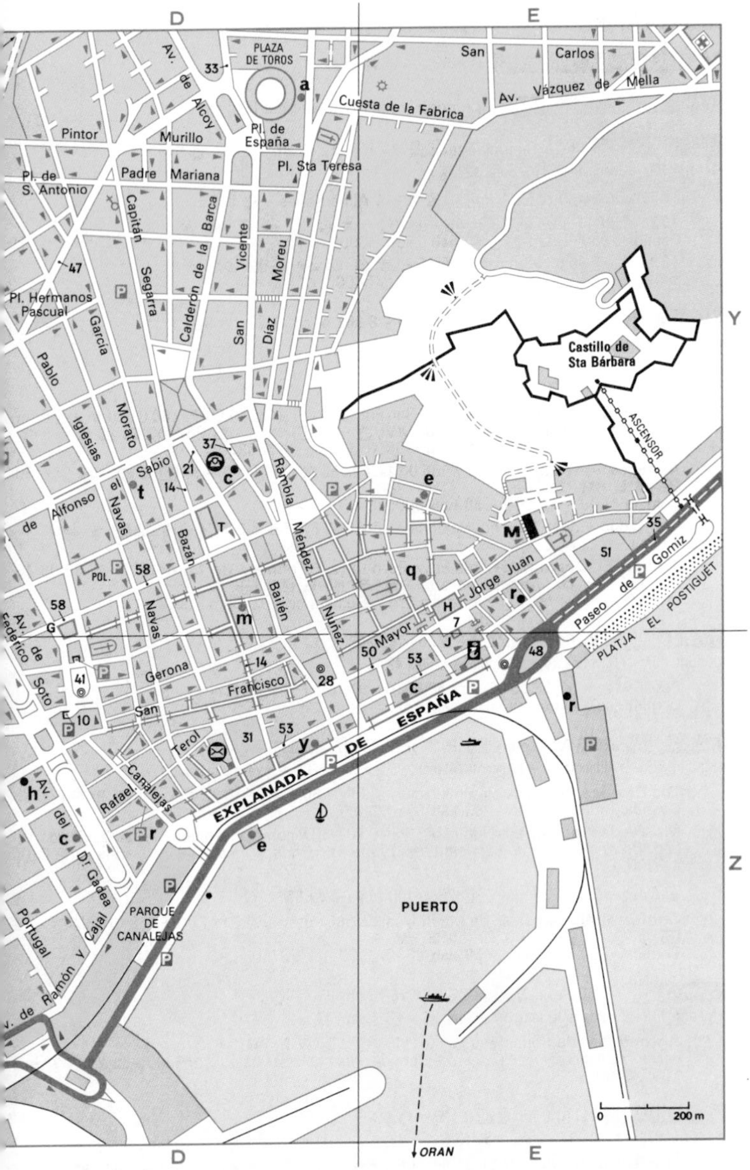

For business or tourist interest :
MICHELIN Red Guide : main cities EUROPE.

ALJARAQUE **21110** Huelva 446 U 8 – 6 720 h. – 959.
9 Bellavista, ✆ 31 80 83.
♦Madrid 652 – ♦Faro 77 – ♦Huelva 10.

XX **Las Candelas,** SE : 0,5 km ✆ 31 83 01 – ▤ Ⓟ. AE ⓓ E VISA. ✂
cerrado domingo – **Comida** carta aprox. 5500.

ALKOTZ Navarra – ver Alcoz.

La ALMADRABA (Playa de) Gerona – ver Rosas.

L'ALMADRAVA (playa de) Tarragona – ver Hospitalet del Infante.

ALMADRONES **19414** Guadalajara [444] J 21 – 112 h. alt. 1 054 – ☎ 949.
◆Madrid 100 – Guadalajara 44 – Soria 127.

en la autovía N II E : 1 km – ✉ 19414 Almadrones – ☎ 949 :

🏨 **103,** ℘ 28 55 11, Fax 28 55 45 – ▤ TV 🚗 P. AE ⓓ E VISA. ✗
Comida 1950 – ☕ 570 – **40 hab** 2830/5380.

✗✗ **103 - II,** ℘ 28 55 95, Fax 28 55 45 – ▤ P. AE ⓓ E VISA. ✗
cerrado sábado – **Comida** carta 2425 a 5400.

ALMAGRO **13270** Ciudad Real [444] P 18 – 8 962 h. alt. 643 – ☎ 926.
Ver : Plaza Mayor★★ (Corral de Comedias★).
ℹ Carnicerías 5 ℘ 86 07 17.
◆Madrid 189 – ◆Albacete 204 – Ciudad Real 23 – ◆Córdoba 230 – Jaén 165.

🏨 **Parador de Almagro** 🔇, ronda de San Francisco 31 ℘ 86 01 00, Fax 86 01 50, Instalado en el convento de Santa Catalina - siglo XVI, 🏊 – ▤ TV ☎ P – 🧑‍🤝‍🧑 25/100. AE ⓓ E VISA. ✗
Comida 3200 – ☕ 1100 – **54 hab** 13500, 1 suite – PA 6375.

🏨 **Almagro,** carret. de Bolaños ℘ 86 00 11, Fax 86 06 18, ⛱, 🏊 – ▤ TV ☎ P – 🧑‍🤝‍🧑 25/150. AE ⓓ E VISA. ✗
Comida 1600 – ☕ 800 – **50 hab** 6600/8400 – PA 4000.

🏨 Don Diego y Rest. Sancho, Bolaños 1 ℘ 86 12 87, Fax 86 05 74 – |≑| ▤ TV ☎ 🚗
31 hab.

✗ **Mesón El Corregidor,** pl. Fray Fernando Fernández de Córdoba 2 ℘ 86 06 48, Fax 88 27 69, ⛱, Antigua posada – ▤. AE ⓓ E VISA JCB. ✗
cerrado lunes y 1ª semana de agosto – **Comida** carta 2700 a 3800.

ALMANDOZ **31976** Navarra [442] C 25 – ☎ 948.
◆Madrid 437 – ◆Bayonne 76 – ◆Pamplona/Iruñea 42.

✗ Beola, Mayor ℘ 58 50 02, Fax 58 50 02, ⛱, Decoración rústica – P
Comida (sólo almuerzo salvo sábado).

ALMANSA **02640** Albacete [444] P 26 – 22 488 h. alt. 685 – ☎ 967.
◆Madrid 325 – ◆Albacete 76 – ◆Alicante/Alacant 96 – ◆Murcia 131 – ◆Valencia 111.

🏨 **Los Rosales,** carret. de circunvalación ℘ 34 07 50, Fax 31 18 82 – ▤ rest P. AE E VISA. ✗
Comida 1500 – ☕ 350 – **33 hab** 3710/5580.

✗✗ **Mesón de Pincelín,** Las Norias 10 ℘ 34 00 07, « Decoración regional » – ▤. AE ⓓ VISA. ✗
cerrado domingo noche, lunes y tres primeras semanas de agosto – **Comida** carta 2700 a 3950.

al Noroeste : 2'3 km – ✉ 02640 Almansa – ☎ 967 :

🏨 **Confortel Almansa,** av. de Madrid, salida 586 autovía ℘ 34 47 00, Fax 31 15 60, 🏊 – ▤ TV ☎ P – 🧑‍🤝‍🧑 25/200. AE ⓓ E VISA. ✗
Comida 1800 – ☕ 775 – **50 hab** 6600/8500 – PA 3750.

ALMAZÁN **42200** Soria [442] H 22 – 5 975 h. alt. 950 – ☎ 975.
◆Madrid 191 – Aranda de Duero 107 – Soria 35 – ◆Zaragoza 179.

🏨 **Antonio,** av. de Soria 13 ℘ 30 07 11 – P. AE ⓓ E VISA. ✗
cerrado 24 diciembre-20 enero – **Comida** *(cerrado festivos noche)* 2000 – ☕ 270 – **28 hab** 1800/3700.

ALMAZCARA **24170** León [441] E 10 – ☎ 987.
◆ Madrid 378 – ◆León 99 – Ponferrada 10.

🏨 **Los Rosales,** carret. N VI ℘ 46 71 67, Fax 46 72 00 – |≑| ▤ rest P. AE VISA. ✗
Comida 1000 – ☕ 250 – **40 hab** 3200/4500 – PA 1925.

ALMENDRALEJO **06200** Badajoz [444] P 10 – 24 120 h. alt. 336 – ☎ 924.
◆Madrid 368 – ◆Badajoz 56 – Mérida 25 – ◆Sevilla 172.

🏨 **Vetonia,** carret. N 630, NE : 2 km ℘ 67 11 51, Fax 67 11 51, 🏊 – |≑| ▤ TV ☎ 🚗 P – 🧑‍🤝‍🧑 25/500. AE ⓓ E VISA JCB
Comida 1500 – ☕ 400 – **30 hab** 5680/7100.

🏨 España, av. San Antonio 69 ℘ 67 01 20, Fax 67 01 20 – |≑| ▤ TV ☎
Comida (ver rest. Zara) – **26 hab.**

XX **El Paraíso,** carret. N 630, SE : 2 km ✆ 66 10 01, Fax 67 02 55, – ▤ **P**. AE ◑ E VISA.
Comida carta 2300 a 3800.

X **El Danubio,** carret. N 630 SE : 1 km ✆ 66 10 84 – ▤ **P**. AE ◑ E VISA
Comida carta 1250 a 2500.

X Zara, carret N 630 ✆ 66 10 78 – ▤.

ALMERÍA **04000** P 446 V 22 – 159 587 h. – ✆ 950 – Playa.

Ver : Alcazaba★ (jardines★) Y – Catedral★ Z.

Alred. : Cabo de Gata★ E : 29 km por ② – Ruta★ de Benahadux a Tabernas NO : 55 km por ①.

✈ de Almería por ② : 8 km ✆ 22 19 54 – Iberia : paseo de Almería 44, ✉ 04001, ✆ 23 00 34 Z.

🚗 ✆ 25 05 88.

⛴ para Melilla : Cía. Trasmediterránea, parque Nicolás Salmerón 19, ✉ 04002, ✆ 23 61 55, Telex 78811, Fax 26 37 14.

ℹ Parque de Nicolás Salmerón ✉ 04002 ✆ 27 43 55 Fax 27 43 60 – **R.A.C.E.** Santiago 64, ✉ 04006, ✆ 22 68 37, Fax 22 40 65.

♦Madrid 550 ① – Cartagena 240 ① – ♦Granada 171 ① – Jaén 232 ① – Lorca 157 ① – Motril 112 ③.

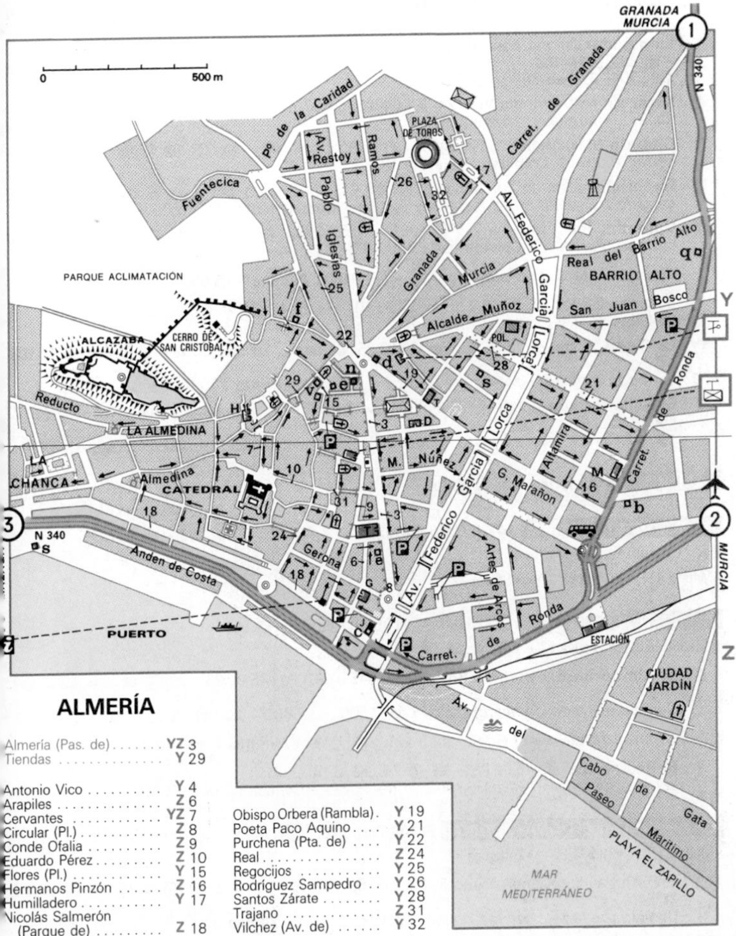

ALMERÍA

Almería (Pas. de) . . . . YZ 3
Tiendas . . . . Y 29

Antonio Vico . . . . Y 4
Arapiles . . . . Z 6
Cervantes . . . . YZ 7
Circular (Pl.) . . . . Z 8
Conde Ofalia . . . . Z 9
Eduardo Pérez . . . . Z 10
Flores (Pl.) . . . . Y 15
Hermanos Pinzón . . . . . . Z 16
Humilladero . . . . Y 17
Nicolás Salmerón (Parque de) . . . . Z 18
Obispo Orbera (Rambla) . Y 19
Poeta Paco Aquino . . . . Y 21
Purchena (Pta. de) . . . . Y 22
Real . . . . Z 24
Regocijos . . . . Y 25
Rodríguez Sampedro . . Y 26
Santos Zárate . . . . Y 28
Trajano . . . . Z 31
Vilchez (Av. de) . . . . . . Y 32

Torreluz IV sin rest, con cafetería, pl. Flores 5, ⊠ 04001, ℘ 23 47 99, Telex 75347, Fax 23 47 99, « Terraza con ⛱ » – |¢| ▤ TV ☎ 🚗 – 🧑‍🏫 25/220. AE ⓓ E VISA JCB. ✂ Y **e**
☕ 950 – **100 hab** 9590/16220, 5 suites.

G. H. Almería sin rest, con cafetería, av. Reina Regente 8, ⊠ 04001, ℘ 23 80 11, Telex 75343, Fax 27 06 91, ←, ⛱ – |¢| ▤ TV ☎ 🚗 – 🧑‍🏫 25/300. AE ⓓ E VISA. ✂
☕ 990 – **114 hab** 10400/17650, 3 suites. Z **c**

Torreluz II sin rest, con cafetería, pl. Flores 6, ⊠ 04001, ℘ 23 47 99, Telex 75347, Fax 23 47 99 – |¢| ▤ TV ☎ 🚗. AE ⓓ E VISA JCB. ✂ Y **v**
☕ 660 – **73 hab** 6815/9050.

Costasol sin rest, con cafetería, paseo de Almería 58, ⊠ 04001, ℘ 23 40 11, Fax 23 40 11 – |¢| ▤ TV ☎ – 🧑‍🏫 25/100. AE ⓓ E VISA. ✂ Z **e**
☕ 575 – **55 hab** 6880/8600.

Indálico sin rest, con cafetería, Dolores Sopeña 4, ⊠ 04004, ℘ 23 11 11, Fax 23 10 28 – |¢| ▤ TV ☎ 🚗. AE ⓓ E VISA Y **s**
☕ 525 – **52 hab** 7900/9900.

Torreluz, pl. Flores 1, ⊠ 04001, ℘ 23 47 99, Telex 75347, Fax 23 47 99 – |¢| ▤ TV ☎ 🚗. AE ⓓ E VISA JCB. ✂ Y **v**
Comida 1295 – ☕ 525 – **24 hab** 4720/7240.

Sol Almería sin rest, con cafetería, carret de Ronda 193, ⊠ 04005, ℘ 27 18 11, Fax 27 37 09 – |¢| ▤ TV ☎. E VISA Y **q**
☕ 250 – **25 hab** 4500/8500.

Embajador sin rest, con cafetería, Calzada de Castro 4, ⊠ 04006, ℘ 25 55 11, Fax 25 93 64 – |¢| ▤ TV ☎. VISA Z **b**
☕ 250 – **67 hab** 3800/5900.

Nixar sin rest, Antonio Vico 24, ⊠ 04003, ℘ 23 72 55, Fax 23 72 55 – ▤ ☎. VISA. ✂
☕ 275 – **40 hab** 2735/4905. Y **f**

Club de Mar, Muelle 1, ⊠ 04002, ℘ 23 50 48, ←, ⛱ – ▤. AE ⓓ E VISA. ✂ Z **s**
cerrado lunes – **Comida** carta aprox. 3650.

Imperial, Puerta de Purchena 13, ⊠ 04001, ℘ 23 17 40, ⛱ – ▤. E VISA Y **d**
cerrado miércoles salvo festivos y verano – **Comida** carta 1900 a 3050.

Valentín, Tenor Iribarne 7, ⊠ 04001, ℘ 26 44 75 – ▤. AE E VISA. ✂ Y **n**
cerrado domingo – **Comida** carta 2600 a 3250.

en la carretera de Málaga por ③ – ⊠ 04002 Almería – ☎ 950 :

Solymar, 2,5 km ℘ 23 46 22, Fax 27 70 10, ← – |¢| ▤ TV ☎ P
15 hab.

La Gruta, 5 km ℘ 23 93 35, Fax 23 93 35, Carnes, « En una gruta » – P. AE ⓓ E VISA. ✂
cerrado domingo y noviembre – **Comida** (sólo cena) carta 2200 a 3200.

El Bello Rincón, 5 km ℘ 23 84 27, Fax 23 93 35, ⛱, Pescados y mariscos – ▤ P. AE ⓓ E VISA. ✂
cerrado lunes, julio y agosto – **Comida** (sólo almuerzo con reserva) carta aprox. 4000.

ALMERIMAR Almería – ver El Ejido.

ALMODÓVAR DEL RIO 14720 Córdoba 446 S 14 – 6 960 h. alt. 123 – ☎ 957.

Ver : Castillo★.

♦Madrid 414 – ♦Córdoba 17 – ♦Sevilla 123.

ALMONTE 21730 Huelva 446 U 10 – 16 350 h. alt. 75 – ☎ 959.

♦ Madrid 593 – ♦ Huelva 53 – ♦ Sevilla 63.

El Tamborilero, carret. del Rocío 226 ℘ 45 01 02, Fax 45 00 36 – ▤ TV ☎ 🚗. AE E VISA. ✂
Comida *(cerrado domingo)* (sólo cena) 1500 – ☕ 300 – **22 hab** 9000/12000.

en la carretera de El Rocío S : 5 km – ⊠ 21730 Almonte – ☎ 959 :

El Pastorcito, ℘ 45 02 05 – ▤ P. AE ⓓ E VISA. ✂
cerrado lunes no festivos y semana del Rocío – **Comida** carta 2150 a 3150.

La ALMUNIA DE DOÑA GODINA 50100 Zaragoza 443 H 25 – 5 775 h. alt. 366 – ☎ 976.

♦Madrid 270 – ♦Tudela 87 – ♦Zaragoza 52.

El Patio, av. del Generalísimo 6 ℘ 60 05 63, Fax 60 10 54 – |¢| ▤ TV ☎ P. AE ⓓ E VISA. ✂
Comida *(cerrado domingo noche)* 1500 – ☕ 400 – **24 hab** 4000/6000 – PA 3000.

ALMUÑÉCAR **18690** Granada 446 V 18 - 20 461 h. alt. 24 - 958 - Playa.
av. Europa-Palacete La Najarra, ✆ 63 11 25, Fax 63 50 07.
◆Madrid 516 - ◆Almería 136 - ◆Granada 87 - ◆Málaga 85.

- Helios, paseo de las Flores ✆ 63 44 59, Fax 63 44 69, ≤, , - |♦| ☎ - 25/200
232 hab.
- **Goya,** av. de Europa 31 ✆ 63 05 50, Fax 63 11 92 - E VISA.
Comida 1200 - 240 - **26 hab** 2800/5500 - PA 2640.
- **Casablanca,** pl. San Cristóbal 4 ✆ 63 55 75, - |♦| hab TV ☎ . AE E VISA JCB.
Comida *(cerrado miércoles)* 850 - 300 - **15 hab** 5000/8000 - PA 1825.
- **Playa de San Cristóbal** sin rest, pl. San Cristóbal 5 ✆ 63 11 12, Fax 63 36 12 - ☎. AE E VISA
15 marzo-15 octubre - 250 - **22 hab** 3500/5500.
- **Carmen** sin rest, av. de Europa 19 ✆ 63 14 13, Fax 63 14 13 - AE E VISA
285 - **24 hab** 3000/4720.
- **San Sebastián** sin rest, Ingenio Real 18 ✆ 63 04 66 - AE.
250 - **19 hab** 3000/4000.
- **El Puente,** av. de la Costa del Sol 14 ✆ 63 01 23 -
Comida 800 - 250 - **24 hab** 2300/3500.
- **Tropical** sin rest, av. de Europa 39 ✆ 63 34 58 - E VISA.
marzo-noviembre - **11 hab** 2800/4500.
- **Antonio,** bajos del Paseo 12 ✆ 63 00 20, - . AE E VISA.
Comida carta aprox. 3500.
- **Los Geranios,** pl. de la Rosa 4 ✆ 63 07 24, , Decoración típica regional - AE E VISA JCB
cerrado domingo y noviembre - **Comida** (sólo cena salvo en verano) carta 2500 a 3250.
- **La Última Ola,** Manila 17 ✆ 63 00 18, - . AE E VISA
cerrado lunes en invierno y 10 enero-19 marzo - **Comida** carta 2300 a 3500.

en la playa de Velilla E : 2,5 km - ✉ 18690 Velilla - 958 :

- **Velilla** sin rest, edificio Inti-Yan IV ✆ 63 07 58, Fax 63 07 54 - AE VISA.
abril-septiembre - 250 - **28 hab** 4000/5500.

al Oeste : 2,5 km - ✉ 18690 Almuñécar - 958 :

- **Cotobro,** Bajada del Mar 1 (playa de Cotobro) ✆ 63 18 02, ≤ - E VISA
cerrado lunes y del 20 al 30 de noviembre - **Comida** carta 2775 a 3500.
- **Los Arcos,** Bajada del Mar 25 (alto de Cotobro) ✆ 63 52 75, Fax 63 52 75, ≤, - AE E VISA
cerrado martes (15 septiembre- 15 junio) y febrero - **Comida** (sólo cena en verano) carta 2150 a 4200.

ALMUSAFES o **ALMUSSAFES** **46440** Valencia 445 O 28 - 6 335 h. alt. 30 - 96.
◆Madrid 402 - ◆Albacete 172 - ◆Alicante/Alacant 146 - ◆Valencia 18.

- Reig, Llavradors 13 ✆ 178 06 92 - |♦| TV ☎
36 hab.

ALOVERA **19208** Guadalajara 444 K 20 - 1 371 h. alt. 644 - 949.
◆Madrid 52 - Guadalajara 13 - ◆Segovia 139 - Toledo 122.

junto a la autovía N II SE : 4,5 km - ✉ 19208 Alovera - 949 :

- **Lux** sin rest, ✆ 27 01 61, Fax 27 04 12 - TV ☎ . AE E VISA
48 hab 5500/7300.

ALP **17538** Gerona 443 E 35 - 908 h. alt. 1 158 - 972 - Deportes de invierno en Masella SE : 7 km : 10.
◆Madrid 644 - ◆Lérida/Lleida 175 - Puigcerdá 8.

- **Les Lloses,** av. Sports ✆ 89 00 96, - . AE E VISA
cerrado martes en temporada baja - **Comida** carta 2300 a 3600.

S'ALQUERIA BLANCA Palma de Mallorca - ver Baleares (Mallorca).

ALQUEZAR **22145** Huesca 443 F 30 - 215 h. alt. 660 - 974.
◆Madrid 434 - Huesca 48 - ◆Lérida/Lleida 105.

- **Villa de Alquézar** sin rest, Pedro Arnal Cavero 12 ✆ 31 84 16, Fax 31 84 16 - TV . E VISA.
cerrado del 15 al 28 de febrero - 375 - **20 hab** 2800/5000.

ALSÁSUA o **ALTSASU** **31800** Navarra 442 D 23 - 6 793 h. alt. 532 - 948.
Alred. : S : carretera★★ del puerto de Urbasa - E : carretera★ del Puerto de Lizárraga (mirador★).
◆Madrid 402 - ◆Pamplona/Iruñea 50 - ◆San Sebastián/Donostia 71 - ◆Vitoria/Gasteiz 46.

ALTEA 03590 Alicante 445 Q 29 - 12 829 h. - 96 - Playa.
Club Don Cayo N : 4 km 584 80 46.
San Pedro 9 584 41 14, Fax 584 42 13.
Madrid 475 - Alicante/Alacant 57 - Benidorm 11 - Gandía 60.

- **Altaya** sin rest, La Mar 115 (zona del puerto) 584 08 00 - AE E VISA. 350 - **24 hab** 3400/5000.
- **Club Náutico,** av. del Puerto-edificio Club Náutico 584 47 19, - AE E VISA. Comida carta 2200 a 4475.
- **Oustau de Altea,** Mayor 5 (casco antiguo) 584 20 78, Fax 584 20 78, - AE E VISA *cerrado lunes (octubre-mayo) y febrero- 15 marzo* - **Comida** (sólo cena) carta 3575 a 4300.
- **El Negro,** Santa Bárbara 4 (casco antiguo) 584 18 26, bahía, , En una cueva - E VISA *cerrado lunes* - **Comida** (sólo cena) carta aprox. 3500.

por la carretera de Valencia NE : 2,5 km y desvío a la izquierda : 1 km - 03590 Altea - 96 :

- **Monte Molar,** 584 15 81, Fax 584 15 81, , « Elegante villa con terraza y mar » - AE E VISA *cerrado miércoles en invierno y enero-15 marzo* - **Comida** carta 3400 a 7200
Espec. Ensalada tibia con santiaguiños, Terrina de foie-gras de pato, Lomito de rape al Noilly Prat.

ALTO CAMPÓO Cantabria - ver Reinosa.

ALTO DE MEAGAS Guipúzcoa - ver Zarauz.

ALTRÓN Lérida - ver Llessuy.

ALTSASU Navarra - ver Alsasua.

ALZIRA Valencia - ver Alcira.

ALLES Asturias - ver Panes.

AMANDI 33311 Asturias 441 B 13 - 98.
Ver : Iglesia de San Juan (ábside★, decoración★ de la cabecera).
Madrid 495 - Gijón 31 - Oviedo 42.

- **La Casona de Amandi** sin rest, 589 01 30, Fax 589 01 29, « Antigua casa solariega », - TV E VISA. *cerrado del 15 al 30 de Enero* - 750 - **9 hab** 13900.

AMASA Guipúzcoa - ver Villabona.

AMENEIRO 15866 La Coruña 441 D 4 - 981.
Madrid 611 - La Coruña/A Coruña 71 - Pontevedra 50 - Santiago de Compostela 9.

- **Cierto Blanco,** carret N 550 54 83 83 - AE E VISA. *cerrado lunes y 15 días en Navidades* - **Comida** carta 3500 a 5100.

La AMETLLA DEL VALLÉS o **L'AMETLLA DEL VALLÉS** 08480 Barcelona 443 G 36 - 3 459 h. alt. 312 - 93.
Madrid 648 - Barcelona 35 - Gerona/Girona 83.

- **La Masía,** passeig Torregassa 77 843 00 02, Fax 843 00 02 - AE E VISA. *cerrado martes y del 8 al 22 de agosto* - **Comida** carta 2100 a 4250.

AMETLLA DE MAR o **L'AMETLLA DE MAR** 43860 Tarragona 443 J 32 - 4 183 h. alt. 20 - 977 - Playa.
Amistad Hispano Italiana, 45 63 29 y St. Joan 55, 45 64 77, Fax 45 68 38.
Madrid 509 - Castellón de la Plana/Castelló de Plana 132 - Tarragona 50 - Tortosa 33.

- **L'Alguer** sin rest, Mar 20 49 33 72, Fax 49 33 75 - TV . E VISA. 525 - **37 hab** 4400/8300.
- **Bon Repós,** pl. Catalunya 49 45 60 25, , « Jardín con arbolado », - hab TV E VISA *abril-septiembre* - **Comida** 1700 - 500 - **38 hab** 4500/7300.
- **L'Alguer,** Trafalgar 21 45 61 24, , , Pescados y mariscos - . AE E VISA. *cerrado lunes y 22 diciembre-15 enero* - **Comida** carta 2750 a 4300.

AMEYUGO 09219 Burgos 442 E 20 - 57 h. - ☎ 947.
♦Madrid 311 - ♦Burgos 67 - ♦Logroño 60 - ♦Vitoria/Gasteiz 44.

en el monumento al Pastor NO : 1 km - ✉ 09219 Ameyugo (por Miranda de Ebro) - ☎ 947 :

XX **Mesón El Pastor,** carret. N I ☎ 34 43 75 - ▤ P. AE VISA. ✻
Comida carta aprox. 3200.

AMOREBIETA o **ZORNOTZA** 48340 Vizcaya 442 C 21 - 15 798 h. alt. 70 - ☎ 94.
♦Madrid 415 - ♦Bilbao/Bilbo 22 - ♦San Sebastián/Donostia 79 - ♦Vitoria/Gasteiz 51.

XX **Juantxu,** Barrio Enartze ☎ 673 26 50, ≤, 🏡 - ▤ P. AE ⓓ E VISA. ✻
cerrado martes, 2ª quincena de agosto y 10 dias en Navidades - **Comida** carta aprox. 4500.

XX El Cojo, San Miguel 11 ☎ 673 00 25, Fax 673 15 29 - ▤ P. JCB.

AMPOLLA o **L'AMPOLLA** 43895 Tarragona 443 J 32 - 1 583 h. alt. 11 - ☎ 977.
ℹ pl. González Isla, ☎ 59 30 11.
♦Madrid 510 - Castellón de la Plana/Castelló de la Plana 128 - Tarragona 62 - Tortosa 24.

X **El Molí,** Castaños 4 ☎ 46 02 07, 🏡, Decoración rústica - AE ⓓ E VISA
cerrado lunes y enero-marzo - **Comida** carta 3025 a 4750.

AMPOSTA 43870 Tarragona 443 J 31 - 15 223 h. - ☎ 977.
ℹ av. Sant Jaume 1, ☎ 70 34 53.
♦Madrid 504 - Castellón de la Plana/Castelló de la Plana 112 - Tarragona 78 - Tortosa 18.

🏠 **Montsiá,** av. de la Rápita 8 ☎ 70 19 67, Fax 70 10 27 - |♦| ▤ rest TV ☎. AE ⓓ E VISA.
✻ rest - **Comida** 1225 - ☕ 400 - **51 hab** 3000/5500 - PA 2400.

AMPUERO 39840 Cantabria 442 B 19 - 3 324 h. - ☎ 942.
♦Madrid 430 - ♦ Bilbao/Bilbo 68 - ♦ Santander 52.

X **La Pinta** con hab, José Antonio, 31 ☎ 62 22 98, Fax 62 22 98 - ▤ rest TV ☎ P. AE VISA. ✻
Comida carta 2800 a 3800 - ☕ 450 - **16 hab** 3850/5500.

X **Casa Sarabia,** Melchor Torío 3 ☎ 62 23 65 - ▤. AE ⓓ E VISA. ✻
Comida carta 3100 a 4500.

AMPURIABRAVA o **EMPURIABRAVA** 17487 Gerona 443 F 39 - ☎ 972 - Playa.
ℹ Puigmal 1, ☎ 45 08 02 Fax 45 14 28.
♦Madrid 752 - Figueras/Figueres 15 - Gerona/Girona 53.

🏨 **Briaxis,** Port Principal 25 ☎ 45 15 45, Fax 67 27 71, ≤, 🏡, 🏊 - |♦| ▤ TV ☎ P. AE ⓓ
E VISA - **Comida** 1750 - ☕ 1000 - **52 hab** 10000/11500 - PA 4300.

X **El Bruel,** edificio Bahía II - 17 ☎ 45 10 18, 🏡 - ▤. AE E VISA. ✻
cerrado martes y 15 enero- 15 febrero - **Comida** carta 1800 a 4400.

Ver ambién : ***Castelló de Ampurias.***

AMURRIO 01470 Vitoria 442 C 20 - 9 849 h. alt. 219 - ☎ 945.
♦ Madrid 342 - ♦ Bilbao/Bilbo 37 - ♦ Burgos 124 - ♦ Vitoria/Gasteiz 38.

XX **Arenalde,** Arenalde 1 ☎ 89 24 26, Fax 39 36 98 - ▤ P. AE ⓓ E VISA. ✻
cerrado domingo noche, del 13 al 17 de abril, del 17 al 31 de agosto y 24 diciembre-2 enero - **Comida** carta 2850 a 4350.

ANDORRA (Principado de) ★★ 443 E 34 y 35 86 ⑭ ⑮ - 50 588 h. alt. 1 029 - ☎ con España 07-376

Andorra la Vieja **(Andorra la Vella)** Capital del Principado alt. 1 029.
Ver : Valle del Valira del Orient★ NE - Valle del Valira del Norte★ N.
ℹ Dr. Villanova ☎ 8202 14, Fax 82 58 23 - A.C.A. Babot Camp 4 ☎ 208 90.
♦Madrid 625 - ♦Barcelona 220 - Carcassonne 168 - Foix 105 - Gerona/Girona 245 - ♦Lérida/Lleida 155 - ♦Perpignan 166 - Tarragona 208 - Toulouse 185.

🏨 **Plaza,** María Pla 19 ☎ 86 44 44, Fax 82 17 21, Fö - |♦| ▤ TV ☎ ♿ 🚗 - 🏛 25/150. AE ⓓ E VISA JCB
Comida 3000 - ☕ 1200 - **101 hab** 13600/17000.

🏨 **Andorra Park H.** 🐚, Les Canals ☎ 82 09 79, Telex 377, Fax 82 09 83, ≤, 🏡, « Decoración elegante », 🏊, 🌳, 🎾 - |♦| TV ☎ P. AE ⓓ E VISA. ✻
Comida 3700 - **40 hab** ☕ 10900/14800.

🏨 **Andorra Palace,** de la Roda ☎ 82 10 72, Telex 208, Fax 82 82 45, Fö, 🏊, 🎾 - |♦| TV ☎ 🚗 P - 🏛 25/250. AE ⓓ E VISA
Comida 2300 - ***EL Jardí del Palace :*** **Comida** carta 2250 a 4050 - ☕ 1100 - **116 hab** 9500/11000, 24 apartamentos.

Andorra Center, Dr. Nequi 12 ℘ 82 48 00, Telex 377, Fax 82 86 06, – rest – 25/50. AE E VISA. rest
Comida 3350 - ***La Dama Blanca*** **Comida** carta 3350 a 4700 - **140 hab** 9350/11300.

Novotel Andorra, Prat de la Creu ℘ 86 11 16, Telex 208, Fax 86 11 20, – – 25/250. AE E VISA
Comida 2300 - 1100 - **102 hab** 13500/16500.

Mercure, av. Meritxell 58 ℘ 82 07 73, Telex 208, Fax 82 85 52, – – 25/80. AE E VISA
Comida 2300 - ***La Brasserie* : Comida** carta 2450 a 4100 - 1100 - **70 hab** 11500/13700.

President, av. Santa Coloma 44 ℘ 82 29 22, Fax 86 14 14, ←, – – 25/110. AE E VISA. rest
Comida 2500 - ***Panoramic* : Comida** carta 3000 a 4000 - **88 hab** 8200/12200.

Eden Roc sin rest, av. Dr Mitjavila 1 ℘ 82 10 00, Fax 86 03 19 – AE E VISA.
56 hab 10000/14000.

Flora sin rest, antic carrer Major 25 ℘ 82 15 08, Fax 86 20 85, – AE E VISA JCB.
45 hab 6000/10000.

Pyrénées, av. Princep Benlloch 20 ℘ 86 00 06, Fax 82 02 65, – rest AE E VISA. rest
Comida 2500 - **74 hab** 5200/7700.

Cassany sin rest, av. Meritxell 28 ℘ 82 06 36, Fax 86 36 09 – E VISA
800 - **54 hab** 6500/7800.

Xalet Sasplugas y Rest. Metropol, La Creu Grossa 15 ℘ 82 03 11, Fax 82 86 98, ←, – AE E VISA. rest
Comida *(cerrado domingo noche y lunes mediodía)* carta 3200 a 4100 - **26 hab** 6800/11000.

Florida sin rest, Llacuna 15 ℘ 82 01 05, Fax 86 19 25 – AE E VISA
48 hab 4400/8500.

De l'Isard, av. Meritxell 36 ℘ 82 00 96, Telex 377, Fax 86 66 95 – AE E VISA.
Comida 2250 - 850 - **60 hab** 5500/6800.

Borda Estevet, carret. de la Comella 2 ℘ 86 40 26, Fax 82 31 42, « Decoración rústica » – AE E VISA
cerrado domingo en julio y agosto - **Comida** carta 2550 a 3700.

Celler d'En Toni con hab, Verge del Pilar 4 ℘ 82 12 52, Fax 82 18 72 – AE E VISA. rest
Comida carta 3630 a 5550 - **20 hab** 4400/5500.

Arinsal alt. 1 145 – La Massana – Deportes de invierno : 1 550/2 800 m. 15.
◆Andorra la Vieja 12.

Solana, ℘ 83 51 27, Fax 83 73 95, ←, – – 25/40. AE E VISA. rest
cerrado 15 octubre-15 noviembre - **Comida** 2500 - 800 - **95 hab** 4500/7500.

Pobladó, ℘ 83 51 22, Fax 83 71 74, ← – AE E VISA. rest
cerrado 15 junio- 4 julio y 20 octubre- 15 diciembre - **Comida** 1700 - 550 - **28 hab** 3000/4500.

en Erts S : 1,5 km – La Massana :

Janet sin rest, ℘ 83 50 88 – E VISA.
cerrado 15 octubre-noviembre - **19 hab** 4000/5500.

Canillo alt. 1 531 – Canillo.
Ver : Crucifixión★ en la iglesia de Sant Joan de Caselles NE : 1km.
◆Andorra la Vieja 12.

Bonavida, pl. Major ℘ 85 13 00, Fax 85 17 22, ← – AE E VISA.
cerrado noviembre - **Comida** *(cerrado mayo, junio y noviembre)* 2000 - **40 hab** 7700/10200.

Roc del Castell sin rest, carretera General ℘ 85 18 25, Fax 85 17 07 – AE E VISA. – 620 - **44 hab** 5000/8500.

Encamp alt. 1 313 – Encamp.
Ver : Les Bons : lugar★ N : 1 km.
◆Andorra la Vieja 6.

Coray, Caballers 38 ℘ 83 15 13, Fax 83 18 06, ←, – VISA. hab
cerrado del 8 al 30 de noviembre - **Comida** 1200 - 300 - **85 hab** 5000/6000.

Univers, René Baulard 13 ℘ 83 10 05, Fax 83 19 70 – AE E VISA.
cerrado noviembre - **Comida** 1400 - **36 hab** 4100/5700.

Les Escaldes Engordany
alt. 1 105 – ✉ Les Escaldes Engordany.

◆Andorra la Vieja 2.

Roc de Caldes y Rest. Els Jardins de Hoste, carret. d'Engolasters ✆ 86 27 67, Telex 485, Fax 86 33 25, « En el flanco de una montaña con < » – |‡| TV ✆ ♿ ⅏ – 25/120. AE ⓓ E VISA. rest
Comida carta 4700 a 5500 – **45 hab** 13000/17500.

Roc Blanc, pl. dels Co-Princeps 5 ✆ 82 14 86, Telex 224, Fax 86 02 44, – |‡| TV ✆ ⅏ – 25/600. AE ⓓ E VISA JCB. rest
Comida 3600 - ***Brasserie L'Entrecôte :*** **Comida** carta 2850 a 4600 - ***El Pí :*** **Comida** carta 3900 a 5200 – 1300 – **240 hab** 11000/17000.

Panorama, carret. de l'Obac ✆ 86 18 61, Telex 478, Fax 86 17 42, « Terraza con < valle y montañas », – |‡| rest TV ✆ ♿ – 25/600. AE ⓓ E VISA JCB. rest
Comida 2800 – 1200 – **177 hab** 10000/12000.

Delfos, av. del Fener 17 ✆ 82 46 42, Telex 242, Fax 86 16 42 – |‡| rest TV ✆. AE ⓓ E VISA JCB. rest
Comida 2700 – 750 – **200 hab** 7475/9600.

Comtes d'Urgell, av. Escoles 29 ✆ 82 06 21, Fax 82 04 65 – |‡| rest TV ✆. AE ⓓ E VISA JCB. rest
Comida 2500 – **200 hab** 5550/8200.

Canut, av. Carlemany 107 ✆ 82 13 42, Fax 86 09 96 – |‡| TV ✆. AE ⓓ E VISA JCB
Comida (ver rest. **Casa Canut**) – 800 – **50 hab** 4500/6000.

Valira, av. Carlemany 37 ✆ 82 05 65, Telex 377, Fax 86 67 80 – |‡| TV ✆ ⅏. AE E VISA.
Comida 2200 – **55 hab** 5800/7200.

Espel, pl. Creu Blanca 1 ✆ 82 08 55, Fax 82 80 56 – |‡| TV ✆. AE E VISA.
cerrado noviembre – **Comida** 1800 – **102 hab** 4500/6200.

Les Closes sin rest, av. Carlemany 93 ✆ 82 83 11, Fax 86 39 70 – |‡| TV ✆. ⓓ E VISA.
cerrado del 1 al 20 junio – **78 hab** 5500/9000.

Casa Canut, av. Carlemany 107 ✆ 82 13 42, Fax 86 09 96 – AE ⓓ E VISA JCB.
Comida carta 3200 a 4500.

Don Denis, Isabel Sandy 3 ✆ 82 06 92, Fax 86 31 30 – . AE ⓓ E VISA JCB.
cerrado 8 enero- 8 febrero – **Comida** carta 2500 a 3000.

La Massana
alt. 1 241 – ✉ La Massana.

◆Andorra la Vieja 5.

Xalet Ritz, carret. de Sispony S : 1,8 km ✆ 83 78 77, Fax 83 77 20, <, « Bonita decoración interior » – |‡| TV ✆ ⅏. AE ⓓ E VISA.
Comida 3000 – **47 hab** 14000/19000.

Rutllan, carret. de Arinsal ✆ 83 50 00, Fax 83 51 80, <, climatizada, – |‡| TV ✆. AE ⓓ E VISA. rest
Comida 3000 – 1000 – **100 hab** 6000/9000.

El Rusc, carret. de Arinsal : 1 km ✆ 83 82 00, Fax 83 51 80, Rústico elegante – ⅏. AE ⓓ E VISA.
cerrado lunes – **Comida** carta 5500 a 7000.

La Borda de l'Avi, carret. de Arinsal ✆ 83 51 54, Fax 83 53 90, Carnes – ⅏. AE ⓓ E VISA
Comida carta 3900 a 5515.

en Sispony S : 2,5 km – ✉ La Massana :

Xopluc, ✆ 83 56 45, Fax 86 01 30, <, Carnes – ⅏. AE ⓓ E VISA
Comida carta 2950 a 4500.

en La Aldosa NE : 2,7 km – ✉ La Massana :

Del Bisset, carret. de Ordino ✆ 83 75 55, Fax 83 79 89, < – |‡| TV ✆ ♿ ⅏. ⓓ E VISA
Comida 2500 – 600 – **30 hab** 5800.

Ordino
alt. 1 304 – ✉ Ordino.

◆Andorra la Vieja 9.

Coma, ✆ 83 51 16, Fax 83 79 09, <, – |‡| TV ✆ ⅏. AE E VISA.
Comida 2500 – **48 hab** 7750/8500.

Prats sin rest, carret. Coll d'Ordino ✆ 83 74 37, Fax 83 67 04, < – |‡| TV ✆ ⅏. AE ⓓ E VISA JCB.
cerrado noviembre- 25 diciembre – **36 hab** 6000/8000.

en Ansalonga NO : 1,8 km – ✉ Ordino :

Sant Miquel, ✆ 83 77 70, < – |‡| TV ✆ ⅏. E VISA.
cerrado junio – **Comida** 1300 – **19 hab** 5000/7000.

Santa Coloma alt. 970 – ✉ Andorra la Vieja.
◆Andorra la Vieja 4.

Cerqueda 🌿, Mossen Lluis Pujol ☏ 82 02 35, Fax 86 19 09, ←, ⛱, 🌳 – |‡| TV ☎ P. AE ⓓ E VISA. ✗ rest
cerrado 9 enero-febrero – **Comida** 2300 – ☐ 550 – **65 hab** 4150/7700.

Sant Julià de Lòria alt. 909 – ✉ Sant Julià de Lòria.
◆Andorra la Vieja 7.

Pol, Verge de Canolich 52 ☏ 84 11 22, Telex 272, Fax 84 18 52 – |‡| ▤ rest TV ☎ P. E VISA. ✗
cerrado 6 enero- 6 febrero – **Comida** (sólo cena) 2400 – **80 hab** ☐ 8850/9400.

Imperial sin rest, av. Rocafort 27 ☏ 84 33 92, Fax 84 34 79 – |‡| ▤ TV ☎ P. AE VISA
cerrado octubre – **44 hab** ☐ 7500/9500.

XX **La Guingueta,** carret. de La Rabassa ☏ 84 29 45, 🏠, « Decoración rústica » – ▤. AE VISA
cerrado domingo noche, lunes, 20 junio-10 julio y 20 diciembre-3 enero – **Comida** carta 5000 a 7100.

al Sureste : 7 km – ✉ Sant Julià de Lòria :

Coma Bella 🌿, alt. 1 300 ☏ 84 12 20, Fax 84 14 60, ←, « En el bosque de la Rabassa », parque, Fō – TV ☎ P. AE E VISA
cerrado del 15 al 30 de noviembre y del 8 al 31 de enero – **Comida** 1650 – **28 hab** ☐ 5800/7800.

Soldeu alt. 1 826 – ✉ Canillo – Deportes de invierno : 1 700/2 560 m. ⛷ 16.
◆Andorra la Vieja 19.

en Incles O : 1,8 km – ✉ Canillo :

Parador Canaro, ☏ 85 10 46, Fax 85 17 20, ← – TV ☎ 🚗 P. AE ⓓ E VISA JCB. ✗
cerrado 15 mayo- 15 junio – **Comida** 1850 – ☐ 500 – **18 hab** 6000.

en El Tarter O : 3 km – ✉ Canillo :

Del Tarter, ☏ 85 11 65, Fax 85 14 74, ← – |‡| TV ☎ 🚗 P. AE ⓓ E VISA. ✗
cerrado del 1 al 21 de mayo y 15 octubre-3 diciembre – **Comida** 2000 – ☐ 900 – **37 hab** 5000/7500.

Llop Gris 🌿, ☏ 85 15 59, Fax 85 12 29, ←, Fō, ⛱ – |‡| TV ☎ 🚗 P – 🏛 30/80. AE E VISA. ✗ rest
Comida 2800 – **68 hab** ☐ 9600/16000.

Del Clos 🌿, ☏ 85 15 00, Fax 85 15 54, ← – |‡| TV ☎ 🚗. AE ⓓ E VISA. ✗
cerrado mayo-15 junio – **Comida** (sólo cena) 1500 – ☐ 250 – **29 hab** 6500/8000.

XX **De Sant Pere** 🌿 con hab, ☏ 85 10 87, Telex 234, Fax 85 10 87, ←, 🏠, « Decoración rústica » – P. AE E VISA. ✗ rest
Comida carta 3100 a 5400 – **6 hab** ☐ 12000.

ANDRÍN 33596 Asturias 441 B 15 – 241 h. – ☎ 98.
◆ Madrid 441 – Gijón 99 – ◆ Oviedo 110 – ◆ Santander 94.

La Boriza 🌿 sin rest, ☏ 541 70 49, Fax 541 70 49, ← – TV P. ⓓ E VISA. ✗
11 hab ☐ 5600/7500.

ANDÚJAR 23740 Jaén 446 R 17 – 35 803 h. alt. 212 – ☎ 953.
Ver : Iglesia de Santa María (reja★).
Excurs. : Santuario de la Virgen de la Cabeza : carretera en cornisa ←★★ N : 32 km.
◆Madrid 321 – ◆Córdoba 77 – Jaén 66 – Linares 41.

Del Val, av. Puerta de Madrid 29 ☏ 50 09 50, Fax 50 66 06, 🏠, ⛱, 🌳 – ▤ TV ☎ P. AE ⓓ E VISA. ✗ rest
Comida 1400 – ☐ 500 – **79 hab** 4150/6100 – PA 2805.

Don Pedro, Gabriel Zamora 5 ☏ 50 12 74, Fax 50 47 85 – |‡| ▤ TV ☎ 🚗. AE ⓓ E VISA JCB. ✗ rest
Comida 1200 – ☐ 450 – **29 hab** 3225/5425 – PA 2850.

La Fuente, Vendederas 4 ☏ 50 46 29 – ▤ TV ☎ 🚗. VISA
Comida 1100 – ☐ 225 – **17 hab** 3000/5200.

Los ÁNGELES u **OS ÁNXELES** 15280 La Coruña 441 D 3 – ☎ 981.
◆Madrid 626 – Noya 24 – Pontevedra 50 – ◆Santiago de Compostela 13.

Pousada Rosalía, ☏ 88 75 65, Fax 88 75 57, « Antigua casa de labranza », ⛱ – TV ☎ 🚗. AE ⓓ E VISA. ✗
Comida 1500 – ☐ 350 – **31 hab** 4800/6300.

ANSALONGA – ver Andorra : Ordino.

ANTEQUERA 29200 Málaga 446 U 16 – 38 827 h. alt. 512 – ☎ 95.
Ver : Castillo ≤★ - (Museo Municipal) El Efebo de Antequera★.
Alred. : NE : Los dólmenes★ (cuevas de Menga, Viera y del Romeral) – El Torcal★ S : 16 km – Carretera★ de Antequera a Málaga ≤★★.
Infante Don Fernando - edificio San Luis ☎ 270 04 05.
♦Madrid 521 – ♦Córdoba 125 – ♦Granada 99 – Jaén 185 – ♦Málaga 52 – ♦Sevilla 164.

Parador de Antequera ⑤, paseo García del Olmo ☎ 284 02 61, Fax 284 13 12, ≤, ⛱, – ▤ TV ☎ P – 25/60. AE ⓓ E VISA. ✗
Comida 3200 – ☕ 1100 – **55 hab** 10500 – PA 6375.

Nuevo Infante sin rest, Infante Don Fernando 5 - 2° ☎ 270 02 93, Fax 270 00 86 – |‡| ▤ TV ☎ ⇐. VISA. ✗
☕ 200 – **12 hab** 4000/6000.

en la antigua carretera de Málaga E : 2,5 km – ✉ 29200 Antequera – ☎ 95 :

Lozano con hab, Polígono Industrial A-6 y A-7 ☎ 284 27 12, Fax 284 27 12, – ▤ TV ☎ P. AE E VISA. ✗
Comida carta aprox. 2600 – ☕ 475 – **17 hab** 4000/6000.

en la autovía de Sevilla NO : 12 km – ✉ 29532 Mollina – ☎ 95 :

Molino de Saydo, ☎ 274 04 75, Fax 274 04 66, ⛱, ✗ – ▤ TV ☎ ⇐ P
48 hab.

en la autovía de Málaga SE : 12 km – ☎ 95 :

La Sierra, ✉ 29200 Antequera, ☎ 284 54 10, Fax 284 52 65, ≤ – |‡| ▤ TV ☎ ⇐ P. AE E VISA. ✗
Comida 1300 – ☕ 530 – **30 hab** 6360/9500.

La ANTILLA 21449 Huelva 446 U 8 – ☎ 959 – Playa.
♦Madrid 656 – Ayamonte 28 – Faro 88 – Huelva 39 – Lepe 6.

Lepe-Mar, Delfín 12 ☎ 48 10 01, Fax 48 14 78, ≤ – ▤ rest ☎ ⇐. AE ⓓ E VISA. ✗ rest
Comida 1400 – ☕ 600 – **73 hab** 7600/9500 – PA 2720.

OS ÁNXELES La Coruña – ver Los Ángeles.

AOIZ o **AGOITZ** 31430 Navarra 442 D 25 – 360 h. – ☎ 948.
edificio Ayuntamiento, ☎ 33 60 05.
♦Madrid 413 – ♦Pamplona/Iruñea 28 – St-Jean-Pied-de-Port 58.

Beti Jai con hab, Santa Agueda 6 ☎ 33 60 52 – ▤ rest
14 hab.

ARACENA 21200 Huelva 446 S 10 – 6 739 h. alt. 682 – ☎ 959.
Ver : Gruta de las Maravillas★★.
Excurs. : S : Sierra de Aracena★.
♦Madrid 514 – Beja 132 – ♦Cáceres 243 – Huelva 108 – ♦Sevilla 93.

Los Castaños, av. de Huelva 5 ☎ 12 63 00, Fax 12 62 87 – |‡| TV ☎ ⇐ – 25/60. AE ⓓ E VISA. ✗
Comida 1500 – ☕ 400 – **33 hab** 3750/5000.

Sierra de Aracena sin rest, Gran Vía 21 ☎ 12 60 19, Fax 12 62 18 – |‡| TV ☎ – 25/75. AE ⓓ E VISA. ✗
☕ 400 – **43 hab** 4000/8000.

Casas, Colmenetas 41 ☎ 11 00 44, « Decoración de estilo andaluz » – AE VISA. ✗
Comida (sólo almuerzo) carta 3200 a 4250.

ARANDA DE DUERO 09400 Burgos 442 G 18 – 29 446 h. alt. 798 – ☎ 947.
Alred. : Peñaranda de Duero (plaza Mayor★ – Palacio de los Duques de Avellaneda★ – artesonados★) E : 18 km.
♦Madrid 156 – ♦Burgos 83 – ♦Segovia 115 – Soria 114 – ♦Valladolid 93.

Tres Condes, av. Castilla 66 ☎ 50 24 00, Fax 50 24 04 – ▤ rest TV ☎ ⇐ – 25/200. AE ⓓ E VISA. ✗
Comida 1450 – ☕ 550 – **35 hab** 4950/7650 – PA 2700.

Los Bronces ⑤, carret. Madrid-Irún, Km 160 ☎ 50 08 50, Fax 50 24 04 – TV ⇐ P – 25/40. AE ⓓ E VISA. ✗ rest
Comida 1450 – ☕ 550 – **28 hab** 4950/7650 – PA 2760.

Julia, San Gregorio 2 ☎ 50 12 00, Fax 50 04 49 – |‡| ▤ rest TV ☎ ⇐. VISA. ✗ rest
Comida 1500 – ☕ 450 – **60 hab** 3100/5500 – PA 2930.

Aranda, San Francisco 51 ☎ 50 16 00, Fax 50 16 04 – |‡| ▤ rest TV ☎ ⇐. AE E VISA. ✗ rest
Comida 1700 – ☕ 450 – **44 hab** 3800/6300 – PA 3500.

XX **Mesón de la Villa,** pl. Mayor 3 ✆ 50 10 25, Fax 50 83 19, Decoración castellana – ▤. AE ⓓ E VISA JCB. ✂
cerrado lunes y del 12 al 30 de octubre – **Comida** carta 3200 a 4300.

XX **Casa Florencio,** Isilla 14 ✆ 50 02 30, Cordero asado – ▤. E VISA
Comida carta 2090 a 2840.

XX **El Ciprés,** pl. Primo de Rivera 1 ✆ 50 74 14, Cordero asado – ▤. AE E VISA. ✂
cerrado domingo noche – **Comida** carta 3100 a 3750.

XX **Mesón El Roble,** pl. Primo de Rivera 7 ✆ 50 29 02, Decoración rústica castellana-Cordero asado – ▤. VISA. ✂
cerrado martes noche de mayo a octubre y martes resto del año – **Comida** carta aprox. 2800.

X **Chef Fermín,** av. Castilla 69 ✆ 50 23 58 – ▤. AE ⓓ E VISA. ✂
cerrado martes (salvo festivos o vísperas) y noviembre – **Comida** carta 2950 a 3450.

en la antigua carretera N I – ✉ 09400 Aranda de Duero – ☎ 947 :

Montermoso, N : 4,5 km ✆ 50 15 50, Fax 50 15 50 – |$| ▤ rest TV ☎ P – 25. JCB
51 hab.

Motel Tudanca, S : 6,5 km ✆ 50 60 11, Fax 50 60 15 – ▤ rest TV ☎ P. AE ⓓ E VISA. ✂ rest
Comida 1975 – ▭ 575 – **20 hab** 7500.

en la carretera N 122 O : 5,5 km – ✉ 09400 Aranda de Duero – ☎ 947 :

El Ventorro, ✆ 53 60 00, Fax 53 61 34 – ▤ rest P. AE ⓓ E VISA. ✂
cerrado enero – **Comida** 1800 – ▭ 425 – **21 hab** 3300/5000 – PA 3800.

ARANJUEZ 28300 Madrid 444 L 19 – 35 872 h. alt. 489 – ☎ 91.

Ver : Reales Sitios★★ : Palacio Real★ (salón de porcelana★★), parterre★ – Jardín del Príncipe★★ (Casa del Labrador★★ – Casa de Marinos : falúas reales★★).

ℹ pl. Puente de Barcas, ✆ 891 04 27.

♦Madrid 47 – ♦Albacete 202 – Ciudad Real 156 – Cuenca 147 – Toledo 48.

Isabel II sin rest, con cafetería, av. Infantas 15 ✆ 891 09 45, Fax 891 52 44 – |$| ▤ TV ☎ – 25/150. AE ⓓ E VISA. ✂ – ▭ 550 – **25 hab** 5300/8800.

XX **Casa Pablo,** Almibar 42 ✆ 891 14 51, Decoración castellana – ▤. VISA. ✂
cerrado agosto – **Comida** carta 3150 a 4300.

XX ✿ **Casa José,** Abastos 32 ✆ 891 14 88 – ▤. AE ⓓ E VISA. ✂
cerrado domingo noche y lunes en invierno, domingo y lunes noche resto del año y 25 julio-24 agosto – **Comida** carta 3650 a 4600
Espec. Alcachofas glaseadas con erizos (temp), Arroz caldoso con albóndigas de bacalao ahumado, Jamoncitos de pichón en escabeche templado de fresón.

XX **Chirón,** Real 10 ✆ 891 09 41, Fax 895 69 60 – ▤. AE ⓓ E VISA JCB. ✂
cerrado del 1 al 26 de agosto – **Comida** carta 3600 a 4100.

XX **El Molino de Aranjuez,** Príncipe 21 ✆ 892 42 15, Asados – ▤. AE VISA. ✂
Comida carta aprox. 4250.

XX **Almíbar,** Almíbar 138 ✆ 891 00 97 – ▤. AE E VISA. ✂
Comida carta 3200 a 4200.

X **El Faisán,** Capitán Angosto 21 ✆ 892 16 83 – ▤. AE ⓓ E VISA. ✂
cerrado lunes – **Comida** carta 2800 a 3800.

X César, Moreras 2 ✆ 891 71 67 – ▤.

ARÁNZAZU o **ARANTZAZU** 20567 Guipúzcoa 442 D 22 alt. 800 – ☎ 943.

Ver : Paraje★ – Carretera★ de Aránzazu a Oñate.

♦Madrid 410 – ♦San Sebastián/Donostia 83 – ♦Vitoria/Gasteiz 54.

Hospedería ♨, ✆ 78 13 13, ≤ – |$|. VISA. ✂
cerrado enero – **Comida** 1500 – ▭ 350 – **60 hab** 2250/3400 – PA 3050.

XX **Zelai Zabal,** carret. de Oñate O : 6 km ✆ 78 13 06 – ▤ P. AE VISA
cerrado domingo noche, lunes y enero-10 febrero – **Comida** carta 3300 a 4550.

ARASCUÉS 22193 Huesca 443 F 28 – 107 h. alt. 673 – ☎ 974.

♦Madrid 403 – Huesca 13 – Jaca 60.

X **Monrepos** con hab, carret. N 330 E : 1,5 km ✆ 27 10 64, ≤, ⛱, 🏊, 🌳, 🎾 – ▤ rest ☎ P. AE ⓓ E VISA. ✂
Comida carta aprox. 2700 – ▭ 500 – **14 hab** 3300/5800.

ARAYA o **ARAIA** 01250 Álava 442 D 23 – ☎ 945.

♦Madrid 408 – ♦Pamplona/Iruñea 64 – ♦San Sebastián/Donostia 84 – ♦Vitoria/Gasteiz 35.

X **Caserío Marutegui,** NO : 1,8 km ✆ 30 44 55, « Caserío típico » – P. ⓓ E VISA
Comida carta 3300 a 4050.

ARBOLÍ 43365 Tarragona 443 I 32 – 138 h. alt. 715 – ✆ 977.
♦Madrid 538 – ♦Barcelona 142 – ♦Lérida/Lleida 86 – Tarragona 39.

✗ **El Pigot,** Trinquet 7 ✆ 81 60 63, Decoración regional – E VISA
cerrado martes no festivos y junio – **Comida** carta 1900 a 3800.

ARCADE 36690 Pontevedra 441 E 4 – ✆ 986.
♦ Madrid 612 – Orense/Ourense 113 – Pontevedra 12 – ♦ Vigo 22.

✗ **Arcadia,** av. Castelao 33 ✆ 70 00 37, Pescados y mariscos – ▤
cerrado domingo noche, lunes y octubre – **Comida** carta 2200 a 3250.

Los ARCOS 31210 Navarra 442 E 23 – 1 381 h. alt. 444 – ✆ 948.
Alred. : Torres del Río (iglesia del Santo Sepulcro★) SO : 7 km.
♦Madrid 360 – ♦Logroño 28 – ♦Pamplona/Iruñea 64 – ♦Vitoria/Gasteiz 63.

✗ **Ezequiel** con hab, carret. de La Serna ✆ 64 02 96, Fax 64 02 78 – P. VISA. ✗
cerrado 15 días en febrero y 15 días en diciembre – **Comida** carta aprox. 3050 – ▭ 300 – **14 hab** 3335/5290.

ARCOS DE LA FRONTERA 11630 Cádiz 446 V 12 – 26 466 h. alt. 187 – ✆ 956.
Ver : Emplazamiento★★ – Plaza del Cabildo ≤★ – Iglesia de Santa María (fachada occidental★).
ℹ Cuesta de Belén ✆ 70 09 00.
♦Madrid 586 – ♦Cádiz 65 – Jerez de la Frontera 32 – Ronda 86 – ♦Sevilla 91.

Parador de Arcos de la Frontera ⑤, pl. de España ✆ 70 05 00, Fax 70 11 16, ≤, « Magnífica situación dominando un amplio panorama » – |‡| ▤ TV ☎. AE ⓓ E VISA. ✗
Comida 3200 – ▭ 1100 – **24 hab** 13500 – PA 6375.

Marqués de Torresoto sin rest, Marqués de Torresoto 4 ✆ 70 07 17, Fax 70 42 05 – ▤ TV ☎. AE ⓓ VISA
▭ 525 – **13 hab** 7035/8925.

Los Olivos sin rest, Boliches 30 ✆ 70 08 11, Fax 70 20 18 – ▤ TV ☎. AE E VISA. ✗
▭ 600 – **19 hab** 4235/8470.

El Convento ⑤, Maldonado 2 ✆ 70 23 33, Fax 70 23 33, ≤ – TV ☎. AE E VISA. ✗
Comida (ver rest **El Convento**) – ▭ 700 – **8 hab** 5000/7000.

✗✗ **El Convento,** Marqués de Torresoto 7 ✆ 70 32 22, « Patio de estilo andaluz » – ▤. AE E VISA. ✗
Comida carta 2100 a 3000.

✗ **El Lago** con hab, carret. N 342, E : 1 km ✆ 70 11 17, Fax 70 04 67, 🏖 – ▤ TV ☎ P. AE ⓓ E VISA
Comida carta 1950 a 2700 – ▭ 550 – **10 hab** 4600/7600.

ARCHENA 30600 Murcia 445 R 26 – 13 852 h. alt. 100 – ✆ 968 – Balneario.
♦Madrid 374 – ♦Albacete 127 – Lorca 76 – ♦Murcia 24.

La Parra, carret. Balneario 3 ✆ 67 04 44 – ☎. ✗
Comida 975 – ▭ 250 – **27 hab** 2800/4400 – PA 1870.

en el balneario O : 2 km – ✉ 30600 Archena – ✆ 968 :

Termas ⑤, ✆ 67 01 00, Fax 67 10 02, Fá, ⛱ de agua termal, 🏞, ✗ – |‡| ▤ TV ☎ P. ✗
Comida 2500 – ▭ 1000 – **65 hab** 8000/10000, 6 suites – PA 5000.

León ⑤, ✆ 67 01 00, Fax 67 10 02, Fá, ⛱ de agua termal, 🏞, ✗ – |‡| ▤ ☎ P – 🎤 25/300. ✗
Comida 1900 – ▭ 500 – **103 hab** 6900/8600 – PA 3650.

Levante ⑤ sin rest, ✆ 67 01 00, Fax 67 10 02, Fá, ⛱ de agua termal, 🏞, ✗ – |‡| ☎ P. ✗
▭ 500 – **81 hab** 5600/7000.

AREA (Playa de) Lugo – ver Vivero.

La ARENA (playa de) Cantabria – ver Isla.

S'ARENAL Palma de Mallorca – ver Baleares (Mallorca) : Palma de Mallorca.

Las ARENAS Vizcaya – ver Getxo.

ARENAS DE SAN PEDRO 05400 Ávila 442 L 14 – 6 153 h. – ✆ 920.
Alred. : Cuevas del Aguila★ : 9 km.
♦Madrid 143 – Ávila 73 – Plasencia 120 – Talavera de la Reina 46.

✗ Hostería Los Galayos con hab, pl. del Castillo 2 ✆ 37 13 79, Fax 37 13 79, 🏖, Bodegón típico – ▤ TV ☎
20 hab.

ARENYS DE MAR 08350 Barcelona **443** H 37 – 11 048 h. – ✆ 93 – Playa.

🗓 passeig Xifré 25, ☎ 792 17 83.

◆Madrid 672 – ◆Barcelona 37 – Gerona/Girona 60.

🏨 D'Arenys ⟩, av. Catalunya 10 ☎ 792 03 83, Fax 795 75 53, ⚊ – 🛗
100 hab.

✗ **El Bon Racó,** Josep Anselm Clavé 4 ☎ 795 70 67 – 🗏. **E** *VISA*. ⌘
Comida (sólo almuerzo en invierno) carta aprox. 2900.

en la carretera N II SO : 2 km – ☒ 08350 Arenys de Mar – ✆ 93 :

✗✗ ❄ **Hispania,** Real 54 ☎ 791 03 06, Fax 791 26 61 – 🗏 🅿. **AE ① E** *VISA*
cerrado martes, domingo noche y 25 septiembre-25 octubre – **Comida** carta 4800 a 5900
Espec. Guisantes de LLavaneres (marzo-mayo), Lubina a la gros sal, Langosta guisada con patatas
de Ibiza.

AREO o **AREU** 25575 Lérida **443** E 33 alt. 920 – ✆ 973.

◆Madrid 613 – ◆Lérida/Lleida 157 – Seo de Urgel/La Seu d'Urgell 83.

🏨 **Vall Ferrera** ⟩, ☎ 62 43 43, ⬅ – ⌘ rest
Semana Santa-5 noviembre, del 1 al 10 de diciembre y 27 diciembre-6 enero – **Comida**
1625 – ⊑ 600 – **28 hab** 3600/4500 – PA 3120.

ARETA Álava – ver Llodio.

ARÉVALO 05200 Ávila **442** I 15 – 7 267 h. alt. 827 – ✆ 920.

Ver : Plaza de la Villa★.

◆Madrid 121 – Ávila 55 – ◆Salamanca 95 – ◆Valladolid 78.

🏨 **Fray Juan Gil** sin rest y sin ⊑, av. de los Deportes 2 ☎ 30 08 00, Fax 30 08 00 – 🛗 📺
☎. *VISA*. ⌘
27 hab 4800/6900, 3 suites.

✗ **El Tostón de Oro,** av. de los Deportes 2 ☎ 30 07 98 – 🗏. **E** *VISA*. ⌘
cerrado lunes y 12 diciembre-12 enero – **Comida** carta 2050 a 2500.

✗ **Las Cubas,** Figones 9 ☎ 30 01 25 – 🗏. **AE ① E** *VISA*. ⌘
cerrado jueves y 2ª quincena de junio – **Comida** carta aprox. 2900.

✗ **La Pinilla,** Figones 1 ☎ 30 00 63 – 🗏. **AE ① E** *VISA*. ⌘
cerrado domingo, lunes, festivos noche y del 15 al 31 de julio – **Comida** carta 1750 a 2450.

✗ **Donis,** pl. El Salvador 2 ☎ 30 06 92 – 🗏. *VISA*
cerrado miércoles y del 4 al 10 de septiembre – **Comida** carta 3675 a 5000.

S'ARGAMASSA (Urbanización) Palma de Mallorca – ver Baleares (Ibiza) : Santa Eulalia del Río.

ARGENTONA 08310 Barcelona **443** H 37 – 7 819 h. alt. 75 – ✆ 93.

◆Madrid 657 – ◆Barcelona 27 – Mataró 4.

✗✗ **El Celler d'Argentona,** Bernat de Riudemeya 6 ☎ 797 02 69, Celler típico – 🗏. **AE ① E**
VISA
cerrado domingo noche y lunes – **Comida** carta 3000 a 4425.

ARGOÑOS 39197 Cantabria **442** B 19 – 650 h. – ✆ 942.

◆Madrid 482 – ◆Bilbao/Bilbo 85 – ◆Santander 43.

🏨 Noray, ☎ 62 61 36, Fax 62 62 52 – 🗏 rest 📺 ☎ 🅿
temp. – **50 hab.**

ARGUINEGUÍN Las Palmas – ver Canarias (Gran Canaria).

ARINSAL Andorra – ver Andorra (Principado de).

ARLABÁN (Puerto de) Guipúzcoa – ver Salinas de Leniz.

ARMENTIA Álava – ver Vitoria.

ARMILLA 18100 Granada **446** U 19 – 10 990 h. alt. 675 – ✆ 958.

◆Madrid 435 – ◆Granada 6 – Guadix 64 – Jaén 99 – Motril 60.

🏨 **Los Galanes,** carret. de Granada NE : 1km ☎ 57 05 12, Fax 57 05 13, ⌗ – 🗏 📺 ☎ 🅿.
AE ① E *VISA*. ⌘ rest
Comida *(cerrado sábado noche y domingo)* 1000 – ⊑ 300 – **27 hab** 4500/6000.

ARNEDILLO 26589 La Rioja 442 F 23 – 393 h. alt. 640 – ✿ 941 – Balneario.

◆Madrid 294 – Calahorra 26 – ◆Logroño 61 – Soria 68 – ◆Zaragoza 150.

🏛 Balneario ⬩, ✍ 39 40 00, Fax 39 40 75, ⬩ de agua termal, 🐾, ✀ – 🛗 ☎ 🅿
    temp. – **170 hab.**

🏛 **El Olivar** ⬩, ✍ 39 41 05, Fax 39 40 75, ≼, ⬩ de agua termal – 📺 ☎ 🅿 – ⛟ 25/200.
    ⒶⒺ 🅴 𝘝𝘐𝘚𝘈, ✀ rest
    Comida 2100 – ⊆ 700 – **45 hab** 7200/9100.

ARNEDO 26580 La Rioja 442 F 23 – 12 463 h. alt. 550 – ✿ 941.

◆Madrid 306 – Calahorra 14 – ◆Logroño 49 – Soria 80 – ◆Zaragoza 138.

🏛 **Victoria**, paseo de la Constitución 97 ✍ 38 01 00, Fax 38 10 50 – 🛗 ▤ rest 📺 ☎ –
    ⛟ 25/500
    48 hab.

🏛 **Virrey**, paseo de la Constitución 27 ✍ 38 01 50, Fax 38 30 17 – 🛗 ▤ rest 📺 ☎ 🅿. ⒶⒺ
    ⓄⒹ 🅴 𝘝𝘐𝘚𝘈. ✀
    Comida 1600 – ⊆ 500 – **36 hab** 4000/7000 – PA 3500.

*Todas las poblaciones de **Portugal** mencionadas en esta guía*
*figuran subrayadas en rojo en el **mapa Michelin** n° 440 a 1/400 000.*

La ARQUERA Asturias – ver Llanes.

ARRASATE Guipúzcoa – ver Mondragón.

ARRECIFE Las Palmas – ver Canarias (Lanzarote).

ARRIONDAS 33540 Asturias 441 B 14 2 214 h. alt. 39 – ✿ 98.

◆Madrid 426 – Gijón 62 – ◆Oviedo 66 – Ribadesella 18.

🏛 **Carús**, Carret. N 625 S : 1 km ✍ 584 05 31, Fax 584 09 51, ⬩ – 📺 ☎ 🅿. ⒶⒺ 🅴 𝘝𝘐𝘚𝘈.
    ✀
    Comida *(cerrado miércoles y noviembre)* 1500 – ⊆ 600 – **21 hab** 4000/8000 – PA 3600.

ARROYO DE LA MIEL 29630 Málaga 446 W 16 – 15 180 h. – ✿ 95.

◆Madrid 552 – ◆Málaga 18 – Marbella 40.

✗ **Ventorrillo de la Perra**, av. de la Constitución, carret. de Torremolinos ✍ 244 19 66,
    Fax 244 19 66, 🏖 – ⒶⒺ ⓄⒹ 🅴 𝘝𝘐𝘚𝘈. ✀
    cerrado lunes – **Comida** carta 2400 a 3495.

✗ **La Mar Chica**, av. de la Estación, urb. Los Jardines ✍ 244 48 06, Pescados y mariscos –
    ▤. ⒶⒺ 🅴 𝘝𝘐𝘚𝘈. ✀
    cerrado miércoles salvo en verano – **Comida** carta aprox. 3100.

ARTA (Coves de) Palma de Mallorca – ver Baleares (Mallorca).

ARTEIJO o **ARTEIXO** 15142 La Coruña 441 C 4 – 17 934 h. alt. 32 – ✿ 981.

◆Madrid 615 – ◆La Coruña/A Coruña 12 – Santiago de Compostela 78.

en la carretera C 552 – ✉ 15142 Arteijo – ✿ 981 :

🏛 **Europa,** av de Finisterre 31 – NE : 1,5 km ✍ 64 04 44 – 🛗 📺 ☎ 🅿. ⒶⒺ 🅴 𝘝𝘐𝘚𝘈. ✀
    Comida 1200 – ⊆ 300 – **24 hab** 4000/7000 – PA 2500.

✗✗✗ **El Gallo de Oro**, av. de Finisterre 8 ✍ 60 04 10, Fax 60 27 41, Pescados y mariscos-Vivero
    propio – ▤ 🅿. ⒶⒺ 🅴 𝘝𝘐𝘚𝘈. ✀
    cerrado domingo noche, lunes y 2 semanas en febrero – **Comida** carta aprox. 5500.

en Villarrodis NE : 3 km – ✉ 15141 Villarrodis – ✿ 981 :

🏛 **Las Camelias,** carretera LC 410 ✍ 64 03 25, Fax 64 03 25 – 🛗 📺 ☎ ⟵. ⒶⒺ ⓄⒹ 🅴 𝘝𝘐𝘚𝘈.
    ✀
    Comida 1500 – **35 hab** ⊆ 5000/7500 – PA 2800.

ARTENARA Las Palmas – ver Canarias (Gran Canaria).

ARTESA DE SEGRE 25730 Lérida 443 G 33 – 3 141 h. alt. 400 – ✿ 973.

◆Madrid 519 – ◆Barcelona 141 – ◆Lérida/Lleida 50.

🏛 **Montaña,** carret. de Agramunt 84 ✍ 40 01 86 – ▤ rest 📺 ⟵ 🅿. 🅴 𝘝𝘐𝘚𝘈
    Comida 1000 – ⊆ 375 – **29 hab** 1400/3600 – PA 2015.

ARTIES 25599 Lérida 443 D 32 alt. 1 143 – ☎ 973 – Deportes de invierno.
♦Madrid 603 – ♦Lérida/Lleida 169 – Viella 6.

Parador de Arties, carret. de Baqueira ☎ 64 08 01, Fax 64 10 01, ← – ascensor rest TV ☎ P – 25/100. AE E VISA.
Comida 3200 – 1100 – **38 hab** 10500, 2 suites – PA 6375.

Valartiés, Mayor 3 ☎ 64 09 00, Fax 64 21 74, ←, – TV ☎ P. AE E VISA
25 junio-12 octubre y 3 diciembre-20 abril – **Comida** (ver a continuación rest. **Casa Irene**) – 700 – **26 hab** 4600/8000, 1 suite.

Edelweiss y Rest. Montarto, carret. de Baqueira ☎ 64 09 02, Fax 64 09 02, ←, –
TV ☎ P. E VISA.
Comida *(cerrado martes, del 2 al 20 de mayo y del 2 al 25 de noviembre)* carta 2650 a 3525 – 475 – **25 hab** 4800/8700.

XX ✿ **Casa Irene** - Hotel Valartiés, Mayor 3 ☎ 64 09 00, Fax 64 21 74 – P. AE E VISA.
3 diciembre- 3 mayo y 20 junio- 15 octubre – **Comida** *(cerrado lunes en invierno)* carta 3700 a 5700
Espec. Salmonetes con berenjenas y cilantro, Solomillo de buey gascón al foie-gras, Hojaldre de peras con salsa de caramelo.

X **Urtau,** pl. Urtau 2 ☎ 64 09 26 – E VISA.
15 junio-25 septiembre y 20 noviembre-abril – **Comida** (sólo cena en invierno) carta 2950 a 3300.

ARUCAS Las Palmas – ver Canarias (Gran Canaria).

ARURE Santa Cruz de Tenerife – ver Canarias (Gomera).

El ASTILLERO 39610 Cantabria 442 B 18 – 12 587 h. – ☎ 942 – Playa.
Alred. : Peña Cabarga ✳★★ SE : 8 km.
♦Madrid 394 – ♦Bilbao/Bilbo 99 – ♦Santander 10.

Las Anclas, San José 11 ☎ 54 08 50, Fax 54 07 15 – rest TV ☎. AE E VISA.
Comida 1500 – 500 – **58 hab** 5225/8500 – PA 3500.

ASTORGA 24700 León 441 E 11 – 13 802 h. alt. 869 – ☎ 987.
Ver : Catedral★ (retablo★, pórtico★).
pl. Eduardo de Castro (iglesia Santa Marta), ☎ 61 68 38.
♦Madrid 320 – ♦León 47 – Lugo 184 – Orense/Ourense 232 – Ponferrada 62.

Gaudí, pl. Eduardo de Castro 6 ☎ 61 56 54, Fax 61 50 40 – TV ☎. AE E VISA.
Comida carta aprox. 3100 – 650 – **35 hab** 7500/9500 – PA 2560.

XX **La Peseta** con hab, pl. San Bartolomé 3 ☎ 61 72 75, Fax 61 53 00 – rest TV. AE E VISA
Comida *(cerrado domingo noche salvo agosto y 13 octubre-6 noviembre)* carta 2550 a 3100 – 550 – **19 hab** 4800/6900.

en la carretera N VI – ☎ 987 :

Motel de Pradorrey, NO : 5 km, ✉ 24700, ☎ 61 57 29, Fax 61 92 20, En un marco medieval – rest TV ☎ P. AE E VISA JCB. rest
Comida 2500 – 650 – **64 hab** 7900/10700.

Monterrey, NO : 8,5 km, ✉ 24714 Pradorrey, ☎ 61 50 11, Fax 61 51 54 – TV ☎ P.
E VISA.
Comida *(cerrado miércoles)* 1100 – 325 – **22 hab** 3400/6600 – PA 2500.

ASTÚN (Valle de) 22889 Huesca 443 D 28 alt. 1 700 – ☎ 974 – Deportes de invierno : 4.
♦Madrid 517 – ♦Huesca 108 – ♦Oloron-Ste. Marie 59 – ♦Pamplona/Iruñea 147.

Europa, ☎ 37 33 12, Telex 58638, Fax 37 33 12, ←, – TV ☎. AE E VISA.
diciembre-1 mayo – **Comida** 1350 – 850 – **36 hab** 8200 /11600 – PA 2900.

Las ATALAYAS (Urbanización) Castellón – ver Peñíscola.

ATIENZA 19270 Guadalajara 444 I 21 – 467 h. alt. 1 169 – ☎ 949.
♦Madrid 151 – ♦Guadalajara 93 – Sigüenza 31.

X **Mesón de la Villa,** pl. del Trigo ☎ 39 90 08, – . VISA
cerrado octubre – **Comida** carta aprox. 3600.

AURITZ Navarra – ver Burguete.

AUSEJO 26513 La Rioja 442 E 23 – 747 h. – ☎ 941.
♦Madrid 326 – ♦Logroño 29 – ♦Pamplona/Iruñea 95 – ♦Zaragoza 148.

Maite, carret. N 232 ☎ 43 02 35, Fax 43 00 35, – rest P. AE VISA. rest
Comida 1200 – 300 – **24 hab** 2800/4500.

Els AVETS (Urbanización) Barcelona - ver Rubí.

ÁVILA 05000 P 442 K 15 - 49 868 h. alt. 1 131 - 920.

Ver : Murallas★★ - Catedral★★ B (obras de arte★★, sepulcro del Tostado★★, sacristía★★) Y - Basílica de San Vicente★★ (portada occidental★★, sepulcro de los Santos Titulares★★, cimborrio★) B - Monasterio de Santo Tomás★ (mausoleo★, Claustro del Silencio★, retablo de Santo Tomás★★) B.

pl. Catedral 4, ✉ 05001, ✆ 21 13 87, Fax 25 37 17 - **R.A.C.E.** Reina Isabel 21, ✉ 05001, ✆ 22 42 13.

♦Madrid 107 ① - ♦Cáceres 235 ③ - ♦Salamanca 98 ④ - ♦Segovia 67 ① - ♦Valladolid 120 ①.

ÁVILA

Alemania . . . . B 2
Generalísimo Franco . . . . . . B 14
Reyes Católicos . . . . B 21

Alférez Provisional (Av. de) . . B 4
Caballeros . . . . B 6
Calvo Sotelo (Plaza de) . . . B 8
Cardenal Pla y Deniel . . . . . B 10
Esteban Domingo . . . . B 12
General Mola (Plaza) . . . . . A 13
Jimena Blázquez . . . . A 15
Lope Núñez . . . . B 16
Marqués de Benavites . . . . AB 18
Ramón y Cajal . . . . A 19
San Segundo . . . . B 22
San Vicente . . . . B 24
Santa (Pl. la) . . . . A 25
Sonsoles (Bajada de) . . . . . B 27
Telares . . . . A 28
Tomás Luis de Victoria . . . . B 30
Tostado . . . . B 31

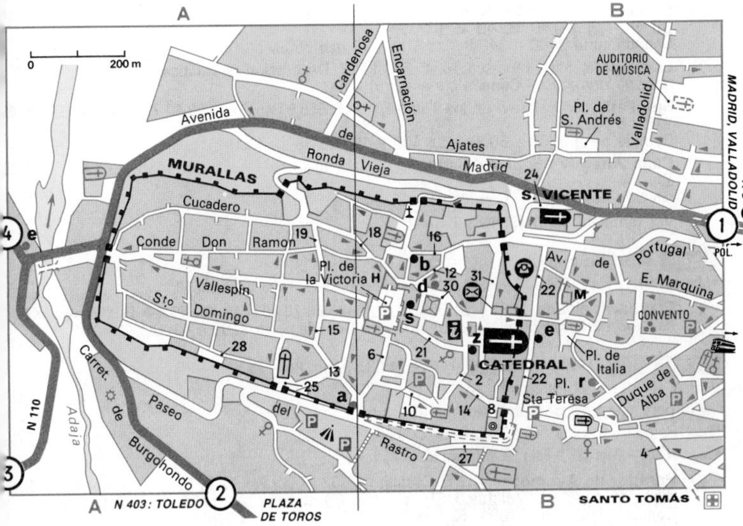

G.H. Palacio de Valderrábanos y Rest. El Fogón de Santa Teresa, pl. Catedral 9, ✉ 05001, ✆ 21 10 23, Telex 23539, Fax 25 16 91, Decoración elegante - 25/290. AE VISA JCB — B z
Comida 1600 - 1000 - **70 hab** 9300/14800, 3 suites.

Cuatro Postes, carret. de Salamanca 23, ✉ 05002, ✆ 22 00 00, Fax 25 00 00, - 25/250. AE VISA. — por ④
Comida 1900 - 525 - **78 hab** 6525/10125 - PA 3675.

Don Carmelo sin rest, paseo de Don Carmelo 30, ✉ 05001, ✆ 22 80 50, Fax 25 12 41 - AE VISA. — por ①
550 - **95 hab** 4550/7100, 2 suites.

Hostería de Bracamonte , Bracamonte 6, ✉ 05001, ✆ 25 12 80, , Decoración castellana - VISA. rest — B b
Comida *(cerrado martes salvo festivos)* 2000 - 400 - **17 hab** 6000/10000, 1 suite.

San Segundo, San Segundo 28, ✉ 05001, ✆ 25 25 90 - rest AE VISA — B e
Comida 1750 - 500 - **14 hab** 5500/7000.

San Juan sin rest y sin , Comuneros de Castilla 3, ✉ 05001, ✆ 25 14 75, Fax 25 14 75 - VISA — B s
13 hab 3600/6500.

Copacabana, San Millán 9, ✉ 05001, ✆ 21 11 10, Fax 22 00 62 - AE VISA JCB. — B r
Comida carta 3100 a 4150.

Doña Guiomar, Tomás Luis de Victoria 3, ✉ 05001, ✆ 25 37 09 - AE VISA JCB. — B d
cerrado domingo noche - **Comida** carta 3200 a 4500.

XX **La Cochera,** av. de Portugal 47, ✉ 05001, ☎ 21 37 89, Fax 25 05 91 – ▤. AE ⓓ E VISA JCB B
Comida carta 3800 a 5000.

XX **El Almacén,** carret. de Salamanca 6, ✉ 05002, ☎ 25 44 55, ← – ▤. AE ⓓ E VISA JCB A e
cerrado domingo noche, lunes y 16 septiembre-10 octubre – **Comida** carta 2900 a 4200.

X **Mesón El Sol y Resid. Santa Teresa** con hab, av. 18 de Julio 25, ✉ 05003, ☎ 22 02 11, Fax 22 41 13 – |♦| ▤ rest TV ☎. AE ⓓ E VISA. ✻ por ①
Comida carta 2600 a 4100 – ☕ 450 – **15 hab** 4500/7100 – PA 3000.

X **El Rastro** con hab, pl. del Rastro 1, ✉ 05001, ☎ 21 12 18, Fax 25 16 26, Albergue castellano – ▤ rest. AE ⓓ E VISA. ✻ AB a
Comida carta 2950 a 4300 – ☕ 350 – **10 hab** 3400/5000.

AVILÉS 33400 Asturias 441 B 12 – 84 582 h. alt. 13 – ☎ 98.

Alred. : Salinas ←★ NO : 5 km.

ℹ Ruiz Gómez 21 ☎ 554 43 25.

♦Madrid 466 – Ferrol 280 – Gijón 25 – ♦Oviedo 31.

Luzana y Rest. La Serrana, Fruta 9 ☎ 556 58 40, Telex 84213, Fax 556 49 12 – |♦| ▤ rest TV ☎ – 🔺 25/60. AE ⓓ E VISA. ✻
Comida carta 2800 a 3400 – ☕ 600 – **73 hab** 8500/11000.

XX **La Fragata,** San Francisco 18 ☎ 555 19 29, Decoración neorústica – AE ⓓ E VISA. ✻
cerrado domingo – **Comida** carta aprox. 4100.

XX **San Félix** con hab, av. de los Telares, 48 ☎ 556 51 46, Fax 552 17 79 – ☎ Ⓟ. AE ⓓ E VISA. ✻
Comida carta 3700 a 5000 – ☕ 400 – **18 hab** 4800/7000.

X **Casa Jataguyo 6,** pl. del Carbayedo 6 ☎ 556 48 15, Decoración rústica – ▤. AE ⓓ E VISA. ✻
cerrado noviembre – **Comida** carta 2150 a 5200.

Ver también : ***Salinas*** NO : 5 km.

AXPE 48291 Vizcaya 442 C 22 – ☎ 94.

♦Madrid 399 – ♦Bilbao/Bilbo 37 – ♦San Sebastián/Donostia 80 – ♦Vitoria/Gasteiz 50.

XX **Etxebarri,** pl. San Juan 1 ☎ 658 30 42, Fax 658 26 40 – ▤ Ⓟ. AE ⓓ E VISA JCB. ✻
cerrado domingo noche y lunes noche – **Comida** carta 3100 a 4100.

AYAMONTE 21400 Huelva 446 U 7 – 14 937 h. alt. 84 – ☎ 959 – Playa.

Ver : Vista desde el Parador★.

⛴ para Vila Real de Santo António (Portugal).

ℹ av. Ramón y Cajal ☎ 47 09 88, Fax 47 09 88.

♦Madrid 680 – Beja 125 – Faro 53 – Huelva 52.

Parador de Ayamonte ⛰, El Castillito ☎ 32 07 00, Fax 32 07 00, ← Ayamonte, el Guadiana, Portugal y el Atlántico, ⛱, 🌳 – ▤ TV ☎ Ⓟ – 🔺 25/110. AE ⓓ E VISA. ✻
Comida 3200 – ☕ 1100 – **52 hab** 11000, 2 suites – PA 6375.

X **Andalucía 2,** av. Alcalde Narciso Martín Navarro ☎ 47 07 21 – ▤. AE VISA. ✻
Comida carta 2000 a 3200.

en la playa de Isla Canela SE : 6,5 km – ✉ 21470 Isla Canela – ☎ 959 :

Riu Canela ⛰, paseo de los Gavilanes ☎ 47 71 24, Fax 47 71 70, ←, « Conjunto de estilo andaluz - Agradables terrazas junto a la ⛱ », Ⅰ₅, ⛱, 🎾 – |♦| ▤ TV ☎ ♿ Ⓟ – 🔺 25/50. AE E VISA. ✻
marzo-octubre – **Comida** (sólo cena buffet) 3500 – ☕ 1100 – **300 hab** 13200/20900.

AYORA 46620 Valencia 445 O 26 – 5 402 h. – ☎ 96.

♦Madrid 341 – ♦Albacete 94 – ♦Alicante 117 – ♦Valencia 132.

Murpimar sin rest y sin ☕, Virgen del Rosario 70 ☎ 219 10 33 – ✻
21 hab 2200/4400.

AZPEITIA 20730 Guipúzcoa 442 C 23 – 13 170 h. alt. 84 – ☎ 943.

♦Madrid 427 – ♦Bilbao/Bilbo 74 – ♦Pamplona/Iruñea 92 – ♦San Sebastián/Donostia 44 – ♦Vitoria/Gasteiz 71.

Izarra, av. de Loyola 25 ☎ 81 07 50, 🌳 – ▤ rest ☎ Ⓟ. AE E VISA
cerrado 20 diciembre-20 enero – **Comida** *(cerrado domingo noche)* 1700 – ☕ 650 – **24 hab** 4500/7000 – PA 4050.

XX Juantxo, av. de Loyola 3 ☎ 81 43 15 – ▤.

en Loyola O : 1,5 km – ✉ 20730 Loyola – ☎ 943 :

XX **Kiruri,** ☎ 81 56 08, Fax 15 03 62, 🌳 – ▤ Ⓟ. AE ⓓ E VISA. ✻
cerrado lunes noche y Navidades – **Comida** carta 3800 a 5500.

AZUQUECA DE HENARES **19200** Guadalajara 444 K 20 – 11 996 h. alt. 626 – ☎ 949.
♦ Madrid 46 – Guadalajara 12 – Segovia 139.

Alcor 🐎, av. de Alcalá (S : 1,5 km) ☎ 26 46 05, Fax 26 31 01, ≤ – |♦| ▤ TV ☎ 🚗 P – 🎪 25/150. AE ⦿ E VISA – **Comida** 1200 – ▭ 400 – **36 hab** 5500/8000 – PA 2380.

Azuqueca, av. de Alovera (N : 1 km) ☎ 26 44 88, Fax 26 44 98 – |♦| ▤ TV ☎ P – 🎪 25/300. AE E VISA. ✻ – **Comida** 1650 – **45 hab** ▭ 6000/8000.

BADAJOZ **06000** P 444 P 9 – 130 247 h. alt. 183 – ☎ 924.
Golf del Guadiana por ② : 8 km ☎ 44 81 88.
✈ de Badajoz por ② : 16 km, ✉ 06071, ☎ 44 00 16.
ℹ pl. de la Libertad 3 ✉ 06005, ☎ 22 27 63 – **R.A.C.E.** pl. de la Soledad 9, ✉ 06001, ☎ 22 28 57.
♦Madrid 409 ② – ♦Cáceres 91 ① – ♦Córdoba 278 ③ – ♦Lisboa 247 ④ – Mérida 62 ② – ♦Sevilla 218 ③.

BADAJOZ

Francisco Pizarro	BY 7
Obispo San Juan de Rivera	BZ 17
San Juan	BY
Antonio Masa Campos (Av.)	AZ 2
Calatrava	BCZ 3
Carolina Coronado	AY 4
Doblados	CZ 5
España (Pl. de)	BZ 6
Hernán Cortés	BZ 8
Huelva (Av. de)	AZ 9
Joaquín Costa (Av. de)	AY 12
Juan Sebastián Elcano (Av. de)	CZ 14
Minayo (Pl. de)	BZ 15
Muñoz Torrero	BYZ 16
Pedro de Valdivia	BZ 18
Reyes Católicos (Pl.)	AY 19
San Blas	BZ 20
San Francisco (Paseo)	AZ 21
Soledad (Pl. de la)	BY 23

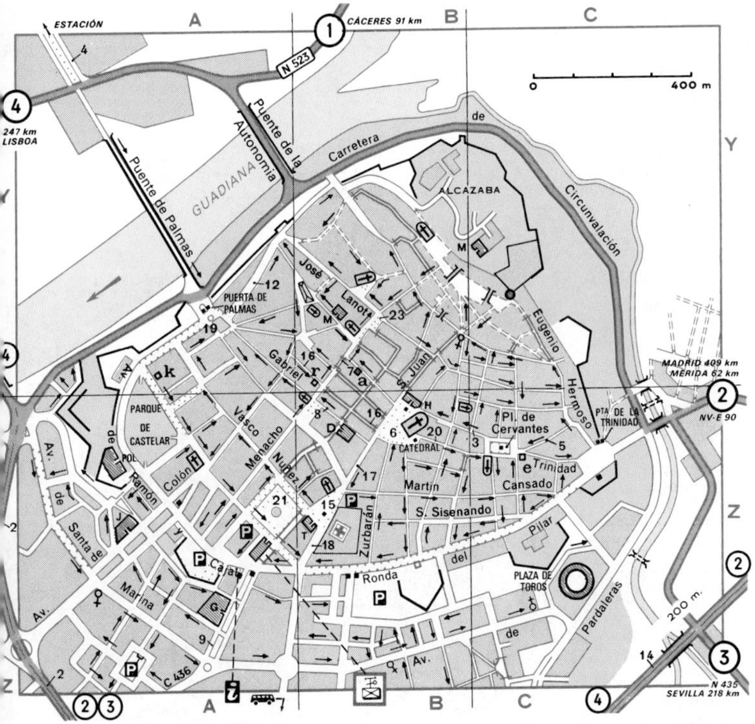

G.H. Zurbarán y Rest. Los Monjes, paseo Castelar, ✉ 06001, ☎ 22 37 41, Telex 28818, Fax 22 01 42, 🏊 – |♦| ▤ TV ☎ 🚗 – 🎪 25/500. AE ⦿ E VISA JCB. ✻ AY **k**
Comida carta 3300 a 4500 – ▭ 1000 – **215 hab** 10250/16750.

Río y Rest. La Alacena, av. Adolfo Díaz Ambrona 13, ✉ 06006, ☎ 27 26 00, Telex 28784, Fax 27 38 74, 🏊 – |♦| ▤ TV ☎ P – 🎪 25/400. AE ⦿ E VISA. ✻ rest por ④
Comida carta 2850 a 3420 – ▭ 685 – **85 hab** 7950/10725.

Condedu sin rest, Muñoz Torrero 27, ✉ 06001, ☎ 22 46 41, Fax 22 00 03 – |♦| ▤ TV ☎. AE ⦿ E VISA JCB. ✻ – ▭ 400 – **34 hab** 4150/6250. BY **r**

Cervantes sin rest y sin ▭, Trinidad 2, ✉ 06002, ☎ 22 09 31 – |♦| ☎. VISA. ✻ CZ **e**
25 hab 3100/4500.

XXXX ✿ **Aldebarán,** av. de Elvas - urb. Guadiana, ✉ 06006, ✆ 27 42 61, Fax 27 42 61, « Decoración elegante » - ▤. AE ⓞ VISA. ✻ por ④
cerrado domingo - **Comida** carta 3800 a 5150
Espec. Raviolis rellenos de setas e hígado de cabrito, Escalopines de solomillo ibérico sobre peras y espinacas, Tarta de queso y nueces.

X **Los Gabrieles,** Vicente Barrantes 21, ✉ 06001, ✆ 22 00 01 - ▤. AE ⓞ E VISA. ✻
cerrado domingo - **Comida** carta aprox. 3100. BY a

en la antigua carretera N V por ② : 8 km - ✉ 06080 ✆ 924 :

Confortel Badajoz , Golf del Guadiana ✆ 44 37 11, Fax 44 37 08, ⛱ - |‡| ▤ TV ☎ ♿ - 🅰 25/200. AE VISA. ✻
Comida 3500 - ☕ 1000 - **104 hab** 10000/15000, 16 suites - PA 7650.

Sie möchten in einem Parador
oder in einem ruhigen, abgelegenen Hotel übernachten ?
Wir empfehlen Ihnen – vor allem in der Hauptreisezeit –
Ihr Zimmer rechtzeitig zu reservieren.

BADALONA 08911 Barcelona 443 H 36 - 218 171 h. - ✆ 93 - Playa.
♦Madrid 635 - ♦Barcelona 8,5 - Mataró 19.

Miramar sin rest, con cafetería por la noche, Santa Madrona 60 ✆ 384 03 11, Fax 389 16 27, ⩤ - |‡| ▤ TV ☎ 🚗. AE E VISA JCB. ✻
☕ 700 - **42 hab** 4000/7000.

XX Obiols, Prim 170 ✆ 384 42 78 - ▤.

El BAELL Gerona - ver Campellas.

BAEZA 23440 Jaén 446 S 19 - 17 691 h. alt. 760 - ✆ 953.
Ver : Centro monumental★★ : plaza del Pópulo★ Z, catedral (interior★) Z, palacio de Jabalquinto★ (fachada★) Z, ayuntamiento★ Y - Iglesia de San Andrés (tablas góticas★) Y.
ℹ pl. del Pópulo ✆ 74 04 44.
♦Madrid 319 ① - Jaén 48 ③ - Linares 20 ① - Úbeda 9 ②.

BAEZA

San Francisco	Y
Aguayo	Y 2
Alcalde Garzón Nebrera (Av. del)	Y
Barbacana	Z 3
Cardenal Benavides (Pasaje)	Y 5
Carmen	Z
Cipriano Tornero o del Rojo	Y
Compañía	Z 6
Concepción	Y
Conde de Romanones	Z 7
Constitución (Paseo de la)	Z 8
Córdoba (Puerta de)	Z 9
Corvera	Y
España (Pl. de)	Y
Gaspar Becerra	Y 12
General Cuadros	Y 13
José M. Cortés	Y 15
Julio Burel	YZ
Los Molinos	Y
Magdalena	Y 16
Merced	Z
Motilla	Y
Obispo Mengíbar	Z 17
Obispo Narváez o Barreras	YZ
Pintada Baja	Y
Pópulo (Pl. del)	Z
Real (Camino)	Z 19
Sacramento	Z 20
San Andrés	Y 21
San Felipe Neri (Cuesta)	Z 23
San Gil (Cuesta de)	Z 25
San Juan Bautista	Z
San Pablo	Y
Santa María (Pl. de)	Z

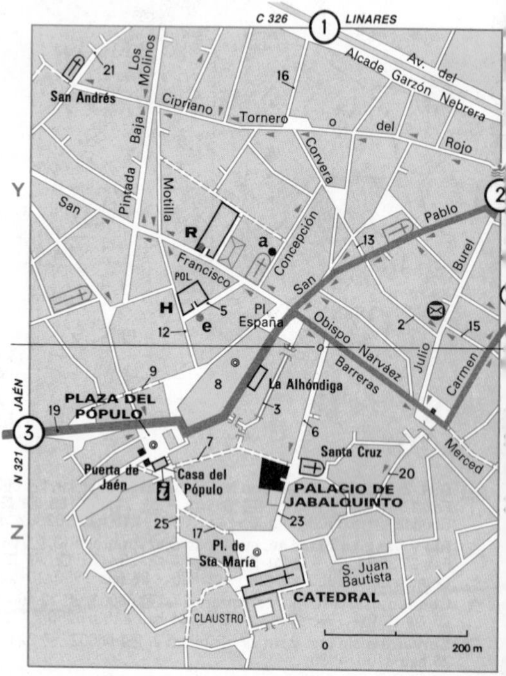

Confortel Baeza, Concepción 3 ✆ 74 81 30, Fax 74 25 19, 🏞 - |‡| ▤ TV ☎ 🚗 - 🏛 25/60. ⓓ VISA. ✻ Y a
Comida (ver también rest. **Andrés de Vandelvira**) 1800 - ☕ 900 - **84 hab** 7250/9000 - PA 4500.

La Loma, carret. de Úbeda ✆ 74 33 02 - ▤ Ⓟ. AE VISA. ✻ por ② Y
Comida 1100 - ☕ 300 - **10 hab** 3750/4750 - PA 2000.

Juanito con hab, av. Puche Pardo 43 ✆ 74 00 40, Fax 74 23 24 - |‡| ▤ TV ☎ 🚗 Ⓟ. ✻
Comida *(cerrado domingo noche y lunes noche)* carta 3400 a 3850 - ☕ 600 - **35 hab** 4600/5600. por ② Y

Andrés de Vandelvira, San Francisco 14 ✆ 74 81 30, Fax 74 25 19, Instalado en un convento del siglo XVI - ▤. VISA. ✻ Y R
cerrado domingo noche y lunes - **Comida** carta 2650 a 4350.

Sali, pasaje Cardenal Benavides 15 ✆ 74 13 65 - ▤. AE ⓓ E VISA. ✻ Y e
cerrado miércoles noche y 15 septiembre-9 octubre - **Comida** carta 2150 a 4100.

BAGERGUE Lérida - ver Salardú.

BAGUR o **BEGUR** **17255** Gerona 443 G 39 - 2 734 h. - ☎ 972.
Alred. : Pals★ (7 km).
ℹ av. Onze de Setembre, ✆ 62 34 79.
♦Madrid 739 - Gerona/Girona 46 - Palamós 17.

Begur, Comas y Ros 8 ✆ 62 22 07, Fax 62 29 38, 🏞 - |‡| TV 🚗. AE ⓓ E VISA. ✻ rest
Semana Santa y 25 mayo-septiembre - **Comida** 1450 - ☕ 850 - **31 hab** 6500/9000.

Rosa sin rest, Forgas y Puig 6 ✆ 62 30 15 - E VISA. ✻
Semana Santa, junio-septiembre y fines de semana resto del año (salvo enero-febrero) - ☕ 475 - **23 hab** 2800/5300 - PA 2875.

Plaja, pl. Pella i Forgas ✆ 62 21 97 - ▤ rest
temp. - **16 hab.**

Esquiró, av. 11 de Setembre 21 ✆ 62 20 02 - ▤. AE ⓓ E VISA. ✻
junio-octubre - **Comida** (sólo cena) carta 3475 a 4375.

Mas Comangau, carret. de Fornells ✆ 62 32 10, Fax 60 01 12, Decoración típica catalana - ▤ Ⓟ. AE ⓓ E VISA JCB. ✻
cerrado martes y noviembre-1 diciembre - **Comida** carta 3100 a 4100.

Primo Piatto, Santa Teresa ✆ 62 35 05, Fax 62 35 01, 🏞, Cocina italiana - AE E VISA
junio-septiembre - **Comida** (sólo cena) carta aprox. 2700.

en la playa de Sa Riera N : 2 km - ✉ 17255 Begur - ☎ 972 :

Sa Riera 🐦, ✆ 62 30 00, Fax 62 34 60, 🏊 - |‡| ☎ Ⓟ. E VISA. ✻ rest
15 marzo-15 octubre - **Comida** 1430 - ☕ 530 - **41 hab** 4240/8050.

en Aigua Blava SE : 3,5 km - ✉ 17255 Begur - ☎ 972 :

Aigua Blava 🐦, playa de Fornells ✆ 62 20 58, Fax 62 21 12, « Parque ajardinado, ≤ cala », 🏊, 🎾 - ▤ rest TV ☎ 🚗 Ⓟ - 🏛 25/60. AE E VISA. ✻ rest
19 febrero-12 noviembre - **Comida** 3400 - ☕ 1400 - **85 hab** 9000/15500 - PA 6500.

Parador de Aiguablava 🐦, ✆ 62 21 62, Fax 62 21 66, « Magnífica situación con ≤ cala », 🏊 - |‡| ▤ TV ☎ Ⓟ - 🏛 25/180. AE ⓓ E VISA. ✻
Comida 3200 - ☕ 1100 - **87 hab** 17500 - PA 6375.

Bonaigua 🐦 sin rest, playa de Fornells ✆ 62 20 50, Fax 62 20 54, ≤, 🎾 - |‡| 🚗 Ⓟ. AE E VISA
Semana Santa-septiembre - ☕ 600 - **47 hab** 6340/9585.

por la antigua carret. de Palafrugell y desvío a la izquierda S : 5 km - ✉ 17255 Begur - ☎ 972 :

Jordi's 🐦 con hab, apartado 47 Begur ✆ 30 15 70, Telex 57077, Fax 61 01 66, ≤, 🏞, « Casa de campo », 🌳 - Ⓟ. AE E VISA
Comida *(cerrado invierno y otoño salvo fines de semana)* carta 2600 a 3945 - ☕ 550 - **8 hab** 8000.

BAILÉN **23710** Jaén 446 R 18 - 16 814 h. alt. 349 - ☎ 953.
♦Madrid 294 - ♦Córdoba 104 - Jaén 37 - Úbeda 40.

en la antigua carretera N IV - ✉ 23710 Bailén - ☎ 953 :

Parador de Bailén, ✆ 67 01 00, Fax 67 25 30, 🏊, 🌳 - ▤ TV ☎ Ⓟ. AE ⓓ E VISA. ✻
Comida 3000 - ☕ 1000 - **40 hab** 9000 - PA 5950.

Zodíaco, ✆ 67 10 62, Fax 67 19 06 - ▤ TV ☎ 🚗 Ⓟ. AE E VISA. ✻
Comida 1500 - ☕ 500 - **52 hab** 4400/6800 - PA 3500.

Motel Don Lope de Sosa, ✆ 67 00 58, Telex 28311, Fax 67 25 74 - ▤ Ⓟ. AE ⓓ E VISA. ✻
15 marzo-septiembre - **Comida** *(abierto todo el año)* carta 2250 a 3050 - ☕ 575 - **26 hab** 4000/6500.

BAIONA Pontevedra - ver Bayona.

BAKIO Vizcaya - ver Baquio.

BALAGUER 25600 Lérida 443 G 32 - 13 086 h. alt. 233 - ☎ 973.
ℹ pl. Mercadal 1, ✆ 44 66 06.
◆Madrid 496 - ◆Barcelona 149 - Huesca 125 - ◆Lérida/Lleida 27.

🏨 **Balaguer** sin rest, La Banqueta 7 ✆ 44 57 50, Fax 44 57 50 - |♦| TV ☎. AE E VISA
☕ 550 - **30 hab** 4000/6500.

XX **Cal Morell,** passeig Estació 18 ✆ 44 80 09 - ▤. AE ⓓ E VISA
cerrado lunes (salvo festivos o vísperas) y del 20 al 30 de septiembre - **Comida** carta 3500 a 4600.

en la carretera C 1313 - ✉ 25600 Balaguer - ☎ 973 :

X **El Caliu d'en Ton,** S : 3,5 km ✆ 44 70 85 - ▤ P. AE E VISA. ✻
cerrado jueves noche - **Comida** carta 2300 a 3250.

X **El Bosquet,** E : 2 km ✆ 44 68 68, 🍴 - ▤ P. ⓓ VISA. ✻
cerrado martes y febrero - **Comida** carta 2400 a 3800.

BALEARES (Islas) ★★★ 443 - 745 944 h..
✈ ver : Palma de Mallorca, Mahón, Ibiza.
⛴ para Baleares ver : Barcelona, Valencia. En Baleares ver : Palma de Mallorca, Mahón, Ibiza.

MALLORCA

Algaida 07210 443 N 38 - 3 157 h. - ☎ 971.
Palma 23.

X **Es 4 Vents,** carret. de Manacor ✆ 66 51 73, Fax 12 54 09, 🍴 - ▤ P. E VISA. ✻
cerrado jueves salvo festivos - **Comida** carta 2500 a 3600.

X **Hostal Algaida,** carret. de Manacor ✆ 66 51 09, 🍴 - ▤ P
cerrado miércoles salvo festivos - **Comida** carta 1850 a 3100.

S'Alquería Blanca 07691 Palma de Mallorca 443 N 39 - ☎ 971.
Palma 53.

X **Ses Covetes,** Jaime I-20 ✆ 65 39 03, 🍴 - E VISA. ✻
cerrado lunes y enero-marzo - **Comida** carta 2650 a 3400.

Artà (Cuevas de 07570★★★ 443 N 40.
Palma 78.
Hoteles y restaurantes ver : ***Cala Ratjada*** N : 11,5 km, ***Son Servera*** SO : 13 km.

Bañalbufar o **Banyalbufar** 07191 443 M 37 - 440 h. - ☎ 971.
Palma 23.

🏨 Sa Coma ⛰, Camí d'es Molí ✆ 61 80 34, Fax 61 81 98, ≤, 🏊, 🎾 - ☎ P
temp. - **Comida** (sólo cena) - **32 hab.**

🏨 **Mar i Vent** ⛰, Major 49 ✆ 61 80 00, Fax 61 82 01, ≤ mar y montaña, 🏊, 🎾 - ☎ 🚗
P. E VISA. ✻
cerrado diciembre-enero - **Comida** (sólo cena) 1925 - **23 hab** ☕ 6300/8800.

X **Son Tomás,** Baronía 17 ✆ 61 81 49, ≤, 🍴 - AE ⓓ E VISA. ✻
cerrado martes y noviembre - **Comida** carta 2775 a 3800.

Bendinat 443 N 37 - ☎ 971.
Palma 11.

🏨 **Bendinat** ⛰, ✉ 07015 Portals Nous, ✆ 67 57 25, Fax 67 72 76, 🍴, « Bungalows en un jardín con árboles y terrazas junto al mar », 🌳, 🎾 - ☎ P. E VISA. ✻ rest
mayo- 15 octubre - **Comida** 2500 - ☕ 700 - **29 hab** 10500/14000 - PA 4675.

Bunyola 07110 443 M 38 - 4 045 h. - ☎ 971.
Palma 14.

en la carretera de Sóller - ✉ 07110 Bunyola - ☎ 971 :

X Ses Porxeres, NO : 3,5 km ✆ 61 37 62, Decoración rústica. Cocina catalana - P.

X Ca'n Penasso, O : 1,5 km ✆ 61 32 12, ≤, 🍴, « Conjunto de estilo rústico regional », 🏊, 🌳, 🎾 - P.

Cala de San Vicente o **Cala Sant Vicenç** 443 M 39 – ✉ 07469 Pollença – ☎ 971 – Playa.

Palma 58.

Molins, Cala Molins ✆ 53 02 00, Fax 53 02 16, Amplias terrazas con ≤, 🏊, 🎾 – |♦| ▤ TV ☎ P
temp. – **Comida** (sólo cena) – **91 hab.**

Cavall Bernat, Temporal ✆ 53 02 50, Fax 53 20 84, 🏛 – AE ⓓ E VISA. ✂
mayo-noviembre – **Comida** carta 2850 a 3650.

Cala d'Or 07660 443 N 39 – ☎ 971 – Playa.

Ver : Paraje★.

🏌18 Club de Vall d'Or N : 7 km ✆ 57 60 99.

ℹ av. Cala Llonga 10 ✆ 65 74 63.

Palma 69.

Rocador, Marqués de Comillas 3 ✆ 65 70 75, Fax 65 77 51, ≤, 🏊, 🌳 – |♦| ▤ rest. VISA. ✂ rest
abril-octubre – **Comida** 1800 – ☕ 950 – **105 hab** 5400/8000, 1 suite – PA 4200.

Cala D'Or, av. de Bélgica 33 ✆ 65 72 49, Fax 65 93 51, 🏛, « Terrazas bajo los pinos », 🏊 – |♦| ▤ TV ☎. AE E VISA. ✂
abril-octubre – **Comida** (sólo cena) 2500 – **95 hab** ☕ 9000/14000.

Rocador Playa, Marqués de Comillas 1 ✆ 65 77 25, Fax 65 77 51, ≤, 🏊 – |♦| ▤ rest – 🏛 25/100. VISA. ✂ rest
abril-octubre – **Comida** 2000 – ☕ 950 – **105 hab** 5400/8000 – PA 4200.

Port Petit, av. Cala Llonga ✆ 64 30 39, Fax 64 60 73, ≤, 🏛 – AE ⓓ E VISA. ✂
Semana Santa-diciembre – **Comida** (sólo cena) carta 3275 a 4750.

Cala Llonga, av. Cala Llonga - Porto Cari ✆ 65 80 36, 🏛 – ▤. AE ⓓ E VISA. ✂
cerrado lunes en invierno y noviembre – **Comida** carta 2300 a 3675.

Ca'n Trompé, av. de Bélgica 12 ✆ 65 73 41, 🏛 – ▤. E VISA. ✂
cerrado martes en invierno y 25 noviembre-10 febrero – **Comida** carta 2100 a 3750.

Sa Barraca, av. de Bélgica 4 ✆ 65 79 78, 🏛, Decoración regional
temp. – **Comida** (sólo cena).

La Cala, av. de Bélgica 7 ✆ 65 70 04, 🏛 – AE ⓓ E VISA. ✂
cerrado lunes en invierno – **Comida** carta aprox. 2500.

en Cala Es Fortí S : 1,5 km – ✉ 07660 Cala d'Or – ☎ 971 :

Rocamarina, ✆ 65 78 32, Fax 64 31 80, 🏊, 🎾 – |♦| ▤ rest ☎. VISA. ✂
abril-octubre – **Comida** (sólo cena buffet) 2100 – ☕ 1100 – **207 hab** 8000/9800.

Cala Figuera 07659 443 O 39 – ☎ 971.

Ver : Paraje★.

Palma 59.

Cala Pí 07639 443 N 38 – ☎ 971.

Palma 41.

Miquel, Torre de Cala Pí 13 ✆ 66 13 09, 🏛, Decoración regional – E VISA. ✂
cerrado lunes en invierno y diciembre-enero – **Comida** carta aprox. 3100.

Cala Rajada 07590 443 M 40 – ☎ 971 – Playa.

Alred. : Capdepera (murallas ≤★) O : 2,5 km.

ℹ Plaça dels Pins ✆ 56 30 33 Fax 56 52 56.

Palma 79.

Aguait, av. des Pins 61 S : 2 km ✆ 56 34 08, Fax 56 51 06, ≤, 🏊 – |♦| ▤ TV ☎ P. AE ⓓ E VISA JCB. ✂
cerrado 5 noviembre- 26 enero – **Comida** (sólo buffet) 1700 – ☕ 850 – **188 hab** 6000/9500 – PA 3850.

Son Moll, Tritón 25 ✆ 56 31 00, Fax 56 35 81, ≤, 🏊 – |♦| ▤ TV ☎. E VISA. ✂
abril-octubre – **Comida** (sólo buffet) 2000 – ☕ 800 – **125 hab** 5000/8200 – PA 4100.

L'Illot, Hernán Cortés 41 ✆ 81 82 84, Fax 81 81 67, 🏋, 🏊, 🏊 – |♦| ▤ TV ☎. AE ⓓ E VISA. ✂ rest
Comida (sólo cena buffet) 2750 – ☕ 1000 – **102 apartamentos** 12500/15000.

✿ **Ses Rotges** con hab, Rafael Blanes 21 ✆ 56 31 08, Fax 56 43 45, 🏛, Cocina francesa, « Terraza rústico-regional con plantas » – ▤ hab ☎. AE ⓓ E VISA. ✂
abril-octubre – **Comida** (sólo cena) carta 4870 a 7050 – ☕ 1200 – **24 hab** 7300/9200
Espec. Ensalada de raya tibia, Ragout de lenguado con trufas y puré de tomate, Gallo a la parrilla con hinojo.

Lorenzo, Elionor Servera 11 ✆ 56 39 39, 🏛 – E VISA. ✂
cerrado lunes y 15 noviembre- 15 enero – **Comida** carta 2700 a 4150.

La Calobra o **Sa Calobra** 443 M 38 – ✆ 971 – Playa.
Ver : Paraje★ – Carretera de acceso★★★ – Torrente de Pareis★, mirador★.
Palma 66.

Calvià 07184 Palma de Mallorca 443 N 37 alt. 156 – ✆ 971.
Ca'n Vich 29, ✆ 13 91 00, Fax 13 91 46.
Palma 20.

X **Ses Forquetes,** C'an Vich (edificio Ayuntamiento) ✆ 67 06 13, ←, – ▤ Ⓟ. AE E VISA. ✻
cerrado domingo y lunes – **Comida** carta 2325 a 3575.

Can Picafort 07458 Palma de Mallorca 443 M 39 – ✆ 971 – Playa.
Palma 56.

X **Mandilego,** Isabel Garau 49 ✆ 85 00 89, – ▤. AE ⓓ E VISA. ✻
cerrado lunes y 15 diciembre- 1 febrero – **Comida** carta 3000 a 4500.

Capdepera 07580 443 M 40 7 017 h. alt. 102 – ✆ 971.
Palma 77.

en la carretera de Artá-Canyamel S : 5 km – ✉ 07580 Capdepera – ✆ 971 :

X **Porxada de Sa Torre,** Torre de Canyamel ✆ 56 30 44, Decoración rústica – ▤ Ⓟ. AE ⓓ E VISA JCB. ✻
cerrado lunes y 13 noviembre-15 marzo – **Comida** carta 1480 a 2450.

en Canyamel SE : 9 km – ✉ 07580 Capdepera – ✆ 971 :

Canyamel Park, Vía de Melesigeni ✆ 56 55 11, Fax 56 56 14, Lō, ☼, ⊡ – |‡| ▤ ☎. E VISA. ✻
febrero-octubre – **Comida** (sólo buffet) 1500 – **133 hab** ☐ 8000/14000 – PA 3000.

Colònia de Sant Jordi 07638 443 O 38 – ✆ 971 – Playa.
Palma 9.

X **Marisol,** Gabriel Roca 65 ✆ 65 50 70, Fax 65 50 70, ←, – AE E VISA
abril-octubre – **Comida** carta 1345 a 3445.

Deyá o **Deià** 07179 443 M 37 – 616 h. alt. 184 – ✆ 971.
Palma 27.

La Residencia ⑤, finca Son Canals ✆ 63 90 11, Fax 63 93 70, ←, « Antigua casa señorial de estilo mallorquín », ☼ climatizada, ⫽, ⚘ – |‡| ▤ ☎ Ⓟ – 🔏 25/50. ⓓ E VISA
Comida (ver a continuación rest. **El Olivo**) – **64 hab** ☐ 20000/36500, 1 suite.

Es Molí ⑤, carret. de Valldemosa SO : 1 km ✆ 63 90 00, Fax 63 93 33, ← valle y mar, , « Jardín escalonado », ☼ climatizada, ⚘ – |‡| ▤ ☎ Ⓟ. AE ⓓ E VISA. ✻ rest
7 abril-29 octubre – **Comida** (sólo cena) 4300 – **71 hab** ☐ 17500/31200, 1 suite.

XXXX ✿ **El Olivo** - Hotel La Residencia, finca Son Canals ✆ 63 90 11, Fax 63 93 70, , Instalado en un antiguo molino de aceite – Ⓟ. AE ⓓ E VISA. ✻
Comida carta 5400 a 8500
Espec. San Pedro con alcachofas y romero, Carré de cordero en costra de aceitunas, Crêpe de naranja asuflada.

XX **Ca'n Quet,** carret. de Valldemosa SO : 1,2 km ✆ 63 91 96, Fax 63 93 33, ← montaña, , ☼ – Ⓟ. AE ⓓ E VISA. ✻
7 abril-29 octubre – **Comida** *(cerrado lunes)* carta 3450 a 4400.

Drach (Cuevas del ★★★ 443 N 39.
Palma 63 – Porto Cristo 1.
Hoteles y restaurantes ver : Portocristo N : 1 km.

Escorca 07315 443 M 38 – 402 h. – ✆ 971.
Palma 46.

en la carretera C 710 O : 5 km – ✉ 07315 Escorca – ✆ 971 :

X **Escorca,** ✆ 51 70 95, Fax 51 70 73, ←, , Decoración rústica – Ⓟ. AE ⓓ E VISA. ✻
cerrado jueves en invierno y 15 enero-15 febrero – **Comida** (sólo almuerzo) carta aprox. 2100.

Estellenchs o **Estellencs** 07192 443 N 37 – 411 h. – ✆ 971.
Palma 30.

X Son Llarg, pl. Constitució 6 ✆ 61 85 64, .

X **Montimar,** pl. Constitució 7 ✆ 61 85 76, – E VISA. ✻
cerrado lunes y 10 enero-febrero – **Comida** carta 2850 a 3075.

Felanitx 07200 443 N 39 - 14 176 h. alt. 151 - 971.
Palma 51.

al Noroeste : 6,5 km - 07200 Felanitx - 971 :

Sa Posada d'Aumallía, camino Son Prohens 1027 58 26 57, Fax 72 12 21, ≤, En pleno campo, - . AE E VISA.
Comida 2500 - **14 hab** 14000/20000.

al Suroeste : 6 km - 07200 Felanitx - 971 :

XXX **Vista Hermosa** con hab, carret. de Portocolom 82 49 60, Fax 82 45 92, ≤ valle, monte y mar, - hab . AE E VISA. hab
cerrado 10 enero-15 marzo - **Comida** carta 3550 a 3940 - **6 hab** 24000/29600, 4 suites.

Formentor (Cabo de) 07470 443 M 39 - 971.
Ver : Carretera★ de Puerto de Pollensa al Cabo Formentor - Mirador des Colomer★★★ - Cabo Formentor★.
Palma 78 - Puerto de Pollensa 20.

Formentor, 86 53 00, Telex 68523, Fax 86 51 55, ≤ bahía y montañas, En un gran pinar, climatizada, - - 25/200. AE E VISA.
10 marzo-20 noviembre y 20 diciembre-8 enero - ***Grill*** *(sólo cena)* - **Comida** carta 5500 a 7300 - **107 hab** 21350/34250, 20 suites.

Illetas o **Ses Illetes** 07015 443 N 37 - 971 - Playa.
◆ Palma 4.

Meliá de Mar, passeig d'Illetes 7 40 25 11, Telex 68892, Fax 40 58 52, ≤ mar y costa, « Jardín con arbolado », - - 25/220. AE E VISA JCB. rest
marzo-octubre - **Comida** 5000 - 1950 - **133 hab** 22500/30000, 11 suites.

Bonsol, passeig d'Illetes 30 40 21 11, Fax 40 25 59, ≤, Decoración castellana, « Terrazas bajo los pinos », climatizada, - - 25/80. AE E VISA. rest
cerrado 8 enero-11 febrero - **Comida** 2750 - **92 hab** 13760/21200.

G. H. Bonanza Playa, passeig d'Illetes 40 11 12, Telex 68782, Fax 40 56 15, ≤ mar, « Amplia terraza con al borde del mar », - - 25/225
274 hab, 7 suites.

G.H. Albatros, passeig d'Illetes 15 40 22 11, Fax 40 21 54, ≤, - - 25/150. AE E VISA.
cerrado enero - **Comida** 2500 - 160 - **119 hab** 9500/17000 - PA 5000.

Bonanza Park, passeig d'Illetes 40 11 12, Telex 68782, Fax 40 56 15, -
temp - **112 hab**, 5 suites.

Inca 07300 443 M 38 - 20 415 h. alt. 120 - 971.
Palma 28.

X **Ca'n Amer,** Pau 39 50 12 61, Celler típico - . AE E VISA.
cerrado sábado y domingo de junio a octubre, domingo resto del año y 15 días en junio - **Comida** carta 2875 a 3500.

X **Ca'n Moreno,** Gloria 103 50 35 20 - . E VISA.
cerrado domingo y agosto - **Comida** carta 1650 a 3600.

Magaluf 07182 Palma de Mallorca 443 N 37 - 971. - Playa.
pl. Magaluf, 13 11 26.
Palma de Mallorca 17.

Flamboyan, Martí Ros García 16 68 04 62, Fax 68 22 67, - . AE E VISA.
cerrado 3 enero-17 febrero - **Comida** (sólo buffet) 1200 - 600 - **128 hab** 6800/11600 - PA 2500.

en Cala Viñas S : 2 km - 07184 Cala Viñas - 971 :

Cala Viñas, Sirenes 13 11 00, Fax 13 09 82, ≤, - - 25/250. AE E VISA.
abril-octubre - **Comida** 2100 - **240 hab** 10500/18600, 25 apartamentos, 10 suites.

Orient 07349 443 M 38 - 971.
Palma 25.

L'Hermitage, carret. de Alaró NE : 1,3 km 61 33 00, Fax 61 33 00, ≤, Antigua casa de campo, - . AE E VISA.
cerrado noviembre-17 diciembre - **Comida** 2500 - 1200 - **24 hab** 15100/23500.

Paguera o **Peguera** 07160 443 N 37 – 971 – Playa.
pl. Parking, 68 70 83.
Palma 22.

Villamil, av. de Peguera 66 68 60 50, Telex 68841, Fax 68 68 15, ≤, « Terraza bajo los pinos con », – 25/50
Comida La Terrasse *(sólo cena)* – **125 hab.**

G.H. Sunna Park, Gavines 19 68 67 50, Fax 68 67 66, – . AE VISA
cerrado noviembre-diciembre – **Comida** (sólo cena buffet) 2400 – 1595 – **131 hab** 14000/18000.

Bahía Club, av. de Peguera 81 68 61 00, Fax 68 61 04, – rest . AE VISA.
2 febrero-30 octubre – **Comida** 3500 – **55 hab** 12000/13000.

La Gran Tortuga, carret. de Cala Fornells 68 60 23, « Terrazas con y ≤ bahía y mar » – AE VISA
cerrado lunes y 8 enero-3 marzo – **Comida** carta aprox. 3415.

en la carretera de Palma E : 2 km – 07160 Peguera – 971 :

Club Galatzó y Rest. Vista de Rey , 68 62 70, Telex 68719, Fax 68 78 52, « Magnífica situación sobre un promontorio, ≤ mar y colinas circundantes », – 25/50
164 hab, 32 suites.

en Cala Fornells SO : 1,5 km – 07160 Peguera – 971 :

Coronado , 68 68 00, Fax 68 74 57, ≤ cala y mar, « Rodeado de pinos », – 25/150. VISA.
cerrado noviembre-16 diciembre – **Comida** 1800 – 600 – **139 hab** 12000/20000 – PA 3700.

Palma de Mallorca 07000 P 443 N 37 – 308 616 h. – 971 – Playas : Portixol DX, Can Pastilla por ④ : 10 km y S'Arenal por ④ : 14 km.
Ver : Barrio de la Catedral ★ : Catedral★★ FZ – Iglesia de Sant Francesc (claustro★) GZ Y – Museo de Mallorca (Sección de Bellas Artes★ : San Jorge★) GZ **M1**, Museo Diocesano (cuadro de Pere Nisart : San Jorge★) FGZ **M2** – Otras curiosidades : La Lonja★ EZ - Palacio Sollerich (patio★) FY **Z** - Pueblo español★ BV **A** – Castillo de Bellver★ BV ★★
18 de Son Vida NO : 5 km 23 76 20 BU – 9 Club de Bendinat, carret. de Bendinat O : 15 km, 40 52 00.
de Palma de Mallorca por ④ : 11 km 26 46 66 – Iberia : passeig des Born 10, 07006, 71 80 00 FYZ y Aviaco : ae ropuerto, 26 28 26.
para la Península, Menorca e Ibiza : Cía. Trasmediterránea, Muelle de Peraires, 07012, 40 50 14, Telex 68555, EZ.
av. Jaume III-10, 07012, 71 22 16, Fax 72 02 51 y en el aeropuerto 26 08 03 – R.A.C.E. av. Marqués de la Cenia 37, 07014, 73 73 46.
Alcudia 52 ② – Paguera 22 ⑤ – Sóller 30 ① – Son Servera 64 ③.

Planos páginas siguientes

En la ciudad :

Saratoga, passeig Mallorca 6, 07012, 72 72 40, Fax 72 73 12, – 25/50. VISA. — EY **s**
Comida (sólo buffet) 2500 – 550 – **187 hab** 10275/15300.

Sol Jaime III sin rest, con cafetería, passeig Mallorca 14 B, 07012, 72 59 43, Fax 72 59 46 – . AE VISA JCB. — EY **n**
600 – **88 hab** 7875/9975.

Almudaina sin rest, con cafetería, av. Jaume III-9, 07012, 72 73 40, Fax 72 25 99 – – 25/35. AE VISA. — FY **a**
80 hab 8300/13000.

Palladium sin rest, con cafetería, passeig Mallorca 40, 07012, 71 28 41, Fax 71 46 65 – . AE VISA. — EY **z**
725 – **53 hab** 6500/9325.

Born sin rest, Sant Jaume 3, 07012, 71 29 42, Fax 71 86 18, « Antigua casa solariega. Patio con palmeras » – . AE VISA. — FY **b**
29 hab 6890/9650.

Gran Dragón, Ruiz de Alda 5, 07011, 28 02 00, Fax 28 02 00, Rest chino – . AE VISA JCB. — BX **k**
Comida carta 2450 a 3800.

Parlament, Conquistador 11, 07001, 72 60 26 – . — FZ **e**
cerrado domingo y agosto – **Comida** carta 2900 a 3900.

Xoriguer, Fábrica 60, 07013, 28 83 32 – . AE VISA. — CV **a**
cerrado domingo, festivos y agosto – **Comida** carta 2700 a 4800.

X **Peppone,** Bayarte 14, ✉ 07013, ☎ 45 42 42, Cocina italiana - ▤. AE ⓓ E VISA. ✻
cerrado domingo y lunes mediodía - **Comida** carta 2160 a 2700. EY **d**

X **La Lubina,** Muelle Viejo, ✉ 07012, ☎ 72 33 50, Fax 72 46 56, ≤, ⛱, Pescados y mariscos - ▤. AE ⓓ E VISA JCB. ✻ EZ **c**
Comida carta 3100 a 5800.

X **Caballito de Mar,** passeig de Sagrera 5, ✉ 07012, ☎ 72 10 74, Fax 72 46 56, ⛱, Pescados y mariscos - ▤. AE ⓓ E VISA JCB. ✻ EZ **a**
Comida carta 3000 a 5300.

X **Le Bistrot,** Teodor Llorente 4, ✉ 07011, ☎ 28 71 75, Cocina francesa - ▤. AE E VISA EY **a**
cerrado domingo y julio - **Comida** carta 2170 a 3445.

X **Los Gauchos,** Sant Magí 80, ✉ 07013, ☎ 28 00 23, Carnes - ▤. AE ⓓ E VISA. ✻
cerrado sábado mediodía y domingo - **Comida** carta 2125 a 3485. EY **f**

X **Casa Gallega,** Pueyo 4, ✉ 07003, ☎ 72 11 41, Cocina gallega - ▤. E VISA. ✻ GY **a**
Comida carta 3650 a 5450.

X **Ca'n Nofre,** Manacor 27, ✉ 07006, ☎ 46 23 59 - ▤. ⓓ E VISA. ✻ HY **a**
cerrado miércoles noche, jueves y abril - **Comida** carta 2000 a 2850.

X **Casa Sophie,** Apuntadors 24, ✉ 07012, ☎ 72 60 86, Cocina francesa - ▤. AE ⓓ E VISA EZ **u**
cerrado domingo, lunes mediodía y 15 noviembre- 15 diciembre - **Comida** (sólo cena en julio-agosto) carta 2900 a 4350.

X **Celler Pagès,** Felip Bauzà 2, ✉ 07012, ☎ 72 60 36 - VISA. ✻ FZ **a**
cerrado sábado noche, domingo y 23 diciembre-11 enero - **Comida** carta 2000 a 2400.

Al Oeste de la Bahía :

al borde del mar :

Meliá Victoria, av. Joan Miró 21, ✉ 07014, ☎ 73 25 42, Telex 68558, Fax 45 08 24, ≤ bahía y ciudad, ⛱, Ꮭ, ⛱, ⛱ - |‡| ▤ TV ☎ P - 🏛 25/120. AE ⓓ E VISA JCB. ✻ BV **u**
Comida carta 4500 a 5100 - ☐ 1800 - **161 hab** 13000/25000, 6 suites.

Sol Palas Atenea, av. Gabriel Roca 29, ✉ 07014, ☎ 28 14 00, Telex 69644, Fax 45 19 89, ≤, ⛱ climatizada, ⛱ - |‡| ▤ TV ☎ - 🏛 25/300. AE ⓓ E VISA. ✻ BV **e**
Comida (sólo cena buffet) 2750 - ☐ 1000 - **362 hab** 11550/18040, 8 suites.

Sol Bellver, av. Gabriel Roca 11, ✉ 07014, ☎ 73 51 42, Telex 69643, Fax 73 14 51, ≤ bahía y ciudad, ⛱, ⛱ - |‡| ▤ TV ☎ - 🏛 25/150. AE ⓓ E VISA JCB. ✻ CV **v**
Comida 2000 - ☐ 900 - **389 hab** 9100/14400, 1 suite - PA 4400.

Mirador, av. Gabriel Roca 10, ✉ 07014, ☎ 73 20 46, Fax 73 39 15, ≤ - |‡| TV ☎ - 🏛 25/50. AE ⓓ E VISA. ✻ CV **x**
Comida (sólo buffet) 2580 - ☐ 630 - **78 hab** 7065/10510 - PA 4925.

XXX **Mediterráneo 1930,** av. Gabriel Roca 33, ✉ 07014, ☎ 45 88 77, Fax 68 26 14, « Decoración estilo años treinta » - ▤. AE E VISA BVX **u**
Comida carta 3200 a 4050.

XXX ✿ **Koldo Royo,** av. Gabriel Roca 3, ✉ 07014, ☎ 73 24 35, Fax 28 70 60, ≤ - ▤. AE E VISA. ✻ CV **c**
cerrado sábado mediodía, domingo, del 1 al 15 de febrero y del 1 al 15 de julio - **Comida** carta 3500 a 4450
Espec. Lasaña de buey de mar y setas, Bacalao en sabarin con pisto y aceite de perejil, Tarta de chocolate fundente.

en Terreno BVX - ☎ 971 :

Rex sin rest, Luis Fábregas 4, ✉ 07014, ☎ 73 03 65, Fax 73 04 48, ⛱ - |‡| BV **a**
temp. - **72 hab.**

en La Bonanova BX - ✉ 07015 Palma - ☎ 971 :

Valparaíso Palace ⛱, Francisco Vidal Sureda 23 ☎ 40 04 11, Telex 68754, Fax 40 59 04, ⛱, « Magnífica situación con ≤ Palma, bahía y puerto », ⛱, ⛱, ⛱, ✂ - |‡| ▤ TV ☎ P - 🏛 25/250. AE ⓓ E VISA. ✻ BX **f**
Comida 7250 - ☐ 2500 - **144 hab** 14150/24750, 6 suites - PA 13550.

Ciutat de Mallorca, Francisco Vidal Sureda 24 ☎ 70 13 06, Fax 70 14 16, Ꮭ, ⛱ - |‡| ▤ TV ☎ P - 🏛 25/75. AE E VISA. ✻ BX **x**
Comida 1800 - **59 hab** ☐ 10000/12500 - PA 3600.

Majórica, Garita 3 ☎ 40 02 61, Telex 69309, Fax 40 33 58, ≤ Palma, bahía y puerto, ⛱ - |‡| ▤ rest TV ☎ - 🏛 25/80. AE ⓓ E VISA. ✻ BX **z**
cerrado noviembre- 22 diciembre - **Comida** (sólo buffet) 1400 - ☐ 900 - **153 hab** 8000/14000 - PA 3500.

XXX **Samantha's,** Francisco Vidal Sureda 115 ☎ 70 00 00, Fax 70 09 99 - ▤ P. AE ⓓ E VISA JCB. ✻ AX **c**
Comida carta aprox. 5300.

en Gènova - AV - ✉ 07015 Génova - ☎ 971 :

X **Son Berga,** carret. Génova km 4 ☎ 45 38 69, Fax 45 38 69, 🏠, Decoración típica regional - ▤ 🅟. AE ① E VISA JCB. ✗ AV **a**
Comida carta 2225 a 3275.

en Porto Pí - BX - ✉ 07015 Palma - ☎ 971 :

XXX ✿ **Porto Pí,** Joan Miró 174 ☎ 40 00 87, 🏠, « Antigua villa mallorquina » - ▤. AE E VISA. ✗ BX **e**
cerrado sábado mediodía y domingo - **Comida** carta 3950 a 5250
Espec. Raviolis rellenos de espinacas con frutos de mar, Mollejas braseadas con arroz silvestre, Tarta de queso con salsa de toffee.

XX **Gran Dragón III,** Joan Miró 146 ☎ 70 17 17, Fax 28 02 00, rest chino - ▤. AE ① E VISA BX **v**
Comida carta 2150 a 3350.

X **Rififí,** Joan Miró 182 ☎ 40 20 35, Fax 40 09 06, Pescados y mariscos - ▤. AE ① E VISA. ✗ BX **p**
cerrado martes y enero - **Comida** carta 2500 a 4400.

en San Agustín (carretera de Andratx) AX - ✉ 07015 San Agustín - ☎ 971 :

X Buona Sera, Joan Miró 299 ☎ 40 03 22, Cocina italiana - ▤ AX **t**

PALMA DE MALLORCA

Adrià Ferràn	DV 2
Andrea Doria	BV 5
Arquebisbe Aspáreg	DV 12
Arquitecte Bennàzar (Av.)	CU 15
Capità Vila	DV 26
Del Pont (Pl.)	CV 45
Espartero	CV 48
Federico García Lorca	BV 51
Fra Juníper Serra	BCV 54
Francesc M. de los Herreros	DV 61
Francesc Pi i Margall	DV 63
General Ricardo Ortega	DV 74
Guillem Forteza	CU 79
Jaume Balmes	CU-DV 82
Joan Crespí	CV 85
Joan Maragall	CDV 88
Joan Miró (Av.)	BVX 90
Josep Darder	DV 93
Marquès de la Sènia	BCV 101
Miquel Arcas	CU 103
Niceto Alcalá Zamora	CV 107
Pere Garau (Pl.)	DV 110
Quetglas	CV 113
Rosselló i Caçador	CU 128
Teniente C. Franco (Pl.)	DV 152
Valldemossa (Carret. de)	CU 155

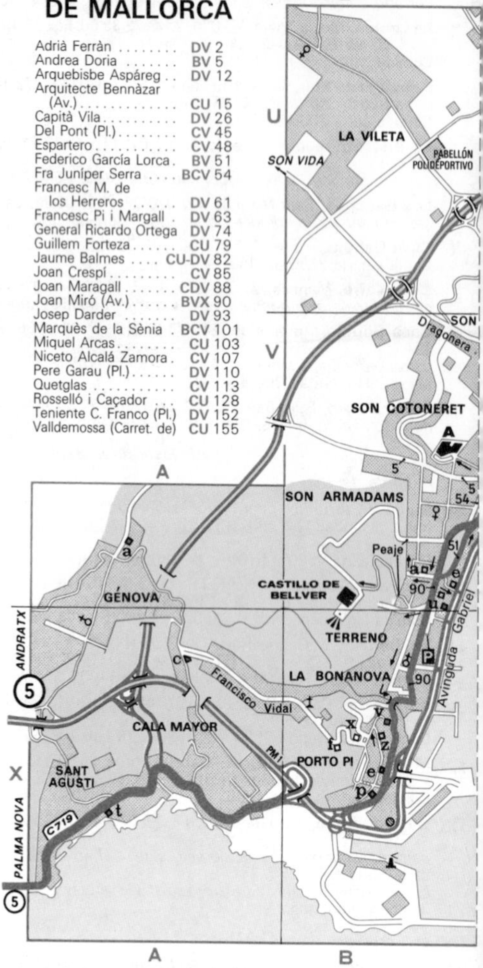

en Son Vida NO : 6 km BU - ✉ 07013 Son Vida - ☎ 971 :

Son Vida 🐚, Raixa 2 ☎ 79 00 00, Telex 68651, Fax 79 00 17, 🏠, « Antiguo palacio señorial entre pinos con ≤ ciudad, bahía y montañas », 🏋, 🏊, 🏊, 🌳, 🎾, 🏌18 - 🛗 ▤ TV ☎ 🅟 - 🧑‍🏫 25/200. AE ① E VISA. ✗ rest
El Jardín *(sólo cena, cerrado lunes en invierno)* - **Comida** carta aprox. 8500 - ***Bellver*** **: Comida** carta aprox. 8500 - **158 hab** ☕ 25400/32800, 12 suites.

Arabella Golf H. 🐚, de la Vinagrella ☎ 79 99 99, Fax 79 99 97, ≤, 🏠, « Edificio señorial en un marco elegante de ambiente acogedor junto al golf », 🏊, 🏊, 🌳, 🎾, 🏌18 - 🛗 ▤ TV ☎ 🚗 🅟 - 🧑‍🏫 25/90. AE ① E VISA. ✗
Plat D'Or *(sólo cena, buffet en domingo)* - **Comida** carta 4450 a 6100 - ***Foravila*** **: Comida** carta 2820 a 4375 - **92 hab** ☕ 18500/37000, 1 suite.

XXX **El Pato,** Club de Golf ☎ 79 15 00, Fax 79 11 27, ≤, 🏠, « Junto al golf » - ▤. ① E VISA. ✗
cerrado domingo noche, lunes y 10 julio- 21 agosto - **Comida** carta 4200 a 4950.

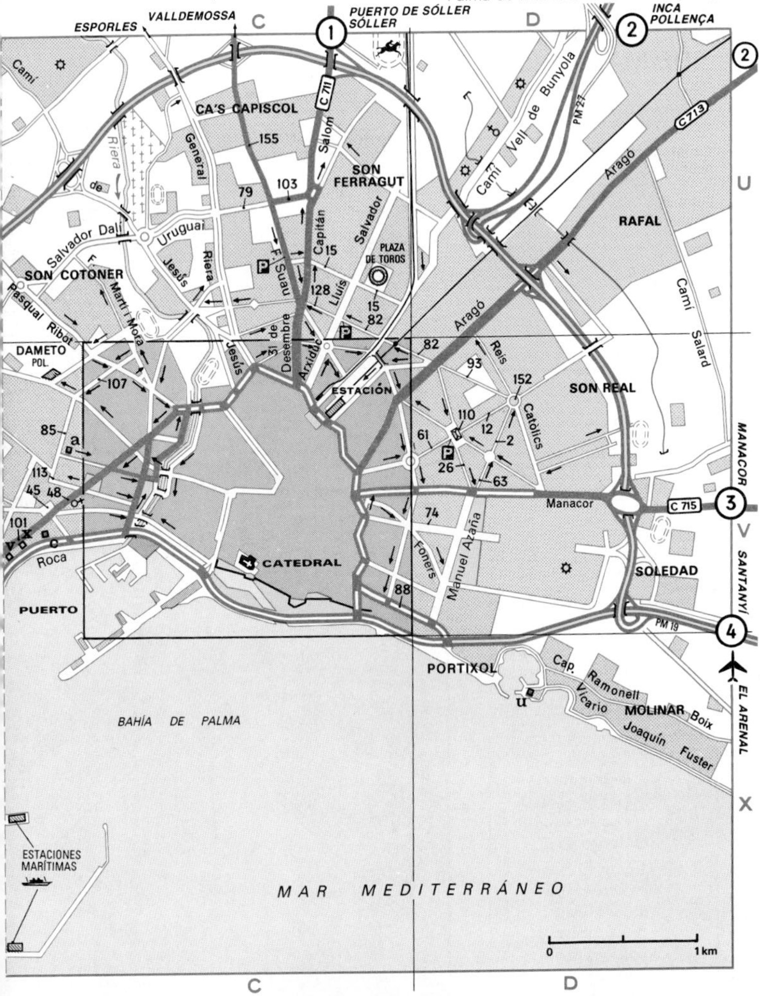

Al Este de la Bahía :

en El Molinar - Cala Portixol DX – ✉ 07006 Palma – ☎ 971 :

✗ **Portixol del Molinar,** Sirena 27 ✆ 27 18 00, Fax 24 37 58, terraza, Pescados y mariscos, – AE ① E VISA. ✻ – **Comida** carta 2200 a 4850. DX **u**

en Es Coll d'en Rebassa por ④ : 6 km – ✉ 07007 Palma – ☎ 971 :

✗✗ Club Náutico Cala Gamba, paseo de Cala Gamba ✆ 26 10 45, ≤, terraza, Pescados y mariscos – ▤.

en Playa de Palma (Can Pastilla, Ses Meravelles, S'Arenal) por ④ : 10 y 20 km – ☎ 971 :

Delta ⛄, carret. de Cabo Blanco km 6,4 - Puig de Ros, ✉ 07609 Cala Blava, ✆ 74 10 00, Fax 74 10 00, terraza, « En un pinar », ⛳, piscina, piscina cubierta, jardín, tenis – ascensor ▤ TV ☎ P – 25/200. AE ① E VISA. ✻ – *11 febrero- octubre* – ***Delta*** *(sólo buffet)* – **Comida** 2500 - ***Argos :*** **Comida** carta 2510 a 3830 – **288 hab** ▭ 9000/13000.

Garonda, carret. S'Arenal 28, ✉ 07610 Can Pastilla, ✆ 26 22 00, ≤, piscina climatizada, jardín – ascensor ▤ TV ☎. AE ① E VISA. ✻
abril-octubre – **Comida** (sólo cena buffet) 2250 – **133 hab** ▭ 12500/16000.

PALMA
DE MALLORCA

Born (Pas. des) .... **FYZ** 21
Jaume III (Av.) .... **EY**

Antoni Maura (Av.) ..... **FZ** 7
Apuntadors .... **EZ** 10
Arxiduc Lluís Salvador .. **GY** 18
Bosseria .... **GY** 23
Can Savellá .... **GZ** 25
Can Serra .... **GZ** 26
Caputxins............. **GY** 28
Cardenal Reig (Pl.)..... **GHY** 31
Conquistador .... **FZ** 34
Constitució........... **FZ** 36
Convent Sant Francesc.. **GZ** 39
Corderia .... **GYZ** 42
Francesc Barceló i Combis **HY** 56
Francesc Marti i Mora .. **EY** 58
Gabriel Alomar i
    Villalonga (Av.)....... **HYZ** 69
Gabriel Roca (Av.) ..... **EZ** 71
Gloria (Forn de la) ..... **EZ** 76
Josep Tous i Ferrer ..... **GY** 95
Julià Álvarez .... **GY** 98
Mercat (Pl.) .... **FY** 102
Morei .... **GZ** 104
Rafael Rodríguez Méndez **EY** 116
Ramón Llull .... **GZ** 118
Rei Joan Carles I (Pl.) ... **FY** 121
Reina (Pl. de la)....... **FZ** 123
Riera .... **GY** 125
Rubén Darío .... **FY** 130
Ruiz de Alda .... **EY** 132
Sant Francesc (Pl.) ..... **GZ** 133
Sant Gaieta .... **FY** 135
Santa Eulalia (Pl.) ..... **GZ** 141
Temple (Pl.) .... **HZ** 149

Pour un bon usage
des plans de villes,
voir les signes
conventionnels.

Para el buen uso
de los planos
de ciudades,
consulte los signos
convencionales.

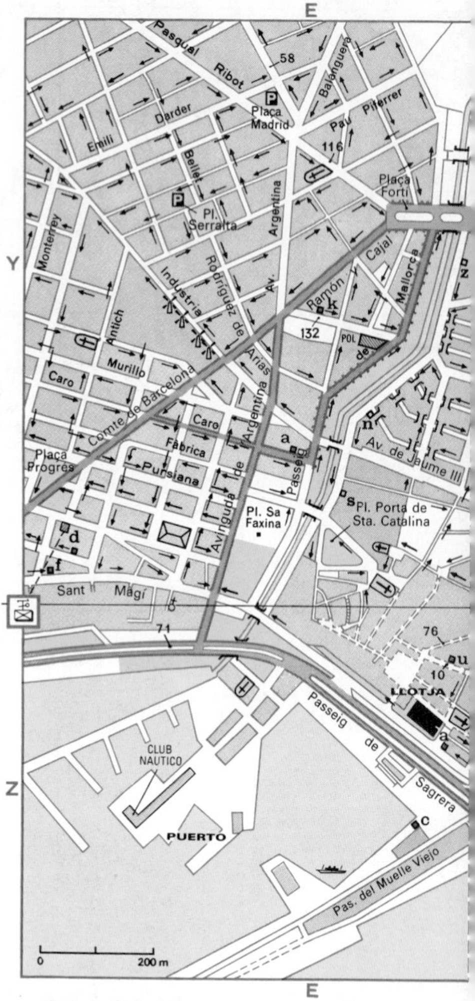

🏨🏨 Playa Golf, Laud 26, ☒ 07600 S'Arenal, 𝒫 26 26 50, Fax 49 18 52, ⩻, 🗽, ◲, ❊ – |🛉| ▤ rest
    🅟 – 🛎 25/60
    Comida (sólo buffet) – **210 hab**, 12 suites.

🏨🏨 Royal Cupido, Marbella 32, ☒ 07610 Can Pastilla, 𝒫 26 43 00, Fax 26 55 10, ⩻, 🗽 – |🛉|
    ▤ rest ☎ 🅟 – 🛎 25/100
    Comida (sólo buffet) – **197 hab**.

🏨 Acapulco Playa, carret. de S'Arenal 21, ☒ 07610 Can Pastilla, 𝒫 26 18 00, Fax 26 80 85,
    ⩻, 🗽, ◲ – |🛉| ▤ 📺 ☎
    Comida (sólo buffet) – **143 hab**.

🏨 **Cristóbal Colón**, Las Parcelas, ☒ 07610 Can Pastilla, 𝒫 26 27 50, Fax 26 50 07, 🗽, ◲
    – |🛉| ▤ rest. ❊ – cerrado 31 octubre-18 diciembre – **Comida** (sólo buffet) 1850 – ☷ 800
    – **158 hab** 7200/9000 – PA 3600.

🏨 Leman, av. Son Rigo 6, ☒ 07610 Can Pastilla, 𝒫 26 07 12, Fax 49 25 20, ⩻, 🍴, 🗽, ◲ –
    |🛉| ▤ rest ☎
    Comida (sólo buffet) – **98 hab**, 23 apartamentos.

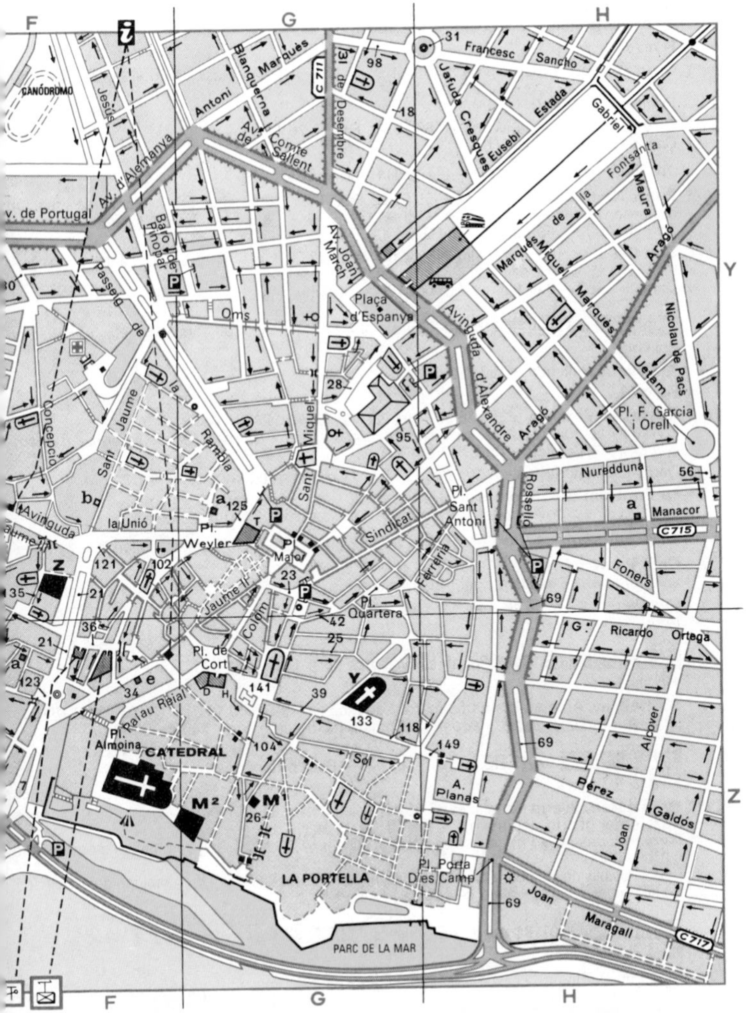

Aya, carret. de S'Arenal 60, ✉ 07600 S'Arenal, ✆ 26 04 50, Fax 26 62 16, ←, ⛱, ⛱ - ⬍ ▤ rest
temp - **145 hab.**

Neptuno, Laud 34, ✉ 07600 S'Arenal, ✆ 26 00 00, ←, ⛱ - ⬍
temp. - **Comida** (sólo buffet) - **105 hab.**

Boreal, Mar Jónico 9, ✉ 07610 Can Pastilla, ✆ 26 21 12, Fax 26 21 12, ⛱, ⛱, ✕ - ⬍ ▤ rest. ⚘ - *cerrado noviembre- 17 diciembre* - **Comida** (sólo buffet) 1190 - ☕ 345 - **64 hab** 4590/7500 - PA 2315.

Luxor sin rest y sin ☕, av. Son Rigo 23, ✉ 07610 Can Pastilla, ✆ 26 05 12, Fax 49 25 09, ⛱, ✕ - ⬍ ⚘ - *cerrado noviembre* - **52 hab** 4590/7500.

Ca's Cotxer, carret. de S'Arenal 31, ✉ 07600 Can Pastilla, ✆ 26 20 49 - ▤. AE ⓓ E VISA. ⚘
cerrado domingo (noviembre-abril) y enero-febrero - **Comida** carta 3000 a 4050.

Nuevo Club Naútico El Arenal, Roses, ✉ 07600 S'Arenal, ✆ 26 91 67, Fax 49 12 11, ←, ⛱ - ▤ Ⓟ. AE ⓓ E VISA. ⚘ - *cerrado lunes* - **Comida** carta 3000 a 4400.

Palma Nova o **Palmanova** 07181 443 N 37 – ✆ 971 – Playa.
Poniente, zona de Magaluf ✆ 72 36 15.
Palma 14.

XXX **Gran Dragón II,** passeig de la Mar 2 ✆ 68 13 38, ≤, terraza, Rest. chino – ▤. AE ⓓ E VISA JCB. ✻
Comida carta 2150 a 3750.

XX **Ciro's,** passeig de la Mar 3 ✆ 68 10 52, Fax 68 26 14, ≤ – ▤
Comida carta 2900 a 3600.

por la carretera de Palma – ✉ 07011 Portals Nous – ✆ 971 :

Punta Negra ⛵, NE : 2,5 km ✆ 68 07 62, Fax 68 39 19, ≤ bahía, terraza, « Magnífica situación al borde de una cala », piscina, – ascensor ▤ TV ☎ P – 25/40. AE ⓓ E VISA. ✻
Comida 4000 – **69 hab** 15500/28000.

Son Caliu ⛵, urb. Son Caliu, NE : 2 km ✆ 68 22 00, Fax 68 37 20, terraza, « Jardín con piscina », piscina, tenis – ascensor ▤ TV ☎ – 25/200. AE ⓓ E VISA. ✻ rest
Comida 3000 – **235 hab** 11500/19000, 4 suites.

Pollensa o **Pollença** 07460 443 M 39 – 11 256 h. alt. 200 – ✆ 971 – Playa en Port de Pollença.
Club de Pollença ✆ 53 32 16.
Palma 52.

XXX **Clivia,** av. Pollentia ✆ 53 36 35 – ▤. AE ⓓ E VISA. ✻
cerrado miércoles en invierno, lunes mediodía y miércoles mediodía en verano, y 6 enero-6 febrero – **Comida** carta 2700 a 4050.

XX Daus, Escalonada Calvari 10 ✆ 53 28 67, « En una antigua bodega » – ▤.

X **La Font del Gall,** Montesión 4 ✆ 53 03 96 – ▤. AE E VISA. ✻
cerrado lunes, noviembre y diciembre – **Comida** carta 2700 a 3500.

en la carretera del Port de Pollença E : 2 km – ✉ 07470 Port de Pollença – ✆ 971 :

X **Ca'n Pacienci,** ✆ 53 07 87, terraza – P. ⓓ E VISA. ✻
abril-octubre – **Comida** *(cerrado domingo salvo julio y agosto,* sólo cena) carta aprox. 4100.

X Garroverar, ✆ 53 06 59, terraza, piscina – P
temp.

Es Pont d'Inca 07009 Palma de Mallorca 443 N 38 – ✆ 971.
♦ Palma 5.

X **S'Altell,** av. Antonio Maura 69 (carret. de Inca C 713) ✆ 60 10 01 – ▤. AE ⓓ E VISA. ✻
cerrado domingo, lunes y agosto – **Comida** (sólo cena) carta 2400 a 3200.

Portals Nous 07015 443 N 37 – ✆ 971 – Puerto deportivo.
♦ Palma 5.

XXXX ✻✻ **Tristán,** Puerto Portals ✆ 67 55 47, Telex 69804, Fax 67 54 03, ≤, terraza, « Elegante terraza en el puerto deportivo » – ▤. AE ⓓ E VISA
cerrado lunes (salvo mayo-septiembre) y 10 enero-20 febrero – **Comida** (sólo cena) carta 6100 a 8000
Espec. Raviolis de Gambas con mantequilla al curry, Filete de San Pedro con jugo de escalibada, Soufflé marbre con sabayon de mocca.

Portals Vells 07184 Palma de Mallorca 443 N 37 – ✆ 971 – Playa.
Palma de Mallorca 20.

X Ca'n Pau Perdiueta, Eivissa 5 ✆ (908) 53 55 72, terraza, Pescados y mariscos.

Porto Colom o **Portocolom** 07670 443 N 39 – ✆ 971 – Playa.
Palma 63.

X **Ses Portadores,** Ronda del Creuer Baleares 59 ✆ 82 52 71, terraza – E VISA. ✻
15 marzo- 15 noviembre – **Comida** *(cerrado martes en invierno)* carta 2600 a 3800.

X **Celler Sa Sinia,** Pescadors 25 ✆ 82 43 23, terraza – ▤. ⓓ E VISA. ✻
cerrado lunes y 23 octubre- 17 febrero – **Comida** carta 3050 a 3550.

Porto Cristo o **Portocristo** 07680 443 N 40 – ✆ 971 – Playa.
Alred. : Cuevas del Drach★★★ S : 1 km – Cuevas del Hams (sala de los Anzuelos★) O : 1,5 km.
Gual 31 A ✆ 82 09 31.
Palma 62.

X **Ses Comes,** av. dels Pins 50 ✆ 82 12 54 – AE E VISA
cerrado lunes (salvo festivos) y 15 noviembre-15 diciembre – **Comida** carta 3550 a 4850.

X **Sa Carrotja,** av. d'en Joan Amer 45 ✆ 82 15 03 – ▤. AE E VISA. ✻
cerrado lunes noche – **Comida** carta 2800 a 4100.

Porto Petro o **Portopetro** 07691 443 N 39 - 971.
Alred. : Cala Santanyí (paraje★) SO : 16 km.
Palma 65.

Puerto de Alcúdia o **Port d'Alcúdia** 07410 443 M 39 - 971 - Playa.
carret. de Artá 68, 89 26 15.
Palma 54.

Golf Garden, av. Reina Sofía 89 24 26, Fax 89 24 26, <, , , - AE E VISA.
marzo-noviembre - **Comida** (sólo cena) 1400 - 600 - **117 hab** 15675/19360.

Bogavante, Teodor Canet 2 54 73 64, - . AE E VISA.
cerrado lunes en invierno - **Comida** carta aprox. 3800.

en la carretera de Sa Pobla SO : 4 km - 07410 Puerto de Alcudia - 971 :

Mesón los Patos, 89 02 65, Fax 89 02 64, , Decoración rústica, - . AE E VISA.
cerrado martes y 10 enero-20 febrero - **Comida** carta aprox. 2200.

Puerto de Andraitx o **Port d'Andratx** 07157 443 N 37 - 971.
Alred. : Paraje★ - recorrido en cornisa★★★ de Puerto de Andraitx a Sóller.
Palma 33.

Brismar, av. Almirante Riera Alemany 6 67 16 00, Fax 67 11 83, <, - . AE E VISA.
cerrado 16 noviembre- 9 febrero - **Comida** 1200 - 600 - **56 hab** 5400/6800 - PA 2500.

Miramar, av. Mateo Bosch 22 67 16 17, Fax 67 34 11, <, - AE E VISA JCB
cerrado lunes (salvo julio-agosto) y 20 diciembre-20 enero - **Comida** carta 4210 a 5040.

Layn, av. Almirante Riera Alemany 19 67 18 55, Fax 67 16 98, <, - AE E VISA JCB
cerrado lunes y 8 noviembre-22 diciembre - **Comida** carta 2775 a 3655.

Rocamar, av. Almirante Riera Alemany 27 bis 67 12 61, <, , pescados y mariscos - AE E VISA.
cerrado lunes y diciembre-15 enero - **Comida** carta 2800 a 5500.

Puerto de Pollensa o **Port de Pollença** 07470 443 M 39 - 971 - Playa.
Ver : Paraje★.
Alred. : Carretera★ de Puerto de Pollensa al Cabo Formentor★ : Mirador d'Es Colomer★★★ - Cabo Formentor★.
pl. Miquel Capllonch, 53 46 66.
Palma 58.

Illa d'Or , passeig Colón 265 86 51 00, Fax 86 42 13, <, « Terraza con árboles », - . AE E VISA.
cerrado diciembre- 2 febrero - **Comida** 3200 - 1050 - **119 hab** 8500/15000 - PA 6975.

Daina, Atilio Boveri 2 53 12 50, Fax 53 33 22, <, - rest
Comida (sólo cena) - **62 hab**, 5 suites.

Uyal, passeig de Londres 86 55 00, Fax 86 42 55, <, « Terraza con árboles », , - rest
temp. - **Comida** (sólo cena buffet) - **105 hab.**

Miramar, passeig Anglada Camarasa 39 53 14 00, Fax 86 40 75, < - . AE VISA.
15 abril-29 octubre - **Comida** 2000 - **84 hab** 7145/10680.

Pollentia, passeig de Londres 86 52 00, Fax 86 52 00, <, « Terraza con palmeras » -
temp. - **Comida** (sólo cena) - **70 hab.**

Capri, passeig Anglada Camarasa 69 53 16 00, Fax 53 33 22 -
temp. - **Comida** (sólo cena) - **33 hab.**

Panorama Golden Beach, urb. Gommar 5 86 51 92, Fax 86 51 92, - . AE E VISA JCB. rest
abril-octubre - **Comida** (sólo cena) 1750 - 750 - **40 hab** 4000/6000.

Ca'n Pep, Verge del Carme 86 40 10, , Decoración regional - . AE E VISA.
cerrado lunes - **Comida** carta 2550 a 3675.

Reial Club Nautic, Muelle Viejo 86 56 22, Fax 86 53 23, <, , - . AE E VISA.
cerrado martes - **Comida** (martes en julio-agosto sólo cena) carta 2950 a 3600.

Bec Fi, passeig Anglada Camarasa 91 53 10 40, , Carnes y pescados a la parrilla - AE E VISA.
cerrado lunes, diciembre y enero - **Comida** carta 2495 a 5805.

Stay, Estación Marítima 86 40 13, Fax 86 52 32, <, , Terraza frente al mar - AE E VISA JCB
Comida carta 3550 a 4050.

X Hibiscus, carret. de Formentor 5 ☎ 53 14 84, terraza - ▤
temp.

X **Lonja del Pescado,** Muelle Viejo ☎ 53 00 23, ←, terraza, Pescados y mariscos - ▤. E VISA
cerrado miércoles, enero y febrero - **Comida** carta 3550 a 4500.

en la carretera de Alcudia S : 3 km - ✉ 07470 Puerto de Pollensa - ☎ 971 :

XX **Ca'n Cuarassa,** ☎ 86 42 66, ←, terraza - ▤. AE ⓓ E VISA. ✻
cerrado lunes (salvo julio-agosto) y 11 noviembre-15 marzo - **Comida** carta 2650 a 3650.

Puerto de Sóller o **Port de Sóller** 07108 443 M 38 - ☎ 971 - Playa.

ℹ passeig es Través, ☎ 63 30 42.

Palma 35.

Edén, passeig es Través 26 ☎ 63 16 00, Fax 63 36 56, ←, ⛱ - |ascensor| ☎ P. AE ⓓ E VISA. ✻
2 abril-octubre - **Comida** (sólo buffet) 2530 - ☕ 750 - **150 hab** 4000/7600 - PA 4935.

Edén Park sin rest, Lepanto ☎ 63 12 00, Fax 63 36 56, ⛱ - |ascensor|. AE ⓓ E VISA. ✻
mayo -15 octubre - ☕ 750 - **64 hab** 4000/7600.

X **Es Canyis,** platja de'n Repic ☎ 63 14 06, Fax 63 30 18, terraza - AE ⓓ E VISA. ✻
cerrado lunes y 15 noviembre-febrero - **Comida** carta 2375 a 3450.

Randa 07629 Palma de Mallorca 443 N 38 - ☎ 971.

Palma 26.

XX **Es Recó de Randa** ✈ con hab, Font 13 ☎ 66 09 97, Fax 66 25 58, « Terrazas » - ▤ TV ☎. AE E VISA. ✻
Comida carta 2825 a 5865 - **14 hab** ☕ 13500/18000.

San Salvador o **Sant Salvador** 443 N 39 alt. 509.

Ver : Monasterio★ (✻★★).

Palma 55 - Felanitx 6.

Hoteles y restaurantes ver : Cala d'Or SE : 21 km.

Santa Ponsa o **Santa Ponça** 07180 443 N 37 - ☎ 971 - Playa.

⛳18 Santa Ponsa, ☎ 69 02 11.

ℹ vía Puig de Galatzó ☎ 69 17 12.

Palma 20.

Bahía del Sol, av. Rei Jaume I-74 ☎ 69 11 50, Fax 69 06 50, gimnasio, ⛱, piscina cubierta - |ascensor| ▤ ☎ P - salas 25/60. AE ⓓ E VISA. ✻ rest
cerrado noviembre-16 diciembre - **Comida** (sólo buffet) 2200 - **161 hab** ☕ 7120/12240 - PA 4160.

Casablanca, vía Rey Sancho 6 ☎ 69 03 61, Fax 69 05 51, ←, ⛱ - |ascensor| P. ✻
mayo-octubre - **Comida** (sólo buffet) 1175 - ☕ 475 - **87 hab** 5100/7400 - PA 1650.

X **Miguel,** av. Rei Jaume I-92 ☎ 69 09 13, terraza - ▤. E VISA. ✻
cerrado lunes y diciembre-febrero - **Comida** carta 2825 a 3350.

X **La Rotonda,** av. Rei Jaume I-105 ☎ 69 02 19, terraza - E VISA. ✻
cerrado lunes y 20 diciembre-10 febrero - **Comida** carta 2650 a 4200.

X **Jackie's,** via Puig de Galatzó 18 ☎ 69 00 67, terraza - AE ⓓ E VISA. ✻
abril-30 octubre - **Comida** carta 2100 a 2900.

en el Club de Golf SE : 3 km - ✉ 07180 Santa Ponsa - ☎ 971

Golf Santa Ponça ✈, ☎ 69 02 11, Fax 69 33 64, ← Campo de Golf y bahía, terraza, ⛱, ⛳18 - |ascensor| ▤ TV ☎ P. AE E VISA. ✻
Comida 2500 - **13 hab** ☕ 12975/19650, 5 suites - PA 5185.

S'Illot 07687 443 N 40 - ☎ 971 - Playa.

Palma 66.

XX **La Gamba de Oro,** Camí de la Mar 25 ☎ 81 04 97 - ▤. AE ⓓ E VISA JCB. ✻
cerrado lunes y 1ª quincena de enero - **Comida** carta aprox. 4500.

Sóller 07100 443 M 38 - 10 021 h. alt. 54 - ☎ 971 - Playa en Puerto de Sóller.

ℹ pl. de Sa Constitució 1, ☎ 63 33 20, ✉ 07100.

Palma 30.

X **El Guía** con hab, Castañer 3 ☎ 63 02 27, Fax 63 26 34 - AE ⓓ E VISA. ✻
abril-octubre - **Comida** *(cerrado lunes salvo festivos, noviembre-marzo)* carta 3150 a 4300 - ☕ 500 - **16 hab** 2300/5000.

en el camino de Son Puça NO : 2 km – ✉ 07100 Soller – ☎ 971

Ca N'ai ⛰, ☎ 63 24 94, Fax 63 18 99, ≤ Sierra de Alfabia y Puig Mayor, ☂, Casa de campo, ⛱ – ▤ ☎ P. AE ⓓ E VISA. ✂
marzo- 15 noviembre – **Comida** *(cerrado lunes salvo festivos)* carta 3450 a 5500 – **11 hab** ☕ 15000.

por la carretera de Deià NO : 7 km – ✉ 07100 Sóller – ☎ 971 :

Bens d'Avall, urb. Costa de Deiá ☎ 63 23 81, ≤, ☂ – AE ⓓ E VISA. ✂
abril-octubre – **Comida** *(cerrado domingo noche salvo en verano y lunes salvo en agosto)* carta 3150 a 4300.

Ver ambién : ***Puerto de Sóller*** NO : 5 km.

Son Servera 07550 443 N 40 – 6 002 h. alt. 92 – ☎ 971 – Playa.

⛳9 de Son Servera NE : 7,5 km ☎ 56 78 02.

ℹ Fetjet 4, ☎ 58 58 64.

Palma 64.

en la carretera de Capdepera NE : 3 km – ✉ 07550 Son Servera – ☎ 971 :

S'Era de Pula, ☎ 56 79 40, Fax 81 70 35, ☂, Decoración rústica regional – P. AE ⓓ E VISA
cerrado lunes y 10 enero- 20 marzo – **Comida** carta 2600 a 3600.

en Cala Millor SE : 3 km – ✉ 07560 Cala Millor – ☎ 971 :

Son Floriana, urb. Son Floriana ☎ 58 60 75, Fax 81 35 46, ☂, Decoración rústica regional – P. AE E VISA
Comida carta aprox. 3500.

en Costa de los Pinos NE : 7,5 km – ✉ 07559 Costa de los Pinos – ☎ 971 :

Eurotel Golf Punta Rotja ⛰, ☎ 56 76 00, Fax 56 77 37, ≤ mar y montaña, ☂, « Jardín bajo los pinos », ⛱, ⛱ climatizada, 🎾, ⛳9 – ⇅ ▤ TV ☎ P – 🏛 25/250. AE ⓓ E VISA. ✂ rest
11 marzo-9 noviembre – **Comida** 2875 – ☕ 1485 – **198 hab** 19225/22620, 2 suites – PA 5100.

Valdemosa o **Valldemossa** 07170 443 M 37 – 1 370 h. alt. 427 – ☎ 971.

ℹ Cartuja de Valldemosa ☎ 61 21 06.

Palma 17.

Ca'n Pedro, av. Arxiduc Lluis Salvador ☎ 61 21 70, ☂, Mesón típico – E VISA. ✂
cerrado domingo noche y lunes – **Comida** carta 1850 a 3300.

en la carretera de Andraitx O : 2,5 km – ✉ 07170 Valdemosa – ☎ 971 :

Vistamar ⛰ con hab, ☎ 61 23 00, Fax 61 25 83, ☂, Conjunto de estilo mallorquín, ⛱ – TV ☎ P. AE ⓓ E VISA JCB. ✂
10 febrero- 20 noviembre – **Comida** carta 4400 a 5600 – ☕ 1250 – **16 hab** 18200/28600.

MENORCA

Alayor o **Alaior** 07730 443 M 42 – 6 406 h. – ☎ 971.

Mahón 12.

en Son Bou SO : 8,5 km – ✉ 07730 Alayor – ☎ 971 :

San Valentín ⛰, urb. Torre Solí Nou, ✉ apartado 7, ☎ 37 26 02, Fax 37 23 75, ≤, ⛱, ⛱, ⛱, 🎾 – ⇅ ▤ TV ☎ ♿ P – 🏛 25/100
temp. – **Comida** (sólo cena buffet) – **210 hab**, 98 apartamentos.

Club San Jaime, urb. San Jaime ☎ 37 27 87, ☂, ⛱, 🎾 – AE ⓓ E VISA
mayo-octubre – **Comida** (sólo cena salvo festivos) carta 3325 a 4325.

Es Castell 07720 443 M 42 – ☎ 971.

Mahón 3.

Rey Carlos III ⛰, Carlos III - 2 ☎ 36 31 00, Fax 36 31 08, ≤, « Amplias terrazas », ⛱ – ⇅ ▤ rest
temp. – **Comida** (sólo cena) – **84 hab**, 3 suites.

Agamenón ⛰, paraje Fontanillas 18, ✉ apartado 18, ☎ 36 21 50, Fax 36 21 54, ≤, ⛱ – ⇅ ▤ rest ☎ P
temp. – **Comida** (sólo cena) – **70 hab.**

Ciudadela o **Ciutadella de Menorca** 07760 443 M 41 - 20 707 h. - 971.
Ver : Localidad★.
Mahón 44.

Patricia sin rest, passeig Sant Nicolau 90 38 55 11, Fax 48 11 20 - 25/110. 750 - **43 hab** 13500/14500.

Casa Manolo, Marina 117 38 00 03, - .
cerrado domingo en invierno, diciembre y enero - **Comida** carta 3300 a 5000.

Cas Quintu, pl. d'Alfons III-4 38 10 02, .

El Horno, D'es Forn 12 38 07 67 - .
Semana Santa-octubre - **Comida** *(cerrado domingo mediodía)* carta 2600 a 3300.

Racó d'es Palau, Palau 3 38 54 02,
temp.

en la carretera del Cap de Artrutx S : 3 km - 07760 Ciudadela - 971 :

Es Caliu, apartado 216, 38 01 65, , Carnes a la brasa, Decoración rústica - .
cerrado diciembre - **Comida** *(sólo fines de semana noviembre-abril)* carta 1875 a 3290.

Ferrerías o **Ferreries** 07750 443 M 42 - 3 652 h. - 971.
Mahón 29.

en Cala Santa Galdana SO : 7 km - 07750 Cala Santa Galdana - 971 :

Cala Galdana , 37 30 00, Fax 37 30 26, , , , - rest .
mayo-octubre - **Comida** 2440 - 600 - **204 hab** 5450/10200 - PA 4700.

Tornare, 37 30 00, Fax 37 30 26, - .
mayo-octubre - **Comida** carta aprox. 3850.

Fornells 07748 443 L 42 - 971.
Mahón 30.

S'Áncora, passeig Marítim 8 37 66 70, - .

Es Cranc, Escoles 31 37 64 42 - .
cerrado miércoles y diciembre-febrero - **Comida** carta 2050 a 5250.

Mahón o **Maó** 07700 443 M 42 - 21 814 h. - 971.
Ver : Emplazamiento★, La Rada★.

Real Club de Menorca, urb. Shangril-La N : 7 km 36 37 00 - Club Son Parc, zona Son Parc N : 18 km 36 88 06.

de Menorca, San Clemente SO : 5 km 36 01 50 - Aviaco : aeropuerto 36 90 15.

para la Península y Mallorca : Cía Trasmediterránea, Nuevo Muelle Comercial, 36 60 50, Telex 68888.

pl. Explanada 40, 07703, 36 37 90, Fax 35 45 30.

Port Mahón, av. Fort de L'Eau 13, 07701, 36 26 00, Fax 35 10 50, , , - - 25/40.
Comida 2650 - 1060 - **72 hab** 16960/27030, 2 suites - PA 5300.

Sol Mirador des Port, Dalt Vilanova 1, 07701, 36 00 16, Fax 36 73 46, , - . rest
Comida (sólo cena) 1500 - 600 - **69 hab** 6550/9700.

Capri y Rest Sacha, Sant Esteve 8, 07703, 36 14 00, Fax 35 08 53 - - 25/50.
Comida *(cerrado domingo noche en invierno, sábado y domingo mediodía en verano)* carta 2550 a 4000 - **75 hab** 8150/13300.

Jàgaro, Moll de Llevant 334 (puerto), 07701, 36 23 90, , - .

Club Marítimo, Moll de Llevant 287 (puerto), 07701, 36 42 26, Fax 36 80 78, , .

Gregal, Moll de Llevant 306 (puerto), 07701, 36 66 06, - .
Comida carta 2590 a 4100.

El Greco, Las Moreras 49, 07700, 36 43 67.

Jardí Marivent, Moll de Llevant 314 (puerto), 07701, 36 98 01, ,
cerrado domingo y 20 diciembre-enero - **Comida** (sólo cena en verano) carta 3000 a 4300.

Pilar, des Forn 61, 07702, 36 68 17, - .
cerrado domingo y lunes (invierno), domingo (verano) y marzo - **Comida** carta 3075 a 3675.

en Cala Fonduco E : 1 km - ✉ 07720 Es Castell - ☎ 971 :

XX **Rocamar** ⚲ con hab, Fonduco 32 ☎ 36 56 01, Fax 36 52 99, ≤, 余 - ▤ rest. AE ⓘ E VISA JCB. ※ hab
cerrado noviembre - **Comida** *(cerrado domingo noche y lunes en invierno)* carta 3050 a 3850 - **22 hab** ☐ 3000/5000.

Es Mercadal 07740 443 M 42 - ☎ 971.
Alred. : Monte Toro : ≤** (3,5 km).
Mahón 22.

XX **Ca N'Aguedet,** Lepanto 30 ☎ 37 53 91, Cocina regional - ▤. AE ⓘ E VISA. ※
Comida carta 2600 a 3750.

San Luis o **Sant Lluís** 07710 443 M 42 - 3 404 h. - ☎ 971.
Mahón 4.

en la carretera de Binibèquer SO : 1,5 km - ✉ 07710 San Luis - ☎ 971 :

X **Biniali** ⚲ con hab, carret. S'Uestrá-Binibeca 50 ☎ 15 17 24, Fax 15 03 52, ≤, 余, « Antigua casa de campo », ⛱ - ☎ Ⓟ. AE ⓘ E VISA JCB. ※
marzo-octubre - **Comida** carta 2800 a 3750 - ☐ 990 - **9 hab** 12700/14150.

IBIZA

Ibiza o **Eivissa** 07800 443 P 34 - 30 376 h. - ☎ 971.
Ver : Emplazamiento**, La ciudad alta* (Dalt vila) BZ : Catedral B ✳* - Museo Arqueológico* **M1** - Otras curiosidades : Museo Monográfico de Puig de Molins* AZ **M2** (busto de la Diosa Tanit*) - Sa Penya* BY.
⛳9 Roca Llisa por ② : 10 km ☎ 31 37 18.
✈ de Ibiza por ③ : 9 km ☎ 30 22 00 - Iberia : paseo Vara del Rey 15, ☎ 30 09 54 BY y Aviaco, aeropuerto ☎ 30 25 77.
⛴ para la Península y Mallorca : Cía. Trasmediterránea, av. Bartolomé Vicente Ramón ☎ 31 50 50, Telex 68866 BY.
ℹ Vara de Rey 13 ☎ 30 19 00.

Plano página siguiente

🏨 **Royal Plaza,** Pere Francès 27 ☎ 31 00 00, Fax 31 40 95, ⛱ - 🛗 ▤ TV ☎ 🚗 - 🏛 25/45. AE ⓘ E VISA. ※ — AY **b**
Comida 3000 - ☐ 900 - **112 hab** 13650/20000, 5 suites.

🏨 **La Ventana,** Sa Carrossa 13 ☎ 39 08 57, Fax 39 01 45, 余, Decoración original - TV ☎. AE E VISA — BZ **r**
Comida 1800 - **13 hab** ☐ 22000, 1 suite.

🏨 **El Corsario** ⚲, Ponent 5 ☎ 30 12 48, Fax 39 19 53, ≤, 余, Conjunto de estilo ibicenco - E VISA — BZ **a**
Comida (sólo cena) carta 2950 a 4650 - **14 hab** ☐ 5000/10000.

XX **El Cigarral,** Frare Vicent Nicolau 9 ☎ 31 12 46 - ▤. AE ⓘ E VISA. ※ — AY **a**
cerrado domingo noche - **Comida** carta 3150 a 4400.

XX **S'Oficina,** av. d'Espanya 6 ☎ 30 00 16, Fax 30 58 55, 余, Cocina vasca - ▤. AE ⓘ E VISA. ※ — AY **t**
cerrado domingo y enero - **Comida** carta 3500 a 4650.

X **Sa Caldera,** Bisbe Huix 19 ☎ 30 64 16 - ▤. AE ⓘ E VISA. ※ — AY **s**
cerrado sábado mediodía - **Comida** carta 2400 a 4800.

en la playa de Ses Figueretes AZ - ✉ 07800 Ibiza - ☎ 971 :

🏨 **Los Molinos,** Ramón Muntaner 60 ☎ 30 22 50, Telex 68850, Fax 30 25 04, ≤, « Bonito jardín y terraza con ⛱ al borde del mar », Fø - 🛗 ▤ TV ☎ 🚗 - 🏛 25/150. AE ⓘ E VISA. ※ — AZ **a**
Comida (sólo cena) carta 2850 a 4350 - ☐ 800 - **154 hab** 9350/15950.

🏨 **Ibiza Playa,** Tarragona 5 ☎ 30 48 00, Fax 30 69 02, ≤, Fø, ⛱ - 🛗 ▤ rest ☎. AE E VISA. ※ rest — AZ **u**
25 abril-octubre - **Comida** (sólo cena) 2700 - ☐ 1000 - **155 hab** 8500/13000 - PA 5300.

🏨 Cenit sin rest, Arxiduc Lluìs Salvador ☎ 30 14 04, Fax 30 07 54, ≤, ⛱ - 🛗 — AZ **r**
temp. - **62 hab.**

🏨 Central Playa, Galicia 12 ☎ 30 23 50, Fax 30 56 54 - 🛗 — AZ **e**
temp. - **Comida** (sólo cena) - **72 hab.**

🏨 Marigna sin rest, D'Al-Sabini 18 ☎ 30 49 12, Fax 30 07 54 - — AZ **n**
temp. - **44 hab.**

X **Príncipe,** passeig de Figueretes ☎ 30 19 14, 余 - ▤. AE ⓘ E VISA — AZ **s**
abril-diciembre - **Comida** carta 2850 a 3750.

EIVISSA IBIZA

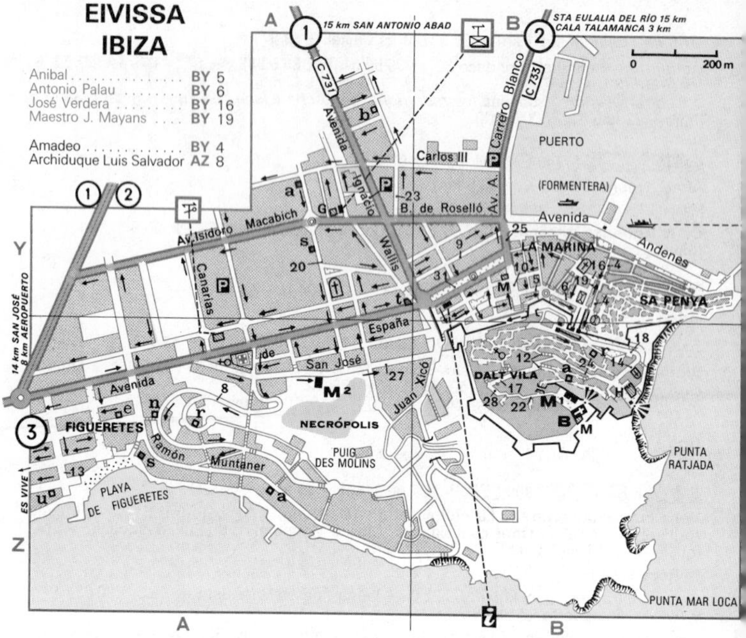

Anibal . . . . BY 5
Antonio Palau . . . . BY 6
José Verdera . . . . BY 16
Maestro J. Mayans . . . . BY 19

Amadeo . . . . BY 4
Archiduque Luis Salvador AZ 8

Bartolomé Vicente Ramón (Av.) BY 9
Conde Rosellón . . . . BY 10
Cuesta Vieja . . . . BZ 12
Formentera . . . . AZ 13
General Balanzat . . . . BZ 14

Juan Román . . . . BZ 17
La Carroza . . . . BZ 18
Obispo Huix . . . . AY 20
Obispo Torres . . . . BZ 22
Pedro Francés . . . . AY 23

Pedro Tur . . . . BZ 24
Ramón y Tur . . . . BY 25
Romana (Vía) . . . . AZ 27
San Ciriaco . . . . BZ 28
Vara de Rey (Pas.) . . . . BY 31

en Es Vivé - AZ - SO : 2,5 km - ✉ 07819 Es Vivé - ☎ 971 :

Torre del Mar ⑤, ✉ apartado 564 - Ibiza, ☎ 30 30 50, Telex 68845, Fax 30 40 60, ←, « Jardín con terraza y ⛱ al borde del mar », 🏋, ⛱, 🎾 - 🛗 ▤ TV ☎ P - 🏛 25/120. AE ⓓ E VISA. ✗
25 abril-octubre - **Comida** (sólo cena) 2900 - ☕ 950 - **213 hab** 14700/21000, 4 suites.

*al Este : **por** ②* - ☎ 971 :

Anchorage ⑤ sin rest, puerto deportivo Marina Botafoch 2,5 km, ✉ apartado 750-Ibiza, ☎ 31 17 11, Fax 31 15 57, ← Puerto y ciudad - ▤ TV ☎. AE ⓓ E VISA. ✗
Semana Santa-15 octubre - ☕ 1300 - **20 hab** 18000/22500.

Argos ⑤, playa de Talamanca 2,8 km, ✉ apartado 107-Ibiza, ☎ 31 21 62, Fax 31 62 01, ←, ⛱ - 🛗 ▤ rest ☎ P. AE ⓓ E VISA. ✗
abril-octubre - **Comida** (sólo cena buffet) 1900 - ☕ 825 - **106 hab** 5400/10000.

en la carretera de San Miguel por ② : 6,5 km - ✉ 07800 Ibiza - ☎ 971 :

XX **La Masía d'en Sort,** ✉ apartado 897 Ibiza, ☎ 31 02 28, 🏡, Antigua masía ibicenca. Galería de arte - P. AE ⓓ E VISA
Semana Santa-octubre - **Comida** (sólo cena) carta 3200 a 4800.

San Agustín o **Sant Agustí** **07839** 443 P 33 - ☎ 971.
Ibiza 20.

por la carretera de Sant Josep - ✉ 07830 San José - ☎ 971 :

X **Sa Tasca,** ☎ 80 00 75, 🏡, « Rincón rústico en el campo » - P. AE E VISA. ✗
cerrado lunes - **Comida** carta 3800 a 4700.

San Antonio de Portmany o **Sant Antoni de Portmany** **07820** 443 P 33 - 14 663 h.
- ☎ 971 - Playa.

⛴ para la Península : Cía. Flebasa, edificio Faro, ☎ 34 28 71.
ℹ passeig de Ses Fonts ☎ 34 33 63.
Ibiza 15.

Tropical, Cervantes 28 ☎ 34 00 50, Fax 34 40 69, ⛱ - |⇕|
temp - **Comida** (sólo cena buffet) - **142 hab.**

Rías Baixas, Ignasi Riquer 4 ☎ 34 04 80, Cocina gallega - ▤. AE ⓓ E VISA JCB. ✻
marzo- 14 diciembre - **Comida** carta 2600 a 4100.

Sa Prensa, General Prim 6 ☎ 34 16 70, 🏠 - ▤
temp.

en la playa de S'Estanyol SO : 2,5 km - ✉ 07820 San Antonio de Portmany - ☎ 971 :

Bergantín, ☎ 34 14 00, Fax 34 19 71, ⛱ climatizada, 🎾 - |⇕| ▤ rest 🅟. E VISA. ✻
mayo-octubre - **Comida** (sólo buffet) - ☕ 800 - **253 hab** 6000/10000 - PA 4000.

en la carretera de Santa Agnès N : 1 km - ✉ 07820 San Antonio de Portmany - ☎ 971 :

Sa Capella, ☎ 34 00 57, « Antigua capilla » - 🅟. E VISA. ✻
Semana Santa-octubre - **Comida** (sólo cena) carta 3000 a 4700.

San José o **Sant Josep de Sa Talaia** **07830** 443 P 33 - ☎ 971.
Ibiza 14.

por la carretera de Ibiza - ✉ 07830 San José - ☎ 971 :

Cana Joana, E : 2,5 km, ✉ apartado 149 San José, ☎ 80 01 58, ≤, 🏠, Decoración regional - 🅟. AE E VISA - *cerrado domingo noche, lunes salvo festivos (30 diciembre-mayo) y noviembre- 29diciembre* - **Comida** (sólo cena junio-octubre) carta 3525 a 4875.

Ca'n Domingo de Ca'n Botja, E : 3 km ☎ 80 01 84, 🏠 - 🅟. AE ⓓ E VISA
abril-septiembre - **Comida** (sólo cena) carta 3550 a 4475.

en la playa de Cala Tarida NO : 7 km - ✉ 07830 San José :

C'as Mila, playa Cala Tarida ☎ 80 61 93, ≤, 🏠 - 🅟. AE E VISA
mayo-octubre y fines de semana resto del año - **Comida** carta 2215 a 3200.

San Lorenzo o **Sant Llorenç** **07812** 443 O 34 - ☎ 971.
Ibiza 14.

en la carretera de Ibiza S : 4 km - ✉ 07812 San Lorenzo :

Can Gall, ☎ 33 29 16, 🏠, Decoración rústica, Carnes a la brasa - 🅟.

San Miguel o **Sant Miquel de Balansat** **07815** 443 O 34 - ☎ 971.
Ibiza 19.

en la urbanización Na Xamena NO : 6 km - ☎ 971 :

Hacienda 🐦, ☎ 33 45 00, Telex 69322, Fax 33 45 14, 🏠, Edificio de estilo ibicenco con ≤ cala, ⛱, 🏊, 🎾 - |⇕| ▤ 📺 ☎ 🅟. AE ⓓ E VISA. ✻ rest
12 abril-octubre - **Comida** carta 5200 a 6360 - ☕ 1900 - **56 hab** 24000/32500, 7 suites.

Santa Eulalia del Río o **Santa Eulària des Riu** **07840** 443 P 34 - 15 545 h. - ☎ 971 - Playa.
ℹ Marià Riquer Wallis ☎ 33 07 28.
Ibiza 15.

San Marino sin rest, con cafetería, Ricardo Curtoys Gotarredona 1 ☎ 33 03 16, Fax 33 90 76, ⛱ - |⇕| ▤ 📺 ☎ 🚗. AE ⓓ E VISA
☕ 800 - **44 hab** 13200/17300.

Tres Torres 🐦, passeig Marítim (frente puerto deportivo), ✉ apartado 5 Santa Eulalia del Rio, ☎ 33 03 26, Fax 33 20 85, ≤, ⛱ climatizada - |⇕| ▤ rest ☎ 🅟. AE ⓓ E VISA. ✻
mayo-octubre - **Comida** (sólo cena buffet) 2000 - ☕ 650 - **110 hab** 7400/12000, 2 suites.

La Cala, Huesca 1 ☎ 33 00 09, Fax 33 15 12, ⛱ - |⇕| ▤ rest ☎
Comida (sólo cena buffet) - **180 hab.**

Doña Margarita, passeig Marítim ☎ 33 06 55, ≤, 🏠 - ▤. AE ⓓ E VISA
cerrado noviembre- 6 enero - **Comida** *(cerrado lunes mediodía en verano y lunes resto del año)* carta 3225 a 4700.

Celler Ca'n Pere, Sant Jaume 63 ☎ 33 00 56, 🏠, Celler típico - AE ⓓ E VISA. ✻
cerrado jueves y 15 enero- febrero - **Comida** carta 3200 a 5425.

La Posada, camino Puig de Missa ☎ 33 00 17, Fax 33 00 17, 🏠, Decoración rústico regional - 🅟
Comida (sólo cena).

Doña Margarita Puerto, Puerto deportivo ☎ 33 22 00, ≤ - VISA
cerrado lunes y enero-15 marzo - **Comida** carta 3950 a 5000.

El Naranjo, Sant Josep 31 ☎ 33 03 24, 🏠 - AE E VISA. ✻
cerrado lunes y diciembre-febrero - **Comida** (sólo cena) carta 2900 a 3750.

Bahía, Molíns de Rei 2 ☎ 33 08 28, 🏠 - ▤. AE E VISA. ✻
cerrado martes (en invierno) y enero - **Comida** carta 2800 a 3800.

en la urbanización S'Argamassa NE : 3,5 km – ✉ 07849 Urbanización S'Argamassa – ☎ 971 :

Sol S'Argamassa, ☎ 33 00 51, Fax 33 00 76, ←, ⛱, – ▮ ⓟ
temp – **Comida** (sólo buffet) – **217 hab.**

por la carretera de Cala Llonga S : 4 km – ✉ 07840 Santa Eulalia del Río – ☎ 971 :

La Casita, urb. Valverde ☎ 33 02 93, Fax 33 05 77, Decoración regional – ⓟ. AE ⓞ E VISA.
cerrado martes en invierno y 15 noviembre-15 diciembre – **Comida** (sólo cena salvo en invierno) carta 3000 a 4750.

en Cala Llonga S : 5,5 km – ✉ 07840 Santa Eulalia del Río – ☎ 971 :

The Wild Asparagus, Pueblo Espárragos ☎ 33 15 67, – ⓟ. AE ⓞ E VISA
mayo-octubre – **Comida** *(cerrado lunes* y sólo cena salvo domingo) carta 2500 a 3315.

en la carretera de Ibiza SO : 5,5 km – ✉ 07840 Santa Eulalia del Río – ☎ 971 :

La Colina, ☎ 33 27 67, Fax 33 27 67, Antigua casa de campo, – ⓟ. AE E VISA
mayo-octubre – **Comida** (sólo cena) 2800 – **16 hab** 9000/12500.

Santa Gertrudis de Fruitera **07814** 443 OP 34 – ☎ 971.
Ibiza 11.

en la carretera de Ibiza – ✉ 07814 Santa Gertrudis – ☎ 971 :

Ama Lur, SE : 2,5 km ☎ 31 45 54, Cocina vasca, « Agradable terraza » – ⓟ
temp. – **Comida** (sólo cena).

Can Pau, S : 2 km ☎ 19 70 07, « Antigua casa campesina - terraza » – ⓟ.

FORMENTERA

Cala Saona o **Cala Sahona** **07860** 443 P 35 – ☎ 971. – Playa.

Cala Saona, playa, ✉ 07860 apartado 88 San Francisco, ☎ 32 20 30, Fax 32 25 09, ←, – ▮ ☎ ⓟ. AE E VISA.
mayo-octubre – **Comida** (sólo cena buffet) 1600 – 800 – **116 hab** 10360/14800.

Es Pujols **07871** 443 P 34 – ☎ 971 – Playa.
Port de la Savina- pl. Constitució 1, ☎ 32 20 57, Fax 32 28 25.

Sa Volta sin rest, con cafetería, Miramar, 94, ✉ 07860 apartado 71 San Francisco, ☎ 32 81 25, Fax 32 82 28 – ☎. AE ⓞ E VISA.
750 – **25 hab** 5500/9500.

Le Cyrano, passeig Marítim, ✉ 07860 apartado 46 San Francisco, ☎ 32 83 86, ←, Cocina francesa – AE E VISA
cerrado noviembre-marzo – **Comida** (sólo cena julio-agosto) carta 2700 a 3500.

Capri con hab, Miramar, ✉ 07871 San Fernando, ☎ 32 83 52, – ⓟ. AE E VISA. hab
abril-octubre – **Comida** carta 2450 a 3450 – 600 – **15 hab** 3000/5000.

en Punta Prima E : 2 km – ✉ 07871 San Fernando – ☎ 971 :

Club Punta Prima, ☎ 32 82 44, Fax 32 81 28, ← mar e isla de Ibiza, « Bungalows rodeados de jardín », – TV ☎ ⓟ. AE E VISA.
mayo- 27 octubre – **Comida** (sólo buffet) – **95 hab** 8300/16600.

al Noroeste : 5 km – ✉ 07870 La Sabina – ☎ 971 :

Es Molí de Sal, Ses Illetes ☎ (908) 13 67 73, ← mar e isla de Ibiza, – ⓟ
temp.

San Fernando o **Sant Ferran** **07871** 443 P 34 – ☎ 971.

Illes Pitiüses sin rest, av. Joan Castelló ☎ 32 81 89, Fax 32 21 14 – ▤. AE E VISA.
750 – **26 hab** 3750/6500.

BALMASEDA Vizcaya – ver Valmaseda.

BALNEARIO – ver el nombre propio del balneario.

BANYALBUFAR Palma de Mallorca – ver Baleares (Mallorca) : Bañalbufar.

BANYOLES Gerona – ver Bañolas.

BAÑALBUFAR Palma de Mallorca – ver Baleares (Mallorca).

BAÑERAS o **BANYERES DEL PENEDÉS** 43711 Tarragona 443 I 34 – 1 438 h. – ✪ 977.
◆Madrid 558 – ◆Barcelona 69 – ◆Lérida/Lleida 101 – Tarragona 37.

en la urbanización Bosques del Priorato S : 1,5 km – ⊠ 43711 Banyeres del Penedés
– ✪ 977 :

✗ **El Bosque** ⤵ con hab, *ℰ* 67 10 02, ⇪, « Terraza con césped, árboles y ⤵ », ✵ – ▤ rest.
🅴 𝘝𝘐𝘚𝘈
cerrado del 1 al 15 de enero – **Comida** *(cerrado martes)* carta 2300 a 3300 – ⌧ 575 –
9 hab 6000.

La BAÑEZA 24750 León 441 F 12 – 9 722 h. alt. 771 – ✪ 987.
◆Madrid 297 – ◆León 48 – Ponferrada 85 – Zamora 106.

✗✗ **Los Ángeles,** pl. Obispo Alcolea 2 *ℰ* 65 57 30, Fax 66 61 82 – ▐♦▐ ▤. 🆎 𝘝𝘐𝘚𝘈. ✵
cerrado lunes – **Comida** carta 2500 a 3800.

✗ **Chipén,** carret. de Madrid N VI - km 301 *ℰ* 64 03 89 – ℗. 🆎 🅴 𝘝𝘐𝘚𝘈
Comida carta aprox. 2475.

en la carretera LE 420 N : 1,5 km – ⊠ 24750 La Bañeza – ✪ 987 :

🏠 **Rio Verde,** *ℰ* 64 17 12, ≼, ⇪, ⩙ – ▥ ℗. 𝘝𝘐𝘚𝘈 ✵
Comida 1750 – ⌧ 500 – **15 hab** 4500/5900 – PA 3785.

Pida en su librería el catálogo de mapas y guías Michelin.

BAÑOLAS o **BANYOLES** 17820 Gerona 443 F 38 – 11 870 h. alt. 172 – ✪ 972.
Ver : Lago★.
🅱 pg. Industria 25, ⊠ 17820, *ℰ* 57 55 73, Fax 57 49 17.
◆Madrid 729 – Figueras/Figueres 29 – Gerona/Girona 20.

a orillas del lago :

🏠 **L'Ast** ⤵ sin rest, passeig Dalmau 63 *ℰ* 57 04 14, Fax 57 04 14, ⤵ – ▐♦▐ ▥ ☎. 🆎 ⑩ 🅴
𝘝𝘐𝘚𝘈 𝘫𝘤𝘣.
27 hab ⌧ 5000/9500.

BAÑOS DE FITERO Navarra – ver Fitero.

BAÑOS DE MOLGAS 32701 Orense 441 F 6 – 3 208 h. alt. 460 – ✪ 988 – Balneario.
◆Madrid 536 – Orense/Ourense 36 – Ponferrada 154.

🏠 **Balneario,** Samuel González Movilla 26 *ℰ* 43 02 46, Fax 24 82 62 – ✵
abril-diciembre – **Comida** 1300 – ⌧ 400 – **28 hab** 3200/5500 – PA 3000.

BAQUEIRA Lérida – ver Salardú.

BAQUIO o **BAKIO** 48130 Vizcaya 442 B 21 – 1 220 h. – ✪ 94 – Playa.
Alred. : Recorrido en cornisa★ de Baquio a Arminza ≼★ – Carretera de Baquio a Bermeo ≼★.
◆Madrid 425 – ◆Bilbao/Bilbo 26.

🏠 **Hostería del Señorío de Bizkaia** ⤵, Dr. José María Cirarda 4 *ℰ* 619 47 25, Fax 619 47 25,
≼, ⇪, « Instalación rústica en un extenso césped con jardín » – ▥ ☎ ℗. 🆎 ⑩ 🅴 𝘝𝘐𝘚𝘈
Comida 1950 – ⌧ 495 – **16 hab** 6975/7975 – PA 3735.

✗✗ **Gotzón,** carret. de Bermeo *ℰ* 619 40 43, ⇪ – ▤. 🆎 ⑩ 🅴 𝘝𝘐𝘚𝘈. ✵
cerrado lunes salvo verano y enero – **Comida** carta 3050 a 3600.

BARAJAS 28042 Madrid 444 K 19 – ✪ 91.
✈ de Madrid-Barajas *ℰ* 305 83 44.
◆Madrid 14.

🏨 **Barajas,** av. de Logroño 305 *ℰ* 747 77 00, Telex 22255, Fax 747 87 17, ⇪, 🛦, ⤵, ⩙ –
▐♦▐ ▤ ▥ ☎ ℗ – 🔬 25/675. 🆎 ⑩ 🅴 𝘝𝘐𝘚𝘈 𝘫𝘤𝘣. ✵ rest
Comida 4350 – ⌧ 1850 – **218 hab** 22800/28500, 12 suites – PA 10325.

🏨 **Alameda,** av. de Logroño 100 *ℰ* 747 48 00, Telex 43809, Fax 747 89 28, ▦ – ▐♦▐ ▤ ▥ ☎
℗ – 🔬 25/280. 🆎 ⑩ 🅴 𝘝𝘐𝘚𝘈 𝘫𝘤𝘣. ✵ rest
Comida 3750 – ⌧ 1300 – **136 hab** 18000/22500, 9 suites – PA 8800.

🏨 **Villa de Barajas,** av. de Logroño 331 *ℰ* 329 28 18, Fax 329 27 04 – ▐♦▐ ▤ ▥ ☎ ⟷ – 🔬 25.
🆎 ⑩ 🅴 𝘝𝘐𝘚𝘈. ✵ rest
Comida 1600 – ⌧ 750 – **36 hab** 10225/12800.

✗ **Mesón Don Fernando,** Canal de Suez 1 *ℰ* 747 75 51 – ▤. 🆎 ⑩ 🅴 𝘝𝘐𝘚𝘈
cerrado sábado y agosto – **Comida** carta 2600 a 3500.

en la carretera del aeropuerto a Madrid S : 3 km - ✉ 28042 Madrid - ☎ 91 :

Diana y Rest. Asador Duque de Osuna, Galeón 27 (Alameda de Osuna) ✆ 747 13 55, Telex 45688, Fax 747 97 97, ⛱ - |♦| ▤ TV ☎ - 25/220. AE ⓘ E VISA. ✂ rest
Comida carta 3200 a 4000 - ☕ 760 - **220 hab** 12800/16000, 40 suites.

BARBASTRO 22300 Huesca 443 F 30 - 15 827 h. alt. 215 - ☎ 974.

Ver : Catedral★.

Alred. : Alquézar (paraje★★) NO : 21 km, Torreciudad : ≤★★ (24 km).

🅘 pl. Aragón, ✆ 310 150.

♦Madrid 442 - Huesca 52 - ♦Lérida/Lleida 68.

Palafox sin rest, Corona de Aragón 20 ✆ 31 24 61 - |♦| 🚗. ✂
☕ 450 - **28 hab** 5500.

XX **Flor,** Goya 3 ✆ 31 10 56, Fax 31 13 18 - ▤. AE ⓘ E VISA
Comida carta 2850 a 3600.

X **L'Arrabal,** av. de los Pirineos 7 ✆ 31 16 73 - ▤. AE ⓘ E VISA. ✂
cerrado domingo (salvo Semana Santa, Navidad) y del 9 al 25 de septiembre - **Comida** carta 2650 a 3750.

en la carretera de Huesca N 240 O : 1 km - ✉ 22300 Barbastro - ☎ 974 :

Rey Sancho Ramírez, ✆ 31 00 50, Fax 31 00 58, ≤, ⛱, 🎾 - |♦| ▤ TV ☎ 🚗 P. AE ⓘ E VISA JCB. ✂
Comida *(cerrado lunes y enero)* 2000 - ☕ 900 - **75 hab** 9750/13500 - PA 4165.

BARBATE 11160 Cádiz 446 X 12 - 21 440 h. - ☎ 956 - Playa.

🅘 av. Ramón y Cajal 45 ✆ 43 10 06.

♦Madrid 677 - Algeciras 72 - ♦Cádiz 60 - ♦Córdoba 279 - ♦Sevilla 169.

Sevilla sin rest, Padre López Benitez 12 ✆ 43 23 83 - ☎ 🚗
temp. - **19 hab.**

Galia sin rest, Dr. Valencia 5 ✆ 43 33 76, Fax 43 04 82 - ☎
23 hab.

XX **Torres,** Ruiz de Alda 1 ✆ 43 09 85, ≤, Pescados y mariscos - ▤. AE ⓘ E VISA. ✂
cerrado lunes y 15 octubre-noviembre - **Comida** carta aprox. 3500.

BARBERÁ o **BARBERÀ DEL VALLÈS** 08210 Barcelona 443 H 36 30 905 h. - ☎ 93.

♦Madrid 609 - ♦Barcelona 19 - Mataró 39.

junto a la autopista A 7 SE : 2 km - ✉ 08210 Barberà del Vallès - ☎ 93 :

Campanile, carret. N 150 - Sector Baricentro ✆ 729 29 28, Fax 729 25 52 - |♦| ▤ TV ☎ ♿ 🚗 P - 60/220. AE ⓘ E VISA
Comida 1750 - ☕ 750 - **212 hab** 7750 - PA 4250.

La BARCA (Playa de) Pontevedra - ver Vigo.

Barcelona

08000 🅿 443 H 36 - 1 681 132 h. - ☎ 93.

Ver : Barrio Gótico (Barri Gotic)★★ : Catedral★★ MX, Plaça del Rei★ MX **149**, Museo Frederic Marès★★ MX - La Rambla★ LX, MY : Atarazanas y Museo Marítimo★★ MY, Plaça Reial★ MY - Palacio Güell★ LY - Carrer de Montcada★ NX **121** : Museo Picasso★ NV Iglesia de Santa Maria del Mar★ NX - Montjuich (Montjuïc)★ BCT : Museo de Arte de Cataluña★★★ (colecciones románicas y góticas★★★) CT **M4**, Poble espanyol★ BT **E**, Fundación Joan Miró★ CT **W**, Museo Arqueológico★ CT **M5** - El Eixample : Sagrada Familia★★ JU, Passeig de Gràcia★★ HV, (Casa Batlló★) HV **B**, La Pedrera o casa Mila★ HV **P**, Park Güell★★ BS, Palau de la Mùsica Catalana★ MV **Y**, Fundación Antoni Tàpies★ HV **S**

Otras curiosidades : Tibidabo (✳★★) AS - Monasterio de Pedralbes★ AT - Palau de Pedralbes (colección de cerámica★) EX - Parque zoológico★ KX.

18, 9 de Prat por ⑤ : 16 km ✆ 379 02 78.

✈ de Barcelona por ⑤ : 12 km ✆ 478 50 00 - Iberia : passeig de Gracià 30, ✉ 08007, ✆ 301 68 00 HV y Aviaco : aeropuerto ✆ 478 24 11 - 🚘 Sants ✆ 490 75 91.

⛴ para Baleares : Cia. Trasmediterránea, av. Drassanes 6 planta 25 1, ✉ 08001, ✆ 443 25 32 CT.

ℹ Gran Via de les Corts Catalanes 658, ✉ 08010, ✆ 301 74 43, Fax 412 25 70, y en el aeropuerto ✆ 478 47 04 - R.A.C.C. Santaló 8, ✉ 08021, ✆ 200 33 11, Fax 200 39 64.

♦Madrid 627 ⑥ - ♦Bilbao 607 ⑥ - ♦Lérida/Lleida 169 ⑥ - ♦Perpignan 187 ② - ♦Tarragona 109 ⑥ - ♦Toulouse 388 ② - ♦Valencia 361 ⑥ - ♦Zaragoza 307 ⑥.

Planos de Barcelona

Aglomeración .... p. 2 y 3
Centro .... p. 4 a 6-8 y 9
Índice de calles de los planos .... p. 2, 7 y 8
Lista alfabética de hoteles y restaurantes .... p. 10 y 11
Nomenclatura .... p. 12 a 20

BARCELONA

Alfons XIII (Av. d') . . . . . . DS 2
Bartrina . . . . CS 8
Berlín . . . . BT 12
Bisbe Català . . . . AT 13
Bonanova (Pas. de la) . . . BT 16
Borbó (Av. de) . . . . CS 17
Brasil . . . . BT 25
Can Serra
(Av. de) . . . . AT 30
Carles III
(Gran Vía de) . . . . BT 38
Constitució . . . . BT 50
Creu Coberta . . . . BT 53
Dalt (Travessera de) . . . . CS 56
Doctor Pi i Molist . . . . . . CS 65
Enric Prat de la Riba . . . AT 66
Entença . . . . BT 71
Fabra i Puig (Pas. de) . . . CS 77
FF. CC. (Pas. dels) . . . . . . AT 78
Gavà . . . . BT 84
Gran Sant Andreu . . . . . . CS 88
Hospital Militar (Av. de l') . BS 93
Isabel la Católica (Av. d') . AT 96
Josep Tarradellas (Av.) . . . BT 102
Just Oliveras (Rambla de) . AT 105
Llorens Serra (Pas.) . . . . . DS 107
Madrid (Av. de) . . . . BT 110
Manuel Girona (Pas. de) . . BT 112
Mare de Déu de
Montserrat (Av. de la) . CS 113
Marina . . . . CT 114
Marquès de Comillas (Av.) BT 115
Marquès de Mont-Roig (Av.) DS 116
Marquès de Sant Mori
(Av. del) . . . . DS 117
Miramar (Av. de) . . . . CT 119
Numància . . . . BT 129
Pi i Margall . . . . CS 138
Princep d'Astúries
(Av. del) . . . . BT 144
Pujades (Pas. de) . . . . CT 145
Ramiro de Maeztu . . . . . . CS 146
Reina Elisenda de
Montcada (Pas. de la) . BT 150
Reina Maria Cristina (Av.) . BT 151
Ribes (Carret.) . . . . CS 154
Sant Antoni (Ronda de) . . CT 160
Sant Antoni Maria Claret . CS 162
Sant Gervasi (Pas. de) . . . BS 164
Sant Joan (Rambla) . . . . . DS 166
Sant Pau (Ronda de) . . . . CT 174
Sant Sebastià
(Rambla de) . . . . DS 179
Santa Coloma (Av. de) . . . DS 184
Santa Coloma (Pas. de) . . CS 186
Sardenya . . . . CT 191
Tarragona . . . . BT 193
Tibidabo (Av. del) . . . . . . BS 196
Universitat (Pl. de la) . . . . CT 198
Verdum (Pas. de) . . . . CS 200
4 Camins . . . . BS 204

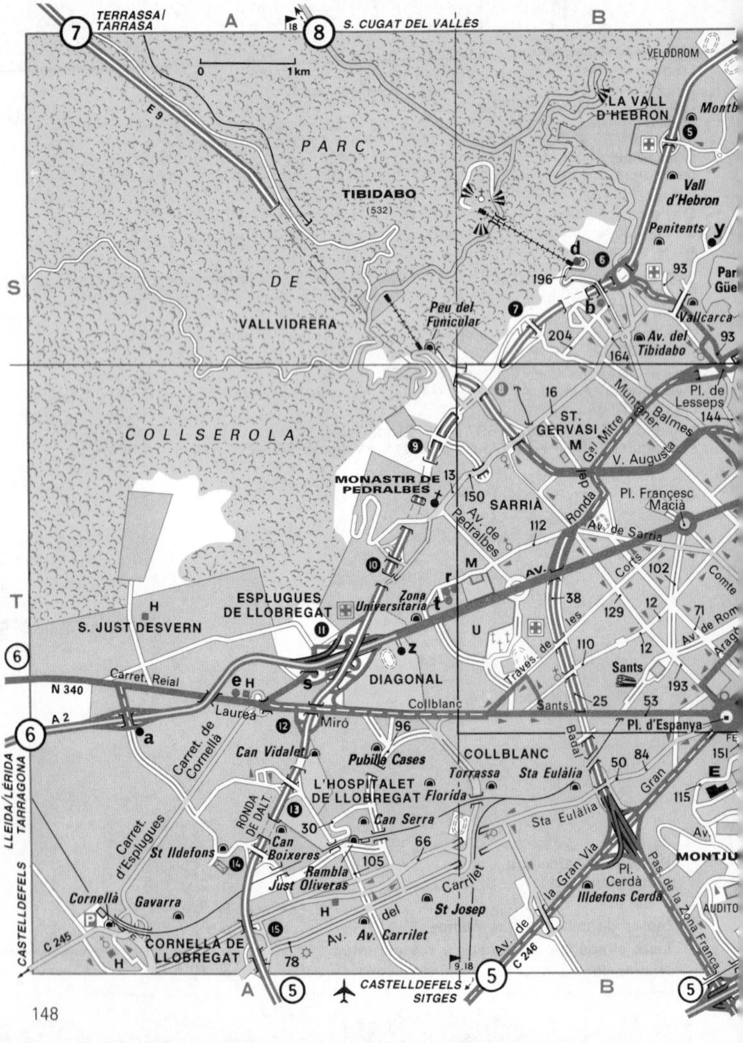

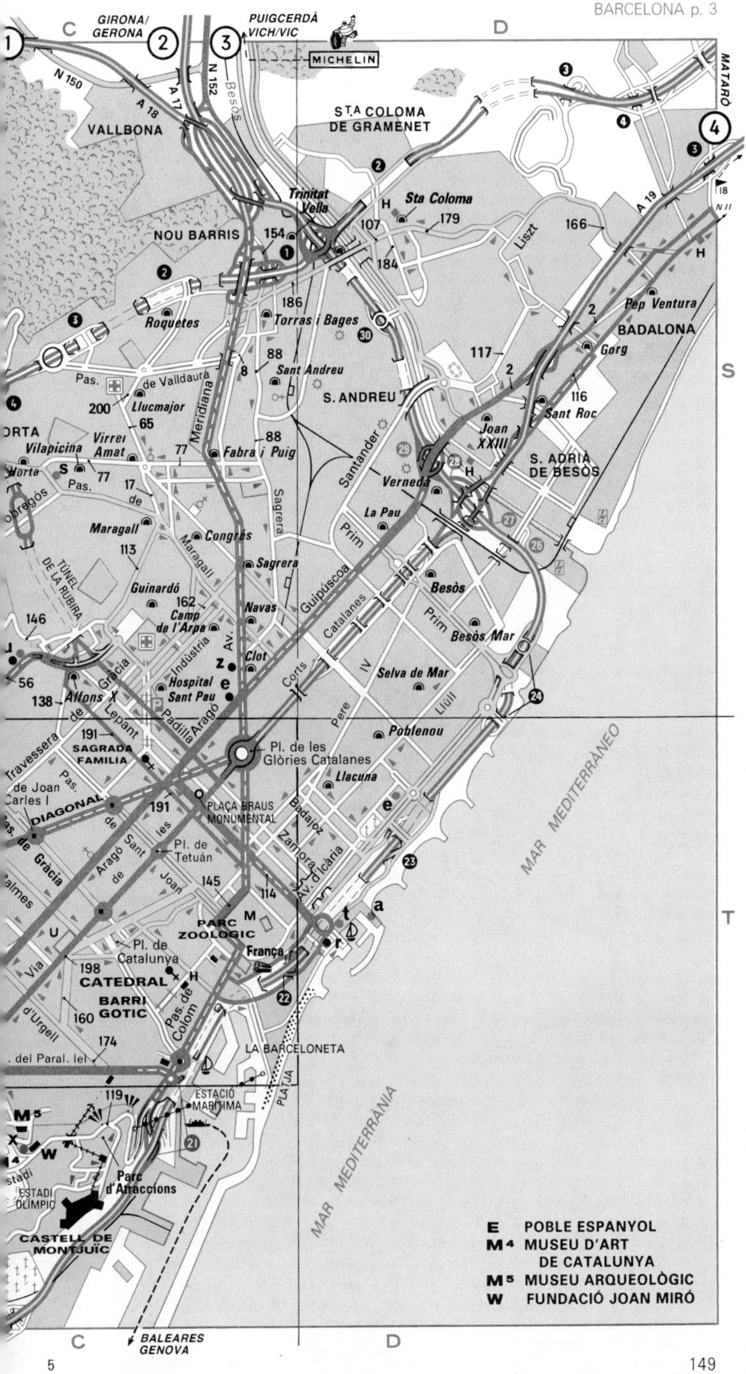
GIRONA/
GERONA
PUIGCERDÀ
VICH/VIC
MICHELIN
MATARÓ
N 150
A 18
A 17
N 152
Besòs
VALLBONA
STA COLOMA
DE GRAMENET
Trinitat
Vella
Sta Coloma
NOU BARRIS
154
107
179
184
166
Liszt
A 19
N II
Pep Ventura
BADALONA
Gorg
186
Roquetes
Torras i Bages
88
8
Sant Andreu
S. ANDREU
117
116
Sant Roc
Pas.
de Valldaura
200
Llucmajor
65
Meridiana
Joan
XXIII
S. ADRIÀ
DE BESÒS
ORTA
Vilapicina
Virrei
Amat
77
Fabra i Puig
Santander
Verneda
Horta
Pas.
de
17
Sagrera
Maragall
Congrés
La Pau
Prim
113
TÚNEL
DE LA RUBIRA
Sagrera
Guinardó
162
Camp
de l'Arpa
Navas
Guipúscoa
Besòs
Prim
Besòs Mar
146
Industria
Av.
Clot
Catalanes
Corts
56
138
Alfons X
Hospital
Sant Pau
Selva de Mar
Llull
Pere
IV
Travessera
de
Gràcia
Lepant
Padilla
Aragó
191
SAGRADA
FAMILIA
Pl. de les
Glòries Catalanes
Poblenou
Llacuna
MAR MEDITERRÁNEO
de Joan
Carles I
DIAGONAL
191
PLAÇA BRAUS
MONUMENTAL
Badajoz
Zamora
Av. d'Icària
Pas.
de Gràcia
Aragó
de
Sant
Joan
Pl. de
Tetuán
145
114
Balmes
PARC
ZOOLOGIC
França
Pl. de
Catalunya
198
CATEDRAL
BARRI
GOTIC
Pas. de
Colom
160
d'Urgell
174
del Paral. lel
LA BARCELONETA
PLATJA
119
ESTACIÓ
MARÍTIMA
Parc
d'Atraccions
ESTADI
OLÍMPIC
CASTELL DE
MONTJUÏC
MAR MEDITERRÀNIA
BALEARES
GENOVA
E POBLE ESPANYOL
M4 MUSEU D'ART
DE CATALUNYA
M5 MUSEU ARQUEOLÒGIC
W FUNDACIÓ JOAN MIRÓ

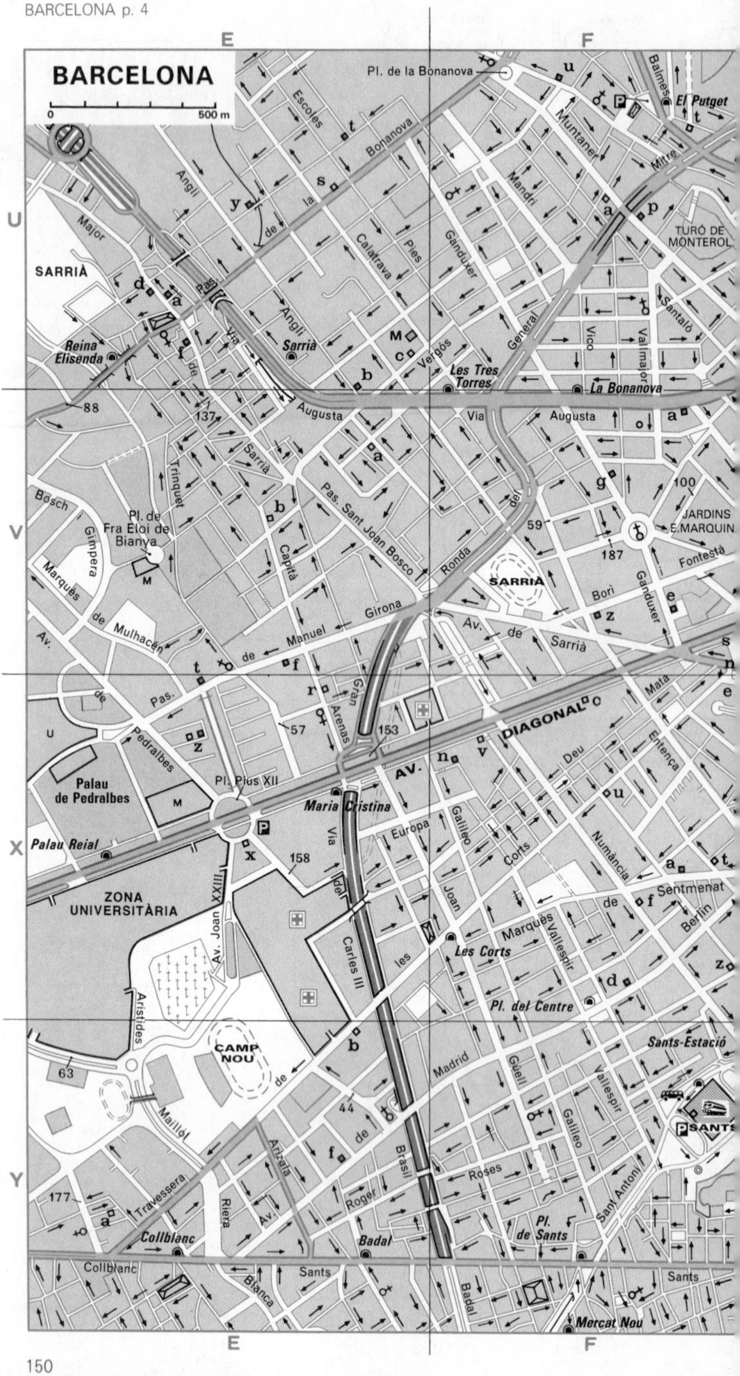
E
F
U
V
X
Y
BARCELONA
0
500 m
Pl. de la Bonanova
Escoles
Bonanova
Muntaner
Balmes
El Putget
Mitre
Mandri
Angli
la
de
Calatrava
Pies
Ganduxer
TURÓ DE MONTEROL
Major
SARRIÀ
Pas.
Via
Sarrià
General
Vico
Valmajor
Santaló
Reina Elisenda
Vergós
Les Tres Torres
La Bonanova
88
137
Augusta
Via
Augusta
100
JARDINS E.MARQUIN
Trinquet
Bosch
Gimpera
Pl. de Fra Eloi de Bianya
Pas. Sant Joan Bosco
Capità
Ronda
del
59
187
Fontestà
Marquès
SARRIÀ
Borì
Ganduxer
Girona
Av.
de
Mulhacén
Manuel
Av. de Sarrià
Pas.
Gran
Arenas
57
153
DIAGONAL
AV.
Mata
Deu
Entença
Pedralbes
Palau de Pedralbes
Pl. Pius XII
Maria Cristina
Europa
Galileo
Corts
Numància
Sentmenat
Berlin
Palau Reial
158
ZONA UNIVERSITÀRIA
Av. Joan XXIII
Carles III
Joan
les
Marquès
Vallespir
Les Corts
Pl. del Centre
Aristides
CAMP NOU
63
Maillol
Madrid
Güell
Galileo
Vallespir
Sants-Estació
SANTS
44
Arizala
Brasil
Roses
Sant Antoni
Travessera
Riera
Av.
Roger
177
Collblanc
Badal
Pl. de Sants
Collblanc
Blanca
Sants
Badal
Sants
Mercat Nou

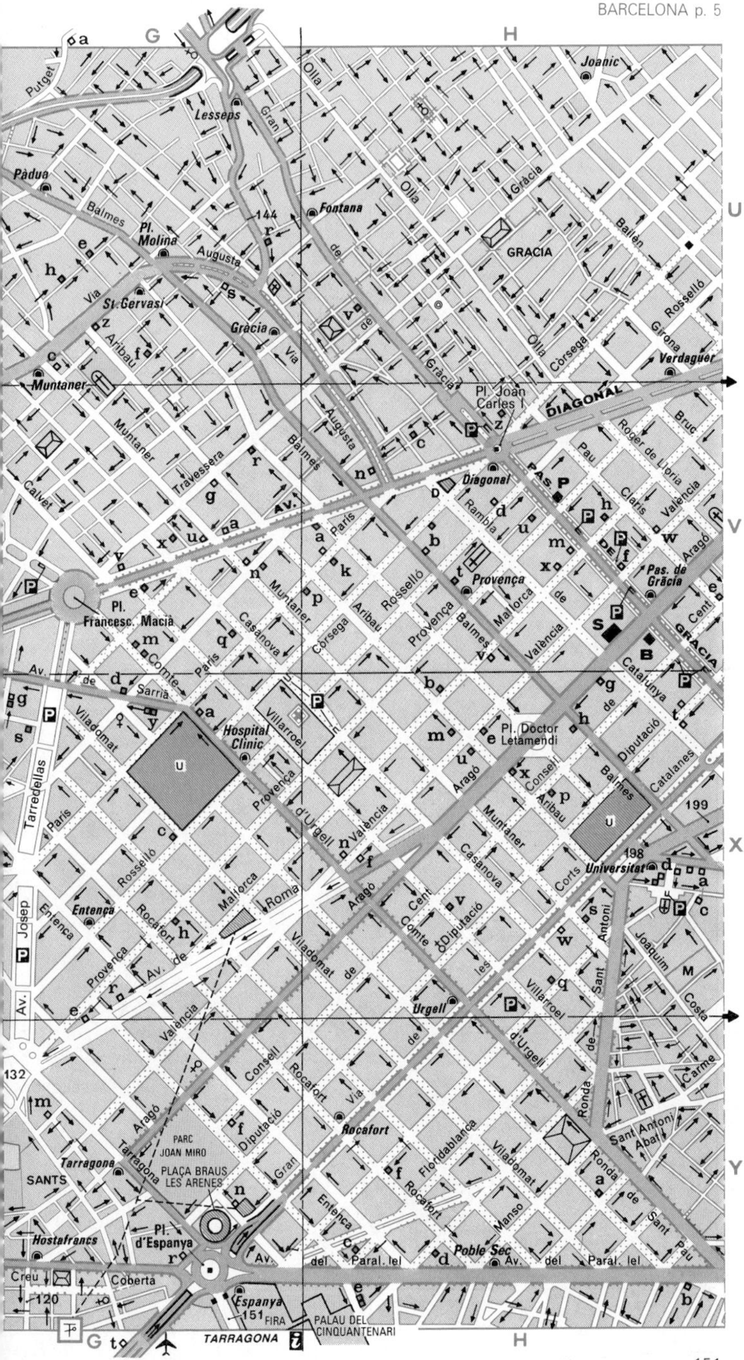
G
H
U
V
X
Y
Putget
Lesseps
Joanic
Pàdua
Balmes
Pl. Molina
Augusta
Fontana
Gran
de
Gràcia
Olla
GRACIA
Bailèn
Rosselló
Girona
Verdaguer
Via
St. Gervasi
Aribau
Muntaner
Pl. Joan Carles I
DIAGONAL
Bruc
Roger de Llúria
Pau
Claris
València
Aragó
Travessera
Calvet
Diagonal
Rambla
PAS. DE GRACIA
Pas. de Gràcia
Provença
Mallorca
Pl. Francesc. Macià
Casanova
Còrsega
París
Comte
Av. de Sarrià
Hospital Clínic
Villarroel
Pl. Doctor Letamendi
Consell
Catalunya
Diputació
Catalanes
Corts
Universitat
Cent
Viladomat
Tarradellas
Rosselló
Entença
Rocafort
Roma
d'Urgell
Urgell
Sant Antoni
Ronda
Joaquim
M
Costa
Carme
Sant Antoni Abat
Av. Josep
Tarragona
SANTS
PARC JOAN MIRO
PLAÇA BRAUS LES ARENES
Rocafort
Floridablanca
Manso
Hostafrancs
Pl. d'Espanya
Poble Sec
Av. del Paral. lel
Creu
Coberta
Espanya
FIRA
PALAU DEL CINQUANTENARI
TARRAGONA
Sant Pau
144
199
198
132
120
151

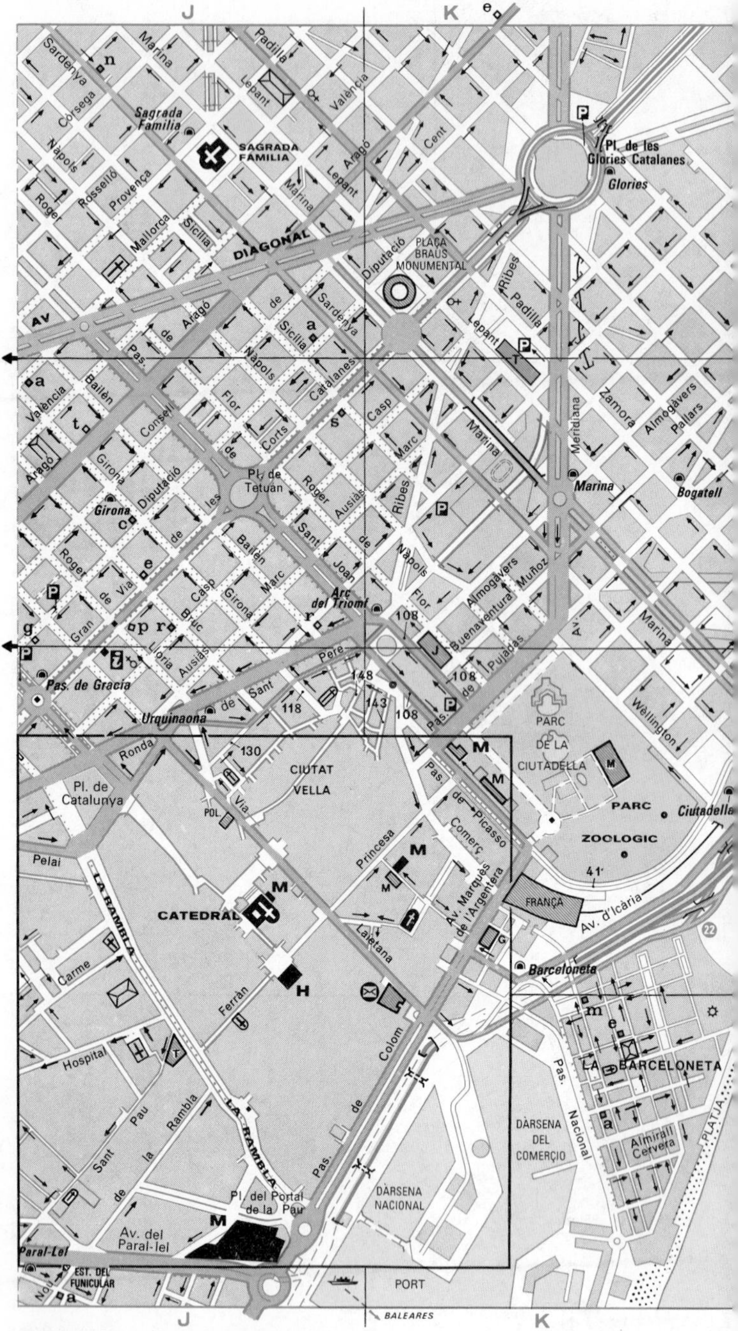
J
K
Sardenya
Marina
Padilla
Lepant
València
Còrsega
Sagrada Família
SAGRADA FAMILIA
Nàpols
Rosselló
Provença
Roger
Aragó
Cent
Mallorca
Sicília
DIAGONAL
Diputació
PLAÇA BRAUS MONUMENTAL
Pl. de les Glories Catalanes
Glories
Ribes
Padilla
AV
de Aragó
Pas. de
Sardenya
Sicília
Nàpols
Catalanes
Bailèn
València
Consell
Flor
Corts
Casp
Marc
Zamora
Almogàvers
Pallars
Meridiana
Marina
Bogatell
Girona
Diputació
de
les
Pl. de Tetuan
Roger
Ausiàs
Ribes
Sant
Joan
de
Nàpols
Almogàvers
Muñoz
Buenaventura
Flor
Roger de
Gran Via
Casp
Bruc
Girona
Bailèn
Marc
Arc del Triomf
Llòria
Ausiàs
Pere
Sant
de
Pas. de Gràcia
Urquinaona
Pujadas
Pas. de
Wellington
PARC DE LA CIUTADELLA
PARC ZOOLOGIC
Ciutadella
Ronda
CIUTAT VELLA
Pl. de Catalunya
Via
POL.
Pas. de Picasso
Comerç
Princesa
Pelai
LA RAMBLA
CATEDRAL
Av. Marquès de l'Argentera
FRANÇA
Av. d'Icària
Laietana
Barceloneta
Carme
Ferràn
Colom
LA BARCELONETA
Hospital
Sant Pau
de la Rambla
LA RAMBLA
Pas. de
Pas. Nacional
DÀRSENA DEL COMERÇIO
Almirall Cervera
PLATJA
Pl. del Portal de la Pau
DÀRSENA NACIONAL
Av. del Paral-lel
Paral-Lel
EST. DEL FUNICULAR
Nou
PORT
BALEARES
J
K

Caputxins (Rambla dels) p. 9 MY 35
Catalunya (Pl. de) p. 8 LV
Catalunya (Rambla de) p. 5 HX
Corts Catalanes (Gran Via de les) p. 5 HX
Estudis (Rambla dels) p. 8 LX
Gràcia (Pas. de) p. 5 HV
Pelai p. 8 LV
Sant Josep (Rambla de) p. 8 LX 168
Santa Mònica (Rambla de) p. 9 MY
Universitat (Pl. de la) p. 5 HX 198
Universitat (Ronda de la) p. 8 LV 199

Alfons XIII (Av. d') p. 3 DS 2
Almirall Cervera p. 6 KY
Almogàvers p. 6 KV
Ample p. 9 MY
Àngels p. 8 LX
Àngel (Pl. de l') p. 9 MX
Angli p. 4 EU
Antoni López (Pl. d') p. 9 MY
Antoni Maura (Pl. d') p. 9 MV
Aragó p. 5 HX
Argenteria p. 9 NX
Aribau p. 5 HX
Arístides Maillol p. 4 EY
Arizala p. 4 EY
Augusta (Vía) p. 4 FV
Ausiàs Marc p. 6 JV
Avinyó p. 9 MY
Badajoz p. 3 DT
Badal p. 2 BT
Bailén p. 6 JV
Balmes p. 5 HV
Banys Nous p. 9 MX 7
Bartrina p. 3 CS 8
Bergara p. 8 LV 10
Berlín p. 2 BT 12
Bisbe Català p. 2 AT 13
Bisbe Irurita p. 9 MX 15
Bonanova (Pas. de la) p. 2 BT 16
Bonanova (Pl. de la) p. 4 FU
Boqueria (Pl. de la) p. 8 LY
Borbó (Av. de) p. 3 CS 17
Bòria p. 9 MV 18
Borì i Fontestà p. 4 FV
Born (Pas. del) p. 9 NX 20
Bosch i Alsina (Moll de) p. 9 NY
Boters p. 9 MX 23
Brasil p. 2 BT 25
Bruc p. 5 HV
Buenaventura Muñoz p. 6 KV
Calatrava p. 4 EU
Calvet p. 5 GV
Canaletes (Rambla de) p. 8 LV 27
Canonge Colom (Pl.) p. 8 LY 28
Can Serra (Av. de) p. 2 AT 30
Canuda p. 8 LX
Canvis Vells p. 9 NX 32
Capità Arenas p. 4 EV
Cardenal Casañas p. 8 LX 36
Carders p. 9 NV
Carillet (Av. del) p. 2 AT
Carles III (Gran Vía de) p. 2 BT 38
Carme p. 9 LX
Casanova p. 5 HX
Casp p. 6 JV
Catedral (Av. de la) p. 9 MV 40
Cerdà (Pl.) p. 2 BT
Circumval.lació (Pas. de) p. 6 KX 41
Ciutat p. 9 MX 43
Collblanc p. 4 EY
Colom (Pas. de) p. 9 NY
Comandant Benítez p. 4 EY 44
Comerç p. 9 NV
Comercial (Pl.) p. 9 NV 45
Comte d'Urgell p. 5 HX
Consell de Cent p. 5 HX
Constitució p. 2 BT 50
Cornellà (Carret. de) p. 2 AT
Còrsega p. 5 HU
Corts (Travessera de les) p. 4 EY
Creu Coberta p. 2 BT 53
Cucurulla p. 8 LX 55
Dalt (Travessera de) p. 3 CS 56
Déu i Mata p. 4 FX
Diagonal (Av.) p. 5 HV
Diputació p. 5 HX
Doctor Ferràn p. 4 EX 57
Doctor Fleming p. 4 FV 59
Doctor Joaquim Pou p. 9 MV 61
Doctor Letamendi (Pl.) p. 5 HX
Doctor Marañón (Av. del) p. 4 EY 63
Doctor Pi i Molist p. 3 CS 65
Drassanes (Av. de les) p. 8 LY
Duc de Medinaceli (Pl. del) p. 9 NY
Elisabets p. 8 LX
Enric Prat de la Riba p. 2 AT 66
Entença p. 5 GX
Escoles Pies p. 4 EU
Escudellers p. 9 MY 72
Espanya (Moll d') p. 9 NY
Espanya (Pl. d') p. 5 GY
Esplugues (Carret d') p. 2 AT
Estadi (Av. de l') p. 3 CT
Europa p. 4 EX
Fabra i Puig (Pas. de) p. 3 CS 77
Ferràn p. 9 MY
FF. CC. (Pas. dels) p. 2 AT 78
Floridablanca p. 5 HY
Fontanella p. 8 LV
Fra Eloi de Bianya (Pl. de) p. 4 EV
Francesc Cambó (Av.) p. 9 MV 79
Francesc. Macià (Pl. de) p. 5 GV
Galileo p. 4 FX
Ganduxer p. 4 FV
Gavà p. 2 BT 84
General Mitre (Ronda del) p. 4 FU
Girona p. 6 JV
Glòries Catalanes (Pl. de les) p. 6 KU
Gràcia (Travessera de) p. 5 HU
Gran de Gràcia p. 5 HU
Gran Sant Andreu (Carrer) p. 3 CS 88
Gran Vía (Av. de la) (L'HOSPITALET) p. 2 BT
Guipúscoa p. 3 DS
Hospital p. 8 LY
Hospital Militar (Av. de l') p. 2 BS 93
Icària (Av. d') p. 6 KX
Isabel la Católica (Av. d') p. 2 AT 96
Isabel II (Pas. d') p. 9 NX 98
Joan Carles I (Pl. de) p. 5 HV
Joan Güell p. 4 FY
Joan XXIII (Av.) p. 4 EX
Joaquim Costa p. 5 HX
Johann Sebastian Bach p. 4 FV 100
Josep Anselm Clavé p. 9 MY
Josep Tarradellas (Av.) p. 2 BT 102
Just Oliveras (Rambla de) p. 2 AT 105
Laietana (Vía) p. 9 NX
Laureà Miró p. 2 AT
Lepant p. 6 JU
Lesseps (Pl. de) p. 2 BT
Liszt p. 3 DS
Llobregós p. 3 CS
Llorens Serra (Pas.) p. 3 DS 107
Lluís Companys (Pas. de) p. 6 KX 108
Llull p. 3 DS
Madrid (Av. de) p. 2 BT 110
Major de Sarrià p. 4 EV
Mallorca p. 5 HV
Mandri p. 4 FU
Manso p. 5 HY
Manuel Girona (Pas. de) p. 2 BT 112
Maragall (Pas. de) p. 3 CS
Mare de Déu de Montserrat (Av. de la) p. 3 CS 113
Marina p. 3 CT 114
Marquès de l'Argentera (Av.) p. 9 NX
Marquès de Comillas (Av. del) p. 2 BT 115
Marquès de Mont-Roig (Av. del) p. 3 DS 116
Marquès de Mulhacén p. 4 EV
Marquès de Sant Mori (Av. del) p.3 DS 117
Marquès de Sentmenat p. 4 FX
Mata p. 4 FX
Méndez Núñez p. 6 JX 118
Meridiana (Av.) p. 6 KV
Miramar (Av. de) p. 3 CT 119
Moianés p. 5 GY 120
Montcada p. 9 NX 121
Montjuïc del Bisbe p. 9 MX 123
Muntaner p. 5 GV
Nacional (Pas.) p. 6 KY
Nàpols p. 6 JU
Nou de la Rambla p. 8 LY
Nou de Sant Francesc p. 9 MY 126
Nova (Pl.) p. 9 MX 128
Numància p. 2 BT 129
Olla p. 5 HU
Ortigosa p. 6 JX 130
Padilla p. 6 KU
Països Catalans (Pl.) p. 5 GY 132
Palau (Pl. del) p. 9 NX
Palla p. 9 MX
Pallars p. 6 KV
Paradis p. 9 MX 135
Paral. lel (Av. del) p. 8 LY
París p. 5 GX
Pau Claris p. 5 HV
Pau Villa (Pl. de) p. 9 NY
Pedralbes (Av. de) p. 4 EX
Pedró de la Creu p. 4 EV 137
Pere IV p. 3 DS
Picasso (Pas. de) p. 9 NV
Pi i Margall p. 3 CS 138
Pintor Fortuny p. 8 LX 140
Píus XII (Pl. de) p. 4 EX
Portaferrisa p. 8 LX
Portal de l'Àngel (Av.) p. 8 LV
Portal de la Pau (Pl. del) p. 9 MY
Portal de Santa Madrona p. 9 MY 142
Portal Nou p. 6 KX 143
Prim p. 3 DS
Princep d'Astúries (Av. del) p. 5 GU 144
Princesa p. 9 NV
Provença p. 5 GX
Pujades (Pas. de) p. 3 CT 145
Putget p. 5 GU
Ramiro de Maeztu p. 3 CS 146
Ramon Berenguer el Gran (Pl. de) p. 9 MX 147
Rec Comtal p. 6 JX 148
Rei (Pl. del) p. 9 MX 149
Reial (Carret.) p. 2 AT
Reial (Pl.) p. 9 MY
Reina Elisenda de Montcada (Pas. de la) p. 2 BT 150
Reina Maria Cristina (Av. de la) p. 2 BT 151
Reina Maria Cristina (Pl. de la) p. 4 EX 153
Ribes p. 6 KV
Ribes (Carret.) p. 3 CS 154
Rocafort p. 5 HY
Roger p. 4 EY
Roger de Flor p. 6 JU
Roger de Llúria p. 5 HV
Roma (Av. de) p. 5 GX
Roses p. 4 FY
Rosselló p. 5 HV
Sabino de Arana p. 4 EX 158
Sagrera p. 3 CS
Sant Antoni p. 4 FY
Sant Antoni (Ronda de) p. 3 CT 160
Sant Antoni Abat p. 5 HY
Sant Antoni Maria Claret p. 3 CS 162
Sant Felip Neri (Pl.) p. 9 MX 163
Sant Gervasi (Pas. de) p. 2 BS 164
Sant Jaume (Pl.) p. 9 MX
Sant Joan (Pas. de) p. 6 JV
Sant Joan (Rambla) p. 3 DS 166

Continuación Barcelona p. 8

REPERTORIO DE CALLES (fin)

Sant Joan Bosco (Pas. de) .... p. 4 EV
Sant Miquel (Pl. de) .. p. 9 MX 173
Sant Pau .... p. 8 LY
Sant Pau (Ronda de) .... p. 3 CT 174
Sant Pere més alt .... p. 9 MV
Sant Pere més baix .. p. 9 MV
Sant Pere (Ronda de) .... p. 6 JX
Sant Rafael .... p. 8 LY
Sant Ramon Nonat (Av. de) .... p. 4 EY 177
Sant Sebastià (Rambla de) .... p. 3 DS 179
Sant Sever .... p. 9 MX 181
Santa Anna .... p. 8 LV 182
Santa Coloma (Av. de) .... p. 3 DS 184
Santa Coloma (Pas. de) .... p. 3 CS 186
Santa Eulàlia .... p. 2 BT
Santa Fe de Nou Mèxic .... p. 4 FV 187
Santa Maria (Pl.) ..... p. 9 NX 189
Santaló .... p. 4 FU
Santander .... p. 3 DS
Sants .... p. 4 FY
Sardenya .... p. 3 CT 191
Sarrià (Av. de) .... p. 4 FV
Sicília .... p. 6 JU
Tarragona .... p. 2 BT 193
Teatre (Pl. del) .... p. 9 MY
Tetuàn (Pl. de) ...... p. 6 JV
Tibidabo (Av. del) .... p. 2 BS 196
Trinquet .... p. 4 EV
Urquinaona (Pl.) ..... p. 6 JX
València .... p. 5 HX
Valldaura (Pas. de) .... p. 3 CS
Vallespir .... p. 4 FY
Vallmajor .... p. 4 FU
Verdum (Pas. de) .... p. 3 CS 200
Vergós .... p. 4 FU
Vico .... p. 4 FU
Viladomat .... p. 5 HY
Villarroel .... p. 5 GX
Wellington .... p. 6 KX
Zamora .... p. 6 KV
Zona Franca (Pas. de la) .... p. 2 BT
4 Camins .... p. 2 BS 204

Michelin pone sus mapas constantemente al día. Llevelos en su coche y no tendrá sorpresas desagradables en carretera.

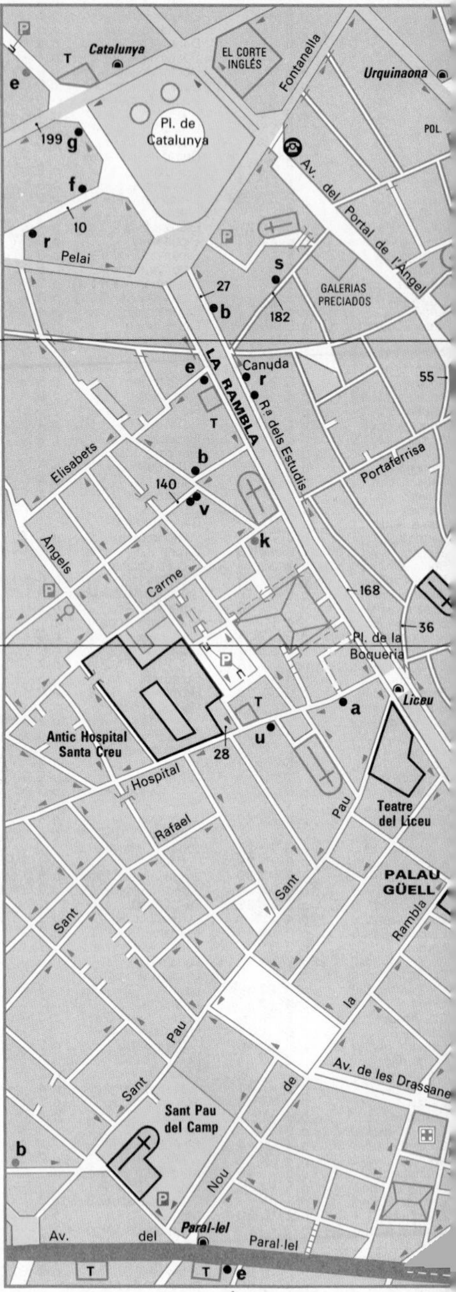

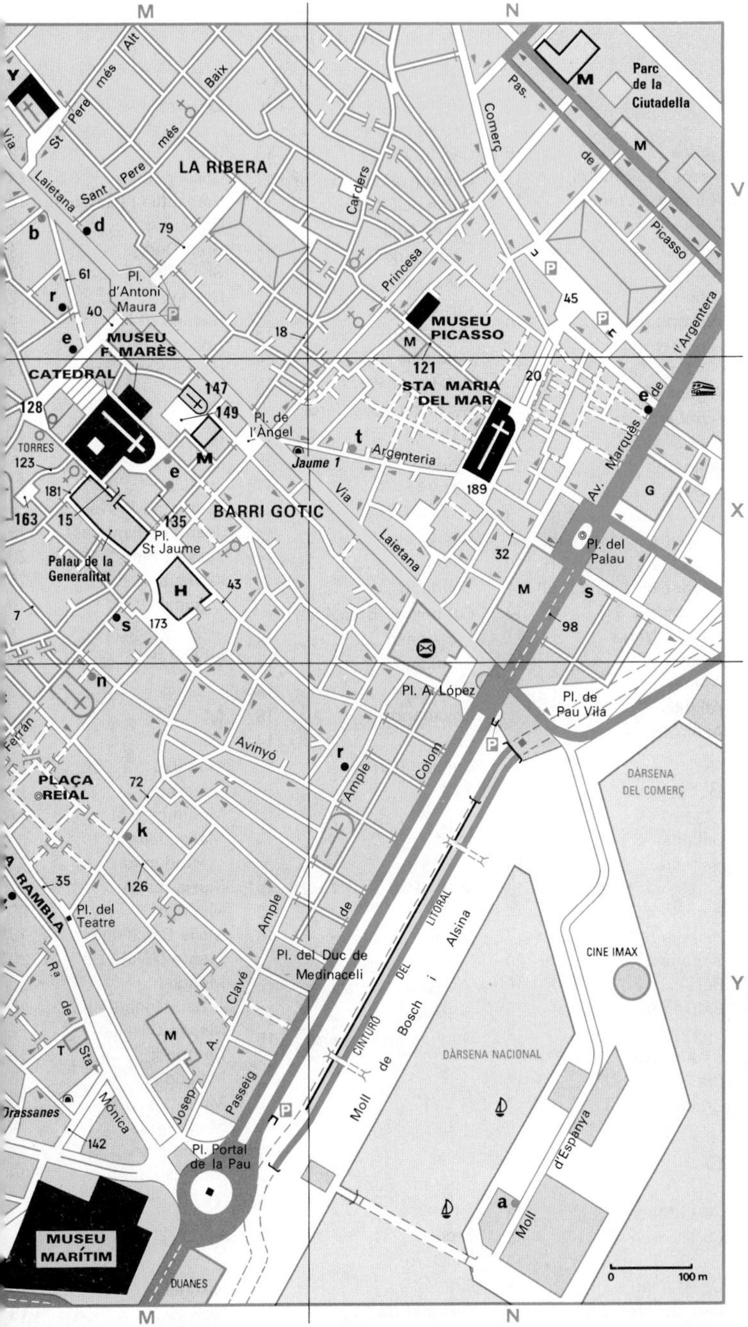
M
N
V
X
Y
LA RIBERA
Parc de la Ciutadella
MUSEU PICASSO
STA MARIA DEL MAR
MUSEU F. MARÈS
CATEDRAL
BARRI GOTIC
Palau de la Generalitat
PLAÇA REIAL
LA RAMBLA
MUSEU MARÍTIM
DUANES
DÀRSENA DEL COMERÇ
DÀRSENA NACIONAL
CINE IMAX
CINTURÓ DEL LITORAL
Moll de Bosch i Alsina
Moll d'Espanya
Pl. d'Antoni Maura
Pl. de l'Àngel
Pl. St Jaume
Pl. del Palau
Pl. A. López
Pl. de Pau Vila
Pl. del Duc de Medinaceli
Pl. del Teatre
Pl. Portal de la Pau
Via Laietana
Sant Pere més Alt
St Pere més Baix
Sant Pere
Carders
Princesa
Argenteria
Pas. de Picasso
Comerç
Av. Marquès de l'Argentera
Avinyó
Ample
Colom
Passeig de Josep A. Clavé
Rª de Sta Mònica
Ferran
Jaume 1
Drassanes
TORRES
0 100 m

Lista alfabética
(Hoteles y restaurantes)

Página

A

Abbot ... 15
Accés (Aparthotel) ... 15
Adriana Farreras ... 17
Agut d'Avignon ... 13
Aitor ... 13
Albéniz ... 18
Alberto ... 20
Alexandra ... 14
Alfa Aeropuerto y Rest. Gran Mercat. 15
Alguer (L') ... 15
Almirante ... 12
Ambassador ... 12
Aragón ... 18
Arenas ... 18
Arts ... 13
Asador de Aranda (El) (av. del Tibidabo 31). 19
Asador de Aranda (El) (Londres 94) ... 16
Asador Izarra ... 17
Astoria ... 14
Atenas ... 18
Atlantis ... 12
Azpiolea ... 17

B

Balmes ... 14
Balmoral ... 18
Barcelona Hilton ... 13
Barcelona Plaza H. ... 14
Barcelona Sants ... 14
Begoña ... 20
Bel Air ... 16
Beltxenea ... 15
Bona Cuina (La) ... 13
Botafumeiro ... 19
Brasserie Flo ... 13
Brochette (La) ... 17

C

Ca la Maria ... 13
Ca l'Isidre ... 16
Cal Sardineta ... 17
Caledonian ... 15
Can Culleretes ... 13
Can Fayos ... 16
Can Ramonet ... 13
Can Solé ... 13
Cañota ... 17
Caracoles (Los) ... 13
Carles Grill ... 17
Casa Darío ... 17
Casa Jordi ... 19
Casa Toni ... 17
Castellnou ... 18
Catalonia (G.H.) ... 14
Catalunya Plaza ... 15
Celler de Casa Jordi (El) ... 17
Century Park ... 15
Chicoa ... 17
City Park H. ... 14
Claris ... 13
Colón ... 12
Condado ... 18
Condes de Barcelona y Anexo ... 14
Continental ... 12
Cortés ... 12
Covadonga ... 18
Cristal ... 14
Cuineta (La) ... 13

D

Dama (La) ... 16
Daxa ... 19
Derby ... 14
Diplomatic y Rest. La Salsa ... 14
Dolceta 2 ... 17
Duques de Bergara ... 15

E – F

Elche ... 17
Eldorado Petit ... 19
Europark ... 15
Expo H. ... 15
Finisterre ... 16
Fira Palace ... 14
Font del Gat ... 17

G – H

Gaig ... 19
Gallery H. ... 14
Gargantua i Pantagruel 16
Gorría ... 16
Gran Derby ... 14
Grand Passage Suites H. 15
Gravina ... 12
Havana (G.H.) ... 14
Hesperia ... 18
Hostal Sant Jordi ... 19

J – K – L

Illa (L') ... 14
Jaume de Provença ... 16
Jean Luc Figueras ... 19
Julivert Meu ... 20
Koxkera ... 16
Lagunak ... 16
Lleó ... 12
Lubina (La) ... 17

M

Maitetxu ... 16
Majestic ... 14
Manduca (La) ... 17
Marisqueiro Panduriño ... 17
Masía (La) ... 20
Medulio ... 20
Meliá Barcelona ... 13
Menta (A la) ... 20
Meridien Barcelona (Le) ... 12
Mesón Castilla ... 12
Metropol ... 12
Mikado ... 18
Mitre ... 18
Moderno ... 12
Montecarlo ... 12
Muffins ... 16

N – O

Neichel ... 19
Neyras ... 13

Página

NH Belagua 18
NH Calderón 14
NH Cóndor 18
NH Forum 15
NH Les Corts 15
NH Master 14
NH Numancia 15
NH Pedralbes 18
NH Podium 14
NH Rallye 15
Núnez Urgel 15
Oliver y Hardy 16
Onix 15

P – Q

Pá i Trago 17
Paolo (Da) 17
Paradis Barcelona 19
Paradis Roncesvalles 19
Paral-Lel 15
Park H. 12
Park Putxet 18
Pati Blau (El) 20
Peppo (Da) 17
Perols de l'Empordá (Els) 17
Pescador (El) 17
Pescadors (Els) 16
Petit Paris 17
Petite Marmite (La) 19
Plá (Es) 20
Princesa Sofia 13

Página

Quirze 20
Quo Vadis 13

R

Racó d'en Freixa (El) 19
Ramblas H. 12
Reding 12
Regencia Colón 12
Regina 15
Reial Club Maritim 13
Rekor'd 18
Reno 19
Rey Juan Carlos I 13
Rialto 12
Rías de Galicia 16
Ritz 13
Rivoli Rambla 12
Roig Robi 19
Roma 15
Rosamar 17
Rovell d'Ou 20
Royal 12
Rubens 18

S

Sal i Pebre 20
San Agustín 12
Sant'Angelo 15
Sant Just y Rest. Alambí 20
Satélite 16
Senyora Grill (La) 20
Senyor Parellada 13
7 Portes 13
Sibarit 16

Página

Si Senyor 16
Sol Apolo 14
Solera Gallega 17
Sopeta (La) 16
St. Moritz 14
Suite H. 18

T

Taber 15
Talaia Mar 16
Tikal 16
Tragaluz (El) 16
Tramonti 1980 17
Tram-Tram 19
Trapío (El) 19
Travesera 18
Tritón 19
Tryp Presidente 18
Túnel del Port (El) 17
Turín 12

V – W – Y – Z

Vell Sarrià (El) 20
Venta (La) 20
Via Veneto 19
Victoria 18
Vinya Rosa-Magi 16
Vivanda 20
Vol de Nit (El) 20
Wilson 18
Yaya Amelia (La) 20
Zure Etxea 19

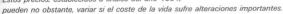

Cuando los nombres de los hoteles y restaurantes figuran en negrita, significa que los hoteleros nos han señalado todos sus precios comprometiéndose a aplicarlos a los turistas de paso portadores de nuestra guía. Estos precios, establecidos a finales del año 1994, pueden no obstante, variar si el coste de la vida sufre alteraciones importantes.

CIUTAT VELLA Ramblas, pl. S. Jaume, vía Laietana, passeig Nacional, passeig de Color

Le Meridien Barcelona, La Rambla 111, ✉ 08002, ☎ 318 62 00, Telex 5463 Fax 301 77 76 - 🛗 ▤ TV ☎ ♿ 🚗 - 🏛 25/200. AE ⓓ E VISA JCB LX
Comida carta 2990 a 4100 - ☕ 2000 - **198 hab** 23000/28000, 7 suites.

Colón, av. de la Catedral 7, ✉ 08002, ☎ 301 14 04, Telex 52654, Fax 317 29 15 - 🛗 ▤ TV ☎ ♿ - 🏛 25/120. AE ⓓ E VISA JCB. ✗ rest MV
Comida 3300 - ☕ 1500 - **138 hab** 13750/20500, 9 suites - PA 6480.

Rivoli Rambla, La Rambla 128, ✉ 08002, ☎ 302 66 43, Telex 99222, Fax 317 50 53, - 🛗 ▤ TV ☎ ♿ - 🏛 25/180. AE ⓓ E VISA JCB. ✗ LX
Comida 3000 - ☕ 1900 - **81 hab** 20500/25900, 9 suites - PA 5800.

Royal sin rest, con cafetería, La Rambla 117, ✉ 08002, ☎ 301 94 00, Telex 9756 Fax 317 31 79 - 🛗 ▤ TV ☎ 🚗 - 🏛 25/100. AE ⓓ E VISA JCB LX
☕ 1500 - **107 hab** 12510/16000, 1 suite.

Ambassador, Pintor Fortuny 13, ✉ 08001, ☎ 412 05 30, Telex 99222, Fax 317 50 53, - 🛗 ▤ TV ☎ ♿ 🚗 - 🏛 25/200. AE ⓓ E VISA JCB. ✗ LX
Comida 3000 - ☕ 1600 - **96 hab** 18500/24000, 9 suites - PA 5800.

Almirante, Vía Laietana 42, ✉ 08003, ☎ 268 30 20, Fax 268 31 92 - 🛗 ▤ TV ☎ 🚗 🏛 25/40. AE ⓓ E VISA. ✗ MV
Comida 2500 - ☕ 1300 - **73 hab** 15000/20000, 3 suites - PA 6300.

Gravina sin rest, con cafetería, Gravina 12, ✉ 08001, ☎ 301 68 68, Telex 9937 Fax 317 28 38 - 🛗 ▤ TV ☎ - 🏛 25/50. AE ⓓ E VISA. ✗ HX
☕ 700 - **60 hab** 7900/12900.

Montecarlo sin rest, La Rambla 124, ✉ 08002, ☎ 412 04 04, Fax 318 73 23 - 🛗 ▤ TV ☎ ♿ 🚗. AE ⓓ E VISA. ✗ LX
☕ 900 - **80 hab** 8900/11300.

Reding, Gravina 5, ✉ 08001, ☎ 412 10 97, Fax 268 34 82 - 🛗 ▤ TV ☎ 🚗. AE ⓓ E VISA. ✗ rest HX
Comida 1900 - ☕ 1000 - **44 hab** 13400/16100.

Atlantis sin rest, Pelai 20, ✉ 08001, ☎ 318 90 12, Fax 412 09 14 - 🛗 ▤ TV ☎. AE ⓓ E VISA. ✗ HX
☕ 900 - **42 hab** 10400/13000.

Metropol sin rest, Ample 31, ✉ 08002, ☎ 315 40 11, Fax 319 12 76 - 🛗 ▤ TV ☎. AE ⓓ E VISA. ✗ NY
☕ 950 - **68 hab** 9500/10500.

Lleó sin rest, con cafetería, Pelai 22, ✉ 08001, ☎ 318 13 12, Telex 98338, Fax 412 26 5 - 🛗 ▤ TV ☎ ♿. AE ⓓ E VISA JCB HX
☕ 925 - **75 hab** 8500/10500.

Turín, Pintor Fortuny 9, ✉ 08001, ☎ 302 48 12, Fax 302 10 05 - 🛗 ▤ TV ☎ ♿. AE ⓓ E VISA. ✗ rest LX
Comida 1000 - ☕ 800 - **60 hab** 8500/12900 - PA 2700.

Ramblas H. sin rest, Rambles 33, ✉ 08002, ☎ 301 57 00, Fax 412 25 07 - 🛗 ▤ TV ☎ ♿ - 🏛 25. AE ⓓ E VISA. ✗ MY
☕ 975 - **70 hab** 11200/14700.

Rialto sin rest, con cafetería, Ferrán 42, ✉ 08002, ☎ 318 52 12, Telex 97206, Fax 315 38 1 - 🛗 ▤ TV ☎ - 🏛 25/50. AE ⓓ E VISA JCB MX
☕ 675 - **141 hab** 8400/11000.

Park H., av. Marqués de l'Argentera 11, ✉ 08003, ☎ 319 60 00, Telex 99883, Fax 319 45 1 - 🛗 ▤ TV ☎ ♿ 🚗. AE ⓓ E VISA JCB. ✗ NX
Comida 2500 - ☕ 950 - **87 hab** 7500/10500 - PA 4750.

San Agustín, pl. Sant Agustí 3, ✉ 08001, ☎ 318 17 08, Fax 317 29 28 - 🛗 ▤ TV ☎ ♿ AE E VISA LY
Comida 1200 - **77 hab** ☕ 5800/8900 - PA 2075.

Regencia Colón sin rest, Sagristans 13, ✉ 08002, ☎ 318 98 58, Telex 98175, Fax 317 28 2 - 🛗 ▤ TV ☎. AE ⓓ E VISA MV
☕ 1000 - **55 hab** 9200/13500.

Mesón Castilla sin rest, Valldoncella 5, ✉ 08001, ☎ 318 21 82, Fax 412 40 20 - 🛗 ▤ TV ☎ 🚗. AE ⓓ E VISA HX
☕ 650 - **56 hab** 6350/9250.

Moderno, Hospital 11, ✉ 08001, ☎ 301 41 54, Telex 98215, Fax 301 02 83 - 🛗 ▤ TV ☎ AE ⓓ E VISA JCB. ✗ LY
Comida *(cerrado lunes)* 1450 - ☕ 500 - **49 hab** 5000/8000.

Cortés, Santa Ana 25, ✉ 08002, ☎ 317 91 12, Telex 98215, Fax 302 78 70 - 🛗 ▤ rest TV ☎. AE ⓓ E VISA JCB. ✗ LV
Comida 1250 - ☕ 450 - **45 hab** 4000/6100.

Continental sin rest, Rambles 138-2°, ✉ 08002, ☎ 301 25 70, Fax 302 73 60 - 🛗 TV ☎ AE ⓓ E VISA JCB LV
35 hab ☕ 6150/8650.

XX **Agut d'Avignon,** Trinitat 3, ✉ 08002, ☎ 302 60 34, Fax 302 53 18 – ▤. AE ⓓ E VISA JCB. ✻ MY **n**
Comida carta 3585 a 5470.

XX **Neyras,** Juliá Portet 1, ✉ 08003, ☎ 302 46 47, Fax 302 46 47 – ▤. AE ⓓ E VISA. ✻
cerrado domingo, festivos y agosto – **Comida** carta 3200 a 5250. MV **b**

XX **Quo Vadis,** Carme 7, ✉ 08001, ☎ 302 40 72, Fax 301 04 35 – ▤. AE ⓓ E VISA JCB
cerrado domingo – **Comida** carta aprox. 5675. LX **k**

XX **La Bona Cuina,** Pietat, 12, ✉ 08002, ☎ 315 41 56, Fax 315 07 98 – ▤. AE ⓓ E VISA JCB
Comida carta 3625 a 6450. MX **e**

XX **Aitor,** Carbonell 5, ✉ 08003, ☎ 319 94 88, Cocina vasca – ▤. E VISA. ✻ KY **m**
cerrado domingo noche, lunes, Semana Santa, 15 agosto-15 septiembre y Navidades – **Comida** carta aprox. 4500.

XX **Brasserie Flo,** Junqueres 10, ✉ 08003, ☎ 319 31 02, Fax 268 23 95 – ▤. AE ⓓ E VISA
Comida carta 3500 a 4100. LV **a**

XX **Reial Club Marítim,** Moll d'Espanya, ✉ 08039, ☎ 221 71 43, Fax 221 44 12, ≤, 🏠 – ▤. E VISA NY **a**
Comida carta 3125 a 4525.

XX **Senyor Parellada,** Argentería 37, ✉ 08003, ☎ 310 50 94 – ▤. AE ⓓ E VISA JCB. ✻
cerrado domingo y festivos – **Comida** carta 2650 a 3850. NX **t**

XX **7 Portes,** passeig d'Isabel II - 14, ✉ 08003, ☎ 319 30 33, Fax 319 46 62 – ▤. AE ⓓ E VISA NX **s**
Comida carta 2450 a 4770.

X **La Cuineta,** Paradis, 4, ✉ 08002, ☎ 315 01 11, Fax 315 07 98, Rest. típico, « Instalado en una bodega del siglo XVII » – ▤. AE ⓓ E VISA JCB. ✻ MX **e**
Comida carta 3625 a 5650.

X **Can Ramonet,** Maquinista 17, ✉ 08003, ☎ 319 30 64, Fax 319 70 14, Pescados y mariscos – ▤. AE ⓓ E VISA JCB KY **e**
cerrado 6 agosto-7 septiembre – **Comida** carta 2800 a 5150.

X **Can Solé,** Sant Carles 4, ✉ 08003, ☎ 221 58 15, Pescados – ▤. AE E VISA KY **a**
cerrado sábado noche, domingo, 15 días febrero y 15 días agosto – **Comida** carta 4200 a 4575.

X **Ca la María,** Tallers 76 bis, ✉ 08001, ☎ 318 89 93 – ▤. AE ⓓ E VISA JCB HX **d**
cerrado domingo noche, lunes y agosto – **Comida** carta 2600 a 2925.

X **Can Culleretes,** Quintana 5, ✉ 08002, ☎ 317 64 85, Fax 317 64 85, Rest. típico – ▤. AE E VISA MY **c**
cerrado domingo noche, lunes y del 4 al 24 de julio – **Comida** carta 1925 a 3000.

X **Los Caracoles,** Escudellers 14, ✉ 08002, ☎ 302 31 85, Fax 302 07 43, Rest. típico, Decoración rústica regional – ▤. AE ⓓ E VISA JCB. ✻ MY **k**
Comida carta 2700 a 4100.

SUR DIAGONAL pl. de Catalunya, Gran Vía de Les Corts Catalanes, passeig de Gràcia, Balmes, Muntaner, Aragó

Rey Juan Carlos I ⊗, av. Diagonal 661, ✉ 08028, ☎ 448 08 08, Fax 448 06 07, ≤ ciudad, « Modernas instalaciones - parque con estanque y ⛱ », ₣₺, 🏠 – |‡| ▤ TV ☎ ♿ 🚗 P – 🏛 25/1000. AE ⓓ E VISA JCB. ✻ rest AT **z**
Chez Vous *(cerrado sábado mediodía y domingo)* **Comida** carta 4000 a 5350 - ***Café Polo :*** **Comida** carta 3500 a 4950 - ☕ 2100 - **375 hab** 27000/36000, 37 suites.

Arts ⊗, Marina 19, ✉ 08005, ☎ 221 10 00, Fax 221 10 70, ≤, ⛱ – |‡| ▤ TV ☎ ♿ 🚗 – 🏛 25/900. AE ⓓ E VISA JCB. ✻ DT **r**
Comida 3500 - ***Newport*** *(cerrado domingo y agosto, sólo cena)* **Comida** carta 5000 a 9000 - ☕ 2200 - **397 hab** 25000/30000, 58 suites.

Ritz, Gran Vía de les Corts Catalanes 668, ✉ 08010, ☎ 318 52 00, Telex 52739, Fax 318 01 48, 🏠 – |‡| ▤ TV ☎ – 🏛 25/350. AE ⓓ E VISA JCB. ✻ rest JV **p**
Comida carta 4650 a 6800 - ☕ 2300 - **148 hab** 32800/43000, 13 suites.

Princesa Sofía, pl. de Pius XII 4, ✉ 08028, ☎ 330 71 11, Telex 51032, Fax 330 76 21, ≤, ₣₺, ⛱ – |‡| ▤ TV ☎ 🚗 – 🏛 25/1200. AE ⓓ E VISA JCB. ✻ EX **x**
Comida 2950 - ***L'Empordá :*** **Comida** *(cerrado agosto)* carta 3850 a 6350 - ☕ 1800 - **481 hab** 17000/25000, 24 suites.

Claris ⊗, Pau Claris 150, ✉ 08009, ☎ 487 62 62, Fax 215 79 70, « Modernas instalaciones con antigüedades - museo arqueológico », ⛱ – |‡| ▤ TV ☎ 🚗 – 🏛 25/60. AE ⓓ E VISA JCB HV **w**
Comida 5000 - ***Caviar Caspio*** *(sólo cena, cerrado dom. y agosto)* **Comida** carta aprox. 5500 - ☕ 1900 - **106 hab** 23600/29500, 18 suites.

Barcelona Hilton, av. Diagonal 589, ✉ 08014, ☎ 419 22 33, Telex 99623, Fax 405 25 73, 🏠 – |‡| ▤ TV ☎ ♿ 🚗 – 🏛 25/800. AE ⓓ E VISA JCB FX **v**
Comida 2800 - ☕ 2000 - **285 hab** 23000/25500, 2 suites.

Meliá Barcelona, av. de Sarriá 50, ✉ 08029, ☎ 410 60 60, Telex 51638, Fax 321 51 79, ≤ – |‡| ▤ TV ☎ 🚗 – 🏛 25/500. AE ⓓ E VISA JCB. ✻ FV **n**
Comida 3500 - ☕ 1680 - **308 hab** 20000/26000, 4 suites.

G.H. Havana, Gran Vía de les Corts Catalanes 647, 08010, 412 11 15, Fax 412 26 1 - - 25/200. AE E VISA JCB. JV
Comida carta aprox. 4100 - 1500 - **141 hab** 19600/24500, 4 suites.

Fira Palace, av. Rius i Taulet 1, 08004, 426 22 23, Telex 97588, Fax 424 86 79, - - 25/1300. AE E VISA JCB. CT
L'Aria *(cocina italiana, cerrado agosto)* - ***Ell Mall :*** **Comida** carta 2850 a 3400 - 115 - **260 hab** 16260/20330, 16 suites.

Barcelona Plaza H., pl. d'Espanya 6, 08014, 426 26 00, Fax 426 04 00, - - 25/600. AE E VISA JCB. GY
Gourmet Plaza : **Comida** carta aprox. 4050 - 1250 - **338 hab** 17500/21500, 9 suites

Majestic, passeig de Gràcia 70, 08008, 488 17 17, Telex 52211, Fax 488 18 80, - - 25/600. AE E VISA. HV
Comida 2100 - 1500 - **328 hab** 14000/16000, 1 suite.

Diplomatic y Rest. La Salsa, Pau Claris 122, 08009, 488 02 00, Telex 54701 Fax 488 12 22, - - 25/250. AE E VISA JCB. HV
Comida carta 2800 a 4200 - 1300 - **210 hab** 16000/20000, 7 suites.

NH Calderón, Rambla de Catalunya 26, 08007, 301 00 00, Telex 99529, Fax 317 31 57, - - 25/200. AE E VISA. rest HX
Comida carta aprox. 4500 - 1600 - **245 hab** 18500/23100, 17 suites.

Barcelona Sants, pl. dels Països Catalans (estació Barcelona Sants), 08014 490 95 95, Telex 97568, Fax 490 60 45, - - 25/1500. AE E VISA JCB. rest FY
Comida 3500 - 1550 - **364 hab** 18000/22000, 13 suites - PA 8550.

G.H. Catalonia, Balmes 142, 08008, 415 90 90, Telex 97532, Fax 415 22 09 - - 50/260. AE E VISA JCB. HV
Comida 2400 - 1500 - **82 hab** 14190, 2 suites.

Condes de Barcelona y Anexo, passeig de Gràcia 75, 08008, 484 86 00 Telex 51531, Fax 488 06 14, - - 25/180. AE E VISA JCB. rest HV
Comida 4400 - 1700 - **180 hab** 23000/29000, 2 suites - PA 10100.

L'Illa sin rest, av. Diagonal 555, 08029, 410 33 00, Fax 410 88 92 - - 25/100. AE E VISA. FX
1250 - **97 hab** 17600/22000, 6 suites.

Gallery H., Roselló 249, 08008, 415 99 11, Telex 97518, Fax 415 91 84, - - 25/200. AE E VISA. HV
Comida 2550 - 1350 - **110 hab** 18300/22900, 5 suites.

Sol Apolo sin rest, av. del Paral·lel 57, 08011, 443 11 22, Fax 443 00 59 - - 25/500. AE E VISA LY
850 - **303 hab** 11200/14000.

St. Moritz, Diputació 262 bis, 08007, 412 15 00, Telex 97340, Fax 412 12 36 - - 25/140. AE E VISA JCB JV
Comida 2100 - 1600 - **92 hab** 14000/17000.

Gran Derby sin rest, Loreto 28, 08029, 322 20 62, Telex 97429, Fax 419 68 20 - - 25/100. AE E VISA JCB GX
1250 - **31 hab** 15000/16500, 12 suites.

Balmes, Mallorca 216, 08008, 451 19 14, Fax 451 00 49, « Terraza con » - - 25/70. AE E VISA JCB. rest HV
Comida *(cerrado sábado y domingo)* 1500 - 1100 - **92 hab** 12000/16000, 8 suites - PA 4100.

City Park H., Nicaragua 47, 08029, 419 95 00, Fax 419 71 63 - - 25/40. AE E VISA. rest FX
Comida 1800 - 1000 - **80 hab** 13050/18450 - PA 4500.

NH Podium, Bailén 4, 08010, 265 02 02, Telex 97007, Fax 265 05 06, - - 25/240. AE E VISA. JV
Comida 3000 - 1400 - **140 hab** 14050/19500, 5 suites.

Derby sin rest con cafeteria, Loreto 21, 08029, 322 32 15, Telex 97429, Fax 410 08 62 - - 25/100. AE E VISA JCB FX
1250 - **107 hab** 14750/16500, 4 suites.

Alexandra, Mallorca 251, 08008, 487 05 05, Telex 81107, Fax 488 02 58 - - 25/100. AE E VISA. HV
Comida 3700 - 1600 - **73 hab** 20300/25300, 2 suites - PA 8500.

Astoria sin rest, París 203, 08036, 209 83 11, Telex 81129, Fax 202 30 08 - - 25/30. AE E VISA JCB HV
975 - **114 hab** 13500/15400, 3 suites.

NH Master, Valencia 105, 08011, 323 62 15, Telex 81258, Fax 323 43 89 - - 25/170. AE E VISA. rest HX
Comida 2400 - 1100 - **80 hab** 11880/16500, 1 suite - PA 6200.

Cristal, Diputació 257, 08007, 487 87 78, Telex 54560, Fax 487 90 30 - - 25/70. AE E VISA JCB. HX
Comida 1300 - 1025 - **148 hab** 11550/16800 - PA 3625.

NH Numancia, Numancia 74, ✉ 08029, ✆ 322 44 51, Fax 410 76 42 – |♦| ▤ TV ☎ 🚗 – 🏛 25/70. AE ⊕ E VISA JCB. ✱ FX **f**
Comida 1800 – ☕ 1000 – **140 hab** 11880/16500 – PA 4500.

Sant'Angelo sin rest, Consell de Cent 74, ✉ 08015, ✆ 423 46 47, Fax 423 88 40 – |♦| ▤ TV ☎ ♿ 🚗 – 🏛 25. AE ⊕ E VISA. ✱ GY **f**
☕ 1100 – **50 hab** 11880/14850.

Grand Passage Suites H., Muntaner 212, ✉ 08036, ✆ 201 03 06, Telex 98311, Fax 201 00 04 – |♦| ▤ TV ☎ – 🏛 25/80. AE ⊕ E VISA. ✱ GV **n**
Comida 2500 – ☕ 1200 – **40 suites** 14000/16000 – PA 4800.

Núñez Urgel sin rest, Comte d'Urgell 232, ✉ 08036, ✆ 322 41 53, Fax 419 01 06 – |♦| ▤ TV ☎ 🚗 – 🏛 25/100. AE ⊕ E VISA JCB GX **a**
☕ 1100 – **120 hab** 8000/10900, 2 suites.

Expo H., Mallorca 1, ✉ 08014, ✆ 325 12 12, Telex 54147, Fax 325 11 44, 🏊 – |♦| ▤ TV ☎ 🚗 – 🏛 25/900. AE ⊕ E VISA JCB. ✱ GY **m**
Comida 1700 – ☕ 900 – **435 hab** 10175/12720 – PA 4300.

Duques de Bergara, Bergara 11, ✉ 08002, ✆ 301 51 51, Fax 317 34 42 – |♦| ▤ TV ☎ – 🏛 25/80. AE ⊕ E VISA JCB. ✱ LV **f**
Comida 1800 – ☕ 1200 – **51 hab** 14190.

Caledonian sin rest, Gran Vía de les Corts Catalanes 574, ✉ 08011, ✆ 453 02 00, Fax 451 77 03 – |♦| ▤ TV ☎ ♿ 🚗. AE ⊕ E VISA JCB HX **w**
44 hab ☕ 8000/12000.

Roma, av. de Roma 31, ✉ 08029, ✆ 410 66 33, Telex 98718, Fax 410 13 52, 🌴 – |♦| ▤ TV ☎ – 🏛 25/60. AE ⊕ E VISA JCB. ✱ GX **r**
Comida (sólo cena) carta aprox. 2400 – ☕ 950 – **49 hab** 9790.

Abbot sin rest, av. de Roma 23, ✉ 08029, ✆ 430 04 05, Fax 419 57 41 – |♦| ▤ TV ☎ 🚗 – 🏛 25/100. AE ⊕ E VISA. ✱ GXY **e**
☕ 1000 – **42 hab** 9950/12750.

NH Forum, Ecuador 20, ✉ 08029, ✆ 419 36 36, Fax 419 89 10 – |♦| ▤ TV ☎ 🚗 – 🏛 25/50. AE ⊕ E VISA. ✱ rest FX **t**
Comida *(cerrado domingo)* 1475 – ☕ 1000 – **47 hab** 10500/16500, 1 suite.

NH Rallye, Travessera de les Corts 150, ✉ 08028, ✆ 339 90 50, Fax 411 07 90, 🏊 – |♦| ▤ TV ☎ 🚗 – 🏛 25/200. AE ⊕ VISA. ✱ EY **b**
Comida 1750 – ☕ 1100 – **106 hab** 11000/16500 – PA 4500.

Alfa Aeropuerto y Rest. Gran Mercat, Zona Franca - calle K (entrada principal Mercabarna), ✉ 08040, ✆ 336 25 64, Telex 80820, Fax 335 55 92, 🏊 – |♦| ▤ TV ☎ P – 🏛 25/80. AE ⊕ E VISA. ✱ rest por Pas. de la Zona Franca BT
Comida carta 3200 a 4900 – ☕ 975 – **98 hab** 12400/15500, 1 suite.

NH Les Corts, Travessera de les Corts 292, ✉ 08029, ✆ 322 08 11, Fax 322 09 08 – |♦| ▤ TV ☎ 🚗 – 🏛 25/80. AE ⊕ E VISA. ✱ rest FX **u**
Comida 2000 – ☕ 1100 – **80 hab** 11880/16500, 1 suite – PA 5000.

Europark sin rest, Aragó 325, ✉ 08009, ✆ 457 92 05, Fax 458 99 61 – |♦| ▤ TV ☎. AE ⊕ E VISA JV **t**
☕ 1000 – **66 hab** 7000/8000.

Regina sin rest, con cafetería, Bergara 2, ✉ 08002, ✆ 301 32 32, Telex 59380, Fax 318 23 26 – |♦| ▤ TV ☎. AE ⊕ E VISA JCB. ✱ LV **r**
☕ 975 – **102 hab** 10300/15300.

Aparthotel Accés sin rest, Gran Vía de les Corts Catalanes 327, ✉ 08014, ✆ 425 51 61, Fax 426 80 64 – |♦| ▤ TV ☎ 🚗 – 🏛 25. AE ⊕ VISA. ✱ GY **t**
☕ 800 – **22 apartamentos** 14000/16000.

Catalunya Plaza sin rest, pl. Catalunya 7, ✉ 08002, ✆ 317 71 71, Fax 317 78 55 – |♦| ▤ TV ☎ ♿ – 🏛 25. AE ⊕ E VISA. ✱ LV **g**
☕ 975 – **46 hab** 10500/14000.

Century Park, València 154, ✉ 08011, ✆ 453 44 00, Fax 453 26 26 – |♦| ▤ TV ☎. AE E VISA. ✱ HX **f**
Comida 1850 – ☕ 950 – **47 hab** 8000/11200 – PA 3950.

Paral.lel sin rest, Poeta Cabanyes 7, ✉ 08004, ✆ 329 11 04, Fax 442 16 56 – |♦| ▤ TV ☎. AE ⊕ E VISA HY **b**
☕ 600 – **64 hab** 4200/6600, 2 suites.

Onix sin rest, Llansà 30, ✉ 08015, ✆ 426 00 87, Fax 426 19 81, 🏊 – |♦| ▤ TV ☎ 🚗 – 🏛 25/150. AE ⊕ VISA. ✱ GY **n**
☕ 950 – **80 hab** 8000/10000.

Taber sin rest, Aragó 256, ✉ 08007, ✆ 487 38 87, Fax 488 13 50 – |♦| ▤ TV ☎ – 🏛 25/40. AE ⊕ E VISA. ✱ HX **g**
☕ 600 – **91 hab** 9000/11500.

L'Alguer sin rest, Passatge Pere Rodriguez 20, ✉ 08028, ✆ 334 60 50, Fax 333 83 65 – |♦| ▤ TV ☎. AE ⊕ E VISA. ✱ – ☕ 500 – **33 hab** 5500/6700. EY **a**

XXXXX **Beltxenea,** Mallorca 275, ✉ 08008, ✆ 215 30 24, Fax 487 00 81, 🌴, « Terraza-jardín » – ▤. AE ⊕ E VISA. ✱ HV **h**
cerrado sábado mediodía, domingo, festivos, Semana Santa, 15 días en agosto y Navidades – **Comida** carta aprox. 6500.

XXXX ✿ **La Dama,** av. Diagonal 423, ✉ 08036, ℘ 202 06 86, Fax 200 72 99 – ▤. AE ⊙ E VISA. ✕ HV **a**
Comida carta 4550 a 6375
Espec. Ensalada de judías verdes y mariscos, Filetes de lenguado con gambas al perfume de estragón, Carro de pastelería.

XXXX **Finisterre,** av. Diagonal 469, ✉ 08036, ℘ 439 55 76, Fax 439 99 41 – ▤. AE ⊙ E VISA. ✕ GV **e**
Comida carta 5350 a 6950.

XXX **Oliver y Hardy,** av. Diagonal 593, ✉ 08014, ℘ 419 31 81, Fax 419 18 99, ☂ – ▤. AE ⊙ VISA. ✕ FX **n**
cerrado sábado mediodía y domingo – **Comida** carta 3950 a 5300.

XXX ✿ **Jaume de Provença,** Provença 88, ✉ 08029, ℘ 430 00 29, Fax 439 29 50 – ▤. AE ⊙ E VISA JCB. ✕ GX **h**
cerrado domingo noche, lunes, Semana Santa y agosto – **Comida** carta 4700 a 6600
Espec. Panellets de foie-gras con piñones, Romescada de bacalao con bogavante, Conejo con caracoles catalana.

XXX **Talaia Mar,** Marina 16, ✉ 08005, ℘ 221 90 90, Fax 221 89 89 – ▤ 🚗. AE ⊙ E VISA. ✕ DT **t**
Comida carta 3900 a 4850.

XXX **Bel Air,** Córsega 286, ✉ 08008, ℘ 237 75 88, Fax 237 95 26, Arroces – ▤. AE ⊙ E VISA JCB. ✕ HV **b**
cerrado domingo – **Comida** carta aprox. 4750.

XXX **El Tragaluz,** passatge de la Concepció 5 - 1°, ✉ 08008, ℘ 487 01 96, Fax 217 01 19, « Decoración original con techo acristalado » – ▤. AE ⊙ E VISA JCB HV **u**
cerrado domingo – **Comida** carta 4075 a 5875.

XXX **Tikal,** Rambla de Catalunya 5, ✉ 08007, ℘ 302 22 21 – ▤. AE ⊙ E VISA JCB. ✕ LV **e**
cerrado sábado medidodía, domingo, festivos y agosto – **Comida** carta aprox. 3500.

XX **Koxkera,** Marqués de Sentmenat 67, ✉ 08029, ℘ 322 35 56, Pescados y mariscos – ▤. AE ⊙ E VISA JCB. ✕ FX **a**
cerrado lunes – **Comida** carta 3300 a 4300.

XX **Gargantua i Pantagruel,** Aragó 214, ✉ 08011, ℘ 453 20 20, Fax 451 39 08, Cocina ilerdense – ▤. AE ⊙ E VISA HX **x**
cerrado domingo y Semana Santa – **Comida** carta 3100 a 4500.

XX **El Asador de Aranda,** Londres 94, ✉ 08036, ℘ 414 67 90, Cordero asado – ▤. AE ⊙ E VISA. ✕ GV **n**
cerrado domingo noche y agosto – **Comida** carta aprox. 4100.

XX **Maitetxu,** Balmes 55, ✉ 08007, ℘ 323 59 65, Cocina vasco-navarra – ▤. AE ⊙ E VISA. ✕ HX **h**
cerrado sábado mediodía, domingo, festivos y agosto – **Comida** carta 3150 a 4850.

XX **Els Pescadors,** pl. Prim 1, ✉ 08005, ℘ 309 20 18, Fax 485 40 42, ☂, Pescados y mariscos – ▤. AE ⊙ E VISA DT **e**
cerrado Semana Santa, Navidad y fin de año – **Comida** carta 3100 a 5325.

XX **Rías de Galicia,** Lleida 7, ✉ 08004, ℘ 424 81 52, Fax 426 13 07, Pescados y mariscos – ▤. AE ⊙ E VISA JCB. ✕ HY **e**
Comida carta aprox. 5500.

XX **Sí, Senyor,** Mallorca 199, ✉ 08036, ℘ 453 21 49, Fax 451 10 02 – ▤. AE ⊙ E VISA HX **b**
cerrado domingo – **Comida** carta 3100 a 4500.

XX **Satélite,** av. de Sarriá 10, ✉ 08029, ℘ 321 34 31, Fax 419 63 89 – ▤. AE E VISA GX **d**
cerrado sábado (en verano) y domingo noche – **Comida** carta 3600 a 5200.

XX **Vinya Rosa - Magí,** av. de Sarriá 17, ✉ 08029, ℘ 430 00 03, Fax 430 00 41 – ▤. AE ⊙ E VISA GX **y**
cerrado sábado mediodía y domingo – **Comida** carta aprox. 4840.

XX **Gorría,** Diputació 421, ✉ 08013, ℘ 245 11 64, Fax 232 78 57, Cocina vasco-navarra – ▤. AE ⊙ E VISA JCB. ✕ JU **a**
cerrado domingo, festivos noche y agosto – **Comida** carta 4275 a 5100.

XX **La Sopeta,** Muntaner 6, ✉ 08011, ℘ 323 56 32, Fax 454 37 01 – ▤. AE ⊙ VISA. ✕ HX **s**
cerrado domingo y agosto – **Comida** carta aprox. 3800.

XX **Lagunak,** Berlín 19, ✉ 08014, ℘ 490 59 11, Cocina vasco-navarra – ▤. AE ⊙ E VISA. ✕ FX **d**
cerrado sábado mediodía, domingo y agosto – **Comida** carta 3450 a 5500.

XX **Ca l'Isidre,** Les Flors 12, ✉ 08001, ℘ 441 11 39, Fax 442 52 71 – ▤. AE E VISA JCB LY **b**
cerrado domingo, festivos y agosto – **Comida** carta 4200 a 7100.

XX **Can Fayos,** Loreto 22, ✉ 08029, ℘ 439 30 22 – ▤. AE ⊙ E VISA. ✕ GX **g**
cerrado sábado y domingo – **Comida** carta 2850 a 4100.

XX **Muffins,** València 210, ✉ 08011, ℘ 454 02 21 – ▤. AE E VISA. ✕ HX **e**
cerrado sábado mediodía, domingo, festivos y agosto – **Comida** carta aprox. 3800.

XX **Sibarit,** Aribau 65, ✉ 08011, ℘ 453 93 03 – ▤. AE ⊙ E VISA. ✕ HX **u**
cerrado sábado mediodía, domingo, festivos, Semana Santa y 2ª quincena de agosto – **Comida** carta aprox. 5500.

XX **Tramonti 1980,** av. Diagonal 501, ✉ 08029, ℘ 410 15 35, Fax 405 04 03, Cocina italiana – ▤. AE ⓓ E VISA. 🐕 FV **s**
Comida carta aprox. 4300.

XX **Font del Gat,** passeig Santa Madrona, Montjuic, ✉ 08004, ℘ 424 02 24, 🏠, Decoración regional – Ⓟ. AE ⓓ E VISA. 🐕 CT **x**
cerrado lunes salvo festivos y vísperas – **Comida** carta aprox. 4500.

XX **Petit París,** París 196, ✉ 08036, ℘ 218 26 78 – ▤. AE ⓓ E VISA JCB. 🐕 HV **k**
Comida carta 3300 a 4125.

XX **Casa Darío,** Consell de Cent 256, ✉ 08011, ℘ 453 31 35, Fax 451 33 95 – ▤. AE ⓓ E VISA JCB. 🐕 HX **p**
cerrado domingo y del 1 al 30 de agosto – **Comida** carta 4250 a 5600.

XX **Adriana Farreras,** Tamarit 98, ✉ 08015, ℘ 424 33 15 – ▤. AE ⓓ E VISA HY **d**
cerrado sábado mediodía, domingo, Semana Santa y 15 días en agosto – **Comida** carta 3550 a 4650.

XX **Solera Gallega,** París 176, ✉ 08036, ℘ 322 91 40, Fax 322 91 40, Pescados y mariscos – ▤. AE ⓓ E VISA JCB. 🐕 GHV **p**
cerrado lunes y 15 agosto-15 septiembre – **Comida** carta 3900 a 5600.

XX **El Túnel del Port,** moll de Gregalt (port olímpic), ✉ 08005, ℘ 221 03 21, Fax 221 35 86, ←, 🏠 – ▤. AE E VISA. 🐕 DT **a**
cerrado domingo noche y lunes – **Comida** carta 3150 a 4200.

X **El Celler de Casa Jordi,** Rita Bonnat 3, ✉ 08029, ℘ 430 10 45 – ▤. AE ⓓ E VISA JCB. 🐕
cerrado domingo y agosto – **Comida** carta 2400 a 3900. GX **s**

X **Rosamar,** Sepúlveda 159, ✉ 08011, ℘ 453 31 92 – ▤. AE ⓓ E VISA HX **q**
cerrado domingo noche, lunes, Semana Santa y agosto – **Comida** carta 2650 a 3900.

X **El Pescador,** Mallorca 314, ✉ 08037, ℘ 207 10 24, Pescados y mariscos – ▤. AE ⓓ E VISA. 🐕 JV **a**
cerrado domingo noche – **Comida** carta 2500 a 4800.

X **Dolceta 2,** Comte D'urgell 266, ✉ 08036, ℘ 321 83 51, Carnes a la brasa – ▤. AE ⓓ E VISA JCB. 🐕 GV **m**
cerrado domingo y agosto – **Comida** carta 2895 a 4050.

X **Elche,** Vila i Vilá 71, ✉ 08004, ℘ 329 68 46, Fax 329 40 12, Arroces – ▤. AE ⓓ E VISA
cerrado domingo noche – **Comida** carta 2400 a 3200. JY **a**

X **Asador Izarra,** Sicilia 135, ✉ 08013, ℘ 245 21 03 – ▤. AE ⓓ E VISA. 🐕 JV **s**
cerrado domingo, Semana Santa y del 1 al 23 de agosto – **Comida** carta aprox. 4500.

X **Chicoa,** Aribau 71, ✉ 08036, ℘ 453 11 23 – ▤. AE E VISA HX **m**
cerrado domingo y festivos – **Comida** carta aprox. 3800.

X **La Manduca,** Girona 59, ✉ 08009, ℘ 487 99 89 – ▤. E VISA. 🐕 JV **c**
cerrado festivos de septiembre-abril, sábado y domingo resto del año, Semana Santa y del 1 al 21 de agosto – **Comida** carta aprox. 3500.

X **Casa Toni,** Sepúlveda 62, ✉ 08015, ℘ 424 00 68 – ▤. AE E VISA. 🐕 HY **f**
cerrado domingo noche – **Comida** carta 2150 a 3700.

X **Cal Sardineta,** Casp 35, ✉ 08010, ℘ 302 68 44 – ▤. AE ⓓ E VISA. 🐕 JV **r**
cerrado domingo y festivos – **Comida** carta aprox. 3800.

X **Da Paolo,** av. de Madrid 63, ✉ 08028, ℘ 490 48 91, Fax 411 25 90, Cocina italiana – ▤. AE ⓓ E VISA. 🐕 EY **f**
cerrado domingo noche y 15 días en agosto – **Comida** carta 2800 a 3800.

X **Els Perols de l'Empordá,** Villarroel 88, ✉ 08011, ℘ 323 10 33, Cocina ampurdanesa – ▤. AE ⓓ E VISA. 🐕 HX **v**
cerrado domingo noche, lunes y agosto – **Comida** carta 1675 a 2200.

X **Da Peppo,** av. de Sarriá 19, ✉ 08029, ℘ 322 51 55, Cocina italiana – ▤. AE ⓓ E VISA
cerrado martes y agosto – **Comida** carta 1800 a 2800. GX **y**

X **Azpiolea,** Casanova 167, ✉ 08036, ℘ 430 90 30, Cocina vasca – ▤. AE ⓓ E VISA. 🐕
cerrado domingo y agosto – **Comida** carta 3475 a 4850. GV **q**

X **La Lubina,** Viladomat 257, ✉ 08029, ℘ 430 03 33, Pescados y mariscos – ▤. AE ⓓ E VISA JCB GX **c**
cerrado domingo y agosto – **Comida** carta 3050 a 4800.

X **Carles Grill,** Comte d'Urgell 280, ✉ 08036, ℘ 410 43 00, Carne de buey – ▤. AE ⓓ E VISA. 🐕 GV **m**
cerrado domingo y agosto – **Comida** carta 1435 a 2850.

X **Marisqueiro Panduriño,** Floridablanca 3, ✉ 08015, ℘ 325 70 16, Fax 426 13 07, Pescados y mariscos – ▤. AE ⓓ E VISA JCB. 🐕 HY **c**
cerrado martes y agosto – **Comida** carta aprox. 4500.

X **Cañota,** Lleida 7, ✉ 08004, ℘ 325 91 71, Fax 426 13 07, Carnes a la brasa – ▤. AE ⓓ E VISA JCB. 🐕 – **Comida** carta aprox. 2500. HY **e**

X **Pá i Trago,** Parlament 41, ✉ 08015, ℘ 441 13 20, Fax 441 13 20, Rest. típico – ▤. ⓓ E VISA
cerrado lunes – **Comida** carta 2500 a 3700. HY **a**

X **La Brochette,** Balmes 122, ✉ 08008, ℘ 215 89 44 – ▤. VISA. 🐕 HV **t**
cerrado domingo y agosto – **Comida** carta 2050 a 2915.

NORTE DIAGONAL vía Augusta, Capità Arenas, ronda General Mitre, passeig de la Bonanova, av. de Pedralbes

Tryp Presidente, av. Diagonal 570, ⊠ 08021, ℰ 200 21 11, Fax 209 51 06 – |☆| ≣ 📺 ☎ – 🔬 25/420. 🖭 ⓞ Ε 𝖵𝖨𝖲𝖠 𝖩𝖢𝖡. ⋘
GV **u**
Comida 1950 – ⚏ 1350 – **152 hab** 14500/18500.

Hesperia sin rest, con cafetería, Vergós 20, ⊠ 08017, ℰ 204 55 51, Telex 98403, Fax 204 43 92 – |☆| ≣ 📺 ☎ ⇦ – 🔬 25/150. 🖭 ⓞ Ε 𝖵𝖨𝖲𝖠
EU **c**
⚏ 1250 – **139 hab** 15900/16900.

Suite H., Muntaner 505, ⊠ 08022, ℰ 212 80 12, Telex 99077, Fax 211 23 17 – |☆| ≣ 📺 ☎ ⇦ – 🔬 25/90. 🖭 ⓞ Ε 𝖵𝖨𝖲𝖠 𝖩𝖢𝖡. ⋘
FU **a**
Comida 3500 – ⚏ 1200 – **77 suites** 11990.

Balmoral sin rest, vía Augusta 5, ⊠ 08006, ℰ 217 87 00, Telex 54087, Fax 415 14 21 – |☆| ≣ 📺 ☎ ⇦ – 🔬 25/250. 🖭 ⓞ Ε 𝖵𝖨𝖲𝖠 𝖩𝖢𝖡. ⋘
HV **n**
⚏ 1050 – **94 hab** 13900/16000.

NH Cóndor, vía Augusta 127, ⊠ 08006, ℰ 209 45 11, Telex 52925, Fax 202 27 13 – |☆| ≣ 📺 ☎ – 🔬 25/50. 🖭 ⓞ Ε 𝖵𝖨𝖲𝖠 𝖩𝖢𝖡. ⋘
GU **z**
Comida carta 2600 a 3200 – ⚏ 1000 – **78 hab** 11880/16500, 12 suites.

Arenas sin rest, con cafetería, Capità Arenas 20, ⊠ 08034, ℰ 280 03 03, Fax 280 33 92 – |☆| ≣ 📺 ☎ – 🔬 25/50. 🖭 ⓞ Ε 𝖵𝖨𝖲𝖠
EX **r**
⚏ 1000 – **58 hab** 12000/15000, 1 suite.

Victoria, av. de Pedralbes 16 bis, ⊠ 08034, ℰ 280 15 15, Telex 98302, Fax 280 52 67, ☞, 🗲 – |☆| ≣ 📺 ☎ ⇦. 🖭 ⓞ Ε 𝖵𝖨𝖲𝖠. ⋘ rest
EX **z**
Comida 1375 – ⚏ 1350 – **74 apartamentos** 12500/15625.

Park Putxet, Putxet 68, ⊠ 08023, ℰ 212 51 58, Telex 98718, Fax 418 58 17 – |☆| ≣ 📺 ☎ ⇦ – 🔬 25/200. 🖭 ⓞ Ε 𝖵𝖨𝖲𝖠 𝖩𝖢𝖡. ⋘
GU **a**
Comida 1500 – ⚏ 950 – **141 hab** 7590.

NH Belagua, vía Augusta 89, ⊠ 08006, ℰ 237 39 40, Telex 99643, Fax 415 30 62 – |☆| ≣ 📺 ☎ – 🔬 25 /90. 🖭 ⓞ Ε 𝖵𝖨𝖲𝖠
GU **s**
Comida 1800 – ⚏ 1000 – **72 hab** 12600/15750.

Atenas, av. Meridiana 151, ⊠ 08026, ℰ 232 20 11, Telex 98718, Fax 232 09 10, 🗲 – |☆| ≣ 📺 ☎ ⇦ – 🔬 25/200. 🖭 ⓞ Ε 𝖵𝖨𝖲𝖠 𝖩𝖢𝖡. ⋘
CS **z**
Comida 1500 – ⚏ 950 – **166 hab** 7590.

Mitre sin rest, Bertrán 9, ⊠ 08023, ℰ 212 11 04, Fax 418 94 81 – |☆| ≣ 📺 ☎. 🖭 ⓞ Ε 𝖵𝖨𝖲𝖠
FU **t**
⚏ 725 – **57 hab** 9600/12000.

Condado sin rest, Aribau 201, ⊠ 08021, ℰ 200 23 11, Fax 200 25 86 – |☆| ≣ 📺 ☎. 🖭 ⓞ Ε 𝖵𝖨𝖲𝖠
GV **g**
⚏ 1000 – **88 hab** 10440/11600.

NH Pedralbes sin rest, con cafetería por la noche, Fontcuberta 4, ⊠ 08034, ℰ 203 71 12, Fax 205 70 65 – |☆| ≣ 📺 ☎ – 🔬 25. 🖭 ⓞ Ε 𝖵𝖨𝖲𝖠. ⋘
EV **b**
⚏ 1100 – **30 hab** 11880/16500.

Covadonga sin rest, av. Diagonal 596, ⊠ 08021, ℰ 209 55 11, Fax 209 58 33 – |☆| ≣ 📺 ☎. 🖭 ⓞ Ε 𝖵𝖨𝖲𝖠 𝖩𝖢𝖡. ⋘
GV **v**
⚏ 600 – **85 hab** 9800/12500.

Aragón, Aragó 569 bis, ⊠ 08026, ℰ 245 89 05, Telex 98718, Fax 447 09 23 – |☆| ≣ 📺 ☎ ⇦ – 🔬 25/60. 🖭 ⓞ Ε 𝖵𝖨𝖲𝖠 𝖩𝖢𝖡. ⋘
KU **e**
Comida 1200 – ⚏ 950 – **115 hab** 7150.

Wilson sin rest, av. Diagonal 568, ⊠ 08021, ℰ 209 25 11, Fax 200 83 70 – |☆| ≣ 📺 ☎. 🖭 ⓞ Ε 𝖵𝖨𝖲𝖠 𝖩𝖢𝖡
GV **a**
⚏ 725 – **47 hab** 9600/12000, 5 suites.

Mikado, passeig de la Bonanova 58, ⊠ 08017, ℰ 211 41 66, Fax 211 42 10, ☞ – |☆| ≣ 📺 ☎ ⇦. 🖭 ⓞ Ε 𝖵𝖨𝖲𝖠 𝖩𝖢𝖡. ⋘
EU **s**
Comida 1500 – ⚏ 950 – **66 hab** 9350.

Albéniz sin rest, Aragó 591, ⊠ 08026, ℰ 265 26 26, Fax 265 40 07 – |☆| ≣ 📺 ☎ – 🔬 25/50. 🖭 ⓞ Ε 𝖵𝖨𝖲𝖠 𝖩𝖢𝖡. ⋘
CS **e**
⚏ 950 – **47 hab** 7150.

Rubens sin rest, passeig de la Mare de Déu del Coll 10, ⊠ 08023, ℰ 219 12 04, Telex 98718, Fax 219 12 69 – |☆| ≣ 📺 ☎ – 🔬 25/100. 🖭 ⓞ Ε 𝖵𝖨𝖲𝖠 𝖩𝖢𝖡. ⋘
BS **y**
Comida 1600 – ⚏ 950 – **141 hab** 7150.

Rekor'd sin rest, Muntaner 352, ⊠ 08021, ℰ 200 19 53, Fax 414 50 84 – |☆| ≣ 📺 ☎. 🖭 ⓞ Ε 𝖵𝖨𝖲𝖠. ⋘
GU **a**
⚏ 1000 – **15 suites** 12600/15750.

Castellnou, Castellnou 61, ⊠ 08017, ℰ 203 05 50, Telex 98718, Fax 205 60 14 – |☆| ≣ 📺 ☎. 🖭 ⓞ Ε 𝖵𝖨𝖲𝖠 𝖩𝖢𝖡. ⋘
EV **a**
Comida 1600 – ⚏ 950 – **52 hab** 7150.

Travesera sin rest y sin ⚏, Travessera de Dalt 121, ⊠ 08024, ℰ 213 24 54 – |☆|. 🖭 ⓞ 𝖵𝖨𝖲𝖠. ⋘
CS **u**
17 hab 5200.

XXXX ✪ **Via Veneto,** Ganduxer 10, ✉ 08021, ☎ 200 72 44, Fax 201 60 95, « Estilo belle époque » – ▤. AE ◑ E VISA JCB. ✈ FV e
cerrado sábado mediodía, domingo y del 1 al 20 de agosto – **Comida** carta 4880 a 6080
Espec. Ensalada tibia de cigalas al aceite de albahaca, Muslo de pularda relleno de hígado de pato con puré de apio, Muselina de café con sorbete de cacao.

XXXX **Reno,** Tuset 27, ✉ 08006, ☎ 200 91 29, Fax 414 41 14 – ▤. AE ◑ E VISA JCB. ✈
cerrado sábado – **Comida** carta 5300 a 7000. GV r

XXXX ✪ **Neichel,** Beltran i Rózpide 16 bis, ✉ 08034, ☎ 203 84 08, Fax 205 63 69 – ▤. AE ◑ E VISA EX z
cerrado sábado mediodía, domingo, Semana Santa, agosto y Navidades – **Comida** carta 5300 a 6750
Espec. Gambas de Palamós y tallarines caldosos a la marinera. Lluerna y espardenyes asadas con especias, Tournedos de corderito con olivada y puerros crujientes.

XXX ✪ **Jean Luc Figueras,** Santa Teresa 10, ✉ 08012, ☎ 415 28 77, Fax 415 28 77, Decoración elegante – ▤. AE E VISA HV z
cerrado sábado mediodía, domingo y del 10 al 25 de agosto – **Comida** carta 4500 a 6850
Espec. Cigalas con garrapiñado de mollejas, Pechuga de pichón a la sangre, Crujiente de canela y coco, sabayón de ron viejo.

XXX ✪ **Botafumeiro,** Gran de Gràcia 81, ✉ 08012, ☎ 218 42 30, Fax 415 58 48, Pescados y mariscos – ▤. AE ◑ E VISA JCB. ✈ HU v
Comida carta 4800 a 6400
Espec. Cigalas al estilo del Ferrol, Besugo en piezas a nuestra manera, Lubina a la sidra.

XXX ✪ **Eldorado Petit,** Dolors Monserdá 51, ✉ 08017, ☎ 204 51 53, Fax 280 57 02, ☂ – ▤. AE ◑ E VISA JCB. ✈ EU y
cerrado domingo – **Comida** carta 4175 a 5850
Espec. Fricassé de gambas de Palamós con rovellons (septiembre-diciembre), Filetes de San Pedro al hinojo con jugo de rostit, Galta de ternera con salsifis.

XXX **Paradis Roncesvalles,** vía Augusta 201, ✉ 08021, ☎ 209 01 25, Fax 209 12 95 – ▤. AE ◑ E VISA. ✈ FV a
cerrado domingo y agosto – **Comida** carta aprox. 4500.

XX **El Trapío,** Esperanza 25, ✉ 08017, ☎ 211 58 17, Fax 417 10 37, ☂, « Terraza » – ▤. AE ◑ VISA. ✈ EU t
cerrado domingo noche – **Comida** carta 3550 a 4900.

XX **La Petite Marmite,** Madrazo 68, ✉ 08006, ☎ 201 48 79 – ▤. AE ◑ E VISA. ✈ GU f
cerrado domingo, festivos, Semana Santa y Agosto – **Comida** carta 2950 a 3725.

XX **El Asador de Aranda,** av. del Tibidabo 31, ✉ 08022, ☎ 417 01 15, Fax 212 24 82, ☂, Cordero asado, « Antiguo palacete » – AE ◑ E VISA. ✈ BS b
cerrado domingo noche – **Comida** carta aprox. 4000.

XX **Paradis Barcelona,** passeig Manuel Girona 7, ✉ 08034, ☎ 203 76 37, Fax 203 61 94, Rest. con buffet – ▤. AE ◑ E VISA. ✈ EVX t
cerrado domingo noche – **Comida** carta 2650 a 4150.

XX **Daxa,** Muntaner 472, ✉ 08006, ☎ 201 60 06 – ▤. ◑ E VISA. ✈ FU p
cerrado domingo noche y 3 semanas en agosto – **Comida** carta aprox. 2800.

XX **Casa Jordi,** passatge de Marimón 18, ✉ 08021, ☎ 200 11 18 – ▤. AE ◑ E VISA JCB. ✈
cerrado domingo – **Comida** carta 2600 a 4050. GV x

XX ✪ **El Racó D'En Freixa,** Sant Elíes 22, ✉ 08006, ☎ 209 75 59, Fax 209 79 18 – ▤. AE ◑ E VISA. ✈ GU h
cerrado festivos noche, lunes, Semana Santa y agosto – **Comida** carta 3775 a 5175
Espec. San Pedro asado con caracoles y setas, Pelotitas de ternera con estofado de bogavante (otoño-invierno), Costras de cacao a la crema de almendra.

XX ✪ **Gaig,** passeig de Maragall 402, ✉ 08031, ☎ 429 10 17, Fax 429 70 02, ☂ – ▤. AE ◑ E VISA CS s
cerrado festivos noche, lunes, Semana Santa y agosto – **Comida** carta 3200 a 5175
Espec. Arroz de pichón y ceps, Rustido de merluza con alcachofas y espardeñas, Pie de cerdo a la catalana.

XX **Roig Robí,** Séneca 20, ✉ 08006, ☎ 218 92 22, ☂, « Terraza-jardín » – ▤. AE ◑ E VISA HV c
cerrado sábado mediodía, domingo y del 1 al 10 de enero – **Comida** carta 3550 a 5250.

XX **Tram-Tram,** Major de Sarrià 121, ✉ 08017, ☎ 204 85 18, ☂ – ▤. AE ◑ E VISA. ✈
cerrado sábado mediodía, domingo, Semana Santa, 7 días en agosto y 15 días en Navidades – **Comida** carta aprox. 4500. EU d

XX **Zure Etxea,** Jordi Girona Salgado 10, ✉ 08034, ☎ 203 83 90, Fax 280 31 46 – ▤. AE ◑ E VISA. ✈ AT r
cerrado sábado mediodía en verano, domingo, festivos, Semana Santa y 12 agosto-4 septiembre – **Comida** carta 3300 a 5100.

X **Hostal Sant Jordi,** Travesera de Dalt 123, ✉ 08024, ☎ 213 10 37 – ▤. AE ◑ E VISA. ✈
cerrado sábado, festivos noche y agosto – **Comida** carta 3250 a 4250. CS u

X **Tritón,** Alfambra 16, ✉ 08034, ☎ 203 30 85 – ▤ 🚗 P. E VISA. ✈ AT t
cerrado domingo, festivos y Semana Santa (un mes) – **Comida** carta 2475 a 4560.

X **La Senyora Grill,** Bori i Fontestá 45, ✉ 08017, ✆ 201 25 77, Fax 209 96 74, 🏠 - ▤. AE ⓓ E VISA. ✗ FV z
cerrado domingo noche, lunes y agosto - **Comida** carta 3100 a 3800.

X **Alberto,** Ganduxer 50, ✉ 08021, ✆ 201 00 09, 🏠 - ▤. AE ⓓ VISA. ✗ FV g
cerrado domingo noche - **Comida** carta 3800 a 4900.

X **Begoña,** Sant Elies 6, ✉ 08006, ✆ 201 67 61, Cocina vasca - ▤. AE E VISA GU e
cerrado lunes noche, martes noche y agosto - **Comida** carta 2300 a 4150.

X **Vivanda,** Major de Sarrià 134, ✉ 08017, ✆ 205 47 17, Fax 203 19 18, 🏠 - ▤. AE E VISA. ✗ EU a
cerrado domingo y lunes mediodía - **Comida** carta 2700 a 4150.

X **El Vell Sarriá,** Mayor de Sarrià 93, ✉ 08034, ✆ 204 57 10, Fax 205 45 41 - ▤. AE ⓓ E VISA JCB. ✗ EU f
Comida carta 3500 a 4500.

X **La Venta,** pl. Dr. Andreu, ✉ 08035, ✆ 212 64 55, Fax 212 51 44, 🏠, Antiguo café - ⓓ E VISA BS d
cerrado domingo - **Comida** carta 3075 a 4350.

X **Es Plá,** Sant Gervasi de Cassoles 86, ✉ 08022, ✆ 212 65 54, Fax 211 55 00, Pescados y mariscos - ▤. AE ⓓ E VISA. ✗ FU u
cerrado domingo noche y lunes - **Comida** carta aprox. 5500.

X **Sal i Pebre,** Alfambra 14, ✉ 08034, ✆ 205 36 58, Fax 205 56 72 - ▤. AE ⓓ E VISA JCB AT t
Comida carta aprox. 2450.

X **Medulio,** av. Príncipe de Asturias 6, ✉ 08012, ✆ 217 38 68, Fax 415 34 36 - ▤. AE ⓓ E VISA JCB. ✗ GU r
Comida carta 3550 a 4100.

X **Julivert Meu,** Jordi Girona Salgado 12, ✉ 08034, ✆ 204 11 96, Fax 205 56 72 - ▤. AE ⓓ E VISA. ✗ AT r
Comida carta 1750 a 2850.

X **El Patí Blau,** Jordi Girona Salgado 14, ✉ 08034, ✆ 204 22 15, Fax 205 56 72 - ▤. AE ⓓ E VISA JCB AT r
Comida carta 1750 a 2850.

X **A la Menta,** passeig Manuel Girona 50, ✉ 08034, ✆ 204 15 49, Taberna típica - ▤. AE ⓓ E VISA. ✗ EV f
cerrado domingo noche de junio a septiembre y domingo resto del año - **Comida** carta aprox. 4200.

X **La Yaya Amelia,** Sardenya 364, ✉ 08025, ✆ 456 45 73 - ▤. AE E VISA. ✗ JU n
cerrado domingo y Semana Santa - **Comida** carta 2950 a 3850.

X **El Vol de Nit,** Angli 4, ✉ 08017, ✆ 203 91 81 - ▤. AE ⓓ E VISA. ✗ EU b
cerrado domingo, festivos y Semana Santa - **Comida** carta aprox. 3500.

X **Rovell d'Ou,** Jordi Girona Salgado 6, ✉ 08034, ✆ 205 78 71 - ▤. AE ⓓ E VISA JCB AT r
cerrado agosto - **Comida** carta 1450 a 2450.

ALREDEDORES

en Esplugues de Llobregat - ✉ 08950 Esplugues de Llobregat - ✪ 93 :

XXX **La Masía,** av. Països Catalans 58 ✆ 371 00 09, Fax 372 84 00, 🏠, « Terraza bajo los pinos » - ▤ Ⓟ. AE ⓓ E VISA JCB. ✗ AT s
cerrado domingo noche - **Comida** carta 4200 a 5200.

X ✿ **Quirze,** Laureá Miró 202 ✆ 371 10 84, Fax 371 65 12, 🏠 - ▤ Ⓟ. AE E VISA. ✗ AT e
cerrado sábado noche y domingo (junio-septiembre) y domingo noche resto año - **Comida** carta 3100 a 4550
Espec. Ensalada de raya con escarola a la vinagreta de cava, Supremas de lubina a la muselina de ajo, Pichón de Bresse relleno de setas.

en Sant Just Desvern - ✉ 08960 Sant Just Desvern - ✪ 93 :

Sant Just y Rest. Alambí, Frederic Mompou 1 ✆ 473 25 17, Fax 473 24 50, Fō - |♦| ▤ TV ☎ 🚗 - 🏛 25/450. AE ⓓ E VISA JCB. ✗ rest AT a
Comida carta 3600 a 5400 - ☕ 1200 - **138 hab** 15900/16900, 12 suites.

Ver ambién : ***San Cugat del Vallés por*** ⑦ : 18 km.

S.A.F.E. Neumáticos MICHELIN, Sucursal, MONTCADA I REIXACH : Polígono Industrial La Ferrería-Parcela 34 bis por ③, ✉ 08110 ✆ 575 38 38 y 575 40 00, Fax 564 31 51

EL BARCO DE ÁVILA **05600** Ávila 444 K 13 - 2 515 h. alt. 1 009 - ✪ 920.
♦ Madrid 193 - Ávila 81 - Béjar 30 - Plasencia 70 - ♦ Salamanca 89.

Manila ⛰, carret. de Plasencia ✆ 34 08 44, Fax 34 12 91, ≤ - |♦| TV ☎ Ⓟ - 🏛 25/35. AE ⓓ E VISA. ✗
Comida 1375 - ☕ 680 - **50 hab** 5550/7975 - PA 3000.

El BARCO DE VALDEORRAS u **O BARCO** 32300 Orense 441 E 9 – 10 379 h. alt. 324 – 988.

◆Madrid 439 – Lugo 123 – Orense/Ourense 118 – Ponferrada 52.

- **Espada,** carret. N 120 E : 1,5 km ✆ 32 26 86 – |♦| ▤ TV ☎ 🚗 P. VISA. ✂
  Comida *(cerrado domingo)* 2000 – ☕ 500 – **29 hab** 4000/8000 – PA 3825.
- **La Gran Tortuga,** Conde de Fenosa 34 ✆ 32 11 75, Fax 32 51 69 – |♦| ☎. VISA. ✂
  Comida *(cerrado domingo)* 1200 – ☕ 275 – **16 hab** 2000/4500 – PA 2675.
- **San Mauro,** pl. de la Iglesia 11 ✆ 32 01 45 – ▤. AE ⦿ E VISA. ✂
  cerrado lunes y 19 junio-17 julio – **Comida** carta 1950 a 4100.

BARLOVENTO Santa Cruz de Tenerife – ver Canarias (La Palma).

La BARRANCA (Valle de) Madrid J 18 – ver Navacerrada.

BARRO 33529 Asturias 441 B 15 – 98 – Playa.

◆Madrid 460 – ◆Oviedo 106 – ◆Santander 103.

- **Kaype** 🐚, playa ✆ 540 09 00, Fax 540 04 18, ≤ – |♦| ☎ P. AE ⦿ E VISA. ✂
  abril-septiembre – **Comida** 1525 – ☕ 450 – **48 hab** 5250/8400.
- **Miracielos** 🐚 sin rest. con cafetería, playa de Miracielos ✆ 540 25 85, Fax 540 25 82 – |♦| TV ☎ 🚗 P. VISA. ✂
  ☕ 350 – **21 hab** 8500.

BAYONA o **BAIONA** 36300 Pontevedra 441 F 3 – 9 690 h. – 986 – Playa.

Ver : Monterreal (murallas★ : ≤★★).

Alred. : Carretera★ de Bayona a La Guardia.

◆Madrid 616 – Orense/Ourense 117 – Pontevedra 44 – ◆Vigo 21.

- **Parador de Bayona** 🐚, ✆ 35 50 00, Telex 83424, Fax 35 50 76, ≤, « Reproducción de un típico pazo gallego en el recinto de un antiguo castillo feudal al borde del mar », 🏊, 🌳, 🎾 – TV ☎ 🚗 P – 🏛 25/400. AE ⦿ E VISA. ✂
  Comida 3500 – ☕ 1200 – **122 hab** 15500, 2 suites – PA 6970.
- **Bayona** sin rest, Conde 36 ✆ 35 50 87 – |♦| TV ☎. E VISA. ✂
  Semana Santa y junio-30 octubre – ☕ 425 – **33 hab** 4600/6500.
- **Tres Carabelas** sin rest, Ventura Misa 61 ✆ 35 51 33, Fax 35 59 21 – TV ☎. AE ⦿ E VISA. ✂
  ☕ 350 – **10 hab** 5200/7000.
- **Pinzón** sin rest, Elduayen 21 ✆ 35 60 46, ≤ – TV ☎. AE E VISA. ✂
  cerrado febrero – ☕ 400 – **18 hab** 5000/7000.
- **O Moscón,** Alférez Barreiro 2 ✆ 35 50 08 – ▤. AE ⦿ E VISA. ✂
  Comida carta 2350 a 4675.

en la carretera de La Guardia O : 8,5 km – ✉ 36300 Bayona – 986 :

- La Hermida, ✆ 35 72 73, ≤ – P.

BAZA 18800 Granada 446 T 21 – 19 997 h. alt. 872 – 958.

◆Madrid 425 – ◆Granada 105 – ◆Murcia 178.

- **Venta del Sol,** carret. de Murcia ✆ 70 03 00, Fax 70 03 04 – ▤ TV ☎ 🚗 P. VISA. ✂
  Comida 1250 – ☕ 250 – **25 hab** 3200/5200, 10 apartamentos – PA 2750.
- **Anabel,** María de Luna ✆ 86 09 98, Fax 86 09 98 – ▤ TV. VISA. ✂ rest
  Comida 1200 – ☕ 300 – **18 hab** 3000/5000 – PA 2500.
- **Las Perdices,** carret. de Murcia 17 ✆ 70 13 26 – ▤. E VISA. ✂
  cerrado sábado noche – **Comida** carta 1550 a 2950.

BEASAIN 20200 Guipúzcoa 442 C 23 – 12 089 h. alt. 157 – 943.

◆Madrid 428 – ◆Pamplona/Iruñea 73 – ◆San Sebastián/Donostia 45 – ◆Vitoria/Gasteiz 71.

- **Rubiorena,** Zaldizurreta 7 ✆ 88 57 60 – ▤. AE ⦿ E VISA. ✂
  cerrado sábado mediodía, domingo, Semana Santa y del 1 al 21 de agosto – **Comida** carta 3250 a 4325.

Esta Guía se complementa con los siguientes Mapas Michelin :

nº 990 ESPAÑA-PORTUGAL Principales Carreteras 1/1 000 000,

nºs 441, 442, 443, 444, 445 y 446 ESPAÑA (mapas detallados) 1/400 000,

nº 448 Islas CANARIAS (mapas/guía) 1/200 000,

nº 440 PORTUGAL 1/400 000.

BECERRIL DE LA SIERRA 28490 Madrid 444 J 18 – 1 957 h. alt. 1 080 – ☎ 91.
♦Madrid 54 – ♦Segovia 41.

Las Gacelas, San Sebastián 53 ✆ 853 74 46, Fax 853 75 06, ←, 🍴, ⛱, 🌳, 🎾 – 🛗 ▤ rest 📺 ☎ 🅿 – 🏛 25/100. AE ⓓ VISA. ✻
Comida 3000 – ☕ 600 – **26 hab** 5000/8500.

Victoria, San Sebastián 12 ✆ 853 85 61 – VISA. ✻
Comida *(cerrado enero-junio y 15 septiembre-diciembre)* 1000 – ☕ 350 – **10 hab** 3600/4500 – PA 2350.

XX **El Albero,** Orense 11 ✆ 853 75 41 – ▤. AE E VISA. ✻
Comida carta aprox. 2200.

X **Las Terrazas** con hab, San Sebastián 3 ✆ 853 80 02, 🍴 – ▤ rest. VISA. ✻
Comida carta 2600 a 3700 – ☕ 350 – **6 hab** 3000/4500.

BEGUR Gerona – ver Bagur.

BEHOBIA Guipúzcoa – ver Irún.

BEIFAR Asturias – ver Pravia.

BÉJAR 37700 Salamanca 441 K 12 – 17 027 h. alt. 938 – ☎ 923.
Alred. : Candelario★ : pueblo típico S : 4 km.
ℹ paseo de Cervantes 6 ✆ 40 30 05.
♦Madrid 211 – Ávila 105 – Plasencia 63 – ♦Salamanca 72.

Argentino sin ☕, travesía Recreo ✆ 40 23 64 – E VISA. ✻
Comida (ver rest. **Argentino**) – **13 hab** 3500/4900.

X **Argentino,** carret. de Salamanca 93 ✆ 40 26 92, 🍴 – ▤. AE ⓓ E VISA. ✻
Comida carta 2400 a 2700.

X **Tres Coronas,** carret. de Salamanca 1 ✆ 40 20 23 – ▤. AE E VISA. ✻
Comida carta aprox. 2200.

BELMONTE 16640 Cuenca 444 N 21 – 2 601 h. alt. 720 – ☎ 967.
Ver : Colegiata (Silleria★), Castillo (artesonados★).
♦Madrid 157 – ♦Albacete 107 – Ciudad Real 142 – Cuenca 101.

La Muralla, Isabel I de Castilla ✆ 17 10 45 – ▤ rest. VISA. ✻
Comida 1000 – ☕ 250 – **7 hab** 3000 – PA 2250.

Los BELONES 30385 Murcia 445 T 27 – ☎ 968.
♦Madrid 459 – ♦Alicante/Alacant 102 – Cartagena 20 – ♦Murcia 69.

por la carretera de Portman – ✉ 30385 Los Belones – ☎ 968 :

Príncipe Felipe 🐦, S : 3 km ✆ 13 72 34, Fax 13 72 72, ← campo de golf y montañas, 🍴, ⛱, 🏌18 – 🛗 ▤ 📺 ☎ ♿ 🅿 – 🏛 25/400. AE ⓓ E VISA. ✻
Comida carta 3150 a 5250 – ☕ 2100 – **185 hab** 29800/32780, 7 suites.

XX **La Finca,** S : 3,5 km poblado de Atamaría ✆ 56 45 11 (ext.2228), 🍴, ⛱ – AE ⓓ E VISA. ✻
cerrado martes (salvo en Semana Santa y agosto) y 20 noviembre-19 diciembre – **Comida** (sólo cena) carta 3200 a 4200.

BELLAVISTA Sevilla – ver Sevilla.

BELLPUIG D'URGELL 25250 Lérida 443 H 33 – 3 706 h. alt. 308 – ☎ 973.
♦Madrid 502 – ♦Barcelona 127 – ♦Lérida/Lleida 33 – Tarragona 86.

Bellpuig, carret. N II ✆ 32 02 50, Fax 32 22 53 – ▤ rest 🅿
30 hab.

BELLVER DE CERDAÑA o **BELLVER DE CERDANYA** 25720 Lérida 443 E 35 – 1 549 h. alt. 1 061 – ☎ 973.
ℹ pl. de Sant Roc 9 ✆ 51 02 29.
♦Madrid 634 – ♦Lérida/Lleida 165 – Seo de Urgel/La Seu d'Urgell 32.

María Antonieta 🐦, av. de la Cerdanya ✆ 51 01 25, Fax 51 01 25, ←, ⛱ – 🛗 📺 ☎ 🚗. AE ⓓ E VISA. ✻
Comida *(cerrado del 1 al 20 de diciembre)* 2500 – ☕ 700 – **54 hab** 6000/9200 – PA 4700.

Bellavista, carret. de Puigcerdá 43 ✆ 51 00 00, Fax 51 04 18, ←, ⛱, 🎾 – 🛗 📺 ☎ 🅿. E VISA. ✻ rest
cerrado 2 noviembre-2 diciembre – **Comida** 1680 – ☕ 600 – **50 hab** 3675/6090 – PA 3300.

por la carretera de Alp y desvío a la derecha en Balltarga SE : 4 km – 25720 Bellver de Cerdaña – 973 :

Mas Martí, urb. Bades 51 00 22, Decoración rústica – .
Semana Santa, agosto, Navidades y fines de semana – **Comida** carta 3100 a 3900.

BENACAZÓN 41805 Sevilla 446 T 11 – 4 753 h. alt. 113 – 95.

◆Madrid 566 – Huelva 72 – ◆Sevilla 23.

Andalusi Park H., autopista A 49 salida 6 570 56 00, Fax 570 50 79, « Edificio de estilo árabe - Jardín », – 25/500. AE E VISA.
Comida Los Olivos – Al'Mutamid – 1500 – **189 hab** 12800/16000, 11 suites.

BENALMÁDENA 29639 Málaga 446 W 16 – 25 747 h. – 95.

◆Madrid 579 – Algeciras 117 – ◆Málaga 24.

Casa Fidel, Maestra Ayala 1 244 91 65, – . E VISA JCB
cerrado martes – **Comida** carta 2200 a 3125.

BENALMÁDENA COSTA 29630 Málaga 446 W 16 – 95 – Playa.

Torrequebrada 242 27 42.

av. Antonio Machado 14 244 24 94 Fax 244 06 78.

◆Madrid 558 – ◆Málaga 24 – Marbella 46.

Torrequebrada, carret. de Cádiz SO : 2km 244 60 00, Telex 79437, Fax 244 27 46, ≤ mar, – 25/500. AE E VISA.
Café Royal (sólo cena) **Comida** carta 5100 a 6900 - ***Pavillón*** *(en invierno sólo almuerzo)* **Comida** carta 3400 a 5050 – 1800 – **350 hab** 19600/24500, 22 suites.

Tritón, av. Antonio Machado 29 244 32 40, Telex 77061, Fax 244 26 49, ≤, , « Gran jardín tropical », – 25/280. AE E VISA JCB.
Comida 3500 – 1350 – **186 hab** 15000/19000, 10 suites – PA 7100.

Riviera, av. Antonio Machado 49 244 12 40, Fax 244 22 30, ≤, « Terrazas escalonadas con césped », – 25/100. AE E VISA.
Comida (sólo buffet) 2850 – 1500 – **189 hab** 10300/14000 – PA 6100.

Alay, av. del Alay 5 244 14 40, Telex 77034, Fax 244 63 80, ≤, climatizada, – 25/750. AE E VISA.
Comida (sólo buffet) 3300 – 725 – **257 hab** 10500/14000.

Sol La Roca, playa de Santa Ana 244 17 40, Fax 244 32 55, ≤, – . AE E VISA.
cerrado noviembre-20 diciembre – **Comida** (sólo buffet) 2100 – 750 – **156 hab** 7550/11340.

Villasol, av. Antonio Machado 244 19 96, Fax 244 19 75, ≤, – rest . AE E VISA.
Comida 1900 – 550 – **76 hab** 6200/7700 – PA 3675.

Mar de Alborán, av. del Alay 5 244 64 27, Fax 244 63 80, ≤, , Cocina vasca – . AE E VISA
cerrado domingo noche, lunes y 24 diciembre- 22 enero – **Comida** carta 2825 a 4000.

O. K. 2, Terramar Alto - Edificio Delta del Sur 244 28 16, , Asados y carnes a la parrilla – . E VISA.
cerrado martes y agosto – **Comida** carta 2900 a 3450.

Chef Alonso, av. Antonio Machado 222 244 34 35 – . AE E VISA.
cerrado martes y 1ª quincena de noviembre – **Comida** carta 1800 a 2500.

O.K., San Francisco 2 244 36 96, – E VISA.
cerrado miércoles y 15 enero-febrero – **Comida** carta 2250 a 4050.

BENASQUE 22440 Huesca 443 E 31 – 1 507 h. alt. 1 138 – 974 – Balneario – Deportes de invierno en Cerler : 11.

Alred. : S : Valle de Benasque★ – Congosto de Ventamillo★ S : 16 km.

San Pedro 55 12 89.

◆Madrid 538 – Huesca 148 – ◆Lérida/Lleida 148.

St Antón y Rest. Casa Pedro , carret. de Francia 55 16 11, Fax 55 16 21, ≤, – . E VISA.
Comida carta 2400 a 3600 – 600 – **34 hab** 5000/10000.

Aragüells sin rest con cafetería, av. de Los Tilos 55 16 19, Fax 55 16 64 – . AE E VISA.
cerrado mayo y noviembre – 550 – **19 hab** 4770/7420.

Aneto , carret. Anciles 2 55 10 61, Fax 55 15 09, , , – . AE E VISA.
20 diciembre-septiembre – **Comida** 1500 – 450 – **38 hab** 3300/5500 – PA 2600.

- 🏨 **San Marsial** ♨, carret. de Francia ℘ 55 16 16, Fax 55 16 23 – ⇅ TV ☎ P. AE ⓓ VISA ✱ rest
  Comida 1600 – **18 hab** ☕ 7900/11800 – PA 2850.
- 🏨 **El Puente II** ♨ sin rest, San Pedro ℘ 55 12 11, Fax 55 16 84, ≤ – ☎ 🚗 P. AE E VISA ✱
  ☕ 750 – **28 hab** 5000/8250.
- 🏨 **Ciria y Rest. El Fogaril** ♨, av. de Los Tilos ℘ 55 16 12, Fax 55 16 86 – ⇅ TV ☎ 🚗 P. AE E VISA. ✱ rest
  Comida carta 2400 a 3900 – ☕ 800 – **30 hab** 5500/8800.
- 🏨 El Pilar ♨, carret. de Francia ℘ 55 12 63, Fax 55 15 09, ≤ – ⇅ ☎ 🚗 P
  51 hab.
- 🏨 **Avenida** ♨, av. de los Tilos 3 ℘ 55 11 26, Fax 55 15 15 – ☎. AE E VISA. ✱
  cerrado 15 octubre-noviembre – **Comida** 1300 – **16 hab** ☕ 4900/6500 – PA 2800.
- ✗ **El Puente** ♨ con hab, San Pedro ℘ 55 12 79, Fax 55 16 84, ≤ – ▤ rest ☎ P. AE E VISA ✱
  Comida carta 2150 a 3350 – ☕ 750 – **13 hab** 5000/8250.
- ✗ **La Parrilla,** carret. de Francia ℘ 55 11 34, ☂ – AE E VISA. ✱
  cerrado del 15 al 30 de septiembre – **Comida** carta 2000 a 3200.

Ver ambién : ***Eriste*** SO : 3 km
Cerler SE : 6 km.

BENAVENTE 49600 Zamora 441 F 12 – 14 410 h. alt. 724 – ☏ 980.

♦Madrid 259 – ♦León 71 – Orense/Ourense 242 – Palencia 108 – Ponferrada 125 – ♦Valladolid 99.

- 🏨 **Parador de Benavente** ♨, paseo Ramón y Cajal ℘ 63 03 00, Fax 63 03 03, ≤ – ▤ TV ☎ 🚗 P. AE ⓓ E VISA. ✱
  Comida 3200 – ☕ 1100 – **30 hab** 12000 – PA 6375.
- 🏨 **Orense,** Perú 4 ℘ 63 01 56, Fax 63 47 93, Cocina gallega – ⇅ ▤ rest TV ☎ 🚗. AE ⓓ E VISA. ✱
  Comida carta aprox. 3100 – ☕ 300 – **33 hab** 3500/6325 – PA 2950.

en la carretera N VI – ✉ 49600 Benavente – ☏ 980 :

- 🏨 **Tudanca,** NO : 6 km ℘ 63 64 66, Fax 63 68 19 – ⇅ ▤ TV ☎ 🚗 P – 🏛 25/200. E VISA. ✱
  Comida 1800 – ☕ 500 – **32 hab** 6500/7900.
- 🏨 **Arenas,** SE : 2 km ℘ 63 03 34, Fax 63 03 34 – ⇅ TV ☎ 🚗 P. AE E VISA. ✱
  Comida 1540 – ☕ 300 – **37 hab** 4200/6600.

BENAVIDES DE ÓRBIGO 24280 León 441 E 12 – 2 904 h. alt. 646 – ☏ 987.

♦ Madrid 327 – ♦ León 29 – Ponferrada 83.

- ✗ La Villa, carret. LE 420 ℘ 37 09 86 – ▤.

BENDINAT Palma de Mallorca – ver Baleares (Mallorca).

BENICARLÓ 12580 Castellón de la Plana 445 K 31 – 18 460 h. alt. 27 – ☏ 964 – Playa.

ℹ pl. San Andrés ℘ 47 31 80.

♦Madrid 492 – Castellón de la Plana/Castelló de la Plana 69 – Tarragona 116 – Tortosa 55.

- 🏨 **Parador de Benicarló** ♨, av. del Papa Luna 3 ℘ 47 01 00, Fax 47 09 34, ⛱, 🌳, 🎾 – ▤ TV ☎ P – 🏛 25/60. AE ⓓ E VISA. ✱
  Comida 3200 – ☕ 1100 – **108 hab** 12500 – PA 6375.
- 🏨 **Márynton,** paseo Marítimo 5 ℘ 47 30 11, Fax 46 07 20 – ⇅ ▤ TV ☎ 🚗. E VISA. ✱
  Comida *(cerrado viernes y octubre)* 1750 – ☕ 500 – **26 hab** 4300/6600 – PA 4000.
- ⌂ Sol sin rest, carret. N 340 ℘ 47 13 49 – 🚗 P
  temp – **22 hab.**
- ✗ **El Cortijo,** av. Méndez Núñez 85 ℘ 47 00 75, Pescados y mariscos – ▤ P. AE ⓓ E VISA. ✱
  cerrado lunes y del 1 al 15 de julio – **Comida** carta 3400 a 5400.

BENICASIM o BENICÀSSIM 12560 Castellón de la Plana 445 L 30 – 6 151 h. – ☏ 964 – Playa.

ℹ Médico Segarra 4 (Ayuntamiento) ℘ 30 09 62.

♦Madrid 436 – Castellón de la Plana/Castelló de la Plana 14 – Tarragona 165 – ♦Valencia 88.

- 🏨 **Avenida y Eco-Avenida,** av. de Castellón 2 ℘ 30 00 47, Fax 30 00 79 – P. ✱ rest
  abril-octubre – **Comida** 1300 – ☕ 475 – **64 hab** 4340.
- ✗ **Plaza,** Cristóbal Colón 3 ℘ 30 00 72 – ▤. E VISA. ✱
  cerrado martes y 15 diciembre-15 enero – **Comida** carta 2600 a 3500.

en la zona de la playa :

Intur Orange, av. Gimeno Tomás 9 ☎ 39 44 00, Fax 30 15 41, « rodeada de césped con árboles », - rest
marzo-12 noviembre - **Comida** 2400 - 750 - **415 hab** 7800/9800 - PA 4000.

Trinimar sin rest, av. Ferrándiz Salvador ☎ 30 08 50, Fax 30 08 66, ≤, -
Semana Santa y junio-septiembre - 600 - **170 hab** 7500/8500.

Intur Azor, av. Gimeno Tomás 1 ☎ 39 20 00, Fax 39 23 79, ≤, « Terraza con flores », rest
marzo-octubre - **Comida** 2400 - 750 - **87 hab** 7800/9200 - PA 4000.

Voramar, paseo Pilar Coloma 1 ☎ 30 01 50, Fax 30 05 26, ≤, « Terraza », - rest
Semana Santa-12 octubre - **Comida** 1600 - 500 - **55 hab** 6500/8500.

Vista Alegre, av. de Barcelona 48 ☎ 30 04 00, Fax 30 04 00, - rest rest
marzo-octubre - **Comida** 1650 - 475 - **68 hab** 3700/6000 - PA 3000.

Intur Bonaire, Gimeno Tomás 3 ☎ 39 24 80, Fax 39 23 79, « Pequeño pinar », - rest rest
marzo-octubre - **Comida** 2100 - 590 - **78 hab** 5800/6900 - PA 3750.

Tramontana sin rest, paseo Marítimo Ferrandis Salvador 6 ☎ 30 03 00, Fax 25 21 37, -
15 marzo-30 octubre - 450 - **65 hab** 3150/5075.

Bersoca, Gran Avinguda Jaume I-217 ☎ 30 12 58, Fax 39 41 44, -
marzo-octubre - **Comida** *(cerrado lunes)* 1400 - 500 - **48 hab** 3800/5000.

en el Desierto de Las Palmas NO : 8 km - ✉ 12560 Benicasim - 964 :

Desierto de las Palmas, ☎ 30 09 47, ≤ montaña, valle y mar, -

Para los grandes viajes de negocios o de turismo,
Guía Roja MICHELIN : main cities EUROPE.

BENIDORM 03500 Alicante 445 Q 29 - 75 322 h. - 96 - Playa.

Ver : Promontorio del Castillo ≤★ AZ.

av. Martinez Alejos 16 ☎ 585 13 11, Fax 585 59 39 av. del Derramador, ☎ 680 67 34.

Madrid 459 ③ - Alicante/Alacant 44 ③ - Valencia (por la costa) 136 ③.

Plano página siguiente

G. H. Delfín, playa de Poniente, La Cala ☎ 585 34 00, Fax 585 71 54, ≤, - rest — por ②
8 abril-1 octubre - **Comida** 3600 - 750 - **96 hab** 10200/17100 - PA 6750.

Cimbel, av. de Europa 1 ☎ 585 21 00, Fax 586 06 61, ≤, climatizada - — BY **f**
Comida 2915 - 795 - **140 hab** 8350/16700 - PA 5300.

Don Pancho, av. del Mediterráneo 39 ☎ 585 29 50, Fax 586 77 79, climatizada, - 25/330. rest — CY **e**
Comida (sólo buffet) 2750 - 850 - **252 hab** 12400/15500 - PA 5000.

Agir, av. del Mediterráneo 11 ☎ 585 22 54, Fax 585 89 50, Terraza en el ático — BY **k**
Comida 1700 - 800 - **67 hab** 6400/9200.

Bilbaíno, av. Virgen del Sufragio 1 ☎ 585 08 04, Fax 585 08 05, ≤ - rest — BZ **f**
marzo-noviembre - **Comida** 1250 - 750 - **38 hab** 4500/8000.

Tiffany's, av. del Mediterráneo 51 - edificio Coblanca 3 ☎ 585 44 68 - — CY **c**
cerrado 7 enero-7 febrero - **Comida** (sólo cena) carta 3400 a 3850.

I Fratelli, av. Dr. Orts Llorca 21 ☎ 585 39 79, - — BY **u**
cerrado miércoles en invierno y noviembre - **Comida** carta 3700 a 5400.

El Romeral, carret Rincón de Loix ☎ 585 20 10, -
cerrado domingo - **Comida** carta 3700 a 5300. por av. Ametlla de Mar : 3 km — CY

El Vesubio, av. del Mediterráneo-edificio Playmon Bacana ☎ 585 45 35, - — BY **c**

La Lubina, av. Bilbao 3 ☎ 585 30 85, - — BY **e**
15 marzo-25 octubre - **Comida** carta 2400 a 3800.

Castañuela, Estocolmo 7 - Rincón de Loix ☎ 585 10 09 - — CY **u**

en la carretera de Valencia por ① : 3 km - ✉ 03500 Benidorm - 96 :

El Molino, ☎ 585 71 81, Colección de botellas de vino -
cerrado lunes - **Comida** carta aprox. 2850.

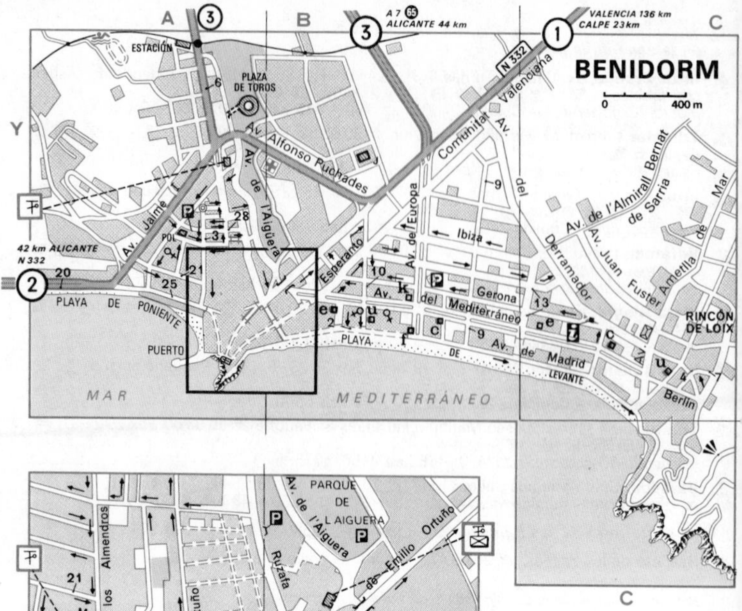

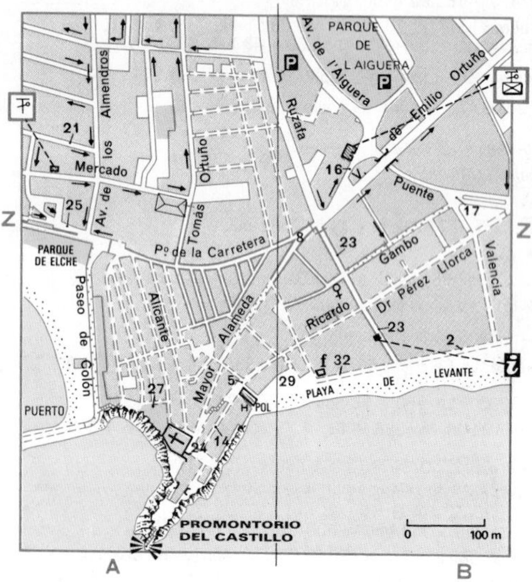

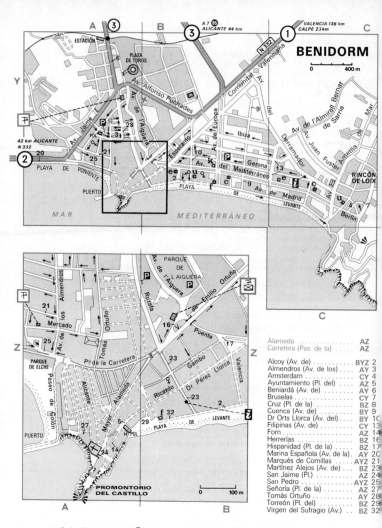

Alameda .... AZ
Carretera (Pas. de la) ..... AZ

Alcoy (Av. de) .... BYZ 2
Almendros (Av. de los) .... AY 3
Amsterdam .... CY 4
Ayuntamiento (Pl. del) .... AZ 5
Beniardá (Av. de) .... AY 6
Bruselas .... CY 7
Cruz (Pl. de la) .... BZ 8
Cuenca (Av. de) .... BY 9
Dr Orts Llorca (Av. del) .... BY 10
Filipinas (Av. de) .... CY 13
Forn .... AZ 14
Herrerías .... BZ 16
Hispanidad (Pl. de la) ..... BZ 17
Marina Española (Av. de la). AY 20
Marqués de Comillas ...... AYZ 21
Martínez Alejos (Av. de) ... BZ 23
San Jaime (Pl.) .... AZ 24
San Pedro .... AYZ 25
Señoría (Pl. de la) .... AZ 27
Tomás Ortuño .... AY 28
Torreón (Pl. del) .... BZ 29
Virgen del Sufragio (Av.) .. BZ 32

en Cala Finestrat por ② : 4 km – ✉ 03500 Benidorm – ☎ 96 :

X **Casa Modesto,** ℘ 585 86 37, <, terraza, Pescados y mariscos – E VISA. ✻
cerrado 15 enero-1 marzo – **Comida** carta 2300 a 3200.

BENIFAYÓ o **BENIFAIÓ** **46450** Valencia 445 O 28 – 11 850 h. alt. 35 – ☎ 96.
♦Madrid 404 – ♦Albacete 170 – ♦Alicante/Alacant 144 – ♦Valencia 20.

X **La Caseta,** Gràcia 7 ℘ 178 22 07 – ▤. AE E VISA. ✻
Comida carta 2600 a 3700.

BENIMANTELL **03516** Alicante 445 P 29 – 404 h. alt. 527 – ☎ 96.
♦Madrid 437 – Alcoy 32 – ♦Alicante/Alacant 68 – Gandía 85.

X **Venta la Montaña,** carret. de Alcoy 9 ℘ 588 51 41, Decoración típica – ▤. AE E VISA
cerrado lunes (salvo agosto) y 5 días en mayo – **Comida** carta 2500 a 4200.

X **L'Obrer,** carret. de Alcoy 27 ℘ 588 50 88 – AE E VISA. ✻
cerrado viernes y 26 junio-30 julio – **Comida** (sólo almuerzo salvo agosto) carta 1710 a 2450.

BENIPARRELL **46469** Valencia 445 N 28 - 1 366 h. - 96.
♦Madrid 362 - ♦Valencia 11.

Quiquet, av. Levante 45 ℘ 120 07 50 - rest - 25/70
34 hab.

BENISA o **BENISSA** **03720** Alicante 445 P 30 - 8 583 h. - 96.
Francisco Sendra 2 ℘ 573 23 52, Fax 573 14 96.
♦Madrid 458 - ♦Alicante/Alacant 71 - ♦Valencia 110.

Casa Cantó, av. País Valencià 223 ℘ 573 06 29 - . AE E VISA.
cerrado domingo y 20 diciembre-10 enero - **Comida** carta 3100 a 4050.

en la zona de la playa SE : 9 km - ✉ 03720 Benisa - 96 :

XXX ❀ **La Chaca,** Fanadix X-5, cruce carret. Calpe-Moraira ℘ 574 77 06, Fax 574 77 06, , Cocina franco-belga - . E VISA.
cerrado lunes, febrero y noviembre - **Comida** (sólo cena salvo domingo en invierno) carta 3600 a 5550
Espec. Terrina de hígado de ganso con confitura de cebollas, Waterzooi de pescado, Tarta casera de fruta fresca con helado.

BENISANÓ **46181** Valencia 445 N 28 - 1 643 h. - 96.
♦Madrid 344 - Teruel 129 - ♦Valencia 24.

Levante, Virgen del Fundamento 15 ℘ 278 07 21, Fax 279 00 21, Paellas - . AE E VISA.
cerrado martes y 10 julio-10 agosto - **Comida** (sólo almuerzo) carta 2350 a 3700.

BERA Navarra - ver Vera de Bidasoa.

BERGA **08600** Barcelona 443 F 35 - 14 324 h. alt. 715 - 93.
carrer dels Angels 7, ℘ 821 01 00.
♦Madrid 627 - ♦Barcelona 117 - ♦Lérida/Lleida 158.

Estel sin rest, carret. Sant Fruitós 39 ℘ 821 34 63 - . E VISA.
450 - **40 hab** 3000/4100.

XX **Sala,** passeig de la Pau 27 ℘ 821 11 85, Fax 822 20 54 - . AE E VISA.
cerrado domingo noche y lunes - **Comida** carta 3550 a 4150.

en la carretera C 1411 SE : 2 km - ✉ 08600 Berga - 93

XX **L'Esquirol,** camping de Berga ℘ 821 12 50, Fax 822 23 88, ←, , , , - . E VISA.
Comida carta 2150 a 3500.

BERGARA Guipúzcoa - ver Vergara.

BERGONDO **15217** La Coruña 441 C 5 - 5 443 h. - 981.
♦Madrid 582 - ♦La Coruña/A Coruña 21 - Ferrol 30 - Lugo 78 - Santiago de Compostela 63.

en Fiobre NE : 2,5 km - ✉ 15165 Fiobre - 981

XX A Cabana, carret de Ferrol ℘ 79 11 53, ← ría, - .

BERIAIN **31191** Navarra 442 D 25 alt. 442 - 948.
♦Madrid 389 - ♦Logroño 87 - ♦Pamplona/Iruñea 8.

Alaiz, carret. N 121 ℘ 31 01 75, Fax 31 03 50, - rest
71 hab.

BERMEO **48370** Vizcaya 442 B 21 - 18 111 h. - 94 - Playa.
Alred. : Alto de Sollube★ SO : 5 km.
Askatasun Bidea 2, ℘ 618 65 43.
♦Madrid 432 - ♦Bilbao/Bilbo 33 - ♦San Sebastián/Donostia 98.

Txaraka sin rest, Almike Auzoa 5 ℘ 688 55 58, Fax 688 51 64 - . E VISA.
800 - **12 hab** 7000/11000.

XX Iñaki, Bizkaiko Jaurreria 25 ℘ 688 57 35 - .

Jokin, Eupeme Deuna 13 ℘ 688 40 89, ←, - . AE E VISA.
cerrado domingo noche - **Comida** carta 3500 a 4500.

Beitxi, Eskoikiz 6 ℘ 688 00 06, Fax 688 35 72 - .

Pili, parque de Ercilla 1 ℘ 688 18 50 - .

Aguirre, López de Haro 5 ℘ 688 08 30, - . AE E VISA.
cerrado miércoles (salvo en verano) y marzo - **Comida** carta 3200 a 5300.

Artxanda, Santa Eufemia 14 ℘ 688 09 30, - . AE E VISA.
cerrado del 10 al 31 de enero - **Comida** carta 2900 a 4600.

BERNUI Lérida - ver Llessuy.

BERRIA (Playa de) Cantabria - ver Santoña.

BERRIOPLANO 31195 Navarra 442 D 24 alt. 450 - ☎ 948.
♦Madrid 391 - Jaca 117 - ♦Logroño 98 - ♦Pamplona/Iruñea 6.

NH El Toro, carret. N 240 ✆ 30 22 11, Fax 30 20 85, ≤, ⬚ - ▤ rest ⬚ ☎ Ⓟ - 🅰 25/750. AE ⓓ E VISA. ✗ rest - **Comida** 2500 - ⊐ 1000 - **65 hab** 18000/20500.

BESALÚ 17850 Gerona 443 F 38 - 2 099 h. - ☎ 972.
Ver : Puente fortificado★.
ℹ Prat de Sant Pere 2, ✆ 59 12 40.
♦Madrid 743 - Figueras/Figueres 24 - ♦Gerona/Girona 34.

✗ Cúria Reial con hab, pl. de la Llibertat 15 ✆ 59 02 63, Fax 59 02 63, ⬚, Instalado en un antiguo convento - ▤ - **7 hab.**

✗ **Pont Vell,** Pont Vell 28 ✆ 59 10 27, ≤, ⬚ - AE ⓓ E VISA
cerrado lunes noche, martes y del 1 al 12 de enero - **Comida** carta 2625 a 3500.

BETANZOS 15300 La Coruña 441 C 5 - 11 871 h. alt. 24 - ☎ 981.
Ver : Iglesia de Santa María del Azogue★ - Iglesia de San Francisco★ (sepulcro★).
♦Madrid 576 - ♦La Coruña/A Coruña 23 - Ferrol 38 - Lugo 72 - Santiago de Compostela 64.

Los Ángeles, Ángeles 11 ✆ 77 12 13, Fax 77 12 13 - |♦| ☎ Ⓟ. E VISA. ✗
Comida 1200 - ⊐ 400 - **36 hab** 4500/6000 - PA 2380.

✗ Casanova, pl. García Hermanos 15 ✆ 77 06 03.

BETETA 16870 Cuenca 444 K 23 - 387 h. alt. 1 210 - ☎ 969.
Ver : Hoz de Beteta★.
♦Madrid 217 - Cuenca 109 - Guadalajara 161.

Los Tilos ⬚, Extrarradio ✆ 31 80 97, Fax 31 82 99, ≤ - ⬚ ☎ ⬚ Ⓟ. AE ⓓ E VISA. ✗
Comida 1600 - ⊐ 450 - **24 hab** 4000/7000 - PA 3100.

BETRÉN Lérida - ver Viella.

BIELSA 22350 Huesca 443 E 30 - 430 h. alt. 1 053 - ☎ 974.
Ver : Parque Nacional de Ordesa y Monte Perdido★★★.
♦Madrid 544 - Huesca 154 - ♦Lérida/Lleida 170.

Bielsa ⬚, carret. de Ainsa ✆ 50 10 08, ≤ - |♦| ⬚ ☎ Ⓟ. E VISA. ✗
15 marzo-1 noviembre - **Comida** 1700 - ⊐ 725 - **60 hab** 3750/4500 - PA 3525.

Valle de Pineta ⬚, Baja ✆ 50 10 10, Fax 50 11 91, ≤, ⬚ - |♦| ⬚ ☎ ⬚. E VISA
cerrado noviembre - **Comida** 1250 - ⊐ 400 - **26 hab** 3600/5100 - PA 2400.

en el valle de Pineta NO : 14 km - ✉ 22350 Bielsa - ☎ 974 :

Parador de Bielsa ⬚, alt. 1 350 ✆ 50 10 11, Fax 50 11 88, ≤, « En un magnífico paisaje de montaña » - |♦| ⬚ ☎ Ⓟ. AE ⓓ E VISA. ✗
Comida 3000 - ⊐ 1000 - **24 hab** 12000 - PA 5950.

BIESCAS 22630 Huesca 443 E 29 - 1 142 h. alt. 860 - ☎ 974.
♦Madrid 458 - Huesca 68 - Jaca 30.

Casa Ruba ⬚, Esperanza 18 ✆ 48 50 01, Fax 48 50 01 - ▤ rest ☎. VISA. ✗
cerrado octubre y noviembre - **Comida** 1600 - ⊐ 500 - **29 hab** 3400/4700 - PA 2990.

La Rambla ⬚, rambla San Pedro 7 ✆ 48 51 77, ≤ - ⬚. E VISA. ✗
cerrado noviembre - **Comida** 1350 - ⊐ 475 - **28 hab** 3000/4900.

BILBAO o **BILBO** 48000 Ⓟ Vizcaya 442 C 20 - 372 054 h. - ☎ 94.
Ver : Museo de Bellas Artes★ (sección de arte antiguo★★) CY **M.**
⛳18 Club de Campo de la Bilbaína - NE : 14 km por carretera a Bermeo ✆ 674 08 58.
✈ de Bilbao, Sondica NO : 11 km ✆ 453 36 00 - Iberia : Ercilla 20, ✉ 48009, ✆ 901 33 31 11 CZ y Aviaco : aeropuerto ✆ 453 06 40.
🚗 Abando ✆ 423 06 17.
⛴ Cía. Trasmediterránea, Colón de Larreategui 30, ✉ 48009, ✆ 423 43 00, Telex 32497 DZ.
ℹ pl. Arriaga, ✉ 48005, ✆ 416 00 22, Fax 416 81 65 - R.A.C.V.N. Rodríguez Arias 59 bis ✉ 48013, ✆ 442 58 08.
♦Madrid 397 ② - ♦Barcelona 607 ② - ♦La Coruña/A Coruña 622 ③ - ♦Lisboa 907 ② - ♦San Sebastián/Donostia 100 ① - ♦Santander 116 ③ - Toulouse 449 ① - ♦Valencia 606 ② - ♦Zaragoza 305 ②.

Planos páginas siguientes

López de Haro y Rest. Club Naútico, Obispo Orueta 2, ✉ 48009, ☎ 423 55 00, Telex 34787, Fax 423 45 00 - |♦| ▤ TV ☎ 🚗 - 🎭 25/40. AE ⓓ E VISA. ✗ rest CY **r**
Comida *(cerrado sábado mediodía, domingo, festivos y 17 julio-12 agosto)* carta 4350 a 6925 - ☕ 1350 - **49 hab** 18190/25200, 4 suites - PA 12350.

Carlton, pl. de Federico Moyúa 2, ✉ 48009, ☎ 416 22 00, Fax 416 46 28 - |♦| ▤ TV ☎ 🚗 - 🎭 25/200. AE ⓓ E VISA. ✗ CZ **x**
Comida 4000 - ☕ 1200 - **141 hab** 19000/24000, 7 suites.

Indautxu y Rest. Etxaniz, pl. Bombero Etxaniz, ✉ 48010, ☎ 421 11 98, Fax 422 13 31 - |♦| ▤ TV ☎ 🚗 - 🎭 25/400. AE ⓓ E VISA CZ **b**
Comida *(cerrado domingo y del 1 al 15 de agosto)* carta aprox. 5600 - ☕ 1200 - **183 hab** 16000/17000, 1 suite.

G. H. Ercilla, Ercilla 37, ✉ 48011, ☎ 410 20 00, Telex 32449, Fax 443 93 35 - |♦| ▤ TV ☎ 🚗 - 🎭 25/400. AE ⓓ E VISA JCB CZ **a**
Comida (ver rest. **Bermeo**) - ☕ 1375 - **326 hab** 14435/19265, 20 suites.

Villa de Bilbao, Gran Vía Don Diego López de Haro 87, ✉ 48011, ☎ 441 60 00, Telex 32164, Fax 441 65 29 - |♦| ▤ TV ☎ 🚗 - 🎭 25/250. AE ⓓ VISA. ✗ BY **n**
Comida 2000 - ☕ 1000 - **139 hab** 15000/20000, 3 suites.

Abando, Colón de Larreátegui 9, ✉ 48001, ☎ 423 62 00, Fax 424 55 25 - |♦| ▤ TV ☎ 🚗 - 🎭 25/250. AE ⓓ E VISA. ✗ DZ **b**
Comida *(cerrado domingo y festivos)* 2500 - ☕ 1000 - **142 hab** 10000/17000, 3 suites.

De Deusto sin rest, Francisco Maciá 9, ✉ 48014, ☎ 476 00 06, Fax 476 21 99 - |♦| ▤ TV ☎ 🚗 - 🎭 25/90. AE ⓓ E VISA BY **f**
☕ 1000 - **63 hab** 12150/16875.

Conde Duque, Campo de Volantín 22, ✉ 48007, ☎ 445 60 00, Telex 31260, Fax 445 60 66 - |♦| ▤ rest TV ☎ 🚗 - 🎭 25/120. AE ⓓ E VISA JCB. ✗ DY **m**
Comida 1500 - ☕ 900 - **67 hab** 9600/13000.

Vista Alegre sin rest, Pablo Picasso 13, ✉ 48012, ☎ 443 14 50, Fax 443 14 54 - TV ☎ 🚗. E VISA. ✗ CZ **t**
☕ 300 - **30 hab** 5800/7850.

Zabálburu sin rest, Pedro Martínez Artola 8, ✉ 48012, ☎ 443 71 00, Fax 410 00 73 - TV ☎ 🚗. E VISA. ✗ CZ **d**
☕ 425 - **38 hab** 5600/7700.

Estadio, Juan Antonio Zunzunegui 10 bis, ✉ 48013, ☎ 442 42 41, Fax 442 50 11 - TV ☎ 🚗. VISA. ✗ AZ **a**
Comida 1450 - ☕ 255 - **18 hab** 8000/12000.

Arriaga sin rest y sin ☕, Ribera 3, ✉ 48005, ☎ 479 00 01 - |♦| TV ☎ 🚗. AE ⓓ VISA
11 hab 6000/8000. DZ **e**

XXXXX ✿ **Zortziko,** Alameda de Mazarredo 17, ✉ 48001, ☎ 423 97 43, Fax 423 56 87 - ▤ 🚗. AE ⓓ E VISA. ✗ CY **r**
cerrado domingo y del 1 al 15 de septiembre - **Comida** carta 5000 a 6100
Espec. Raviolis de cigalas con judías marinas, Foie asado con infusión de anís y puré de ruibarbo, Tórtola asada al jugo de uva moscatel (otoño-invierno).

XXXX **Guría,** Gran Vía Don Diego López de Haro 66, ✉ 48011, ☎ 441 05 43, Fax 471 02 80 - ▤. AE ⓓ E VISA JCB. ✗ BY **s**
cerrado domingo - **Comida** carta 5900 a 7600.

XXXX **Bermeo,** Ercilla 37, ✉ 48011, ☎ 410 20 00, Telex 32449, Fax 443 93 35 - ▤. AE ⓓ E VISA JCB CZ **a**
cerrado sábado mediodía y domingo noche - **Comida** carta 5150 a 6850.

XXX ✿ **Goizeko Kabi,** Particular de Estraunza 4, ✉ 48011, ☎ 441 50 04, Fax 442 11 29 - ▤. AE ⓓ E VISA JCB. ✗ CY **a**
cerrado domingo, festivos noche y 29 julio- 17 agosto - **Comida** carta 4350 a 5250
Espec. Lomito de conejo con cigalas y hongos, Tallarines de trufa blanca con manitas de cordero, Merluza frita a la bilbaina con pimientos.

XXX ✿ **Gorrotxa,** alameda Urquijo 30 (galería), ✉ 48008, ☎ 422 05 35 - ▤. AE ⓓ E VISA. ✗ CZ **r**
cerrado domingo, Semana Santa y 30 julio-20 agosto - **Comida** carta 5300 a 7300
Espec. Ragoût de vieiras con hongos, Filetes de lenguado con foie en salsa de trufas, Chateaubriand en salsa Perigord.

XXX **Monasterio,** pl. Espainia 2-edificio RENFE, ✉ 48001, ☎ 423 96 08, Fax 424 85 36 - ▤. AE ⓓ E VISA. ✗ DZ **a**
cerrado domingo y 15 julio- 15 agosto - **Comida** carta 4600 a 6800.

XXX **Matxinbenta,** Ledesma 26, ✉ 48001, ☎ 424 84 95, Fax 423 84 03 - ▤. AE ⓓ E VISA JCB. ✗ CZ **n**
cerrado domingo - **Comida** carta 5000 a 6000.

XXX **Casa Vasca,** av. Lehendakari Aguirre 13, ✉ 48014, ☎ 475 47 78, Fax 476 14 87 - ▤ 🚗. AE ⓓ E VISA. ✗ BY **d**
cerrado domingo noche y festivos noche - **Comida** carta 3000 a 4500.

BILBO/BILBAO

Bidebarreta . . . . DZ 5
Correo . . . . DZ
Gran Vía de López de Haro . BCYZ

Amézola (Plaza) . . . . CZ 2
Arenal (Puente del) . . . . DZ 3
Ayuntamiento (Puente del) . . . DYZ 4
Bilbao la Vieja . . . . DZ 6
Bombero Echániz (Pl.) . . . . . . CZ 7
Buenos Aires . . . . DZ 8
Cruz . . . . DZ 9
Deusto (Puente de) . . . . BCY 10
Emilio Campuzano (Plaza) . . . . CZ 12
Enécuri (Av. de) . . . . AZ 13
Ernesto Erkoreka (Plaza) . . . . . . DY 15
Espainia (Plaza de) . . . . DZ 16
Federico Moyúa (Plaza de) . . . CZ 19
Gardoqui . . . . CZ 20
Huertas de la Villa . . . . DY 24
Iparraguirre . . . . CYZ 25
Iturriaga . . . . AZ 27
Juan de Garay . . . . CZ 28
Lehendakari Aguirre (Av.) . . . . BY 29
Montevideo (Avenida de) . . . . AZ 30
Múgica y Butrón . . . . DY 31
Navarra . . . . DZ 32
Pío Baroja (Pl. de) . . . . DY 33
Rodríguez Arias . . . . BCYZ 36
San Antón (Puente de) . . . . . . DZ 37
San José (Plaza) . . . . CY 38
San Mamés (Alameda de) . . . . CZ 39
Santuchu . . . . AZ 40
Viuda de Epalza . . . . DZ 42
Zabalbide . . . . AZ 43
Zabálburu (Plaza de) . . . . CZ 45
Zumalacárregui (Avenida) . . . . DY 46

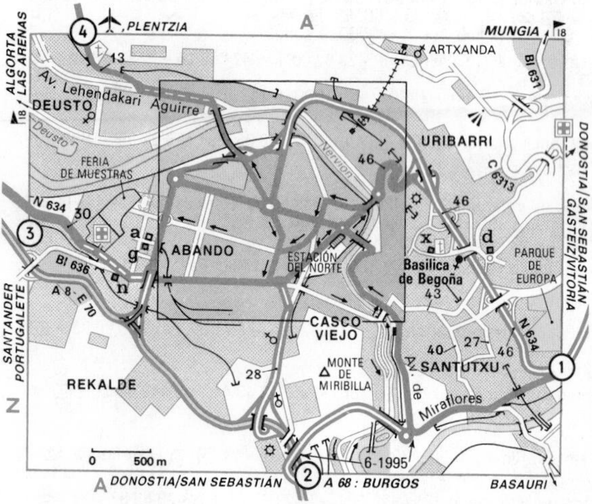

XX **Kaskagorri,** Alameda de Mazarredo 20, ✉ 48009, ☎ 423 83 90, – ▤. D E VISA. — CY c
cerrado domingo y Semana Santa – **Comida** carta 3500 a 5100.

XX **Asador Oteiza,** Licenciado Poza 27, ✉ 48011, ☎ 441 41 33 – ▤. AE D E VISA. — CZ e
cerrado domingo – **Comida** carta 3900 a 5300.

XX **Víctor,** pl. Nueva 2 - 1°, ✉ 48005, ☎ 415 16 78, Fax 415 06 16 – ▤. AE D E VISA JCB. — DZ s
cerrado domingo, Semana Santa y 14 julio-18 agosto – **Comida** carta 3700 a 5650

XX **Begoña,** Virgen de Begoña, ✉ 48006, ☎ 412 72 57 – ▤. D E VISA. — AZ x
cerrado domingo y agosto – **Comida** carta 3400 a 4600.

XX **Ariatza,** Somera 1, ✉ 48005, ☎ 415 96 74 – ▤. AE D E VISA. — DZ h
cerrado domingo noche y lunes noche – **Comida** carta 3200 a 5000.

XX **Guetaria,** Colón de Larreátegui 12, ✉ 48001, ☎ 424 39 23 – ▤. AE D E VISA. — CZ v
Comida carta 3925 a 5700.

XX **Asador Jauna,** Juan Antonio Zunzunegui 7, ✉ 48013, ☎ 441 73 81, Fax 442 31 21 – ▤. AE VISA. — AZ g
cerrado domingo noche, Semana Santa y agosto – **Comida** carta 3000 a 4200.

XX **El Asador de Aranda,** Egaña 27, ✉ 48010, ☎ 443 06 64, Cordero asado – ▤. AE D E VISA. — CZ s
cerrado domingo noche y 15 días en agosto – **Comida** carta aprox. 3500.

X **Serantes II,** Alameda de Urquijo 51, ✉ 48011, ☎ 410 26 99, Fax 444 59 79 – ▤. AE D E VISA. — CZ u
cerrado 15 julio- 15 agosto – **Comida** carta 3750 a 5100.

X **Rogelio,** carret. de Basurto a Castrejana 7, ✉ 48002, ☎ 427 30 21, Fax 427 17 78 – ▤. AE D E VISA. — AZ n
cerrado domingo, Semana Santa y 23 julio-27 agosto – **Comida** carta 3250 a 4800.

X **Serantes,** Licenciado Poza 16, ✉ 48011, ☎ 421 21 29, Fax 444 59 79, Pescados y mariscos – ▤. AE D E VISA. — CZ z
cerrado 20 agosto-20 septiembre – **Comida** carta 3800 a 5100.

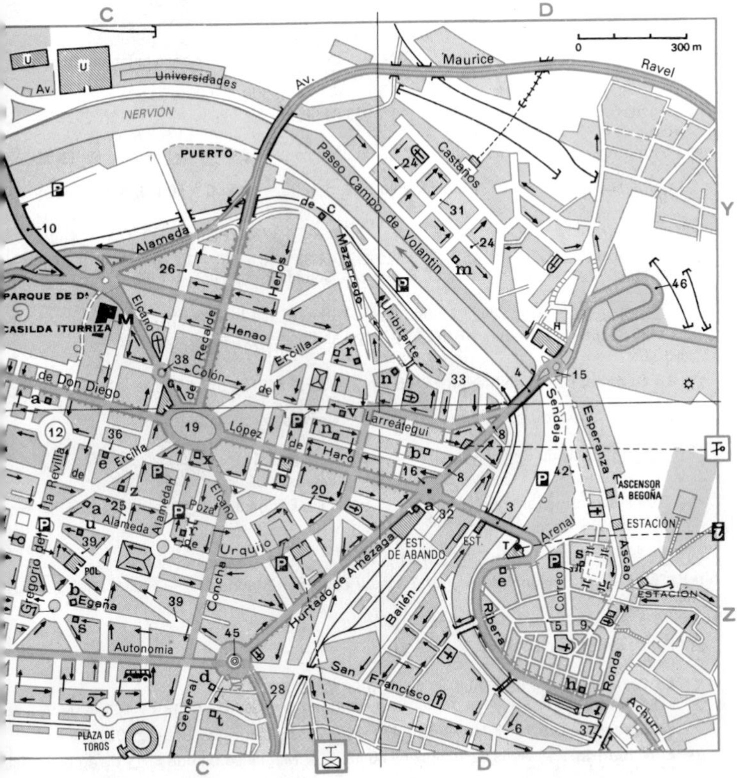

ꝟ **Albatros,** San Vicente 5, ✉ 48001, ✆ 423 69 00 – ▤. AE ⓓ E VISA. ✂ DY **n**
cerrado domingo y agosto – **Comida** carta 3950 a 4600.

ꝟ **Julio,** pl. Juan XXIII - 7, ✉ 48006, ✆ 446 44 02 – ▤. AE ⓓ E VISA. ✂ AZ **b**
cerrado lunes y julio – **Comida** carta 3350 a 4550.

Ver también : ***Getxo*** por ④ : 15 km
Galdácano por ① : 8 km.

BINÉFAR **22500** Huesca 443 G 30 – 8 033 h. alt. 286 – ☎ 974.

ℹ Almacella 87, ✆ 428 100.

♦Madrid 488 – ♦Barcelona 214 – Huesca 81 – ♦Lérida/Lleida 39.

🏨 **La Paz,** av. Aragón 30 ✆ 42 86 00, Fax 43 04 11 – |☰| ▤ rest – 🚶 25/550. AE VISA
Comida *(cerrado domingo noche)* 1500 – ☕ 500 – **52 hab** 3000/5250 – PA 3200.

🏨 **Cantábrico,** Zaragoza 1 ✆ 42 86 50, Fax 42 86 50 – |☰| ▤ rest. E VISA. ✂
Comida *(cerrado domingo)* 1200 – ☕ 450 – **30 hab** 2100/4000 – PA 2280.

BLANES **17300** Gerona 443 G 38 – 25 408 h. – ☎ 972 – Playa.

Ver : Jardín Botánico Marimurtra★ (≤★) – ℹ pl. Catalunya ✆ 33 03 48.

♦Madrid 691 – ♦Barcelona 61 – Gerona/Girona 43.

🏨 Ruiz, Raval 45 ✆ 33 03 00, Fax 33 03 00 – |☰| – *temp* – **59 hab.**

ꝟ Cals Flores II, Explanada del Port 3 ✆ 33 16 33, ☂, Pescados y mariscos – ▤.

ꝟ Port Blau, Explanada del Port 18 ✆ 33 42 24, Pescados y mariscos – ▤.

ꝟ **Casa Patacano,** passeig del Mar 12 ✆ 33 00 02, Pescados y mariscos – ▤. ⓓ E VISA. ✂
cerrado de domingo a jueves por las noches en invierno – **Comida** carta 2300 a 3500.

ꝟ **S'Auguer,** S'Auguer 2 ✆ 35 14 05, Decoración rústica – ▤. AE E VISA. ✂
Comida carta 2300 a 3500.

ꝟ Unic Parrilla, Porta Nova 7 ✆ 33 00 06, Pescados y mariscos.

en la playa de Sabanell - ✉ 17300 Blanes - ☎ 972 :

Park H. Blanes, Enric Morera ☎ 33 02 50, Fax 33 71 03, ≤, « Extenso pinar ajardinado con », ✕ - |♦| ▤ rest ☎ P - 🏋 25/100. AE ⓓ E VISA. ✕ rest
mayo-octubre - **Comida** 2200 - ☐ 750 - **127 hab** 8500/11500.

Horitzó, passeig Marítim S'abanell 11 ☎ 33 04 00, Fax 33 78 63, ≤ - |♦| TV ☎. AE E VISA. ✕
abril-octubre - **Comida** 1850 - ☐ 625 - **122 hab** 5100/8800 - PA 2950.

Stella Maris, Vila de Madrid 18 ☎ 33 00 92, Fax 33 57 03, ⛱ - |♦| ▤ rest. AE ⓓ E VISA. ✕ rest
Semana Santa-octubre - **Comida** (sólo buffet) 1300 - ☐ 800 - **90 hab** 3250/5100 - PA 3000.

en la carretera de Lloret de Mar NE : 2 km - ✉ 17300 Blanes - ☎ 972

XX **El Ventall,** ✉ apartado 457, ☎ 33 29 81, Fax 33 29 81, 🏠 - ▤ P. AE ⓓ E VISA JCB
cerrado martes y 23 diciembre-20 enero - **Comida** carta 2950 a 4950.

BOADILLA DEL MONTE 28660 Madrid 444 K 18 - 15 984 h. - ☎ 91.

⛳18 Las Lomas, urb. El Bosque ☎ 616 21 70 - ⛳9 Las Encinas ☎ 633 11 00.

♦Madrid 13.

XX **La Cañada,** carret. de Madrid E : 1,5 km ☎ 633 12 83, Fax 547 04 63, ≤, 🏠, ✕ - ▤ P. VISA. ✕
cerrado domingo noche, lunes y festivos - **Comida** carta 4000 a 5200.

BOCEGUILLAS 40560 Segovia 442 H 19 - 553 h. - ☎ 921.

♦Madrid 119 - ♦Burgos 124 - ♦Segovia 73 - Soria 154 - ♦Valladolid 134.

Tres Hermanos, antigua carret. N I ☎ 54 30 40, Fax 54 30 40, ⛱ - 🚗 P. VISA. ✕ rest
Comida 1600 - ☐ 375 - **30 hab** 4000/6000.

BOHÍ o **BOÍ** 25528 Lérida 443 E 32 alt. 1 250 - ☎ 973 - Balneario en Caldes de Boí.

Alred. : E : Parque Nacional de Aigües Tortes y Lago San Mauricio★★ - Taüll★ : (iglesia Sant Climent★ : torre★).

♦Madrid 575 - ♦Lérida/Lleida 143 - Viella 56.

Fondevila, Única ☎ 69 60 11, ≤ - P
46 hab.

X **La Cabana,** carret de Tahull ☎ 69 61 10 - ▤. E VISA. ✕
23 junio-septiembre y fines de semana en invierno - **Comida** carta 2450 a 4000.

en Caldes de Boí N : 5 km - alt. 1 470 - ✉ 25528 Caldes de Boí - ☎ 973 :

El Manantial 🐦, ☎ 69 62 10, Fax 69 60 58, ≤, « Magnífico parque », ⛱ de agua termal, ⛱, ✕, ✕ - |♦| TV ☎ 🚗 P. ✕ rest
24 junio-septiembre - **Comida** 3100 - ☐ 800 - **118 hab** 9450/16800 - PA 5950.

Caldas 🐦, ☎ 69 62 30, Fax 69 60 58, « Magnífico parque », ⛱ de agua termal, ⛱, ✕, ✕ - 🚗 P. ✕
24 junio-septiembre - **Comida** 2165 - ☐ 550 - **104 hab** 4080/13085 - PA 4150.

BOIRO 15930 La Coruña 441 E 3 - 16 792 h. - ☎ 981 - Playa.

♦ Madrid 660 - ♦La Coruña/A Coruña 112 - Pontevedra 57 - Santiago de Compostela 40.

Jopi, Derechos Humanos 6 ☎ 84 44 70, Fax 84 44 70 - |♦| TV ☎ 🚗. ⓓ E VISA. ✕
Comida *(cerrado domingo)* 2000 - ☐ 450 - **35 hab** 4500/6800.

Los BOLICHES Málaga - ver Fuengirola.

BOLTAÑA 22340 Huesca 443 E 30 - 777 h. alt. 643 - ☎ 974.

ℹ av. de Ordesa 47, ☎ 50 20 43 (temp.).

♦ Madrid 473 - Huesca 90 - ♦ Lérida/Lleida 143 - Sabiñanigo 72.

Boltaña 🐦, av. de Ordesa 39 ☎ 50 20 00, Fax 50 22 36 - |♦| ☎ P. AE ⓓ E VISA
cerrado 5 diciembre-5 enero - **Comida** (ver rest **El Parador**) - ☐ 525 - **55 hab** 2850/4800.

X **El Parador,** av. de Ordesa 37 ☎ 50 23 31, Fax 50 22 36 - ▤ P. AE ⓓ E VISA. ✕
cerrado 5 diciembre-5 enero - **Comida** carta 1650 a 2700.

BOLVIR o **BOLVIR DE CERDANYA** 17463 Gerona 443 E 35 - 226 h. alt. 1 145 - ☎ 972.

♦Madrid 657 - ♦Barcelona 172 - Gerona/Girona 156 - ♦Lérida/Lleida 188.

Torre del Remei 🐦, Camí Reial NE : 1 km ☎ 14 01 82, Fax 14 04 49, ≤ sierra del Cadí y Pirineos, « Elegante palacete rodeado de césped », ⛱ - |♦| ▤ TV ☎ P. AE ⓓ E VISA. ✕ rest
Comida carta 5300 a 5900 - ☐ 2000 - **11 hab** 24000.

XX **Els Esclops,** Ciudadella ☎ 89 41 87, ≤ valle de la Cerdanya, Alp y sierra del Cadí - E VISA. ✕
cerrado domingo noche, lunes y julio - **Comida** carta aprox. 3500.

por la carretera N 260 E : 2,5 km - ✉ 17463 Bolvir - ☎ 972 :

Chalet del Golf ⑤, Club de Golf ✆ 88 09 62, Fax 88 09 66, ←, ⛱, 🎾, 18 - 🛗 TV ☎ P. AE ⓓ E VISA. ✗ rest
Comida 3500 - ☕ 1050 - **11 hab** 9500/13300 - PA 7000.

La BONAIGUA (Puerto de) Lérida 443 E 32 - ✉ 25587 Alto Aneu - ☎ 973 - alt. 1850.
Madrid 623 - ♦Andorra la Vella 126 - ♦Lérida/Lleida 186.

Les Ares, Refugi de la Verge dels Ares ✆ 62 61 99, Carnes a la brasa
cerrado martes y noviembre - **Comida** (sólo almuerzo) carta 2450 a 3000.

La BONANOVA Palma de Mallorca - ver Baleares (Mallorca) : Palma de Mallorca.

BOO DE GUARNIZO **39061** Cantabria 442 B 18 - ☎ 942.
Madrid 398 - ♦Santander 17.

Los Ángeles, San Camilo 1 - carret. N 634 ✆ 54 03 39, Fax 55 82 46 - 🛗 TV ☎ P. AE E VISA. ✗
Comida 1350 - ☕ 550 - **43 hab** 4900/8850 - PA 2770.

BORLEÑA **39699** Cantabria 442 C 18 - ☎ 942.
Madrid 360 - ♦Bilbao/Bilbo 111 - ♦Burgos 117 - ♦Santander 35.

Mesón de Borleña, carret. N 623 ✆ 59 76 43, 🏕 - P. AE ⓓ E VISA. ✗
cerrado lunes (salvo junio-septiembre) y del 15 al 30 noviembre - **Comida** carta 2350 a 3700.

BOSOST o **BOSSOST** **25550** Lérida 443 D 32 - 779 h. alt. 710 - ☎ 973.
ℹ Eduard Aunós, ✆ 64 72 79.
Madrid 611 - ♦Lérida/Lleida 179 - Viella 16.

Portillón Bossost, Piedad y Agua 33 ✆ 64 70 77, Fax 64 72 95, 🏕 - 🛗 ▤ TV ☎. VISA
Comida 1800 - ☕ 800 - **22 hab** 6000/7500 - PA 3550.

Garona, Eduard Aunós 1 ✆ 64 82 46, Fax 64 70 01, ← - 🛗 ☎. E VISA. ✗
Comida 1450 - ☕ 550 - **25 hab** 5700 - PA 2990.

Batalla, urb. Sol de la Vall ✆ 64 81 99, Fax 64 70 02 - TV ☎. AE ⓓ E VISA. ✗ hab
Comida 1200 - ☕ 450 - **16 hab** 4500/7000 - PA 2650.

Portalet ⑤ con hab, San Jaime 32 ✆ 64 82 00 - ▤ rest P. AE E VISA. ✗
Comida carta 2925 a 4175 - ☕ 500 - **6 hab** 5000.

El BOSQUE **11670** Cádiz 446 V 13 - 1 804 h. alt. 287 - ☎ 956.
ℹ av de la Diputación ✆ 71 60 63.
♦Madrid 586 - ♦Cádiz 96 - Ronda 52 - ♦Sevilla 102.

Las Truchas ⑤, av. Diputación 1 ✆ 71 60 61, Fax 71 60 86, ←, 🌳 - ▤ TV ☎ P. AE VISA. ✗
Comida 1970 - ☕ 500 - **24 hab** 5235/6555 - PA 3770.

BOSQUES DEL PRIORATO (Urbanización) Tarragona - ver Bañeras.

BÓVEDA **27340** Lugo 441 E 7 - 2 320 h. alt. 361 - ☎ 982.
♦Madrid 275 - Lugo 53 - Orense/Ourense 61 - Ponferrada 103.

Arcadia, Casas Novas ✆ 42 63 78, Fax 42 65 61 - TV ☎ 🚗 P. AE E VISA. ✗
Comida 950 - ☕ 300 - **27 hab** 2000/3900 - PA 2000.

BREÑA ALTA Santa Cruz de Tenerife - ver Canarias : La Palma (Santa Cruz de Tenerife).

BRIVIESCA **09240** Burgos 442 E 20 - 5 795 h. alt. 725 - ☎ 947.
♦Madrid 285 - ♦Burgos 42 - ♦Vitoria/Gasteiz 78.

El Vallés, autovía N I ✆ 59 00 25, Fax 59 24 84, 🌳 - ☎ 🚗 P. E VISA. ✗
cerrado 23 diciembre-5 febrero - **Comida** 2725 - ☕ 550 - **21 hab** 4750/5950 - PA 5100.

El Concejo, pl. Mayor 14 ✆ 59 16 86 - ▤. AE ⓓ E VISA. ✗
Comida carta 3175 a 3850.

BRONCHALES **44367** Teruel 443 K 25 - 478 h. - ☎ 978.
♦Madrid 261 - Teruel 55 - ♦Zaragoza 184.

Suiza ⑤, Fombuena 8 ✆ 70 10 89 - 🚗
40 hab.

BROTO 22370 Huesca 443 E 29 - 403 h. alt. 905 - ☎ 974.
♦Madrid 484 - Huesca 94 - Jaca 56.

Latre sin rest, av. Ordesa 23 ☎ 48 60 53, ← - P. VISA. ⚘
3 marzo-19 diciembre - ☕ 350 - **34 hab** 3400/6000.

BROZAS 10950 Cáceres 444 N 9 - 2 307 h. alt. 411 - ☎ 927.
♦Madrid 330 - Cáceres 51 - Castelo Branco 95 - Plasencia 95.

La Posada, pl. de Ovando 1 ☎ 39 50 19 - ▤ rest
12 hab.

El BRULL 08553 Barcelona 443 G 36 - 182 h. - ☎ 93.
Golf Osona Montanyà O : 3 km ☎ 884 01 70, Fax 884 04 07.
♦Madrid 635 - ♦Barcelona 65 - Manresa 51.

El Castell, ☎ 884 00 63, ← - ▤ P. ⓓ E VISA. ⚘
cerrado martes noche, miércoles y del 11 al 30 de septiembre - **Comida** carta 1800 a 375

junto al club de Golf O : 3 km - ✉ 08553 El Brull - ☎ 93 :

L'Estanyol, ☎ 884 03 54, Fax 884 04 07, ← campo de golf - ▤ P. AE E VISA. ⚘
cerrado domingo noche y lunes noche (en verano) y 25 diciembre-1 enero - **Comida** (sól almuerzo en invierno de domingo a jueves) carta 3625 a 5450.

BRUNETE 28690 Madrid 444 K 18 - 2 505 h. - ☎ 91.
♦Madrid 32 - Ávila 92 - Talavera de la Reina 99.

por la carretera M 501 SE : 2 km - ✉ 28690 Brunete - ☎ 91 :

El Vivero, ☎ 815 92 22, Asados - ▤ P. ⓓ E VISA. ⚘
cerrado jueves y agosto - **Comida** carta 2650 a 4200.

BUBIÓN 18412 Granada 446 V 19 - 303 h. alt. 1 150 - ☎ 958.
♦Madrid 504 - ♦Almería 151 - ♦Granada 75.

Villa Turística de Bubión ⛰, ☎ 76 31 11, Fax 76 31 36, ← - ▤ rest TV ☎ P - 🏛 25/6
AE ⓓ E VISA. ⚘ rest
Comida 1900 - ☕ 800 - **43 apartamentos** 7600/9500 - PA 3500.

Teide, ☎ 76 30 37, 🏞, Decoración típica - P. E VISA. ⚘
cerrado martes y 20 junio-10 julio - **Comida** carta 1700 a 2175.

BUELNA 33598 Asturias 441 B 16 - ☎ 98.
♦Madrid 439 - Gijón 117 - ♦Oviedo 127 - ♦Santander 82.

El Horno, carret. N 634 ☎ 541 12 01, 🏞, « Decoración típica regional » - P. AE E VISA. ⚘
cerrado noviembre y diciembre - **Comida** carta 2800 a 4500.

BUEU 36939 Pontevedra 441 F 3 - 11 506 h. - ☎ 986 - Playa.
♦Madrid 621 - Pontevedra 19 - ♦Vigo 32.

Incamar, Montero Ríos 147 ☎ 32 00 67, Fax 32 07 84 - |♦| ▤ rest TV ☎. AE E VISA. ⚘
Comida 1500 - ☕ 500 - **46 hab** 5000/6000 - PA 3000.

Playa Agrelo, playa de Agrelo NE : 1,5 km ☎ 32 08 44, Fax 32 06 26 - |♦| TV ☎ P. A
ⓓ E VISA. ⚘
marzo-15 diciembre - **Comida** *(cerrado domingo noche de octubre a junio)* 1200 - ☕ 50
- **46 hab** 5500/7000.

Loureiro con hab, playa de Loureiro NE : 1 km ☎ 32 07 19, Fax 32 14 98, ← - ☎ P. A
ⓓ E VISA. ⚘
Semana Santa-octubre - **Comida** carta 2200 a 3500 - ☕ 400 - **24 hab** 4000/5500.

BUJARALOZ 50177 Zaragoza 443 H 29 - 1 074 h. alt. 245 - ☎ 976.
♦Madrid 394 - ♦Lérida/Lleida 83 - ♦Zaragoza 75.

Español con hab, carret. N II ☎ 17 30 43, Fax 17 31 92 - ▤ rest P. AE ⓓ E VISA. ⚘
Comida carta 2500 a 3550 - ☕ 225 - **18 hab** 1950/3850.

BUNYOLA Palma de Mallorca - ver Baleares (Mallorca).

BURELA 27880 Lugo 441 B 7 - ☎ 982.
♦Madrid 612 - ♦La Coruña/A Coruña 157 - Lugo 108.

Luzern sin rest, con cafetería, carret. General 225 ☎ 58 02 66, Fax 58 55 70 - TV ☎. AE
ⓓ E VISA JCB. ⚘
☕ 350 - **19 hab** 3500/5500.

Sargo, Rosalía de Castro 2 ☎ 58 51 38 - ▤. AE E VISA. ⚘
Comida carta 2700 a 5200.

El BURGO DE OSMA 42300 Soria 442 H 20 – 5 054 h. alt. 895 – ☎ 975.

/er : Catedral★ (sepulcro de Pedro de Osma★, museo : documentos antiguos y códices niniados★).

◆Madrid 183 – Aranda de Duero 56 – Soria 56.

- **Il Virrey,** Mayor 4 ☎ 34 13 11, Fax 34 08 55, « Decoración elegante » – 🛗 TV ☎ 🚗 – 🎪 25/45. AE ⓓ E VISA. ✂
  Comida (ver también rest. *Virrey Palafox*) 2500 – ☕ 750 – **52 hab** 7000/11000 – PA 4900.
- **Río Ucero y Rest. Puente Real,** carret. N 122 ☎ 34 12 78, Fax 34 12 50 – ▤ rest TV ☎ Ⓟ – 🎪 25/180. AE ⓓ E VISA. ✂
  Comida carta aprox. 3680 – ☕ 800 – **62 hab** 7000/11500, 8 suites.
- ✕✕ **Virrey Palafox** con hab, Universidad 7 - carret. N 122 ☎ 34 02 22, Fax 34 08 55 – ▤ rest Ⓟ. AE ⓓ E VISA. ✂
  cerrado 19 diciembre-3 enero – **Comida** *(cerrado domingo noche salvo Semana Santa y agosto)* carta 2800 a 4250 – ☕ 500 – **18 hab** 3100/4800.

Europe — Se o nome de um hotel figura em pequenos caracteres, à chegada pergunte as condições ao hoteleiro.

BURGOS 09000 🅿 442 E 18 y 19 – 169 111 h. alt. 856 – ☎ 947.

Ver : Catedral★★★ (crucero, coro y Capilla Mayor★★, Girola★, capilla del Condestable★★, capilla de Santa Ana★) A – Museo de Burgos★ (arqueta hispanoárabe★, frontal de altar★, sepulcro de Juan de Padilla★) B **M1** – Arco de Santa María★ A **B** – Iglesia de San Nicolás : retablo★.

Alred. : Real Monasterio de las Huelgas★★ (sala Capitular : pendón★, museo de telas medievales★★) por av. del Monasterio de las Huelgas A – Cartuja de Miraflores : iglesia★ (conjunto escultórico de la Capilla Mayor★★★) B.

ℹ pl. Alonso Martínez 7, ✉ 09003, ☎ 20 31 25 – **R.A.C.E.** av. Gral. Sanjurjo 11, ✉ 09003, ☎ 20 91 19.

◆Madrid 239 ② – ◆Bilbao/Bilbo 156 ① – ◆Santander 154 ① – ◆Valladolid 125 ③ – ◆Vitoria/Gasteiz 111 ①.

BURGOS

Mayor (Plaza de)	AB 18
Santo Domingo (Pl. de)	B 28
Vitoria	B
Almirante Bonifaz	B 2
Alonso Martínez (Pl. de)	B 3
Aparicio y Ruiz	A 5
Cid Campeador (Av. del)	B 8
Conde de Guadalhorce (Av. del)	A 9
Eduardo Martínez del Campo	A 10
España (Pl.)	B 12
Gen. Sanjurjo (Av. del)	B 14
Gen Santocildes (Pl. del)	B 15
Libertad (Pl.)	B 17
Miguel Primo de Rivera (Pl.)	B 19
Miranda	B 20
Monasterio de las Huelgas (Av. del)	A 21
Nuño Rasura	A 23
Paloma	A 24
Reyes Católicos (Av. de los)	B 26
Rey San Fernando (Pl. de)	A 27

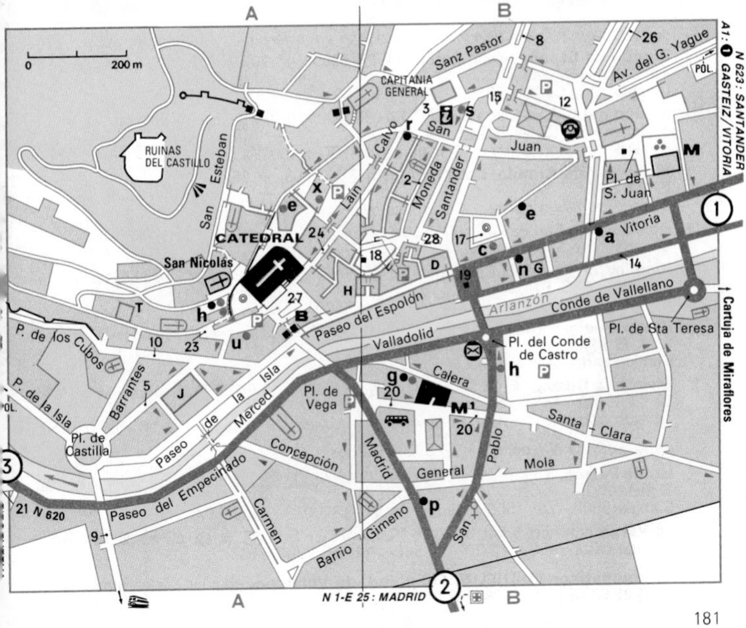

Puerta de Burgos, Vitoria 69, ✉ 09006, ☎ 24 10 00, Fax 24 07 07 - 25. AE ⓓ E VISA.
por ①
Comida 2350 - 1200 - **136 hab** 9375/14800, 1 suite - PA 5015.

NH Condestable, Vitoria 8, ✉ 09004, ☎ 26 71 25, Telex 39572, Fax 20 46 45 - 25/250. AE ⓓ E VISA.
B
Comida 2500 - 1000 - **85 hab** 10700/14850 - PA 5600.

Almirante Bonifaz y Rest. Los Sauces, Vitoria 22, ✉ 09004, ☎ 20 69 43, Telex 39430
Fax 20 29 19 - 25/200. AE ⓓ E VISA JCB.
B
cerrado 24 diciembre-7 enero - **Comida** *(cerrado lunes mediodía)* carta 2845 a 3625 - 1100 - **79 hab** 7700/14500.

Fernán González, Calera 17, ✉ 09002, ☎ 20 94 41, Telex 39602, Fax 27 41 21 - 25/500. AE ⓓ E VISA
B
Comida (ver rest. **Fernán González**) - 625 - **85 hab** 7350/11900.

Corona de Castilla, Madrid 15, ✉ 09002, ☎ 26 21 42, Telex 39619, Fax 20 80 42 - rest 25/350. AE ⓓ E VISA.
B
Comida 2700 - 800 - **71 hab** 6175/10600 - PA 5270.

María Luisa sin rest, av. del Cid Campeador 42, ✉ 09005, ☎ 22 80 00, Telex 39567
Fax 22 80 80, « Decoración elegante » - 25. ⓓ E VISA
600 - **44 hab** 8600/10800.
por av. del Cid Campeador B

Del Cid, pl. Santa María 8, ✉ 09003, ☎ 20 87 15, Fax 26 94 60, ← - AE ⓓ E VISA JCB
A
Comida (ver rest. **Mesón del Cid**) - 900 - **28 hab** 8000/13000.

Rice, av. de los Reyes Católicos 30, ✉ 09005, ☎ 22 23 00, Telex 39456, Fax 22 35 50 - rest. AE ⓓ E VISA. rest
por B
Comida *(cerrado domingo)* 1500 - 600 - **50 hab** 8600/10800 - PA 3500.

Cordón sin rest, La Puebla 6, ✉ 09004, ☎ 26 50 00, Fax 20 02 69 - . AE ⓓ E VISA
B
700 - **35 hab** 6000/10000.

Norte y Londres sin rest, pl. de Alonso Martínez 10, ✉ 09003, ☎ 26 41 25, Fax 27 73 75
- . AE E VISA
B
575 - **50 hab** 5225/8500.

XXX **Casa Ojeda,** Vitoria 5, ✉ 09004, ☎ 20 90 52, Decoración castellana - . AE ⓓ E VISA
B
cerrado domingo noche - **Comida** carta 3500 a 5000.

XXX **Fernán González,** Calera 19, ✉ 09002, ☎ 20 94 42, Telex 39602, Fax 27 41 21 - AE ⓓ E VISA.
B
Comida carta aprox. 3400.

XXX **Los Chapiteles,** General Santocildes 7, ✉ 09003, ☎ 20 18 37 - . AE ⓓ E VISA
B
cerrado domingo noche y miércoles noche en invierno - **Comida** carta 3035 a 3745.

XX **Rincón de España,** Nuño Rasura 11, ✉ 09003, ☎ 20 59 55, Fax 20 59 55, - . AE ⓓ E VISA JCB.
A
Comida carta 3600 a 4850.

XX **Mesón del Cid,** pl. Santa María 8, ✉ 09003, ☎ 20 59 71, Fax 26 94 60, , « Decoración castellana » - AE ⓓ E VISA JCB.
A
cerrado domingo noche - **Comida** carta 2900 a 4000.

XX **El Asador de Aranda,** Llana de Afuera, ✉ 09003, ☎ 26 81 41, ←, Cordero asado - E VISA.
A
cerrado domingo noche - **Comida** carta aprox. 3200.

XX **Don Jamón,** San Pablo 3 ☎ 26 56 61, Fax 26 00 36 - . AE ⓓ E VISA. B
Comida carta 3700 a 4100.

X **Rice,** av. de los Reyes Católicos 32, ✉ 09005, ☎ 23 12 81, Fax 22 35 50, Cocina italiana - . AE ⓓ E VISA.
por B
cerrado domingo - **Comida** carta 2500 a 3500.

X **Prego,** Huerto del Rey 4, ✉ 09003, ☎ 26 04 47, Decoración rústica regional - Cocina italiana - . E VISA
A
Comida carta 1825 a 2950.

X **Mesón la Cueva,** pl. de Santa María 7, ✉ 09003, ☎ 20 86 71, Decoración castellana - AE ⓓ E VISA.
A
cerrado domingo noche y 2ª quincena de noviembre - **Comida** carta 2900 a 3850.

en la autovía N I por ② - ✉ 09000 Burgos - 947 :

Landa Palace, 3,5 Km ☎ 20 63 43, Fax 26 46 76, , , - - 25. E VISA.
Comida 5800 - 1500 - **39 hab** 14000/18000, 3 suites - PA 11100.

XX **La Varga** con hab, 5 km ☎ 20 16 40, Fax 26 21 72 - . AE ⓓ E VISA.
Comida carta 2650 a 4375 - 840 - **12 hab** 5200/7785.

S.A.F.E. Neumáticos MICHELIN, Políg. Ind. de Villalonquejar av. López Bravo 52 por ①
(N 623) ☎ 29 83 45 y 29 81 88, Fax 29 81 76

BURGUETE o **AURITZ** 31640 Navarra 442 D 25 y 26 – 321 h. alt. 960 – ✪ 948 – Deportes de invierno : 3.

◆Madrid 439 – Jaca 120 – ◆Pamplona/Iruñea 44 – St-Jean-Pied-de-Port 32.

☆ Loizu ⟐ sin rest, Única 3 ℘ 76 00 08 – **ⓟ**
temp – **22 hab.**

☆ **Burguete** ⟐, Única 51 ℘ 76 00 05 – **ⓟ**. ஊ **E** 𝚅𝙸𝚂𝙰. ⍐
15 marzo-15 diciembre – **Comida** 1400 – ⌑ 400 – **22 hab** 2000/3600 – PA 2720.

BURLADA 31600 Navarra 442 D 25 – 15 174 h. – ✪ 948.

◆Madrid 391 – Jaca 117 – ◆Logroño 98 – ◆Pamplona/Iruñea 6.

🏨 **Burlada** sin rest, con cafetería, La Fuente 2 ℘ 13 13 00, Fax 12 23 46 – |∌| ▤ 🆃🆅 ☎ ⟿.
ஊ ⓞ **E** 𝚅𝙸𝚂𝙰 𝙹𝙲𝙱. ⍐
⌑ 400 – **53 hab** 8500/13000.

☞ *Pour voyager rapidement, utilisez les cartes Michelin "Grandes Routes" :*

970 Europe, 980 Grèce, 984 Allemagne, 985 Scandinavie-Finlande,
986 Grande-Bretagne-Irlande, 987 Allemagne-Autriche-Benelux, 988 Italie,
989 France, 990 Espagne-Portugal, 991 Yougoslavie.

BURRIANA 12530 Castellón de la Plana 445 M 29 – 25 438 h. – ✪ 964.

🛉 La Tanda 33 ℘ 51 15 40.

◆Madrid 410 – Castellón de la Plana/Castelló de la Plana 11 – ◆Valencia 62.

en la autopista A 7 SO : 4 km – ✉ 12530 Burriana – ✪ 964 :

🏨 **La Plana y Rest. Rhodas Grill,** ℘ 51 25 50, Fax 51 27 54 – |∌| ▤ 🆃🆅 **ⓟ**. ஊ **E** 𝚅𝙸𝚂𝙰. ⍐ rest
Comida carta 2260 a 3490 – ⌑ 725 – **56 hab** 5800/8900.

en la playa SE : 2,5 km – ✉ 12530 Burriana – ✪ 964 :

🏨 **Aloha,** av. Mediterráneo 74 ℘ 58 50 00, Fax 58 50 00, ⤓ – |∌| ▤ 🆃🆅 ☎ **ⓟ**. ⓞ 𝚅𝙸𝚂𝙰.
⍐
Comida 2000 – ⌑ 475 – **30 hab** 4950/7400 – PA 3800.

CABAÑAS 15621 La Coruña 441 B 5 – 3 074 h. alt. 79 – ✪ 981 – Playa.

◆Madrid 611 – ◆La Coruña/A Coruña 50 – Ferrol 13 – Santiago de Compostela 87.

🏨 **Sarga,** carret. de La Coruña ℘ 43 10 00, Telex 85538, Fax 43 06 78, ⤓ – |∌| 🆃🆅 ⟿ **ⓟ**.
ஊ **E** 𝚅𝙸𝚂𝙰. ⍐
Comida *(cerrado noviembre-marzo)* 2500 – ⌑ 600 – **80 hab** 8000/11000 – PA 4500.

CABEZÓN DE LA SAL 39500 Cantabria 442 C 17 – 6 789 h. alt. 128 – ✪ 942.

🛉 pl. Ricardo Botín ℘ 70 03 32.

◆Madrid 401 – ◆Burgos 158 – ◆Oviedo 161 – Palencia 191 – ◆Santander 44.

🏠 El Cruce, Navas ℘ 70 00 32 – 🆃🆅 **ⓟ**
22 hab.

🏠 **Conde de Lara,** carret. N 634 - barrio La Losa ℘ 70 03 12 – **ⓟ**. ஊ ⓞ **E** 𝚅𝙸𝚂𝙰. ⍐
Comida 1200 – ⌑ 400 – **22 hab** 4000/5500 – PA 2660.

en la carretera de Luzmela S : 3 km – ✉ 39500 Cabezón de la Sal – ✪ 942 :

XX **Venta Santa Lucía,** ℘ 70 10 61, Antigua posada – **ⓟ**. ஊ **E** 𝚅𝙸𝚂𝙰. ⍐
cerrado martes y 28 enero-13 febrero – **Comida** carta 2600 a 3700.

CABO – ver a continuación y el nombre propio del cabo.

CABO DE PALOS 30370 Murcia 445 T 27 – ✪ 968.

◆Madrid 465 – ◆Alicante/Alacant 108 – Cartagena 26 – ◆Murcia 75.

XX **Miramar,** paseo del Puerto 14 ℘ 56 30 33, Fax 56 30 33, ≤, ⌂ – ▤. ஊ ⓞ **E** 𝚅𝙸𝚂𝙰.
⍐
cerrado martes y 9 enero-3 febrero – **Comida** carta 2000 a 3200.

X **La Tana,** paseo de la Barra 33 ℘ 56 30 03, ≤, ⌂ – ஊ ⓞ **E** 𝚅𝙸𝚂𝙰. ⍐
cerrado lunes (salvo julio-agosto) y noviembre – **Comida** carta 2350 a 2700.

CABRA 14940 Córdoba 446 T 16 – 20 343 h. alt. 350 – ✪ 957.

◆Madrid 432 – Antequera 66 – ◆Córdoba 75 – Granada 113 – Jaén 99.

X **Olivia,** av. Federico García Lorca 10 ℘ 52 09 30 – ▤. ஊ ⓞ **E** 𝚅𝙸𝚂𝙰. ⍐
cerrado lunes y 9 septiembre-1 octubre – **Comida** carta 1900 a 3175.

La CABRERA 28751 Madrid 444 J 19 - 1 093 h. alt. 1 038 - ☎ 91.
♦Madrid 56 - ♦Burgos 191.

- **Mavi,** autovía N I ✆ 868 80 00, Fax 868 82 92, ☂ - Ⓟ. ⓓ E VISA. ✂ rest
Comida 1800 - ☕ 400 - **42 hab** 2750/4850 - PA 2200.
- El Cancho del Águila, autovía N I - N : 1 km ✆ 868 83 74 - ▤ rest Ⓟ
25 hab.

CABRERA DE MAR 08349 Barcelona 443 H 37 - 2 909 h. alt. 125 - ☎ 93.
♦Madrid 651 - ♦Barcelona 25 - Mataró 8.

- **Santa Marta,** Josep Doménech 35 ✆ 759 20 24, Fax 759 20 24, ☂, « Terraza con ≤ » - ▤ Ⓟ. E VISA
cerrado domingo noche, lunes, Semana Santa y tres semanas en noviembre - **Comida** carta 3900 a 4650.

CABRILS 08348 Barcelona 443 H 37 - 3 042 h. - ☎ 93.
♦Madrid 650 - ♦Barcelona 24 - Mataró 7.

- **Cabrils,** Emilia Carles 31 ✆ 753 24 56, Fax 753 24 56, ☂ - Ⓟ. AE ⓓ E VISA
cerrado enero - **Comida** *(cerrado miércoles)* 975 - ☕ 275 - **19 hab** 1950/4300 - PA 1800.
- **Hostal de la Plaça,** pl. de l'Església 11 ✆ 753 19 02, Fax 753 18 67, ☂ - ▤. AE ⓓ E VISA
cerrado lunes (salvo festivos o vísperas) y octubre - **Comida** carta 2600 a 4100.
- Splá, Emilia Carles 18 ✆ 753 19 06 - ▤.

CACABELOS 24540 León 441 E 9 - 4 903 h. - ☎ 987.
♦Madrid 393 - Lugo 108 - Ponferrada 14.

- **La Moncloa,** Cimadevilla 99 ✆ 54 61 01, Fax 54 90 56, ☂, Rest. típico, « Conjunto rústico regional » - AE ⓓ E VISA. ✂
cerrado lunes salvo en verano - **Comida** carta 2300 a 2750.
- Casa Gato, av. de Galicia 7 ✆ 54 64 08.

CÁCERES 10000 P 444 N 10 - 84 319 h. alt. 439 - ☎ 927.
Ver : El Cáceres Viejo★★★ BYZ : Plaza de Santa María★, Palacio de los Golfines de Abajo★ D.
Alred. : Virgen de la Montaña ≤★ E : 3 km BZ - Arroyo de la Luz (Iglesia de la Asunción : tablas del retablo★) O : 20 km.
ℹ pl. Mayor 37, ✉ 10003, ✆ 24 63 47 - R.A.C.E. av. de Alemania 1, ✉ 10001, ✆ 21 35 19.
♦Madrid 307 ① - ♦Coimbra 292 ③ - ♦Córdoba 325 ② - ♦Salamanca 217 ③ - ♦Sevilla 265 ②.

Plano página siguiente

- **Meliá Cáceres,** pl. San Juan 11, ✉ 10003, ✆ 21 58 00, Telex 28914, Fax 21 40 70, Instalado en el antiguo palacio de Los Marqueses de Oquendo - |¢| ▤ TV ☎ - 🏛 25/200. AE ⓓ E VISA. ✂ rest — BYZ x
Comida 3400 - ☕ 1275 - **86 hab** 12400/15500 - PA 5820.
- **Parador de Cáceres** ⛰, Ancha 6, ✉ 10003, ✆ 21 17 59, Fax 21 17 29, « Instalado en el antiguo palacio de Torreorgaz » - |¢| ▤ TV ☎ - 🏛 25/30. AE ⓓ E VISA. ✂ — BZ b
Comida 3200 - ☕ 1100 - **27 hab** 13500 - PA 6375.
- Alcántara, av. Virgen de Guadalupe 14, ✉ 10001, ✆ 22 39 00, Fax 22 39 04 - |¢| ▤ TV ☎ 🚗 — AZ a
64 hab, 3 suites.
- **Hernán Cortés** sin rest y sin ☕, travesía Hernán Cortés 6, ✉ 10004, ✆ 24 34 88 - ☎. ✂ — AY r
18 hab 2800/4150.
- ✿ **Atrio,** av. de España 30, ✉ 10002, ✆ 24 29 28, Fax 22 11 11 - ▤. AE ⓓ E VISA — AZ n
cerrado domingo noche (salvo víperas de festivos) - **Comida** carta 4150 a 4850
Espec. Bolsas de gambas y puerros, Carré de cabrito relleno de gambitas y setas, Bizcocho relleno de trufa con natillas y chocolate.
- **El Figón de Eustaquio,** pl. San Juan 12, ✉ 10003, ✆ 24 81 94, Decoración rústica - ▤. AE ⓓ VISA. ✂ — BY e
Comida carta 3000 a 4900.

en la carretera de Salamanca N 630 por ③ - ✉ 10001 Cáceres - ☎ 927 :

- **V Centenario,** urb. Castellanos 1,5 km ✆ 23 22 00, Fax 23 22 02, 🏊, 🎾 - |¢| ▤ TV ☎ 🚗 Ⓟ - 🏛 25/450. AE ⓓ E VISA. ✂
Comida carta 3100 a 4950 - ☕ 1100 - **129 hab** 10400/13000, 9 suites.
- **Álvarez,** 4 km ✆ 23 06 50, Fax 23 06 50, ☂ - ▤ Ⓟ. AE ⓓ E VISA. ✂
Comida carta 3300 a 4500.

CÁCERES

Generalísimo Franco . . . . . . BY 19
Gen. Mola (Pl. del) . . . . BY
San Antón . . . . AZ 47
San Pedro . . . . BZ 53

América (Pl. de) . . . . AZ 2
Amor de Dios . . . . BZ 3
Ancha . . . . BZ 4
Antonio Reyes Huertas . . . BZ 6
Arturo Aranguren . . . . AZ 7
Ceres . . . . BY 9
Colón . . . . BZ 10
Compañía (Cuesta de la) . BY 12
Diego María Crehuet . . . . . BZ 14
Fuente Nueva . . . . BZ 15
Gabino Muriel . . . . AZ 17
Gen. Primo de Rivera (Av. del) AZ 22
Isabel de Moctezuma (Av.) . AZ 24
José L. Cotallo . . . . AY 25
Juan XXIII . . . . AZ 26
Lope de Vega . . . . BY 28
Marqués (Cuesta del) . . . . BY 30
Médico Sorapan . . . . BZ 31
Millán Astray (Av.) . . . . BZ 32
Mono . . . . BY 33
Pereros . . . . BZ 36
Portugal (Av. de) . . . . AZ 37
Profesor Hdez Pacheco . . . BZ 39
Quijotes (Av. de los) . . . . . . BY 40
Ramón y Cajal (Paseo de) . AY 42
Reyes Católicos . . . . AY 43
San Blas (Av. de) . . . . BY 45
San Jorge . . . . AY 49
San Juan (Pl. de) . . . . BZ 51
S. Pedro de Alcántara (Av.) . AZ 54
San Roque . . . . BZ 56
Tiendas . . . . BY 58
Trabajo . . . . AY 59
Viena . . . . AZ 60

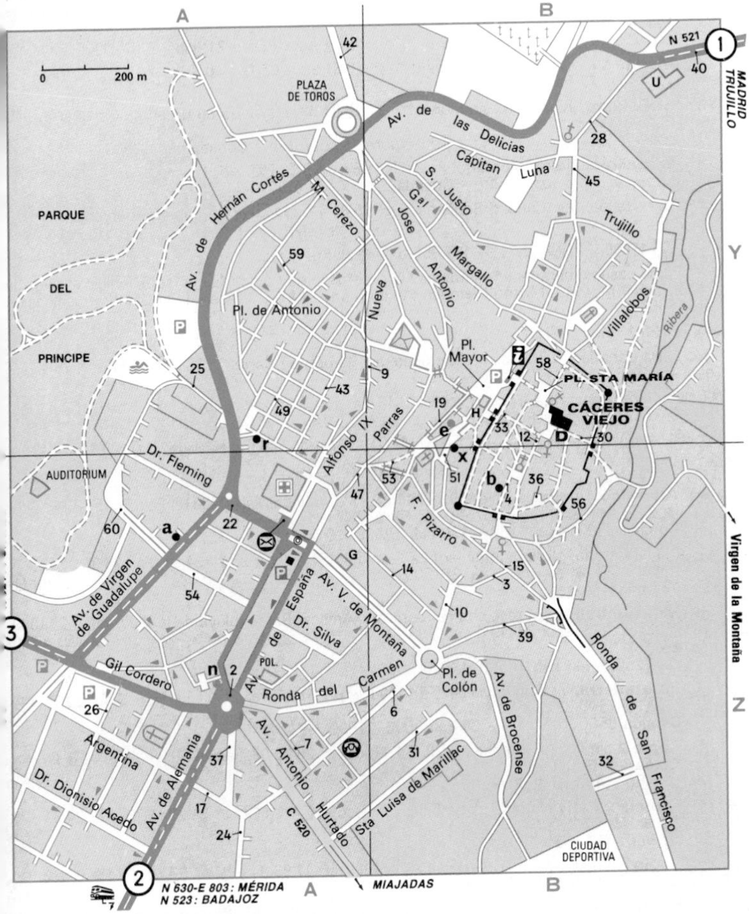

PARA AS SUAS VIAGENS NA EUROPA UTILIZE :

Os Mapas Michelin **Estradas Principais ;**

Os Mapas Michelin pormenorizados ;

Os Guias Michelin Vermelhos (hotéis e restaurantes)
Benelux, Deutschland, main cities **Europe, France, Great Britain and Ireland, Italia, Suisse**

Os Guias Michelin Verdes (curiosidades e percursos turísticos).

CADAQUÉS 17488 Gerona 443 F 39 – 1 814 h. – ✆ 972 – Playa.

Cotxe 2 ✆ 25 83 15, Fax 15 94 42.

♦Madrid 776 – Figueras/Figueres 31 – Gerona/Girona 69.

Playa Sol sin rest, con cafetería, platja Pianch 3 ✆ 25 81 00, Fax 25 80 54, ≤, 🏊, ⚘, 🎾 – |‡| ▤ TV ☎ ⇔ Ⓟ. AE Ⓓ E VISA. ⚔
cerrado 10 enero-febrero – ☐ 1100 – **50 hab** 9900/16900.

S'Aguarda, carret. de Port-Lligat 28 (N : 1 km) ✆ 25 80 82, Fax 25 87 56, ≤, 🏊 – |‡| ▤ rest TV ☎ Ⓟ. AE Ⓓ E VISA. ⚔
cerrado noviembre – **Comida** *(abril-septiembre)* 1800 – ☐ 500 – **27 hab** 5000/8500 – PA 3450.

Blaumar sin rest, Massa d'Or 21 ✆ 15 90 20, Fax 25 80 54, ≤ – |‡| TV ☎ ⇔. AE Ⓓ E VISA. ⚔
cerrado del 15 al 28 de febrero y noviembre – ☐ 850 – **21 hab** 7200/10900.

Marina sin rest, Riera Sant Vicent 3 ✆ 25 81 99 – AE E VISA
☐ 400 – **27 hab** 3000/5800.

Es Baluard, Riba Nemesio Llorens 2 ✆ 25 81 83, Instalado en un antiguo baluarte – AE E VISA
cerrado jueves en invierno y 12 octubre-1 diciembre – **Comida** carta 2900 a 4750.

La Galiota, Narcís Monturiol 9 ✆ 25 81 87 – AE E VISA. ⚔
Semana Santa-septiembre – **Comida** carta 4100 a 6000.

Don Quijote, av. Caridad Seriñana 5 ✆ 25 81 41, ⛱, Terraza cubierta de yedra.

CÁDIZ 11000 P 446 W 11 – 157 355 h. – ✆ 956 – Playa.

Ver : – Los paseos marítimos★ : jardines★ AY – Museo de Cádiz★ (sarcófagos fenicios★, lienzos de Zurbarán★) BY **M** – Museo Histórico : maqueta★ AY **M1** – Museo de la Catedral : colección de orfebrería★ BZ.

✆ 25 11 59.

para Canarias : Cía. Trasmediterránea, av. Ramón de Carranza 26, ✉ 11006, ✆ 28 43 11, Telex 46619 BYZ.

Calderón de la Barca 1, ✉ 11003, ✆ 21 13 13, Fax 22 84 71 pl. de San Juan de Dios 11, ✉ 11005, ✆ 24 10 01, Fax 24 10 05 – R.A.C.E. Santa Teresa 4, ✉ 11010, ✆ 25 07 07.

♦Madrid 646 ① – Algeciras 124 ① – ♦Córdoba 239 ① – ♦Granada 306 ① – ♦Málaga 262 ① – ♦Sevilla 123 ①.

Plano página siguiente

Atlántico, Duque de Nájera 9, ✉ 11002, ✆ 22 69 05, Telex 76316, Fax 21 45 82, ≤, 🏊 – |‡| ▤ TV ☎ ⇔ – 🔬 25/500. AE Ⓓ E VISA. ⚔ AY **r**
Comida 3200 – ☐ 1100 – **139 hab** 12500, 10 suites – PA 6375.

Playa Victoria, glorieta Ingeniero La Cierva 4, ✉ 11010, ✆ 27 54 11, Fax 26 33 00, ≤, 🏊 – |‡| ▤ TV ☎ ♿ ⇔ – 🔬 25/300 por ①
184 hab, 4 suites.

Meliá la Caleta sin rest, con cafetería, av. Amílcar Barca (playa de la Victoria), ✉ 11009, ✆ 27 94 11, Telex 76040, Fax 25 93 22, ≤ – |‡| ▤ TV ☎ ♿ ⇔ – 🔬 25/130. AE Ⓓ E VISA. ⚔
☐ 1250 – **143 hab** 10500/13500. por ①

Puertatierra, av. Andalucía 34, ✉ 11008, ✆ 27 21 11, Fax 25 03 11, 🎾 – |‡| ▤ TV ☎ ⇔ – 🔬 25/200. AE Ⓓ E VISA. ⚔ por ①
Comida 2500 – ☐ 800 – **98 hab** 9000/11900 – PA 4640.

Regio 2 sin rest, av. Andalucía 79, ✉ 11008, ✆ 25 30 08, Fax 25 30 09 – |‡| ▤ TV ☎ ⇔ Ⓟ. AE Ⓓ E VISA. ⚔
☐ 550 – **40 hab** 4500/8500. por ①

Francia y París sin rest, pl. de San Francisco 6, ✉ 11004, ✆ 21 23 19, Fax 22 24 31 – |‡| TV ☎. AE Ⓓ E VISA. ⚔ BY **s**
☐ 560 – **57 hab** 6400/8900.

Regio sin rest, av. Ana de Viya 11, ✉ 11009, ✆ 27 93 31 – |‡| ▤ TV ☎. AE Ⓓ E VISA. ⚔
☐ 550 – **40 hab** 4500/8500. por ①

El Faro, San Félix 15, ✉ 11002, ✆ 21 10 68, Fax 21 21 88, Pescados y mariscos – ▤. AE Ⓓ VISA. ⚔ AZ **b**
Comida carta 2800 a 4450.

1800, paseo Marítimo 3, ✉ 11009, ✆ 26 02 03 – ▤. AE Ⓓ E VISA. ⚔ por ①
cerrado lunes y febrero – **Comida** carta 3100 a 5000.

El Brocal, av. José León de Carranza 4, ✉ 11011, ✆ 25 77 59 – ▤. AE Ⓓ E VISA. ⚔
cerrado domingo – **Comida** carta aprox. 3250. por ①

en la playa de Cortadura S : 2 km – ✉ 11011 Cortadura – ✆ 956 :

Ventorrillo del Chato, Vía Augusta Julia ✆ 25 00 25, Decoración rústica – ▤ Ⓟ. AE Ⓓ E VISA. ⚔
cerrado domingo – **Comida** carta 3650 a 4300.

CÁDIZ

Ancha . . . . BY 2
Columela . . . . BYZ
Pelota . . . . BZ 19
San Francisco . . . . . . BY 22
Topete (Pl.) . . . . BZ 30

Calderón de la Barca BY 3
Candelarias (Pl.) . . . . BZ 5
Compañía . . . . BZ 6

Doctor Marañón . . . . AY 7
Fernando El Católico . . . . BY 8
Mentidero (Pl. del) . . . . . . AY 9
Mina (Pl. de) . . . . BY 12
Montañés . . . . BZ 13
Novena . . . . BY 15
Ramón de Carranza . . . . . BZ 18
San Antonio (Pl. de) . . . . . AY 21
San Juan de Dios . . . . BZ 24
San Juan de Dios (Pl. de) . BZ 25
San Roque . . . . BZ 27
Santo Cristo . . . . BZ 28

CAÍDOS (Valle de los) **28209** Madrid 444 K 17 – ☎ 91 – Zona de peaje.
Ver : Lugar★★ – Basílica★★ (cúpula★) – Cruz★.
◆Madrid 52 – El Escorial 13 – ◆Segovia 47.
Hoteles y restaurantes ver : ***Guadarrama*** NE : 8 km, ***San Lorenzo de El Escorial*** S : 13 km.

CALA DE SAN VICENTE o **CALA SANT VICENÇ** Palma de Mallorca – ver Baleares (Mallorca).

CALA D'OR Palma de Mallorca – ver Baleares (Mallorca).

CALA ES FORTÍ Palma de Mallorca – ver Baleares (Mallorca) : Cala d'Or.

CALA FIGUERA Palma de Mallorca – ver Baleares (Mallorca).

CALA FINESTRAT Alicante – ver Benidorm.

CALA FONDUCO Palma de Mallorca – ver Baleares (Menorca) : Mahón.

CALA FORNELLS Palma de Mallorca – ver Baleares (Mallorca) : Paguera.

CALA SANTA GALDANA Palma de Mallorca – ver Baleares (Menorca) : Ferrerías.

CALA LLONGA Palma de Mallorca – ver Baleares (Ibiza) : Santa Eulalia del Río.

CALA MILLOR Palma de Mallorca – ver Baleares (Mallorca) : Son Servera.

CALA MONTJOI Gerona - ver Rosas.

CALA PÍ Palma de Mallorca - ver Baleares (Mallorca).

CALA RAJADA Palma de Mallorca - ver Baleares (Mallorca).

CALA SAONA o **CALA SAHONA** Palma de Mallorca - ver Baleares (Formentera).

CALA TARIDA (Playa de) Palma de Mallorca - ver Baleares (Ibiza) : San José.

CALA VIÑAS o **CALA VINYES** Palma de Mallorca - ver Baleares (Mallorca) : Magaluf.

CALABARDINA Murcia - ver Águilas.

CALAF 08280 Barcelona 443 G 34 - 3 184 h. - 93.
Madrid 551 - Barcelona 93 - Lérida/Lleida 82 - Manresa 34.

- **Calaf** con buffet, carret. de Igualada 1 869 84 49 - P. E VISA.
  cerrado lunes (salvo 16 julio-16 septiembre) y del 1 al 15 de julio - **Comida** (sólo almuerzo) carta 2645 a 4925.

CALAFELL 43820 Tarragona 443 I 34 - 7 061 h. - 977 - Playa.
Sant Pere 29-31, 69 29 81, Fax 69 29 81.
Madrid 574 - Barcelona 65 - Tarragona 31.

en la playa :

- **Kursaal**, av. Sant Joan de Déu 119 69 23 00, Fax 69 27 55, <, - TV . AE E VISA. rest
  Semana Santa-12 octubre - **Comida** 2200 - 700 - **38 hab** 4750/9500 - PA 4300.
- **Canadá,** av. Mossén Jaume Soler 44 69 15 00, Fax 69 12 55, - P. AE VISA.
  mayo-septiembre - **Comida** 1450 - 500 - **106 hab** 6000/9000.
- **Masia de la Platja,** Vilamar 67 69 13 41, Pescados y mariscos - . AE E VISA
  cerrado martes noche, miércoles (salvo julio-septiembre) y Navidedes - **Comida** carta 3175 a 4950.
- **Papiol,** av. Sant Joan de Déu 56 69 13 49, , Pescados y mariscos - . AE E VISA.
  cerrado lunes en invierno y del 8 al 31 de enero - **Comida** carta 3200 a 5900.
- **La Barca de Ca L'Ardet,** av. Sant Joan de Déu 79 69 15 59, , Pescados y mariscos - P. AE E VISA
  cerrado miércoles (salvo junio-agosto) y 15 diciembre-15 enero - **Comida** carta 3500 a 4600.

CALAHONDA 18730 Granada 446 V 19 - 958 - Playa.
Alred. : Carretera★ de Calahonda a Castell de Ferro.
Madrid 518 - Almería 100 - Granada 89 - Málaga 121 - Motril 13.

- El Ancla, av. de los Gerânios 1 62 30 42, - rest TV
  52 hab.

CALAHORRA 26500 La Rioja 442 F 24 - 18 829 h. alt. 350 - 941.
Madrid 320 - Logroño 55 - Soria 94 - Zaragoza 128.

- **Parador de Calahorra,** parque Era Alta 13 03 58, Fax 13 51 39 - TV P - 25/140. AE E VISA.
  Comida 3200 - 1100 - **63 hab** 11500 - PA 6375.
- Chef Nino, Padre Lucas 2 13 31 04, Fax 13 35 16 - TV
  28 hab.
- **La Taberna de la Cuarta Esquina,** Cuatro Esquinas 16 13 43 55 - . AE E VISA.
  cerrado martes y del 10 al 31 de julio - **Comida** carta aprox. 3100.
- Montserrat 2, Maestro Falla 7 13 00 17 - .

CALAMOCHA 44200 Teruel 443 J 26 - 4 270 h. alt. 884 - 978.
Madrid 261 - Soria 157 - Teruel 72 - Zaragoza 110.

- **Fidalgo,** carret. N 234 73 02 77, Fax 73 02 77 - rest TV P. AE E VISA.
  Comida 1400 - 300 - **20 hab** 3000/5800 - PA 2500.

CALANDA 44570 Teruel 443 J 29 – 3 538 h. – 978.

♦Madrid 362 – Teruel 136 – ♦Zaragoza 123.

- **Balfagón,** carret. N 211 84 63 12, Fax 84 63 12 – . E VISA.
  Comida *(cerrado domingo noche)* 1300 – 350 – **29 hab** 2500/4200 – PA 2700.

CALATAYUD 50300 Zaragoza 443 H 25 – 18 759 h. alt. 534 – 976.

pl. del Fuerte 88 13 14.

♦Madrid 235 – Cuenca 295 – ♦Pamplona/Iruñea 205 – Teruel 139 – Tortosa 289 – ♦Zaragoza 87.

- **Fornos,** paseo de las Cortes de Aragón 5 88 13 00, Fax 88 31 47 – . AE E VISA. rest
  Comida 1250 – 450 – **46 hab** 4000/6400 – PA 2500.

en la antigua carretera N II – 50300 Calatayud – 976 :

- **Calatayud,** E : 2 km salida 237 autovía 88 13 23, Fax 88 54 38 – rest – 25/130. AE E VISA.
  Comida 1600 – 550 – **63 hab** 4600/7675 – PA 3050.
- **Marivella,** NE : 6 km salida 240 autovía 88 12 37, Fax 88 51 50 – rest . rest
  Comida 800 – 150 – **39 hab** 1800/4000.

CALDAS DE MALAVELLA o **CALDES DE MALAVELLA** 17455 Gerona 443 G 38 – 3 156 h. alt. 94 – 972 – Balneario.

♦Madrid 696 – ♦Barcelona 83 – Gerona/Girona 19.

- **Baln. Vichy Catalán**, av. Dr. Furest 32 47 00 00, Fax 47 22 99, En un parque, , – rest – 25/100. E VISA.
  Comida 3000 – 750 – **82 hab** 9000/16000, 4 suites.
- **Baln. Prats**, pl. Sant Esteve 7 47 00 51, Fax 47 22 33, « Terraza con arbolado », de agua termal – . AE E VISA.
  Comida 2400 – 750 – **75 hab** 10000/12300.

CALDAS DE MONTBUY o **CALDES DE MONTBUI** 08140 Barcelona 443 H 36 – 11 480 h. alt. 180 – 93 – Balneario.

Bellit 3, 865 41 40, Fax 865 32 10.

♦Madrid 636 – ♦Barcelona 29 – Manresa 57.

- **Vila de Caldes** sin rest, con cafetería, pl. de l'Angel 5 865 41 00, Fax 865 00 95, Centro termal. Solarium con y – – 25/50. AE E VISA JCB.
  1100 – **30 hab** 15000.
- **Baln. Broquetas**, pl. Font de Lleó 1 865 01 00, Fax 865 23 12, , « Jardín con arbolado y climatizada », – . AE E VISA JCB. rest
  Comida 2100 – 1100 – **84 hab** 8500/13000.
- **Baln. Termas Victoria**, Barcelona 12 865 01 50, Fax 865 08 16, , – rest . E VISA. rest
  Comida 2200 – 550 – **85 hab** 9550/11900.
- **Robert de Nola,** passeig del Remei 50 865 40 47, Fax 865 40 47 – . AE VISA.
  cerrado domingo noche y lunes – **Comida** carta 2100 a 3300.

CALDAS DE REYES o **CALDAS DE REIS** 36650 Pontevedra 441 E 4 – 9 042 h. alt. 22 – 986 – Balneario.

♦Madrid 621 – Orense/Ourense 122 – Pontevedra 23 – Santiago de Compostela 34.

- **Baln. Acuña,** Herrería 2 54 00 10, « Jardín con arbolado, de agua termal » – . rest
  julio-septiembre – **Comida** 2200 – 400 – **21 hab** 5500/7250 – PA 4000.

CALDES DE BOÍ Lérida – ver Bohí.

La CALDERA DE BANDAMA Las Palmas – ver Canarias (Gran Canaria) : Santa Brígida.

CALDETAS o **CALDES D'ESTRAC** 08393 Barcelona 443 H 37 – 1 451 h. – 93 – Playa.

♦Madrid 661 – ♦Barcelona 35 – Gerona/Girona 62.

- Colón, Paz 16 791 03 51, Telex 98671, Fax 791 05 00, , , – – 25/160
  88 hab.
- **Jet,** Santema 25 791 06 51, Fax 791 27 54, – . AE E VISA. rest
  cerrado 6 enero-1 marzo y 30 noviembre-20 diciembre – **Comida** carta aprox. 2200 – 500 – **30 hab** 4000/7000.
- **Emma,** Baixada de L'Estació 5 791 13 05, – . AE E VISA.
  cerrado miércoles (salvo junio) y diciembre-febrero – **Comida** carta 2850 a 4400.

CALELLA 08370 Barcelona 443 H 37 - 11 577 h. - ☎ 93 - Playa.

ℹ Sant Jaume 231, ✍ 769 05 59, Fax 769 59 82.

♦Madrid 683 - ♦Barcelona 48 - Gerona/Girona 49.

- 🏨🏨🏨 **Bernat II,** av. del Turisme 42 ✍ 766 01 33, Fax 766 07 16, 🏋, 🏊, 🏊 - ⇕ ≡ [TV] ☎ ♿ - 👥 25/300. AE ⓓ E VISA JCB. 🚫🐕
  Comida 1800 - ☕ 600 - **137 hab** 9500/13800 - PA 3600.
- 🏨🏨 **Sant Jordi,** av. del Turisme 80 ✍ 766 19 19, Fax 766 05 66, 🏊 - ⇕ ≡ [TV] ☎ ♿ Ⓟ. AE E VISA. 🚫🐕
  cerrado del 2 al 31 de enero - **Comida** 1800 - ☕ 1000 - **49 hab** 7000/10500 - PA 3900.
- 🏨🏨 **Vila,** Sant Josep 66 ✍ 766 21 69, Fax 766 19 56, 🏊 - ⇕ ≡ rest - 👥 25/160. ⓓ E VISA. 🚫🐕
  Comida 1400 - ☕ 600 - **167 hab** 5600/8000 - PA 2900.
- 🏨🏨 **Calella Park,** Jovara 257 ✍ 769 03 00, Telex 56291, Fax 766 00 88, 🏊 - ⇕ ☎. AE VISA. 🚫🐕
  abril- octubre - **Comida** 1250 - ☕ 500 - **50 hab** 5000/6500 - PA 2400.
- 🏨 **Calella** sin rest, Anselm Clavé 134 ✍ 769 03 00, Telex 56291, Fax 766 00 88, < - ⇕. AE VISA. 🚫🐕
  abril- octubre - ☕ 500 - **60 hab** 3800/5000.
- ✗ **El Hogar Gallego,** Ánimas 73 ✍ 766 20 27, Pescados y mariscos - ≡. AE ⓓ E VISA JCB. 🚫🐕
  cerrado lunes y febrero - **Comida** carta 2600 a 4450.

CALELLA DE PALAFRUGELL 17210 Gerona 443 G 39 - ☎ 972 - Playa.

Alred. : Jardín Botánico del Cap Roig★ : <★★.

ℹ Les Voltes 9, ✍ 61 44 75.

♦ Madrid 727 - ♦ Gerona/Girona 43 - Palafrugell 6 - Palamós 17.

- 🏨🏨🏨 **Alga y Rest. El Cantir** 🐦, Costa Blanca 55 ✍ 61 48 70, Fax 61 48 70, ⛱, 🏊, 🌴, 🎾 - ⇕ ☎ Ⓟ. AE E VISA. 🚫🐕 rest
  abril-septiembre - **Comida** carta 2800 a 3800 - **54 hab** ☕ 10000/12600.
- 🏨🏨 **Garbi** 🐦, av. Costa Daurada 20 ✍ 61 40 40, Fax 61 58 03, ⛱, « En el centro de un pinar » 🏊 climatizada, 🌴 - ⇕ [TV] ☎ Ⓟ. AE E VISA. 🚫🐕 rest
  abril-octubre - **Comida** 2300 - ☕ 900 - **30 hab** 7200/10550 - PA 4600.
- 🏨🏨 **Port-Bo** 🐦, August Pi i Sunyer 6 ✍ 61 49 62, Fax 61 40 65, ⛱, 🏊, 🎾 - ⇕ ≡ rest ☎ Ⓟ. AE E VISA. 🚫🐕
  abril - octubre - **Comida** (sólo cena) 1700 - ☕ 500 - **61 hab** 4400/7700 - PA 3520.
- 🏨🏨 **Sant Roc** 🐦, pl. Atlántic 2 - barrí Sant Roc ✍ 61 42 50, Fax 61 40 68, « Terraza dominand la costa con < » - ⇕ ≡ rest [TV] ☎ Ⓟ. AE ⓓ E VISA. 🚫🐕 rest
  abril- 15 octubre - **Comida** 2390 - ☕ 650 - **42 hab** 9760/12200 - PA 4045.
- 🏨 **La Torre** 🐦, passeig de la Torre 28 ✍ 61 46 03, Fax 61 51 71, <, ⛱ - Ⓟ. AE E VISA. 🚫🐕
  junio-septiembre - **Comida** 1800 - **28 hab** ☕ 5600/11000.
- 🏨 **Mediterrani,** Francesc Estrabau 40 ✍ 61 45 00, Fax 61 45 00, <, 🎾 - Ⓟ. AE E VISA. 🚫🐕 rest
  15 mayo-septiembre - **Comida** 1950 - ☕ 600 - **38 hab** 5000/10000 - PA 3700.
- 🏨 Batlle sin rest, Les Voltes 4 ✍ 61 59 05, < - ⇕ Ⓟ
  temp - **16 hab.**

La CALETA DE VÉLEZ 29751 Málaga 446 V 17 - ☎ 95 - Playa.

♦Madrid 554 - ♦Almería 173 - ♦Granada 124 - ♦Málaga 35.

- 🏨 **El Paraíso,** av. de Andalucía 139 ✍ 251 11 24, Fax 255 00 82, < - ≡ rest ☎. VISA. 🚫🐕
  Comida 1100 - ☕ 300 - **15 hab** 5000/7000.

La CALOBRA o **Sa CALOBRA** Palma de Mallorca - ver Baleares (Mallorca).

CALONGE 17251 Gerona 443 G 39 - 5 256 h. alt. 36 - ☎ 972.

♦Madrid 714 - ♦Barcelona 109 - Gerona/Girona 50 - Palamós 5.

- ✗ **Can Ramón,** Balmes 21 ✍ 65 00 06, ⛱ - Ⓟ. AE E VISA
  cerrado domingo noche (salvo en verano) y 24 diciembre-15 enero - **Comida** carta 225 a 4850.

CALPE o **CALP** 03710 Alicante 445 Q 30 - 10 962 h. - ☎ 96 - Playa.

Alred. : Peñón de Ifach★.

⛳9 Club Ifach NE : 3 km.

ℹ av. Ejércitos Españoles 66 ✍ 583 69 20, Fax 583 33 04.

♦Madrid 464 - Alicante/Alacant 63 - Benidorm 22 - Gandía 48.

- ✗ **Casita Suiza,** Jardín 9 - Edificio Apolo III ✍ 583 06 06, Fax 583 06 06, Cocina suiza - ≡ AE ⓓ E VISA. 🚫🐕
  cerrado domingo, lunes, 20 junio-10 julio y del 1 al 20 diciembre - **Comida** (sólo cena) carta 2650 a 3850.
- ✗ **La Cambra,** Delfín ✍ 583 06 05 - ≡. AE E VISA. 🚫🐕
  cerrado domingo, del 9 al 31 enero y junio - **Comida** carta 2050 a 3900.

✗ **El Bodegón,** Delfín 6 ☎ 583 01 64, Decoración rústica castellana – ▤. AE ⓞ E VISA
cerrado domingo (octubre-abril) y febrero – **Comida** carta 2750 a 4075.

✗ **Rincón de Paco,** Oscar Esplá ☎ 583 08 32 – ▤. E VISA. ✻
cerrado domingo (noviembre-marzo) – **Comida** carta 2475 a 3400.

en la carretera de Moraira E : 3,5 km – ✉ 03710 Calpe – ☎ 96

Roca Esmeralda, Ponent 1-playa de Levante ☎ 583 61 01, Fax 583 60 04, ←, 🏖, Fö, ⛱, – |‡| ▤ TV ☎ ♿ – 🚗 – 25/300. AE ⓞ E VISA. ✻
Comida 2100 – **212 hab** ☕ 10870/14385 – PA 4200.

en la carretera de Valencia – ✉ 03710 Calpe – ☎ 96

Venta La Chata sin rest, N : 4,5 km ☎ 583 03 08, Decoración regional, 🌳, ✻ – 🚗 P. AE ⓞ E VISA
☕ 360 – **17 hab** 2700/5000.

✗✗ **Casa del Maco,** Pou Roig-Lleus N : 2,5 km y desvío 1,2 km ☎ 597 31 20, Fax 597 31 20, 🏖, ⛱ – P. AE ⓞ E VISA
cerrado martes (salvo julio-agosto) y noviembre – **Comida** *(cerrado lunes mediodía, miércoles y jueves medidodía en invierno)* (sólo cena en julio-agosto) carta 3100 a 4100.

CALVIÀ Baleares – ver Baleares (Mallorca).

CAMALEÑO **39587** Cantabria 441 C 15 – 1 192 h. – ☎ 942.
◆Madrid 483 – ◆Oviedo 173 – ◆Santander 126.

Jisu, carret. de Fuente Dé O : 0,5 km ☎ 73 30 38, Fax 73 03 15 – TV ☎ P. E VISA. ✻
Comida 1500 – ☕ 500 – **8 hab** 5400/8000 – PA 3500.

✗ **El Caserío** con hab, ☎ 73 30 48 – P. AE VISA. ✻ hab
marzo-octubre y resto del año fines de semana por la noche – **Comida** carta 1650 a 2150 – ☕ 350 – **17 hab** 3000/5000.

CAMARENA **45180** Toledo 444 M 15 – 1 948 h. – ☎ 91.
◆Madrid 58 – Talavera de la Reina 80 – Toledo 29.

✗ **Mesón Gregorio II,** Héroes del Alcázar 34 ☎ 817 43 72 – ▤. ⓞ E VISA. ✻
cerrado miércoles y 2ª quincena de julio – **Comida** carta 2800 a 4500.

CAMARZANA DE TERA **49620** Zamora 441 G 11 – 1 177 h. alt. 777 – ☎ 980.
◆Madrid 292 – Benavente 33 – ◆León 103 – Zamora 36.

Juan Manuel, carret. Benavente-Orense ☎ 64 94 46 – ☎ P
16 hab.

CAMBADOS **36630** Pontevedra 441 E 3 – 12 503 h. – ☎ 986 – Playa.
Ver : Plaza de Fefiñanes★.
Novedades, ☎ 52 46 78 (temp.).
◆Madrid 638 – Pontevedra 34 – Santiago de Compostela 53.

Parador de Cambados, paseo de Cervantes ☎ 54 22 50, Fax 54 20 68, « Conjunto de estilo regional », ⛱, 🌳, ✻ – |‡| TV ☎ P – 25/60. AE ⓞ E VISA. ✻
Comida 3200 – ☕ 1100 – **63 hab** 11500 – PA 6375.

Rosita, av. de Villagarcia 8 ☎ 54 34 77, Fax 54 28 78 – ▤ rest ☎ P. AE E VISA. ✻
Comida *(cerrado domingo noche)* 2200 – ☕ 450 – **29 hab** 4000/6500.

Carisan sin rest, Eduardo Pondal 2 ☎ 52 01 08, Fax 54 24 70 – |‡| 🚗. ✻
Semana Santa y junio-septiembre – ☕ 390 – **30 hab** 3000/4900.

✗✗ **Ribadomar,** Terra Santa 17 ☎ 54 36 79 – P. AE ⓞ E VISA JCB. ✻
cerrado domingo noche en invierno y del 1 al 15 de octubre – **Comida** carta 2800 a 3300.

✗ O Arco, Real 14 ☎ 54 23 12, Pescados y mariscos – ▤.

CAMBRILS **43850** Tarragona 443 I 33 – 14 903 h. – ☎ 977 – Playa.
pl. Creu de la Missió 1, ☎ 36 11 59.
◆Madrid 554 – Castellón de la Plana/Castelló de la Plana 165 – Tarragona 18.

en el puerto :

Rovira, av. Diputació 6 ☎ 36 09 00, Fax 36 09 44, ←, 🏖, ⛱ – |‡| ▤ TV ☎ P – 25/40. AE ⓞ E VISA. ✻
cerrado 20 diciembre-25 enero – **Comida** *(cerrado martes salvo junio-septiembre)* 2100 – ☕ 725 – **58 hab** 5800/8200 – PA 4185.

Port Eugeni, pl Aragó 49 ☎ 36 52 61, Fax 36 56 13, ⛱ – |‡| ▤ TV ☎ 🚗 – 25/200. AE E VISA. ✻
Comida (sólo buffet) 2500 – **105 hab** ☕ 7200/11250 – PA 5000.

Mónica H., Galcerán Marquet 3 ✆ 36 01 16, Fax 79 36 78, « Césped con palmeras », - - rest TV ☎ P - 25/50. AE E VISA.
cerrado 10 diciembre-30 enero - **Comida** 1500 - 750 - **56 hab** 5505/8200 - PA 3000

Princep Y Rest.Can Pessic, pl. de l'Església 2 ✆ 36 11 27, Fax 36 35 32 - TV ☎ . AE E VISA. rest
Comida *(cerrado 24 diciembre- 26 enero)* carta 3000 a 4100 - 550 - **27 hab** 8200/9200

Can Solé, Ramón Llull 19 ✆ 36 02 36, Fax 36 17 68, - TV ☎ . AE E VISA
cerrado 22 diciembre-8 enero - **Comida** *(cerrado viernes salvo festivos)* 1550 - 600 - **26 hab** 3000/5500 - PA 3000.

XXX **Eugenia,** Consolat de Mar 80 ✆ 36 01 68, Fax 79 11 89, , Pescados y mariscos, « Terraza con plantas » - P. AE E VISA
cerrado martes noche, miércoles y noviembre- 15 diciembre - **Comida** carta aprox. 5200

XX ✿ **Joan Gatell - Casa Gatell,** passeig Miramar 26 ✆ 36 00 57, Fax 79 37 44, ≤, , Pescados y mariscos - . AE E VISA.
cerrado domingo noche, lunes, enero y Navidades - **Comida** carta 5450 a 6950
Espec. Entremeses Gatell, Arroz marinera en cassola, Caldereta de bogavante.

XX Can Gatell-Rodolfo, passeig Miramar 27 ✆ 36 01 06, Fax 36 57 20, ≤, , Pescados y mariscos - .

XX ✿ **Can Bosch,** Rambla Jaume I-19 ✆ 36 00 19, Fax 36 38 72, Pescados y mariscos - . AE E VISA.
cerrado domingo noche, lunes y 23 diciembre- 25 enero - **Comida** carta 2750 a 4000
Espec. Salteados de espárragos calamarcitos y cigalas, Arroz negro Can Bosch, Lenguado con cigalas.

XX **Rincón de Diego,** Drassanes 7 ✆ 36 13 07, Pescados - . AE E VISA.
cerrado domingo noche, lunes y 20 diciembre-20 enero - **Comida** carta 3050 a 4950.

XX **Itziar,** av Diputació 8 ✆ 36 09 81, - . AE E VISA.
cerrado miércoles - **Comida** carta 2450 a 3900.

XX **Bandert,** rambla Jaume I ✆ 36 10 63 - . AE E VISA.
cerrado martes en invierno y martes mediodía en verano - **Comida** carta 3400 a 5100

XX **Rovira,** passeig Miramar 37 ✆ 36 01 05, , Pescados y mariscos - AE E VISA.
cerrado miércoles y 18 diciembre-19 enero - **Comida** carta 2600 a 4600.

X **Gami,** Sant Pere 9 ✆ 36 57 60, Fax 36 10 49, - . AE E VISA.
cerrado 19 diciembre-enero - **Comida** carta 2850 a 3700.

X **Casa Gallau,** Pescadors 25 ✆ 36 02 61, , Pescados y mariscos - . AE E VISA
cerrado jueves y 22 diciembre-22 enero - **Comida** carta 2500 a 4550.

X **Acuamar,** Consolat de Mar 66 ✆ 36 00 59, ≤ - . AE E VISA.
cerrado miércoles noche, jueves, y 12 octubre-15 noviembre - **Comida** carta 3150 a 4250

X **Macarrilla,** Barques 14 ✆ 36 08 14, Pescados y mariscos - . E VISA.
cerrado martes y febrero - **Comida** carta aprox. 3500.

X **Font Casa Gallot,** Joan S. Elcano 8 ✆ 36 44 57, - . E VISA.
cerrado domingo noche y lunes (15 septiembre-15 junio) y 22 diciembre-enero - **Comida** carta 3050 a 4300.

X **La Torrada,** Drassanes 19 ✆ 79 11 72, - . AE E VISA.
cerrado lunes salvo festivos y 22 diciembre-10 febrero - **Comida** carta 2900 a 4100.

X **El Caliu,** Pau Casals 22 ✆ 36 01 08, Decoración rústica, Carnes a la brasa - . AE E VISA
cerrado domingo noche, lunes y 10 enero-febrero - **Comida** carta 2195 a 3100.

en la carretera N 340 NE : 3,5 km - ✆ 977 :

XX **Mas Gallau,** ✉ apartado 129 Cambrils, ✆ 36 05 88, Fax 36 02 68, Decoración rústica - P
cerrado enero - **Comida** carta 2925 a 4700.

en la carretera de Salou (por la costa) - ✉ 43850 Cambrils - ✆ 977 :

Centurión Playa, av. Diputació 70, E : 3 km ✆ 36 14 50, Telex 53527, Fax 36 15 00, ≤, - rest TV ☎ P - 25/360. AE E VISA.
Semana Santa-octubre - **Comida** (sólo buffet) 2385 - 895 - **211 hab** 9600/13640 - PA 4750.

Tropicana, av. Diputació 33, E : 1,5 km ✆ 36 01 12, Fax 36 01 12, , « Césped con arbolado », - rest ☎ P. E VISA.
abril-5 noviembre - **Comida** 1500 - 500 - **30 hab** 3900/7000 - PA 2975.

XX Casa Soler, av. Diputació 197, E : 5 km ✆ 38 04 63, Fax 38 04 63, - P.

CAMPELLAS o CAMPELLES 17534 Gerona 443 F 36 - ✆ 972.

◆Madrid 695 - ◆Barcelona 124 - Gerona/Girona 107.

en El Baell SE : 8 km - ✉ 17534 Campellas - ✆ 972 :

Terralta , alt. 1 300 ✆ 72 73 50, ≤ valle y montañas, - P. E VISA.
15 julio- 11 septiembre - **Comida** 2100 - 650 - **36 hab** 4000/6500 - PA 4125.

CAMPELLO o **El CAMPELLO** 03560 Alicante 445 Q 28 - 11 094 h. - ☎ 96 - Playa.
◆Madrid 431 - ◆Alicante/Alacant 13 - Benidorm 29.

- La Peña, San Vicente 12 (zona de la playa) ☎ 563 10 48, Pescados y mariscos - ▤.
- **Cavia,** San Vicente 43 (zona de la playa) ☎ 563 28 57, Fax 563 28 57, - ▤. AE ⓓ E VISA
  cerrado martes en invierno y noviembre - **Comida** carta 3400 a 4700.

en la playa Muchavista S : 5 km - ✉ 03560 Campello - ☎ 96 :

- **San Juan,** av. Jaime I-110 ☎ 565 23 08, Fax 565 26 42, ≤, ⛱ - ☎ Ⓟ. E VISA. ✻ rest
  Semana Santa-septiembre - **Comida** 1950 - ☐ 450 - **29 hab** 4600/7500.

CAMPILLOS 29320 Málaga 446 U 15 - 7 589 h. alt. 461 - ☎ 95.
◆Madrid 508 - Antequera 33 - Marbella 138 - Osuna 49.

- **Mesón Los Chopos** con hab, carret. N 342 ☎ 272 27 70, Fax 272 21 26 - ▤ TV ☎ Ⓟ - 25/60. AE E VISA. ✻
  Comida 1500 - ☐ 300 - **11 hab** 3500/6000.

CAMPO DEL HOSPITAL 15359 La Coruña 441 B 6 - ☎ 981.
◆Madrid 586 - ◆La Coruña/A Coruña 95 - Lugo 82 - Ortigueira 15.

- **Villa de Cedeira,** ☎ 49 91 45, Fax 49 91 45 - TV ☎ Ⓟ. AE E VISA. ✻
  Comida 800 - ☐ 325 - **28 hab** 3000/6000 - PA 1900.

CAMPRODÓN 17867 Gerona 443 F 37 - 2 188 h. alt. 950 - ☎ 972.
Club de Golf Camprodón, ☎ 13 01 25 - pl. d'Espanya 1 ☎ 74 00 10, Fax 13 03 59.
◆Madrid 699 - ◆Barcelona 127 - Gerona/Girona 80.

- **Edelweiss** sin rest, carret de Sant Joan 28 ☎ 74 09 13, Fax 74 07 04, ≤, « Ambiente acogedor » - |‡| TV ☎ Ⓟ - 25/50. AE ⓓ VISA
  ☐ 695 - **21 hab** 6500/9950.
- **Güell** sin rest, pl. d'Espanya 8 ☎ 74 00 11, Fax 74 11 12 - |‡| TV ☎ . AE ⓓ E VISA. ✻
  cerrado del 11 al 22 de junio y del 5 al 16 de noviembre - ☐ 600 - **39 hab** 5000/7300.
- Sayola, Josep Morer 4 ☎ 74 01 42 - **30 hab.**

CAN AMAT (Urbanización) Barcelona - ver Martorell.

CAN PASTILLA Palma de Mallorca - ver Baleares (Mallorca) : Palma de Mallorca.

CAN PICAFORT Palma de Mallorca - ver Baleares (Mallorca).

CANARIAS (Islas) ★★★ 448 - 1 637 641 h..

GRAN CANARIA

Agaete 35480 448 N 9 - 4 777 h. alt. 43 - ☎ 928.
Ver : Valle de Agaete★.
Alred. : Los Berrazales★ SE : 7 km.
Las Palmas 34.

Arguineguín 35120 448 N 11 - ☎ 928.
Las Palmas de Gran Canaria 63.

en la playa de Patalavaca NO : 2 km - ✉ 35120 Arguineguín - ☎ 928 :

- **Steigenberger La Canaria** , carret. C 812 ☎ 15 04 00, Fax 15 10 03, ≤ mar, Ⅰ₅, ⛱ climatizada, , , ✻ - |‡| ▤ TV ☎ Ⓟ - 25/150. AE ⓓ E VISA. ✻ rest
  Comida 4200 - ***Coquillage*** *(sólo cena, cerrado domingo)* **Comida** carta aprox. 6100 - ***Cristal*** *(Buffet)* **Comida** carta 4400 a 5800 - **225 hab** ☐ 30800/52200, 15 suites.

Artenara 35350 448 O 9 - 1 057 h. alt. 1 219 - ☎ 928.
Ver : Parador de la Silla ≤★.
Alred. : Carretera de Las Palmas ≤★ Juncalillo - Pinar de Tamadaba★★ (≤★) NO : 12 km.
Las Palmas de Gran Canaria 48.

Arucas 35400 448 O 9 - 25 986 h. - ☎ 928.
Ver : Montaña de Arucas ★.
Las Palmas 17.

en la Montaña de Arucas N : 2,5 - ✉ 35400 Arucas - ☎ 928 :

- **Mesón de la Montaña,** ☎ 60 14 75, Fax 60 54 42 - Ⓟ. AE E VISA. ✻
  Comida carta aprox. 2200.

Cruz de Tejeda 35328 – 2 361 h. alt. 1 450 – ☎ 928.
Ver : Paraje★★.
Alred. : Pozo de las Nieves ✻★★ SE : 10 km – Juncadillo : pueblo troglodita ≤★ NO : 5 km.
Las Palmas 42.

Maspalomas 35100 448 O 11 – ☎ 928 – Playa.
Ver : Playa★.
Alred. : N : Barranco de Fataga★ – San Bartolomé de Tirajana (paraje★) N : 23 km por Fataga.
⛳18 de Maspalomas ✆ 76 25 81.
🅸 av. de España (playa del Inglés) ✆ 77 15 50, Fax 76 78 48.
Las Palmas de Gran Canaria 50.

XX **La Aquarela,** av. de Neckerman ✆ 14 01 78, Fax 14 09 16 – AE ⓓ E VISA. ✖ A e
cerrado lunes – **Comida** (sólo cena) carta 2550 a 4300.

XX **Amaiur,** av. de Neckerman ✆ 76 44 14, Cocina vasca – ▤ ⓟ. AE ⓓ E VISA. ✖ A d
cerrado lunes – **Comida** carta 3150 a 4600.

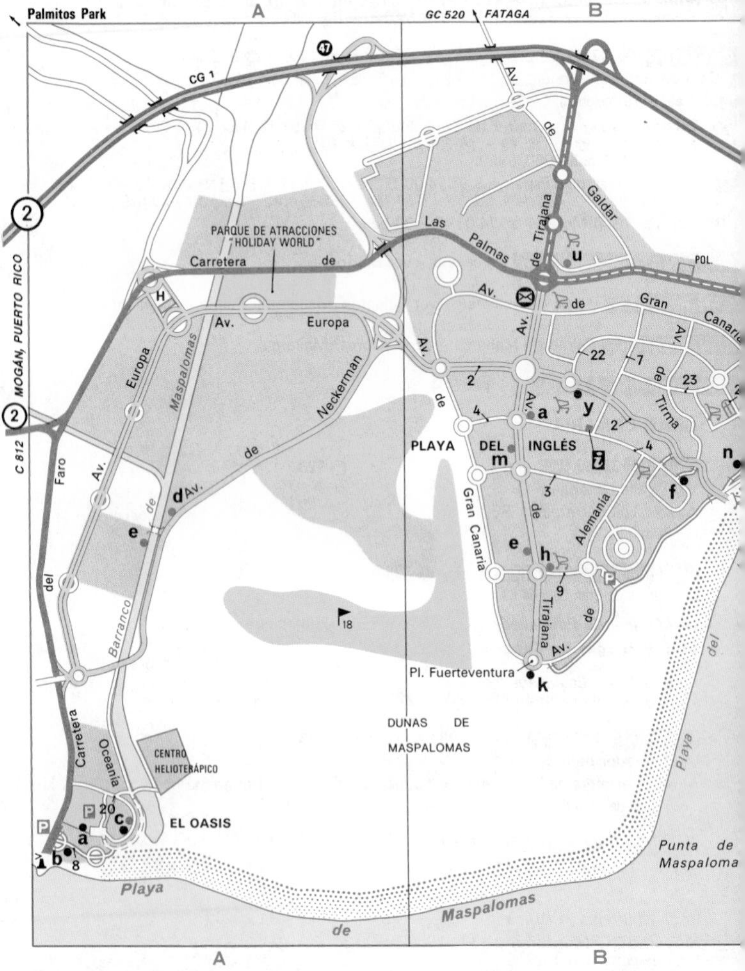

junto al faro – ✉ 35106 Maspalomas Oeste – ☎ 928 :

Maspalomas Oasis ⑤, ☎ 14 14 48, Telex 96104, Fax 14 11 92, ≤, 🏖, « Jardín y gran palmeral », ⚘, ⛱ climatizada, 🎾 – |♦| ▤ TV ☎ – 🏛 25/150. AE ⓞ E VISA. ✈ A **a**
Grill Le Jardín *(cerrado domingo y junio-agosto)* **Comida** carta 4650 a 5550 - ***Oasis :*** **Comida** carta 4650 a 5550 - ***Foresta :*** **Comida** carta 4650 a 5550 – ☕ 1500 – **319 hab** 31500/55000, 15 suites.

Maspalomas Palm Beach ⑤, ☎ 14 08 06, Telex 96365, Fax 14 18 08, ≤, 🏖, « Amplia terraza con ⛱ climatizada, jardín con palmeras », ⚘, 🎾 – |♦| ▤ TV ☎ Ⓟ – 🏛 25/150. AE ⓞ E VISA – **Comida** (ver a continuación rest. ***Orangerie***) 4960 – **347 hab** ☕ 37000/63000. A **c**

Ifa-Faro Maspalomas ⑤, ☎ 14 22 14, Telex 95295, Fax 14 19 40, ≤, 🏖, ⛱ climatizada – |♦| ▤ TV ☎ ♿ – 🏛 25/60. AE ⓞ E VISA. ✈ A **b**
Tamarona *(sólo cena)* **Comida** 2700 - ***Guatiboa*** *(sólo cena)* **Comida** carta 3900 a 5100 - ***El Jardín*** *(sólo almuerzo)* **Comida** carta aprox. 3100 – **183 hab** ☕ 21600/31400, 5 suites.

XXX ✿ **Orangerie,** ☎ 14 08 06, Telex 96365, Fax 14 18 08 – ▤ Ⓟ. AE ⓞ E VISA. ✈ A **c**
cerrado julio y agosto – **Comida** (sólo cena) carta 4050 a 5900
Espec. Creación Orangerie, Medallones de buey y ternera con foie de oca, Parfait de nueces e higos con coulis de mango y yoghourt.

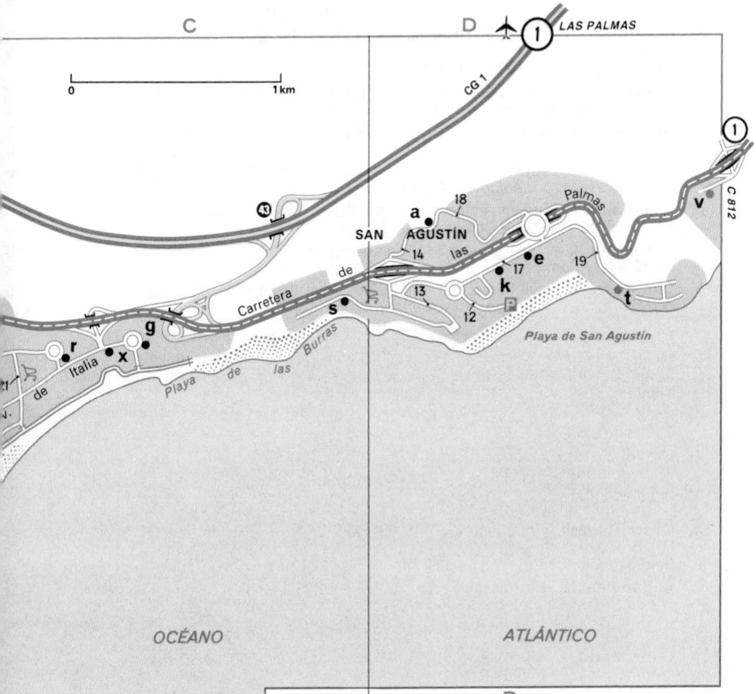

MASPALOMAS

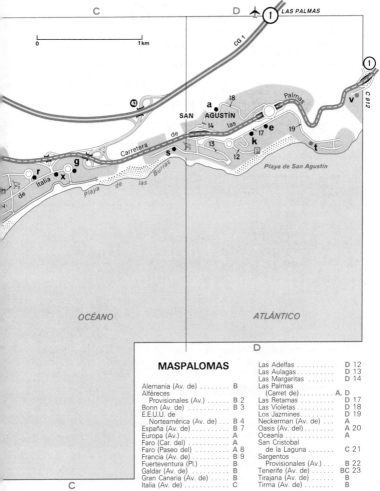

Alemania (Av. de)	B
Alféreces Provisionales (Av.)	B 2
Bonn (Av. de)	B 3
E.E.U.U. de Norteamérica (Av. de)	B 4
España (Av. de)	B 7
Europa (Av.)	A
Faro (Car. del)	A
Faro (Paseo del)	A 8
Francia (Av. de)	B 9
Fuerteventura (Pl.)	B
Galdar (Av. de)	B
Gran Canaria (Av. de)	B
Italia (Av. de)	C
Las Adelfas	D 12
Las Aulagas	D 13
Las Margaritas	D 14
Las Palmas (Carret de)	A, D
Las Retamas	D 17
Las Violetas	D 18
Los Jazmines	D 19
Neckerman (Av. de)	A
Oasis (Av. del)	A 20
Oceanía	A
San Cristobal de la Laguna	C 21
Sargentos Provisionales (Av.)	B 22
Tenerife (Av. de)	BC 23
Tirajana (Av. de)	B
Tirma (Av. de)	B

en la playa del Inglés – ✉ 35100 Maspalomas – ☎ 928 :

Riu Palace, pl. de Fuerteventura ☎ 76 95 00, Telex 95531, Fax 76 98 00, ≤ dunas y mar, « Amplias terrazas con piscina climatizada y jardín », Ls, % – |‡| ▤ TV ☎ ♿ P – 🔺 25/150. AE ⓞ E VISA. ✻ B k
Comida (sólo cena buffet) 4000 – **353 hab** ▭ 17300/28500, 15 suites.

Ifa-H. Dunamar, ☎ 77 28 00, Fax 77 34 65, ≤, ⛱, Ls, piscina climatizada – |‡| ▤ TV ☎. AE ⓞ E VISA. ✻ B n
Comida 3500 – **210 hab** ▭ 12500/18100 – PA 6000.

Neptuno, av. Alféreces Provisionales 29 ☎ 76 71 28, Telex 96239, Fax 76 69 65, piscina climatizada – |‡| ▤ TV ☎ P – 🔺 25/80 – **Comida** (sólo cena) – **171 hab.** B y

Parque Tropical, av. de Italia 1 ☎ 76 07 12, Telex 96642, Fax 76 81 37, ≤, ⛱, « Edificio de estilo regional - Jardín tropical », piscina climatizada, % – |‡| ☎ C x
Comida (sólo cena buffet) – **235 hab.**

Apolo, av. de Estados Unidos 28 ☎ 76 00 58, Fax 76 39 18, ≤, piscina climatizada, % – |‡| ▤ TV ☎. AE ⓞ E VISA. ✻ B f
Comida (sólo cena buffet) 3000 – ▭ 1000 – **115 hab** 10000/18000.

Lucana, pl. del Sol ☎ 76 27 00, Telex 96529, Fax 76 44 88, ≤, ⛱, piscina climatizada, % – |‡| ▤ TV ☎ P – 🔺 25/100. AE ⓞ E VISA. ✻ C g
Comida (sólo buffet) 2500 – ▭ 900 – **182 hab** 11000/14000 – PA 4720.

Caserío, av. de Italia 8 ☎ 76 10 50, Fax 76 44 48, Ls, piscina climatizada – |‡| ▤ TV ☎ P. AE ⓞ E VISA. ✻ C r
Comida 2200 – ▭ 1000 – **124 hab** 17000/20000 – PA 4900.

Compostela (antigua Casa Gallega), Marcial Franco 14-bloque 7 ☎ 76 20 92, Fax 76 33 44 – ▤. AE ⓞ E VISA JCB. ✻ – **Comida** carta 2750 a 4950. B u

Valentino, av. de Francia 4 ☎ 77 22 50, Fax 77 22 50, Cocina italiana – ▤. AE ⓞ E VISA
Comida (sólo cena) carta 2300 a 3500. B h

La Toja, av. de Tirajana 17 - Edificio Barbados II ☎ 76 11 96 – ▤. AE ⓞ E VISA. ✻ B m
cerrado domingo mediodía – **Comida** carta 2375 a 4800.

Rías Bajas, av. Tirajana-edificio playa del Sol ☎ 76 40 33, Fax 76 85 48, Cocina Gallega – ▤. AE ⓞ E VISA. ✻ – **Comida** carta 3025 a 5500. B a

Tenderete II, av. de Tirajana 3 (edificio Aloe) ☎ 76 14 60, Pescados y mariscos – ▤. AE ⓞ E VISA – **Comida** carta 3375 a 5700. B e

Chó Pedro, Marcial Franco 12 ☎ 77 02 68, Rest típico – ▤. AE E VISA B u
cerrado junio y domingo (mayo-septiembre) – **Comida** (sólo cena) carta 2500 a 4200.

en la playa de San Agustín – ✉ 35100 Maspalomas – ☎ 928 :

Meliá Tamarindos, Las Retamas 3 ☎ 76 26 00, Telex 95463, Fax 76 22 64, ≤, « piscina climatizada rodeada de terrazas y jardín », % – |‡| ▤ TV ☎ P – 🔺 25/350 D k
Comida (sólo cena) – **312 hab**, 25 suites.

Don Gregory, Las Dalias 11 ☎ 76 26 62, Fax 76 99 96, ≤, piscina climatizada, % – |‡| ▤ TV ☎ P
Comida (sólo cena buffet) – **227 hab**, 17 suites. C s

Gloria Palace, Las Margaritas ☎ 76 83 00, Telex 96052, Fax 76 79 29, ≤, Ls, piscina climatizada, % – |‡| ▤ ☎ P – 🔺 40/450. AE ⓞ E VISA. ✻ rest D a
Comida (sólo buffet) 3000 - ***Gorbea*** *(cerrado lunes)* **Comida** carta aprox. 5100 – **346 hab** ▭ 32200/34400, 102 suites.

Costa Canaria, Retama 1 ☎ 76 02 00, Fax 76 14 26, piscina climatizada, playa, % – |‡| ▤ ☎. AE ⓞ E VISA. ✻ D e
Comida (sólo cena buffet) 2000 – ▭ 1075 – **224 hab** 8165/10205, 12 suites.

Buganvilla, Los Jazmines 17 ☎ 76 03 16 – ▤. E VISA. ✻ D t
cerrado mayo-septiembre – **Comida** (sólo cena) carta aprox. 4800.

en la urbanización Nueva Europa – ✉ 35100 Maspalomas – ☎ 928 :

Chez Mario, Los Pinos 9 ☎ 76 18 17, Cocina italiana – AE ⓞ E VISA. ✻ D v
cerrado junio – **Comida** (sólo cena) carta 2225 a 3870.

en la carretera de Las Palmas NE : 7 km – ✉ 35100 Maspalomas – ☎ 928 :

Orquídea 🐦, playa de Tarajalillo ☎ 76 46 00, Telex 96232, Fax 76 46 12, ≤, ⛱, piscina climatizada, playa, % – |‡| ▤ rest ☎ – 🔺 25/150 – **255 hab.**

Las Palmas de Gran Canaria 35000 P 448 P 9 – 360 483 h. – ☎ 928 – Playa.

Ver : Casa de Colón★ CZ **B** – Paseo Cornisa ✻★ AT.

Alred. : Jardín Canario★ por ② : 10 km.

18 de Las Palmas, Bandama por ② : 14 km ☎ 35 10 50.

✈ de Gran Canaria por ① : 30 km ☎ 57 90 00 – Iberia : Alcalde Ramírez Bethencourt 8, ✉ 35003 ☎ 901 33 31 11 y Aviaco : aeropuerto ☎ 57 46 72.

⛴ para la Península, Tenerife y La Palma : Cía. Trasmediterránea, Muelle Rivera Oeste, ✉ 35008, ☎ 26 56 50, Telex 95428 CXY.

ℹ Parque Santa Catalina, ✉ 35007, ☎ 26 46 23 – R.A.C.E. León y Castillo 281, ✉ 35005, ☎ 23 34 17.

LAS PALMAS
DE GRAN CANARIA

Juan Réjón . . . . AS 36
La Naval . . . . AS

Alfonso XII . . . . AU 2
Ansite (Av.) . . . . AT 4
Cornisa (Paseo) . . . . AT 12
Doctor Màrañón . . . . AU 14
Don Benito (Plaza de) . . . . AU 17
Fernando Guanarteme . . . . AS 20
Ingeniero Léon
y Castillo (Pl.) . . . . AU 28
Juan XXIII (Av.) . . . . AT 37
León y Castillo . . . . AT 40
Lugo (Paseo de) . . . . AT 44
Luis Correa Medina . . . . . . AU 46
M. González Martin . . . . . . AT 49
Marítima del Sur (Av.) . . . . AU 52
Mata (Carret. de) . . . . AU 53
Ortiz de Zàrate . . . . AT 59
Perez Muñoz . . . . AS 63
Pino Apolinario . . . . AU 65
Pío XII . . . . AT 66
San José (Paseo) . . . . AU 76
Secretario Padilla . . . . AT 80
Simancas . . . . AT 81
Tecen . . . . AS 83
Tomás Morales (Paseo) . . ATU 85
Zaragoza . . . . AU 90

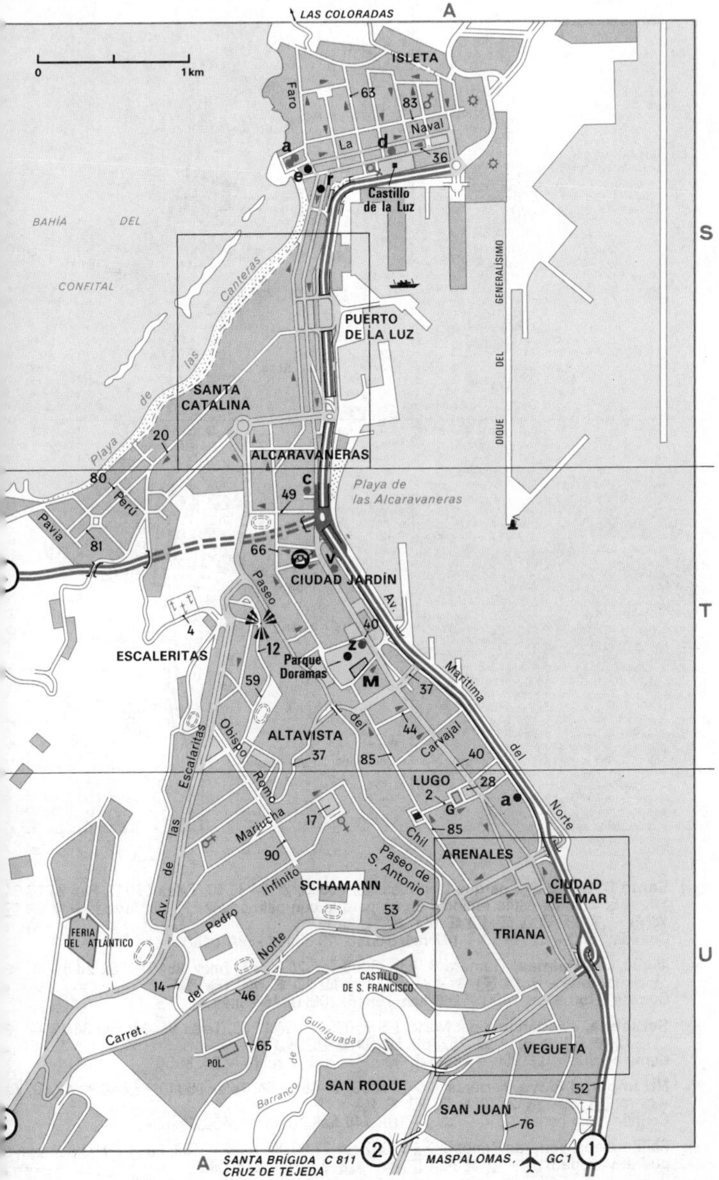

PUERTO DE LA LUZ

Albareda CV
Luis Morote CV

Alfredo L. Jones . . . . CV 3
Bernardo de la Torre . . . . BX 7
Concepción Arenal . . . . . . BX 9
Eduardo Benot . . . . CV 18
España (Pl. de) . . . . BX 19
Galicia . . . . CX 21
General Vives . . . . CVX 25
Grau Bassas . . . . BV 27
José María Durán . . . . BCX 3(
Los Martínez de Escobar . CX 4
Menéndez y Pelayo . . . . . CX 5
Rafael Almeida . . . . BX 6
Ripoche . . . . CV 7
Sagasta . . . . CV 7
29 de Abril . . . . CVX 9

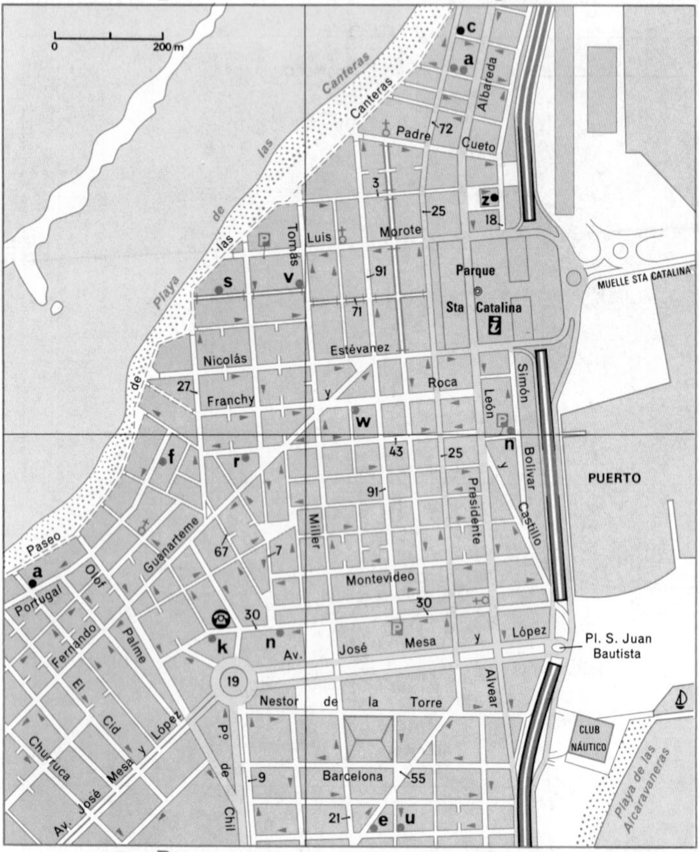

Santa Catalina, parque Doramas, ✉ 35005, ☎ 24 30 40, Telex 96014, Fax 24 27 64, « Edificio de estilo regional en un parque con palmeras », climatizada - 25/600. AE VISA. AT
Comida 3500 - 1150 - **187 hab** 19350, 19 suites - PA 6450.

Meliá Las Palmas, Gomera 6, ✉ 35008, ☎ 26 80 50, Telex 95161, Fax 26 84 11, climatizada - 25/350. AE VISA JCB. CV
Comida 5160 - 1500 - **266 hab** 16015/20020, 46 suites.

Sol Iberia, av. Marítima del Norte, ✉ 35003, ☎ 36 11 33, Telex 95413, Fax 36 13 44, - 25/160. AE VISA. AU
Comida 2500 - 950 - **298 hab** 9000/11000, 3 suites - PA 5950.

NH Imperial Playa, Ferreras 1, ✉ 35008, ☎ 46 88 54, Telex 95340, Fax 46 94 42, - 25/250. AE VISA AS
Comida (sólo cena) 2200 - 1100 - **140 hab** 10700/13400, 2 suites.

Sol Bardinos, Eduardo Benot 3, ✉ 35007, ☎ 27 00 00, Telex 95189, Fax 22 91 39, playa, puerto y ciudad, - rest - 25/75 - **215 hab.** CV

VEGUETA, TRIANA

Mayor de Triana . . . . CY

Balcones (de los) . . . . CZ 5
Cano . . . . CY 8
Doctor Chil . . . . CZ 13
Domingo J. Navarro . . . . . . BY 16
General Bravo . . . . BY 23
General Mola . . . . CZ 24
Juan de Quesada . . . . CZ 31
Juan E. Doreste . . . . CZ 33
Las Palmas (Muelle de) . . . CY 38
Lopez Botas . . . . CZ 41
Luis Millares . . . . CZ 47
Malteses . . . . CZ 50
Ntra Sra del Pino (Pl.) . . . . BY 56
Obispo Codina . . . . CZ 57
Pelota . . . . CZ 60
Pérez Galdós . . . . BY 62
Ramón y Cajal . . . . BZ 69
San Antonio (Paseo) . . . . . . BY 73
San Pedro . . . . CZ 78
T. Massieu . . . . CZ 84
Viera y Clavijo . . . . BY 88

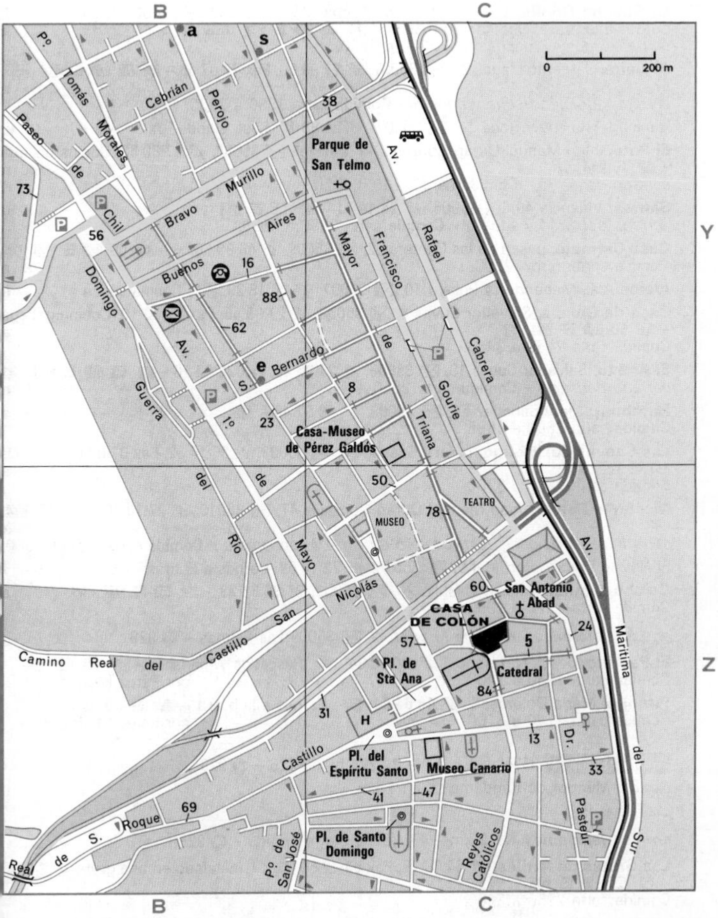

🏨 Sansofé Palace, paseo de las Canteras 78, ✉ 35010, ☎ 22 42 82, Fax 22 48 28, ⇐ – |¤| ▤ rest 📺 ☎ – 🅐 25/225 BX **a**
105 hab.

🏨 **Tenesoya** sin rest y sin ☕, Sagasta 98, ✉ 35008, ☎ 46 96 08, Fax 46 02 79, ⇐ – |¤| 📺 ☎ AS **r**
43 hab 4000/5000.

XXX **Amaiur,** Pérez Galdós 2, ✉ 35002, ☎ 37 07 17, Cocina vasca – ▤. AE ⓓ E VISA. ✂
cerrado domingo y agosto – **Comida** carta aprox. 3950. BY **e**

XX **Rías Bajas,** Simón Bolivar 3, ✉ 35007, ☎ 27 13 16, Fax 27 13 16 – ▤. AE ⓓ E VISA. ✂ CVX **n**
Comida carta aprox. 4200.

XX **La Casita,** León y Castillo 227, ✉ 35005, ☎ 23 46 99, Fax 37 16 23 – ▤. AE VISA. ✂ AT **z**
Comida carta 2800 a 4600.

XX Churchill, León y Castillo 274, ✉ 35005, ☎ 24 91 92, Fax 29 34 08, 🏠 - P AT v

XX **El Cid Casa Pablo,** Tomás Miller 73, ✉ 35007, ☎ 26 81 58, 🏠 - ▤. AE E VISA. ✂
Comida carta 2500 a 3000. BV v

XX **Casa Rafael,** Luis Antúnez 25, ✉ 35006, ☎ 24 49 89, Fax 22 92 10 - ▤. AE ⓓ E VISA. ✂ AT c
cerrado domingo - **Comida** carta 2700 a 3400.

XX **Julio,** La Naval 132, ✉ 35008, ☎ 46 01 39 - ▤. AE ⓓ E VISA. ✂ AS d
cerrado domingo - **Comida** carta 1950 a 3900.

X **La Cabaña Criolla,** Los Martínez de Escobar 37, ✉ 35007, ☎ 27 02 16, Fax 27 70 90, Carnes a la brasa, Decoración rústica - ▤. AE ⓓ E VISA JCB. ✂ BX r
cerrado lunes - **Comida** carta 2200 a 3750.

X **A'Vieira,** Sargento Llagas 26, ✉ 35007, ☎ 27 99 56, Fax 27 07 56 - ▤. AE ⓓ E VISA JCB. ✂ BV s
cerrado domingo noche y agosto - **Comida** carta 1800 a 2800.

X Nanking, Franchy y Roca 11, ✉ 35007, ☎ 26 98 70, Rest. chino - ▤ CV w

X **El Pote,** Juan Manuel Durán González 41 (pasaje), ✉ 35007, ☎ 27 80 58, Cocina gallega - ▤. E VISA. ✂ BX n
cerrado domingo - **Comida** carta 2200 a 3950.

X **Samoa,** Valencia 46, ✉ 35006, ☎ 24 14 71 - ▤. AE E VISA CX u
cerrado domingo y agosto - **Comida** carta 2350 a 3550.

X **Casa Carmelo,** paseo de las Canteras 2, ✉ 35009, ☎ 46 90 56, ≤ - ▤. AE ⓓ E VISA. ✂
Comida carta aprox. 2900. AS a

X Aterpe Alai, Menendez y Pelayo 10, ✉ 35007, ☎ 24 18 29, 🏠, Cocina vasca CX e

X **Casa de Galicia,** Salvador Cuyás 8, ✉ 35008, ☎ 27 98 55, Fax 22 92 10, Cocina gallega - ▤. AE ⓓ E VISA. ✂ CV a
Comida carta 2450 a 3450.

X **El Anexo,** Salvador Cuyás 10, ✉ 35008, ☎ 27 26 45, Fax 22 92 10 - ▤. AE ⓓ E VISA. ✂
cerrado domingo - **Comida** carta 2550 a 3250. CV a

X **Hamburg,** Mary Sánchez 54, ✉ 35009, ☎ 46 97 45 - VISA AS a
Comida carta 2390 a 3695.

X **Las Cuevas del Molino,** León y Castillo 36, ✉ 35003, ☎ 36 14 32, Fax 37 03 92 - ▤. AE ⓓ E VISA. ✂ BY a
Comida carta 1525 a 3300.

X **Mesón la Paella,** Juan Manuel Durán González 47, ✉ 35010, ☎ 27 16 40 - ▤. AE VISA. ✂ BX k
cerrado sábado noche, festivos y 15 agosto-20 septiembre - **Comida** carta 2700 a 3600.

X El Novillo Precoz, Portugal 9, ✉ 35010, ☎ 22 16 59, Carnes a la brasa - ▤ BX f

X **Ca'cho Damián,** León y Castillo 26, ✉ 35003, ☎ 36 53 23 - ▤. AE E VISA. ✂ BY s
Comida carta 1225 a 2050.

en Las Coloradas - zona de la Isleta - ✉ 35009 Las Palmas - ☎ 928 :

X **El Padrino,** Jesús Nazareno 1 ☎ 46 20 94, 🏠, Pescados y mariscos - ▤. AE ⓓ VISA
Comida carta 1950 a 2400. por Pérez Muñoz AS

X **Pitango,** María Dolorosa 2 ☎ 46 64 94, 🏠, Carnes a la brasa - ▤. AE ⓓ VISA
Comida carta 1740 a 3100. por Pérez Muñoz AS

Santa Brígida 35300 448 O 9 - 12 224 h. alt. 426 - ☎ 928.

Alred. : Mirador de Bandama★★ E : 7 km.

Las Palmas 15.

en las Meleguinas N : 2 km - ✉ 35300 Santa Brígida - ☎ 928 :

X **Las Grutas de Artiles,** ☎ 64 05 75, Fax 64 12 50, 🏠, « Instalado en una gruta », 🏊, ✂ - P. AE ⓓ E VISA
Comida carta 2250 a 3200.

en Monte Lentiscal NE : 4 km - ✉ 35310 Monte Lentiscal - ☎ 928 :

🏨 **Santa Brígida** (Hotel escuela), Real de Coello 2 ☎ 35 55 11, Fax 35 55 11, 🏋, 🏊, 🌳 - |☰| ▤ TV ☎ - 🎤 25/150. AE ⓓ E VISA. ✂
Comida 2500 - ☕ 800 - **41 hab** 8000/12000.

en El Madroñal SO : 4,5 km - ✉ 35308 El Madroñal - ☎ 928 :

X **Martell,** ☎ 64 12 83, Interesante bodega - Decoración rústica regional - AE ⓓ E VISA. ✂
cerrado septiembre - **Comida** carta aprox. 3500.

en Caldera de Bandama E : 7 km - ✉ 35300 Santa Brígida - ☎ 928 :

🏨 **Golf Bandama** 🌿, ☎ 35 33 54, Fax 35 12 90, ≤ campo de golf, mar y montaña, 🏠, 🏊 climatizada, 🏌18 - P. ⓓ E VISA. ✂
Comida 2500 - **38 hab** ☕ 14000/28000.

Tafira Alta 35017 448 P 9 alt. 375 - ☎ 928.
Las Palmas 8.

- La Masía de Canarias, Murillo 36 ☎ 35 01 20, Fax 35 01 20, terraza.
- Jardín Canario, Plan de Loreto, carret. de Las Palmas : 1 km ☎ 35 16 45, Fax 31 17 00, ≤, Dominando el Jardín Botánico - Ⓟ.

Telde 35200 Las Palmas 448 P 9 - 77 640 h. alt. 130 - ☎ 928.
Alred. : Gruta de Cuatro Puertas★ S : 6 km.
Las Palmas 20.

Teror 35330 448 O 9 - 10 341 h. alt. 445 - ☎ 928.
Alred. : Mirador de Zamora ≤★ O : 7 km por carretera de Valleseco.
Las Palmas 21.

Vega de San Mateo 35320 448 O 9 - 6 110 h. - ☎ 928.
♦Las Palmas 23.

- **La Veguetilla,** carret. de Las Palmas ☎ 66 07 64, terraza - Ⓟ. AE E VISA. ✻
cerrado martes y agosto - **Comida** carta 2900 a 3900.

FUERTEVENTURA (Las Palmas)

Corralejo 35560 - ☎ 928 - Playa.
Ver : Puerto y Playas ★.
Puerto del Rosario 38.

- **Dunapark,** av. Generalísimo Franco ☎ 53 52 51, Fax 53 54 91, Ⅎ₆, piscina climatizada, tenis - ascensor ▤ TV ☎. ✻ - **Comida** (sólo cena buffet) 1800 - ☕ 950 - **79 hab** 8250/12100.

en las playas - ✉ 35660 Corralejo - ☎ 928 :

- Riu Palace Tres Islas ⛱, SE : 4 Km. ☎ 53 57 00, Telex 96544, Fax 53 58 58, ≤, Ⅎ₆, piscina climatizada, jardín, tenis - ascensor ▤ TV ☎ Ⓟ
Comida Tres Islas *(sólo cena)* Oasis *(sólo cena)* - **365 hab.**

Costa Calma - ☎ 928 - Playa.
Puerto del Rosario 70.

- Taro Beach H. ⛱, urb. Cañada del Río, ✉ 35628 Pájara, ☎ 54 70 76, Fax 54 70 98, ≤, piscina climatizada - ▤ rest TV ☎ Ⓟ
Comida (sólo cena buffet) - **247 apartamentos.**
- Mónica Beach H. ⛱, urb. Cañada del Río, ✉ 35628 Pájara, ☎ 54 70 75, Fax 54 73 18, ≤, Ⅎ₆, piscina climatizada, tenis - ▤ rest TV ☎ Ⓟ
Comida (sólo cena buffet) - **226 apartamentos.**

Morro del Jable 35625 - 1 590 h. - ☎ 928 - Playa.
Puerto del Rosario 95.

- Riu Jandía Palace, playa de Jandía ☎ 54 03 68, Fax 54 06 20, ≤, piscina climatizada, tenis - ascensor ▤ TV ☎ - **Comida** (sólo cena) - **200 hab.**
- Riu Calypso, playa de Jandía ☎ 54 00 26, Fax 54 07 30, ≤ mar y playa, « terraza con piscina climatizada », tenis - ascensor ▤ TV ☎ garaje Ⓟ - 🏛 25/80
Comida (sólo cena) - **248 hab.**

Playa Barca - ☎ 928 - Playa.
Puerto del Rosario 47.

- Sol Gorriones ⛱, ✉ 35628 Pájara, ☎ 54 70 25, Fax 54 70 00, ≤, « Amplia terraza con piscina climatizada », Ⅎ₆, jardín, tenis - ascensor ▤ rest TV Ⓟ
Comida (sólo cena buffet) - **431 hab.**

Puerto del Rosario 35600 - 16 883 h. - ☎ 928 - Playa.
✈ de Fuerteventura S : 6 km ☎ 85 12 50 - Iberia : 23 de Mayo 11 ☎ 85 08 02.
⛴ para Lanzarote, Gran Canaria y Tenerife : Cía Trasmediterránea, León y Castillo 58, ☎ 85 07 77, Fax 85 24 08.
ℹ av. Primero de Mayo 37, ☎ 85 10 24, Fax 85 18 12.

- **Marquesina Puerto,** Pizarro 62 ☎ 53 00 30 - E VISA. ✻
cerrado lunes y agosto - **Comida** carta aprox. 2500.

en Playa Blanca S : 3,5 km - ✉ 35610 Puerto del Rosario - ☎ 928 :

- **Parador de Fuerteventura** ⛱, ☎ 85 11 50, Fax 85 11 58, ≤, piscina, jardín, tenis - TV ☎ garaje Ⓟ - 🏛 25/40. AE ⓓ E VISA. ✻ - **Comida** 3000 - ☕ 1000 - **50 hab** 9500 - PA 5950.

LANZAROTE (Las Palmas)

Arrecife 35500 – 33 398 h. – ☎ 928 – Playa.

Alred. : Teguise (castillo de Guanapay ※★) N : 11 km – La Geria★★ (de Mozaga a Yaiza) NO : 17 km – Cueva de los Verdes★★★ NE : 27 km por Guatiza – Jameos del Agua★ NE : 29 km por Guatiza – Mirador del Río★★ (※★★) NO : 33 km por Guatiza.

✈ de Lanzarote O : 6 km ☏ 81 14 54 – Iberia : av. Rafael González Negrín 2 ☏ 81 10 21.

⛴ para Gran Canaria, Tenerife, La Palma y la Península : Cía. Trasmediterránea, José Antonio 90 ☏ 81 10 19, Telex 95336.

ℹ Parque Municipal, ☏ 81 18 60, Fax 81 18 60.

Lancelot, av. Mancomunidad 9 ☏ 80 50 99, Fax 80 50 39, ← – |♦| ▤ rest TV ☎ – 25/100. AE VISA. ✂
Comida 1525 – ☕ 600 – **110 hab** 4960/6200 – PA 3360.

Miramar sin rest, Coll 2 ☏ 81 26 00, Fax 80 15 33 – |♦| TV ☎. AE ⓓ E VISA. ✂
☕ 400 – **90 hab** 3600/5520.

por la carretera del puerto de Naos NE : 2 km – ✉ 35500 Arrecife – ☎ 928 :

XX Castillo de San José, ☏ 81 23 21, Fax 81 23 21, ← puerto y mar, Fortaleza del siglo XVII. Museo de Arte Contemporáneo – ▤ Ⓟ.

Costa Teguise 35509 – ☎ 928 – Playa.

⛳9 Costa Teguise ☏ 81 35 12.

Arrecife 7.

Meliá Salinas ⛰, playa de las Cucharas ☏ 59 00 40, Telex 96320, Fax 59 12 32, ←, ⛱, « Profusión de plantas - Terraza con ⛲ climatizada », Ⅎ₆, ⛱, 🎾 – |♦| ▤ TV ☎ Ⓟ – 25/275. AE ⓓ E VISA. ✂
Comida Atlántida - *La Graciosa (sólo cena, cerrado domingo, lunes y julio)* **Comida** carta aprox. 5400 – **308 hab** ☕ 20600/28800, 2 suites.

Teguise Playa ⛰, playa El Jablillo ☏ 59 06 54, Telex 96399, Fax 59 09 79, ←, Ⅎ₆, ⛲ climatizada, 🎾 – |♦| ▤ TV ☎ ♿ Ⓟ – 25/325. AE ⓓ E VISA. ✂
Comida 3000 – ☕ 975 – **303 hab** 12000/15000, 11 suites – PA 6000.

XX **La Jordana,** Los Geranios - Local 10-11 ☏ 59 03 28, ⛱ – ▤. AE E VISA. ✂
cerrado domingo y septiembre – **Comida** carta 2550 a 3625.

XX **Neptuno,** Península del Jablillo ☏ 59 03 78 – ▤. AE ⓓ E VISA. ✂
cerrado domingo – **Comida** carta 2300 a 2825.

al Suroeste : 2 km – ✉ 35509 Costa Teguise – ☎ 928 :

Oasis de Lanzarote ⛰, av. del Mar ☏ 59 04 10, Fax 59 07 91, ←, Ⅎ₆, ⛲ climatizada, ⛱, 🎾 – |♦| ▤ TV ☎ ♿ Ⓟ – 25/550. AE ⓓ E VISA. ✂
Comida 2800 – **360 hab** ☕ 18000/21000, 12 suites – PA 4800.

Haría 35520 Gran Canaria – 2 626 h. alt. 270 – ☎ 928.

Alred. : Mirador ←★ S : 5 km.

Arrecife 29.

X **Casa'l Cura,** Nueva 1 ☏ 83 55 56, Fax 81 60 16 – Ⓟ. AE VISA. ✂
Comida (sólo almuerzo) carta 1850 a 2300.

Montañas del Fuego – ☎ 928 – Zona de peaje.

Ver : Montañas del Fuego★★★.

Arrecife 31.

XX El Diablo, Parque Nacional de Timanfaya, ✉ 35560 Tinajo, ☏ 84 00 57, Fax 84 00 57, ※ montañas volcánicas y mar – Ⓟ.

Playa Blanca de Yaiza – ☎ 928 – Playa.

Alred. : Punta del Papagayo★ ←★ S : 5 km.

Arrecife 38.

Playa Dorada ⛰, costa de Papagayo, ✉ 35570 Yaiza, ☏ 51 71 20, Fax 51 74 32, ←, ⛲ climatizada, 🎾 – |♦| ▤ TV ☎ Ⓟ – 25/250. AE ⓓ E VISA. ✂
Comida (sólo cena buffet) 2500 – **258 hab** ☕ 8500/13000, 8 suites.

Lanzarote Princess ⛰, costa de Papagayo, ✉ 35570 Yaiza, ☏ 51 71 08, Telex 96455, Fax 51 70 11, ←, « Terraza con ⛲ climatizada », 🎾 – |♦| ▤ ☎ Ⓟ – 25/200. AE ⓓ E VISA. ✂
Comida (sólo cena buffet) 3450 – **375 hab** ☕ 8800/15600, 32 suites.

X Casa Pedro, av. Marítima, ✉ 35570 Yaiza, ☏ 51 70 22, ←, ⛱, Pescados – ▤.

X Casa Salvador, av. Marítima 13, ✉ 35570 Yaiza, ☏ 51 70 25, ←, ⛱, Pescados y mariscos.

Puerto del Carmen 35510 - ☎ 928 - Playa.

Arrecife 15.

Fariones Playa sin rest, Acatife 2, urb. Playa Blanca ☎ 51 01 75, Fax 51 02 02, ≤, climatizada, - ▤ TV ☎ ♿ - 25/150. AE ⓓ E VISA. ✻
1200 - **231 apartamentos** 14000.

Los Fariones, Roque del Oeste 1, urb. Playa Blanca ☎ 51 01 75, Fax 51 02 02, « Terraza y jardín tropical con ≤ mar », climatizada, - ▤ rest TV ☎ - 25/75. AE ⓓ E VISA. ✻
Comida 3200 - 1200 - **231 hab** 9800/12800, 6 suites - PA 7100.

La Cañada, General Prim 3 ☎ 51 04 15, - ▤. AE ⓓ E VISA. ✻
Comida carta aprox. 2900.

en la playa de los Pocillos E : 3 km - ✉ 35519 Los Pocillos - ☎ 928 :

Riu Palace Lanzarote, Suiza 6 ☎ 51 24 14, Fax 82 55 98, ≤, climatizada, - ▤ TV ☎ P - 25/100
Comida (sólo cena) - **253 hab**, 22 suites.

La Geria, ☎ 51 04 41, Telex 95598, Fax 51 19 19, ≤, climatizada, - ▤ TV ☎ P. AE ⓓ VISA. ✻
Comida 3300 - 1200 - **242 hab** 10360/14800 - PA 7800.

Riu Paraíso, Suiza 4 ☎ 51 24 00, Telex 95780, Fax 51 24 09, ≤, climatizada, - ▤ TV ☎ P
Comida (sólo cena) - **240 hab**, 8 suites.

en la urbanización Matagorda E : 4,5 km - ✉ 35510 Matagorda - ☎ 928 :

C. Colón, centro comercial Matagorda 47 ☎ 51 25 54, Fax 51 25 54 - AE ⓓ E VISA. ✻
Comida carta 3450 a 5125.

Yaiza 35570 - 5 125 h. alt. 192 - ☎ 928.

Alred. : La Geria★★ (de Yaiza a Mozaga) NE : 17 km - Salinas de Janubio★ SO : 6 km - El Golfo★ NO : 8 km.

Arrecife 22.

La Era, Barranco 3 ☎ 83 00 16, Fax 80 27 65, « Instalado en una casa de campo del siglo XVII » - P. AE ⓓ E VISA. ✻
Comida carta 1700 a 2550.

TENERIFE

Candelaria 38530 448 J 7 - 10 655 h. - ☎ 922 - Playa.

♦ Santa Cruz de Tenerife 27.

G.H. Punta del Rey, av. Generalísimo 165 (playa de Las Caletillas) ☎ 50 18 99, Telex 91584, Fax 50 00 91, ≤, « Jardines con al borde del mar », climatizada, - ▤ ☎ - 25/200. AE ⓓ E VISA JCB. ✻
Comida (sólo buffet) 1300 - 650 - **422 hab** 8690.

Las Cañadas del Teide 448 I 8 alt. 2 200 - ☎ 922.

Ver : Parque Nacional de las Cañadas★★★.

Alred. : Pico del Teide★★★ N : 4 km, teleférico y 45 min a pie - Boca de Tauce★★ SO : 7 km.

Excurs. : Ascenso por La Orotava★.

Santa Cruz de Tenerife 67.

Parador de Las Cañadas del Teide , alt 2 200, ✉ 38300 apartado 15 Orotava, ☎ 38 64 15, Fax 38 64 15, ≤ valle y Teide, « En un paisaje volcánico », - TV P. AE ⓓ E VISA. ✻
Comida 3000 - 1000 - **23 hab** 7000 - PA 5950.

Los Cristianos 38650 448 H 9 - ☎ 922 - Playa.

Alred. : Mirador de la Centinela★★ NE : 12 km.

Cia. Trasmediterránea, Muelle de los Cristianos, ☎ 79 61 78.

Santa Cruz de Tenerife 75.

Arona G.H., av. Marítima ☎ 75 06 78, Telex 91053, Fax 75 02 43, ≤, climatizada - ▤ TV ☎ - 25/250. AE ⓓ E VISA. ✻
Comida (sólo cena buffet) 2500 - ***El Rincón*** *(sólo cena, cerrado jueves)* **Comida** carta aprox. 4100 - ***La Palapa*** *(sólo almuerzo)* **Comida** carta aprox. 3500 - **399 hab** 21900, 2 suites - PA 4950.

Paradise Park, urb. Oasis del Sur ☎ 79 47 62, Telex 91196, Fax 79 48 59, climatizada, - ▤ TV P - 25/60
Comida Strelitzia *(sólo cena)* Las Cañadas *(sólo almuerzo)* - **271 hab**, 9 suites, 112 apartamentos.

Oasis Moreque, av. Penetración ✆ 79 03 66, Fax 79 22 60, ≤, ⛱ climatizada, ✿, ✕ - |‡| ▤ rest Ⓟ. AE ⓞ E VISA. ✾
Comida (sólo buffet) 1300 - **173 hab** ⊐ 7500/12000.

La Cava, El Cabezo ✆ 79 04 93, Fax 79 13 16, ⛱, Decoración rústica - AE E VISA. ✾
cerrado domingo y junio-agosto - **Comida** (sólo cena) carta 1700 a 3300.

Güimar 38500 Santa Cruz de Tenerife 448 J8 - 14 345 h. alt. 290 - ☎ 922.

Alred.: Mirador de Don Martín★★ S : 4 km.

Santa Cruz de Tenerife 36.

Icod de los Vinos 38430 448 H 7 - 21 329 h. - ☎ 922.

Ver: Drago milenario★.

Alred.: El Palmar★★ O : 20 km - San Juan del Reparo (carretera de Garachico ≤★) SO : 6 km - San Juan de la Rambla (plaza de la iglesia★) NE : 10 km.

Santa Cruz de Tenerife 60.

La Laguna 38200 448 K 7 - 117 718 h. alt. 550 - ☎ 922.

Ver: Iglesia de la Concepción★.

Alred.: Monte de las Mercedes★★ (Mirador del Pico del Inglés★★, Mirador de Cruz del Carmen★) NE : 11 km - Mirador del Pico de las Flores ✻★★ SO : 15 km - Pinar de La Esperanza★ SO : 6 km.

⛳18 de Tenerife O : 7 km ✆ 25 02 40.

Santa Cruz de Tenerife 9.

Nivaria sin rest, pl. del Adelantado 11 ✆ 26 42 98, Fax 25 96 34 - |‡| TV ☎ ⇔ - 🏛 25/65. AE ⓞ E VISA. ✾ - ⊐ 400 - **73 apartamentos** 7500/9900.

La Hoya del Camello, carret. General del Norte 128 ✆ 26 20 54 - Ⓟ.

Masca Santa Cruz de Tenerife 448 G 8 - ☎ 922.

Ver: Paisaje★.

Santa Cruz de Tenerife 90.

El Médano 38612 448 I 9 - ☎ 922 - Playa.

✈ Reina Sofía O : 8 km ✆ 77 13 00.

Santa Cruz de Tenerife 62.

Wind Surf ⛵, av. Europa 2 ✆ 17 62 52, Fax 17 61 14, Ⅎ₆, ⛱ - |‡| ▤ ☎ ⇔ Ⓟ - 🏛 25/100. AE ⓞ E VISA. ✾
Comida (sólo buffet) 1650 - ⊐ 600 - **88 hab** 7000/10000, 67 suites - PA 3500.

Médano, La Playa 2 ✆ 17 70 00, Fax 17 60 48, ≤ - |‡| ☎ - **90 hab.**

Avencio, Chasna 6 ✆ 17 60 79 - ▤.

La Orotava 38300 448 I 7 - 34 871 h. alt. 390 - ☎ 922.

Ver: Calle de San Francisco★ - Emplazamiento★.

Alred.: Mirador Humboldt★★★ NE : 3 km - Jardín de Aclimatación de la Orotava★★★ NO : 5 km - S : Valle de la Orotava★★★.

ℹ pl. General Franco, ✆ 38 31 31.

Santa Cruz de Tenerife 36.

Playa de las Américas 38660 448 H 9 - ☎ 922 - Playa.

⛳9 ⛳18 Golf del Sur, urb El Guincho SE : 15 km ✆ 73 10 70.

ℹ Pueblo Torviscas ✆ 75 06 33.

Santa Cruz de Tenerife 75.

G.H. Bahía del Duque, playa de Fañabé ✆ 75 00 00, Fax 75 16 16, ≤, ⛱, ⛱ climatizada, ⛵, ✿, ✕ - |‡| ▤ TV ☎ ♿ ⇔ Ⓟ - 🏛 25/1000. AE ⓞ E VISA. ✾ rest
Comida 4000 - **324 hab** ⊐ 23500/29800, 38 suites - PA 8000.

Sir Anthony ⛵, av. Litoral ✆ 79 71 13, Fax 79 36 22, ≤, « Bonita terraza con césped y ⛱ climatizada », Ⅎ₆, ✕ - |‡| ▤ TV ☎ ⇔ Ⓟ - 🏛 25/200. AE ⓞ E VISA JCB. ✾
Comida 4800 - ⊐ 1900 - **67 hab** 32350, 5 suites - PA 11500.

Gran Tinerfe, ✆ 79 12 00, Telex 92199, Fax 79 12 65, ≤, « Terrazas con ⛱ climatizada », ✕ - |‡| ▤ TV ☎ Ⓟ - 🏛 25/150. AE ⓞ E VISA. ✾
Comida 2850 - ⊐ 1200 - **358 hab** 8500/14900 - PA 5250.

Mediterranean Palace, av. Litoral ✆ 79 44 00, Telex 91539, Fax 79 36 22, ⛱, ⛱, ✕ - |‡| ▤ TV ☎ ⇔ - 🏛 25/700. AE ⓞ E VISA. ✾
Comida 3650 - ⊐ 1200 - **493 hab** 14250/17825, 42 suites - PA 8500.

Tenerife Princess, av. Litoral ✆ 79 27 51, Telex 91148, Fax 79 10 39, ⛱ climatizada, ✕ - |‡| ▤ ☎ Ⓟ - 🏛 25/80 - **Comida** (sólo buffet) - **386 hab.**

Jardín Tropical, urb. San Eugenio, apartado 139, 75 01 00, Telex 91251, Fax 75 28 44, <, climatizada - 25/150.
Comida (ver también rest. **El Patio**) 4500 Las Mimosas - 1500 - **421 hab** 17000/26000.

Gala, av. Litoral 79 45 13, Fax 79 64 65 - 25/200.
Comida (sólo buffet) 1900 - 1000 - **315 hab** 11500/15000 - PA 4800.

Torviscas Playa, urb. Torviscas 79 73 00, Telex 91578, Fax 79 74 70, <, climatizada, - 25/300.
Comida (sólo buffet) 2300 - 925 - **466 hab** 7400/11400, 4 suites - PA 4500.

Bitácora, 79 15 40, Telex 91120, Fax 79 66 77, climatizada, -
Comida (sólo buffet) 1700 - **314 hab** 11600/17100.

La Siesta, av. Litoral 79 23 00, Telex 91119, Fax 79 22 20, climatizada, - 25/700.
Comida (sólo buffet) 2650 - 1100 - **280 hab** 10400/13000.

Park H. Troya, 79 01 00, Telex 92218, Fax 79 45 72, climatizada, -
Comida (sólo buffet) 2100 - **318 hab** 9520/17360 - PA 3920.

El Patio, urb. San Eugenio 75 01 00, Telex 91251, Fax 75 28 44 -
cerrado junio - **Comida** (sólo cena) carta 5100 a 6475.

Casa Vasca, Apartamentos Compostela Beach 79 40 25, -
cerrado domingo y del 5 al 20 de junio - **Comida** carta 2800 a 5700.

Para viajes rápidos,
utilice los mapas Michelin "principales carreteras":

920 Europa, 980 Grecia, 984 Alemania, 985 Escandinavia-Finlandia,
986 Gran Bretaña-Irlanda, 987 Alemania-Austria-Benelux, 988 Italia,
989 Francia, 990 España-Portugal, 991 Yugoslavia.

Puerto de la Cruz 38400 448 I 7 - 39 549 h. - 922 - Playa.

Ver : Paseo Marítimo★ (piscinas★) BZ.

Alred. : Jardín de aclimatación de la Orotava★★★ por ① : 1,5 km - Mirador Humboldt★★★, La Orotava★ por ① - Iberia : av. de Venezuela 38 00 50 CY.

pl. de la Iglesia 3, 37 19 28.

Santa Cruz de Tenerife 36 ①.

Planos páginas siguientes

Meliá Botánico, Richard J. Yeoward 38 14 00, Telex 92395, Fax 38 15 04, <, « Jardines tropicales », climatizada, - 25/220. DZ **h**
Comida *(cerrado domingo, lunes, mayo y junio)* carta 3000 a 4200 - 1300 - **273 hab** 16500/24000, 9 suites.

NH Semiramis, Leopoldo Cólogan Zulueta 12 - urb. La Paz 37 32 00, Telex 92160, Fax 37 31 93, < mar, climatizada, - 25/1000. rest DY **k**
Comida 2100 - **285 hab** 14000/21000, 3 suites.

Puerto Palace, Doctor Cobiella (carret. de Las Arenas) 37 24 60, Fax 37 35 23, <, - 25/100. por ②
Comida 1800 - 975 - **290 hab** 9725/12650 - PA 4375.

Meliá San Felipe, av. de Colón 22 - playa Martiánez 38 33 11, Telex 92146, Fax 37 37 18, <, - 25/200. DY **u**
Comida (sólo cena) 2200 - **256 hab** 14090/21980, 4 suites - PA 3900.

Meliá Puerto de la Cruz, av. Marqués de Villanueva del Prado 38 40 11, Telex 92386, Fax 38 65 59, <, climatizada, - 25/700. DZ **f**
Comida 2400 - 950 - **300 hab** 9200/14800 - PA 4885.

El Tope sin rest, Calzada de Martiánez 2 38 50 52, Telex 92134, Fax 38 00 03, <, climatizada, - rest - 25/250. CZ **e**
1575 - **217 hab** 10290/14700.

Atalaya G. H., parque del Taoro 38 44 51, Telex 92380, Fax 38 70 46, <, « Jardín con climatizada », - por carret. del Taoro BZ
Comida (sólo buffet) 2500 - 1200 - **183 hab** 10400/13000 - PA 4650.

G. H. Tenerife Playa, av. de Colón 16 38 32 11, Telex 92135, Fax 38 37 91, <, climatizada, - rest - 25/80. CY **a**
Comida (sólo buffet) 2980 - 1120 - **337 hab** 9385/14150 - PA 5510.

San Telmo, San Telmo 18 38 58 53, Fax 38 59 91, <, climatizada - CY **e**
Comida 1300 - 500 - **91 hab** 4500/8000 - PA 2900.

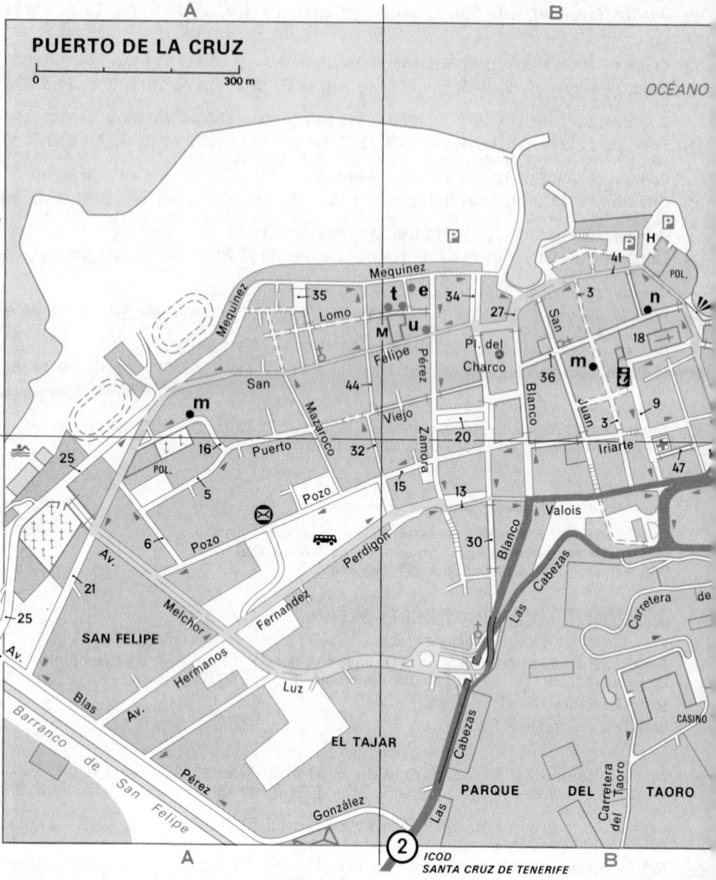

San Telmo . . . . CY	Álvarez Rixo . . . . AZ 6	Doctor Ingrand . . . . . . BZ 1
Aguilar y Quesada . . . . CY 2	Casino . . . . CY 8	Doctor Madan . . . . . . AYZ 1
Agustin de Bethencourt . . . BY 3	Cólogan . . . . BY 9	Enrique Talg . . . . CZ 1
Agustin Espinoza . . . . . AZ 5	Constitución (Plaza de la) . . . . BZ 12	Iglesia (Pl. de la) . . . . . BY 1
	Cupido . . . . BZ 13	José Arroyo . . . . BY 2
		José del Campo Llarena (Av.) AZ 2

Monopol, Quintana 15 ✆ 38 46 11, Fax 37 03 10, « Patio canario con plantas », climatizada – rest. AE VISA. rest — BY
Comida (sólo cena) 1750 – **100 hab** 4850/9700.

Don Manolito, Dr. Madán 6 ✆ 38 50 40, Fax 37 08 77, – — AY
Comida (sólo cena) – **79 hab.**

Chimisay sin rest, Agustín de Bethencourt 14 ✆ 38 35 52, Fax 38 28 40, – AE VISA. — BY
600 – **67 hab** 6000/8000.

Magnolia (Felipe "El Payés catalán"), av. Marqués de Villanueva del Prado ✆ 38 56 14, – AE VISA. – **Comida** carta 1980 a 3880. — DZ

Régulo, San Felipe 16 ✆ 38 45 06, Fax 37 04 20, Patio con balcón y plantas – — BY

La Papaya, Lomo 10 ✆ 38 28 11, Fax 38 77 96, , Decoración típica – — BY

Patio Canario, Lomo 4 ✆ 38 04 51, Decoración típica — BY

Mi Vaca y Yo, Cruz Verde 3 ✆ 38 52 47, Fax 37 08 77, Decoración típica – AE VISA JCB — BY
cerrado junio-7 julio – **Comida** carta aprox. 3950.

Paco, carret. del Botánico 26 ✆ 38 52 53, – AE VISA — DZ
cerrado miércoles – **Comida** carta 1550 a 2375.

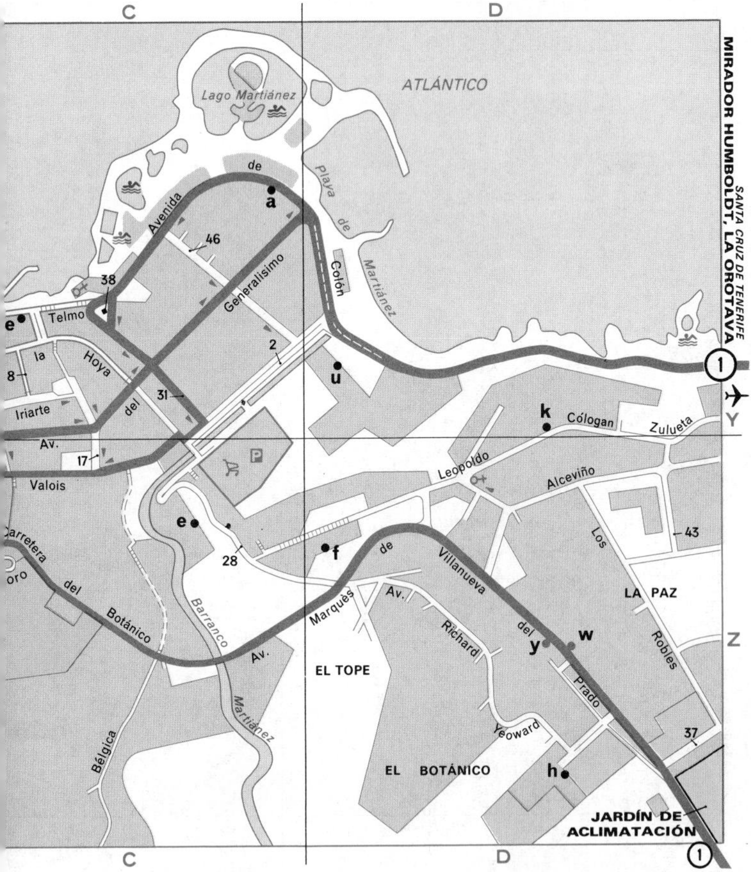

Luis Pavaggi (Paseo) . . . . AZ 25
Marina . . . . BY 27
Martiánez (Calzada de) . . . . CZ 28
Nieves Ravelo . . . . BZ 30
O.P. Cáceres (Av.) . . . . CY 31
Peñon . . . . AZ 32
Perdomo . . . . BY 34
Pérez Galdós (Plaza) . . . . AY 35
Quintana . . . . BY 36
Retama . . . . DZ 37
Reyes Católicos (Plaza) . . . . CY 38
Santo Domingo . . . . BY 41
Tabaida . . . . DZ 43
Teobaldo Power . . . . AY 44
Venezuela (Av.) . . . . CY 46
Virtud . . . . BZ 47

Percorra os países da Europa com os mapas Michelin da série vermelha correspondentes aos números 980 a 991.

Puerto de Santiago **38683** 448 G 8 - 922 - Playa.

Alred. : Los Gigantes (acantilado★) N : 2 km.

Santa Cruz de Tenerife 101.

Santiago, La Hondura 8 10 09 12, Telex 91139, Fax 10 08 18, ≤ mar y acantilados, climatizada, - - 25/280. AE E VISA.
Comida 2200 - ***Aubergine*** *(sólo cena, cerrado domingo)* **Comida** carta 2300 a 3250 - **382 hab** 7300/11800, 24 suites.

Pancho, playa de la Arena 10 13 23, Fax 10 14 74 - AE E VISA
cerrado lunes y junio - **Comida** carta 2450 a 3100.

en el Acantilado de los Gigantes N : 2 km - 38680 Guía de Isora - 922 :

Asturias, 10 14 23, - AE E VISA.
cerrado lunes - **Comida** carta 1700 a 3300.

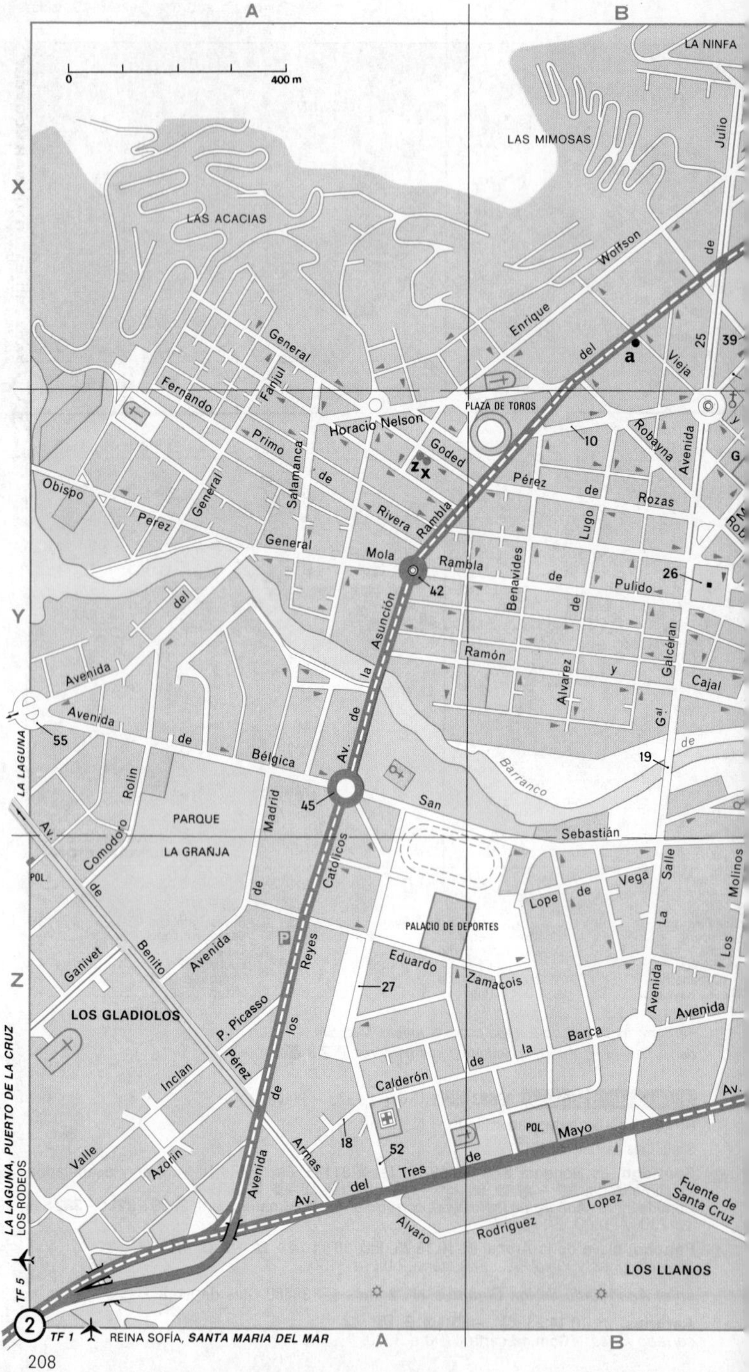
A
B
0
400 m
LA NINFA
LAS MIMOSAS
Julio
X
LAS ACACIAS
Wolfson
de
Enrique
25
39
del
a
Vieja
General
Fanjul
Fernando
PLAZA DE TOROS
Horacio Nelson
Primo
Goded
10
Robayna
Avenida
G
Salamanca
z x
de
Pérez
de
Rozas
Obispo
General
Rivera
Rambla
Lugo
Perez
General
Mola
Rambla
Benavides
de
26
Pulido
42
Y
del
Asunción
de
la
Ramón
Alvarez
y
Galcéran
Cajal
Avenida
Avenida
55
de
Av.
de
G.al
de
19
Bélgica
Barranco
LA LAGUNA
Rolin
45
San
Madrid
PARQUE
Sebastián
Av.
Comodoro
LA GRAÑJA
Catolicos
POL.
de
de
Lope
de
Vega
Salle
Molinos
La
PALACIO DE DEPORTES
Ganivet
Benito
Avenida
Reyes
Eduardo
Los
Z
Zamacois
27
Avenida
LOS GLADIOLOS
P. Picasso
los
Avenida
Barca
la
de
Perez
Inclan
de
Calderón
Av.
POL.
Mayo
18
Valle
Azorin
Armas
52
de
Avenida
Tres
del
Fuente de Santa Cruz
Av.
Lopez
Rodriguez
Alvaro
LA LAGUNA, PUERTO DE LA CRUZ
LOS RODEOS
LOS LLANOS
TF 5
2
TF 1
REINA SOFÍA, SANTA MARIA DEL MAR
A
B

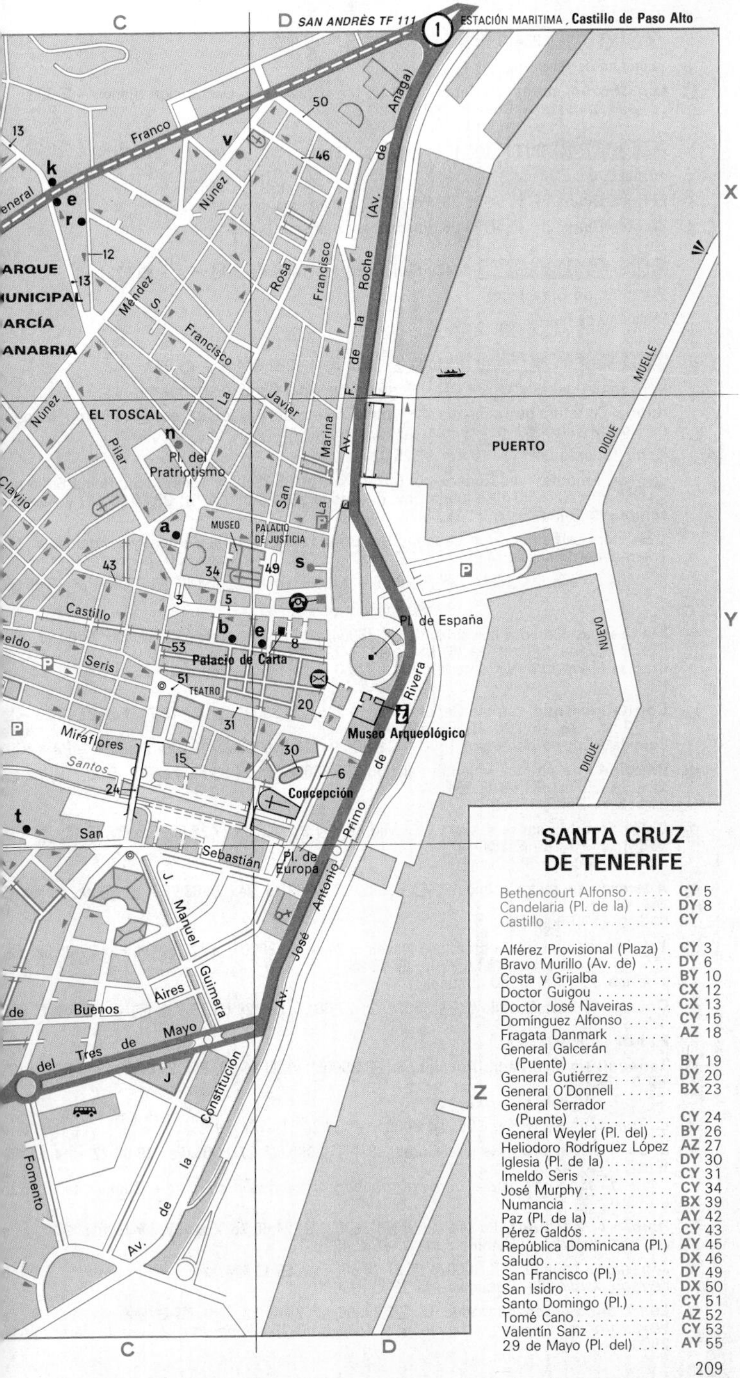

SANTA CRUZ DE TENERIFE

Bethencourt Alfonso	CY 5
Candelaria (Pl. de la)	DY 8
Castillo	CY
Alférez Provisional (Plaza)	CY 3
Bravo Murillo (Av. de)	DY 6
Costa y Grijalba	BY 10
Doctor Guigou	CX 12
Doctor José Naveiras	CX 13
Domínguez Alfonso	CY 15
Fragata Danmark	AZ 18
General Galcerán (Puente)	BY 19
General Gutiérrez	DY 20
General O'Donnell	BX 23
General Serrador (Puente)	CY 24
General Weyler (Pl. del)	BY 26
Heliodoro Rodríguez López	AZ 27
Iglesia (Pl. de la)	DY 30
Imeldo Seris	CY 31
José Murphy	CY 34
Numancia	BX 39
Paz (Pl. de la)	AY 42
Pérez Galdós	CY 43
República Dominicana (Pl.)	AY 45
Saludo	DX 46
San Francisco (Pl.)	DY 49
San Isidro	DX 50
Santo Domingo (Pl.)	CY 51
Tomé Cano	AZ 52
Valentín Sanz	CY 53
29 de Mayo (Pl. del)	AY 55

Los Realejos 38410 448 I 7 - 29 481 h. - ☎ 922.

Santa Cruz de Tenerife 45.

XX **Las Chozas,** carret. del Jardín NE : 1,5 km ☎ 34 20 54, Decoración rústica - E VISA
cerrado domingo - **Comida** carta 2520 a 2725.

San Andrés 38120 448 K 6 - ☎ 922 - Playa.

♦Santa Cruz de Tenerife 8.

X El Rubí, Dique 19 ☎ 54 96 73, Pescados y mariscos.

X Ramón, Dique 23 ☎ 54 93 08, Pescados y mariscos.

San Juan del Reparo 38459 Santa Cruz de Tenerife 448 H 7 - ☎ 922.

Ver : ≤★ de Garachico.

Santa Cruz de Tenerife 65.

Santa Cruz de Tenerife 38000 P 448 K 7 - 202 674 h. - ☎ 922.

Ver : Dique del puerto ≤★ DX - Parque Municipal García Sanabria★ BCX.

Alred. : Carretera de Taganana ≤★★ por el puerto del Bailadero★ por ① : 28 km - Mirador de Don Martín ≤★★ por Güimar ② : 27 km.

18 de Tenerife por ② : 16 km ☎ 25 02 40.

✈ de Tenerife - Los Rodeos por ② : 13 km ☎ 25 79 40, y Tenerife-Sur-Reina Sofía por ② : 60 km ☎ 75 90 00 - Iberia : av. de Anaga 23, ✉ 38001, ☎ 28 80 00 BZ, y Aviaco aeropuerto Reina Sofía ☎ 26 08 73.

⛴ para La Palma, Gran Canaria, Lanzarote, Fuerteventura, Gomera y la Península : Cía Trasmediterránea, La Marina 59, ✉ 38001, ☎ 28 77 84, Telex 92017.

ℹ pl. de España, ✉ 38002, ☎ 24 20 08 - R.A.C.E. Emilio Calzadilla ✉ 38002, ☎ 28 65 06.

Planos páginas precedentes

Mencey, av. Dr. José Naveiras 38, ✉ 38004, ☎ 27 67 00, Telex 92034, Fax 28 00 17, climatizada, - |‡| ▤ TV ☎ - 25/290. AE ⊙ E VISA. CX k
Comida *(cerrado agosto)* carta 3800 a 5350 - ☕ 1950 - **269 hab** 18000/23000, 24 suites.

Contemporáneo, rambla General Franco 116, ✉ 38001, ☎ 27 15 71, Fax 27 12 23 - |‡| ▤ TV ☎ - 25/200. AE ⊙ VISA. CX e
Comida *(cerrado domingo)* 1800 - ☕ 800 - **124 hab** 8000/12000, 2 suites - PA 4400.

Príncipe Paz sin rest, Valentín Sanz 33, ✉ 38002, ☎ 24 99 55, Fax 28 10 65 - |‡| ▤ TV ☎ - 25/50. AE ⊙ E VISA. CY a
80 hab ☕ 9600/12000.

Colón Rambla sin rest, Viera y Clavijo 49, ✉ 38004, ☎ 27 25 50, Fax 27 27 16, - |‡| ▤ TV ☎. AE E VISA. BX a
☕ 600 - **40 hab** 9900/11500.

Atlántico sin rest, Castillo 12, ✉ 38002, ☎ 24 63 75, Fax 24 63 78 - |‡| TV ☎. AE ⊙ E VISA. CY b
60 hab ☕ 4500/8000.

Taburiente sin rest, Doctor José Naveiras 24 A, ✉ 38001, ☎ 27 60 00, Fax 27 05 62, - |‡| TV ☎ - 25/200. AE E VISA CX
114 hab ☕ 7400/9050, 2 suites.

Océano sin rest, Castillo 6, ✉ 38002, ☎ 27 08 00, Fax 24 63 78 - |‡| TV ☎. AE ⊙ E VISA DY e
28 hab ☕ 3500/7000.

Tanausú sin rest, Padre Anchieta 8, ✉ 38005, ☎ 21 70 00, Fax 21 60 29 - |‡| TV ☎. AE ⊙ E VISA. CY
☕ 430 - **18 hab** 3350/5400.

X La Toja, Méndez Nuñez 108, ✉ 38001, ☎ 28 26 51 - ▤ CX v

X **El Coto de Antonio,** General Goded 13, ✉ 38006, ☎ 27 21 05, Fax 29 09 22 - ▤. AE ⊙ E VISA JCB. AY z
cerrado sábado mediodía, domingo noche y 2ª quincena de junio - **Comida** carta 2625 a 4550.

X **Mesón Los Monjes,** La Marina 7, ✉ 38002, ☎ 24 65 76 - ▤. AE ⊙ E VISA. DY s
cerrado domingo - **Comida** carta 2775 a 4225.

X **Ainara,** La Luna 10, ✉ 38002, ☎ 27 76 60 - ▤. AE E VISA. CY n
cerrado domingo - **Comida** carta 2900 a 3600.

X **Los Troncos,** General Goded 17, ✉ 38006, ☎ 28 41 52 - ▤. AE E VISA. AY z
cerrado domingo noche, miércoles y 15 agosto-15 septiembre - **Comida** carta aprox 2900.

Santa Úrsula 38390 448 J 7 - 8 734 h. - ☎ 922.
Santa Cruz de Tenerife 27.

en Cuesta de la Villa-por la antigua carretera del Puerto de la Cruz SO : 2 km - ✉ 38390 Santa Ursula - ☎ 922 :

XX **Los Corales,** Cuesta la Villa 130 ✆ 30 19 18, Fax 32 17 27, ← - P. AE O E VISA. ✻
cerrado lunes - **Comida** carta 2350 a 4100.

Tegueste 38280 448 J 6 alt. 399 - ☎ 922.
◆Santa Cruz de Tenerife 17.

XX **El Drago,** urb. San Gonzalo (El Socorro) ✆ 54 30 01, Fax 54 44 54, Decoración rústica - P. AE O E VISA. ✻
cerrado lunes y agosto - **Comida** (sólo almuerzo salvo viernes y sábado) carta 3225 a 5050.

GOMERA (Santa Cruz de Tenerife)

Arure 38892 Santa Cruz de Tenerife - ☎ 922.
Ver : ←★ de Taguluche.
Alred. : Barranco del Valle Gran Rey★★ S : 7 km.

San Sebastián de la Gomera 38800 - 6 337 h. - ☎ 922 - Playa.
Alred. : Valle de Hermigua★★ NO : 17 km.
Excurs. : Parque Nacional Garajonay★★ O : 15 km - Agulo★ NO : 26 km.
para Tenerife : Cía Trasmediterránea : Del Medio 49, ✆ 87 13 24, Fax 87 13 24.
Real 4, ✆ 14 01 47, Fax 14 01 51.

Parador de San Sebastián de la Gomera ⛰, Balcón de la Villa y Puerto, ✉ apartado 21, ✆ 87 11 00, Fax 87 11 16, ←, Decoración elegante. Edificio de estilo regional, ⛱, - ▤ rest TV ☎ P. AE O E VISA. ✻
Comida 3500 - ☕ 1200 - **42 hab** 14500 - PA 6970.

Villa Gomera sin rest, Ruiz de Padrón 68 ✆ 87 00 20, Fax 87 02 35 - |‡| ☎. ✻
☕ 650 - **16 hab** 4000/5500.

Garajonay sin rest y sin ☕, Ruiz de Padrón 17 ✆ 87 05 50, Fax 87 05 50 - |‡| ☎. ✻
29 hab 3800/4900.

XX Marqués de Oristano, del Medio 24 ✆ 87 00 22, Fax 87 14 33, 🏖.

X **Casa del Mar,** Fred Olsen 2 ✆ 87 12 19, ← - AE E VISA. ✻
cerrado domingo y marzo - **Comida** carta 1650 a 2600.

HIERRO (Santa Cruz de Tenerife)

Sabinosa 38912 Santa Cruz de Tenerife - ☎ 922.
Alred. : Camino de La Dehesa ←★ del sur de la isla.

Valverde 38900 - 3 526 h. - ☎ 922.
Alred. : O : 8 km El Golfo★★ (Mirador de la Peña ←★★).
Excurs. : El Pinar (bosque★) SO : 20 km.
✈ de Hierro E : 10 km ✆ 55 07 25 - Iberia : Doctor Quintero 6 ✆ 55 02 78.
para Tenerife, Gran Canaria, Fuerteventura, Lanzarote y la Península : Cía Trasmediterránea : Puerto de la Estaca 3, ✆ 55 01 29.
Licenciado Bueno 1 ✆ 55 03 02, Fax 55 10 52.

en Las Playas S : 20 km - ✉ 38900 Valverde - ☎ 922 :

Parador de El Hierro ⛰, ✆ 55 80 36, Fax 55 80 86, ←, ⛱ - ▤ rest TV ☎ P. AE O E VISA. ✻
Comida 3000 - ☕ 1000 - **47 hab** 9500 - PA 5950.

LA PALMA (Santa Cruz de Tenerife)

Barlovento 38726 - 2 557 h. - ☎ 922.
◆Santa Cruz de la Palma 41.

La Palma Romántica ⛰, Las Llanadas ✆ 18 62 21, Fax 18 64 00, ←, Fø, ⛱, ▣, ✂ - P. E VISA. ✻ rest
Comida 1975 - **40 hab** ☕ 7600/10400.

Breña Alta **38710** Santa Cruz de Tenerife – 5 101 h. alt. 350 – ✆ 922.

Santa Cruz de la Palma 10.

en la carretera TF 812 N : 2,5 km – ✉ 38710 Breña Alta – ✆ 922 :

X **Las Tres Chimeneas,** Buenavista de Arriba 82 ✆ 42 94 70 – P. E VISA. ✻
cerrado agosto y carnavales – **Comida** carta 2000 a 2755.

Los Llanos de Aridane **38760** – 15 522 h. alt. 350 – ✆ 922.

Alred. : El Time★★ ✻★★ O : 12 km – Caldera de Taburiente★★★ (La Cumbrecita y El Lomo de las Chozas ✻★★★) NE : 20 km – Fuencaliente (paisaje★) SE : 23 km – Volcán de San Antonio★ SE : 25 km – Volcán Teneguía★.

Santa Cruz de la Palma 37.

Valle Aridane sin rest, glorieta Castillo Olivares ✆ 46 26 00, Fax 40 10 19 – |‡| TV ☎
42 hab.

Edén sin rest y sin ☕, pl. de España 1 ✆ 46 01 04
20 hab.

X **San Petronio,** Pino de Santiago 40 ✆ 46 24 03, Fax 46 24 03, ≤, 🏖, Cocina italiana – ▤ P. E VISA. ✻
cerrado domingo, lunes, 17 abril-11 junio y 31 octubre-17 diciembre – **Comida** carta 2260 a 2700.

Puerto Naos **38760** – ✆ 922.

♦ Santa Cruz de la Palma 40.

Sol La Palma 🌿, Punta del Pozo ✆ 40 80 00, Fax 40 80 14, ≤, Fō, ⛱ climatizada, 🏖, ✻ – |‡| ▤ TV ☎ P – 🚶 25/100
Comida (sólo cena) – El Time *(sólo cena)* – **304 hab**, 4 suites.

Santa Cruz de la Palma **38700** – 17 069 h. – ✆ 922 – Playa.

Ver : Iglesia de San Salvador (artesonados★).

Alred. : Mirador de la Concepción ≤★ SO : 9 km – Caldera de Taburiente★★★ (La Cumbrecita y El Lomo de las Chozas ✻★★★) O : 33 km – NO : La Galga (barranco★), Los Tilos★, Roque de los Muchachos★★★ (✻★★★) (36 km).

✈ de la Palma SO : 8 km ✆ 41 15 40 – Iberia : Apurón 1 ✆ 41 13 45.

⛴ para Tenerife, Gran Canaria, Fuerteventura, Lanzarote y la Península : Cía. Trasmediterránea : av. Pérez de Brito 2 ✆ 41 11 21.

ℹ O'Daly 22 ✆ 41 21 06, Fax 41 21 06.

Parador de Santa Cruz de la Palma, av. Marítima 34 ✆ 41 23 40, Fax 41 18 56, Decoración regional – |‡| ▤ rest TV ☎. AE ⓓ E VISA. ✻
Comida 2300 – ☕ 1000 – **32 hab** 8500 – PA 4760.

Marítimo, av. Marítima 75 ✆ 42 02 22, Fax 41 43 02 – |‡| ▤ rest TV ☎. AE ⓓ E VISA. ✻
Comida 1500 – ☕ 650 – **69 hab** 6000/7800 – PA 3650.

X **El Brasero,** av. Marítima 54-2° ✆ 41 20 33, 🏖, « Decoración rústica » – VISA. ✻
cerrado lunes, del 8 al 21 de mayo y del 6 al 19 de noviembre – **Comida** (sólo cena) carta 2700 a 3450.

en la playa de Los Cancajos SE : 4,5 km – ✉ 38712 Los Cancajos – ✆ 922 :

Hacienda San Jorge, pl. de Los Cancajos 22 ✆ 43 40 75, Fax 43 45 28, 🏖, « Jardín con ⛱ », Fō – |‡| ▤ rest TV ☎ 🚗 P – 🚶 25/120. AE ⓓ E VISA. ✻
Comida (sólo cena) 1800 – ☕ 900 – **155 apartamentos** 9900/12000 – PA 2700.

X La Fontana, urb. Adelfas ✆ 43 47 29.

CANDANCHÚ **22889** Huesca 443 D 18 alt. 1 560 – ✆ 974 – Deportes de invierno : ⛷23.

Alred. : Puerto de Somport★★ ✻★★ N : 2 km.

♦Madrid 513 – Huesca 123 – Oloron-Ste-Marie 55 – ♦Pamplona/Iruñea 143.

Tobazo 🌿, ✆ 37 31 25, Fax 37 31 25, ≤ alta montaña – |‡| ☎ P. E VISA. ✻ rest
diciembre-abril y julio-agosto – **Comida** 1560 – ☕ 500 – **52 hab** 5700/8980 – PA 3080.

CANDÁS **33430** Asturias 441 B 12 – ✆ 98 – Playa.

ℹ Braulio Busto 2 ✆ 587 02 05.

♦Madrid 477 – Avilés 17 – Gijón 14 – ♦Oviedo 42.

Marsol, Astilleros ✆ 587 01 00, Telex 87490, Fax 587 15 62, ≤ – |‡| TV ☎ 🚗. AE ⓓ E VISA. ✻
Comida *(cerrado lunes)* 2000 – ☕ 650 – **64 hab** 9500/13000 – PA 4650.

La Parra sin rest, Tenderina 4 ✆ 587 20 04 – |‡| TV ☎. AE ⓓ VISA. ✻
cerrado enero – ☕ 550 – **18 hab** 6500/9000.

CANDELARIA Santa Cruz de Tenerife – ver Canarias (Tenerife).

CANDELEDA 05480 Ávila 442 L 14 - 5 539 h. alt. 428 - 920.
♦ Madrid 163 - ♦ Ávila 93 - Plasencia 100 - Talavera de la Reina 64.

Los Castañuelos, Ramón y Cajal 77 38 06 84, Fax 38 21 13 - rest . AE E VISA.
Comida 1800 - 600 - **14 hab** 4400/5500 - PA 3570.

CANELAS (Playa de) Pontevedra - ver Portonovo.

CANFRANC-ESTACIÓN 22880 Huesca 443 D 28 - 610 h. - 974.
av. Fernando el Católico 3 37 31 41.
♦Madrid 504 - Huesca 114 - ♦Pamplona/Iruñea 134.

Villa de Canfranc, Fernando el Católico 17 37 20 12, Fax 37 20 12, - . VISA.
15 junio-septiembre y 15 diciembre-26 abril - **Comida** 1125 - 390 - **52 hab** 2850/4945 - PA 2245.

Villa Anayet, pl. José Antonio 8 37 31 46, , - .
julio-25 septiembre y 15 diciembre-15 abril - **Comida** 1100 - **67 hab** 2680/4680 - PA 2185.

Montanglassé, Felipe V 2 37 33 11, Fax 37 20 68 -
26 hab.

Ara sin rest, av. Fernando el Católico 1 37 30 28, - . VISA.
20 diciembre-abril y 15 julio-agosto - 450 - **30 hab** 2200/4600.

en la carret N 330 N : 2,5 km - 22880 Canfranc-Estación - 974 :

Santa Cristina , 37 33 00, Fax 37 33 10 - - 25/50. AE E VISA. rest
cerrado 15 octubre-noviembre - **Comida** 1415 - 500 - **58 hab** 6700/8500 - PA 2835.

Ver también : ***Astún (Valle de)*** N : 12,5 km
Candanchú N : 9 km.

CANGAS DEL NARCEA 33800 Asturias 441 C 10 - 19 083 h. alt. 376 - 98.
♦Madrid 493 - Luarca 83 - Ponferrada 113 - ♦Oviedo 100.

El Molinón sin rest, Uría 36 581 29 52 - . AE E VISA.
450 - **16 hab** 4500/7000.

CANGAS DE MORRAZO 36940 Pontevedra 441 F 3 - 21 729 h. - 986 - Playa.
♦Madrid 629 - Pontevedra 33 - ♦Vigo 24.

Las Vegas sin rest, av. Pontevedra 30 43 00, Fax 30 49 58, , - . AE E VISA.
400 - **29 hab** 4500/7000, 4 suites.

Casa Simón, barrio de Balea 30 00 16, Fax 30 20 00, Pescados y mariscos - . AE E VISA.
cerrado lunes y 2ª quincena de octubre - **Comida** carta aprox. 4500.

en la carretera de Bueu (por la costa) O : 2 km - 36940 Cangas de Morrazo - 986 :

Don Hotel , Tobal Darbo 30 44 00, Fax 30 44 00, , - rest - 25/250. VISA. rest
Comida 950 - 400 - **38 hab** 6000/8000, 8 suites - PA 2300.

CANGAS DE ONÍS 33550 Asturias 441 B 14 - 6 484 h. alt. 63 - 98.
Alred. : Desfiladero de los Beyos★★★ S : 18 km.
av. de Covadonga (jardines del Ayuntamiento) 584 80 05.
♦Madrid 419 - ♦Oviedo 74 - Palencia 193 - ♦Santander 147.

Los Lagos, jardines del Ayuntamiento 584 92 77, Fax 584 84 05 - - 25. AE VISA.
Comida 1500 - 500 - **45 hab** 8000/9000 - PA 3500.

Favila, Calzada de Ponga 16 594 71 56, Fax 584 80 88 - . AE E VISA.
cerrado diciembre - **Comida** 1375 - 350 - **33 hab** 5350/7100.

en la carretera de Arriondas N : 2,5 km - 33550 Cangas de Onís - 98 :

El Capitán, Vega de Los Caseros 584 83 57, Fax 594 71 14 - . AE E VISA.
Comida 1500 - 500 - **28 hab** 7200/9000 - PA 3000.

en la carretera de Covadonga E : 2,5 km - 33550 Cangas de Onís - 98 :

Los Acebos, 594 00 42, Fax 584 91 53 - . AE E VISA. rest
Comida 1400 - 400 - **14 hab** 4800/5500 - PA 2900.

La Cabaña, 594 00 84 - .

CANIDO 36390 Pontevedra 441 F 3 - ☎ 986.
◆ Madrid 612 - ◆ Orense/Ourense 108 - Vigo 10.

XX **Cíes y Resid. Estay** con hab, Playa ☎ 49 01 01, Fax 49 08 75 - ▤ rest TV ☎. AE E VISA. ✻
Comida carta 2750 a 3900 - ☐ 375 - **26 hab** 6000/8000.

CANILLO Andorra - ver Andorra (Principado de).

CANTAVIEJA 44140 Teruel 443 K 28 - 737 h. - ☎ 978.
◆Madrid 392 - Teruel 91.

🏨 **Balfagón,** av. del Maestrazgo 20 ☎ 18 50 76, Fax 18 50 76, ≤ - P. ◑ E VISA. ✻
cerrado febrero - **Comida** *(cerrado domingo noche y lunes mediodía salvo festivos y verano)* 1200 - ☐ 450 - **38 hab** 2500/4000 - PA 2850.

CANTONIGRÒS 08569 Barcelona 443 F 37 - ☎ 93.
◆Madrid 662 - ◆Barcelona 92 - Ripoll 52 - Vich/Vic 26.

🏨 Cantonigròs, carret. de Olot ☎ 856 50 47, ≤ - P
31 hab.

CANYAMEL Palma de Mallorca - ver Baleares (Mallorca) : Capdepera.

CANYELLES PETITES (Playa de) Gerona - ver Rosas.

Las CAÑADAS DEL TEIDE Santa Cruz de Tenerife - ver Canarias (Tenerife).

La CAÑIZA o **A CAÑIZA** 36880 Pontevedra 441 F 5 - 7 387 h. - ☎ 986.
◆Madrid 548 - Orense/Ourense 49 - Pontevedra 76 - ◆Vigo 57.

🏨 **O'Pozo,** carret. N 120 E : 1 km ☎ 65 10 50, Fax 65 15 98, ⛱ - TV ☎ P. AE E VISA. ✻
Comida 2000 - ☐ 300 - **20 hab** 3400/4900.

X **Reveca,** Progreso 15 ☎ 65 13 88 - P. VISA. ✻
cerrado lunes - **Comida** carta 2700 a 3600.

CAPDEPERA Palma de Mallorca - ver Baleares (Mallorca).

CAPELLADES 08786 Barcelona 443 H 35 - 5 027 h. - ☎ 93.
◆Madrid 574 - ◆Barcelona 75 - ◆Lérida/Lleida 105 - Manresa 39.

X **Tall de Conill** con hab, pl. Ángel Guimerá 11 ☎ 801 01 30, Fax 801 04 04 - |‡| ▤ rest TV ☎. AE ◑ E VISA. ✻
cerrado del 2 al 9 de enero y del 3 al 17 de julio - **Comida** *(cerrado domingo noche y lunes)* carta 3700 a 5100 - ☐ 700 - **9 hab** 4000/6000.

CAPILEIRA 18413 Granada 446 V 19 - 576 h. alt. 1 561 - ☎ 958.
◆Madrid 505 - ◆Granada 76 - Motril 51.

🏨 **Finca Los Llanos** ⛰, carret. de Sierra Nevada ☎ 76 30 71, Fax 76 32 06, ≤ - TV ☎ P. AE ◑ E VISA. ✻
Comida *(cerrado miércoles)* 1200 - ☐ 300 - **15 apartamentos** 7000/10000 - PA 2700.

🏠 **Mesón Poqueira** ⛰, Dr. Castilla 1 ☎ 76 30 48, Fax 76 30 48, 🏞 - AE ◑ E VISA JCB. ✻
Comida *(cerrado lunes no festivos en invierno)* 1200 - ☐ 250 - **17 hab** 2000/3500.

CARAVACA DE LA CRUZ 30400 Murcia 445 R 24 - 21 238 h. alt. 650 - ☎ 968.
◆Madrid 386 - ◆Albacete 139 - Lorca 60 - ◆Murcia 70.

X **Cañota,** Gran Vía 41 ☎ 70 88 44 - ▤. E VISA. ✻
Comida (sólo almuerzo) carta aprox. 1800.

CARAVIA ALTA 33344 Asturias 441 B 14 - 598 h. - ☎ 985.
Alred. : Mirador del Fito ✻★★ S : 8 km.
◆Madrid 508 - Gijón 57 - ◆Oviedo 73 - ◆Santander 140.

CARBALLINO o **CARBALLIÑO** 32500 Orense 441 E 5 - 11 017 h. alt. 397 - ☎ 988 - Balneario.
◆Madrid 528 - Orense/Ourense 29 - Pontevedra 76 - Santiago de Compostela 86.

🏨 Baccus, carret. de Pontevedra O : 1,5 km ☎ 27 32 26, Fax 27 10 25 - TV ☎ P
16 hab.

🏨 **Arenteiro** sin rest, Alameda 19 ☎ 27 05 50, Fax 27 31 56 - |‡|. AE ◑ E VISA. ✻
☐ 400 - **45 hab** 3400/6000.

🏨 **Noroeste** sin rest y sin ☐, travesía Cerca 2 ☎ 27 09 70 - TV. VISA. ✻
15 hab 3300.

CARBALLO **15100** La Coruña 441 C 3 - 24 898 h. - 981.
Madrid 636 - La Coruña/A Coruña 35 - Santiago de Compostela 45.

Moncarsol sin rest, av. Finisterre 9 70 24 11, Fax 70 25 18 - - 25/75
32 hab.

Chochi, Perú 9 70 23 11 - . AE VISA.
cerrado domingo - **Comida** carta 2000 a 3100.

CARCAGENTE o **CARCAIXENT** **46740** Valencia 445 O 28 - 20 062 h. alt. 21 - 96.
Madrid 381 - Gandía 39 - Valencia 45 - Játiva/Xátiva 18.

en la carretera C 3320 SO : 3 km - 46740 Carcagente - 96 :

Masía de la Calzada, Partida de la Marjal 259 243 04 33, , Decoración rústica - .
AE E VISA
cerrado domingo noche (salvo visperas de festivos) y 2ª quincena de febrero - **Comida** carta 2925 a 3675.

CARCHUNA **18730** Granada 446 V 19 - 958.
Madrid 506 - Almería 98 - Granada 82.

por la carretera N 340 E : 2 km - 18730 Carchuna - 958 :

Perla de Andalucía y Rest. La Lubina, urb. Perla de Andalucía 62 42 42, Fax 62 43 62, , , - . AE E VISA.
Comida carta 1600 a 3400 - 500 - **52 hab** 8000/11000 - PA 3000.

CARDEDEU **08440** Barcelona 443 H 37 - 9 074 h. alt. 193 - 93.
Madrid 648 - Barcelona 35 - Gerona/Girona 68 - Manresa 77.

Racó del Santcrist, Teresa Oller 35 846 10 43, Pescados y mariscos - . AE
E VISA.
cerrado domingo noche, lunes y del 9 al 22 de enero - **Comida** carta 3600 a 4650.

CARDONA **08261** Barcelona 443 G 35 - 6 402 h. alt. 750 - 93.
Ver : Colegiata★.
av. Rastrillo, 869 27 98.
Madrid 596 - Lérida/Lleida 127 - Manresa 32.

Parador de Cardona , 869 12 75, Fax 869 16 36, valle y montaña, « Instalado en un castillo medieval » - - 25/80. AE E VISA.
Comida 3200 - 1100 - **57 hab** 12000 - PA 6375.

Perico con hab, pl. del Valle 18 869 10 20 - E VISA.
Comida *(cerrado viernes, del 24 al 30 de junio y del 14 al 23 de septiembre)* carta 2700 a 4200 - 600 - **14 hab** 2650/4100.

La CARLOTA **14100** Córdoba 446 S 15 - 8 843 h. alt. 213 - 957.
Madrid 428 - Córdoba 30 - Granada 193 - Sevilla 108.

Puerto Isla, autovía N IV salida 434 30 10 57, Fax 30 10 57 - . AE E
VISA.
Comida (ver rest. **La Isla del Velero**) - **34 hab** 5000/8000.

La Isla del Velero, autovía N IV salida 434 30 03 36, Fax 30 10 57, - . AE
E VISA.
Comida carta 2600 a 4450.

en la antigua carretera N IV NE : 2 km - 14100 La Carlota - 957 :

El Pilar, 30 01 67, Fax 30 06 19, , - - 25/700. AE E VISA.

Comida (ver rest. **El Pilar**) - 400 - **83 hab** 4000/5500.

El Pilar, 30 01 67, Fax 30 06 19 - . AE E VISA.
Comida carta 2400 a 3400.

CARMONA **41410** Sevilla 446 T 13 - 23 516 h. alt. 248 - 95.
Ver : Ciudad Vieja★.
Madrid 503 - Córdoba 105 - Sevilla 33.

Parador de Carmona , 414 10 10, Telex 72992, Fax 414 17 12, vega del Corbones, « Conjunto de estilo mudéjar », - - 25/250. AE E VISA.
Comida 3500 - 1200 - **63 hab** 16000 - PA 6970.

NH Casa de Carmona, pl. de Lasso 1 414 33 00, Fax 414 37 52, « Instalado en un palacio del siglo XVI, mobiliario de gran estilo » - - 25/70. AE VISA. rest
Comida carta aprox. 4500 - 1500 - **29 hab** 12000/15000, 1 suite.

San Fernando, Sacramento 3 414 35 56 - . AE E VISA.
cerrado domingo noche, lunes y agosto - **Comida** carta 3600 a 4300.

CARMONA 39554 Cantabria 442 C 16 – ☎ 942.
♦Madrid 408 – ♦Oviedo 162 – ♦Santander 69.

XX **Venta de Carmona** con hab, ☎ 72 80 57, ≤, « Elegante palacete del siglo XVII » – P. VISA.
cerrado 9 enero-18 marzo – **Comida** carta aprox. 2900 – ☐ 350 – **8 hab** 6500.

La CAROLINA 23200 Jaén 446 R 19 – 14 759 h. alt. 205 – ☎ 953.
♦Madrid 267 – ♦Córdoba 131 – Jaén 66 – Úbeda 50.

NH La Perdiz, carret. N IV ☎ 66 03 00, Telex 28315, Fax 68 13 62, « Conjunto de estilo rústico », – TV ☎ P. AE O E VISA. rest
Comida 2500 – ☐ 800 – **86 hab** 8200/10300.

La Gran Parada sin rest y sin ☐, av. Vilches 9 ☎ 66 02 75 – P.
24 hab 2300/3300.

en la carretera N IV NE : 4 km – ✉ 23200 La Carolina – ☎ 953 :

Orellana Perdiz, zona de Navas de Tolosa ☎ 66 03 04, Fax 66 03 04, – ☎ P. AE E VISA.
Comida 1700 – ☐ 525 – **28 hab** 5700/7350.

Europe

Wenn der Name eines Hotels dünn gedruckt ist,
hat uns der Hotelier Preise
und Öffnungszeiten nicht angegeben.

CARRACEDELO 24549 León 441 E 9 – 3 441 h. – ☎ 987.
♦Madrid 396 – ♦León 120 – Lugo 98 – Ponferrada 10.

Las Palmeras, carret N VI NE : 1 km, ✉ 24540 Cacabelos, ☎ 56 25 05, Fax 56 27 05 – P
24 hab.

CARRIL 36610 Pontevedra 441 E 3 – ☎ 986.
♦Madrid 636 – Pontevedra 29 – Santiago de Compostela 38.

X ✿ **Loliña,** pl. del Muelle ☎ 50 12 81, , Pescados y mariscos, « Decoración rústica regional » – AE E VISA.
cerrado domingo noche, lunes y noviembre – **Comida** carta 2800 a 5100
Espec. Habas con almejas, Arroz con lubrigante, Rape Loliña..

CARRION DE LOS CONDES 34120 Palencia 442 E 16 – 2 h. alt. 830 – ☎ 979.
♦Madrid 282 – ♦Burgos 82 – Palencia 39.

XX **Hospedería de San Zoilo,** ☎ 88 00 50, Fax 88 10 90, « Integrado en el antiguo Real Monasterio Benedictino » – P. VISA.
Comida (sólo almuerzo en invierno) carta 2175 a 4035.

CARTAGENA 30200 Murcia 445 T 27 – 173 061 h. – ☎ 968.
☎ 50 17 96.
para Canarias : Cía Aucona, Marina Española 7 ☎ 50 12 00, Telex 67148 – Trasmediterránea, Mayor 3, ✉ 30201, ☎ 50 12 00, Telex 66148.
pl. Ayuntamiento ✉ 30201 ☎ 50 64 83 – R.A.C.E. pl. de San Francisco 2, ✉ 30201, ☎ 10 34 21.
♦Madrid 444 ① – ♦Alicante/Alacant 110 ① – ♦Almería 240 ① – Lorca 83 ① – ♦Murcia 49 ①.

Plano página siguiente

Cartagonova sin rest, Marcos Redondo 3, ✉ 30201, ☎ 50 42 00, Fax 50 59 66 – TV ☎. AE O VISA. A **a**
☐ 1000 – **126 hab** 5150/10200.

Alfonso XIII sin rest, paseo Alfonso XIII - 40, ✉ 30203, ☎ 52 00 00, Fax 50 05 02 – TV ☎ – 25/350. AE O E VISA B **e**
☐ 875 – **216 hab** 5725/7750, 1 suite.

Los Habaneros, San Diego 60, ✉ 30202, ☎ 50 52 50, Fax 50 52 50 – TV ☎ P. AE O E VISA. B **k**
Comida (ver rest. **Los Habaneros**) – ☐ 400 – **62 hab** 4500/5900.

XX **Los Habaneros,** San Diego 60, ✉ 30202, ☎ 50 52 50, Fax 50 52 50 – P. AE O E VISA. B **k**
Comida carta aprox. 3100.

XX **Tino's,** Escorial 13, ✉ 30201, ☎ 10 10 65 – AE O E VISA. A **v**
cerrado domingo en verano – **Comida** carta 2075 a 3125.

X Artés, pl. José María Artés 9, ✉ 30201, ☎ 52 70 64 – A **n**

CARTAGENA

Cuatro Santos	A	Almirante Bastarreche (Pl.)	B 3	Méndez Pelayo	A 13
Mayor	A	América (Av. de)	B 4	Parque	A 15
San Fernando	A	Duque	B 6	Puerta de Murcia	A 16
Santa Florentina	A	Isaac Peral	A 7	Ronda	A 18
		Jacinto Benavente	B 9	San Francisco (Pl.)	A 19
		Juan Fernández	A 10	Serreta	A 22
		Juan Muñoz Delgado	B 12	Universidad (Pl. de la)	B 24

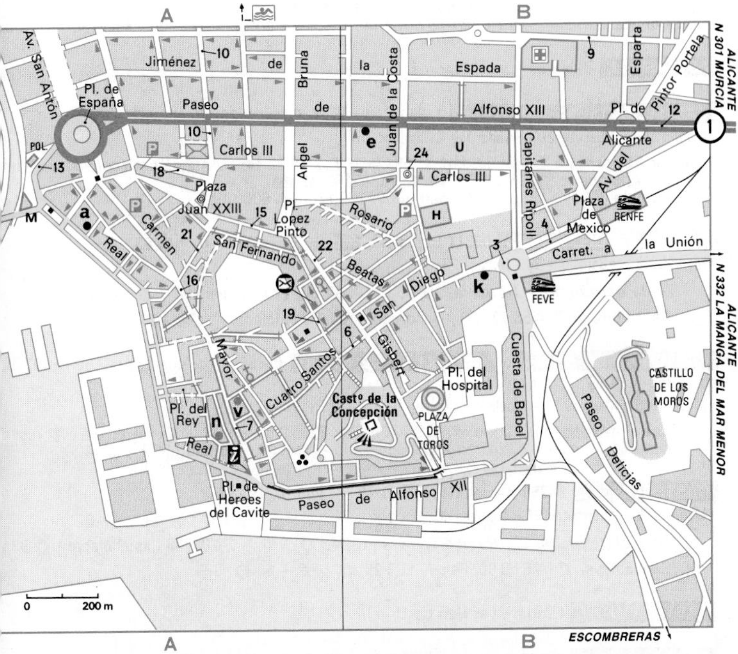

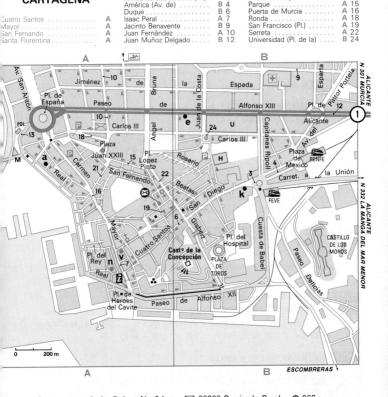

en la carretera de La Palma N : 6 km – ✉ 30300 Barrio de Peral – ☎ 968 :

XX **Los Sauces,** ☎ 53 07 58, « En pleno campo con agradable terraza » – ▤ Ⓟ. AE ⓓ E VISA
cerrado sábado y domingo mediodía en julio-agosto y domingo noche resto del año – **Comida** carta 2900 a 4200.

CARVAJAL Málaga – ver Fuengirola.

CASCANTE **31520** Navarra 442 G 24 – 3 312 h. – ☎ 948.
◆Madrid 307 – ◆Logroño 104 – ◆Pamplona/Iruñea 94 – Soria 81 – ◆Zaragoza 85.

XX **Mesón Ibarra,** Vicente y Tutor 3 ☎ 85 04 77 – ▤. E VISA.
cerrado lunes y del 1 al 20 de septiembre – **Comida** carta 2975 a 3650.

CASES D'ALCANAR Tarragona – ver Alcanar.

CASPE **50700** Zaragoza 443 I 29 – 7 901 h. alt. 152 – ☎ 976.
◆Madrid 397 – ◆Lérida/Lleida 116 – Tortosa 95 – ◆Zaragoza 108.

Mar de Aragón sin rest y sin ☕, pl. Estación ☎ 63 03 13, Fax 63 07 87, – ▤ ☎. VISA
40 hab 3350/4200.

CASTALLA **03420** Alicante 445 Q 27 – 7 205 h. – ☎ 96.
◆Madrid 376 – ◆Albacete 129 – ◆Alicante/Alacant 37 – ◆Valencia 138.

en la carretera de Villena N : 2,5 km – ✉ 03420 Castalla – ☎ 96 :

XX **Izaskun,** ☎ 656 08 08, Cocina vasca – Ⓟ. AE ⓓ E VISA.
cerrado lunes, Semana Santa y del 1 al 15 de octubre – **Comida** carta 1800 a 3900.

CASTEJÓN DE SOS 22466 Huesca [443] E 31 – 466 h. – ✆ 974.

♦Madrid 524 – Huesca 134 – ♦Lérida/Lleida 134.

🏠 **Pirineos** ⑤, El Real 38 ℰ 55 32 51 – **E** _VISA_. ⚘
cerrado 27 agosto-1 septiembre y noviembre-diciembre – **Comida** 1500 – ⊇ 400 – **37 hab**
2800/3800 – PA 2845.

🏠 **Plaza** ⑤, pl. del Pilar 2 ℰ 55 30 50 – ⇦. **E** _VISA_. ⚘
Comida (Semana Santa y julio-15 noviembre) (sólo cena) 1500 – ⊇ 400 – **9 hab** 3000/4500.

ES CASTELL Baleares – ver Menorca.

CASTELLAR DE LA FRONTERA 11350 Cádiz [446] X 13 – 2 299 h. alt. 257 – ✆ 956.

♦Madrid 698 – Algeciras 27 – ♦Cádiz 150 – Gibraltar 27.

🏨 **La Almoraima** ⑤, SE : 8 km ℰ 69 30 50, Fax 69 32 14, « Antigua casa-convento en un
gran parque », 🏊, 🐎, ⚘ – ▤ ☎ 🅿. 🖭 ⓪ **E** _VISA_
Comida 3000 – ⊇ 750 – **17 hab** 8000/13000 – PA 6000.

CASTELLAR DEL VALLÉS 08211 Barcelona [443] H 36 – 13 481 h. – ✆ 93.

♦Madrid 625 – ♦Barcelona 28 – Sabadell 8.

en la carretera de Terrassa SO : 5 km – ⌧ 08211 Castellar del Vallés – ✆ 93 :

✗✗ Cant Font, ℰ 714 53 77, 🍽, Decoración rústica catalana, 🏊, ⚘ – ▤ 🅿.

CASTELLAR DE NUCH o **CASTELLAR DE N'HUG** 08696 Barcelona [443] F 36 – 162 h.
alt. 1 395 – ✆ 93.

♦Madrid 666 – Manresa 89 – Ripoll 39.

🏠 **Les Fonts** ⑤, SO : 3 km ℰ 825 70 89, Fax 825 70 89, ≤, 🐎 – 🅿. 🖭 **E** _VISA_. ⚘ rest
cerrado 10 enero-10 marzo – **Comida** 1900 – ⊇ 600 – **25 hab** 5500 – PA 4000.

CASTELLBISBAL 08755 Barcelona [443] H 35 – 4 969 h. – ✆ 93.

♦Madrid 605 – ♦Barcelona 27 – Manresa 40 – Tarragona 84.

en la carretera de Martorell a Terrassa C 243 O : 9 km – ⌧ 08755 Castellbisbal – ✆ 93 :

✗✗ Ca L'Esteve, ℰ 775 56 90, Fax 774 18 23, 🍽, ⚘ – ▤ 🅿. _JCB_.

CASTELLCIUTAT Lérida – ver Seo de Urgel.

CASTELLDEFELS 08860 Barcelona [443] I 35 – 33 023 h. – ✆ 93 – Playa.

🏢 pl. Rosa de los Vientos, ℰ 664 23 01.

♦Madrid 615 – ♦Barcelona 24 – Tarragona 72.

✗ **Cal Mingo**, pl. Pau Casals 2 ℰ 664 49 62 – ▤. 🖭 ⓪ **E** _VISA_. ⚘
cerrado domingo noche y del 9 al 26 enero – **Comida** carta 2900 a 4500.

✗ **La Buona Tavola**, Mayor 17 ℰ 665 37 55, Cocina italiana – ▤. 🖭 ⓪ **E** _VISA_ _JCB_
cerrado miércoles – **Comida** carta 3450 a 4450.

en el barrio de la playa :

🏨 **Rancho H.**, passeig de la Marina 212 ℰ 665 19 00, Fax 636 08 32, 🍽, 🏊 – 🛗 ▤ 📺 ☎
🅭 ⇦ – 🔬 70/250. 🖭 ⓪ **E** _VISA_. ⚘ rest
Comida 2700 – ⊇ 500 – **104 hab** 14000/18000 – PA 5300.

🏨 **Mediterráneo**, passeig Marítim 294 ℰ 665 21 00, Telex 80117, Fax 665 22 50, 🏊 – 🛗 ▤
📺 ☎ ⇦ – 🔬 25/200. 🖭 ⓪ **E** _VISA_. ⚘ rest
Comida 2600 – ⊇ 1100 – **47 hab** 9500/12500 – PA 5300.

🏨 **Luna**, passeig de la Marina 155 ℰ 665 21 50, Fax 665 22 12, 🍽, 🏊, 🐎 – 🛗 ▤ 📺 ☎ 🅿
– 🔬 25/60. 🖭 ⓪ **E** _VISA_ _JCB_. ⚘ rest
Comida 2400 – ⊇ 1000 – **30 hab** 8000/10000.

🏨 **Playafels**, playa Ribera de San Pedro 1-9 ℰ 665 12 50, Fax 664 10 01, ≤, 🏊 – 🛗 ▤ 📺
☎ 🅿. 🖭 ⓪ **E** _VISA_. ⚘ rest
Comida 2700 – ⊇ 700 – **34 hab** 14000/18000 – PA 5300.

🏠 **Neptuno**, av. dels Banys 45 ℰ 664 43 63, Fax 665 22 12, 🍽 – ▤ 📺 ☎. 🖭 ⓪ **E** _VISA_ _JCB_.
⚘ rest
Comida (cerrado lunes) 1750 – ⊇ 600 – **16 hab** 6000/7500 – PA 3485.

✗✗ **La Canasta**, passeig Marítim 197 ℰ 665 68 57, Fax 636 02 88, 🍽 – ▤. 🖭 ⓪ **E** _VISA_.
cerrado martes – **Comida** carta 4325 a 5250.

✗✗ **Nautic**, passeig Marítim 374 ℰ 665 01 74, Fax 665 23 54, ≤, Decoración marinera, Pescados y mariscos – ▤. 🖭 ⓪ **E** _VISA_ _JCB_
Comida carta 3100 a 4850.

✗✗ Pepperone, av. dels Banys 39 ℰ 665 03 66, Fax 665 68 57, 🍽 – ▤.

en la carretera C 246 - ✉ 08860 Castelldefels - ☎ 93 :

Saratoga, av. Castelldefels 191 - S : 1,5 km ☏ 636 07 76, Fax 664 16 91, ⛱ - 🛗 ▤ TV ☎ P
14 hab, 12 apartamentos.

Riviera, E : 2 km ☏ 665 14 00, Fax 665 14 04 - TV P. AE ⓓ E VISA. ✂ rest
Comida 1900 - ☕ 600 - **37 hab** 5500/7500.

Las Botas, av. Constitución 326 - SO : 2,5 km ☏ 665 18 24, Fax 665 18 24, ☂, Decoración típica - P. AE ⓓ E VISA. ✂
cerrado domingo noche (octubre-junio) - **Comida** carta 3065 a 3625.

en Torre Barona O : 2,5 km - ✉ 08860 Castelldefels - ☎ 93 :

G. H. Rey Don Jaime, av del Hotel 22 ☏ 665 13 00, Fax 665 18 01, ☂, Fø, ⛱, ⛱, 🎾 - ▤ TV ☎ 🚗 P - 🏛 25/170. AE ⓓ E VISA. ✂ rest
Comida 2500 - **240 hab** ☕ 11000/13000.

CASTELL D'ARO Gerona - ver Castillo de Aro.

CASTELL DE FERRO 18740 Granada 446 V 19 - ☎ 958 - Playa.
Alred. : Carretera★ de Castell de Ferro a Calahonda.
Madrid 528 - ♦Almería 90 - ♦Granada 99 - ♦Málaga 131.

Ibérico, carret. de Málaga ☏ 65 60 80, ⛱ - 🛗 ☎ P. AE E VISA. ✂ rest
cerrado enero-febrero - **Comida** 1200 - ☕ 200 - **16 hab** 3000/6000 - PA 2900.

CASTELLÓ DE AMPURIAS o **CASTELLÓ D'EMPURIES** 17486 Gerona 443 F 39 - 3 645 h.
alt. 17 - ☎ 972.
Ver : Iglesia de Santa María (retablo★) - Costa★.
ℹ pl. dels Homes 1, ☏ 15 62 33, (junio-septiembre).
Madrid 753 - Figueras/Figueres 8 - Gerona/Girona 46.

Allioli, carret. Figueras-Rosas-urb. Castellnou ☏ 25 03 20, Fax 25 03 00, Decoración rústica catalana - 🛗 ▤ TV ☎ 🚗 P. AE ⓓ E VISA
cerrado 20 diciembre-enero - **Comida** 1500 - ☕ 500 - **38 hab** 6000/10500 - PA 3200.

Hostal Canet, pl. Joc de la Pilota 2 ☏ 25 03 40, Fax 25 06 07, ☂, ⛱ - 🛗 ▤ rest TV P - 🏛 60. E VISA. ✂ rest
cerrado noviembre - **Comida** *(cerrado lunes en invierno)* 1200 - ☕ 450 - **21 hab** 4500/7000 - PA 2650.

Emporium, Santa Clara 31 ☏ 25 05 93, ☂ - ▤ rest P. AE E VISA. ✂
cerrado octubre - **Comida** *(cerrado sábado de 17 septiembre-mayo)* 1200 - ☕ 525 - **43 hab** 3150/4900 - PA 2500.

Ver también : ***Ampuriabrava.***

CASTELLÓN DE LA PLANA o **CASTELLÓ DE LA PLANA** 12000 P 445 M 29 - 138 489 h.
alt. 28 - ☎ 964.
⛳ del Mediterráneo, urbanización la Coma N : 3,5 km por ① ☏ 32 12 27 - ⛳ Costa de Azahar, NE : 6 km B ☏ 22 70 64.
ℹ pl. María Agustina 5, ✉ 12003, ☏ 22 10 00, Fax 22 77 03 - R.A.C.E. Pintor Orient 3, ✉ 12001, ☏ 25 38 06.
Madrid 426 ② - Tarragona 183 ① - Teruel 148 ③ - Tortosa 122 ① - ♦Valencia 75 ②.

Plano página siguiente

Intur Castellón, Herrero 20, ✉ 12002, ☏ 22 50 00, Fax 23 26 06, Fø - 🛗 ▤ TV ☎ 🚗 - 🏛 25/240. AE ⓓ E VISA. ✂ — A n
Comida 2400 - ☕ 1000 - **121 hab** 11800/14800, 2 suites - PA 4930.

NH Mindoro, Moyano 4, ✉ 12002, ☏ 22 23 00, Fax 23 31 54 - 🛗 ▤ TV ☎ 🚗 - 🏛 25/300. AE ⓓ E VISA. ✂ — A a
Comida 2000 - ☕ 950 - **98 hab** 9720/13500, 10 suites.

Jaime I, ronda Mijares 67, ✉ 12002, ☏ 25 03 00, Fax 20 37 79 - 🛗 ▤ TV ☎ 🚗 - 🏛 25/200. AE ⓓ E VISA. ✂ rest — A b
Comida 1900 - ☕ 800 - **89 hab** 7950/9950 - PA 3910.

Doña Lola, Lucena 3, ✉ 12006, ☏ 21 40 11, Fax 25 22 35 - ▤ TV ☎ - 🏛 25/100. AE ⓓ E VISA. ✂ — A c
Comida *(cerrado sábado)* 1500 - ☕ 500 - **36 hab** 4350/5865 - PA 3500.

Real sin rest y sin ☕, pl. del Real 2, ✉ 12001, ☏ 21 19 44, Fax 21 19 44 - 🛗 ▤ TV ☎. AE ⓓ E VISA — A s
35 hab 3774/5755.

Zaymar sin rest, Historiador Viciana 6, ✉ 12006, ☏ 25 43 81, Fax 21 79 90 - 🛗 ▤ TV ☎. AE ⓓ E VISA. ✂ — A h
27 hab ☕ 4165/5760.

CASTELLÓ DE LA PLANA

CASTELLÓN DE LA PLANA

Enmedio . . . . A
Arrufat Alonso . . . . A 2
Barrachina . . . . A 3
Benasal . . . . A 4
Buenavista (Pas. de) . . . . B 7
Burriana (Av.) . . . . A 8
Canarias . . . . B 9
Cardenal Costa (Av.) . . . . . . A 1
Carmen (Pl. del.) . . . . B 1
Churruca . . . . B 1
Doctor Clará (Av.) . . . . A 2
Espronceda (Av.) . . . . A 2
Guitarrista Tárrega . . . . A 2
Joaquín Costa . . . . A 2
Maestro Ripollés . . . . A 3
Mar (Av. del) . . . . A 3
María Augustina (Pl.) . . . . . . A 3
Morella (Pas.) . . . . A 3
Oeste (Parque del) . . . . A 3
Orfebres Santalínea . . . . A 3
País Valencià (Pl.) . . . . A 3
Rafalafena . . . . A 3
Sanahuja . . . . A 3
Sebastián Elcano . . . . B 4
Tarragona . . . . A 4
Teodoro Llorens . . . . A 4
Trevalladors del Mar . . . . . . B 4
Vinatea (Ronda) . . . . A 4
Zaragoza . . . . A 4

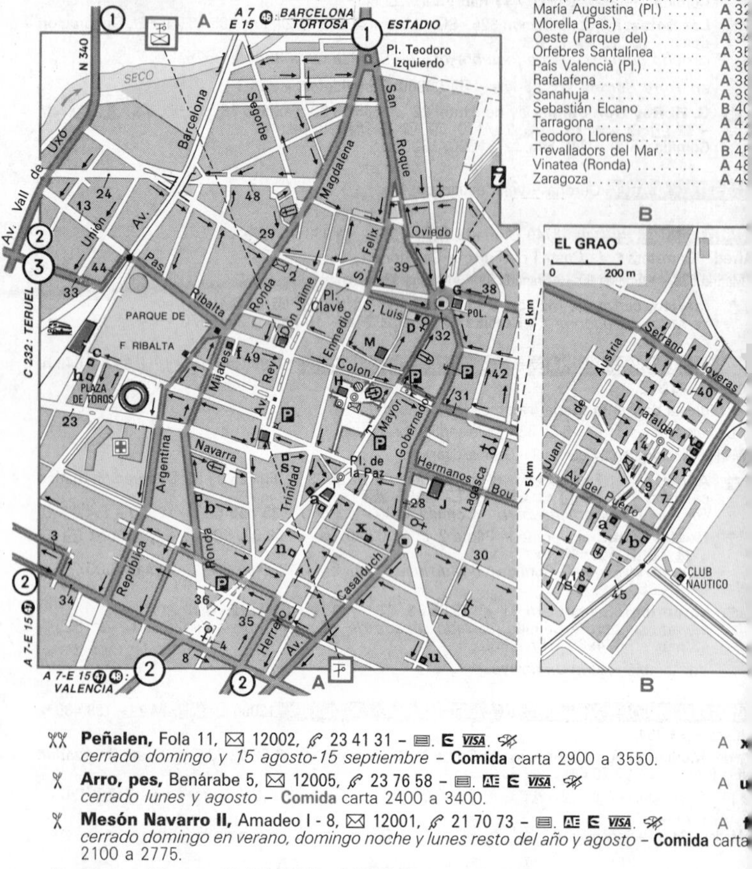

XX **Peñalen,** Fola 11, ✉ 12002, ☎ 23 41 31 – ▤. E VISA. ✄ — A x
cerrado domingo y 15 agosto-15 septiembre – **Comida** carta 2900 a 3550.

X **Arro, pes,** Benárabe 5, ✉ 12005, ☎ 23 76 58 – ▤. AE E VISA. ✄ — A u
cerrado lunes y agosto – **Comida** carta 2400 a 3400.

X **Mesón Navarro II,** Amadeo I - 8, ✉ 12001, ☎ 21 70 73 – ▤. AE E VISA. ✄ — A t
cerrado domingo en verano, domingo noche y lunes resto del año y agosto – **Comida** carta 2100 a 2775.

X **Eleazar,** Ximénez 14, ✉ 12001, ☎ 23 48 61 – ▤. ⊙ E VISA. ✄ — A a
cerrado domingo en verano, domingo noche y lunes resto del año y agosto – **Comida** carta 2125 a 3150.

en el puerto (Grao) E : 5 km – ✉ 12100 El Grao – ☎ 964 :

🏨 **Turcosa,** Treballadors de la Mar 1 ☎ 28 36 00, Fax 28 47 37, ≤ – |‡| ▤ TV ☎. AE ⊙ E VISA. ✄ rest – **Comida** 1300 – ☕ 825 – **70 hab** 7300/9700 – PA 3425. — B b

XXX **Mare Nostrum,** paseo Buenavista 32, ✉ 12100, ☎ 28 29 29, 🍴 – ▤. AE E VISA. ✄ — B t
cerrado domingo y del 8 al 22 d enero – **Comida** carta aprox. 4800.

XX Rafael, Churruca 26 ☎ 28 21 85, Pescados y mariscos – ▤ — B s

XX **Brisamar,** paseo Buenavista 26 ☎ 28 36 64, Fax 28 03 36, 🍴 – ▤. AE ⊙ E VISA. ✄ — B t
cerrado martes y octubre – **Comida** carta 2200 a 3300.

XX Club Náutico, Escollera Poniente ☎ 28 24 33, Fax 28 24 33, ≤, 🍴 – ▤ — B

X **Tasca del Puerto,** av. del Puerto 13 ☎ 28 44 81, 🍴 – ▤. AE ⊙ E VISA — B a
cerrado domingo noche y lunes en invierno, domingo en verano y del 15 al 31 de enero – **Comida** carta 3285 a 3750.

X **Casa Falomir,** paseo Buenavista 25 ☎ 28 22 80, Pescados y mariscos – ▤. E VISA. ✄ — B r
cerrado domingo noche y lunes – **Comida** carta 2215 a 4950.

CASTELLVELL Tarragona - ver Reus.

CASTIELLO DE JACA **22710** Huesca 443 E 28 - 139 h. alt. 921 - 974.
♦Madrid 488 - Huesca 98 - Jaca 7.

El Mesón, carret. de Francia 4 35 00 45, ≤ - E VISA.
Comida 1500 - 450 - **25 hab** 3750/5500 - PA 2900.

CASTILLEJA DE LA CUESTA **41950** Sevilla 446 T 11 - 15 205 h. alt. 104 - 95.
♦Madrid 541 - Huelva 82 - ♦Sevilla 5.

Hacienda San Ygnacio y Rest. Almazara, Real 194 416 04 30, Fax 416 14 37, « Instalado en una antigua hacienda », - TV - 25/200. AE E VISA JCB.
Comida *(cerrado domingo noche y lunes)* carta 3400 a 4900 - 1000 - **16 hab** 10000/15000.

CASTILLO DE ARO o **CASTELL D'ARO** **17853** Gerona 443 G 39 - 4 785 h. - 972.
♦Madrid 711 - ♦Barcelona 100 - Gerona/Girona 35.

Joan Piqué, barri de Crota 3 81 79 25, Fax 82 55 50, « Masía del siglo XIV » - P. AE E VISA.
cerrado lunes noche y martes (salvo en julio-agosto) y noviembre - **Comida** carta 3200 a 5400
Espec. Hojaldre de huevo frito, Arroz de bacalao y ceps, Rabo de buey relleno a la Royal.

CASTILLO DE LA DUQUESA Málaga - ver Manilva.

CASTRIL **18816** Granada 446 S 21 - 3 074 h. alt. 959 - 958.
♦Madrid 423 - Jaén 154 - Úbeda 100.

La Fuente, carret. de Pozo Alcón 72 00 30 - rest. AE.
Comida 1000 - 300 - **38 hab** 2000/3500.

CASTRILLO DE LOS POLVAZARES **24718** León 441 E 11 alt. 907 - 987.
♦ Madrid 339 - ♦ León 48 - Ponferrada 61 - Zamora 132.

Cuca la Vaina , Jardín 69 10 78 - TV . E VISA
Comida *(cerrado lunes)* 2000 - **7 hab** 5000/7000.

CASTROPOL **33760** Asturias 441 B 8 - 4 913 h. - 98 - Playa.
♦Madrid 589 - ♦La Coruña/A Coruña 173 - Lugo 88 - ♦Oviedo 154.

Peña-Mar, carret N 640 563 51 49, Fax 563 54 98 - TV P. AE E VISA.
Comida (ver rest. **Peña-Mar**) - 450 - **24 hab** 7000/8000.

Casa Vicente con hab, carret. N 640 563 50 51, ≤ - P. AE E VISA.
cerrado octubre - **Comida** *(cerrado martes)* carta 2550 a 3900 - 400 - **14 hab** 5500.

Peña-Mar, carret. N 640 563 50 06, Fax 563 54 98, ≤ - P. AE E VISA.
cerrado jueves (salvo julio-septiembre) y noviembre - **Comida** carta 2600 a 3800.

CASTRO URDIALES **39700** Cantabria 442 B 20 - 13 575 h. - 942 - Playa.
pl. del Ayuntamiento 86 19 97.
♦Madrid 430 - ♦Bilbao/Bilbo 34 - ♦Santander 73.

Mesón El Segoviano, Correría 19 86 18 59, - JCB.

Mesón Marinero, Correría 23 86 00 05, - . AE E VISA.
Comida carta 3450 a 4350.

El Abra, Ardigales 48 87 04 74 - . E VISA
cerrado miércoles y enero- 5 febrero - **Comida** carta 3300 a 3600.

La Marina, La Plazuela 16 86 13 45 - E VISA.
cerrado martes y 22 diciembre-15 enero - **Comida** carta 2800 a 3600.

en la playa - 39700 Castro Urdiales - 942 :

Las Rocas, av. de la Playa 86 04 00, Fax 86 13 82, ≤ - TV - 25/150. AE E VISA. rest
Comida 2550 - 625 - **60 hab** 7500/13500 - PA 4865.

Miramar, av. de la Playa 1 86 02 00, Fax 87 09 42, ≤, - TV . AE E VISA. rest
18 marzo-octubre - **Comida** 2000 - 550 - **34 hab** 7200/9800 - PA 3700.

CATARROJA **46470** Valencia 445 N 28 - 20 157 h. - 96.
♦Madrid 359 - ♦Valencia 8.

Gurugú, Sant Pere 21 126 00 47 - . AE E VISA.
cerrado domingo, Semana Santa y agosto - **Comida** (sólo almuerzo salvo fines de semana) carta 2075 a 3575.

CAZALLA DE LA SIERRA 41370 Sevilla 446 S 12 - 5 016 h. alt. 590 - 95.
♦ Madrid 493 - Aracena 83 - Écija 102 - ♦ Sevilla 95.

Posada del Moro, paseo del Moro 488 48 58, Fax 488 48 58, - . E VISA.
Comida 2000 - **15 hab** 4000/7000.

por la carretera de Constantina NE : 3 km y desvío a la izquierda 1,5 km - 41370 Cazalla de la Sierra - 95 :

Villa Turística de Cazalla de la Sierra, 488 33 08, Fax 488 33 12, - - 25/100. AE VISA.
Comida carta 2025 a 2875 - 200 - **13 hab** 9000/12000, 26 apartamentos.

CAZORLA 23470 Jaén 446 S 20 - 8 885 h. alt. 790 - 953.
Alred. : Sierra de Cazorla ★★ - Carretera de acceso al Parador★ (★★) SE : 25 km.
Juan Domingo 2 72 01 15.
♦Madrid 363 - Jaén 101 - Úbeda 46.

Villa Turística de Cazorla, Ladera de San Isicio 71 01 00, Fax 71 01 52, Conjunto de estilo regional, - rest . VISA.
Comida 1650 - 650 - **32 apartamentos** 5750/9500 - PA 3400.

Don Diego sin rest, Hilario Marco 163 72 05 31 - . AE E VISA.
500 - **23 hab** 3500/5000.

Andalucía sin rest, Martínez Falero 42 72 12 68 - . AE E VISA
390 - **11 hab** 3400/4500.

Guadalquivir sin rest, Nueva 6 72 02 68, Fax 72 02 68 - . E VISA.
350 - **11 hab** 2800/3700.

La Sarga, pl. del Mercado 72 15 07, - . E VISA.
cerrado martes y 20 septiembre-20 octubre - **Comida** carta 2750 a 3500.

en la Sierra de Cazorla - 23470 Cazorla - 953 :

Parador de Cazorla, E : 26 km Lugar Sacejo, alt. 1 400 72 70 75, Fax 72 70 77, montañas, « En plena Sierra de Cazorla », - . AE E VISA.
Comida 3200 - 1100 - **33 hab** 11500 - PA 6375.

Noguera de la Sierpe, carret. del Tranco NE : 30 km 71 30 21, Fax 71 31 09, - rest . E VISA. rest
Comida carta 1900 a 2800 - **42 hab** 6000/8500.

San Fernando, carret. del Tranco NE : 36 km 71 30 45, Fax 71 30 45, - rest . AE E VISA.
Comida 1200 - **16 hab** 4000/6500 - PA 2700.

Mirasierra, carret. del Tranco NE : 36,3 km 71 30 44, Fax 71 30 44, - rest . E VISA.
cerrado 15 enero- 15 febrero - **Comida** 1250 - 250 - **15 hab** 3000/3800 - PA 2750.

CEDEIRA 15350 La Coruña 441 B 5 - 7 450 h. - 981 - Playa.
♦Madrid 659 - ♦La Coruña/A Coruña 106 - Ferrol 37.

Avenida con hab, paseo del Generalísimo 66 48 09 98, Fax 48 23 89 - rest . AE VISA.
Comida carta 2350 a 3200 - 500 - **11 hab** 5500/7500.

CÉE 15270 La Coruña 441 D 2 - 6 921 h. - 981 - Playa.
♦Madrid 710 - ♦La Coruña/A Coruña 97 - Santiago de Compostela 89.

La Marina, av. Fernando Blanco 26 74 67 52, Fax 74 65 11 - . AE E VISA.
Comida 1200 - 225 - **29 hab** 4500/6000.

CELADA 24395 León 441 E 11 - 987.
♦Madrid 324 - Astorga 4 - ♦León 47 - Ponferrada 66.

La Paz, carret N VI 61 52 77, - . AE E VISA.
Comida 1100 - 500 - **38 hab** 3000/4800.

CELANOVA 32800 Orense 441 F 6 - 5 902 h. alt. 519 - 988.
Ver : Monasterio (claustro★★).
Alred. : Santa Comba de Bande (iglesia★) S : 16 km.
♦Madrid 488 - Orense/Ourense 26 - ♦Vigo 99.

Betanzos, Celso Emilio Ferreiro 7 45 10 36, Fax 45 10 11 - rest . AE VISA.
Comida 1500 - 250 - **33 hab** 3000/4500 - PA 3000.

CELLERS Lérida - ver Sellés.

CENAJO 30440 Murcia 445 Q 24 - ☎ 968.
Madrid 333 - ◆Albacete 88 - Lorca 102 - ◆Murcia 115.

Cenajo ⚲, junto al embalse ℘ 72 10 11, Fax 72 06 45, ←, ⛱, ⛱, ⛬, 🎾 - ▤ rest TV ☎ P - 🏛 25/150. ⓓ VISA. ⚔ rest
Comida 2235 - ⊏ 765 - **77 hab** 4660/7770 - PA 4415.

CENES DE LA VEGA 18190 Granada 446 U 19 - 2 384 h. alt. 741 - ☎ 958.
◆Madrid 439 - ◆Granada 9.

XXX **Ruta del Veleta,** carret de Sierra Nevada 50 ℘ 48 61 34, Fax 48 62 93, « Decoración típica » - ▤ P. AE ⓓ E VISA JCB
cerrado domingo noche - **Comida** carta 3150 a 5500.

La CENIA o **La SÉNIA** 43560 Tarragona 443 K 30 - 4 862 h. alt. 368 - ☎ 977.
◆Madrid 526 - Castellón de la Plana/Castelló de la Plana 104 - Tarragona 105 - Tortosa 35.

X **Treno,** Tarragona 17 ℘ 57 50 29 - ▤. E VISA
cerrado martes y del 1 al 15 de septiembre - **Comida** carta 2200 a 3050.

X **El Trull,** Sant Miquel 14 ℘ 71 33 02, Decoración rústica. Carnes - AE ⓓ E VISA
cerrado lunes y del 7 al 31 de enero - **Comida** carta aprox. 3400.

CERCEDILLA 28470 Madrid 444 J 17 - 3 884 h. alt. 1 188 - ☎ 91.
◆Madrid 56 - El Escorial 20 - ◆Segovia 39.

Longinos El Aribel sin rest, Emilio Serrano 51 ℘ 852 15 11 - TV ☎ P. VISA. ⚔
⊏ 225 - **23 hab** 5000/6300.

X **Gómez,** Emilio Serrano 40 ℘ 852 01 46 - ▤. VISA
cerrado del 15 al 30 de septiembre - **Comida** carta 2250 a 3375.

CERDANYOLA o **CERDANYOLA DEL VALLÈS** 08290 Barcelona 443 H 36 - 57 410 h. - ☎ 93.
◆Madrid 606 - ◆Barcelona 14 - Mataró 39.

Parc del Vallès ⚲, dels Artesans 2-8 Parc Tecnològic ℘ 580 85 85, Fax 580 98 44, ←, ⛱, Fø, ⛱ - 🛗 ▤ TV ☎ ♿ P - 🏛 25/300. AE ⓓ E VISA. ⚔ rest
Comida 1500 - ⊏ 900 - **82 hab** 10000/12500.

en la autopista A 7 O : 3 km - ✉ 08290 Cerdanyola - ☎ 93 :

Bellaterra, área de Bellaterra ℘ 692 60 54, Telex 51047, Fax 580 47 68, « Césped con ⛱ », ⛬ - 🛗 ▤ TV ☎ 🚗 P - 🏛 25/200. AE ⓓ E VISA. ⚔ rest
Comida 1350 - ⊏ 900 - **115 hab** 9500/10500.

CEREZO DE ARRIBA 40592 Segovia 442 I 19 - 180 h. alt. 1 129 - ☎ 921.
◆Madrid 100 - Aranda de Duero 59 - El Burgo de Osma 79 - ◆Segovia 62.

Casón de la Pinilla ⚲, Finca La Rinconada ℘ 55 72 01, ⛱ - TV ☎ P. AE ⓓ E VISA. ⚔
Comida 1800 - ⊏ 600 - **9 hab** 4100/7500 - PA 3800.

CERLER 22449 Huesca 443 E 31 alt. 1 540 - ☎ 974 - ⛷ 11.
◆Madrid 544 - Huesca 154 - ◆Lérida/Lleida 154.

Monte Alba ⚲, ℘ 55 11 36, Telex 57806, Fax 55 14 48, ← alta montaña, ⛱ climatizada - 🛗 P
temp. - **131 hab.**

CERVATOS 39213 Santander 442 D 17 - ☎ 942.
◆Madrid 345 - Aguliar de Campóo 23 - Burgos 109 - ◆Santander 74.

X **Los Corros,** carret. N 611 N : 1 km ℘ 75 34 21 - P. AE E VISA. ⚔
Comida carta 2600 a 3400.

CERVERA DE PISUERGA 34840 Palencia 442 D 16 - 2 759 h. alt. 900 - ☎ 979.
◆Madrid 348 - ◆Burgos 118 - Palencia 122 - ◆Santander 129.

X **Peñalabra** con hab, General Mola 72 ℘ 87 00 37 - ▤ rest. E VISA. ⚔
cerrado 23 septiembre-6 octubre - **Comida** carta 2000 a 2500 - ⊏ 375 - **13 hab** 1700/4500.

en la carretera de Resoba NO : 2,5 km - ✉ 34840 Cervera de Pisuerga - ☎ 979 :

Parador de Cervera de Pisuerga ⚲, ℘ 87 00 75, Fax 87 01 05, « Magnífica situación con ← montañas y pantano de Ruesga » - 🛗 TV ☎ 🚗 P. AE ⓓ E VISA. ⚔
Comida 3000 - ⊏ 1000 - **80 hab** 10000 - PA 5950.

CERVO 27888 Lugo 441 A 7 – 13 129 h. – 982.
Madrid 611 – La Coruña/A Coruña 162 – Lugo 105.

en la carretera C 642 NO : 5 km – ✉ 27890 San Ciprián – 982 :

O Castelo con hab, ✉ 27888, ☎ 59 44 02, Fax 59 44 76, ← – TV ☎ P. AE VISA.
Comida carta 2900 a 4300 – ☕ 500 – **22 hab** 5000/8000.

CESTONA o **ZESTOA** 20740 Guipúzcoa 442 C 23 – 3 294 h. alt. 72 – 943 – Balneario.
Madrid 432 – Bilbao/Bilbo 75 – Pamplona/Iruñea 102 – San Sebastián/Donostia 34.

Arocena, paseo San Juan 12 ☎ 14 70 40, Fax 14 79 78, ←, Lö, ⛱, – TV ☎ P. AE E VISA. rest
cerrado 15 diciembre-15 enero – **Comida** *(cerrado lunes)* 2300 – ☕ 700 – **108 hab** 5600/9500 – PA 3700.

Nos guides hôteliers, nos guides touristiques et nos cartes routières sont complémentaires. Utilisez-les ensemble.

CEUTA 11700 959 ⑤ y ⑩ 990 ㉞ – 73 208 h. – 956 – Playa.
Ver : Monte Hacho★ : Ermita de San Antonio ←★★.
para Algeciras : Cía. Trasmediterránea, Muelle Cañonero Dato 6, ☎ 50 94 98, Telex 7808
Z.
Alcalde J. Victori Goñalons, ✉ 11701, ☎ 51 40 92 Fax 51 51 98 – **R.A.C.E.** Beatriz de Silva 12
☎ 51 27 22.

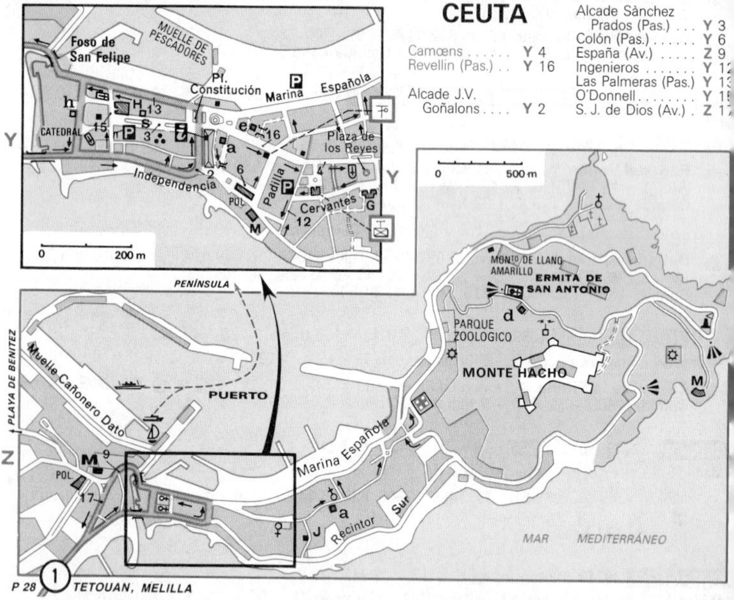

La Muralla, pl. Virgen de África 15, ✉ 11701, ☎ 51 49 40, Fax 51 49 47, ←, « Hotel instalado parcialmente en la antigua muralla », ⛱, – TV ☎ P – 25/150. AE E VISA. Y **h**
Comida 3200 – ☕ 1100 – **106 hab** 12500 – PA 6375.

Puerta de África, Gran Vía 2, ✉ 11701, ☎ 51 71 91, Fax 51 04 30, Lö, – TV ☎ – 25/300. AE VISA. Y **s**
Comida 1500 – ☕ 1000 – **128 hab** 9000/11000, 2 suites – PA 3000.

Villar de Frades, Duarte 4, ✉ 11701, ☎ 51 66 06 – AE E VISA. Z **a**
cerrado domingo noche – **Comida** carta 2425 a 4200.

La Terraza, pl. Rafael Gibert 25, ✉ 11701, ☎ 51 40 29 – E VISA. Y **a**
cerrado miércoles – **Comida** carta aprox. 2900.

Vicentino, Alférez Baytón 3, ✉ 11701, ☎ 51 40 15, – AE E VISA. Y **e**
cerrado lunes – **Comida** carta aprox. 2800.

en el Monte Hacho E : 4 km – ✆ 956 :

X **Mesón de Serafín,** ⊠ 11705, ✆ 51 40 03, ≤ Ceuta, mar, peñón de Gibraltar y costas de la Península – (D) E VISA. ✗ Z **d**
Comida carta aprox. 2500.

CHANTADA **27500** Lugo 441 E 6 – 9 754 h. – ✆ 982.

Alred. : Osera : Monasterio de Santa María la Real★ (sala Capitular★) SO : 15 km.

♦Madrid 534 – Lugo 55 – Orense/Ourense 42 – Santiago de Compostela 90.

⌂ Mogay, Antonio Lorenzana 3 ✆ 44 08 47, Fax 44 08 47 – |♦| TV ☎ ⇔ – ♣ 25/200
29 hab.

en la carretera de Lugo N : 1,5 km – ⊠ 27500 Chantada – ✆ 982 :

⌂ **Las Delicias,** Basán Grande 6 ✆ 44 10 04, Fax 44 17 01 – TV ☎ P. E VISA. ✗
Comida 1250 – ☕ 400 – **20 hab** 2400/3700.

CHAPELA **36320** Pontevedra 441 F 3 – ✆ 986.

♦Madrid 608 – Pontevedra 27 – Redondela 7 – ♦Vigo 7.

XX **El Canario,** av. de Vigo 194 ✆ 45 00 03, Fax 45 01 34 – ▤. AE (D) VISA. ✗
cerrado domingo noche – **Comida** carta 2200 a 3000.

CHERT **12360** Castellón de la Plana 445 K 30 – 982 h. alt. 315 – ✆ 964.

♦Madrid 525 – Castellón de la Plana/Castelló de la Plana 103 – Tortosa 79 – ♦Zaragoza 203.

X **La Serafina,** carret N 232 SE : 1,7 km ✆ 49 00 59 – P. E VISA
cerrado martes (octubre-mayo) y 15 enero-15 febrero – **Comida** carta 1275 a 3050.

CHICLANA DE LA FRONTERA **11130** Cádiz 446 W 11 – 46 610 h. alt. 17 – ✆ 956.

ℹ Vega 7, ✆ 40 57 00.

♦Madrid 646 – Algeciras 102 – Arcos de la Frontera 60 – ♦Cádiz 24.

⌂ **Ideal H.** sin rest, pl. de Andalucía 1 ✆ 40 39 06, Fax 40 39 06 – |♦| ▤ TV ☎ P. AE (D) E VISA. ✗
☕ 500 – **20 hab** 6800/8500.

en la urbanización Novo Sancti Petri – ⊠ 11130 La Barrosa – ✆ 956 :

⌂ **Royal Andalus Golf** ⛱, playa de La Barrosa, SO : 11 km ✆ 49 41 09, Fax 49 44 90, ≤, ⛱, « Profusión de plantas, amplia terraza con ⛆ », Ƒ₺, ✗, 18 9 – |♦| ▤ TV ☎ ♿ ⇔ P – ♣ 30/300. AE (D) E VISA. ✗
Comida *(cerrado noviembre-marzo)* (sólo cena buffet) 2200 – ☕ 1100 – **249 hab** 16000/20000, 12 suites.

⌂ Playa La Barrosa ⛱, playa de La Barrosa, SO : 10,5 km ✆ 49 48 24, Fax 49 48 60, ≤, ⛱, Ƒ₺, ⛆, ⛆, ✗ – |♦| ▤ ▤ TV ☎ ♿ ⇔ P – ♣ 25/150
temp. – **Comida** (sólo buffet) – **264 hab.**

⌂ **Tryp Costa Golf** ⛱, SO : 10 km ✆ 49 45 35, Fax 49 46 26, Servicios de terapeútica, « Jardín con ⛆ junto al campo de golf », Ƒ₺, ⛆ – ▤ TV ☎ ⇔ P – ♣ 25/325. AE (D) E VISA. ✗
Comida 2800 – ☕ 1100 – **195 hab** 14400/18000 – PA 5695.

X **Novo Golf Cachito,** centro comercial, SO : 9,5 km ✆ 49 52 49 – ▤. AE (D) E VISA. ✗
cerrado lunes salvo (julio-agosto) – **Comida** carta 1700 a 2600.

CHINCHÓN **28370** Madrid 444 L 19 – 3 994 h. alt. 753 – ✆ 91.

Ver : Plaza Mayor ★★.

♦Madrid 52 – Aranjuez 26 – Cuenca 131.

⌂ **Parador de Chinchón,** av. Generalísimo 1 ✆ 894 08 36, Fax 894 09 08, Instalado en un convento del siglo XVII con jardín, ⛆ – ▤ TV ☎ ⇔ – ♣ 25/100. AE (D) E VISA. ✗
Comida 3500 – ☕ 1200 – **38 hab** 16000 – PA 6970.

XX **Café de la Iberia,** pl. Mayor 17 ✆ 894 09 98, Fax 894 08 47, ⛱, Antiguo café-Balcón con ≤ – ▤. AE VISA. ✗
cerrado miércoles noche y del 1 al 15 de septiembre – **Comida** carta 2800 a 5450.

XX **La Balconada,** pl. Mayor ✆ 894 13 03, Decoración castellana-Balcón con ≤ – ▤. AE (D) E VISA. ✗
cerrado miércoles – **Comida** carta 3000 a 5100.

X **Mesón de la Virreina,** pl. Mayor 21 ✆ 894 00 15, Fax 894 10 71, Decoración rústica-Balcón con ≤ – ▤. AE (D) E VISA
Comida carta 2525 a 4950.

X **Mesón Cuevas del Vino,** Benito Hortelano 13 ✆ 894 02 06, Fax 894 09 40, Instalación rústica en un antiguo molino de aceite – ✗
cerrado martes – **Comida** carta 2900 a 3275.

en la carretera de Titulcia O : 3 km – ✉ 28370 Chinchón – ☎ 91 :

Nuevo Chinchón, urb. Nuevo Chinchón ✆ 894 05 44, Fax 893 51 28, – rest TV ☎ P. AE E VISA.
Comida 2300 – ☕ 425 – **11 hab** 6000/8000 – PA 3550.

CHIPIONA 11550 Cádiz 446 V 10 – 14 455 h. – ☎ 956 – Playa.
Alred. : Sanlúcar de Barrameda (Iglesia de Santo Domingo★ : bóvedas★ – Iglesia de Nuestra Señora de la O : portada★) NE : 9 km.
♦Madrid 614 – ♦Cádiz 54 – Jerez de la Frontera 32 – ♦Sevilla 106.

Cruz del Mar, av. de Sanlúcar 1 ✆ 37 11 00, Fax 37 13 64, ≤, , « Patio con » – hab TV ☎. AE E VISA. rest
Comida (sólo cena) 2300 – ☕ 700 – **85 hab** 7500/10700, 14 apartamentos – PA 4250.

Brasilia, av. del Faro ✆ 37 10 54, Fax 37 10 54, – TV ☎ . AE E VISA.
Comida *(cerrado 20 octubre-1 mayo)* (sólo cena) 1850 – **44 hab** 6220/8300.

Chipiona, Dr. Gómez Ulla 19 ✆ 37 02 00, Fax 37 29 49 – TV ☎ P. AE E VISA. rest
marzo-octubre – **Comida** 1800 – ☕ 400 – **40 hab** 4000/6500 – PA 3400.

CHIVA 46370 Valencia 445 N 27 – 7 562 h. alt. 240 – ☎ 96.
Club de Campo El Bosque SE : 12 km ✆ 326 38 00.
♦Madrid 318 – ♦Valencia 30.

en la carretera N III E : 10 km – ✉ 46370 Chiva – ☎ 96 :

Motel La Carreta, ✆ 251 11 00, Fax 251 11 65, – TV P – 25/250. AE E VISA. rest
Comida 1500 – ☕ 450 – **80 hab** 5815/7300 – PA 3450.

CIEMPOZUELOS 28350 Madrid 444 L 19 – 10 766 h. alt. 568 – ☎ 91.
♦Madrid 31 – Aranjuez 22 – Guadalajara 83 – Toledo 57.

Las Estrellas, Las Estrellas 51 ✆ 893 22 16, Fax 893 22 16 – TV ☎ . AE E VISA.
Comida *(cerrado sábado)* 900 – ☕ 300 – **21 hab** 3500/5000 – PA 2100.

CINTRUÉNIGO 31592 Navarra 442 F 24 – 5 080 h. alt. 391 – ☎ 948.
♦Madrid 308 – ♦Pamplona/Iruñea 87 – Soria 82 – ♦Zaragoza 99.

XX ✿ **Maher** con hab, Ribera 19 ✆ 81 11 50 – rest. AE VISA. rest
Comida carta 2800 a 4450 – ☕ 400 – **26 hab** 4000/5750
Espec. Ensalada de perdiz escabechada al vinagre de laurel, Rape a la parrilla con vinagreta caliente, Liebre guisada con arroz caldoso.

CIORDIA o **ZIORDIA** 31809 Navarra 442 D 23 – 378 h. alt. 552 – ☎ 948.
♦Madrid 396 – ♦Pamplona/Iruñea 55 – ♦San Sebastián/Donostia 76 – ♦Vitoria/Gasteiz 41.

Iturrimurri II, carret. N I ✆ 56 30 12, Fax 56 25 63, ≤, – rest TV ☎ P – 25/40. AE E VISA.
Comida 2050 – ☕ 750 – **29 hab** 6500/9800 – PA 4500.

CIUDADELA Palma de Mallorca – ver Baleares (Menorca).

CIUDAD REAL 13000 P 444 P 18 – 60 138 h. alt. 635 – ☎ 926.
Alarcos 31, ✉ 13071, ✆ 21 20 03 – R.A.C.E. General Aguilera 13, ✉ 13001, ✆ 22 92 77.
♦Madrid 204 ② – ♦Albacete 212 ② – ♦Badajoz 324 ④ – ♦Córdoba 196 ④ – Jaén 176 ③ – Toledo 121 ①.

Plano página siguiente

Doña Carlota, Ronda de Toledo 21, ✉ 13003, ✆ 23 16 10, Fax 23 16 10 – TV ☎ P – 25/600. AE VISA. — Y a
Comida 1600 – ☕ 500 – **91 hab** 6000/8000 – PA 3145.

NH Ciudad Real, Alarcos 25, ✉ 13001, ✆ 21 70 10, Fax 21 71 31 – TV ☎ – 25/300 — Z n
91 hab.

Santa Cecilia y Rest. El Real, Tinte 3, ✉ 13001, ✆ 22 85 45, Fax 22 86 18 – TV ☎ – 25/75. AE VISA. — Z a
Comida carta 2800 a 4200 – ☕ 500 – **70 hab** 7360/9200.

Paraíso, carret. de Puertollano 20, ✉ 13002, ✆ 21 06 06, Fax 21 06 06 – TV ☎ – 25/500. AE VISA. — por ④
Comida 1250 – ☕ 400 – **40 hab** 6000/8000, 2 suites – PA 2400.

Almanzor, Bernardo Balbuena 14, ✉ 13002, ✆ 21 43 03, Fax 21 34 84 – TV ☎ P – 25/300. AE E VISA. rest — Z b
Comida 1500 – ☕ 500 – **71 hab** 6000/8000 – PA 2975.

CIUDAD REAL

larcos	Z	
ernardo Mulleras	Z	6
alatrava	YZ	
eneral Aguilera	Z	21
ayor (Plaza)	Z	
ázquez	Z	42
lcántara	Z	2
Antonio Blázquez	Z	3
Azucena	YZ	5
Caballeros	YZ	8
Camarín	YZ	10
Cañas	YZ	12
Cardenal Monescillo	Z	13
Corazón de María	YZ	15
Cruz	Z	16
Elisa Cendreros	Y	18
General Rey	Z	23
Infantes	Y	24
Inmaculada Concepción	Y	26
Lanza	Z	27
Lirio	YZ	29
Norte	Y	31
Olivo	Z	32
Ramón y Cajal	Z	34
Refugio	YZ	35
Reyes	YZ	37
Rosa	Y	38
Sancho Rey (Cam.)	Y	39
Tinte	Z	41

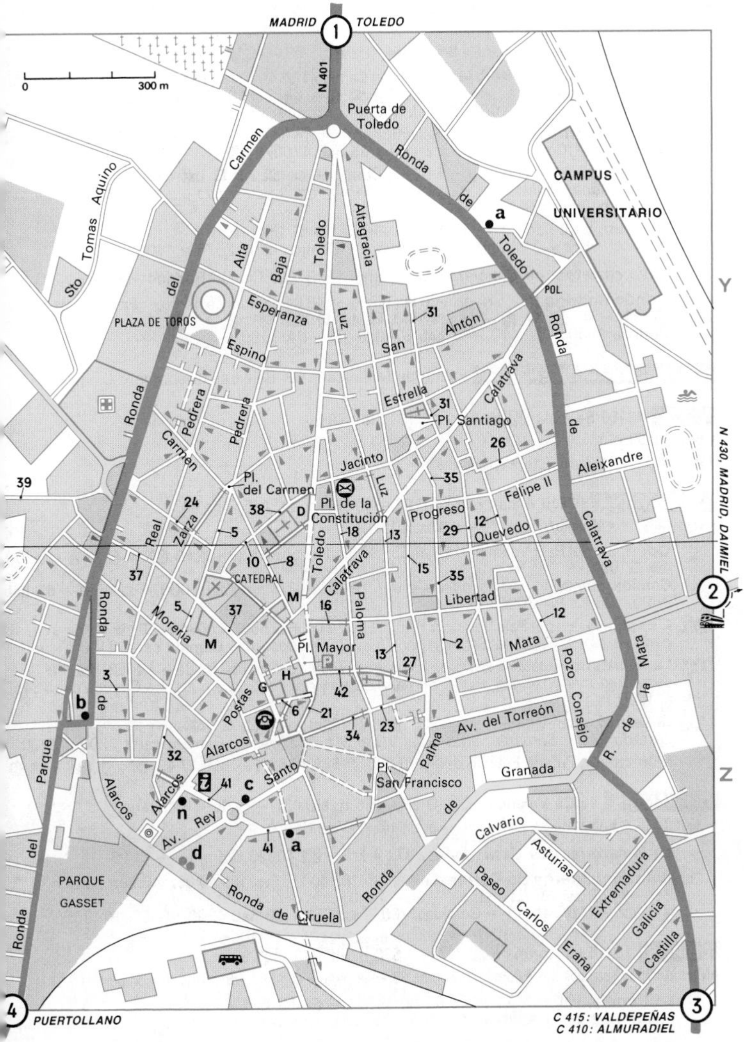

Castillos, av. del Rey Santo 6, ✉ 13001, ✆ 21 36 40, Fax 21 22 43 – |♦| ▤ TV ☎ – 25/60. AE ⓓ E VISA. ✻ rest — Z c
Comida 1500 – ☕ 500 – **57 hab** 5000/7000 – PA 2975.

El Molino, carret. de Carrión 10, ✉ 13005, ✆ 22 30 50, Fax 22 30 50 – ▤ TV ☎ P. AE E VISA. ✻ rest — por ②
Comida 1000 – ☕ 240 – **19 hab** 3400/5200 – PA 2240.

XX **Miami Park,** Ronda Ciruela 36, ✉ 13004, ☎ 22 20 43 – ▤. AE ⓓ E VISA. ✂ Z
cerrado domingo noche y agosto – **Comida** carta 3300 a 4900.

X **Gran Mesón,** Ronda de Ciruela 34, ✉ 13004, ☎ 22 72 39, Decoración regional – ▤. AE ⓓ E VISA. ✂ Z
cerrado domingo y agosto – **Comida** carta 2600 a 2900.

CIUDAD RODRIGO **37500** Salamanca 441 K 10 – 14 973 h. alt. 650 – ☎ 923.
Ver : Catedral★ (altar★, portada de la Virgen★, claustro★) – Plaza Mayor★.
ℹ Arco de Amayuelas 5 ☎ 46 05 61.
♦Madrid 294 – ♦Cáceres 160 – Castelo Branco 164 – Plasencia 131 – ♦Salamanca 89.

Parador de Ciudad Rodrigo ⛰, pl. del Castillo 1 ☎ 46 01 50, Fax 46 04 04, « En un castillo feudal del siglo XV », ⛱ – ▤ rest TV ☎ P – 🏛 25/40. AE ⓓ E VISA. ✂
Comida 3200 – ☕ 1100 – **27 hab** 13000 – PA 6375.

Conde Rodrigo I, pl. de San Salvador 9 ☎ 46 14 04, Fax 46 14 08 – |♦| ▤ rest TV. AE ⓓ E VISA. ✂ – **Comida** 1550 – ☕ 400 – **35 hab** 4700/6200 – PA 3100.

X **La Brasa,** carret. N 620 ☎ 46 07 93, Carnes – ▤. AE ⓓ E VISA. ✂
cerrado lunes (salvo verano y Semana Santa), del 1 al 15 julio y del 10 al 30 noviembre – **Comida** carta aprox. 2400.

X **Mayton,** La Colada 9 ☎ 46 07 20 – ▤. AE ⓓ E VISA
cerrado lunes y 2ª quincena de octubre – **Comida** carta 2575 a 4400.

en la carretera de Conejera SO : 3 km – ✉ 37500 Ciudad Rodrigo – ☎ 923 :

Conde Rodrigo II ⛰, Huerta de las Viñas ☎ 48 04 48, Fax 46 14 08, « En pleno campo », 🏊, ⛱ – ▤ TV ☎ P – 🏛 25/600. AE ⓓ E VISA. ✂
Comida 1550 – ☕ 400 – **43 hab** 5700/6700 – PA 3100.

CIUTADELLA DE MENORCA Palma de Mallorca – ver Baleares (Menorca) : Ciudadela.

COCA **40480** Segovia 442 I 16 – 1 995 h. alt. 789.
Ver : Castillo★★.
♦Madrid 137 – ♦Segovia 50 – ♦Valladolid 62.

COCENTAINA **03820** Alicante 445 P 28 – 10 567 h. alt. 445 – ☎ 96.
♦Madrid 397 – ♦Alicante/Alacant 63 – ♦Valencia 104.

Odón, av. del País Valencià 145 ☎ 559 12 12, Fax 559 23 99 – |♦| ▤ TV ☎ P – 🏛 60/200. ⓓ E VISA
Comida *(cerrado viernes noche y del 15 al 31 de agosto)* 1600 – ☕ 550 – **57 hab** 4500/9000 – PA 3000.

XXX **L'Escaleta,** av. del País Valencià 119 ☎ 559 21 00, Fax 559 21 00 – ▤. AE ⓓ E VISA JCB. ✂
cerrado lunes, Semana Santa y del 15 al 31 de agosto – **Comida** carta 3150 a 4650.

XXX **La Montaña,** Gustavo Pascual 1 y 3 ☎ 559 08 32, Fax 650 03 82 – ▤. AE VISA. ✂
cerrado domingo, lunes noche, Semana Santa y del 7 al 31 de agosto – **Comida** carta 3150 a 4600.

XX **El Laurel,** Juan María Carbonell 3 ☎ 559 17 38 – ▤. AE E VISA. ✂
cerrado lunes, Semana Santa y del 10 al 30 de agosto – **Comida** carta 2200 a 3200.

XX Montcabrer, Pujada Estació del Nord 205 ☎ 559 13 59, Fax 559 17 45, ⛱, 🏊, 🎾 – ▤ P

COFRENTES **46625** Valencia 445 O 26 – 815 h. alt. 437 – ☎ 96 – Balneario.
♦Madrid 316 – ♦Albacete 93 – ♦Alicante/Alacant 141 – ♦Valencia 106.

en la carretera de Casas Ibáñez O : 4 km – ✉ 46625 Cofrentes – ☎ 96 :

Baln. Hervideros de Cofrentes ⛰, ☎ 189 40 25, Fax 189 40 05, « En un parque », 🏊, 🎾 – |♦| TV ☎ P. AE VISA. ✂
7 marzo-16 diciembre – **Comida** 1700 – ☕ 550 – **59 hab** 4200/7000 – PA 3300.

COIRÓS **15316** La Coruña 441 C 5 – 1 576 h. alt. 219 – ☎ 981.
♦Madrid 579 – Betanzos 8 – ♦Coruña/A Coruña 32 – Ferrol 46 – Lugo 67 – Santiago de Compostela 72.

X **La Penela,** carret N VI ☎ 79 63 72, ≤, ⛱ – P. AE E VISA. ✂
cerrado de lunes a jueves por la noche salvo en verano – **Comida** carta 2300 a 3800.

COLERA **17469** Gerona 443 E 39 – 450 h. alt. 10 – ☎ 972 – Playa.
ℹ Labrum 34, ☎ 38 90 50, Fax 38 92 83.
♦Madrid 756 – Banyuls-sur-Mer 22 – Gerona/Girona 67.

en la carretera de Llansá S : 3 km – ✉ 17469 Colera – ☎ 972 :

X **Garbet,** ☎ 38 90 02, ≤, ⛱ – E VISA
marzo-octubre – **Comida** carta 1950 a 4950.

COLINDRES 39750 Cantabria 442 B 19 – 5 536 h. – 🕿 942 – Playa.
◆Madrid 423 – ◆Bilbao/Bilbo 62 – ◆Santander 45.

🏛 **Montecarlo,** Ramón Pelayo 9 🖉 65 01 63, Fax 65 00 75 – 🍽 rest 📺 🕿. **E** 𝘝𝘐𝘚𝘈. ⌘
   cerrado del 15 al 30 de septiembre – **Comida** 1100 – 😑 500 – **19 hab** 4300/5750.

ES COLL D'EN RABASSA Palma de Mallorca – ver Baleares (Mallorca) : Palma de Mallorca.

COLLADO MEDIANO 28450 Madrid 444 J 17 – 2 386 h. alt. 1 030 – 🕿 91.
◆Madrid 40 – ◆Segovia 51.

✗ **Martín,** av. del Generalísimo 84 🖉 859 85 07, 🛱 – 🍽. **E** 𝘝𝘐𝘚𝘈. ⌘
   Comida carta aprox. 3675.

COLLADO VILLALBA 28400 Madrid 444 K 18 – 26 267 h. alt. 917 – 🕿 91.
◆Madrid 37 – ◆Ávila 69 – El Escorial 18 – ◆Segovia 50.

✗✗ La Dehesa, carret. de Manzanares SO : 1 km 🖉 850 90 26, 🛱.

   en la carretera de Moralzarzal NE : 2 km – ✉ 28400 Collado Villalba – 🕿 91 :

✗✗✗ **Pasarela,** 🖉 851 24 08, Fax 851 24 99, ≼ – 🍽 🝙 **P**. 𝘈𝘌 **E** 𝘝𝘐𝘚𝘈. ⌘
    cerrado domingo noche – **Comida** carta 3875 a 5575.

   en el barrio de la estación SO : 2 km – ✉ 28400 Collado Villalba – 🕿 91 :

🏛 **Galaico y Rest. Agarimo,** antigua carret. de La Coruña 🖉 851 03 04, Fax 850 80 49, ≼
   – 🛗 🝙 📺 🕿 🚗 **P** – 🝙 25/80. 𝘈𝘌 **E** 𝘝𝘐𝘚𝘈. ⌘
   Comida carta 2475 a 3150 – 😑 550 – **50 hab** 7260/9570, 2 suites.

🏛 **Lady Ana,** Ignacio González 51 🖉 851 63 44 – 🛗 🝙 📺. **E** 𝘝𝘐𝘚𝘈. ⌘
   Comida 900 – 😑 400 – **18 hab** 4500/5500 – PA 2000.

✗✗ **Asador Don Rodrigo,** antigua carret. de La Coruña km 40-urb. Entre Sierra 🖉 851 76 92,
    Fax 851 69 58, Carnes a la brasa – 🍽. 𝘈𝘌 𝘝𝘐𝘚𝘈. ⌘
    cerrado domingo noche y lunes – **Comida** carta 3150 a 4500.

✗ **Casa Arturo,** Real 68 🖉 850 32 19, 🛱 – 🍽. 𝘈𝘌 **O E** 𝘝𝘐𝘚𝘈 – **Comida** carta 1760 a 2950.

COLLSUSPINA 08519 Barcelona 443 G 36 – 214 h. – 🕿 93.
◆Madrid 627 – ◆Barcelona 64 – Manresa 36.

✗ Can Xarina, Major 10 🖉 830 05 77, Decoración rústica, « Casa del siglo XVI ».

   por la carretera N 141 C NE : 5 : km – ✉ 08519 Collsuspina – 🕿 93 :

✗✗ **Floriac,** 🖉 887 09 91, Casa de campo del siglo XVI – **P**. 𝘈𝘌 **E** 𝘝𝘐𝘚𝘈. ⌘
    cerrado lunes noche, martes y 15 días en febrero – **Comida** carta aprox. 4200.

COLMENAR VIEJO 28770 Madrid 444 J 18 K 18 – 39 699 h. alt. 883 – 🕿 91.
◆Madrid 32.

✗✗ El Asador de Colmenar, carret. de Miraflores km 33 🖉 845 03 26, 🛱, Decoración castellana
    – 🍽 **P**.

✗ **Santi Mostacilla,** Zurbarán 2 (carret. de Miraflores) 🖉 845 60 37 – 🍽. 𝘈𝘌 **O E** 𝘝𝘐𝘚𝘈. ⌘
   cerrado lunes y del 1 al 20 agosto – **Comida** carta 3700 a 5000.

COLOMBRES 33590 Asturias 441 B 16 alt. 110 – 🕿 98 – Playa.
◆Madrid 436 – Gijón 122 – ◆Oviedo 132 – ◆Santander 79.

   en la carretera N 634 – ✉ 33590 Colombres – 🕿 98 :

🏛 **San Ángel,** NO : 2 km 🖉 541 20 00, Fax 541 20 73, ≼, 🝙, 🌳, ✗ – 🛗 📺 🕿 **P**. 𝘈𝘌 **O**
   E 𝘝𝘐𝘚𝘈 𝘑𝘤𝘣. ⌘
   abril-noviembre – **Comida** 2475 – 😑 750 – **77 hab** 7700/10475 – PA 4300.

🏛 **Casa Junco,** NO : 1,5 km 🖉 541 22 43, Fax 541 23 55, ✗ – 🕿 **P**. 𝘈𝘌 **E** 𝘝𝘐𝘚𝘈. ⌘
   Comida 2500 – 😑 500 – **24 hab** 8000/10000.

La COLONIA Madrid – ver Torrelodones.

COLÒNIA DE SANT JORDI Baleares – ver Baleares (Mallorca).

Las COLORADAS Las Palmas – ver Canarias (Gran Canaria) : Las Palmas de Gran Canaria.

La COMA I La PEDRA 25284 Lérida 443 F 34 – 225 h. alt. 1 004 – 🕿 973.
◆ Madrid 610 – Berga 37 – Font Romeu-Odeilo Vía 102 – ◆ Lérida/Lleida 151.

🏛 **Fonts del Cardener** 🝙, carret. de Tuixent N : 1 km 🖉 49 23 77, ≼, ✗ – 📺 🚗 **P**. 𝘈𝘌
   𝘝𝘐𝘚𝘈. ⌘
   cerrado 3 últimas semanas de mayo y 3 últimas semanas de noviembre – **Comida** 1700
   – 😑 500 – **13 hab** 3500/5500, 3 apartamentos – PA 3315.

COMARRUGA o **COMA-RUGA** 43880 Tarragona 443 I 34 – ☎ 977 – Playa.
☐ pl. Germán Trillas ✆ 68 00 10.
♦Madrid 567 – ♦Barcelona 81 – Tarragona 24.

- **G. H. Europe,** vía Palfuriana 107 ✆ 68 04 11, Telex 56681, Fax 68 01 89, ←, 🍴, ⛱, 🎾 – |♦| ▤ TV ☎ 🚗 – 🏛 25/50. AE ⓓ VISA. ✂ *abril-octubre* – **Comida** 2900 – ☕ 950 – **148 hab** 11000/16000 – PA 5400.
- **Casa Martí** 🔇, Vilafranca 8 ✆ 68 01 11, Fax 68 22 77, ←, ⛱ – |♦| ☎ Ⓟ. AE ⓓ E VISA ✂ *abril-septiembre* – **Comida** 2205 – ☕ 580 – **138 hab** 4725/6615.
- **Gallo Negro,** Santiago Rusiñol 10 ✆ 68 03 05, 🍴 – |♦| ▤ rest ☎ Ⓟ – 🏛 25/50. ⓓ E VISA. ✂ rest *abril-septiembre* – **Comida** 1355 – ☕ 410 – **44 hab** 4720/5900 – PA 2650.
- XX **Joila,** av. Generalitat 24 ✆ 68 08 27, Fax 68 21 49 – ▤ Ⓟ. AE ⓓ E VISA JCB. ✂ *cerrado miércoles y noviembre* – **Comida** carta 2300 a 5000.
- X Casa Víctor, passeig Marítim 24 ✆ 68 14 73, 🍴 – ▤.

COMBARRO 36993 Pontevedra 441 E 3 – ☎ 986 – Playa.
Ver : Pueblo Pesquero★, Hórreos★.
♦Madrid 610 – Pontevedra 6 – Santiago de Compostela 63 – ♦Vigo 29.

- Stella Maris sin rest, carret. de La Toja ✆ 77 03 66, Fax 77 12 04, ← – |♦| ☎ Ⓟ **27 hab.**

Toutes les villes du Portugal citées dans ce guide sont soulignées en rouge sur la carte Michelin nº 440 à 1/400 000.

COMILLAS 39520 Cantabria 442 B 17 – 2 461 h. – ☎ 942 – Playa.
Ver : Pueblo pintoresco★.
☐ Aldea 6, ✆ 72 07 68.
♦Madrid 412 – ♦Burgos 169 – ♦Oviedo 152 – ♦Santander 49.

- XXXX **El Capricho de Gaudí,** barrio de Sobrellano ✆ 72 03 65, Fax 72 08 42, « Palacete original del arquitecto Gaudí » – ▤ Ⓟ. AE ⓓ E VISA JCB. ✂ *cerrado lunes (salvo en verano) y 10 enero-10 febrero* – **Comida** carta aprox. 5100.
- X **Adolfo,** paseo de las Infantas ✆ 72 20 14, 🍴 – AE ⓓ E VISA JCB. ✂ *cerrado 13 octubre-13 noviembre* – **Comida** carta 2550 a 3750.

CONDADO DE SAN JORGE Gerona – ver Playa de Aro.

CONGOSTO 24398 León 441 E 10 – 1 948 h. – ☎ 987.
♦Madrid 381 – ♦León 101 – Ponferrada 12.

en el Santuario NE : 2 km – ✉ 24398 Congosto – ☎ 987 :

- **Virgen de la Peña** 🔇, ✆ 46 70 20, Fax 46 71 02, ← valle, pantano y montañas, ⛱, 🎾 – TV ☎ Ⓟ. AE E VISA. ✂ **Comida** (ver rest. **Virgen de la Peña**) – ☕ 550 – **44 hab** 5900/8400.
- X **Virgen de la Peña,** ✆ 46 71 02, Fax 46 71 02, 🍴, « Terraza con ← valle, pantano y montañas », ⛱, 🎾 – Ⓟ. AE E VISA. ✂ **Comida** carta 2300 a 3200.

CONIL DE LA FRONTERA 11140 Cádiz 446 X 11 – 15 524 h. – ☎ 956 – Playa.
Alred. : Vejer de la Frontera ← ★ SO : 17 km.
☐ Carretera ✆ 44 05 01.
♦Madrid 657 – Algeciras 87 – ♦Cádiz 40 – ♦Sevilla 149.

- **Espada** sin rest salvo julio y agosto, San Sebastián ✆ 44 07 80, Fax 44 08 93 – |♦| ☎ Ⓟ AE ⓓ E VISA. ✂ **Comida** 1500 – ☕ 500 – **62 hab** 4000/7500.
- Don Pelayo, carret. del Punto 19 ✆ 44 20 30, Fax 44 50 58 – |♦| ▤ rest TV ☎ **31 hab.**
- **La Gaviota,** pl. Nuestra Señora de las Virtudes ✆ 44 08 36, Fax 44 09 80 – 🚗. AE ⓓ E VISA. ✂ *febrero-octubre* – **Comida** *(cerrado martes)* (sólo cena) 1990 – ☕ 590 – **15 apartamentos** 8100/10100.
- **Tres Jotas** sin rest, prolongación San Sebastián ✆ 44 04 50, Fax 44 04 50 – |♦| TV ☎ 🚗. AE ⓓ E VISA. ✂ ☕ 375 – **36 hab** 5145/7875.

al Noroeste :

Flamenco Conil ⑤, urb. Fuente del Gallo : 3 km ℘ 44 07 11, Fax 44 05 42, ←, ⛱, ⛱, ⛱, ✂ - |♦| ▤ rest ☎ Ⓟ. AE ⓓ E VISA. ✂
abril-octubre - **Comida** 1950 - ☐ 900 - **114 hab** 8500/13600.

Diufain ⑤ sin rest, carret. Fuente del Gallo : 1 km ℘ 44 25 51 - TV Ⓟ. VISA. ✂
marzo-octubre - ☐ 300 - **11 hab** 6500.

CÓRDOBA 14000 P 446 S 15 - 310 488 h. alt. 124 - ☎ 957.

Ver : Mezquita-Catedral★★★ (mihrab★★★, Capilla Real★, sillería★★, púlpitos★★) BZ - Judería★★ ABZ - Palacio de Viana★★ BY - Museo arqueológico★ (cervatillo★) BZ **M2** - Alcázar★ (mosaicos★, sarcófago romano★, jardines★) AZ - Iglesias Fernandinas★ (Santa Marina de aguas Santas BY, San Miguel BY, San Lorenzo por calle San Pablo BY) - Torre de la Calahorra : maqueta★.

Alred. : Medina Azahara★ O : 6 km X - Las Ermitas : vistas★ 13 km V.

18 Los Villares N : 9 km por av. del Brillante (V) ℘ 35 02 08.

Torrijos 10, ✉ 14003, ℘ 47 12 35 - R.A.C.E. Niño Perdido 2, ✉ 14008, ℘ 47 93 71.

♦Madrid 407 ② - ♦Badajoz 278 ① - ♦Granada 166 ③ - ♦Málaga 175 ④ - ♦Sevilla 143 ④.

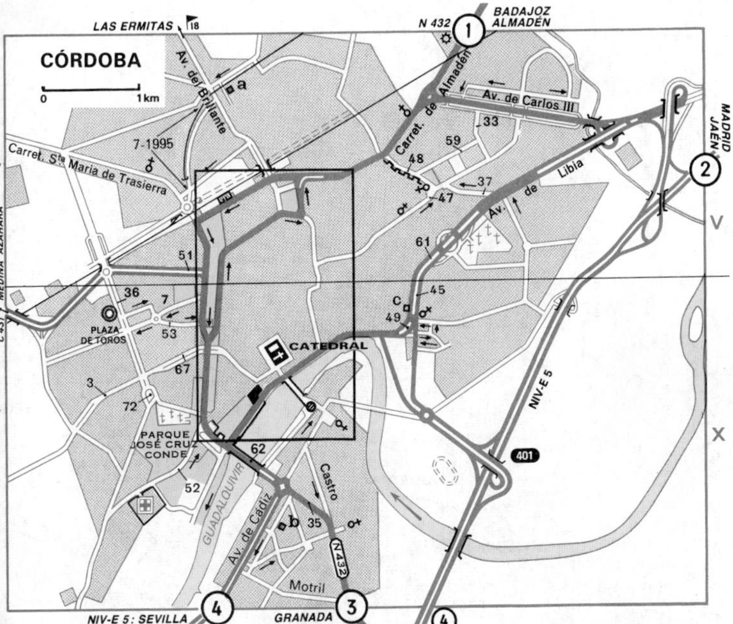

Aeropuerto (Av. del) . . . . . . X 3
Antonio Maura . . . . X 7
General Sanjurjo . . . . V 33
Granada (Av. de) . . . . X 35
Gran Vía Parque . . . . X 36
Jesús Rescatado (Av. de) . . V 37
Madre de Dios (Campo) . . . X 45
María (Corazón de) . . . . V 47
Marrubial (R. del) . . . . V 48
Mártires (R. de los) . . . . X 49
Medina Azahara (Av.) . . . . . V 51
Menéndez Pidal (Av.) . . . . . . X 52
Ministro Barroso y Castillo . X 53
Sagunto . . . . V 59
San Antón (Campo) . . . . V 61
San Rafael (Puente de) . . . . X 62
Teniente Gen. Barroso (Av.) . X 67
Vista Alegre (Pl. de) . . . . X 72

Meliá Córdoba, jardines de la Victoria, ✉ 14004, ℘ 29 80 66, Telex 76591, Fax 29 81 47, ⛱ - |♦| ▤ TV ☎ - 🔏 25/500. AE ⓓ E VISA JCB. ✂ — AZ **p**
Comida 2800 - ☐ 1100 - **142 hab** 10475/13100, 5 suites.

NH Amistad Córdoba ⑤, pl. de Maimónides 3, ✉ 14004, ℘ 42 03 35, Fax 42 03 65, ⛱, Junto a la muralla árabe, « Patio mudéjar » - |♦| ▤ TV ☎ 🚗 - 🔏 25/50. AE ⓓ E VISA. ✂ rest — AZ **v**
Comida 2500 - ☐ 1200 - **69 hab** 11200/14000.

Alfaros y Rest. Alarifes, Alfaros 18, ✉ 14001, ℘ 49 19 20, Fax 49 22 10, ⛱, ⛱ - |♦| ▤ TV ☎ ♿ 🚗 - 🔏 25/300. AE ⓓ E VISA JCB. ✂ — BY **s**
Comida carta 2650 a 4400 - ☐ 1000 - **131 hab** 11200/14000, 2 suites.

Hesperia Córdoba, av. de la Confederación, ✉ 14009, ℘ 42 10 42, Fax 29 99 97, ←, ⛱ - |♦| ▤ TV ☎ 🚗 - 🔏 25/150. AE ⓓ E VISA JCB. ✂ — BZ **w**
Comida 2100 - ☐ 950 - **108 hab** 13400/14400, 2 suites.

CÓRDOBA

Street	Grid	No.
Conde de Gondomar	AY	20
Cruz Conde	ABY	
Amador de los Ríos	ABZ	4
Angel Saavedra	BZ	6
Blanco Belmonte	BZ	8
Buen Pastor	AZ	12
Calvo Sotelo	BY	13
Cardenal González	BZ	15
Coronel Cascajo	BZ	24
Diario de Córdoba	BY	31
Enrique Redel	BY	32
M. González Francés	BZ	46
Torrijos	ABZ	68
Valladares	AZ	70

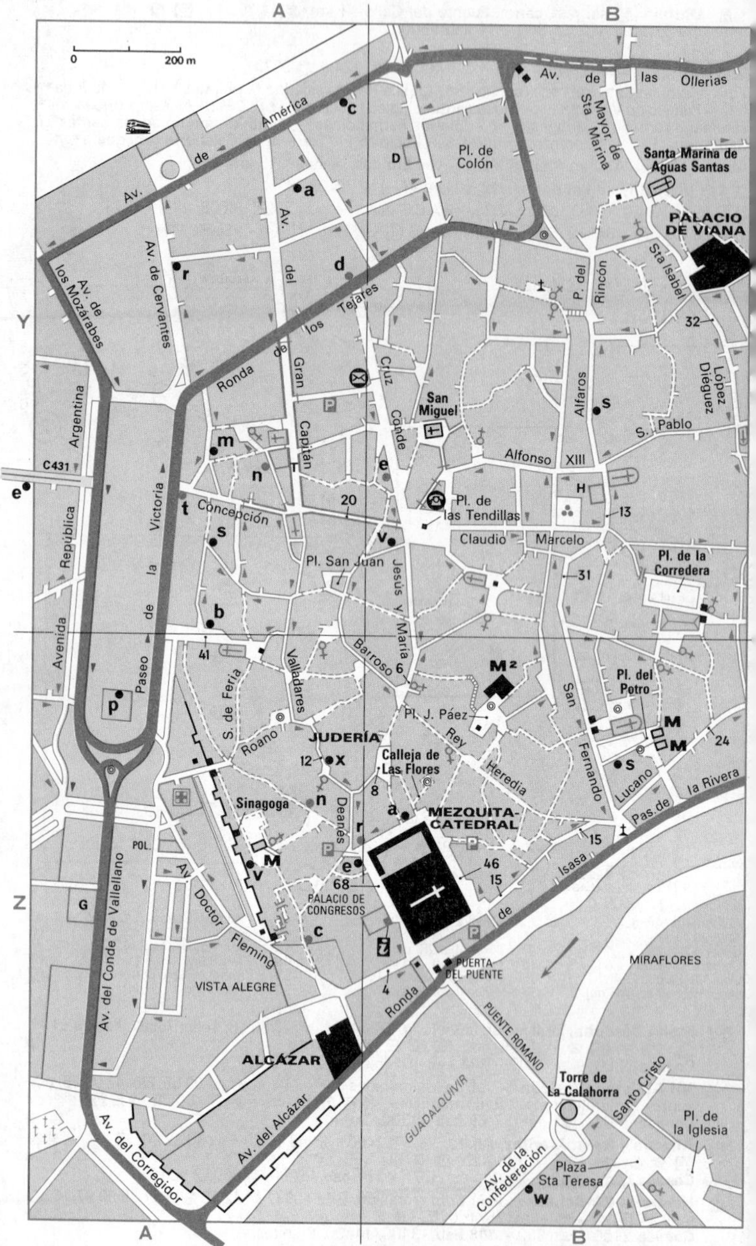

El Conquistador sin rest, Magistral González Francés 15, ✉ 14003, ℘ 48 11 02, Fax 47 46 77 - |‡| ▤ 📺 ☎ 🚗 - 🏛 25/100. AE ⓓ E VISA. ⚐ — BZ **w**
1000 - **103 hab** 10000/15000.

Gran Capitán, av. de América 5, ✉ 14008, ℘ 47 02 50, Telex 76662, Fax 47 46 43 - |‡| ▤ 📺 ☎ 🚗 - 🏛 25/300. AE ⓓ E VISA. ⚐ rest — AY **c**
Comida 2500 - 1000 - **100 hab** 10200/16200 - PA 5525.

Sol Gallos, av. Medina Azahara 7, ✉ 14005, ℘ 23 55 00, Telex 76566, Fax 23 16 36, 🏊 - |‡| ▤ 📺 ☎. AE ⓓ E VISA. ⚐ — AY **e**
Comida 1800 - 875 - **115 hab** 7900/9900 - PA 3800.

Maimónides sin rest, Torrijos 4, ✉ 14003, ℘ 47 15 00, Fax 48 38 03 - |‡| ▤ 📺 ☎ 🚗. AE ⓓ E VISA JCB — ABZ **e**
950 - **83 hab** 8000/13000.

El Califa sin rest con cafetería, Lope de Hoces 14, ✉ 14003, ℘ 29 94 00, Fax 29 57 16 - |‡| ▤ 📺 ☎ 🚗 - 🏛 25/70. AE ⓓ E VISA — AYZ **b**
66 hab 8050/11500.

Averroes, Campo Madre de Dios 38, ✉ 14002, ℘ 43 59 78, Fax 43 59 81 - |‡| ▤ 📺 ☎ 🚗 - 🏛 25/250. AE ⓓ E VISA JCB. ⚐ — X **c**
Comida 2100 - 650 - **52 hab** 5800/8100 - PA 4125.

Selu sin rest, Eduardo Dato 7, ✉ 14003, ℘ 47 65 00, Telex 76659, Fax 47 83 76 - |‡| ▤ 📺 ☎ 🚗. AE ⓓ E VISA JCB — AY **s**
750 - **118 hab** 5600/8000.

Cisne sin rest, con cafetería, av. Cervantes 14, ✉ 14008, ℘ 48 16 76, Fax 49 05 13 - |‡| ▤ 📺 ☎. E VISA - **44 hab** 4500/7000. — AY **r**

Serrano sin rest, Pérez Galdós 6, ✉ 14001, ℘ 47 01 42, Fax 48 65 13 - |‡| ▤ 📺 ☎. AE ⓓ E VISA JCB. ⚐ — AY **a**
375 - **64 hab** 3500/5890.

Albucasis sin rest, Buen Pastor 11, ✉ 14003, ℘ 47 86 25, Fax 47 86 25 - |‡| ▤ ☎ 🚗. E VISA. ⚐ — AZ **x**
cerrado enero-10 febrero - 750 - **15 hab** 5500/8500.

Maestre sin rest y sin ☕, Romero Barros 4, ✉ 14003, ℘ 47 24 10, Fax 47 53 95 - |‡| ▤ 📺 ☎ 🚗. AE E VISA — BZ **s**
26 hab 3500/6000.

Marisa sin rest, Cardenal Herrero 6, ✉ 14003, ℘ 47 31 42, Fax 47 41 44 - ▤ ☎ 🚗. AE ⓓ E VISA JCB — BZ **a**
500 - **28 hab** 4400/8200.

Riviera sin rest y sin ☕, pl. Aladreros 5, ✉ 14001, ℘ 47 30 00, Fax 47 60 18 - |‡| ▤ 📺 ☎. AE ⓓ. ⚐ — AY **m**
29 hab 3100/5500.

Boston sin rest, Málaga 2, ✉ 14003, ℘ 47 41 76, Fax 47 85 23 - |‡| ▤ 📺 ☎. AE E VISA. ⚐ — BY **v**
350 - **39 hab** 2900/4700.

XXX **El Blasón,** José Zorrilla 11, ✉ 14008, ℘ 48 06 25, Fax 47 47 42 - ▤. AE ⓓ E VISA JCB. ⚐ — AY **n**
Comida carta 3800 a 4200.

XXX **El Caballo Rojo,** Cardenal Herrero 28, ✉ 14003, ℘ 47 53 75, Fax 47 47 42 - ▤. AE ⓓ E VISA JCB. ⚐ — ABZ **r**
Comida carta 3300 a 4500.

XXX **Almudaina,** jardines de los Santos Mártires 1, ✉ 14004, ℘ 47 43 42, Fax 48 34 94, Conjunto de estilo regional con patio cubierto - ▤. AE ⓓ E VISA. ⚐ — AZ **c**
cerrado domingo de junio a septiembre y domingo noche resto del año - **Comida** carta 3350 a 4050.

XXX **Chico Medina,** Cruz Conde 3, ✉ 14001, ℘ 47 83 29 - ▤. AE ⓓ E VISA. ⚐ — BY **e**
Comida carta 2800 a 4000.

XX **Ciro's,** paseo de la Victoria 19, ✉ 14004, ℘ 29 04 64, Fax 29 30 22 - ▤. AE ⓓ E VISA. ⚐ — AY **t**
Comida carta 3700 a 4800.

XX El Churrasco, Romero 16, ✉ 14003, ℘ 29 08 19, Fax 29 40 81, ☂, « Patio y Bodega » - ▤ — AZ **n**

XX Astoria-Casa Matías, El Nogal 16, ✉ 14006, ℘ 27 76 53 - ▤ — V **a**

XX **Pic-Nic,** ronda de los Tejares 16 (pasaje Rumasa), ✉ 14008, ℘ 48 22 33 - ▤. AE E VISA — AY **d**
cerrado domingo y agosto - **Comida** carta 3400 a 4700.

X **Costa Sur,** Huelva 17, ✉ 14013, ℘ 29 03 74 - ▤. AE ⓓ E VISA. ⚐ — X **b**
cerrado domingo y 25 julio-15 agosto - **Comida** carta 2750 a 3550.

por la carretera de El Brillante - ✉ 14012 Córdoba - ☎ 957 :

Parador de Córdoba 🌿, av de la Arruzafa N : 3,5 km ℘ 27 59 00, Telex 76695, Fax 28 04 09, ≤, « Amplia terraza y jardín con 🏊 », 🎾 - |‡| ▤ 📺 ☎ 🅿 - 🏛 25/200. AE ⓓ E VISA. ⚐ - **Comida** 2900 - 1100 - **94 hab** 15000 - PA 5865.

Occidental Córdoba 🌿, Poeta Alonso Bonilla 7 N : 4,5 km ℘ 40 04 40, Fax 40 04 39, « Amplias zonas ajardinadas con 🏊 », 🎾 - |‡| ▤ 📺 ☎ ♿ 🅿 - 🏛 25/500. JCB
Comida (ver también rest. Florencia) - **157 hab.**

Las Adelfas 🔇, av. de la Arruzafa N : 3,5 km ✆ 27 74 20, Fax 27 27 94, 🏊, 🎾 - |♦| ▤ TV ☎ 🚗 P - 🏛 25/300. AE ◑ E VISA. 🚫 rest
Comida 2500 - ☕ 1100 - **99 hab** 10500/13800 - PA 4800.

Los Abetos del Maestre Escuela 🔇, prolongación av. San José de Calasanz, N : 6 km ✆ 28 21 32, Fax 28 21 75, « Terraza con palmeras », 🏊 - |♦| ▤ TV ☎ P - 🏛 25/80. AE ◑ E VISA. 🚫 rest
Comida 1750 - ☕ 500 - **40 hab** 7500/10000.

XXX Florencia, Poeta Alonso Bonilla 7 N : 4,5 km ✆ 40 04 40, Fax 40 04 39 - ▤ P. JCB.

CORIA 10800 Cáceres 444 M 10 - 11 260 h. alt. 263 - ☎ 927.

Ver : Catedral★.

♦Madrid 321 - ♦Cáceres 69 - ♦Salamanca 174.

Los Kekes, av. Sierra de Gata 49 ✆ 50 09 00, Fax 50 09 00 - ▤ TV ☎. VISA. 🚫
Comida 1200 - ☕ 200 - **22 hab** 3960/5020 - PA 2365.

CORNELLÀ DE TERRI 17844 Gerona 443 F 38 - 1 785 h. alt. 96 - ☎ 972.

♦ Madrid 709 - Figueras/Figueres 41 - ♦ Gerona/Girona 15.

XX **Can Xapes,** Mossèn Jacinto Verdaguer 5 ✆ 59 40 22 - ▤. AE E VISA
cerrado domingo y lunes - **Comida** carta 2575 a 4600.

CORNELLANA 33876 Asturias 441 B 11 alt. 50 - ☎ 98.

♦Madrid 473 - ♦Oviedo 38.

La Fuente, carret. N 634 ✆ 583 40 42, ⛱, 🌳 - TV 🚗. VISA
cerrado octubre-15 diciembre - **Comida** 1200 - ☕ 500 - **19 hab** 2500/6000 - PA 2800.

CORNISA CANTÁBRICA ★★ Vizcaya y Guipúzcoa 442 B 22.

CORRALEJO Las Palmas - ver Canarias (Fuerteventura).

CORTADURA (playa de) Cádiz - ver Cádiz.

La CORUÑA o A CORUÑA 15000 P 441 B 4 - 252 694 h. - ☎ 981 - Playa.

Ver : Avenida de la Marina★ ABY.

Alred. : Cambre (Iglesia de Santa María★) 11 km por ②.

⛳18 por ② : 7 km ✆ 28 52 00.

✈ de La Coruña-Alvedro por ② : 10 km ✆ 23 22 40 - Iberia : pl. de Galicia 6, ✉ 15004, ✆ 22 66 59 AZ y Aviaco : aeropuerto (kiosco Alfonso) ✆ 24 79 66.

🚘 ✆ 23 82 76.

ℹ Dársena de la Marina, ✉ 15001, ✆ 22 18 22 - R.A.C.E. pl. de Pontevedra 12, ✉ 15003, ✆ 22 18 30.

♦Madrid 603 ② - ♦Bilbao/Bilbo 622 ② - ♦Porto 305 ② - ♦Sevilla 950 ② - ♦Vigo 156 ②.

Plano página siguiente

Tryp María Pita y Rest. Trueiro, av. Pedro Barrié de la Maza 1, ✉ 15003, ✆ 20 50 00, Fax 20 55 65, ≤ playa, mar y ciudad - |♦| ▤ TV ☎ 🚗 - 🏛 25/200. AE ◑ VISA. 🚫
Comida carta aprox. 3000 - ☕ 1100 - **164 hab** 12000/15000, 17 suites. AY **a**

Finisterre, paseo del Parrote 20, ✉ 15001, ✆ 20 54 00, Telex 86086, Fax 20 84 62, « Magnífica situación con ≤ bahía », Fб, 🏊 climatizada, 🎾 - |♦| ▤ rest TV ☎ P - 🏛 25/600. AE ◑ E VISA BZ **n**
Comida 3500 - ☕ 1200 - **117 hab** 13000/16500, 10 suites - PA 6970.

Atlántico sin rest, con cafetería, jardines de Méndez Núñez, ✉ 15006, ✆ 22 65 00, Telex 86034, Fax 20 10 71 - |♦| TV ☎ - 🏛 25/100. AE ◑ E VISA JCB. 🚫 AZ **v**
☕ 800 - **200 hab** 8000/10000.

Sol Coruña sin rest, Ramón y Cajal 53, ✉ 15006, ✆ 24 27 11, Telex 86090, Fax 23 67 28, Fб - |♦| ▤ TV ☎ - 🏛 25/175. AE ◑ E VISA. 🚫 X **c**
☕ 1000 - **175 hab** 11400/14200, 6 suites.

Ciudad de La Coruña 🔇, polígono Adormideras, ✉ 15002, ✆ 21 11 00, Telex 86121, Fax 22 46 10, ≤, Fб, 🏊 - |♦| ▤ rest TV ☎ P - 🏛 25/160. AE ◑ E VISA. 🚫 V **a**
Comida 2750 - ☕ 800 - **122 hab** 9500/12000, 9 apartamentos - PA 5355.

Riazor sin rest, con cafetería, av. Pedro Barrié de la Maza 29, ✉ 15004, ✆ 25 34 00, Fax 25 34 04 - |♦| TV ☎ 🚗 - 🏛 25/200. AE ◑ E VISA. 🚫 AZ **e**
☕ 650 - **175 hab** 7300/11000.

Avenida sin rest, con cafetería, av. Alfonso Molina 30, ✉ 15008, ✆ 24 94 66, Fax 24 94 66 - TV ☎ 🚗 - 🏛 25/30. VISA. 🚫 X **r**
☕ 550 - **67 hab** 5550/9000.

A CORUÑA
LA CORUÑA

Cantón Grande	AZ	7
Cantón Pequeño	AZ	8
Real	AY	
San Andrés	AYZ	

Alcade Alfonso Molina (Av. del)	X	2
Arteijo (Av. de)	VX	3
Buenos Aires (Av. de)	V	4
Circunvalación (Carret. de)	V	9
Compostela	AZ	13
Damas	BY	14
Ejército (Av. del)	X	15
Ferrol	AZ	18
Finisterre (Av. de)	AZ	19
Gómez Zamalloa	AZ	20
Habana (Av. de la)	V	22
Herrerías	BY	23
Juan Canalejo	AY	24
Juan de Vega (Av.)	AZ	26
Maestranza	BY	27
María Pita (Pl. de)	BY	28
Marqués de Figueroa	X	31
Padre Feijóo	AZ	32
Payo Gómez	AZ	36
Picavia	AZ	37
Pontevedra (Pl. de)	AZ	40
Puente del Pasaje (Carret. del)	X	41
Riego del Aqua	BY	42
Rubine (Av. de)	AZ	45
San Agustín	BY	46
San Agustín (Cuesta de)	BY	47
Sánchez Bregua	AZ	50
Santa María	BY	51
Santa Catalina	AZ	52
Teresa Herrera	AZ	55
Torre de Hércules (Carret.)	V	56

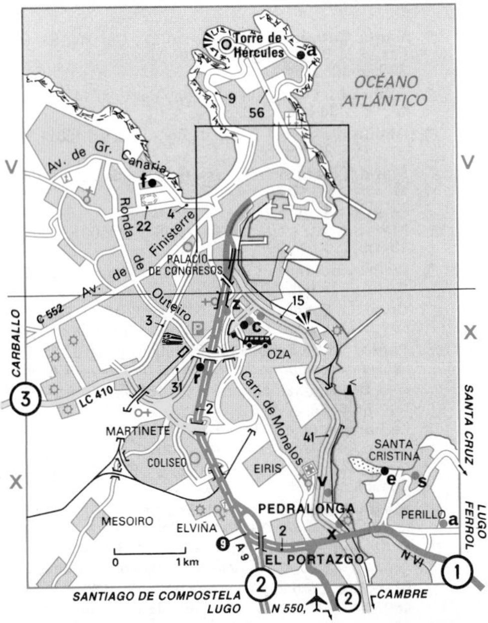

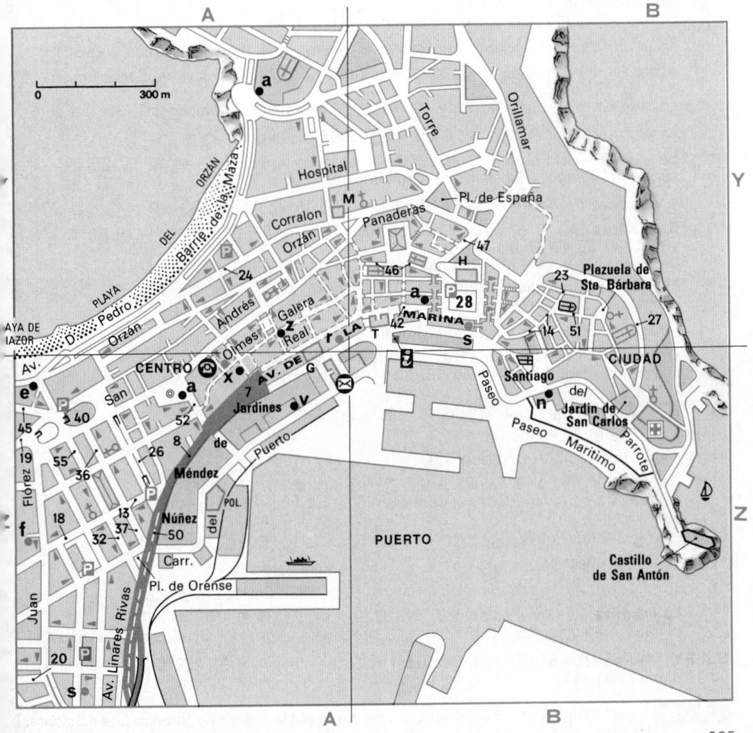

Santa Catalina sin rest y sin ☕, travesía Santa Catalina 1, ✉ 15003, ✆ 22 67 04, Fax 22 85 09 – |‡| TV. VISA. ✻ — AZ a
32 hab 3800/5700.

Alborán sin rest y sin ☕, Riego de Agua 14, ✉ 15001, ✆ 22 25 62, Fax 22 25 62 – |‡| TV ☎. ✻ – **30 hab** 3800/6000. — BY a

Almirante sin rest, paseo de Ronda 54, ✉ 15011, ✆ 25 96 00 – TV ☎. AE VISA. ✻ — V t
☕ 375 – **20 hab** 5500.

Mar del Plata sin rest, paseo de Ronda 58, ✉ 15011, ✆ 25 79 62, Fax 25 79 99, ← – TV ☎ 🚗. VISA. ✻ — V t
☕ 300 – **27 hab** 5700.

Mara sin rest y sin ☕, Galera 49, ✉ 15001, ✆ 22 18 02 – |‡| TV ☎. AE VISA. ✻ — AY z
19 hab 4960/6200.

La Provinciana sin rest y sin ☕, Nueva 9, ✉ 15003, ✆ 22 04 00, Fax 22 04 40 – |‡| TV ☎. ✻ – **19 hab** 4100/6000. — AZ x

XXX **Coral,** La Estrella 2, ✉ 15003, ✆ 22 10 82, Fax 22 91 04 – ▤. AE ⓓ E VISA. ✻ — AY r
cerrado domingo salvo en verano – **Comida** carta 2100 a 4000.

XXX **Pardo,** Novoa Santos 15, ✉ 15006, ✆ 28 00 21, Fax 29 61 56 – ▤. AE ⓓ E VISA. ✻ — X c
cerrado domingo y del 15 al 30 de junio – **Comida** carta 3000 a 4400.

XX **A la Brasa,** Juan Florez 38, ✉ 15004, ✆ 26 54 57, Fax 26 54 57 – ▤. AE ⓓ E VISA. ✻ — AZ f
Comida carta 3000 a 3600.

XX **La Penela,** pl. de María Pita 12, ✉ 15001, ✆ 20 92 00 – ▤. AE E VISA. ✻ — BY s
cerrado domingo – **Comida** carta 2500 a 4200.

XX **Eume,** Río Monelos, ✉ 15006, ✆ 10 67 08 – ▤. AE E VISA — X c
Comida carta 2500 a 3500.

XX **Mesón Coral,** callejón de la Estacada 9, ✉ 15001, ✆ 20 05 69 – ▤. AE ⓓ E VISA JCB. ✻ — AY r
cerrado lunes salvo verano – **Comida** carta 3100 a 4000.

XX **O Alpendre,** Emilia Pardo Bazán 21, ✉ 15005, ✆ 23 72 83 – ▤. AE VISA. ✻ — AZ s
cerrado domingo de junio a septiembre – **Comida** carta 2200 a 3600.

X **Manolito,** Fernández Latorre 116, ✉ 15006, ✆ 23 01 02 – ▤. AE ⓓ E VISA. ✻ — X c
cerrado domingo noche – **Comida** carta aprox. 4900.

X **Manolito,** Ramón y Cajal 45, ✉ 15006, ✆ 28 20 62 – ▤. AE ⓓ E VISA JCB. ✻ — X z
cerrado domingo noche – **Comida** carta 2850 a 3700.

en la carretera del puente del Pasaje S : 3 km. – ✉ 15006 La Coruña – ☎ 981 :

XX **Alba,** av. del Pasaje 63 ✆ 28 33 87, Fax 28 52 20, ← bahía y playa de Santa Cristina, 🏖 – ▤ P. AE ⓓ E VISA — X v
cerrado lunes, festivos noche y del 16 al 31 de agosto – **Comida** carta 3500 a 5500.

en el puente del Pasaje S : 4 km – ✉ 15006 La Coruña – ☎ 981 :

XX **La Viña,** av. del Pasaje 123 ✆ 28 08 54, Pescados y mariscos – ▤ P. AE VISA. ✻ — X x
cerrado domingo y Navidades – **Comida** carta 2800 a 3800.

en la playa de Santa Cristina SE : 6 km – ✉ 15172 Perillo – ☎ 981 :

Rías Altas 🌿, ✆ 63 53 00, Fax 63 61 09, ← bahía, 🏋, 🏊, 🌳, 🎾 – |‡| TV ☎ 🚗 – 🏛 25/80. AE ⓓ E VISA. ✻ rest — X e
Comida 2300 – ☕ 850 – **103 hab** 9000/12000 – PA 4500.

XX **El Madrileño,** av. de las Américas 5 ✆ 63 55 16, ←, 🏖 – ▤. AE ⓓ E VISA. ✻ — X s
cerrado 2ª quincena de octubre – **Comida** carta aprox. 3500.

en Perillo SE : 6 km – ✉ 15172 Perillo – ☎ 981 :

X **Orlinda,** av. Che Guevara 61 ✆ 63 50 72, ← – VISA. ✻ — X a
cerrado domingo noche, y Navidades – **Comida** carta 2400 a 3600.

COSGAYA **39539** Cantabria 442 C 15 – 86 h. alt. 530 – ☎ 942.
Alred. : O : Puerto de Pandetrave★★.
♦Madrid 413 – Palencia 187 – ♦Santander 129.

Del Oso, ✆ 73 30 18, Fax 73 30 36, 🏊, 🎾 – |‡| ☎ P. ⓓ E VISA. ✻
cerrado 6 enero-15 febrero – **Comida** 3650 – ☕ 500 – **51 hab** 7000/8500.

COSLADA **28820** Madrid 444 L 20 – 73 844 h. alt. 621 – ☎ 91.
♦Madrid 13 – Guadalajara 43.

en el barrio de la estación NE : 4,5 km – ✉ 28820 Coslada – ☎ 91 :

X **La Fragata,** av. San Pablo 14 ✆ 673 38 02 – ▤. AE ⓓ E VISA. ✻
cerrado domingo, miércoles noche y 3 semanas en agosto – **Comida** carta aprox. 4500.

S.A.F.E. Neumáticos MICHELIN, Sucursal av. José Gárate 7 y 9, ✉ 28820 ✆ 671 80 11 y 673 00 12, Fax 671 91 14

COSTA – ver a continuación y nombre propio de la costa (Costa de Bendinat, ver Baleares).

COSTA BLANCA Alicante y Murcia **445** P 29-30, Q 29-30.
Ver : Recorrido★.

COSTA BRAVA Gerona **443** E 39, F 39, G 38 y 39.
Ver : Recorrido★★.

COSTA CALMA Las Palmas – ver Canarias (Fuerteventura).

COSTA DE CANTABRIA **442** B 16 al 20.
Ver : Recorrido★.

COSTA DE LA LUZ Huelva y Cádiz **446** U 7 al 10, V 10, W 10-11, X 11 al 13.

COSTA DE LOS PINOS Palma de Mallorca – ver Baleares (Mallorca) : Son Servera.

COSTA DEL AZAHAR Castellón de La Plana y Valencia **445** K 29 al 32 P 29 al 32.

LA COSTA DEL MONTSENY 08470 Barcelona **443** G 37 – ✿ 93.
◆Madrid 639 – ◆Barcelona 54 – Gerona/Girona 65 – Vich/Vic 62.

✗ **De La Costa,** ℘ 847 50 50, sierra del Montseny – 🗚 *VISA*. ⅌
cerrado jueves y septiembre – **Comida** carta 2250 a 3400.

COSTA DEL SOL Málaga, Granada y Almería **446** V 16 al 22, W 14 al 16.
Ver : Recorrido★.

COSTA DORADA Tarragona y Barcelona **443** H 32 al 38 J 32 al 38.

COSTA TEGUISE Las Palmas – ver Canarias (Lanzarote).

COSTA VASCA Guipúzcoa, Vizcaya **442** B 21 al 24, C 21 al 24.
Ver : Recorrido★★.

COSTA VERDE Asturias **441** B 8 al 15.
Ver : Recorrido★★★.

COVADONGA 33589 Asturias **441** B 14 alt. 260 – ✿ 98.
Ver : Emplazamiento★★ – Museo (corona★).
Alred. : Mirador de la Reina ⩽★★ SE : 8 km – Lagos Enol y de la Ercina★ SE : 12,5 km.
🛈 El Repelao ℘ 584 60 13.
◆Madrid 429 – ◆Oviedo 84 – Palencia 203 – ◆Santander 157.

🏨 **Pelayo** ⩘, ℘ 584 60 61, Fax 584 60 54, ⩽, 🍴 – 🛗 📺 ☎ 🅿 – 🔬 25/150. 🗚 ⓞ 🗉 *VISA*. ⅌
cerrado 15 diciembre-enero – **Comida** 1900 – 🍴 700 – **43 hab** 7000/13000 – PA 3995.
🏨 **Auseva** sin rest, El Repelao ℘ 584 60 23, Fax 584 60 51 – 📺 ☎. 🗉 *VISA*. ⅌
marzo-septiembre – 🍴 600 – **12 hab** 5600/8000.
✗ Peñalba con hab, La Riera ℘ 584 61 00 – 📺 ☎ 🅿 – **8 hab.**
✗ **Hospedería del Peregrino,** ℘ 584 60 47, Fax 584 60 51 – 🅿. 🗚 🗉 *VISA*. ⅌
cerrado 25 enero-febrero – **Comida** carta 2600 a 3650.

COVALEDA 42157 Soria **442** G 21 – 2 079 h. alt. 1 214 – ✿ 975.
◆ Madrid 233 – ◆ Burgos 96 – Soria 50.

🏨 **Pinares de Urbión,** Numancia 4 ℘ 37 05 33, Fax 37 05 33 – 🛗 📺 ☎ 🅿. 🗚 🗉 *VISA*. ⅌
cerrado en Navidad – **Comida** 1800 – 🍴 750 – **30 hab** 4500/8200 – PA 3480.

COVARRUBIAS 09346 Burgos **442** F 19 – 629 h. alt. 840 – ✿ 947.
Ver : Colegiata★, Museo : (tríptico★).
Excurs. : Quintanilla de las Viñas : Iglesia★ (24 km).
◆Madrid 228 – ◆Burgos 39 – Palencia 94 – Soria 117.

🏨 **Arlanza** ⩘, Mayor 11 ℘ 40 30 25, Fax 40 63 59, « Estilo castellano » – 🛗 ☎. 🗚 ⓞ 🗉
VISA. ⅌ rest
15 marzo-15 diciembre – **Comida** 1900 – 🍴 625 – **40 hab** 5000/8600 – PA 3760.

COVAS 27868 Lugo **441** B 7 – ✿ 982.
◆Madrid 604 – ◆La Coruña/A Coruña 117 – Lugo 90 – Viveiro 2.

🏨 Dolusa sin rest, carret. C 642 ℘ 56 08 66 – 🛗 📺 ☎ – **15 hab.**

Los CRISTIANOS Santa Cruz de Tenerife – ver Canarias (Tenerife).

EL CRUCERO 33877 Asturias **441** B 10 alt. 650 – ❀ 98.

Alred. : Tineo ✻★★ O : 4 km.

◆Madrid 486 – ◆Gijón 92 – Luarca 50 – Ponferrada 145.

 ⌂ **Casa Lula** sin ⌷, carret. C 630 ℘ 580 16 00 – 📺 ☎ ⇦⇨ 🅿. 🖭 E 𝘝𝘐𝘚𝘈. ✄
 Comida (ver rest. **Casa Lula**) – **10 hab** 3000/6000.

 ✗✗ **Casa Emburria,** carret. C 630 ℘ 580 01 92 – 🖭 ⓞ E 𝘝𝘐𝘚𝘈. ✄
 cerrado lunes y 2ª quincena de septiembre – **Comida** carta 2075 a 3500.

 ✗ **Casa Lula,** carret. C 630 ℘ 580 02 38 – 🅿. 🖭 E 𝘝𝘐𝘚𝘈. ✄
 cerrado viernes – **Comida** carta 1700 a 2850.

CRUZ DE TEJEDA Las Palmas – ver Canarias (Gran Canaria).

CUBELLAS o **CUBELLES** 08880 Barcelona **443** I 35 – 3 137 h. – ❀ 93 – Playa.

🛈 passeig Narcís Bardají 12, ℘ 895 25 00.

◆Madrid 584 – ◆Barcelona 54 – ◆Lérida/Lleida 127 – Tarragona 41.

 ✗✗✗ ❀ **Llicorella** ⤷ con hab, San Antonio 101 - carret. C 246 ℘ 895 00 44, Fax 895 24 17, 🌤, Jar
 dín con esculturas contemporáneas, ⚓ – 🖿 hab 📺 ☎ 🅿 – 🖾 25/50. 🖭 ⓞ E 𝘝𝘐𝘚𝘈. ✄ rest
 Comida *(cerrado domingo noche y lunes salvo festivos o vísperas)* carta 4100 a 5300 –
 ⌷ 1100 – **13 hab** 10000/18000
 Espec. Raviolis de buey de mar sobre nage de marisco, Lomitos de ciervo con salsa de frambuesa
 y setas, Tarta de crema catalana.

CUBELLS 25737 Lérida **443** G 32 – 342 h. – ❀ 973.

◆Madrid 509 – Andorra la Vella 113 – ◆Lérida/Lleida 40.

 ⌂ **Roma,** carret. C 1313 ℘ 45 90 03 – 🖿 ⇦⇨. 🖭 E 𝘝𝘐𝘚𝘈. ✄ rest
 Comida *(cerrado lunes)* 1400 – ⌷ 550 – **8 hab** 2500/4000 – PA 2850.

CUDILLERO 33150 Asturias **441** B 11 – 6 538 h. – ❀ 98.

Ver : Muelle : ≼★.

◆Madrid 505 – Gijón 54 – Luarca 53 – ◆Oviedo 61.

 en la carretera N 632 :

 ✗ **Mariño** con hab, Concha de Artedo O : 5 km, ✉ 33155 Concha de Artedo, ℘ 559 11 88
 Fax 559 01 86, ≼ – 📺 ☎ 🅿. 🖭 ⓞ E 𝘝𝘐𝘚𝘈. ✄
 cerrado 30 enero-febrero – **Comida** carta 2900 a 4500 – ⌷ 500 – **10 hab** 4000/7000.

 ✗ **Casa Fernando 2** con hab, El Rellayo O : 4 km, ✉ 33155 El Rellayo, ℘ 559 02 92
 Fax 559 13 82 – 📺 ☎ 🅿. 🖭 ⓞ E 𝘝𝘐𝘚𝘈. ✄
 cerrado 20 diciembre-18 enero – **Comida** carta 3450 a 4650 – ⌷ 400 – **8 hab** 4500/8000

CUÉLLAR 40200 Segovia **442** I 16 – 9 071 h. alt. 857 – ❀ 921.

◆Madrid 147 – Aranda de Duero 67 – ◆Salamanca 138 – ◆Segovia 60 – ◆Valladolid 50.

 ⌂ **San Francisco,** San Francisco 25 ℘ 14 00 09, Fax 14 32 43, 🌤 – 🖿 rest 📺 ☎. 🖭 ⓞ
 E 𝘝𝘐𝘚𝘈 – **Comida** 1060 – ⌷ 250 – **33 hab** 3465/5775.

 ⌂ **Santa Clara,** carret. de Segovia ℘ 14 11 78 – 🅿. ✄
 Comida 900 – ⌷ 200 – **16 hab** 2000/3700 – PA 1700.

 en la carretera CL 601 S : 3,5 km – ✉ 40200 Cuéllar – ❀ 921 :

 ✗✗ **Florida,** ℘ 14 02 75, 🌤 – 🖿 🅿. 𝘝𝘐𝘚𝘈. ✄
 cerrado martes noche salvo festivos (septiembre-mayo), y 15 días en noviembre – **Comida**
 carta 2575 a 3550.

CUENCA 16000 🄿 **444** L 23 – 46 047 h. alt. 923 – ❀ 969.

Ver : Emplazamiento★★ – Ciudad Antigua★★ Y : Catedral : portada de la sala capitular★, Museo
Diocesano★ : díptico bizantino★ **M1** – Casas Colgadas★ : Museo de Arte abstracto★★, Museo
de Cuenca★ **M2** – Plaza de los Descalzos★ **15** – Puente de San Pablo ≼★ **68.**

Alred. : Hoz del Huécar : perspectivas★ Y – Las Torcas★ 20 km por ① – Ciudad Encantada★ NO
25 km Y – 🛈 San Pedro 6, ✉ 16001, ℘ 23 21 19 – R.A.C.E. Teniente González 2 ℘ 21 14 95.

◆Madrid 164 ③ – ◆Albacete 145 ① – Toledo 185 ③ – ◆Valencia 209 ① – ◆Zaragoza 336 ①.

Plano página siguiente

 🏨 **Parador de Cuenca** ⤷, paseo hoz del Huécar, ✉ 16001, ℘ 23 23 20, Fax 23 25 34
 « Antiguo convento junto a la Hoz del Huécar con ≼ », ⚓, ✗ – 🛗 🖿 📺 ☎ ⇦⇨ 🅿 –
 🖾 25/150. 🖭 ⓞ E 𝘝𝘐𝘚𝘈. ✄   Y
 Comida 3500 – ⌷ 1200 – **60 hab** 16000, 2 suites – PA 6970.

 🏨 **Torremangana,** San Ignacio de Loyola 9, ✉ 16002, ℘ 22 33 51, Telex 23400, Fax 22 96 71
 – 🛗 🖿 📺 ☎ ⇦⇨ – 🖾 25/500. 🖭 ⓞ E 𝘝𝘐𝘚𝘈. ✄ rest   Y t
 Comida 2200 – ⌷ 900 – **120 hab** 10800/13500 – PA 4400.

 🏨 **Leonor de Aquitania** sin rest, San Pedro 60, ✉ 16001, ℘ 23 10 00, Fax 23 10 04, ≼ –
 📺 ☎ – 🖾 25/100. 🖭 ⓞ E 𝘝𝘐𝘚𝘈 – **49 hab** ⌷ 5000/10000.   Y

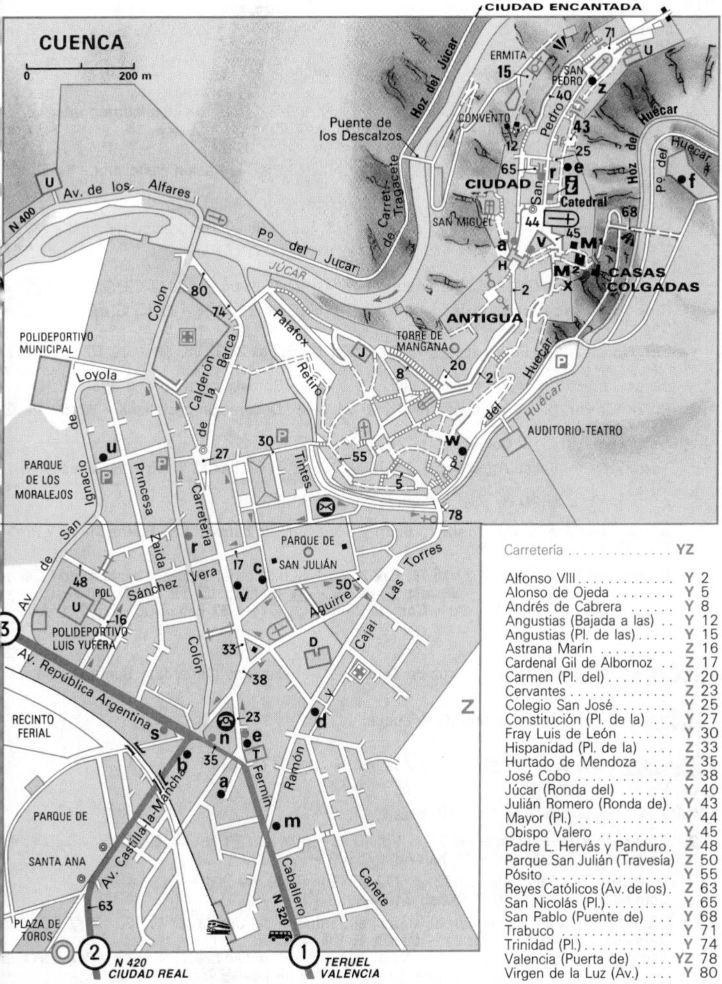

Carretería . . . . YZ

Alfonso VIII . . . . Y 2
Alonso de Ojeda . . . . Y 5
Andrés de Cabrera . . . . . . Y 8
Angustias (Bajada a las) . . Y 12
Angustias (Pl. de las) . . . . . Y 15
Astrana Marín . . . . Z 16
Cardenal Gil de Albornoz . . Z 17
Carmen (Pl. del) . . . . Y 20
Cervantes . . . . Z 23
Colegio San José . . . . Y 25
Constitución (Pl. de la) . . . Y 27
Fray Luis de León . . . . Y 30
Hispanidad (Pl. de la) . . . . Z 33
Hurtado de Mendoza . . . . . Z 35
José Cobo . . . . Z 38
Júcar (Ronda del) . . . . Y 40
Julián Romero (Ronda de) . Y 43
Mayor (Pl.) . . . . Y 44
Obispo Valero . . . . Y 45
Padre L. Hervás y Panduro . Z 48
Parque San Julián (Travesía) Z 50
Pósito . . . . Y 55
Reyes Católicos (Av. de los) . Z 63
San Nicolás (Pl.) . . . . Y 65
San Pablo (Puente de) . . . . Y 68
Trabuco . . . . Y 71
Trinidad (Pl.) . . . . Y 74
Valencia (Puerta de) . . . . . YZ 78
Virgen de la Luz (Av.) . . . . Y 80

Alfonso VIII, parque San Julián 3, ✉ 16002, ☎ 21 25 12, Fax 21 43 25 - |♦| ▤ rest TV ☎ - 🏢 60/500. AE ⓓ E VISA. ⚘ rest Z **c**
Comida 1600 - ☕ 600 - **44 hab** 6300/10000, 4 suites, 6 apartamentos - PA 3800.

Francabel sin rest, av. Castilla-La Mancha 7, ✉ 16003, ☎ 22 62 22, Fax 22 62 22 - |♦| TV ☎ 🚗. E VISA JCB. ⚘ - ☕ 450 - **30 hab** 3800/5600. Z **b**

Cortés sin rest, con cafetería, Ramón y Cajal 49, ✉ 16004, ☎ 22 04 00, Fax 22 04 06 - |♦| TV ☎ 🚗. AE ⓓ VISA. ⚘ - ☕ 175 - **44 hab** 3210/5000. Z **m**

Figón de Pedro sin ☕, Cervantes 13, ✉ 16004, ☎ 22 45 11, Fax 23 11 92 - |♦| TV ☎. AE ⓓ E VISA JCB. ⚘ Z **e**
Comida (ver rest. **Figón de Pedro**) - **28 hab** 3700/5300.

Arévalo sin rest, Ramón y Cajal 29, ✉ 16001, ☎ 22 39 79 - |♦| TV ☎ 🚗. AE VISA. ⚘ ☕ 410 - **35 hab** 3870/5850. Z **d**

Avenida sin rest, Carretería 39 - 1º, ✉ 16002, ☎ 21 43 43, Fax 21 31 49 - |♦| TV ☎ Z **v**
32 hab.

Posada de San José ⛰ sin rest, Julián Romero 4, ✉ 16001, ☎ 21 13 00, Fax 23 03 65, ≤, Decoración rústica - AE ⓓ E VISA Y **e**
☕ 450 - **30 hab** 4000/7800.

Castilla sin rest y sin ☐, Diego Jiménez 4 - 1º, ✉ 16004, ✆ 22 53 57 - TV Z a
15 hab.

Posada Huécar sin rest y sin ☐, paseo del Huecar 5, ✉ 16001, ✆ 21 42 01 - Y w
12 hab.

XX **Mesón Casas Colgadas,** Canónigos, ✉ 16001, ✆ 22 35 09, « Instalado en una de las casas colgadas con ≤ valle del río Huécar » - ▤. AE ⦿ E VISA JCB. ✂ Y x
cerrado martes noche - **Comida** carta 3200 a 5050.

XX **Figón de Pedro,** Cervantes 13, ✉ 16004, ✆ 22 68 21, Decoración castellana - ▤. AE ⦿ E VISA JCB. ✂ Z e
cerrado domingo noche y lunes - **Comida** carta 2650 a 4400.

XX **Casa Marlo,** Colón 59, ✉ 16002, ✆ 21 11 73, Fax 21 38 60, Decoración regional - ▤. AE VISA Z r
Comida carta 3140 a 4350.

X Los Arcos, Severo Catalina 3 (pl. Mayor), ✉ 16001, ✆ 21 38 06, Fax 23 06 23, ☂ - ▤ Y a

X **Rincón de Paco,** Hurtado de Mendoza 3, ✉ 16002, ✆ 21 34 18 - ▤. AE E VISA. ✂ Z n
Comida carta 2450 a 4400.

X **San Nicolás,** San Pedro 15, ✉ 16001, ✆ 21 22 05, Fax 23 22 88, ☂ - ▤. AE ⦿ E VISA. ✂ Y r
cerrado domingo noche y del 7 al 31 de enero - **Comida** carta 3350 a 4950.

X **Plaza Mayor,** pl. Mayor 5, ✉ 16001, ✆ 21 14 96, Decoración castellana - ▤. AE ⦿ E VISA. ✂ Y v
cerrado miércoles - **Comida** carta 2800/3950.

X **Togar,** av. República Argentina 3, ✉ 16002, ✆ 22 01 62, Fax 22 21 55 - ▤. AE ⦿ E VISA. ✂ Z s
cerrado del 1 al 20 de julio - **Comida** carta 2450 a 3100.

por la carretera de Palomera Y : 6 km y a la izquierda carretera de Buenache : 1,2 km - ✉ 16001 Cuenca - ☎ 966 :

Cueva del Fraile ≫, ✆ 21 15 71, Fax 25 60 47, Edificio del siglo XVI restaurado - Decoración castellana, ⛱, ✂ - ▤ rest TV ☎ P - 🏊 25/200. AE ⦿ E VISA. ✂ rest
cerrado 10 enero-25 febrero - **Comida** 2300 - ☐ 675 - **62 hab** 7400/10500, 1 suite - PA 4500.

CUESTA DE LA VILLA Santa Cruz de Tenerife - ver Canarias (Tenerife) : Santa Úrsula.

CUEVA - ver el nombre propio de la cueva.

CULLERA 46400 Valencia 445 O 25 - 19 984 h. - ☎ 96 - Playa.
ℹ del Riu 38 ✆ 172 09 74.
♦Madrid 388 - ♦Alicante/Alacant 136 - ♦Valencia 40.

Carabela II, av. País Valencià 61 ✆ 172 40 70 - |♦| ▤ rest TV ☎ ⇔. AE E VISA JCB. ✂ rest
Comida 1750 - ☐ 400 - **15 hab** 4800/6900 - PA 3300.

La Reina, av. País Valencià 73 ✆ 172 05 63 - ⦿ E VISA. ✂
Comida 1420 - ☐ 320 - **10 hab** 2400/3950 - PA 2700.

XX ✿ **Les Mouettes** (Casa Lagarce)**,** subida al Santuario del Castillo ✆ 172 00 10, ☂, Cocina francesa, « Villa con terraza » - AE ⦿ E VISA JCB. ✂
cerrado domingo noche y lunes (salvo en verano) y 10 diciembre-12 febrero - **Comida** (sólo cena salvo domingo y festivos de 10 febrero a junio) carta 4550 a 6150
Espec. Flan de espárragos con foie-gras de pato (temp), Filete de lubina con calabacín, Carro de repostería y sorbetes.

X **L'Entrecôte,** pl. de Mongrell 4 ✆ 172 04 19 - ▤. AE ⦿ E VISA JCB
cerrado domingo (15 febrero- 15 mayo) y 15 diciembre- 15 enero - **Comida** (sólo cena) carta 2450 a 4200.

en la zona del faro - ✉ 46400 Cullera - ☎ 96 :

Sicania, playa del Racó NE : 4 km ✆ 172 01 43, Fax 173 03 92, ≤, ☂, ⛱ - |♦| ▤ ☎ P - 🏊 25/250. AE ⦿ E VISA. ✂ rest
cerrado 27 noviembre-28 diciembre - **Comida** 1600 - ☐ 850 - **110 hab** 5925/9600, 6 suites - PA 4050.

El CUMIAL Orense - ver Orense.

CUNIT 43881 Tarragona 443 I 34 - 2 427 h. - ☎ 977 - Playa.
♦Madrid 580 - ♦Barcelona 58 - Tarragona 37.

XX **L'Avi Pau,** av. Barcelona 160 ✆ 67 48 61, Fax 67 48 61 - ▤ P. AE ⦿ E VISA. ✂
cerrado lunes noche (salvo julio-agosto) y martes - **Comida** carta 2950 a 5150.

CUZCURRITA RÍO TIRÓN **26214** La Rioja 442 E 21 - 466 h. alt. 519 - 941.
♦Madrid 321 - ♦Burgos 78 - ♦Logroño 54 - ♦Vitoria/Gasteiz 58.

- **El Botero** con hab, San Sebastián 83 30 15 00 - rest. VISA.
  Comida carta 1800 a 3150 - 500 - **12 hab** 3600.

DAIMIEL **13250** Ciudad Real 444 O 19 - 16 214 h. alt. 625 - 926.
♦Madrid 172 - Ciudad Real 31 - Toledo 122 - Valdepeñas 51.

- **Las Tablas** sin rest, con cafetería, Virgen de las Cruces 5 85 21 07, Fax 85 21 89 - . AE E VISA.
  300 - **33 hab** 3250/5750.
- **Las Brujas** con hab, antigua carret. de Madrid NE : 1,7 km 85 22 89 - rest . VISA
  Comida carta aprox. 2800 - 300 - **14 hab** 2300/3500.

en el cruce de las carreteras N 420 y N 430 SO : 3,5 km - 13250 Daimiel - 926

- **Nueva Tierrallana,** 85 27 63, Fax 85 27 63 - . AE E VISA JCB.
  Comida 900 - 300 - **31 hab** 2500/4500 - PA 2000.

DAIMUZ o **DAIMÚS** **46710** Valencia 445 P 29 - 1 263 h. - 96 - Playa.
♦Madrid 420 - Gandía 4 - ♦Valencia 72.

en la playa E : 1 km - 46710 Daimuz - 96 :

- **Olímpico** sin rest, Francisco Pons 2 281 90 31 -
  15 junio-15 septiembre - 330 - **16 hab** 1595/3245.

DANCHARINEA o **DANTXARINEA** **31712** Navarra 442 C 25 - 948.
♦Madrid 475 - ♦Bayonne 29 - ♦Pamplona/Iruñea 80.

- **Lapitxuri** sin rest, 59 90 46, Fax 59 90 46 - . AE E VISA
  enero-10 octubre - 400 - **16 hab** 3500.
- **Menta,** carret. de Francia 59 90 20, Fax 59 90 20 - . VISA
  cerrado lunes noche y martes de octubre a junio - **Comida** carta 2760 a 4460.

DARNIUS **17722** Gerona 443 E 38 - 506 h. alt. 193 - 972.
♦Madrid 759 - Gerona/Girona 52.

- **Darnius** , carret. de Massanet 53 51 17 -
  abril-diciembre - **Comida** *(cerrado jueves)* 950 - 550 - **10 hab** 3900.

DEBA Guipúzcoa - ver Deva.

DEIÁ Palma de Mallorca - ver Baleares (Mallorca) : Deyá.

DENA **36967** Pontevedra 441 E 3 - 986.
♦Madrid 620 - Pontevedra 21 - Santiago de Compostela 65.

- Ría Mar sin rest., 74 41 11, Fax 74 44 01 -
  temp - **65 hab.**

DENIA **03700** Alicante 445 P 30 - 25 157 h. - 96 - Playa.
para Baleares : Cía Flebasa, estación Marítima, 578 41 00.
pl. del Oculista Büigues 9 578 09 57 Fax 578 09 57.
♦Madrid 447 - ♦Alicante/Alacant 92 - ♦Valencia 99.

- **Costa Blanca,** Pintor Llorens 3 578 03 36, Fax 578 30 27 - . AE E VISA.
  Comida 1500 - 425 - **53 hab** 4400/6500 - PA 2900.
- **El Raset,** Bellavista 7 578 50 40, - . AE E VISA.
  cerrado martes de octubre a junio - **Comida** carta 2750 a 3850.
- **Drassanes,** Port 15 578 11 18 - . AE E VISA.
  cerrado lunes y noviembre - **Comida** carta 2000 a 2550.
- **Ticino,** Bellavista 3 578 91 03, , Cocina italiana - . VISA
  cerrado miércoles de octubre a junio - **Comida** carta 1750 a 2600.
- La Barqueta, Bellavista 10 642 16 26, - .

en la carretera de las Rotas - 03700 Denia - 96 :

- **Mesón Troya,** SE : 1 km 578 14 31, , Pescados, mariscos y arroz a banda - . AE VISA.
  cerrado lunes salvo festivos y vísperas - **Comida** carta 4500 a 6000.
- **El Trampolí,** playa SE : 4 km 578 12 96, , Pescados, mariscos y arroz a banda - . AE VISA.
  cerrado domingo noche - **Comida** carta 2400 a 4000.

en la carretera de Las Marinas - ✉ 03700 Denia - ☎ 96 :

Rosa ⛰, Congre 3, NO : 2 km ✆ 578 15 73, Fax 578 15 73, ⛱, 🏊, 🎾 - ▤ 📺 ☎ 🅟. E VISA. ✂ rest
marzo-octubre - **Comida** 1700 - ☕ 600 - **39 hab** 10000.

Los Ángeles ⛰, NO : 5 km ✆ 578 04 58, Fax 642 09 06, ≤, 🎾 - ☎ 🅟. ⓓ E VISA JCB. ✂ rest
abril-octubre - **Comida** 1500 - ☕ 600 - **60 hab** 4700/7500.

El Poblet, urb. El Poblet NO : 3 km ✆ 578 41 79, Fax 578 56 91, ⛱ - ▤. AE ⓓ E VISA. ✂
cerrado lunes salvo en verano - **Comida** carta 2450 a 3200.

Paquebote, playa Almadrava NO : 9 km ✆ 647 42 70, ⛱ - 🅟. AE E VISA. ✂
cerrado lunes y octubre - **Comida** carta 1950 a 3325.

DERIO 48016 Vizcaya 442 C 21 - ☎ 94.
♦Madrid 408 - ♦Bilbao/Bilbo 9 - ♦San Sebastián/Donostia 108.

en la carret. C 6313 N : 3 km - ✉ 48016 Derio - ☎ 94 :

Txakoli Artebakarra, ✆ 454 12 92, ⛱ - 🅟. AE ⓓ E VISA. ✂
cerrado lunes noche, martes, 22 días en febrero y 22 días en agosto - **Comida** carta 3600 a 5250.

LA DERRASA o **A DERRASA** 32792 Orense 441 F 6 - ☎ 988.
♦ Madrid 509 - ♦ Pontevedra 110 - ♦ Orense/Ourense 10.

Roupeiro, Roupeiro (carret C 536) ✆ 38 00 38, Decoración rústica - 🅟. AE VISA. ✂
cerrado domingo y agosto - **Comida** carta 2600 a 3400.

DESFILADERO - ver el nombre propio del desfiladero.

DESIERTO DE LAS PALMAS Castellón - ver Benicasim.

DEVA o **DEBA** 20820 Guipúzcoa 442 C 22 - 5 000 h. - ☎ 943 - Playa.
Alred. : Carretera en cornisa★ de Deva a Lequeitio ≤ ★.
♦Madrid 459 - ♦Bilbao/Bilbo 66 - ♦San Sebastián/Donostia 41.

Urgain, Arenal 5 ✆ 19 11 01 - ▤. AE ⓓ E VISA
cerrado martes noche (salvo en verano) y del 21 al 28 de noviembre - **Comida** carta 3950 a 5800.

Txomin, Puerto 7 ✆ 19 16 60 - E VISA. ✂
cerrado domingo, lunes y martes de (octubre-mayo) - **Comida** carta 3100 a 4250.

DEYÁ Palma de Mallorca - ver Baleares (Mallorca).

DON BENITO 06400 Badajoz 444 P 12 - 28 601 h. alt. 279 - ☎ 924.
♦Madrid 311 - ♦Badajoz 113 - Mérida 49.

Vegas Altas, av. Badajoz (carret. C 520) ✆ 81 00 05, Fax 81 10 13, 🏊, 🎾 - |♦| ▤ 📺 ☎ ♿ 🚗 🅟 - 🏛 25/1000. AE E VISA. ✂
Comida 1750 - ☕ 700 - **77 hab** 6900/8600, 3 suites.

en la carretera de Villanueva E : 2,5 km - ✉ 06400 Don Benito - ☎ 924 :

Veracruz, ✆ 80 13 62, Fax 80 38 51 - |♦| ▤ 📺 ☎ 🅟. VISA. ✂
Comida 1100 - ☕ 250 - **53 hab** 2830/4245 - PA 2450.

DONOSTIA Guipúzcoa - ver San Sebastián.

DOS HERMANAS 41700 Sevilla 446 U 12 - 77 997 h. alt. 42 - ☎ 95.
♦Madrid 547 - ♦Cádiz 108 - Huelva 111 - ♦Sevilla 22.

La Motilla, carret. N IV - O : 1 km ✆ 566 68 16, Fax 566 68 88, 🏊, 🎾 - |♦| ▤ 📺 ☎ 🚗 🅟 - 🏛 25/250. AE ⓓ E VISA. ✂
Comida 2300 - ☕ 1000 - **101 hab** 11500/14400 - PA 5200.

DRACH (Cuevas del) Palma de Mallorca - ver Baleares (Mallorca).

LA DUQUESA (puerto de) Málaga - ver Manilva.

DURANGO 48200 Vizcaya 442 C 22 - 22 492 h. - ☎ 94.
♦Madrid 425 - ♦Bilbao/Bilbo 32 - ♦San Sebastián/Donostia 71 - ♦Vitoria/Gasteiz 40.

Kurutziaga, Kurutziaga 52 ✆ 620 08 64, Fax 620 14 09, 🌳 - |♦| 📺 ☎ 🅟. ⓓ E VISA. ✂ rest
cerrado 24 diciembre-1 enero - **Comida** *(cerrado domingo noche)* 2000 - ☕ 700 - **18 hab** 7750/13250 - PA 3995.

en Goiuria N : 3 km - ✉ 48200 Durango - ☎ 94 :

✗ **Goiuria,** ✆ 681 08 86, Fax 681 08 86, ≤ Durango, valle y montañas - P. AE ⓓ E VISA JCB. ✻
cerrado domingo noche, martes noche y agosto - **Comida** carta aprox. 3300.

✗ Ikuspegi, ✆ 681 10 82, ≤ Durango, valle y montañas - P.

DÚRCAL **18650** Granada 446 V 19 - 5 822 h. alt. 830 - ☎ 958.
♦Madrid 460 - ♦Almería 149 - ♦Granada 30 - ♦Málaga 129.

Mariami sin rest y sin ☕, Comandante Lázaro 82 ✆ 78 04 09 - ☎ 🚗. VISA. ✻
10 hab 3780/4725.

ÉCIJA **41400** Sevilla 446 T 14 - 35 727 h. alt. 101 - ☎ 95.
Ver : Iglesia de Santiago★ (retablo★) - ℹ av. de Andalucía ✆ 4833062.
♦Madrid 458 - Antequera 86 - ♦Cádiz 188 - ♦Córdoba 51 - ♦Granada 183 - Jerez de la Frontera 155 - Ronda 141 - ♦Sevilla 92.

Platería, Garcilópez 1 ✆ 483 50 10, Fax 483 50 10 - |‡| ▤ TV ☎. AE ⓓ E VISA. ✻
Comida *(cerrado lunes)* 2000 - ☕ 350 - **18 hab** 3500/6500 - PA 4500.

Ciudad del Sol (Casa Pirula), av. del Genil ✆ 483 03 00, Fax 483 58 79 - |‡| ▤ TV ☎ P - 🎤 25/40. AE ⓓ E VISA. ✻ rest - **Comida** 1100 - ☕ 250 - **30 hab** 3500/5500.

en la carretera N IV NE : 3 km - ✉ 41400 Écija - ☎ 95 :

Astigi, ✉ apartado 24, ✆ 483 01 62, Fax 483 57 01 - ▤ TV ☎ P. AE E VISA. ✻
Comida 3500 - ☕ 400 - **18 hab** 4720/5660.

ECHEGÁRATE (Puerto de) Guipúzcoa 442 D 23 alt. 658 - ☎ 943.
♦Madrid 409 - ♦Pamplona/Iruñea 48 - ♦San Sebastián/Donostia 63 - ♦Vitoria/Gasteiz 54.

✗ **Buenos Aires,** carret. N I - alto de Echegárate, ✉ 20213 Idiazábal, ✆ 18 70 82, 🏠 - P. AE VISA. ✻
cerrado lunes noche, martes y febrero - **Comida** carta 1700 a 3150.

EGÜÉS **31486** Navarra 442 D 25 - 1 267 h. alt. 491 - ☎ 948.
♦Madrid 395 - ♦Pamplona/Iruñea 10.

✗ Egüés, carret. de Aoiz ✆ 33 00 81, 🏠, Asados a la brasa, « Decoración rústica » - ▤ P.

EIBAR **20600** Guipúzcoa 442 C 22 - 32 108 h. alt. 120 - ☎ 943.
♦Madrid 439 - ♦Bilbao/Bilbo 46 - ♦Pamplona/Iruñea 117 - ♦San Sebastián/Donostia 54.

Arrate sin rest, Ego Gain 5 ✆ 11 72 42, Fax 70 00 74 - |‡| TV ☎ - 🎤 25/80. AE ⓓ E VISA JCB
☕ 650 - **86 hab** 6500/9200.

✗✗ **Eskarne,** Arragüeta 4 ✆ 12 16 50 - ▤. AE ⓓ E VISA
cerrado domingo noche, lunes noche y martes noche - **Comida** carta 3000 a 4100.

EIVISSA Palma de Mallorca - ver Baleares (Ibiza).

El EJIDO **04700** Almería 446 V 21 - 41 700 h. alt. 140 - ☎ 950.
⛳18 Almerimar S : 10 km ✆ 48 09 50.
♦Madrid 586 - ♦Almería 32 - ♦Granada 157 - ♦Málaga 189.

en la carretera de Almería NE : 7 km - ✉ 04700 El Ejido - ☎ 950 :

El Edén, ✆ 58 10 36, Fax 58 05 10, 🏊 - ▤ rest TV ☎ 🚗 P. AE ⓓ E VISA. ✻ rest
Comida 1200 - ☕ 400 - **23 hab** 6000 - PA 2400.

en Almerimar S : 10 km - ✉ 04700 El Ejido - ☎ 950 :

Golf H. Almerimar 🌅, ✆ 49 70 50, Fax 49 70 19, ≤, 🏊, 🌴, 🎾, ⛳18 - |‡| ▤ TV ☎ P - 🎤 25/300. AE ⓓ E VISA. ✻
Comida 2500 - ☕ 1100 - **147 hab** 11000/13000, 2 suites - PA 5000.

Meliá Almerimar 🌅, ✆ 49 70 07, Fax 49 71 45, ≤, 🏋, 🏊, 🏊, 🎾 - |‡| ▤ TV ☎ ♿ P - 🎤 25/1000. AE ⓓ E VISA. ✻
30 marzo-octubre - ***La Barcarola*** *(cocina italiana, cerrado lunes y noviembre-marzo)* **Comida** carta 2200 a 4640 - ***Akebono*** *(Rest. japonés, cerrado martes y noviembre-diciembre)* **Comida** carta 2500 á 4050 - ☕ 1025 - **275 hab** 10500/17100, 3 suites.

✗ **El Segoviano,** ✆ 48 00 84, 🏠 - ▤. AE E VISA. ✻
cerrado Navidades - **Comida** carta 2600 a 3900.

ELCHE o **ELX** **03200** Alicante 445 R 27 - 187 596 h. alt. 90 - ☎ 96.
Ver : El Palmeral★★ - Huerto del Cura★★ Z, Parque Municipal★ Y.
ℹ passeig de l'Estació, ✉ 03202, ✆ 545 38 31.
♦Madrid 406 ③ - ♦Alicante/Alacant 24 ① - ♦Murcia 57 ②.

ELX
ELCHE

Corredora	Z	
Reina Victoria	Z	
Alacant (Av. d')	X	2
Alfonso XII	Z	3
Almórida	Z	4
Antonio Machado (Av. d')	ZX	6
Baix (Pl. de)	Z	7
Balsa dels Moros (Camí)	Y	8
Camí dels Magros	X	10
Camino del Gato	Z	12
Camino de la Almazara	Z	13
Canalejas (Puente de)	Z	15
Conrado del Campo	Z	16
Diagonal del Palau	Y	17
Eres de Santa Llucia	Y	19
Escultor Capuz	Z	20
Estació (Pas. de l')	Y	21
Federico García Lorca	ZX	23
Fernanda Santamaría	Z	24
Fray Luis de León	X	25
Jaime Garcia Miralles	X	27
Jiménez Díaz (Doctor)	Y	28
Jorge Juan	YZ	29
José María Pemán	Z	31
Juan Ramón Jiménez	Z	32
Luis Gonzaga Llorente	Y	33
Maestro Albéniz	Y	35
Major de la Vila	Y	36
Marqués de Asprella	Y	37
Ntra Sra de la Cabeza	Y	39
Pont dels Ortissos	Y	40
Porta d'Alacant	Y	41
Rector	Z	43
Sant Joan (Pl. de)	Z	44
Santa Anna	Z	45
Santa Teresa (Puente)	Z	47
Santa Pola (Av. de)	YX	48
Vicente Amorós Candela	Y	49
Vicente Blasco Ibáñez	YX	51
Xop Il. Licitá	Z	52

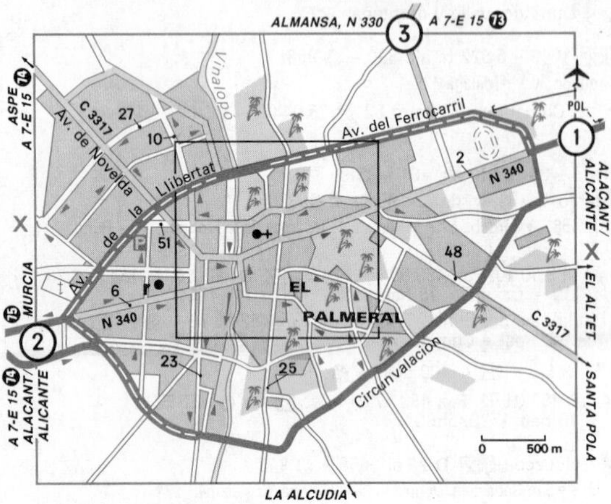

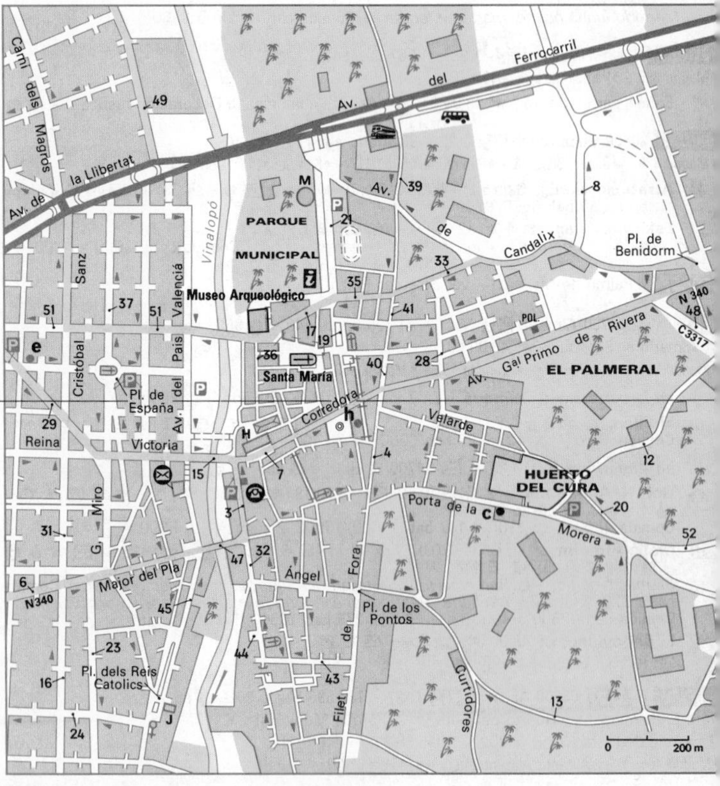

Huerto del Cura (Parador colaborador), Porta de la Morera 14, ✉ 03203, ☎ 545 80 40, Fax 542 19 10, « Pabellones rodeados de jardines en un palmeral », – ▤ TV ☎ P – 25/300. AE E VISA JCB. Z c
Comida 3500 – 1250 – **76 hab** 11000/15000, 4 suites – PA 7000.

Candilejas sin rest y sin , Dr Ferrán 19, ✉ 03201, ☎ 546 65 12, Fax 546 66 52 – ▤ ☎. VISA. X r
cerrado 19 agosto-2 septiembre – **24 hab** 4700.

La Magrana, Partida Altabix 41, ✉ 03291, ☎ 545 82 16, – ▤ P por ①

Mesón El Granaino, Josep María Buch 40, ✉ 03201, ☎ 546 01 47, Mesón típico – ▤. AE E VISA. Y e
cerrado domingo, 2ª y 3ª semana de agosto – **Comida** carta 2300 a 3725.

Enrique, Empedrat 10, ✉ 03203, ☎ 545 15 77 – ▤. E VISA JCB Z h
Comida carta 1850 a 2850.

en la carretera de Alicante por ① : 4 km – ✉ 03200 Elche – 96 :

La Masía de Chencho, ☎ 545 97 47, , « Antigua casa de campo » – ▤ P. AE E VISA
Comida carta 3000 a 3500.

por la carretera de El Altet SE : 4,5 km X – ✉ 03195 El Altet – 96 :

La Finca, Partida de Perleta 1-7 ☎ 545 60 07, , « Casa de campo con terraza ajardinada » – ▤ P. AE E VISA
cerrado domingo noche, lunes y enero – **Comida** carta 4000 a 4500.

ELDA 03600 Alicante 445 Q 27 – 54 010 h. alt. 395 – 96.
Madrid 381 – Albacete 134 – Alicante/Alacant 37 – Murcia 80.

Elda sin rest, av. Chapí 4 ☎ 538 05 56, Fax 538 16 37 – ▤ TV ☎ . AE E VISA.
725 – **37 hab** 4800/8300.

Fayago, Colón 19 ☎ 538 10 13 – ▤. AE E VISA.
cerrado del 8 al 26 agosto – **Comida** carta aprox.3200.

ELIZONDO 31700 Navarra 442 C 25 alt. 196 – 948.
Palacio de Arizcumenea ☎ 58 12 79.
Madrid 452 – Bayonne 53 – Pamplona/Iruñea 57 – St-Jean-Pied-de-Port 35.

Galarza, Santiago 1 ☎ 58 01 01 – P. E VISA.
cerrado martes, 24 septiembre-6 octubre y 15 días en febrero – **Comida** carta 2800 a 3350.

Santxotena, Pedro Axular ☎ 58 02 97, Fax 58 02 97 – VISA
cerrado lunes y 23 diciembre-14 enero – **Comida** carta 2700 a 3700.

ELORRIO 48230 Vizcaya 442 C 22 – 7 309 h. alt. 182 – 94.
Madrid 395 – Bilbao/Bilbo 40 – San Sebastián/Donostia 73 – Vitoria/Gasteiz 46.

Villa de Elorrio , barrio San Agustín-carret. de Durango 1 km ☎ 623 15 55, Fax 623 16 63 – ▤ rest TV ☎ P – 25/75
17 hab.

ELX Alicante – ver Elche.

EMPURIABRAVA Gerona – ver Ampuriabrava.

ENCAMP Andorra – ver Andorra (Principado de).

ERRENTERIA Guipúzcoa – ver Rentería.

ERTS – ver Andorra : Arinsal.

La ESCALA o **L'ESCALA** 17130 Gerona 443 F 39 – 5 142 h. – 972 – Playa.
Alred. : Ampurias★ (ruinas griegas y romanas), emplazamiento★ N : 2 km.
pl. de Les Escoles 1, ☎ 77 06 03, Fax 10 33 85.
Madrid 748 – Barcelona 135 – Gerona/Girona 41.

Nieves-Mar, passeig Marítim 8 ☎ 77 03 00, Fax 10 36 05, ≤ mar, , – ▤ rest TV ☎ P – 25/70. AE E VISA
abril-octubre – **Comida** 2650 – 775 – **80 hab** 4650/8500 – PA 5150.

Voramar, passeig Lluis Albert 2 ☎ 77 01 08, Fax 77 03 77, ≤, , – ☎. AE E VISA
cerrado 15 diciembre-12 febrero – **Comida** 1995 – 575 – **36 hab** 3780/7560 – PA 3900.

El Roser, Iglesia 7 ☎ 77 02 19, Fax 77 09 77 – ▤ rest TV P. AE E VISA. rest
Comida *(cerrado noviembre)* 1250 – 500 – **25 hab** 3250/4750 – PA 2400.

XX **Els Pescadors,** Port d'en Perris 3 ✆ 77 07 28, Fax 77 07 28, ≤ - ▤. AE ⓓ E VISA. ✻
cerrado domingo noche (15 octubre-30 marzo) jueves (15 septiembre-15 junio) y noviembre - **Comida** carta 2675 a 4350.

XX **Miryam** con hab, ronda del Padró 4 ✆ 77 02 87, Fax 77 22 02 - ▤ rest TV ☎ P. E VISA
cerrado 11 diciembre-19 enero - **Comida** *(cerrado jueves)* carta 3275 a 6400 - ☐ 60 - **14 hab** 5000.

XX **El Roser 2,** passeig Lluís Albert 1 ✆ 77 11 02, Fax 77 09 77, ≤, ☂ - ▤. AE ⓓ E VISA ✻
cerrado miércoles y febrero - **Comida** carta 3250 a 5950.

X **L'Avi Freu,** passeig Lluís Albert 7 ✆ 77 12 41, ≤, ☂ - ▤. AE ⓓ E VISA. ✻
cerrado lunes en invierno y noviembre - **Comida** carta 2600 a 6100.

en Port-Escala E : 2 km - ✉ 17130 La Escala - ☎ 972 :

XX Cafè Navili, Romeu de Corbera ✆ 77 12 01 - ▤.

en Sant Martí d'Empuries NO : 2 km - ✉ 17130 La Escala - ☎ 972 :

X Mesón del Conde, pl. Iglesia 4 ✆ 77 03 06.

ESCALANTE 39795 Cantabria 442 B 19 - 711 h. alt. 7 - ☎ 942.
♦Madrid 479 - ♦Bilbao/Bilbo 82 - ♦Santander 42.

🏠 **Las Solanas de Escalante** ⛰ sin rest, San Juan ✆ 67 78 10 - TV ☎. AE VISA
☐ 500 - **12 hab** 5000/7000.

XXX ✿ **San Román de Escalante** ⛰ con hab, carret. de Castillo 1,5 km ✆ 67 77 28 Fax 67 76 43, ≤, Decoración elegante en un marco rústico, ☂ - ▤ TV ☎ P. AE ⓓ E VISA ✻ rest
cerrado 11 diciembre-10 enero - **Comida** *(cerrado domingo noche y lunes salvo en Semana Santa y junio-septiembre)* carta 4150 a 5750 - ☐ 975 - **8 hab** 18000
Espec. Ensalada de anchoas marinadas al hinojo, Noisette de solomillo con salsa bearnesa, Crema helada de frutos secos al moscatel sobre salsa de nueces.

Les ESCALDES ENGORDANY Andorra - ver Andorra (Principado de).

La ESCALERUELA Teruel - ver Sarrión.

ESCALONA 45910 Toledo 444 L 16 - 1 763 h. alt. 550 - ☎ 925.
♦Madrid 86 - Ávila 88 - Talavera de la Reina 55 - Toledo 54.

X El Mirador con hab, carret. de Ávila 2 ✆ 78 00 26, ≤ - ▤ rest
10 hab.

ESCORCA Palma de Mallorca - ver Baleares (Mallorca).

El ESCORIAL 28280 Madrid 444 K 17 - 7 026 h. alt. 1 030 - ☎ 91.
♦Madrid 55 - Ávila 65 - ♦Segovia 50.

🏠 **Escorial,** Arias Montano 12 ✆ 890 13 61, Fax 896 09 02, ☂ - ▤. E VISA. ✻
Comida 1350 - ☐ 500 - **32 hab** 5400/6900.

Ver también : ***San Lorenzo de El Escorial*** NO : 3 km..

ESCUNHAU Lérida - ver Viella.

ESPASANTE 15339 La Coruña 441 A 6 - ☎ 981.
♦ Madrid 615 - ♦ La Coruña/A Coruña 107 - Lugo 104 - Viveiro 28.

X **Planeta,** puerto N : 1 km ✆ 40 83 66, ≤, Pescados y mariscos - AE ⓓ E VISA. ✻
cerrado 1ª quincena de noviembre - **Comida** carta 2200 a 4400.

La ESPINA 33891 Asturias 441 B 10 y 11 alt. 660 - ☎ 98.
♦Madrid 494 - ♦Oviedo 59.

🏠 **Casa Aurelio,** El Cruce 2 ✆ 583 70 10, Fax 583 73 73 - ▤ rest TV ☎ 🚗. AE ⓓ E VISA. ✻
cerrado 25 diciembre-8 enero - **Comida** *(cerrado domingo)* 1250 - ☐ 350 - **14 hab** 4000/5500 - PA 2850.

El ESPINAR 40400 Segovia 442 J 17 - 5 101 h. alt. 1 260 - ☎ 921.
♦Madrid 62 - Ávila 41 - ♦Segovia 30.

🏠 **La Típica,** pl. de España, 11 ✆ 18 10 87 - ▤ rest. AE VISA. ✻
cerrado 15 días en octubre - **Comida** 1800 - ☐ 250 - **23 hab** 3300/5000.

🏠 **Casa Marino,** Marqués de Perales 11 ✆ 18 23 39 - ▤ rest TV. VISA. ✻
(cerrado 2ª quincena de septiembre) - **Comida** *(cerrado domingo noche de octubre a junio)* 1200 - ☐ 300 - **17 hab** 3800/4500 - PA 2200.

ESPIRDO **40191** Segovia 442 J 17 - 186 h. alt. 1 062 - ✆ 921.
♦Madrid 93 - ♦Segovia 6.

La Posada, pl. Mayor ✆ 44 90 09 -
23 hab.

ESPLUGA DE FRANCOLÍ o **L'ESPLUGA DE FRANCOLÍ** **43440** Tarragona 443 H 33 - 3 602 h. alt. 414 - ✆ 977.
♦Madrid 521 - ♦Barcelona 123 - ♦Lérida/Lleida 63 - Tarragona 39.

Hostal del Senglar, pl. Montserrat Canals ✆ 87 01 21, Fax 87 10 12, « Jardín - Rest. típico », - rest - 25/150. AE E VISA.
cerrado 2ª quincena de enero - **Comida** 2400 - 475 - **40 hab** 3600/6100.

ESPLUGUES DE LLOBREGAT Barcelona - ver Barcelona : Alrededores.

ESPONELLÀ **17832** Gerona 443 F 38 - 383 h. - ✆ 972.
♦Madrid 739 - Figueras/Figueres 19 - Gerona/Girona 30.

Can Roca, av. Carlos de Fortuny 1 ✆ 59 70 12, - . AE E VISA.
cerrado martes no festivos y 12 septiembre-3 octubre - **Comida** carta 1900 a 3300.

ESPOT **25597** Lérida 443 E 33 - 239 h. alt. 1 340 - ✆ 973 - Deportes de invierno en Super Espot : 4.
Alred. : O : Parque Nacional de Aigües Tortes★★.
Prat del Guarda 2, ✆ 62 40 36, Fax 62 40 36.
♦Madrid 619 - ♦Lérida/Lleida 166.

Saurat, pl. San Martín ✆ 62 41 62, Fax 62 40 37, ←, - rest . AE E VISA.
rest
15 enero-2 noviembre - **Comida** 1700 - 600 - **52 hab** 3385/7365 - PA 3400.

ESQUEDAS **22810** Huesca 443 F 28 - 147 h. alt. 509 - ✆ 974.
Alred. : Castillo de Loarre★★ (※ ★★) NO : 19 km.
♦Madrid 404 - Huesca 14 - ♦Pamplona/Iruñea 150.

Venta del Sotón, carret. A 132 ✆ 27 02 41, Fax 27 01 61, « Interior rústico » - . AE E VISA JCB.
cerrado domingo noche, lunes y febrero - **Comida** carta 2950 a 5100.

S'ESTANYOL (Playa de) Palma de Mallorca - ver Baleares (Ibiza) : San Antonio de Portmany.

ESTARTIT o **L'ESTARTIT** **17258** Gerona 443 F 39 - ✆ 972 - Playa.
passeig Marítim 47, ✆ 75 89 10, Fax 75 76 19.
♦Madrid 745 - Figueras/Figueres 39 - Gerona/Girona 36.

Bell Aire, Església 39 ✆ 75 81 62, Fax 75 85 28, - . AE VISA.
Semana Santa-octubre - **Comida** 1200 - 475 - **76 hab** 4800/7585.

Miramar, av. de Roma 21 ✆ 75 86 28, Fax 75 75 00, , , - . E VISA. rest
mayo-1 noviembre - **Comida** 1650 - 625 - **64 hab** 5000/11400 - PA 2700.

La Masía, carret. de Torroella O : 1 km ✆ 75 81 78, Fax 75 99 00, , , - rest
. AE E VISA. rest
7 abril- 5 noviembre - **Comida** 1200 - 650 - **77 hab** 4000/6950 - PA 2475.

La Gaviota, passeig Marítim 92 ✆ 75 84 19, - . AE E VISA.
cerrado noches de lunes a miércoles (en invierno) y 7 noviembre-10 diciembre - **Comida** carta 2500 a 4450.

ESTELLA o **LIZARRA** **31200** Navarra 442 D 23 - 13 569 h. alt. 430 - ✆ 948.
Ver : Palacio de los Reyes de Navarra★ - Iglesia San Pedro de la Rúa : (portada★, claustro★) - Iglesia de San Miguel : (fachada★, altorrelieves★★).
Alred. : Monasterio de Irache★ (iglesia★) S : 3 km - Monasterio de Iranzu (garganta★) N : 10 km.
San Nicolás 1 ✆ 55 40 11 (Semana Santa-octubre).
♦Madrid 380 - ♦Logroño 48 - ♦Pamplona/Iruñea 45 - ♦Vitoria/Gasteiz 70.

Navarra, Gustavo de Maeztu 16 (Los Llanos) ✆ 55 10 69, Decoración navarro-medieval, « Villa rodeada de jardín » - . AE VISA.
cerrado domingo noche, lunes y 18 diciembre-4 enero - **Comida** carta 3100 a 4700.

Richard, av. de Yerri 10 ✆ 55 13 16 - . AE E VISA.
cerrado lunes y 1ª quincena de septiembre - **Comida** carta 3500 a 5100.

Rochas, Príncipe de Viana 16 ✆ 55 10 40 - .

ESTELLENCHS o **ESTELLENCS** Palma de Mallorca - ver Baleares (Mallorca).

ESTEPONA 29680 Málaga **446** W 14 – 36 307 h. – ✿ 95 – Playa.

🛏 El Paraíso NE : 11,5 km por N 340 ✆ 278 30 00 – 🛏 Atalaya Park ✆ 278 18 94.

🛈 paseo Marítimo Pedro Manrique ✆ 280 09 13, Fax 279 21 81.

◆Madrid 640 – Algeciras 51 – ◆Málaga 85.

XX **La Sartén,** av. Juan Carlos I "la Colina Blanca" ✆ 279 09 48 – 🗏. 🗚 **E** 𝘝𝘐𝘚𝘈. ⌾
cerrado martes – **Comida** carta 3000 a 3300.

XX **Robbies,** Jubrique 11 ✆ 280 21 21 – 🗏. **E** 𝘝𝘐𝘚𝘈. ⌾
cerrado lunes y febrero – **Comida** (sólo cena) carta 3400 a 4400.

X **Costa del Sol,** San Roque 23 ✆ 280 11 01, Cocina francesa – 🗏. 🗚 **E** 𝘝𝘐𝘚𝘈
Comida carta 1900 a 3230.

en el puerto deportivo – ⌧ 29680 Estepona – ✿ 95 :

XX **El Cenachero,** ✆ 280 14 42, 🍽 – 🗚 ① **E** 𝘝𝘐𝘚𝘈
cerrado martes y febrero – **Comida** carta 2400 a 3500.

X Rafael, ✆ 280 23 41, 🍽 – 🗏 – temp.

en la carretera de Málaga – ⌧ 29680 Estepona – ✿ 95 :

🏨 **El Paraíso** ⌾, urb. El Paraíso NE : 11,5 km y desvío 1,5 km ✆ 288 30 00, Fax 288 20 19,
≤ mar y montaña, Servicios de terapéutica, 🛁, ⿻, ⿻, ⿻, ✵ – 🕼 🗏 📺 ☎ ᵫ ⓟ –
🔏 25/120. 🗚 ① **E** 𝘝𝘐𝘚𝘈. ⌾
Comida (sólo buffet) 3000 – ⌼ 1000 – **182 hab** 15600/21000, 4 suites.

🏨 **Atalaya Park** ⌾, NE : 12,5 km y desvío 1 km ✆ 288 48 01, Telex 77210, Fax 288 57 35,
≤, 🍽, « Extenso jardín con arbolado », 🛁, ⿻, ⿻, ✵, 🛏 – 🕼 🗏 📺 ☎ ⓟ – 🔏 25/600.
🗚 ① **E** 𝘝𝘐𝘚𝘈
Comida (sólo buffet) 2900 – **416 hab** ⌼ 16070/27660, 32 suites – PA 5620.

XX **De Medici,** NE : 11 km ✆ 288 46 87, 🍽, Cocina italiana – 🗏. **E** 𝘝𝘐𝘚𝘈. ⌾
Comida (sólo cena) carta 2700 a 4500.

XX **La Alcaría de Ramos,** urb. El Paraíso NE : 11,4 km y desvío 1,5 km ✆ 288 61 78, 🍽 –
E 𝘝𝘐𝘚𝘈. ⌾
cerrado domingo – **Comida** (sólo cena) carta 2000 a 2500.

XX **La Alcaría Chica,** Centro Comercial Costasol NE : 11 km ✆ 288 46 54 – **E** 𝘝𝘐𝘚𝘈
cerrado domingo, enero y febrero – **Comida** (sólo cena) carta 1425 a 1800.

X **El Rocío,** NE : 2 km ✆ 280 00 46, 🍽 – ⓟ. 🗚 ① **E** 𝘝𝘐𝘚𝘈. ⌾
cerrado 15 días en mayo – **Comida** carta 2100 a 2950.

X Benamara, NE : 11,4 km ✆ 288 37 67, Cocina marroquí – 🗏 ⓟ
Comida (sólo cena salvo domingo).

ESTERRI DE ANEU o **ESTERRI D'ÁNEU** 25580 Lérida **443** E 33 – 446 h. alt. 957 – ✿ 973.

🛈 Major 6, ✆ 62 60 05, Fax 62 60 05.

◆Madrid 624 – ◆Lérida/Lleida 168 – Seo de Urgel/La Seu d'Urgell 84.

🏨 **Esterri Park H.,** Major 69 ✆ 62 63 88, Fax 62 62 79, 🍽 – 🕼 🗏 rest 📺 ☎ ⓟ. 🗚 **E** 𝘝𝘐𝘚𝘈. ⌾
cerrado 13 octubre-27 diciembre – **Comida** 1500 – **24 hab** 5100/8200 – PA 3500.

La ESTRADA o **A ESTRADA** 36680 Pontevedra **441** D 4 – 21 947 h. – ✿ 986.

◆Madrid 599 – Orense/Ourense 100 – Pontevedra 44 – Santiago de Compostela 28.

🏨 **Milano** ⌾, carret. de Cuntis 1 km ✆ 57 35 35, Fax 57 35 10, 🍽, 🍽, ✵ – 🕼 📺 ☎ ⓟ
– 🔏 25/200. 🗚 ① **E** 𝘝𝘐𝘚𝘈. ⌾ rest
Comida 1250 – ⌼ 500 – **41 hab** 5350/8375 – PA 3825.

X **Nixon,** av. de Puenteareas 1 ✆ 57 02 61 – 🗚 **E** 𝘝𝘐𝘚𝘈. ⌾
cerrado lunes y noviembre – **Comida** carta 2750 a 4100.

EUGUI o **EUGI** 31638 Navarra **442** D 25 alt. 620 – ✿ 948.

◆Madrid 422 – ◆Pamplona/Iruñea 27 – St-Jean-Pied-de-Port 63.

🏨 **Quinto Real** ⌾, ✆ 30 40 44, Fax 30 40 44, ≤ – ⓟ. 🗚 𝘝𝘐𝘚𝘈. ⌾
cerrado enero – **Comida** 1450 – ⌼ 500 – **18 hab** 5800 – PA 2600.

EZCARAY 26280 La Rioja **442** F 20 – 1 704 h. alt. 813 – ✿ 941 – Deportes de invierno en Valdezcaray.

◆Madrid 316 – ◆Burgos 73 – ◆Logroño 61 – ◆Vitoria/Gasteiz 80.

🏨 **Echaurren,** Héroes del Alcázar 2 ✆ 35 40 47, Fax 42 71 33 – 🕼 🗏 rest 📺 ☎. 🗚 ① **E**
𝘝𝘐𝘚𝘈. ⌾ rest
cerrado noviembre – **Comida** (cerrado domingo noche en invierno) carta 2600 a 4160 –
⌼ 540 – **26 hab** 3700/6900, 6 apartamentos.

🏨 **Iguareña,** Lamberto F. Muñoz 14 ✆ 35 41 44, Fax 35 41 44 – 🕼 🗏 rest 📺 ☎. 🗚 **E** 𝘝𝘐𝘚𝘈. ⌾
Comida 1400 – ⌼ 275 – **25 hab** 3700/5985 – PA 2600.

X **El Rincón del Vino,** av. Jesús Nazareno 2 ✆ 35 43 75, Exposición y venta de vinos y
productos típicos de La Rioja, « Rústico regional » – ⓟ. 🗚 ① **E** 𝘝𝘐𝘚𝘈. ⌾
cerrado miércoles (salvo en verano) y 1ª quincena de junio – **Comida** carta 2300 a 3950.

FANALS playa de Gerona - ver Lloret de Mar.

FELANITX Palma de Mallorca - ver Baleares (Mallorca).

FELECHOSA 33688 Asturias 442 C 13 - 98.
♦Madrid 467 - Gijón 86 - Mieres 37 - ♦Oviedo 56.

Casa El Rápido, carret. General 6 548 70 51 - TV. E VISA.
Comida *(cerrado lunes)* 950 - 400 - **9 hab** 2500/5000 - PA 2250.

FENE 15500 La Coruña 441 B 5 - 14 759 h. alt. 30 - 981.
♦Madrid 609 - ♦La Coruña/A Coruña 58 - Ferrol 6 - Santiago de Compostela 94.

Perlío, av. de las Pías 25 34 20 11, Fax 34 20 59 - TV. E VISA.
Comida (ver rest. **Perlío**) - **29 hab** 3500/5700.

XX **Perlío,** av. de Las Pías 25 34 20 11, Fax 34 20 59 - E VISA.
Comida carta 2250 a 2650.

FERRERÍAS o **FERRERIES** Palma de Mallorca - ver Baleares (Menorca).

FERROL 15400 La Coruña 441 B 4 - 85 132 h. - 981 - Playa - Iberia 31 92 90.
Magdalena 12, 15402, 31 11 79.
♦Madrid 608 - ♦La Coruña/A Coruña 61 - Gijón 321 - ♦Oviedo 306 - Santiago de Compostela 103.

Parador de Ferrol, Almirante Fernández Martín, 15401, 35 67 20, Fax 35 67 20, « Edificio de estilo regional » - rest TV - 25/100. AE E VISA.
Comida 3200 - 1100 - **39 hab** 11500 - PA 6375.

El Suizo sin rest, con cafetería, Dolores 67, 15402, 30 04 00, Fax 30 03 06 - TV. AE E VISA.
650 - **34 hab** 7780/10800.

Almirante y Rest. Gavia, María 2, 15402, 32 53 11, Fax 32 53 11 - TV - 25/200. AE E VISA.
Comida *(cerrado domingo noche y lunes mediodía)* carta 1950 a 2700 - 750 - **117 hab** 5000/7500.

Almendra sin rest, Almendra 4, 15402, 35 81 90 - TV - **40 hab.**

Ryal sin rest, Galiano 43, 15402, 35 07 99 - . AE E VISA.
340 - **40 hab** 3400/5400.

XXX **Borona,** Dolores 52, 15402, 35 50 99 - AE E VISA.
cerrado domingo, lunes mediodía en verano, lunes noche en invierno y del 20 al 30 de junio - **Comida** carta 3200 a 4400.

XX **O'Parrulo,** av. Catabois 401, 15405, 31 86 53, Fax 32 35 31 - . AE E VISA.
cerrado domingo, miércoles noche, del 1 al 15 de agosto y 24 diciembre-7 enero - **Comida** carta 3000 a 4050.

XX **O'Xantar,** Real 182, 15401, 35 51 18 - . AE E VISA.
Comida carta 2900 a 4200.

X **Moncho,** Dolores 44, 15402, 35 39 94 - AE E VISA.
cerrado del 15 al 30 de septiembre - **Comida** *(cerrado domingo salvo julio, agosto y septiembre)* carta 2400 a 3500.

X **Pataquiña,** Dolores 35, 15402, 35 23 11 - AE E VISA JCB
cerrado domingo noche de octubre-julio - **Comida** carta 2950 a 3800.

X **Casa Rivera,** Galiano 57, 15402, 35 07 59 - AE E VISA.
cerrado domingo noche y festivos noche - **Comida** carta 1800 a 3050.

FIGUERAS 33794 Asturias 441 B 8 - 98.
♦Madrid 593 - Lugo 92 - ♦Oviedo 150.

Palacete Peñalba , El Cotarelo 563 61 25, Fax 563 62 47, « Palacete de estilo modernista », - TV . AE E VISA.
Comida (ver rest. **Peñalba**) - 650 - **10 hab** 10000, 2 suites.

XX **Peñalba,** av. Trenor - puerto 563 61 66, ≤ - AE E VISA.
Comida carta 4200 a 5800.

FIGUERAS o **FIGUERES** 17600 Gerona 443 F 38 - 35 301 h. alt. 30 - 972.
Ver : Museo-Teatro Dalí★★.
18 Torremirona Golf Club, Navata SO : 7 km, 55 37 37 - pl. del Sol 50 31 55.
♦Madrid 744 - Gerona/Girona 37 - ♦Perpignan 58.

President, ronda Firal 33 50 17 00, Fax 50 19 97 - TV . AE E VISA
Comida 2000 - 650 - **76 hab** 5500/9000 - PA 4650.

Duràn, Lasauca 5 50 12 50, Fax 50 26 09 - TV - 25/80. AE E VISA
Comida (ver rest. **Duràn**) - 650 - **65 hab** 5700/7800.

Travé, carret. de Olot ✆ 50 05 91, Fax 67 14 83, – rest – 25/150. VISA. rest
Comida 1700 – 600 – **72 hab** 3500/5800 – PA 3700.

Pirineos, ronda Barcelona 1 ✆ 50 03 12, Telex 56277, Fax 50 07 66 – rest. E VISA. rest
Comida (sólo cena) 2100 – 550 – **53 hab** 5700/7200 – PA 4200.

Ronda, ronda Barcelona 104 ✆ 50 39 11, Fax 50 16 82 – rest. E VISA. rest
Comida 1300 – 550 – **45 hab** 3200/5400.

Los Ángeles sin rest, Barceloneta, 10 ✆ 51 06 61, Fax 51 07 00 – . E VISA
545 – **45 hab** 3220/4830.

Duràn, Lasauca 5 ✆ 50 12 50, Fax 50 26 09 – . E VISA
Comida carta 3950 a 5100.

Viarnés, Pujada del Castell 23 ✆ 50 07 91 – . E VISA JCB
cerrado domingo noche y lunes (salvo agosto), 1ª quincena de junio y 1ª quincena de noviembre – **Comida** carta 2950 a 4050.

en la carretera N II (antigua carretera de Francia) – ✉ 17600 Figueras – 972 :

Ampurdán, N : 1,5 km ✆ 50 05 62, Telex 57032, Fax 50 93 58, – . E VISA. rest
Comida carta 4200 a 6500 – 910 – **39 hab** 7200/10500, 3 suites
Espec. Lasaña de puerros y menestra de verduras, Cabeza de pescado al horno con espardenyes, Liebre a la Royal (temp)..

Bon Retorn, S : 2,5 km ✆ 50 46 23, Fax 67 39 79, – rest. E VISA. rest
Comida *(cerrado lunes mediodía)* 2000 – 600 – **50 hab** 4000/7500 – PA 3740.

en la carretera de Olot SO : 5 km – ✉ 17742 Avinyonet de Puigventós – 972 :

Mas Pau con hab, ✆ 54 61 54, Fax 54 63 26, , « Antigua masía con jardín y » – hab . E VISA
cerrado 10 enero- 15 marzo – **Comida** *(cerrado lunes mediodía en verano, domingo noche y lunes resto del año)* carta 3100 a 5100 – 1200 – **6 hab** 12000, 1 suite.

FINISTERRE o FISTERRA 15155 La Coruña 441 D 2 – 4 964 h. – 981 – Playa.

♦Madrid 733 – ♦La Coruña/A Coruña 115 – Santiago de Compostela 131.

Finisterre, Federico Ávila 8 ✆ 74 00 00, Fax 74 00 54 – . E VISA.
Comida 1800 – 500 – **36 hab** 4500/6000 – PA 3800.

FIOBRE La Coruña – ver Bergondo.

FISCAL 22373 Huesca 443 E 29 – 249 h. alt. 768 – 974.

♦Madrid 534 – Huesca 144 – ♦Lérida/Lleida 160.

Río Ara, carret. de Ordesa ✆ 50 30 20, ≤ –
26 hab.

FISTERRA La Coruña – ver Finisterre.

FITERO 31593 Navarra 442 F 24 – 2 109 h. alt. 223 – 948 – Balneario.

♦Madrid 308 – ♦Pamplona/Iruñea 93 – Soria 82 – ♦Zaragoza 105.

en Baños de Fitero O : 4 km – ✉ 31593 Fitero – 948 :

Virrey Palafox , ✆ 77 62 75, Fax 77 62 25, de agua termal, , – . VISA. rest
15 marzo-15 diciembre – **Comida** 3125 – 1100 – **63 hab** 5850/8650 – PA 4950.

Baln. G. Adolfo Bécquer , ✆ 77 61 00, Fax 77 62 25, , de agua termal, , – rest . VISA. rest
15 marzo-15 diciembre – **Comida** 3125 – 1100 – **193 hab** 5850/8650 – PA 4950.

FONTANILLES 17257 Gerona 443 F 39 – 90 h. – 972.

♦Madrid 740 – Figueras/Figueres 44 – Gerona/Girona 38.

Can Bech, Major 12 ✆ 75 93 17, Antigua masía – . E VISA
junio-septiembre y fines de semana resto del año (salvo 12 diciembre-12 enero) – **Comida** *(sólo cena de junio a septiembre salvo fines de semana)* carta 2600 a 3900.

FONTSCALDES 43813 Tarragona 443 I 33 - ☎ 977.
♦Madrid 540 - ♦Barcelona 100 - ♦Lérida/Lleida 76 - Tarragona 26.

en la carretera N 240 N : 3 km - ✉ 43813 Fontscaldes - ☎ 977 :

Les Espelmes, ✆ 60 10 42, ≤, - ▤ Ⓟ
cerrado miércoles y 15 mayo-21 junio - **Comida** carta 2400 a 3900.

FORCALL 12310 Castellón de la Plana 445 K 29 - 569 h. - ☎ 964.
♦Madrid 423 - Castellón de la Plana/Castelló de la Plana 110 - Teruel 122.

Aguilar sin rest. y sin ☕, av. III Centenario 1 ✆ 17 11 06, Fax 17 11 06 - TV Ⓟ
15 hab 1450/2900.

Mesón de la Vila, pl. Mayor 8 ✆ 17 11 25, Decoración rústica - ▤. E VISA.
cerrado 15 octubre-5 noviembre - **Comida** carta 1400 a 2550.

FORMENTERA Palma de Mallorca - ver Baleares.

FORMENTOR (Cabo de) Palma de Mallorca - ver Baleares (Mallorca).

El FORMIGAL Huesca - ver Sallent de Gállego.

FORNELLS Palma de Mallorca - ver Baleares (Menorca).

FORTUNA (Balneario de) 30630 Murcia 445 R 26 - 6 081 h. alt. 240 - ☎ 968 - Balneario.
♦Madrid 388 - ♦Albacete 141 - ♦Alicante/Alacant 96 - ♦Murcia 25.

Victoria , ✆ 68 50 11, Fax 68 50 87, de agua termal, , - Ⓟ. E VISA.
cerrado enero y febrero - **Comida** 2080 - ☕ 350 - **51 hab** 4780/7380 - PA 3800.

Balneario , ✆ 68 50 11, Fax 68 50 87, de agua termal, , - TV Ⓟ. E VISA.
Comida 2180 - ☕ 500 - **58 hab** 4350/7380 - PA 4100.

España , ✆ 68 50 11, Fax 68 50 87, de agua termal, , - Ⓟ. E VISA.
cerrado enero - **Comida** 1390 - ☕ 290 - **54 hab** 2600/3260 - PA 2600.

FORUA 48393 Vizcaya 442 BC 21 - 962 h. - ☎ 94.
♦Madrid 430 - ♦Bilbao/Bilbo 37 - ♦San Sebastián/Donostia 85 - ♦Vitoria/Gasteiz 70.

Baserri Maitea, NO : 1,5 km ✆ 625 34 08, Fax 625 57 88, Caserío del siglo XVIII - Ⓟ. AE E VISA.
cerrado domingo noche y 23 diciembre-5 enero - **Comida** carta aprox. 5200.

Torre Barri, Torre Barri 4 ✆ 625 25 07 - ▤. AE E VISA.
cerrado miércoles y febrero - **Comida** carta 3000 a 4600.

La FOSCA Gerona - ver Palamós.

FOZ 27780 Lugo 441 B 8 - 9 446 h. - ☎ 982.
Alred. : Iglesia de San Martín de Mondoñedo : (capiteles★) S : 2,5 km.
Álvaro Cunqueiro ✆ 14 00 27.
♦Madrid 598 - ♦La Coruña/A Coruña 145 - Lugo 94 - ♦Oviedo 194.

FRAGA 22520 Huesca 443 H 31 - 11 591 h. alt. 118 - ☎ 974.
♦Madrid 436 - Huesca 108 - ♦Lérida/Lleida 27 - Tarragona 119.

Casanova, av. de Madrid 54 ✆ 47 19 90, Fax 45 37 88, - ▤ TV ☎ Ⓟ - 25/200. AE E VISA. rest
Comida 1100 - ☕ 700 - **89 hab** 9000/15000 - PA 2635.

La FRANCA 33590 Asturias 441 B 16 - ☎ 98 - Playa.
♦Madrid 438 - Gijón 114 - ♦Oviedo 124 - ♦Santander 81.

Mirador de la Franca , playa O : 1,2 km ✆ 541 21 45, Fax 541 21 53, ≤, - TV ☎ Ⓟ. AE E VISA. rest
marzo-octubre - **Comida** 1700 - **52 hab** ☕ 7000/11000.

FREGENAL DE LA SIERRA 06340 Badajoz 444 R 10 - 5 436 h. alt. 579 - ☎ 924.
♦Madrid 445 - Aracena 55 - ♦Badajoz 97 - Jerez de los Caballeros 22 - Monesterio 43.

Cristina, El Puerto ✆ 70 00 40, Fax 70 10 33, - ▤ TV ☎ Ⓟ - 25/400. AE VISA.
Comida *(cerrado lunes salvo festivos)* 2000 - ☕ 350 - **39 hab** 5600/7000.

FRESNO DE LA RIBERA 49590 Zamora 441 H 13 – 425 h. – © 980.
◆Madrid 227 – ◆Salamanca 81 – ◆Valladolid 80 – Zamora 16.

※ Marcial, carret. N 122 ℘ 69 56 82 – ▤.

FRIGILIANA 29788 Málaga 446 V 18 – 2 125 h. alt. 311 – © 95.
◆Madrid 555 – ◆Granada 126 – ◆Málaga 58.

🏠 **Las Chinas,** pl. Capitán Cortés 14 ℘ 253 30 73, ≤ – 📺. ✦
Comida 800 – 🗷 350 – **9 hab** 2500/4000 – PA 1950.

FRÓMISTA 34440 Palencia 442 F 16 – 1 013 h. alt. 780 – © 979.
Ver : Iglesia de San Martín★★.
🛈 paseo Central ℘ 81 01 13.
◆Madrid 257 – ◆Burgos 78 – Palencia 31 – ◆Santander 170.

※※ **Hostería de los Palmeros,** pl. San Telmo 4 ℘ 81 00 67 – ⬛ ⓞ ⴹ 𝘝𝘐𝘚𝘈. ✦
cerrado martes salvo en verano, Navidades y Semana Santa – **Comida** carta 3700 a
4700.

En julio y agosto los hoteles están casi siempre llenos.
Si elige otra época le atenderán mejor.

FUENCARRAL Madrid – ver Madrid.

FUENGIROLA 29640 Málaga 446 W 16 – 43 048 h. – © 95 – Playa.
⛳ Golf Mijas N : 3 km ℘ 247 68 43.
🛈 av. Jesús Santos Rein 6, ℘ 246 74 57, Fax 246 51 00.
◆Madrid 575 ① – Algeciras 104 ② – ◆Málaga 29 ①.

🏨 **Florida,** paseo Marítimo ℘ 247 61 00, Telex 77791, Fax 258 15 29, ≤, « Jardín con ⛱
climatizada » – 🛗 ▤ rest
📺 ☎. ⬛ ⓞ ⴹ 𝘝𝘐𝘚𝘈.
✦ **b**
Comida 2200 – 🗷 600 –
116 hab 6000/9500 – PA
4200.

🏨 **Italia** sin rest, de la Cruz
1 ℘ 247 41 93 – 🛗 ☎. ✦
🗷 300 – **35 hab** 3100/
5350. **z**

※※ Portofino, paseo Marí-
timo 29 ℘ 247 06 43, 🍽
– ▤ **x**
Comida (sólo cena julio y
agosto).

※※ **Monopol,** Palangreros 7
℘ 247 44 48, Decoración
neo-rústica – ⬛ ⴹ 𝘝𝘐𝘚𝘈 **r**
*cerrado domingo y
agosto* – **Comida** (sólo
cena) carta 3230 a 4690.

※※ **Tomate,** El Troncón 19
℘ 246 35 59 – ⬛ ⓞ ⴹ
𝘝𝘐𝘚𝘈. ✦ **a**
cerrado lunes – **Comida**
(sólo cena) carta 2950 a
3600.

※※ **Old Swiss House "Ma-
teo",** Marina Nacional 28
℘ 247 26 06 – ▤. ⬛ ⓞ
ⴹ 𝘝𝘐𝘚𝘈 **n**
cerrado martes – **Comida**
carta 2100 a 3150.

※ **La Gaviota,** paseo Marítimo - edificio the Perla 1
℘ 247 36 37, 🍽 – ⓞ ⴹ
𝘝𝘐𝘚𝘈 **c**
*cerrado miércoles y
15 diciembre-20 enero* –
Comida carta 2050 a
3350.

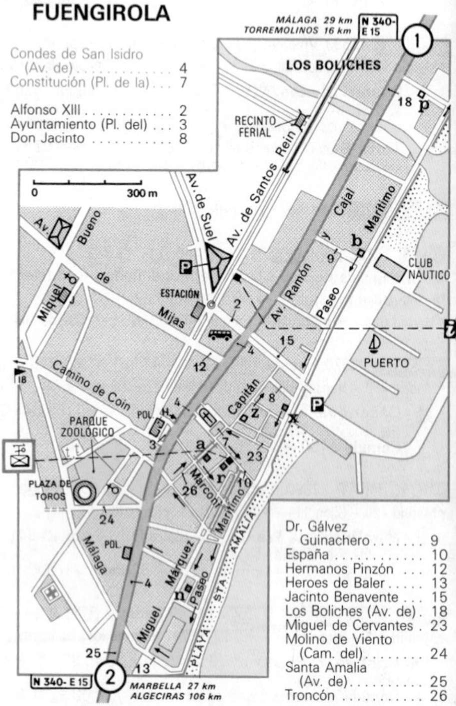

FUENGIROLA

MÁLAGA 29 km
TORREMOLINOS 16 km
N 340- ①
E 15

LOS BOLICHES

Condes de San Isidro
(Av. de). 4
Constitución (Pl. de la) . . . 7

Alfonso XIII 2
Ayuntamiento (Pl. del) . . . 3
Don Jacinto 8

Dr. Gálvez
Guinachero 9
España 12
Hermanos Pinzón . . . 12
Heroes de Baler 13
Jacinto Benavente . . . 15
Los Boliches (Av. de) . . 18
Miguel de Cervantes . . 23
Molino de Viento
(Cam. del) 24
Santa Amalia
(Av. de) 25
Troncón 26

en Los Boliches - ✉ 29640 Fuengirola - ☎ 95 :

Ángela, paseo Marítimo ✆ 247 52 00, Telex 77342, Fax 246 20 87, ≤, climatizada, - |$| ▤ TV ☎ . AE ⓓ E VISA. ✗ p
Comida (sólo cena) 3300 - ☐ 660 - **260 hab** 8500/13500.

Santa Fé sin rest y sin ☐, av. de Los Boliches 66 por ① : 1,5 km ✆ 247 41 81 - |$|. AE ⓓ E VISA. ✗
26 hab 2000/3000.

La Langosta, Francisco Cano 1 por ① : 1,5 km ✆ 247 50 49 - ▤. AE ⓓ E VISA. ✗
cerrado domingo y 10 enero-10 febrero - **Comida** (sólo cena) carta 3370 a 3970.

en Carvajal por ① : 4 km - ✉ 29640 Fuengirola - ☎ 95 :

El Balandro, paseo Marítimo ✆ 266 11 29, ≤, , Espec. en asados - ▤. AE E VISA. ✗
cerrado domingo y del 1 al 15 de diciembre - **Comida** carta 2625 a 4900.

en Mijas Costa por ② : 8 km - ✉ 29648 Mijas - ☎ 95 :

Los Claveles, carret. de Cádiz - urb. Los Claveles ✆ 249 30 22, Fax 249 30 22, ≤, , Cocina belga - AE E VISA
cerrado lunes y 15 diciembre-15 enero - **Comida** (sólo cena salvo domingo) carta 2900 a 3550.

en la urbanización Mijas Golf - por la carretera de Coín NO : 5 km - ✉ 29640 Fuengirola - ☎ 95 :

Byblos Andaluz , ✆ 247 30 50, Telex 79713, Fax 247 67 83, ≤ campo de golf y montañas, , Servicios de talasoterapia, « Elegante conjunto de estilo andaluz situado entre dos campos de golf », , , , , , 18, 18 - |$| ▤ TV ☎ P - 20/200. AE ⓓ E VISA. ✗ rest
Le Nailhac *(sólo cena, cerrado miércoles)* **Comida** carta aprox. 5100 - ***El Andaluz*** *(sólo cena)* **Comida** carta aprox. 3800 - ☐ 1900 - **108 hab** 26000/31500, 36 suites.

FUENMAYOR **26360** La Rioja 442 E 22 - 2 075 h. alt. 433 - ☎ 941.
♦Madrid 346 - ♦Logroño 13 - ♦Vitoria/Gasteiz 77.

Chuchi, carret. Vitoria 2 ✆ 45 04 22, Fax 45 06 68 - ▤.

FUENSALIDA **4510** Toledo 444 L 17 - 6 971 h. alt. 593 - ☎ 925.
♦Madrid 69 - San Martín de Valdeiglesias 61 - Talavera de la Reina 61 - Toledo 31.

Fuensalida, Colón 6 ✆ 78 58 38 - ▤ TV ☎. E VISA. ✗
Comida *(cerrado del 1 al 15 de agosto)* 1000 - **32 hab** ☐ 3500/5500.

FUENTE DÉ Cantabria 442 C 15 alt. 1 070 - ✉ 39588 Espinama - ☎ 942 - 1.
Ver : Paraje★★.
Alred. : Mirador del Cable ★★ estación superior del teleférico.
♦Madrid 424 - Palencia 198 - Potes 25 - ♦Santander 140.

Parador de Fuente Dé , alt. 1 005 ✆ 73 66 51, Fax 73 66 54, « Magnífica situación al pie de los Picos de Europa, ≤ valle y montaña » - |$| TV ☎ P. AE ⓓ E VISA. ✗
Comida 3000 - ☐ 1000 - **78 hab** 10000 - PA 5950.

Rebeco , alt. 1 005 ✆ 73 66 00, Fax 73 66 00, , « Magnífica situación al pie de los picos de Europa ≤ valle y montaña » - |$| TV ☎ P. AE VISA. ✗
Comida 1400 - ☐ 400 - **30 hab** 4800/6800 - PA 3200.

FUENTE DE PIEDRA **29520** Málaga 446 U 15 - 1 969 h. - ☎ 95.
♦Madrid 544 - Antequera 23 - ♦Córdoba 137 - ♦Granada 120 - ♦Sevilla 141.

La Laguna con hab, carret. N 334 ✆ 273 52 92, - ▤ rest TV P. VISA. ✗
Comida carta aprox. 2500 - ☐ 250 - **9 hab** 4000/5000.

FUENTE EL SOL **47494** Valladolid 442 I 15 - 343 h. - ☎ 983.
♦Madrid 151 - Ávila 77 - ♦Salamanca 81 - ♦Valladolid 65.

El Buen Yantar, carret. C 610 ✆ 82 42 12 - ▤ P.

FUENTE EN SEGURES **12160** Castellón de la Plana 445 K 29 alt. 821 - ☎ 964 - Balneario.
♦Madrid 502 - Castellón de la Plana/Castelló de la Plana 79 - Tortosa 126.

Los Pinos , ✆ 43 13 11, ≤ - |$| ☎ . VISA. ✗
15 junio- 30 septiembre - **Comida** 1000 - ☐ 350 - **48 hab** 2600/5200 - PA 2000.

Fuente En Segures , av. Dr. Puigvert ✆ 43 10 00 - |$| P
temp. - **78 hab.**

FUENTERRABÍA u **HONDARRIBIA** 20280 Guipúzcoa 442 B 24 - 13 974 h. - 943 - Play...
Alred. : Ermita de San Marcial ≤★★, (9 km al Este), Cabo Higuer★ (≤★) N : 4 km - Trayecto★ de Fuenterrabía a Pasajes de San Juan por el Jaizkíbel : capilla de Nuestra Señora de Guadalup... ≤★ - Hostal del Jaizkíbel ≤★★, descenso a Pasajes de San Juan ≤★ - Pasai Donibane★.
18 de San Sebastián, Jaizkíbel SO : 5 km 61 68 45.
42 35 86 - Iberia y Aviaco : ver San Sebastián.
♦Madrid 512 - ♦Pamplona/Iruñea 95 - St-Jean-de-Luz 18 - ♦San Sebastián/Donostia 23.

Parador de Hondarribia sin rest, pl. de Armas 14 64 55 00, Fax 64 21 53, « Instalad... en un castillo medieval » - AE VISA.
1200 - **36 hab** 16000.

Río Bidasoa, Nafarroa Beherea 64 54 08, Fax 64 51 70, « Jardín con » - 25/70. AE E VISA.
Comida *(cerrado 15 diciembre- 15 enero)* 1800 - 700 - **37 hab** 10000/14000.

Obispo sin rest, pl. del Obispo 64 54 00, Fax 64 23 86, « Palacio del siglo XIV » - 25. AE E VISA.
cerrado 15 diciembre- 15 enero - 900 - **14 hab** 10000/13000.

Pampinot sin rest, Mayor 5 64 06 00, Fax 64 51 28, « Casa señorial del siglo XVI... - AE E VISA
cerrado noviembre - 1100 - **8 hab** 10000/14000.

Jauregui sin rest, San Pedro 28 64 14 00, Fax 64 44 04 - 25. ... E VISA. - 700 - **53 hab** 8000/12000.

San Nicolás sin rest, pl. de Armas 6 64 42 78 - AE E VISA.
650 - **12 hab** 6000/7000.

Álvarez Quintero sin rest, Bernat Etxepare 2 64 22 99 - AE E VISA
marzo-octubre - 475 - **14 hab** 3900/6300.

Txoko Goxoa sin rest, Murallas 19 64 46 58 - AE E VISA.
450 - **6 hab** 5400.

XXX ✿ **Ramón Roteta,** Irún 64 16 93, Fax 64 58 63, - AE E VISA JCB.
cerrado 2ª quincena de noviembre y febrero - **Comida** *(cerrado domingo noche, jueves salvo 15 julio-15 sept)* carta 4500 a 5900
Espec. Fideos fritos con verduras y trufa, Filetes de salmonete al horno y ali-oli de olivas, Tort... de rabo de buey guisado con verduras y calabaza..

XX **Sebastián,** Mayor 7 64 01 67 - AE E VISA
cerrado domingo noche y lunes - **Comida** carta 3900 a 5200.

XX **Arraunlari,** paseo Butrón 3 64 15 81, - AE E VISA.
cerrado domingo noche, lunes y 15 diciembre-15 enero - **Comida** carta 3350 a 4800.

X **Zeria,** San Pedro 23 64 27 80, Fax 64 12 14, , Decoración rústica, Pescados y marisco... - AE E VISA JCB.
cerrado domingo noche, jueves y noviembre - **Comida** carta 3600 a 4350.

X Kupela, Zuloaga 4 64 40 25, , Decoración rústica.

X **Aquarium,** Zuloaga 2 64 27 93, - . AE E VISA.
Semana Santa-octubre - **Comida** *(cerrado lunes noche y martes)* carta 3000 a 4300.

X **Alameda,** Alameda 1 64 27 89, , « Terraza bajo un arco con plantas » - AE E VISA.
cerrado domingo noche (salvo en verano), jueves, del 24 al 30 de septiembre y 20 diciembre-20 enero - **Comida** carta 3600 a 4500.

por la carretera de San Sebastián y camino a la derecha SO : 2,5 km - ✉ 20280 Fuenterrabía - 943 :

XX Beko Errota, barrio de Jaizubia 64 31 94, , Caserío vasco - .

FUERTEVENTURA Las Palmas - ver Canarias.

GALAPAGAR 28260 Madrid 444 K 17 - 9 237 h. alt. 881 - 91.
♦Madrid 36 - El Escorial 13.

XX **La Retranka,** carret. M 505 SE : 1 km 858 02 44, - . AE E VISA.
cerrado lunes (salvo vísperas de festivos) y del 1 al 15 de octubre - **Comida** (sólo almuerzo 15 septiembre-mayo salvo fines de semana) carta aprox. 3900.

al Norte : 6 km - ✉ 28292 Las Zorreras - 91 :

XX **El Jardín,** Castilla 2 (Colonia España) 851 02 42, Fax 851 02 42, - . AE E VISA.
Comida carta 3350 a 4550.

GALAROZA 21291 Huelva 446 S 9 - 1 538 h. alt. 556 - 959.
♦Madrid 485 - Aracena 15 - Huelva 113 - Serpa 89 - Zafra 82.

Galaroza Sierra, carret. N 433 O : 0,5 km 11 72 37, Fax 11 72 36, - . E VISA.
Comida 1300 - 450 - **22 hab** 4500/7000 - PA 2800.

GALDÁCANO o **GALDAKAO** **48960** Vizcaya 442 C 21 – 28 885 h. – ☎ 94.
♦Madrid 403 – ♦Bilbao/Bilbo 8 – ♦San Sebastián/Donostia 91 – ♦Vitoria/Gasteiz 68.

XX ✿ **Andra Mari,** Elejalde 22 ✆ 456 00 05, Fax 456 76 72, ← montañas, ⛱, Decoración regional – ▤ ⓟ. AE ⓓ E VISA JCB. ✂
cerrado domingo y agosto – **Comida** carta 4100 a 5300
Espec. Ensalada de morros de ternera sobre vinagreta de habas, Lomo de chicharro con cigalitas al aceite de menta, Helado de naranja con crema de nueces.

GAMA **39790** Cantabria 442 B 19 – ☎ 942.
♦Madrid 477 – ♦Bilbao/Bilbo 80 – ♦Santander 40.

Corpus, carret. N 634 ✆ 67 00 25, ⛱ – ☎ ⓟ. VISA. ✂
Comida 2250 – ☕ 300 – **13 hab** 6000/7000.

GANDESA **43780** Tarragona 443 I 31 – 2 591 h. – ☎ 977.
ℹ av. Catalunya (estació d'autobusos), ✆ 42 06 14, Fax 42 03 95.
♦Madrid 459 – ♦Lérida/Lleida 92 – Tarragona 87 – Tortosa 40.

Piqué, vía Catalunya 68 ✆ 42 00 68, Fax 42 03 29 – ▤ rest ☎ ⓟ. AE E VISA. ✂
Comida 1200 – ☕ 350 – **48 hab** 1700/3400 – PA 2550.

GANDÍA **46700** Valencia 445 P 29 – 52 000 h. – ☎ 96 – Playa.
ℹ Marqués de Campo, ✆ 287 77 88, Fax 287 77 88.
♦Madrid 416 – ♦Albacete 170 – ♦Alicante/Alacant 109 – ♦Valencia 68.

Plano página siguiente

Borgia, República Argentina 5 ✆ 287 81 09, Fax 287 80 31 – |‡| ▤ TV ☎ – 🏛 25/150. VISA. ✂ rest
Comida 2500 – ☕ 600 – **72 hab** 6100/9000 – PA 4480.

Los Naranjos sin rest, av. Pío XI - 57 ✆ 287 31 43, Fax 287 31 44 – |‡| ▤ TV. ⓓ E VISA
cerrado 24 diciembre-8 enero – ☕ 350 – **35 hab** 2630/4500.

Duque Carlos sin rest y sin ☕, Duc Carles de Borja 34 ✆ 287 28 44 – AE E VISA
28 hab 2000/3500.

en el puerto (Grao) NE : 3 km - ver plano – ✉ 46730 Grao de Gandía – ☎ 96 :

La Alberca sin rest, Cullera 8 ✆ 284 51 63 – |‡| TV ☎. E VISA. ✂ **a**
☕ 350 – **17 hab** 3300/5500.

XX Mesón de la Guitarra, Partida de Foyas ✆ 284 20 20, Pescados y mariscos – ▤ ⓟ **n**

X **Rincón de Ávila,** Príncep 5 ✆ 284 49 54, Especialidad en carnes – ▤. AE VISA. ✂ **s**
cerrado domingo y 15 junio-15 julio – **Comida** carta 2350 a 3525.

en la zona de la playa NE : 4 km - ver plano – ✉ 46730 Grao de Gandía – ☎ 96 :

Bayren I, passeig Marítim Neptú 62 ✆ 284 03 00, Telex 61549, Fax 284 06 53, « Terraza con ← playa », ⛱, 🎾 – |‡| ▤ TV ☎ ⓟ – 🏛 25/600. AE ⓓ E VISA. ✂ **d**
cerrado del 1 al 15 de enero – **Comida** 2500 - ***La Goleta :*** **Comida** carta 3100 a 4450 – ☕ 700 – **153 hab** 9000/13500, 11 suites.

Don Ximo Club H., Sequia del Rei ✆ 284 53 93, Fax 284 12 69, ⛱, ⛱, ⛱ – |‡| ▤ TV ☎ ⓟ – 🏛 25/500. AE ⓓ E VISA. ✂ por ①
Comida 2500 – ☕ 700 – **68 hab** 7300/9600, 2 suites.

Albatros sin rest, Grau 11 ✆ 284 56 00, Fax 284 50 00, ⛱ – |‡| ▤ TV ☎ ⓟ. AE E VISA. ✂
☕ 500 – **44 hab** 5800/7700, 1 suite. **c**

San Luis, passeig Marítim Neptú 5 ✆ 284 08 00, Fax 284 08 04, ←, ⛱ – |‡| ▤ ☎ 🚗 – 🏛 25/125. E VISA. ✂ rest **e**
marzo-noviembre – **Comida** 2250 – ☕ 475 – **76 hab** 5875/8300.

Gandía Playa, La Devesa 17 ✆ 284 13 00, Fax 284 13 50, ⛱ – |‡| ▤ TV. E VISA. ✂ rest
Comida 1875 – ☕ 440 – **126 hab** 4565/6550 – PA 3525. **g**

Riviera sin rest, passeig Marítim Neptú 28 ✆ 284 00 66, Fax 284 00 62, ← – |‡| ▤ ⓟ. AE E VISA **f**
abril-septiembre – ☕ 475 – **72 hab** 6200/8500.

Bayren II, Mallorca 19 ✆ 284 07 00, Telex 61549, Fax 284 51 67, ⛱, 🎾 – |‡| ▤ TV ☎. AE ⓓ E VISA. ✂ **k**
Semana Santa y junio-septiembre – **Comida** 2225 – ☕ 490 – **125 hab** 6240/9700.

Clibomar sin rest y sin ☕, Alcoi 24 ✆ 284 02 37 – |‡| TV ☎. ✂ **v**
cerrado 15 octubre-15 noviembre – **16 hab** 6500/7000.

Mavi, Legazpi 18 ✆ 284 00 20, Fax 284 00 20 – |‡| ▤ rest. E VISA. ✂ **h**
abril-septiembre – **Comida** 1100 – ☕ 275 – **40 hab** 4500 – PA 1980.

XX **Gamba,** carret. de Nazaret - Oliva ✆ 284 13 10, ⛱, Pescados y mariscos – ▤ ⓟ. AE ⓓ E VISA por carret. Nazaret-Oliva
cerrado lunes y 15 días en noviembre – **Comida** (sólo almuerzo en invierno) carta aprox. 6000.

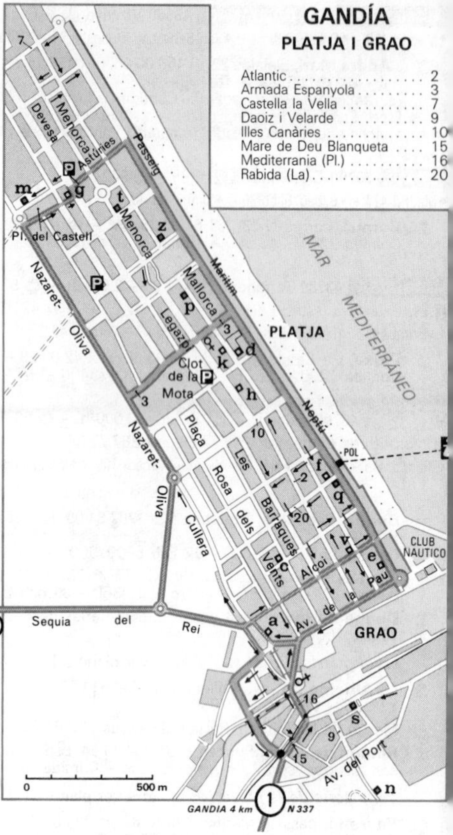

✗ As de Oros, passeig Marítim Neptú 26 ℘ 284 02 39, Pescados y mariscos – ▤ **q**

✗ **Emilio,** av. Vicente Calderón - bloque F5 ℘ 284 07 61 – ▤. AE ⓓ E VISA. ✗ **z**
cerrado miércoles y febrero – **Comida** carta 2750 a 5100.

✗ **Kayuko,** Catalunya 14 ℘ 284 01 37, Pescados y mariscos – ▤. AE ⓓ E VISA. ✗ **t**
cerrado lunes – **Comida** carta aprox. 5800.

✗ **Celler del Duc,** pl. del Castell ℘ 284 20 82, ☂ – ▤. AE ⓓ E VISA **m**
Comida carta 2850 a 4200.

✗ **Gonzalo,** Castella la Vella ℘ 284 58 68 – ▤. AE ⓓ E VISA. ✗ por Castella la Vella
cerrado domingo noche y lunes – **Comida** carta 2500 a 4300.

✗ **Mesón de los Reyes,** Mallorca 39 ℘ 284 00 78, ☂ – AE ⓓ E VISA. ✗ **p**
15 marzo-septiembre – **Comida** carta 2350 a 3450.

en la carretera de Bárig O : 7 km – ✉ 46728 Marxuquera – ☎ 96 :

✗ **Imperio II,** ℘ 286 75 06 – ▤ Ⓟ. E VISA. ✗
cerrado miércoles y 15 octubre-15 noviembre – **Comida** carta 2950 a 3500.

Ver también : ***Villalonga*** S : 11 km.

GARAYOA o **GARAIOA** **31692** Navarra 442 D 26 – 137 h. alt. 777 – ☎ 948.
◆Madrid 438 – ◆Bayonne 98 – ◆Pamplona/Iruñea 55.

✗ **Arostegui** ♨, Chiquirín 13 ℘ 76 40 44, Fax 76 40 44, ← – VISA. ✗
Comida 1400 – ☕ 600 – **18 hab** 3500/5500 – PA 3300.

A GARDA Pontevedra – ver La Guardia.

POUR VOYAGER EN EUROPE UTILISEZ :

les cartes Michelin grandes routes ;

les cartes Michelin détaillées ;

les guides Rouges Michelin *(hôtels et restaurants) :*

Benelux - **Deutschland** - **España Portugal** - Main Cities **Europe** - **France** - **Great Britain and Ireland, Italia, Suisse.**

les guides Verts Michelin *(curiosités et routes touristiques) :*

Allemagne - **Autriche** - **Belgique** - **Canada** - **Espagne** - **Grèce** - **Hollande** - **Irlande** - **Italie** - **Londres** - **Maroc** - **New York** - **Nouvelle Angleterre** - **Portugal** - **Rome** - **Suisse,**

... et la collection sur la France.

GARGANTA - ver el nombre propio de la garganta.

GARÓS Lérida - ver Viella.

La GARRIGA 08530 Barcelona 443 G 36 - 9 453 h. alt. 258 - ✆ 93 - Balneario.
♦Madrid 650 - ♦Barcelona 37 - Gerona/Girona 84.

Termes La Garriga, Banys 23 ✆ 871 70 86, Fax 871 78 87, Servicios terapéuticos, « Jardín con piscina de agua termal », gimnasio, piscina cubierta - ascensor ▤ TV ☎ garaje. AE E VISA. ✻
Comida 4000 - ☕ 1200 - **22 hab** 14200/23000.

Baln. Blancafort tranquilo, Banys 59 ✆ 871 46 00, Fax 871 57 50, piscina de agua termal, jardín, tenis - ascensor ▤ rest TV ☎ P - 25/50. ◑ E VISA. ✻
Comida 3100 - ☕ 650 - **52 hab** 12100/16500.

Catalonia, carret. de l'Ametlla 68 ✆ 871 56 54, terraza - ▤ P.

GARRUCHA 04630 Almería 446 U 24 - 4 295 h. alt. 24 - ✆ 950 - Playa.
♦Madrid 536 - ♦Almería 100 - ♦Murcia 140.

San Francisco sin rest, carret. de Vera ✆ 13 21 02 - ▤ ☎
18 hab.

Cervantes sin rest, Colón 3 ✆ 46 02 52 - E VISA. ✻
Semana Santa-septiembre - **19 hab** ☕ 2725/4650.

El Almejero, Explanada del Puerto ✆ 46 04 05, terraza, Pescados y mariscos - ▤.

GASTEIZ Álava - ver Vitoria.

GAVÁ 08850 Barcelona 443 I 36 - 35 167 h. - ✆ 93 - Playa.
♦Madrid 620 - ♦Barcelona 18 - Tarragona 77.

en la carretera C 246 S : 4 km - ✉ 08850 Gavà - ✆ 93 :

La Pineda, ✆ 638 24 95, Fax 638 24 90, terraza - ▤ P.

en la zona de la playa S : 5 km - ✉ 08850 Gavà - ✆ 93 :

XXX ✲ **Les Marines,** Calafell ✆ 636 38 89, Fax 636 32 36, terraza, « En un pinar » - ▤ P. AE ◑ E VISA JCB
cerrado domingo noche - **Comida** carta 3900 a 5550
Espec. Pasta fresca con colas de gambas y salsa de trufa, Suquet de rape, langostinos y cigalas con patatas, Carro de los postres..

GAVILANES 05460 Ávila 444 L 15 - 744 h. alt. 677 - ✆ 920.
♦Madrid 122 - Arenas de San Pedro 26 - Ávila 102 - Talavera de la Reina 60 - Toledo 24.

Mirador del Tiétar tranquilo, Risquillo 22 ✆ 38 48 67, ≤, piscina - ▤ rest garaje P. VISA. ✻
Comida 1750 - ☕ 400 - **40 hab** 5000/6500 - PA 3300.

GÈNOVA Palma de Mallorca - ver Baleares (Mallorca) : Palma de Mallorca.

GERNIKA LUMO Vizcaya - ver Guernica y Luno.

GERONA o **GIRONA** 17000 P 443 G 38 - 70 409 h. alt. 70 - ✆ 972.
Ver : Ciudad antigua★★ - Catedral★ (nave★★, retablo mayor★, Tesoro★★ : Beatus★, Tapiz de la Creación★★★, Claustro★) BY - Museu d'art★ : retablo de Sant Miquel de Cruilles★★ BY **M1** - Ex-colegiata de Sant Feliú : Sarcófago con cacería de leones★ BY **R** - Iglesia de Sant Pere de Galligants : museo arqueológico : sepulcro de las Estaciones★ BY.

Golf 18 Club de Golf Girona, Sant Julià de Ramis N : 4 km, ✆ 17 16 41.

Información Rambla de la Llibertat, 1 ✉ 17004, ✆ 22 65 75, Fax 22 66 12 Estación de Renfe, ✆ 21 62 96, ✉ 17007 - R.A.C.C. carret. de Barcelona 22, ✉ 17002, ✆ 22 36 62, Fax 22 15 57.

♦Madrid 708 ② - ♦Barcelona 97 ② - Manresa 134 ② - Mataró 77 ② - ♦Perpignan 91 ① - Sabadell 95 ②.

Plano página siguiente

Sol Girona, Barcelona, 112, ✉ 17003, ✆ 40 05 00, Telex 56240, Fax 24 32 33 - ascensor ▤ TV ☎ ♿ garaje - 25/500. AE ◑ E VISA. ✻ rest — por ②
Comida 1500 - ☕ 1100 - **113 hab** 10300/12900, 1 suite.

Carlemany, pl. Miquel Santaló 1, ✉ 17002, ✆ 21 12 12, Fax 21 49 94 - ascensor ▤ TV ☎ garaje - 25/250. AE ◑ E VISA. ✻ rest — AZ **w**
Comida 1500 - ☕ 950 - **87 hab** 11500/12500, 3 suites.

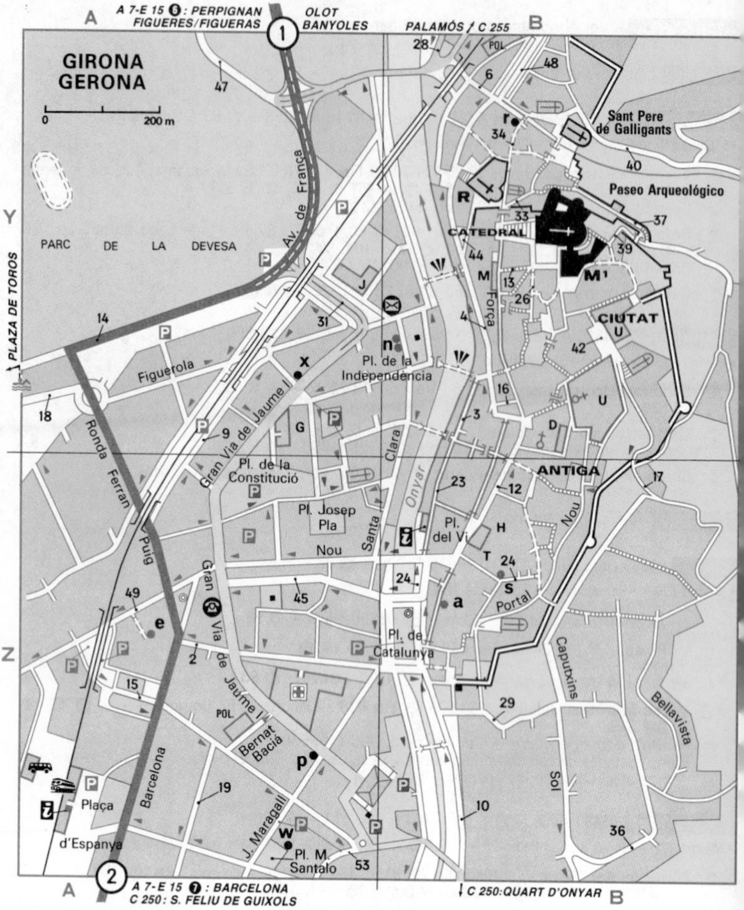

Llibertat (Rambla de la) . . . BZ 23
Nou . . . . AZ

Álvarez de Castro . . . . AZ 2
Argentería . . . . BY 3
Ballesteríes . . . . BY 4
Bellaire . . . . BY 6
Bonastruc de Porta . . . . . . AY 9
Carme . . . . BZ 10
Ciutadans . . . . BZ 12
Cúndaro . . . . BY 13
Devesa (Pas. de la) . . . . . . AY 14
Eduard Marquína (Pl. de) . . AZ 15
General Fournàs . . . . BY 16
General Peralta (Pas. del) . . BZ 17
Joaquim Vayreda . . . . AY 18
Juli Garreta . . . . AZ 19
Nou del Teatre . . . . BZ 27
Oliva i Prat . . . . BY 26
Palafrugell . . . . BY 28
Pedreres (Pujada de les) . . BZ 29
Ramon Folch (Av.) . . . . AY 31
Rei Ferràn el Catòlic . . . . . BY 33
Rei Martí (Pujada del) . . . . BY 34
Reina Isabel la Católica . . . BZ 36
Reina Joana (Pas. de la) . . BY 37
Sant Cristófol . . . . BY 39
Sant Daniel . . . . BY 40
Sant Domènec (Pl. de) . . . . BY 42
Sant Feliú (Pujada de) . . . . BY 44
Sant Francesc (Av. de) . . . . AZ 45
Sant Gregori
(Carretera de) . . . . AY 47
Sant Pere (Pl. de) . . . . BY 48
Santa Eugénia . . . . AZ 49
Ultònia . . . . AZ 53

NH Costabella, av. de Francia 61, ✉ 17007, ✆ 20 25 24, Fax 20 22 03 – |‡| ▤ TV ☎ ♿ 🚗 Ⓟ – 🏊 25/30. AE ⓓ E VISA. ✗ rest
por ①
Comida *(cerrado domingo y del 22 al 31 de diciembre)* carta aprox. 4000 – ☕ 975 – **44 hab** 8550/11850, 2 suites.

Ultonia sin rest, Gran Vía de Jaume I-22, ✉ 17001, ✆ 20 38 50, Fax 20 33 34 – |‡| ▤ TV ☎ – 🏊 25/40. AE ⓓ E VISA. ✗
☕ 660 – **45 hab** 6900/9900.
AY **x**

Condal sin rest y sin ☕, Joan Maragall 10, ✉ 17002, ✆ 20 44 62 – |‡|. E VISA
38 hab 2500/4900.
AZ **p**

XXX **Albereda,** Albereda 7, ✉ 17004, ✆ 22 60 02, Fax 22 60 02 – ▤. AE ⓓ E VISA. ✗
cerrado domingo, festivos y agosto – **Comida** carta 3300 a 5100.
BZ **a**

XX **Edelweiss,** Santa Eugenia 7. passatge Ensesa, ✉ 17001, ☎ 20 18 97, Fax 20 55 66 – ▤. AE E VISA. ✻ AZ e
cerrado domingo, festivos y del 8 al 31 de agosto – **Comida** carta 2575 a 4325.

XX **Mar Plaça,** pl. Independència 3, ✉ 17001, ☎ 20 59 62 – ▤. E VISA. ✻ BY n
cerrado domingo noche y lunes – **Comida** carta 2250 a 4200.

X **La Penyora,** Nou del Teatre 3, ✉ 17004, ☎ 21 89 48 – ▤. VISA BZ s
cerrado martes – **Comida** carta 2725 a 3450.

X **Casa Marieta,** pl. Independència 5, ✉ 17001, ☎ 20 10 16, 余 – ▤. AE ⓓ VISA. ✻ BY n
cerrado domingo noche, lunes y 22 diciembre-23 enero – **Comida** carta 1650 a 2550.

al Noroeste por ① y desvío a la izquierda : 2 km – ✉ 17007 Gerona – ☎ 972 :

XX ✿ **El Celler de Can Roca,** carret. Taialà 40 ☎ 22 21 57, Fax 22 21 57 – ▤. AE ⓓ E VISA. ✻
cerrado sábado mediodía y domingo – **Comida** carta 3050 a 4550
Espec. Parmentier de bogavante y trompetas de la muerte, Pie de cerdo deshuesado a la muselina de ajos confitados, Carro de repostería..

en la carretera N II por ② : 5 km – ✉ 17458 Fornells de la Selva – ☎ 972 :

Fornells Park, ☎ 47 61 25, Fax 47 65 79, « Pinar », 🏊, 🌳 – |‡| ▤ TV ☎ ♿ Ⓟ – 🚶 25/150. AE ⓓ E VISA. ✻ rest
Comida 2350 – ☕ 800 – **50 hab** 7150/10300, 3 suites – PA 5000.

en la carretera del aeropuerto por ② – ☎ 972 :

Novotel Girona, por A 7 salida 8 : 12 km, ✉ 17457 Riudellots de la Selva, ☎ 47 71 00, Telex 57238, Fax 47 72 96, 🏊, 🎾 – ▤ TV ☎ ♿ Ⓟ – 🚶 25/225. AE ⓓ E VISA
Comida 2450 – ☕ 1250 – **79 hab** 9700/11300, 2 suites – PA 5775.

Vilobí Park, por A 7 salida 8 : 13 km, ✉ 17185 Vilobí D'Onyar, ☎ 47 31 86, Fax 47 34 63 – ▤ TV ☎ Ⓟ – 🚶 25/200. AE ⓓ E VISA. ✻ rest
Comida (sólo cena) 1600 – ☕ 700 – **32 hab** 8000/10000.

GETAFE 28900 Madrid 444 L 18 – 139 500 h. – ☎ 91.

◆Madrid 13 – Aranjuez 38 – Toledo 56.

X **Puerta del Sol,** Hospital de San José 67, ✉ 28901, ☎ 695 70 62 – ▤. AE VISA. ✻
cerrado martes y 1 agosto-1 septiembre – **Comida** carta 2575 a 4450.

en la autovía N 401 SO : 3 km – ✉ 28905 Getafe – ☎ 91 :

XX **Don Pepín,** ☎ 681 71 87, Fax 683 20 89 – ▤. AE ⓓ E VISA. ✻
cerrado sábado y 15 agosto-15 septiembre – **Comida** (sólo almuerzo) carta 3545 a 4645.

en la autovía N IV SE : 5,5 km – ✉ 28906 Getafe – ☎ 91 :

Motel Los Ángeles, ☎ 683 94 00, 🏊, 🌳, 🎾 – ▤ TV 🚗 Ⓟ. AE E VISA. ✻
Comida 2700 – ☕ 1200 – **46 hab** 10000.

GETARIA Guipúzcoa – ver Guetaria.

GETXO 48990 Vizcaya 442 B 21 – 79 517 h. alt. 51 – ☎ 94.

⛳18 Golf de Neguri, NO : 2 km, ☎ 469 02 00.

🅸 en Algorta : muelle de Ereaga, ☎ 469 38 00, Fax 469 00 48.

◆Madrid 407 – ◆Bilbao/Bilbo 13 – ◆Donostia/San Sebastián 113.

en Algorta – ✉ 48990 Getxo – ☎ 94 :

Los Tamarises, playa de Ereaga ☎ 491 00 05, Fax 491 13 10, ≤, 余 – |‡| ▤ rest TV ☎ – 🚶 40/150. AE ⓓ E VISA JCB. ✻
Comida 2500 – ☕ 800 – **42 hab** 11000/17000 – PA 4500.

Igeretxe Agustín, playa de Ereaga ☎ 460 70 00, Fax 460 85 99, ≤ – |‡| ▤ TV ☎ – 🚶 25/300
21 hab, 1 suite.

XXX Cubita, carret de la Galea 30 ☎ 491 17 00, Fax 460 21 12 – Ⓟ. JCB.

XX La Náutica, Puerto Viejo ☎ 491 10 28, Fax 469 50 29, ≤ – ▤.

X La Ola, playa de Ereaga ☎ 491 13 01, ≤ – ▤.

en Neguri – ✉ 48990 Getxo – ☎ 94 :

XXX **Jolastoki,** av. Los Chopos ☎ 469 30 31, Fax 460 35 89, 余 – ▤ Ⓟ. AE ⓓ E VISA
cerrado domingo noche, lunes, Semana Santa y del 1 al 15 de agosto – **Comida** carta 3600 a 5300.

en Las Arenas – ✉ 48990 Getxo – ☎ 94 :

XXX El Chalet, Manuel Smith 12 ☎ 463 89 84, Fax 464 99 15, 余.

GIBRALTAR 446 X 13 y 14 – 28 339 h. – ☎ 9567.

Ver : Peñón : ≤★★.

✈ de Gibraltar N : 2,7 km – G.B. Airways y B. Airways, Cloister Building Irish Town ☎ 792 00 – Air Europe Pegasus Bravo, 8 Suice, Gibraltar Heights Church ☎ 722 52 – Iberia 30-38 Main Street, Unit L ☎ 776 66.

🅱 158 Main Street ☎ 749 82 – R.A.C.E. 18B, Halifax Rd. P.O. Box 385 ☎ 790 05.

♦Madrid 673 – ♦Cádiz 144 – ♦Málaga 127.

The Rock H., 3 Europa Road ☎ 730 00, Telex 2238, Fax 735 13, ≤ puerto, estrecho y costa española, « Terraza y jardín con flores », – 25/120. AE VISA. a
Comida 3200 – ☕ 1100 – **143 hab** 18000 – PA 7000.

White's H., 2 Governor's Parade ☎ 705 00, Telex 2242, Fax 702 43, – 25/150. JCB e
120 hab.

Continental sin rest, Enginer Lane (esquina Main Street) ☎ 769 00, Fax 417 02 – VISA u
18 hab ☕ 9240/12100.

Sunrise Motel sin rest, 60 Devil's Tower Road P.O. Box 377 ☎ 412 65, Fax 412 45 – AE VISA
36 hab ☕ 7200/9600.

✗ Strings, 44 Cornwall's Lane ☎ 788 00 –.

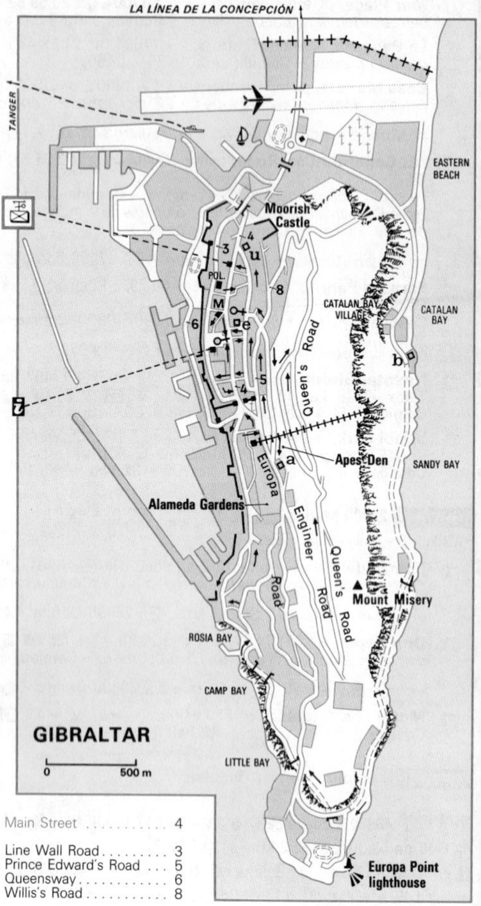

Main Street	4
Line Wall Road	3
Prince Edward's Road	5
Queensway	6
Willis's Road	8

Neste guia
um mesmo símbolo, um mesmo termo,
impressos a **preto** *ou a vermelho, a fino ou a* ***cheio***
não têm de facto o mesmo significado.

Leia atentamente as páginas explicativas.

GIJÓN **33200** Asturias 441 B 13 – 260 267 h. – ☎ 98 – Playa.

18 de Castiello SE : 5 km ☎ 536 63 13 – 9 Club La Barganiza : 14 km ☎ 525 63 61 (ext. 34) – Iberia : Alfredo Truán 8 AZ ☎ 535 18 46.

☎ 531 13 33.

Cia. Trasmediterránea, Claudio Alvargonzález AX ☎ 535 04 00.

🅱 Marqués de San Esteban 1 ✉ 33206 ☎ 534 60 46 – R.A.C.E. Marqués de San Esteban 1, ✉ 33206, ☎ 535 53 60.

♦Madrid 474 ③ – ♦Bilbao/Bilbo 296 ① – ♦La Coruña/A Coruña 341 ③ – ♦Oviedo 29 ③ – ♦Santander 193 ①.

GIJÓN

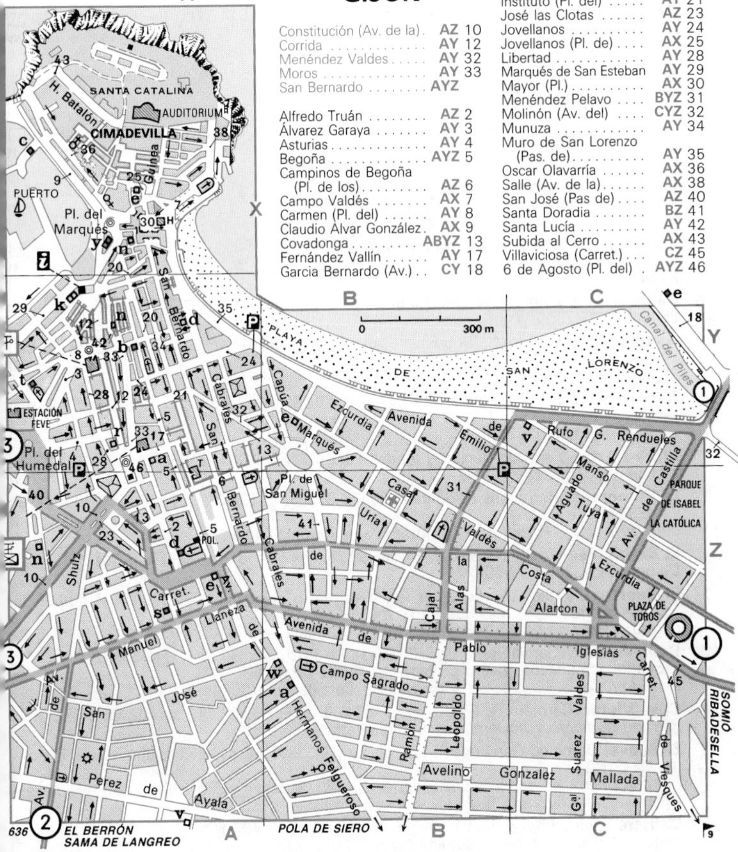

Constitución (Av. de la) . AZ 10
Corrida . . . . AY 12
Menéndez Valdes . . . . . AY 32
Moros . . . . AY 33
San Bernardo . . . . AYZ

Alfredo Truán . . . . AZ 2
Álvarez Garaya . . . . AY 3
Asturias . . . . AY 4
Begoña . . . . AYZ 5
Campinos de Begoña (Pl. de los) . . . . AZ 6
Campo Valdés . . . . AX 7
Carmen (Pl. del) . . . . . . AY 8
Claudio Alvar González . AX 9
Covadonga . . . . ABYZ 13
Fernández Vallín . . . . . . AY 17
Garcia Bernardo (Av.) . . CY 18
Instituto . . . . AXY 20
Instituto (Pl. del) . . . . . AY 21
José las Clotas . . . . . . AZ 23
Jovellanos . . . . AY 24
Jovellanos (Pl. de) . . . . AX 25
Libertad . . . . AY 28
Marqués de San Esteban AY 29
Mayor (Pl.) . . . . AX 30
Menéndez Pelavo . . . . BYZ 31
Molinón (Av. del) . . . . CYZ 32
Munuza . . . . AY 34
Muro de San Lorenzo (Pas. de) . . . . AY 35
Oscar Olavarría . . . . . . AX 36
Salle (Av. de la) . . . . . . AX 38
San José (Pas de) . . . . AZ 40
Santa Doradia . . . . BZ 41
Santa Lucía . . . . AY 42
Subida al Cerro . . . . . . AX 43
Villaviciosa (Carret.) . . . CZ 45
6 de Agosto (Pl. del) . AYZ 46

Parador de Gijón, parque de Isabel la Católica, ✉ 33203, ✆ 537 05 11, Fax 537 02 33, « Junto al parque » – |‡| ▤ TV ☎ P. AE ⦿ E VISA. ⌀ por av. de El Molinón CY
Comida 3200 – ☕ 1100 – **38 hab** 14000, 2 suites – PA 6375.

Begoña Park sin rest, con cafetería, urb. El Rinconín, ✉ 33203, ✆ 513 39 09, Fax 513 16 02 – |‡| ▤ TV ☎ 🚗 – 🎤 25/900. AE ⦿ E VISA. ⌀ por av. de Castilla ①
☕ 1000 – **98 hab** 10000/15000.

Príncipe de Asturias sin rest, Manso 2, ✉ 33203, ✆ 536 71 11, Fax 533 47 41, ← – |‡| TV ☎ – 🎤 25/180. AE ⦿ E VISA. ⌀ CY **v**
☕ 875 – **64 hab** 12000/16000.

Begoña, carret. de la Costa 44, ✉ 33205, ✆ 514 72 11, Fax 539 82 22 – |‡| ▤ rest TV ☎ 🚗 – 🎤 25/300. AE ⦿ VISA. ⌀ AZ **e**
Comida 1600 – ☕ 600 – **245 hab** 7800/9900, 5 suites – PA 3800.

Alcomar sin rest. con cafetería, Cabrales 24, ✉ 33201, ✆ 535 70 11, Fax 534 67 42 – |‡| TV ☎ – 🎤 25/100. AE ⦿ E VISA. ⌀ AY **d**
☕ 600 – **44 hab** 8700/11100, 1 suite.

Hernán Cortés sin rest, Fernández Vallín 5, ✉ 33205, ✆ 534 60 00, Fax 535 56 45 – |‡| TV ☎. AE ⦿ E VISA. ⌀ AY **a**
☕ 600 – **105 hab** 7200/10800.

Don Manuel y Rest. Casa Pachín, Marqués de San Esteban 5, ✉ 33206, ✆ 517 13 13, Fax 517 12 38 – |‡| ▤ rest TV ☎. AE ⦿ E VISA. ⌀ rest AY **k**
Comida carta 3200 a 4500 – ☕ 750 – **50 hab** 10400/13000.

San Miguel sin rest con cafetería, Marqués de Casa Valdés 8, ✉ 33202, ✆ 534 00 25, Fax 534 00 37 – |‡| TV ☎. AE ⦿ E VISA BY **e**
☕ 390 – **38 hab** 7900/11900.

Agüera sin rest, Hermanos Felgueroso 28, ✉ 33209, ✆ 514 05 00, Fax 538 68 61 - |◊| TV ☎. AE ⦿ E VISA. ✻ BZ w
850 - **35 hab** 8950/12000.

Pasaje sin rest, Marqués de San Esteban 3, ✉ 33206, ✆ 534 24 00, Fax 534 25 51 - |◊| TV ☎ - 25/40. AE ⦿ E VISA. ✻ AY k
700 - **29 hab** 6490/13000.

Pathos sin rest, con cafetería, Contracay 5, ✉ 33201, ✆ 535 25 46, Fax 535 64 84 - |◊| TV ☎. AE ⦿ E VISA AX n
600 - **53 hab** 5000/7000, 3 suites.

La Casona de Jovellanos, pl. de Jovellanos 1, ✉ 33201, ✆ 534 12 64, Fax 535 61 51, Antiguo edificio rehabilitado - TV ☎. AE ⦿ E VISA. ✻ AX e
Comida 1200 - 500 - **14 hab** 8000/10000.

Miramar sin rest y sin , Santa Lucía 9, ✉ 33206, ✆ 535 10 08, Fax 534 09 32 - |◊| TV ☎. AE ⦿ E VISA AY n
23 hab 5500/8750.

Bahía sin rest y sin , av. del LLano 44 ✆ 516 37 00 - |◊| TV ☎ . E VISA. ✻ AZ v
35 hab 5000/7500.

Avenida sin rest y sin , Robustiana Armiño 4, ✉ 33207, ✆ 535 28 43 - TV ☎. E VISA. ✻ AY c
38 hab 4000/6200.

Castilla sin rest, Corrida 50, ✉ 33206, ✆ 534 62 00, Fax 534 63 64 - |◊| TV ☎. AE E VISA. ✻ AY r
350 - **45 hab** 5750/7750.

Plaza sin rest y sin , Decano Prendes Pando 2, ✉ 33207, ✆ 534 65 62 - TV. ✻ AZ n
20 hab 3800/5200.

XX **La Zamorana,** Hermanos Felgueroso 38, ✉ 33209, ✆ 538 06 32, Fax 514 90 70 - ▤. AE ⦿ E VISA BZ a
cerrado lunes y 15 octubre-15 noviembre - **Comida** carta 3500 a 4800.

XX **El Retiro,** Begoña 28, ✉ 33206, ✆ 535 00 30, Fax 535 13 37 - ▤. ⦿ E VISA. ✻ AY b
Comida carta 3400 a 5600.

XX **El Puerto,** Claudio Alvargonzález (edificio puerto deportivo), ✉ 33201, ✆ 534 90 96, Fax 534 90 96, ←, - ▤. AE ⦿ E VISA. ✻ AX c
cerrado domingo noche y Semana Santa - **Comida** carta 5100 a 7250.

XX **Bella Vista,** av. García Bernardo 8, (El Piles), ✉ 33203, ✆ 536 73 77, Fax 536 29 36, ←, , Pescados y mariscos. Vivero propio - ▤ P. AE ⦿ E VISA. ✻ CY e
cerrado lunes salvo julio-15 septiembre - **Comida** carta 3500 a 5100.

XX **Casa Víctor,** Carmen 11, ✉ 33206, ✆ 534 83 10, Fax 32 27 49 - ▤. AE ⦿ E VISA. ✻ AY t
cerrado domingo y noviembre - **Comida** carta 3500 a 5100.

X **El Sueve,** Domingo García de la Fuente 12, ✉ 33205, ✆ 514 57 03, Carnes a la brasa - ▤. AE E VISA. ✻ AZ s
cerrado miércoles noche, domingo, del 1 al 25 de mayo y del 1 al 25 de noviembre - **Comida** carta 2525 a 3300.

X **Calixto,** Trinidad 6, ✉ 33201, ✆ 535 98 09 - ▤. AE ⦿ E VISA AX y
cerrado lunes y octubre - **Comida** carta 2700 a 4000.

X **Tino,** Alfredo Truán 9, ✉ 33205, ✆ 534 13 87 - AE ⦿ VISA. ✻ AZ d
cerrado jueves y 18 junio-21 julio - **Comida** carta 2625 a 4225.

X **Vesubio,** Muelle de Oriente 2, ✉ 33201, ✆ 534 99 71, Cocina italiana - ▤. VISA. ✻ AX y
cerrado del 15 al 31 de mayo - **Comida** carta 2300 a 3000.

en Somió por ① - ✉ 33203 Gijón - ☏ 98 :

XXX **Las Delicias,** barrio Fuejo, : 4 km ✆ 536 02 27, Fax 513 00 95, - ▤ P. AE ⦿ E VISA JCB. ✻
cerrado martes salvo en verano - **Comida** carta 4300 a 6200.

XX **Llerandi,** camino de la Peñuca, : 5 km ✆ 533 06 95, Fax 513 00 49, - ▤ P. AE ⦿ VISA. ✻
cerrado lunes y noviembre - **Comida** carta 3600 a 4800.

X **La Pondala,** av. Dioniso Cifuentes 27, 3 km ✆ 536 11 60, - AE ⦿ E VISA. ✻
cerrado jueves y noviembre - **Comida** carta 2900 a 5200.

en La Providencia NE : 5 km por av. García Bernardo CY - ✉ 33203 Gijón - ☏ 98 :

XX **Los Hórreos,** ✆ 533 08 98, Fax 537 43 10 - P. AE ⦿ E VISA. ✻
cerrado domingo noche, lunes y 26 diciembre-26 enero - **Comida** carta aprox. 5300.

Ver también : ***Prendes por*** ③ : 10 km.

GINES 41960 Sevilla 446 T 11 - 6 354 h. alt. 122 - ☏ 95.

♦Madrid 537 - Aracena 94 - Huelva 84 - ♦Sevilla 8.

X **El Barco,** carret. N 431 ✆ 471 71 08, Pescados y mariscos - ▤ P. AE E VISA. ✻
Comida carta aprox. 4000.

GIRONA Gerona - ver Gerona.

GOIURIA Vizcaya - ver Durango.

La GOLA (Playa de) Gerona - ver Torroella de Montgrí.

GOMERA Santa Cruz de Tenerife - ver Canarias.

El GRADO **22390** Huesca 443 F 30 - 589 h. - 974.
Ver : Torreciudad ≤★★ (5 km al NE).
♦Madrid 460 - Huesca 70 - ♦Lérida/Lleida 86.

Tres Caminos con hab, carret de Barbastro - barrio del Cinca 17 ☎ 30 40 52, Fax 30 41 22, ≤, - rest . AE E VISA.
Comida carta 1500 a 2700 - 325 - **27 hab** 1700/3400.

en la carretera C 139 SE : 2 km - ✉ 22390 El Grado - 974 :

Hostería El Tozal, ☎ 30 40 00, Fax 30 42 55, ≤, - . AE E VISA.
rest
Comida 2300 - 675 - **31 hab** 7500/10800 - PA 4300.

GRADO **33820** Asturias 441 B 11 - 12 048 h. alt. 47 - 98.
♦Madrid 461 - ♦Oviedo 26.

Palper, San Pelayo 44 ☎ 575 00 39, Fax 575 03 65 - . AE E VISA.
Comida carta 3100 a 4400.

GRANADA **18000** P 446 U 19 - 287 864 h. alt. 682 - 958 - Deportes de invierno en Sierra Nevada : 2 11.
Ver : Emplazamiento★★ - Alhambra★★★ CDY (Palacios Nazaríes★★★ : oratorio Mexuar ≤★, Salón de Embajadores ≤★★, jardines y torres★★, Palacio de Carlos V★ : Museo Hispano-musulmán (jarrón azul★, Museo de Bellas Artes (Cardo y zanahorias★ de Sánche - Generalife★★ DX - Capilla Real★★ (reja★, sepulcros★★, retablo★, sacristía : colección de obras de arte★★) - Catedral★ CX (Capilla Mayor★, portada norte de la Capilla Real★) - Cartuja★ : sacristía★★ AX - Iglesia de San Juan de Dios★ AX - Monasterio de San Jerónimo★ (retablo★) AX - Albaicín★ : terraza de la iglesia de San Nicolás : ≤★★★ - Baños árabes★ CX - Museo Arqueológico (portada plateresca★) CX **M.**
Excurs. : Sierra Nevada (pico de Veleta★★) SE : 46 km T.
de Granada por ④ : 17 km ☎ 44 64 11 - Iberia : pl. Isabel la Católica 2, ✉ 18009, ☎ 22 14 52.
pl. de Mariana Pineda 10 ✉ 18009, ☎ 22 66 88 y Mariana Pineda ✉ 18009, ☎ 22 59 90 - R.A.C.E. pl. de la Pescadería 1, ✉ 18001, ☎ 26 21 50.
♦Madrid 430 ① - ♦Málaga 127 ④ - ♦Murcia 286 ② - ♦Sevilla 261 ④ - ♦Valencia 541 ①.

Planos páginas siguientes

en la ciudad :

Saray, paseo de Enrique Tierno Galván, ✉ 18006, ☎ 13 00 09, Telex 78422, Fax 12 91 61, - 25/500. AE E VISA JCB. T **m**
Comida 3000 - 1250 - **202 hab** 14480/18100, 11 suites - PA 6150.

Meliá Granada, Ángel Ganivet 7, ✉ 18009, ☎ 22 74 00, Telex 78429, Fax 22 74 03 - 25/250. AE E VISA JCB. BZ **n**
Comida 2600 - 1250 - **191 hab** 10800/13500, 6 suites - PA 5480.

Granada Center, av. Fuentenueva, ✉ 18002, ☎ 20 50 00, Fax 28 96 96 - - 25/200. AE E VISA JCB. T **e**
Comida 3500 - *Al-Zagal* : Comida carta aprox. 4200 - 1200 - **171 hab** 14400/18700, 1 suite - PA 6970.

Carmen, Acera del Darro 62, ✉ 18005, ☎ 25 83 00, Telex 78546, Fax 25 64 62, - - 25/70. AE E VISA. rest BZ **a**
Comida 1800 - 1200 - **283 hab** 12645/16820 - PA 4800.

Corona de Granada, Pedro Antonio de Alarcón 10, ✉ 18005, ☎ 52 12 50, Fax 52 12 78, - - 25/160. AE E VISA. rest AZ **a**
Comida 1250 - 950 - **93 hab** 9425/13000, 2 suites.

Tryp Albayzín, Carrera del Genil 48, ✉ 18005, ☎ 22 00 02, Fax 22 01 81, - - 25/120. AE E VISA JCB. BZ **f**
Comida 2500 - 950 - **108 hab** 10275/12850 - PA 5050.

Princesa Ana, av. de la Constitución 37, ✉ 18014, ☎ 28 74 47, Fax 27 39 54, « Elegante decoración » - - 25/60. AE E VISA. S **c**
Comida 3300 - 1100 - **59 hab** 11500/16900, 2 suites - PA 6545.

San Antón, San Antón, ✉ 18005, ☎ 52 01 00, Fax 52 19 82 - - 25/400. AE E VISA. T **s**
Comida 1700 - 1000 - **161 hab** 10500/15000, 28 suites - PA 3360.

Triunfo Granada y Rest. Puerta Elvira, plaza del Triunfo 19, ✉ 18010, ☎ 20 74 44, Fax 27 90 17 – 25/150. AE VISA. AX **e**
Comida carta 3100 a 4750 – 1100 – **37 hab** 10000/15000.

Victoria, Puerta Real 3, ✉ 18005, ☎ 25 77 00, Telex 78427, Fax 26 31 08 – 25/100. AE VISA JCB. BZ **c**
Comida 2500 – 625 – **69 hab** 7600/10800 – PA 4500.

Rallye sin rest, paseo de Ronda 107, ✉ 18003, ☎ 27 28 00, Fax 27 28 62 – 25/200. VISA T **v**
1250 – **79 hab** 10800/13500.

Dauro II sin rest, con cafetería, Navas 5, ✉ 18009, ☎ 22 15 81, Fax 22 27 32 – 25/80. AE VISA JCB BZ **r**
750 – **48 hab** 7600/11000.

Dauro sin rest, Acera del Darro 19, ✉ 18005, ☎ 22 21 57, Fax 22 85 19 – AE VISA JCB. BZ **d**
750 – **36 hab** 7600/11000.

Juan Miguel, Acera del Darro 24, ✉ 18005, ☎ 25 89 12, Telex 78527, Fax 25 89 16 – 25/30. AE VISA JCB. BZ **e**
Comida 2000 – 800 – **66 hab** 7600/9500 – PA 4800.

Reino de Granada sin rest, Recogidas 53, ✉ 18005, ☎ 26 58 78, Fax 26 36 42 – AZ **y**
37 hab.

Anacapri sin rest, Joaquín Costa 7, ✉ 18010, ☎ 22 74 77, Fax 22 89 09 – AE VISA. BY **d**
700 – **52 hab** 7100/10500.

Cóndor, av. de la Constitución 6, ✉ 18012, ☎ 28 37 11, Telex 78503, Fax 28 38 50 – 25/50. AE VISA. S **b**
Comida carta 2000 a 2800 – 750 – **96 hab** 6500/9800, 8 suites.

Gran Vía Granada, Gran Vía 25, ✉ 18001, ☎ 28 54 64, Telex 78474, Fax 28 55 91 – AE VISA. BX **c**
Comida 1450 – 750 – **85 hab** 6500/9800 – PA 3650.

NH Inglaterra sin rest, Cettie Meriem 4, ✉ 18010, ☎ 22 15 58, Fax 22 71 00 – 25/40. AE VISA JCB BY **e**
850 – **36 hab** 10300/12900.

Navas, Navas 24, ✉ 18009, ☎ 22 59 59, Fax 22 75 23 – AE VISA. rest
Comida (sólo buffet) 1400 – 550 – **40 hab** 6800/10250 – PA 2800. BY **a**

Reina Cristina, Tablas 4, ✉ 18002, ☎ 25 32 11, Fax 25 57 28 – 25. AE VISA. AY **a**
Comida 1300 – 650 – **40 hab** 6200/9750 – PA 3270.

Universal sin rest, Recogidas 16, ✉ 18002, ☎ 26 00 16, Fax 26 32 29 – AE VISA AZ **z**
450 – **56 hab** 5950/8750.

Ana María sin rest, paseo de Ronda 101, ✉ 18003, ☎ 28 99 11, Fax 28 92 15 – AE VISA T **v**
500 – **30 hab** 6100/9800.

Reina Ana María sin rest, Sócrates 10, ✉ 18002, ☎ 20 98 61, Fax 27 10 81 – AE VISA T **c**
500 – **25 hab** 5600/8800.

Los Ángeles, Escoriaza 17, ✉ 18008, ☎ 22 14 24, Telex 78562, Fax 22 21 25, – AE VISA JCB. rest DZ **f**
Comida 1500 – 650 – **100 hab** 7000/9900 – PA 3500.

Aben Humeya, av. de Madrid 10, ✉ 18012, ☎ 29 50 61, Fax 27 10 84 – 25/40. AE VISA. S **a**
Comida 2500 – 750 – **157 hab** 6700/9800, 14 suites – PA 4885.

Luna de Granada sin rest, Arabial 83, ✉ 18004, ☎ 27 66 00, Fax 27 47 59, – AE VISA. T **z**
500 – **120 hab** 7600/9500.

Montecarlo sin rest, Acera del Darro 44, ✉ 18005, ☎ 25 79 00, Fax 25 55 96 – AE VISA JCB BZ **u**
500 – **74 hab** 4000/6000.

Sacromonte sin rest y sin , pl. del Lino 1, ✉ 18002, ☎ 26 64 11, Fax 26 67 07 – AE VISA. AY **e**
33 hab 3900/6000.

Los Girasoles sin rest, Cardenal Mendoza 22, ✉ 18001, ☎ 28 07 25 – . AX **r**
375 – **29 hab** 3000/5600.

Verona sin rest y sin , Recogidas 9 - 1°, ✉ 18005, ☎ 25 55 07 – AE VISA JCB. AZ **r**
11 hab 3000/4500.

GRANADA

Ancha de Capuchinos ..... S 2
Andaluces (Av. de) .... S 5
Andalucía (Av. de) .... S 6
Bomba (Pas. de la) .... T 7
Cardenal Parrado .... S 14
Cartuja (Pas. de) .... S 18
Casillas del Prats .... T 19
Constitución (Av. de la) .... S 22
Doctor Olóriz (Av. del) ..... S 24
Fuente Nueva .... T 27
Genil (Ribera del) .... T 31
Imperatriz Eugenia .... T 34
Martínez de la Rosa .... T 41
Mendez Nuñez (Av.) .... T 43
Murcia (Av. de) .... S 45
Obispo Hurtado .... T 49
Picón (Carril del) .... T 52
Pintor Rodríguez Acosta ... T 54
Real de la Cartuja .... S 56
Sacromonte
(Camino del) .... T 59
San Isidro (Pl. de) .... S 62
Severo Ochoa .... S 70
Sierra Nevada
(Carretera de la) .... T 71
Solarillo de Gracia .... T 74
Violón (Pas. del) .... T 81

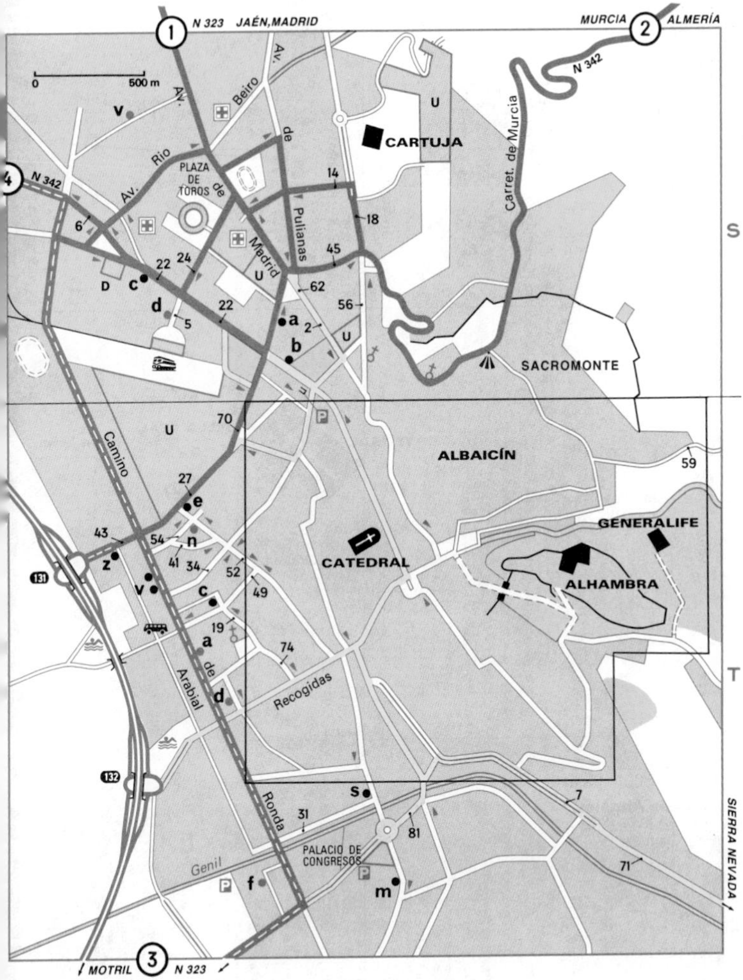

XXX **Bogavante,** Duende 15, ✉ 18005, ☏ 25 91 12, Fax 26 76 53 – ▤. AE ⓓ VISA. ✂ BZ **k**
cerrado domingo y agosto – **Comida** carta 2500 a 3700.

XX **Los Santanderinos,** Albahaca 1, ✉ 18006, ☏ 12 83 35 – ▤. AE E VISA. ✂ T **f**
cerrado domingo, lunes noche y del 8 al 25 de agosto – **Comida** carta 4250 a 5700.

XX **Tavares,** Carrera del Genil 4, ✉ 18005, ☏ 22 67 69, Fax 22 67 69 – ▤. AE ⓓ E VISA. ✂ BZ **x**
cerrado domingo – **Comida** carta 3000 a 3400.

XX **Rincón de Miguel,** av. Andaluces 2, ✉ 18014, ☏ 29 29 78, Fax 28 58 91 – ▤. AE ⓓ E VISA JCB. ✂ S **d**
cerrado domingo y agosto – **Comida** carta 3300 a 5300.

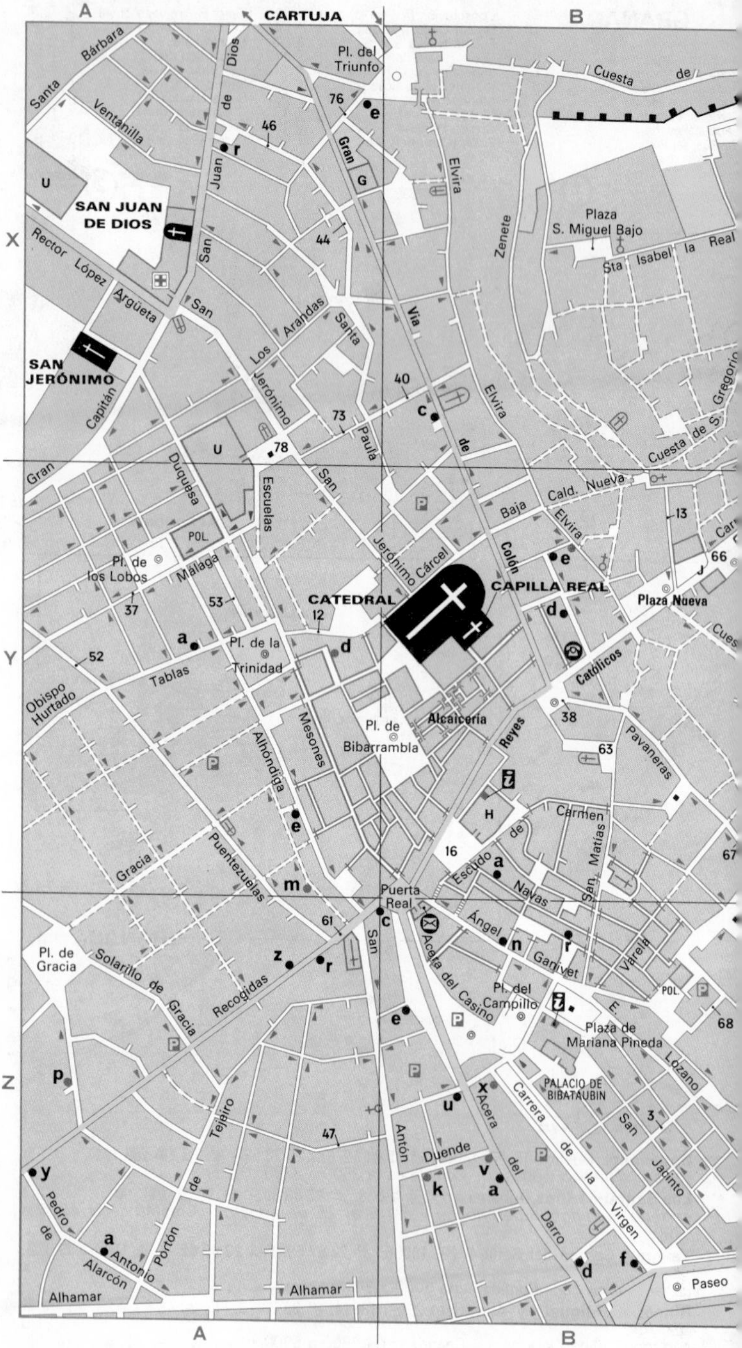
A
B
CARTUJA
X
Y
Z
SAN JUAN DE DIOS
SAN JERÓNIMO
CATEDRAL
CAPILLA REAL
Alcaicería
PALACIO DE BIBATAUBIN
Pl. del Triunfo
Plaza S. Miguel Bajo
Pl. de los Lobos
Pl. de la Trinidad
Pl. de Bibarrambla
Plaza Nueva
Puerta Real
Pl. de Gracia
Pl. del Campillo
Plaza de Mariana Pineda
Paseo
Santa Bárbara
Ventanilla
San Juan de Dios
Rector López Argüeta
Capitán
Gran Vía
Elvira
Zenete
Cuesta de
Sta Isabel la Real
Cuesta de S. Gregorio
Cald. Nueva
Baja
Colón
Duquesa
Escuelas
San Jerónimo
Los Arandas
Santa Paula
Cárcel
Málaga
Tablas
Obispo Hurtado
Mesones
Alhóndiga
Gracia
Puentezuelas
Reyes Católicos
Pavaneras
Carmen
Escudo de
Navas
San Matías
Ángel
Ganivet
Varela
E. Lozano
Acera del Casino
Solarillo de Gracia
Recogidas
San Antón
Tejeiro
Portón de Tejeiro
Duende
Acera del Darro
Carrera de la Virgen
San Jacinto
Pedro Antonio de Alarcón
Alhamar
U
G
POL.
H
76
46
44
40
73
78
37
53
12
52
13
66
38
63
16
61
67
68
47
3
a
c
d
e
f
k
m
n
p
r
u
v
x
y
z

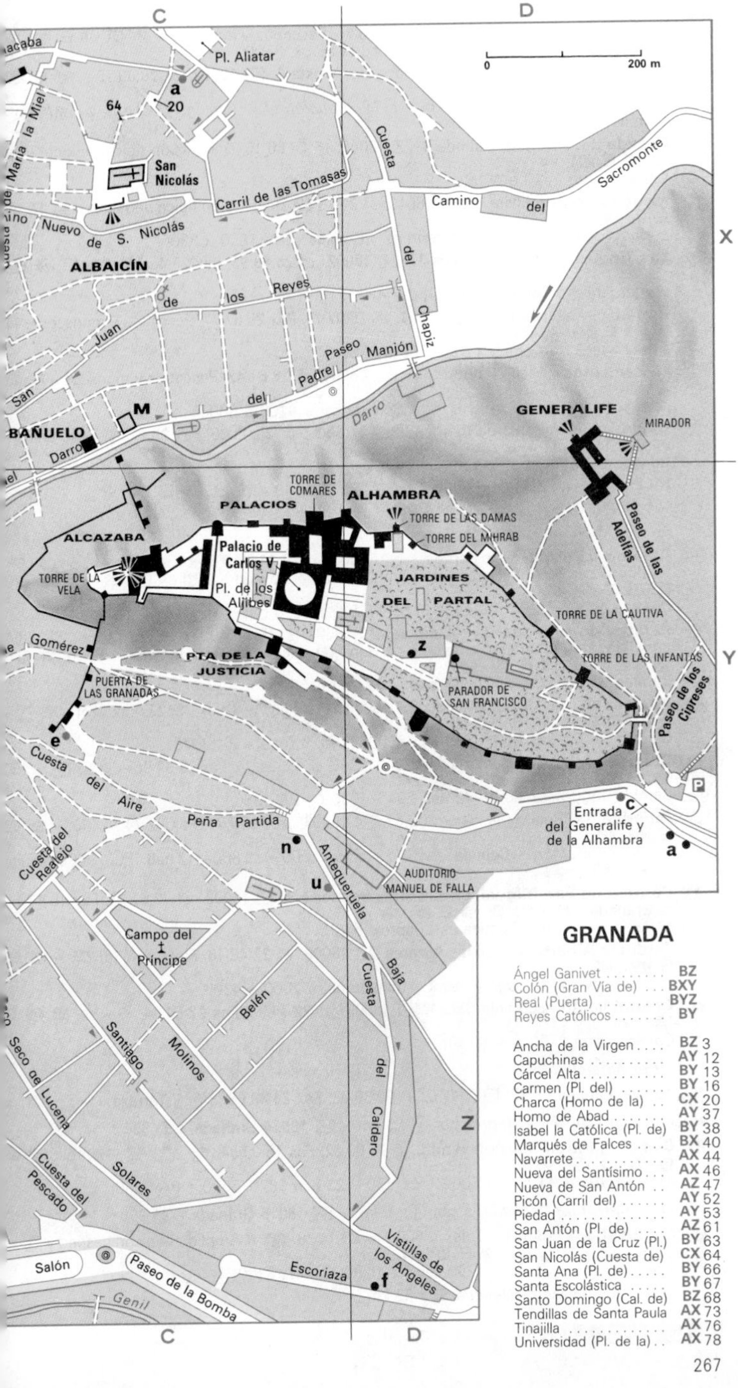

GRANADA

Ángel Ganivet	BZ
Colón (Gran Vía de)	BXY
Real (Puerta)	BYZ
Reyes Católicos	BY

Ancha de la Virgen	BZ	3
Capuchinas	AY	12
Cárcel Alta	BY	13
Carmen (Pl. del)	BY	16
Charca (Homo de la)	CX	20
Homo de Abad	AY	37
Isabel la Católica (Pl. de)	BY	38
Marqués de Falces	BX	40
Navarrete	AX	44
Nueva del Santísimo	AX	46
Nueva de San Antón	AZ	47
Picón (Carril del)	AY	52
Piedad	AY	53
San Antón (Pl. de)	AZ	61
San Juan de la Cruz (Pl.)	BY	63
San Nicolás (Cuesta de)	CX	64
Santa Ana (Pl. de)	BY	66
Santa Escolástica	BY	67
Santo Domingo (Cal. de)	BZ	68
Tendillas de Santa Paula	AX	73
Tinajilla	AX	76
Universidad (Pl. de la)	AX	78

XX **La Curva,** Párraga 9, ✉ 18002, ✆ 25 18 36, Pescados y mariscos – ▤. AE ⓓ E VISA. ✂
cerrado domingo y agosto – **Comida** carta aprox. 3500. AY

XX **Mesón Antonio Pérez,** Pintor Rodríguez Acosta 1, ✉ 18002, ✆ 28 80 79 – ▤. E VISA ✂
cerrado sábado y domingo (15 julio-15 septiembre) y domingo noche resto del año T
Comida carta 2300 a 3200.

X **Posada del Duende,** Duende 3, ✉ 18005, ✆ 26 66 10, Decoración típica regional – ▤ AE ⓓ E VISA. ✂ BZ
Comida carta 2540 a 4000.

X **Mesón Andaluz,** Elvira 17, ✉ 18010, ✆ 22 73 57, Decoración típica andaluza – ▤. AE ⓓ E VISA. ✂ BY
cerrado martes y 15 días en febrero – **Comida** carta 1850 a 3300.

X **Las Tinajas,** Martínez Campos 17, ✉ 18002, ✆ 25 43 93, Fax 25 43 93 – ▤. AE ⓓ VISA ✂ AZ
cerrado julio – **Comida** carta 3150 a 4200.

X **Cunini,** pl. Pescadería 14, ✉ 18001, ✆ 25 07 77, Fax 25 07 77, Pescados y mariscos – ▤ AE ⓓ E VISA JCB. ✂ AY
cerrado lunes – **Comida** carta 3100 a 4200.

X **La Zarzamora,** paseo de Ronda 98, ✉ 18004, ✆ 26 61 42, Pescados y mariscos – ▤. AE E VISA T
cerrado domingo noche y lunes – **Comida** carta 3100 a 3600.

X **China,** Pedro Antonio de Alarcón 23, ✉ 18004, ✆ 25 02 00, Fax 25 02 00, Rest. chino ▤. AE ⓓ E VISA JCB. ✂ T
Comida carta 1475 a 1870.

X **Mucho Gusto,** El Guerra 30, ✉ 18014, ✆ 27 72 19 – Ⓟ. AE ⓓ E VISA. ✂ S
cerrado domingo noche, lunes y agosto – **Comida** carta 2850 a 3200.

en la Alhambra :

Alhambra Palace, Peña Partida 2, ✉ 18009, ✆ 22 14 68, Telex 78400, Fax 22 64 04, « Edificio de estilo árabe con ≤ Granada y Sierra Nevada » – |‡| ▤ TV ☎ – 25/120 AE ⓓ E VISA. ✂ rest CY
Comida 4000 – ☐ 1150 – **132 hab** 14115/17600, 11 suites – PA 8000.

Parador de Granada ⛰, Alhambra, ✉ 18009, ✆ 22 14 40, Telex 78792, Fax 22 22 64 « Instalado en el antiguo convento de San Francisco (siglo XV), jardín » – ▤ TV ☎ Ⓟ – 25/40. AE ⓓ E VISA. ✂ DY
Comida 3500 – ☐ 1200 – **38 hab** 23000 – PA 6970.

Alixares ⛰, av. de los Alixares, ✉ 18009, ✆ 22 55 75, Telex 78523, Fax 22 41 02, 🏊 – |‡| ▤ TV ☎ – 25/150. AE ⓓ E VISA JCB. ✂ rest DY
Comida 1500 – ☐ 550 – **168 hab** 6500/9750, 1 suite – PA 3015.

Guadalupe ⛰, av. de los Alixares, ✉ 18009, ✆ 22 34 24, Fax 22 37 98 – |‡| ▤ TV ☎. AE ⓓ E VISA JCB. ✂ rest DY
Comida 1800 – ☐ 600 – **42 hab** 6040/10300 – PA 3360.

América ⛰, Real de la Alhambra 53, ✉ 18009, ✆ 22 74 71, Fax 22 74 70, 🌂 – ☎. AE E VISA. ✂ DY
marzo-9 noviembre – **Comida** *(cerrado sábado)* 2000 – ☐ 800 – **12 hab** 6500/9485, 1 suite – PA 4080.

XXX **Carmen de San Miguel,** pl. de Torres Bermejas 3, ✉ 18009, ✆ 22 67 23, Fax 46 84 44, ≤ Granada, 🌂 – ▤. AE ⓓ E VISA. ✂ CY
cerrado domingo – **Comida** carta aprox. 5400.

XX **Jardines Alberto,** av. de los Alixares, ✉ 18009, ✆ 22 48 18, Fax 22 48 18, 🌂 – ▤. AE E VISA. ✂ DY
cerrado domingo noche y lunes – **Comida** carta 2600 a 4300.

XX **Colombia,** Antequeruela Baja 1, ✉ 18009, ✆ 22 74 33, Fax 22 54 94, ≤ – ▤. AE ⓓ E VISA. ✂ CY
Comida carta 2750 a 4900.

en el Albaicín :

X Zoraya, Panaderos 32, ✉ 18010, ✆ 29 35 03, Fax 81 49 68, 🌂, « Terraza » – CX

en la carretera de Madrid por ① : 3 km – ✉ 18014 Granada – ✆ 958 :

Camping Motel Sierra Nevada, ✆ 15 00 62, Fax 15 09 54, 🌂, 🏊, 🎾 – ▤ rest TV ☎ Ⓟ. AE ⓓ VISA. ✂
marzo-octubre – **Comida** 1000 – ☐ 250 – **23 hab** 3820/5620 – PA 2250.

en la carretera de Málaga por ④ : 5 km – ✉ 18015 Granada – ✆ 958 :

Sol Alcano, ✆ 28 30 50, Telex 78600, Fax 29 14 29, 🌂, « Amplio patio con césped y 🏊 » 🎾 – ▤ TV ☎ Ⓟ. AE ⓓ E VISA. ✂ rest
Comida 1250 – ☐ 800 – **100 hab** 7200/9000 – PA 3300.

Ver también : ***Sierra Nevada*** SE : 32 km.

GRAN CANARIA Las Palmas – ver Canarias.

La GRANJA o **SAN ILDEFONSO** 40100 Segovia 442 J 17 – 4 949 h. alt. 1 192 – ☎ 921.

Ver : Palacio (museo de tapices★★) – Jardines★★ (surtidores★★).

♦Madrid 74 – ♦Segovia 11.

- **Roma,** Guardas 2 ☎ 47 07 52, 🏕 – E VISA. ✻
  cerrado noviembre – **Comida** *(cerrado martes)* 2000 – ☐ 400 – **16 hab** 4500/8000.
- **Dólar,** Valenciana 1 ☎ 47 02 69 – AE DC E VISA. ✻
  cerrado miércoles y noviembre – **Comida** carta 3025 a 3425.

en Pradera de Navalhorno - carret. del Puerto de Navacerrada S : 2,5 km – ✉ 40109 Valsain – ☎ 921 :

- **Mesón de Miguel,** ☎ 47 19 29, 🏕 – AE DC E VISA. ✻
  cerrado miércoles, 15 días en febrero y 15 días en octubre – **Comida** carta 2050 a 3500.

en Valsain - carret. del Puerto de Navacerrada S : 3 km – ✉ 40109 Valsain – ☎ 921 :

- **Hilaria,** ☎ 47 02 92, 🏕 – AE E VISA
  cerrado lunes noche en agosto y lunes resto del año – **Comida** carta 2700 a 4400.

GRANOLLERS 08400 Barcelona 443 H 36 – 52 062 h. alt. 148 – ☎ 93.

♦Madrid 641 – ♦Barcelona 28 – Gerona/Girona 75 – Manresa 70.

- **Ciutat de Granollers** ⛰, Turó Bruguet 2 - carret de Mataró ☎ 879 62 20, Fax 879 58 46, ←, Fō, ▣ – |‡| ▤ TV ☎ ⇔ P – 🏛 30/800. AE DC E VISA JCB
  Comida 2000 – ☐ 900 – **111 hab** 11000/13500 – PA 4900.
- **Iris** sin rest, av. Sant Esteve 92 ☎ 879 29 29, Fax 879 20 06 – |‡| ▤ TV ☎ ⇔. AE DC E VISA JCB. ✻ – ☐ 650 – **55 hab** 5850/8000.
- **Europa** con hab., Anselm Clavé 1 ☎ 870 03 12, Fax 870 79 01 – |‡| ▤ TV ☎. AE DC E VISA JCB. ✻ rest
  Comida carta aprox. 3550 – **7 hab** ☐ 9000/12000.
- **L'Amperi,** pl. de la Font Verda ☎ 870 43 45 – ▤ P. ✻
  cerrado lunes y del 15 al 30 de septiembre – **Comida** carta 2750 a 4100.
- **La Taverna d'en Grivé,** Josep María Segarra 98 - carret. de Sant Celoni ☎ 849 57 83 – ▤ P. AE DC E VISA JCB. ✻
  cerrado domingo noche y lunes – **Comida** carta 3100 a 4700.
- **Layon,** pl. de la Caserna 2 ☎ 879 40 82 – ▤
  cerrado martes y 1ª quincena de septiembre – **Comida** carta 2000 a 3175.
- **La Porxada,** Girona 190 ☎ 849 70 29 – ▤. E VISA. ✻
  cerrado domingo y del 7 al 31 de agosto – **Comida** carta 2150 a 5155.
- **Les Arcades,** Girona 29 ☎ 879 40 96, Fax 870 91 56 – ▤. E VISA. ✻
  cerrado martes y del 1 al 15 de julio – **Comida** carta 1800 a 3425.

en la carretera de El Masnou – ☎ 93 :

- **Alfa Vallés y Rest. Gran Mercat** ⛰, S : 4,5 km, ✉ 08410 Vilanova del Vallés, ☎ 845 60 50, Fax 845 60 61, ←, Fō, ▣ – |‡| ▤ TV ☎ ♿ P – 🏛 25/200. AE DC E VISA JCB. ✻ rest
  Comida carta 2350 a 4050 – ☐ 950 – **102 hab** 10000/12500.
- **Granollers y Rest. Xeflis,** av. Francesc Maciá 300 S : 1,8 km, ✉ 08400 Granollers apartado 148, ☎ 879 51 00, Fax 879 42 55 – |‡| ▤ TV ☎ ♿ ⇔ P – 🏛 25/250. AE DC E VISA. ✻ rest
  Comida 1700 – ☐ 900 – **72 hab** 12000/20000 – PA 4100.
- **El Trabuc,** S : 2 km, ✉ 08400 Granollers, ☎ 870 86 57, Fax 879 57 46, 🏕, Antigua casa de campo – ▤ P. AE DC E VISA. ✻
  cerrado del 16 al 31 agosto – **Comida** carta 3400 a 4500.

GRAUS 22430 Huesca 443 F 31 – 3 267 h. alt. 468 – ☎ 974.

♦Madrid 475 – Huesca 85 – ♦Lérida/Lleida 85.

- **Lleida,** glorieta Joaquín Costa ☎ 54 09 25, Fax 54 07 54 – ▤ TV ☎ ⇔ P. AE VISA
  Comida 1475 – ☐ 525 – **27 hab** 3575/5850 – PA 2975.

GRAZALEMA 11610 Cádiz 446 V 13 – 2 325 h. – ☎ 956.

Ver : Pueblo blanco★.

♦Madrid 567 – ♦Cádiz 136 – Ronda 27 – ♦Sevilla 135.

- Grazalema ⛰, ☎ 13 21 36, ←, ⛱ – TV P – **24 hab.**

GREDOS 05132 Ávila 442 K 14 – ☎ 920.

Ver : Sierra★★, emplazamiento del Parador★★.

Alred. : Carretera del puerto del Pico★ (←★) SE : 18 km.

♦Madrid 169 – Ávila 63 – Béjar 71.

- **Parador de Gredos** ⛰, alt. 1 650 ☎ 34 80 48, Fax 34 82 05, ← Sierra de Gredos, 🎾 – |‡| TV ☎ ⇔ P – 🏛 25/100. AE DC E VISA. ✻
  Comida 3000 – ☐ 1000 – **76 hab** 10500, 1 suite – PA 5950.

GRIÑÓN 28971 Madrid 444 L 18 – 2 332 h. – ☎ 91.
♦Madrid 30 – Aranjuez 36 – Toledo 47.

- **El Mesón de Griñón,** General Primo de Rivera 9 ☎ 814 01 13, Fax 814 05 81, – ▤ P. AE ⦿ E VISA. ✻
  cerrado lunes y julio – **Comida** carta 3300 a 5450.
- **El Lechal,** carret. de Navalcarnero O : 1 km ☎ 814 01 62, – ▤ P. AE E VISA. ✻
  cerrado jueves y agosto – **Comida** carta 2800 a 4700.

El GROVE u **O GROVE** 36980 Pontevedra 441 E 3 – 10 367 h. – ☎ 986 – Playa.
ℹ pl. del Corgo, ☎ 73 14 15 (temp.).
♦Madrid 635 – Pontevedra 31 – Santiago de Compostela 71.

- **Maruxia** sin rest, Luis Casais 14 ☎ 73 27 95, Fax 73 05 07 – ▤ TV ☎. AE E VISA. ✻
  cerrado 20 diciembre-20 enero – ☕ 500 – **40 hab** 4900/6900.
- **Serantes** sin rest. con cafetería, Castelao, 40 ☎ 73 22 04, Fax 73 23 91 – ▤ ☎. AE E VISA. ✻
  cerrado 15 diciembre-enero – ☕ 550 – **32 hab** 5500/6500.
- **Amandi** sin rest, Castelao 94 ☎ 73 19 42, Fax 73 16 43 – ▤ TV ☎. E VISA. ✻
  cerrado 24 diciembre-febrero – ☕ 600 – **25 hab** 6700/8700.
- **El Molusco,** Castelao 206 - puente de la Toja ☎ 73 07 61, Fax 73 29 84 – ▤ TV ☎. AE ⦿ E VISA. ✻
  cerrado 15 diciembre-15 enero – **Comida** *(cerrado lunes)* carta 1850 a 2850 – ☕ 500 – **29 hab** 5000/7500.
- Tamanaco, Castelao 162 ☎ 73 04 46, Fax 73 03 52, ← – ▤ ☎ – **36 hab.**
- **El Crisol,** Hospital 10 ☎ 73 00 29 – ▤. AE E VISA
  cerrado lunes en invierno – **Comida** carta 2550 a 3500.
- **La Posada del Mar,** Castelao 202 ☎ 73 01 06 – ▤ P. AE ⦿ E VISA. ✻
  cerrado domingo noche (salvo agosto) y 10 diciembre-enero – **Comida** carta 3025 a 3575.
- **Dorna,** Castelao 150 ☎ 73 18 42, Fax 73 23 12 – ▤. AE ⦿ E VISA
  cerrado 15 octubre-15 noviembre – **Comida** carta 2700 a 4000.
- **Beiramar,** av. Beiramar 30 ☎ 73 10 81, Pescados y mariscos – ▤. AE ⦿ E VISA. ✻
  cerrado lunes y noviembre – **Comida** carta 2400 a 3400.
- **Finisterre,** pl. del Corgo 2 ☎ 73 07 48, Pescados y mariscos – AE E VISA. ✻
  cerrado domingo noche y 10 enero-15 febrero – **Comida** carta 2500 a 4000.
- El Combatiente, pl. del Corgo 10 ☎ 73 07 41, , Pescados y mariscos.

en la carretera de Pontevedra S : 3 km – ✉ 36980 El Grove – ☎ 986 :

- **Touris** sin rest, Ardia 175 ☎ 73 02 51, Fax 73 20 00, ←, ⛱, ✻ – ▤ TV ☎ P. AE ⦿ E VISA. ✻
  marzo-diciembre – ☕ 950 – **48 hab** 7000/10500.

en San Vicente del Mar – ✉ 36989 San Vicente del Mar – ☎ 986 :

- **Mar Atlántico** , S : 8,5 km ☎ 73 80 61, Fax 73 82 99, ⛱ – TV ☎ P. AE ⦿ E VISA. ✻
  abril-15 octubre – **Comida** 2300 – ☕ 900 – **34 hab** 8540/9120.
- El Pirata, praia Farruco, urb. San Vicente do Mar, SO : 9 km ☎ 73 80 52, .

GUADALAJARA 19000 P 444 K 20 – 67 847 h. alt. 679 – ☎ 949.
Ver : Palacio del Infantado★ (fachada★, patio★).
ℹ pl. Mayor 7, ✉ 19001, ☎ 22 06 98 – R.A.C.E. San Juan de Dios 2, ✉ 19001, ☎ 21 77 18.
♦Madrid 55 – Aranda de Duero 159 – Calatayud 179 – Cuenca 156 – Teruel 245.

- **Infante** sin rest, San Juan de Dios 14, ✉ 19001, ☎ 22 35 55, Fax 22 35 98 – ▤ TV ☎. AE ⦿ E VISA. ✻ – ☕ 450 – **35 hab** 5725/7420.
- **Miguel Ángel,** Alfonso López de Haro 4, ✉ 19001, ☎ 21 22 51, Fax 21 25 63, Decoración castellana – ▤ – **Comida** carta 3450 a 4200.

junto a la autovía N II – ☎ 949 :

- **Pax** , ✉ 19005, ☎ 22 18 00, Fax 22 69 55, ←, ⛱, ✻ – ▤ ▤ TV ☎ P – 25/400. AE ⦿ E VISA. ✻
  Comida 2100 – ☕ 675 – **61 hab** 8400/10500 – PA 4140.
- **Alcarria,** Toledo 39, ✉ 19002, ☎ 25 33 00, Fax 25 34 07 – ▤ ▤ TV ☎ – 25/300. AE ⦿ E VISA. ✻ rest
  Comida carta 4100 a 5400 – ☕ 400 – **53 hab** 7000/10000.
- **Los Faroles,** ✉ 19004, ☎ 21 30 32, , Decoración castellana – ▤ P. AE ⦿ E VISA. ✻
  cerrado lunes y agosto – **Comida** carta 2950 a 4550.

GUADALEST o **EL CASTELL DE GUADALEST** 03517 Alicante 445 P 29 – 165 h. – ☎ 96.
Ver : Situación ★.
♦Madrid 441 – Alcoy/Alcoi 36 – ♦Alicante/Alacant 65 – ♦Valencia 145.

- **Xorta,** carret. de Callosa de Ensarriá ☎ 588 51 87, ←, ⛱ – P. AE E VISA. ✻
  cerrado 15 mayo-15 junio – **Comida** (sólo almuerzo 15 septiembre-15 mayo) carta 1550 a 2575.

GUADALUPE 10140 Cáceres 444 N 14 - 2 447 h. alt. 640 - ✆ 927.

Ver : Emplazamiento★, pueblo viejo★ - Monasterio★★ : Sacristía★★ (cuadros de Zurbarán★★) Camarín★ - Sala Capitular (antifonarios y libros de horas miniados★) - Museo de bordados (casullas y frontales de altar★★).

Alred. : Carretera★ de Guadalupe a Puerto de San Vicente ≤★.

♦Madrid 225 - ♦Cáceres 129 - Mérida 129.

- **Parador de Guadalupe** ⅋, Marqués de la Romana 12 ✆ 36 70 75, Fax 36 70 76, ≤, « Instalado en un edificio del siglo XVI con jardín », ⛱, 🎾 - |♦| ▭ TV ☎ ⇔ P. AE ⓓ E VISA. ✻
  Comida 3200 - ☕ 1100 - **40 hab** 11500 - PA 6375.
- **Hospedería del Real Monasterio** ⅋, pl. Juan Carlos I ✆ 36 70 00, Fax 36 71 77, « Instalado en el antiguo monasterio » - |♦| ▭ ☎ P. E VISA. ✻
  cerrado 16 enero-16 febrero - **Comida** 2450 - ☕ 750 - **46 hab** 4700/6900, 1 suite - PA 4790.
- **Cerezo** con hab, Gregorio López 12 ✆ 36 73 79, Fax 36 75 31 - ▭ rest. AE E VISA. ✻ rest
  Comida carta 1750 a 2650 - ☕ 250 - **15 hab** 2500/4500.
- **Mesón El Cordero,** Alfonso Onceno 27 ✆ 36 71 31 - ▭. VISA. ✻
  cerrado lunes y febrero - **Comida** carta aprox. 2420.

GUADARRAMA 28440 Madrid 444 J 17 - 6 950 h. alt. 965 - ✆ 91.

♦Madrid 48 - ♦Segovia 43.

- **Laciana,** Alfonso Senra ✆ 854 03 37 - ▭. AE ⓓ E VISA. ✻
  cerrado Navidades - **Comida** (sólo cena viernes, sábado y verano) carta 3200 a 4600.
- **Asador Los Caños,** Alfonso Senra 51 ✆ 854 02 69, Fax 854 31 32, Cordero asado - ▭. ⓓ VISA
  cerrado martes y del 2 al 31 de mayo - **Comida** *(sólo almuerzo salvo fines de semana, Semana Santa, verano y Navidades)* carta 2900 a 3500.

en la carretera N VI SE : 4,5 km - ✉ 28440 Guadarrama - ✆ 91 :

- **Miravalle** con hab, ✆ 850 03 00, Fax 851 24 28, - ▭ rest ☎ P. VISA. ✻
  cerrado febrero - **Comida** *(cerrado miércoles)* carta aprox. 3300 - ☕ 550 - **12 hab** 5000/7000.

Ver también : ***Navacerrada*** NE : 12 km.

GUADIX 18500 Granada 446 U 20 - 19 634 h. alt. 949 - ✆ 958.

Ver : Catedral★ (fachada★) - Barrio troglodita★ - Alcazaba : ≤★.

Alred. : Carretera★★ de Guadix a Purullena (pueblo troglodita★) O : 5 km - Lacalahorra (castillo : patio★★) SE : 17 km.

ℹ carret. de Granada, ✆ 66 26 65.

♦Madrid 436 - ♦Almería 112 - ♦Granada 57 - ♦Murcia 226 - Úbeda 119.

- **Carmen,** carret. de Granada ✆ 66 15 11, Fax 66 14 01 - |♦| ▭ TV ☎ ⇔ P - 🏛 25/500. AE E VISA. ✻
  Comida 950 - ☕ 375 - **20 hab** 3000/4600 - PA 1950.
- **Comercio,** Mira de Amezcua 3 ✆ 66 05 00, Fax 66 05 00 - ▭ rest TV ☎. AE ⓓ E VISA
  Comida 1100 - ☕ 400 - **20 hab** 2800/4800.

GUALCHOS 18614 Granada 446 V 19 - 2 914 h. alt. 350 - ✆ 958.

♦Madrid 518 - ♦Almería 94 - ♦Granada 88 - ♦Málaga 113.

- **La Posada** ⅋ con hab, pl. de la Constitución 3 ✆ 65 60 34, Fax 65 60 34, « Rincón de estilo regional », ⛱, - E VISA. ✻ rest
  cerrado diciembre-febrero - **Comida** *(cerrado lunes)* carta 3200 a 4450 - **9 hab** ☕ 10000.

GUARDAMAR 46711 Valencia 445 P 29 - 51 h. alt. 11 - ✆ 96.

♦Madrid 422 - Gandía 6 - ♦Valencia 70.

- **Arnadí,** Molí 14 ✆ 281 90 57, Terraza -jardín - ▭. AE ⓓ E VISA. ✻
  cerrado domingo noche, lunes y noviembre - **Comida** carta 2525 a 3825.

GUARDAMAR DEL SEGURA 03140 Alicante 445 R 28 - 7 513 h. - ✆ 96 - Playa.

ℹ pl. de la Constitución 7, ✆ 572 72 92, Fax 572 72 92.

♦Madrid 442 - ♦Alicante/Alacant 36 - Cartagena 74 - ♦Murcia 52.

- **Guardamar,** av. Puerto Rico 11 ✆ 572 96 50, Fax 572 95 30, ≤, ⛱ - |♦| ☎ ⇔. AE ⓓ E VISA. ✻
  Comida 1600 - ☕ 600 - **52 hab** 4600/7100 - PA 3100.
- **Meridional,** av. de la Libertad 46-urb. Las Dunas S : 1 km ✆ 572 83 40, Fax 572 83 06, ≤ - |♦| TV ☎ P. AE ⓓ E VISA. ✻
  Comida 1475 - ☕ 550 - **56 hab** 4425/7000 - PA 3100.

Mediterráneo, av. Cartagena 26 ☎ 572 94 07, Fax 572 94 07 - rest. AE E VISA.
Comida 1300 - ☕ 425 - **30 hab** 3500/5700 - PA 2500.

Eden-Mar sin rest, Mediterráneo 19 ☎ 572 92 13 - VISA.
abril-septiembre - **25 hab** 3200/4950.

Delta, Blasco Ibáñez 63 ☎ 572 87 12,
19 marzo-septiembre - **Comida** 1200 - ☕ 350 - **16 hab** 2800/5300 - PA 2375.

Chez Victor 2, av. de Perú 1 (urb Las Dunas) ☎ 572 95 04, ← - AE ⓓ E VISA.
cerrado martes y del 16 al 31 de enero - **Comida** carta 2200 a 3200.

La GUARDIA o A GARDA 36780 Pontevedra 441 G 3 - 9 727 h. alt. 40 - ☎ 986 - Playa

Alred. : Monte de Santa Tecla★ (←★★) S : 3 km.

♦Madrid 628 - Orense/Ourense 129 - Pontevedra 72 - ♦Porto 148 - ♦Vigo 53.

Convento de San Benito sin rest, pl. de San Benito ☎ 61 11 66, Fax 61 15 17, ←, « Antiguo convento » - TV ☎. AE VISA.
☕ 500 - **24 hab** 5100/7800.

Eli-Mar sin rest, Vicente Sobrino 12 ☎ 61 30 00, Fax 61 11 56 - TV ☎. AE ⓓ E VISA.
☕ 375 - **20 hab** 2750/5900, 2 apartamentos.

Bruselas sin rest, Orense 7 ☎ 61 11 21 -
☕ 300 - **37 hab** 3300/4575.

Anduriña, Calvo Sotelo 48 ☎ 61 11 08, Fax 61 11 56, ←, Pescados y mariscos - AE ⓓ E VISA.
Comida carta aprox. 3700.

La GUDIÑA o A GUDIÑA 32540 Orense 441 F 8 - 2 017 h. alt. 979 - ☎ 988.

♦Madrid 389 - Benavente 132 - Orense/Ourense 110 - Ponferrada 117 - Verín 39.

Relojero 2, carret. N 525 ☎ 42 11 39 - TV P. AE ⓓ E VISA.
Comida 1200 - ☕ 300 - **25 hab** 2900/4100 - PA 2700.

GUERNICA Y LUNO o GERNIKA - LUMO 48300 Vizcaya 442 C 21 - 15 999 h. alt. 10 - ☎ 94.

Alred. : N : Carretera de Bermeo ←★, Ría de Guernica★ - Cueva de Santimamiñe (formaciones calcáreas★) NE : 5 km - Balcón de Vizcaya ←★★ SE : 18 km.

Artekale 8, ☎ 625 58 92, Fax 625 75 42.

♦Madrid 429 - ♦Bilbao/Bilbo 36 - ♦San Sebastián/Donostia 84 - ♦Vitoria/Gasteiz 69.

Gernika sin rest, Carlos Gangoiti 17 ☎ 625 03 50, Fax 625 58 74 - TV ☎ P. AE ⓓ E VISA.
cerrado 24 diciembre-2 enero - ☕ 550 - **24 hab** 4950/7700.

Arrien, Ferial 2 ☎ 625 06 41 -

Zallo Barri, Señorío de Vizcaya 79 ☎ 625 18 00, Fax 625 18 00 - AE ⓓ VISA
cerrado domingo noche y miércoles noche - **Comida** carta 3600 a 4400.

Boliña con hab, Barrenkalle 3 ☎ 625 03 00, Fax 625 03 00 - rest TV ☎
16 hab.

en la carretera C 6315 S : 2 km - ✉ 48392 Muxika - ☎ 94 :

Remenetxe, barrio Ugarte ☎ 625 35 20, Caserío típico - P. AE ⓓ E VISA JCB.
cerrado miércoles y del 1 al 15 de febrero - **Comida** carta 3500 a 5100.

GUETARIA o GETARIA 20808 Guipúzcoa 442 C 23 - 2 348 h. - ☎ 943.

Alred. : Carretera en cornisa★★ de Guetaria a Zarauz.

Gudarien Enparantza, ☎ 83 21 03 (temp.).

♦Madrid 487 - ♦Bilbao/Bilbo 77 - ♦Pamplona/Iruñea 107 - ♦San Sebastián/Donostia 26.

Elkano, Herrerieta 2 ☎ 14 06 14, Pescados y mariscos - AE ⓓ E VISA
cerrado 1ª quincena febrero y 1ª quincena noviembre - **Comida** carta 3700 a 5500.

Kaia Kaipe, General Arnao 10 ☎ 14 05 00, ← puerto pesquero y mar, Decoración marinera, Pescados y mariscos - AE ⓓ E VISA.
cerrado 2ª quincena de octubre y 1ª quincena de marzo - **Comida** carta 3900 a 5800.

Talai-Pe, Puerto Viejo ☎ 14 06 13, Fax 86 11 63, ←, Decoración rústica marinera, Pescados y mariscos - AE ⓓ E VISA JCB.
cerrado domingo noche, lunes y del 15 al 30 de octubre - **Comida** carta 3100 a 5400.

Iribar, Nagusia 38 ☎ 14 04 06, Pescados y mariscos - AE ⓓ E VISA
cerrado jueves (salvo en verano), 15 días en octubre y 15 días en febrero - **Comida** carta 2900 a 4800.

al Suroeste : 2 km por carret. N 634 - ✉ 20808 Guetaria - ☎ 943 :

San Prudencio con hab, ☎ 14 04 11, ←, - P. VISA.
marzo-octubre - **Comida** *(cerrado diciembre)* carta 2500 a 4200 - ☕ 500 - **12 hab** 4500.

GUIJUELO 37770 Salamanca 441 K 12 - 4 755 h. alt. 1 010 - 923.
Madrid 206 - Ávila 99 - Plasencia 83 - Salamanca 49.

Torres sin rest, con cafetería, San Marcos 3 58 14 51, Fax 58 00 17 - AE E VISA.
500 - **37 hab** 4000/6500.

GUILLENA 41210 Sevilla 446 T 11 - 7 715 h. alt. 23 - 95.
Madrid 545 - Aracena 71 - Huelva 108 - Sevilla 21.

en la carretera de Burguillos NE : 5 km - 41210 Guillena - 95 :

Cortijo Águila Real, 479 80 06, Fax 578 43 30, «Elegante cortijo andaluz con amplio jardín y » - - 25/30. AE E VISA.
Comida 4000 - 1250 - **8 hab** 15000, 3 suites - PA 7650.

GÜIMAR Santa Cruz de Tenerife - ver Canarias (Tenerife).

HARÍA Las Palmas - ver Canarias (Lanzarote).

HARO 26200 La Rioja 442 E 21 - 8 939 h. alt. 479 - 941.
Alred. : Balcón de la Rioja ★ E : 26 km.
pl. Hermanos Florentino Rodríguez 31 27 26.
Madrid 330 - Burgos 87 - Logroño 49 - Vitoria/Gasteiz 43.

Los Agustinos, San Agustín 2 31 13 08, Telex 37161, Fax 30 31 48, « Instalado en un convento del siglo XIV » - - 25/200. AE E VISA JCB. rest
Comida *(cerrado domingo y 15 julio-15 agosto)* 2500 - 975 - **60 hab** 8500/12500.

Beethoven II, Santo Tomás 3 31 11 81 - . E VISA.
cerrado lunes noche y martes - **Comida** carta 3000 a 3750.

Terete, Lucrecia Arana 17 31 00 23, Rest. típico con bodega, Cordero asado - . VISA.
cerrado domingo noche, lunes y octubre - **Comida** carta 2800 a 3100.

en la carretera N 232 SE : 1 km - 26200 Haro - 941 :

Iturrimurri, carret. de circunvalación 31 12 13, Telex 37021, Fax 31 17 21, - - 25/100. AE E VISA JCB. rest
Comida 1800 - 975 - **36 hab** 5600/8200 - PA 4000.

HECHO 22720 Huesca 443 D 27 alt. 833 - 974.
Madrid 497 - Huesca 102 - Jaca 49 - Pamplona/Iruñea 122.

Lo Foratón sin , urb. Cruz Alta 37 52 47 - . AE E VISA.
Comida (ver rest. **Lo Foratón**) - **28 hab** 5000/7000, 1 suite.

Gaby-Casa Blasquico, pl. Palacio 1 37 50 07, - VISA.
Semana Santa, verano, Navidades y fines de semana resto año - **Comida** (es necesario reservar) carta 1800 a 3500.

Lo Foratón con hab, urb. Cruz Alta 37 52 47 - AE E VISA.
Comida carta 1600 a 2800 - 400 - **10 hab** 5000.

en la carretera de Selva de Oza N : 7 km - 22720 Hecho - 974 :

Usón, 37 53 58, valle y montañas - . VISA.
cerrado 10 enero- 15 marzo - **Comida** 1500 - 400 - **14 hab** 3500/5000.

HELLÍN 02400 Albacete 444 Q 24 - 23 540 h. alt. 566 - 967.
Madrid 306 - Albacete 59 - Murcia 84 - Valencia 186.

Reina Victoria, Coullaut Valera 3 30 02 50, Fax 30 08 43 - . AE E VISA.
Comida 1500 - 250 - **24 hab** 6000/10000, 1 suite.

Modesto, López de Oro 18 30 02 50, Fax 30 02 50 - rest . AE E VISA.
Comida 1500 - 250 - **19 hab** 2500/5000 - PA 3000.

Hellín y Rest. D'on Manuel, carret. de Murcia 31 30 01 42, Fax 30 28 89 - rest . AE E VISA.
Comida carta 1700 a 2900 - 350 - **20 hab** 3000/5000.

Emilio con hab, carret. Jaen 23 30 15 80, Fax 30 47 75 - . AE E VISA.
Comida carta 2500 a 3750 - 500 - **15 hab** 6000/8000.

La HERRADURA 18697 Granada 446 V 18 - 958 - Playa.
Alred. : O : Carretera★ de la Herradura a Nerja ★★.
Madrid 523 - Almería 138 - Granada 93 - Málaga 66.

HERRERA DE PISUERGA 34400 Palencia 442 E 17 – 2 632 h. alt. 840 – ☎ 979.
♦Madrid 298 – ♦Burgos 68 – Palencia 72 – ♦Santander 129.

La Piedad, carret. N 611 ✆ 13 01 22 – Ⓟ. VISA. ✻
Comida 1200 – ☕ 300 – **27 hab** 2500/3500 – PA 2700.

HIERRO Santa Cruz de Tenerife – ver Canarias.

HONDARRIBIA Guipúzcoa – ver Fuenterrabía.

HONRUBIA DE LA CUESTA 40541 Segovia 442 H 18 – 107 h. alt. 1 001 – ☎ 921.
♦Madrid 143 – Aranda de Duero 18 – ♦Segovia 97.

en El Miliario S : 4 km – ✉ 40541 Honrubia de la Cuesta – ☎ 921 :

Mesón Las Campanas con hab, antigua carret. N I ✆ 53 43 65, terraza, Decoración rústica regional – Ⓟ. AE E VISA. ✻
cerrado febrero – **Comida** carta aprox. 3300 – ☕ 225 – **7 hab** 6000.

HORCHE 19140 Guadalajara 444 K 20 – 1 092 h. alt. 895 – ☎ 949.
♦Madrid 68 – Guadalajara 13.

La Cañada ⛰, ✆ 29 02 11, Fax 29 00 29, ≤, terraza, piscina – ▤ TV ☎ – 🏃 25/50. AE ⓓ E VISA. ✻ rest
Comida 2400 – ☕ 650 – **26 hab** 6500/10000 – PA 4530.

HORNA Burgos – ver Villarcayo.

HOSPITALET DEL INFANTE o **L'HOSPITALET DEL INFANT** 43890 Tarragona 443 J 32 – 2 690 h. – ☎ 977 – Playa.
ℹ Alamanda, ✆ 82 33 28, Fax 82 33 28.
♦Madrid 579 – Castellón de la Plana/Castelló de la Plana 151 – Tarragona 37 – Tortosa 52.

Pino Alto, urb. Pino Alto NE : 1 km, ✉ 43892 Miami-Montroig, ✆ 81 10 00, Fax 81 09 07, « Terraza », ⛹, piscina, jardín, tenis – 🛗 ▤ TV ☎ 🚗 – 🏃 25/140. AE ⓓ E VISA. ✻ rest
10 marzo-29 octubre – **Comida** 2400 – ☕ 950 – **137 hab** 11300/15800 – PA 4300.

Les Barques ⛰, Les Barques 14 ✆ 82 02 23, Fax 82 02 41, piscina – 🛗 ▤ TV ☎ 🚗. AE ⓓ E VISA. ✻
cerrado 23 diciembre-3 enero – **Comida** (ver rest. **Les Barques**) – ☕ 800 – **40 hab** 6000/8000.

Les Barques, passeig Marítim 21 ✆ 82 39 61, Fax 82 02 41, ≤, terraza – ▤. AE ⓓ E VISA. ✻
cerrado lunes noche y martes (salvo festivos) y 22 diciembre- 22 enero – **Comida** carta 3200 a 4500.

L'Olla, Vía Augusta 58 ✆ 82 04 38 – ▤. E VISA. ✻
cerrado domingo noche (julio-agosto), domingo, lunes y martes noche resto del año y 24 diciembre-7 enero – **Comida** carta 1900 a 3900.

en la playa de l'Almadrava SO : 9 km – ✉ 43890 Hospitalet del Infante – ☎ 977 :

Llorca ⛰, ✆ 82 31 09, Fax 82 31 09, ≤, terraza, tenis – Ⓟ. AE ⓓ E VISA. ✻
abril-octubre – **Comida** 1575 – ☕ 600 – **15 hab** 4200/6800 – PA 3190.

La HOYA 30816 Murcia 445 S 25 – ☎ 968.
♦Madrid 471 – Cartagena 72 – ♦Murcia 53.

La Hoya, antigua carret. N 340 ✆ 48 18 06, Fax 48 19 05, terraza, piscina – ☎ Ⓟ. AE ⓓ E VISA. ✻ rest
Comida *(cerrado domingo mediodía de octubre a junio)* 1100 – ☕ 375 – **36 hab** 4000/6500 – PA 9900.

HOYOS DEL ESPINO 05634 Ávila 442 K 14 – 332 h. – ☎ 920.
♦Madrid 174 – Ávila 68 – Plasencia 107 – ♦Salamanca 130 – Talavera de la Reina 87.

Mira de Gredos ⛰ con hab, ✆ 34 81 24, ≤ sierra de Gredos – Ⓟ. ✻
cerrado octubre – **Comida** *(cerrado jueves)* carta aprox. 2450 – ☕ 450 – **16 hab** 5500.

HOZNAYO 39716 Cantabria 442 B 18 – ☎ 942.
♦Madrid 399 – ♦Bilbao/Bilbo 86 – ♦Burgos 156 – ♦Santander 21.

Los Pasiegos, carret. N 634 ✆ 52 50 90, Fax 52 51 14 – 🛗 ▤ rest TV ☎ 🚗 Ⓟ. VISA. ✻ rest
Comida 1300 – ☕ 250 – **37 hab** 3000/6500.

Adelma, carret. N 634 ✆ 52 40 96, Fax 52 43 72, ≤ – ☎ Ⓟ
36 hab.

HUARTE 31620 Navarra 442 D 25 - 2 828 h. alt. 441 - ☎ 948.
◆Madrid 402 - Pamplona/Iruñea 7.

✕ **Iriguibel,** carret. C 135 ☎ 33 14 14, Fax 33 00 69 - ▤ **P**. AE ⓓ E VISA
cerrado martes y miércoles noche - **Comida** carta 3000 a 3900.

HUELVA 21000 **P** 446 U 9 - 144 579 h. - ☎ 959.
☐ av. de Alemania 14 ✉ 21001, ☎ 25 74 03 Fax 25 74 03 - **R.A.C.E.** Puerto 24, ✉ 21001, ☎ 25 49 47.
◆Madrid 629 ② - ◆Badajoz 248 ② - Faro 105 ① - Mérida 282 ② - ◆Sevilla 92 ②.

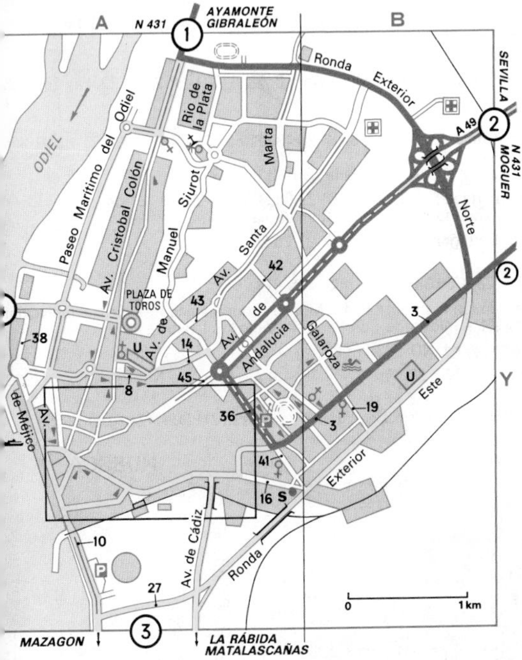

HUELVA

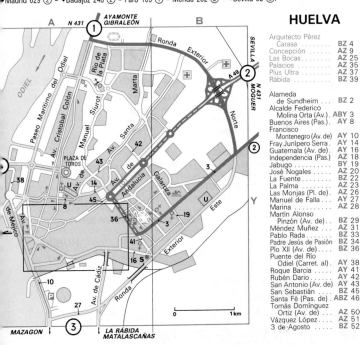

Arquitecto Pérez Carasa . . . . BZ 4
Concepción . . . . . . AZ 9
Las Bocas . . . . AZ 25
Palacios . . . . AZ 35
Plus Ultra . . . . AZ 37
Rábida . . . . BZ 39

Alameda de Sundheim . . . BZ 2
Alcalde Federico Molina Orta (Av.) . ABY 3
Buenos Aires (Pas.) . AY 8
Francisco Montenegro (Av. de) AY 10
Fray Junípero Serra . AY 14
Guatemala (Av. de) . AY 16
Independencia (Pas.) AZ 18
Jabugo . . . . BY 19
José Nogales . . . . . AZ 20
La Fuente . . . . BZ 22
La Palma . . . . AZ 23
Las Monjas (Pl. de) . AZ 26
Manuel de Falla . . . AY 27
Marina . . . . AZ 28
Martín Alonso Pinzón (Av. de) . . BZ 29
Méndez Muñez . . . AZ 31
Pablo Rada . . . . . . BZ 33
Padre Jesús de Pasión BZ 34
Pío XII (Av. de) . . . . BZ 36
Puente del Río Odiel (Carret. al) . AY 38
Roque Barcia . . . . . AY 41
Rubén Darío . . . . . . AY 42
San Antonio (Av. de) AY 43
San Sebastián . . . . BZ 45
Santa Fé (Pas. de) . ABZ 46
Tomás Domínguez Ortiz (Av. de) . . . AZ 50
Vázquez López . . . . AZ 51
3 de Agosto . . . . . BZ 52

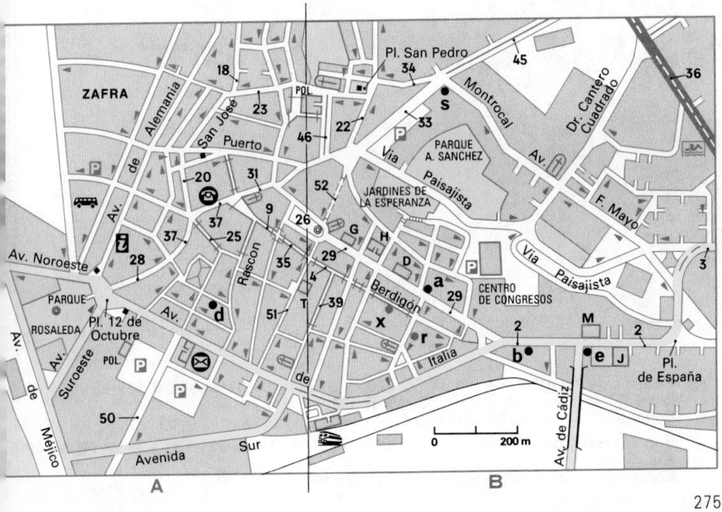

Luz Huelva sin rest, av. Sundheim 26, ✉ 21003, ☎ 25 00 11, Telex 75527, Fax 25 81 1 – 🛗 ▤ TV ☎ – 🚗 – 25/100. AE ⓓ E VISA. ✂ BZ
☕ 1100 – **102 hab** 9900/14850, 5 suites.

Monte Conquero sin rest, con cafetería, Pablo Rada 10, ✉ 21003, ☎ 28 55 0(
Fax 28 39 12 – 🛗 ▤ TV ☎ ♿ 🚗 – 25/120. AE ⓓ E VISA. ✂ BZ
☕ 600 – **168 hab** 6000/10000.

Tartessos y Rest. El Estero, av. Martín Alonso Pinzón 13, ✉ 21003, ☎ 28 27 1
Fax 25 06 17 – 🛗 ▤ TV ☎ – 25/70. AE ⓓ E VISA. ✂ BZ
Comida *(cerrado domingo)* carta 3300 a 4600 – ☕ 575 – **108 hab** 6500/10500, 3 suites

Los Condes sin rest, Alameda Sundheim 14, ✉ 21003, ☎ 28 24 00, Fax 28 50 41 – 🛗 ▤
TV ☎ 🚗. AE VISA. ✂ BZ
☕ 300 – **53 hab** 4200/7500.

Costa de la Luz sin rest y sin ☕, José María Amo 8, ✉ 21001, ☎ 25 64 22, Fax 25 64 2
– 🛗 TV ☎. ✂ AZ
35 hab 3500/6000.

Las Meigas, av. Guatemala 48, ✉ 21003, ☎ 28 48 58, Fax 28 48 58 – ▤. AE ⓓ E VISA
✂ AY
cerrado domingo en julio y agosto – **Comida** carta 3350 a 4400.

La Cazuela, Garci Fernández 5, ✉ 21003, ☎ 25 80 96 – ▤. AE ⓓ E VISA. ✂ BZ
cerrado sábado y 2ª quincena de agosto – **Comida** carta 1700 a 3200.

La Goleta de Antonio, Berdigón 16, ✉ 21003, ☎ 26 25 38 – ▤ BZ

HUESCA

22000 P 443 F 28 – 50 085 h. alt. 466 – ☎ 974.

Ver : Catedral★ (retablo de Damián Forment★★) **A** – Museo Arqueológico Provincial★ (colecció de primitivos aragoneses★) **M1** – Iglesia de San Pedro el Viejo★ (claustro★) **B**.

Excurs. : Castillo de Loarre★★ ※★★ NO : 32 km ③.

ℹ Coso Alto 23, ✉ 22003, ☎ 22 57 78, Fax 22 57 78 – R.A.C.E. pl. de Navarra 2, ✉ 22002 ☎ 22 55 76.

♦Madrid 392 ② – ♦Lérida/Lleida 123 ① – ♦Pamplona/Iruñea 164 ③ – Pau 211 ③ – ♦Zaragoza 72 ②.

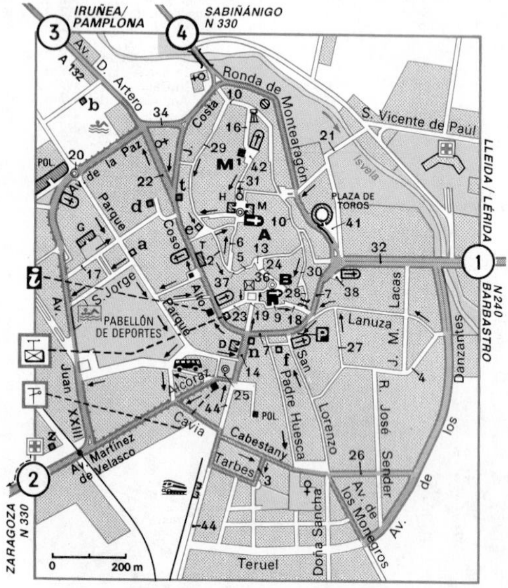

HUESCA

Coso Alto

Ainsa 2
Ángel de la Guarda 3
Ballesteros 4
Castilla 5
Cortes (las) 6
Coso Bajo 7
Cuatro Reyes 9
Desengaño 10
Fueros de Aragón (Pl. de los) . . . 13
Galicia (Porches de) 14
General Alsina (Av. del) 16
General Lasheras 17
Goya 18
López Allue (Pl. de) 19
Luis Buñuel (Pl.) 20
Misericordia (Ronda) 21
Monreal (Av.) 22
Moyá 23
Mozárabes (Trav.) 24
Navarra (Pl. de) 25
Obispo Pintado 26
Olmo 27
Palma 28
Pedro IV 29
Peligros 30
Quinto Sertorio 31
Ramón y Cajal (Pas. de) 32
San Juan Bosco 34
San Pedro (Pl. de) 36
San Salvador 37
Santo Domingo (Pl. de) 38
Tarbes 40
Unidad Nacional (Pl. de la) . . . 41
Universidad (Pl. de la) 42
Zaragoza 44

Pedro I de Aragón, Parque 34, ✉ 22003, ☎ 22 03 00, Telex 58626, Fax 22 00 94, 🏊 –
🛗 ▤ TV ☎ 🚗 – 25/500. AE ⓓ E VISA. ✂ rest a
Comida 3025 – ☕ 675 – **118 hab** 8125/13700, 2 suites – PA 6056.

San Marcos, San Orencio 10, ✉ 22001, ☎ 22 29 31, Fax 22 29 31 – 🛗 ▤ TV ☎. AE E
VISA. ✂ f
Comida (ver rest. **El Molinero**) – ☕ 375 – **26 hab** 3400/5775.

🏨 **Lizana** sin rest y sin ☕, pl. de Lizana 6, ✉ 22002, ℘ 22 07 76, Fax 22 65 57 - TV 🚗. AE ⓪ E VISA — e
34 hab 3200/4200.

🏨 **Rugaca** sin rest, Porches de Galicia 1, ✉ 22002, ℘ 22 64 49, Fax 24 23 42 - ▤ TV ☎. AE VISA. ✗ — n
cerrado del 16 al 31 de agosto - ☕ 375 - **24 hab** 4000/6500.

XX **Las Torres,** María Auxiliadora 3, ✉ 22003, ℘ 22 82 13 - ▤. AE ⓪ E VISA. ✗ — d
cerrado domingo, Semana Santa y del 16 al 31 de agosto - **Comida** carta 3100 a 3700.

XX **El Molinero,** San Orencio 10, ✉ 22001, ℘ 22 29 31, Fax 22 29 31 - ▤. AE E VISA. ✗ — f
cerrado domingo y del 15 al 30 de septiembre - **Comida** carta 2750 a 3850.

X La Campana, Coso Alto 78, ✉ 22003, ℘ 22 95 00 - ▤ — t

X Parrilla Gombar, av. Martínez de Velasco 34, ✉ 22004, ℘ 21 22 70 - ▤ — z

X **Casa Vicente,** pl. de Lérida 2, ✉ 22004, ℘ 22 98 11 - ▤. E VISA. ✗ — b
cerrado domingo - **Comida** carta 2400 a 4200.

HÚMERA Madrid - ver Pozuelo de Alarcón.

IBARRA Guipúzcoa - ver Tolosa.

IBIZA Baleares - ver Baleares.

ICOD DE LOS VINOS Santa Cruz de Tenerife - ver Canarias (Tenerife).

IDIAZÁBAL 20213 Guipúzcoa 442 C 23 - 1 975 h. alt. 210 - ☎ 943.
◆Madrid 423 - ◆Pamplona/Iruñea 68 - ◆San Sebastián/Donostia 50 - ◆Vitoria/Gasteiz 66.

en la carretera N I S : 2 km - ✉ 20213 Idiazábal - ☎ 943 :

X **Gaztelu,** ℘ 18 71 93, ≤, 🌳 - P. VISA. ✗
cerrado lunes noche, martes y enero - **Comida** carta 2150 a 3800.

IGORRE Vizcaya - ver Yurre.

IGUALADA 08700 Barcelona 443 H 34 - 32 422 h. alt. 315 - ☎ 93.
◆Madrid 562 - ◆Barcelona 67 - ◆Lérida/Lleida 93 - Tarragona 93.

🏨 **América,** antigua carret. N II ℘ 803 10 00, Fax 805 00 78, 🌳, 🏊, 🎾 - |♦| ▤ TV ☎ P - 🎪 25/400. AE ⓪ E VISA. ✗
cerrado del 1 al 15 de agosto - **Comida** 1900 - ☕ 800 - **52 hab** 4000/8900 - PA 3900.

X ✻ **El Jardí de Granja Plá,** rambla de Sant Isidre 12 ℘ 803 18 64, Fax 805 03 13 - ▤ P. AE ⓪ E VISA
cerrado domingo noche, lunes y 24 julio- 17 agosto - **Comida** carta 3250 a 4200
Espec. Ensalada de foie-gras natural al viejo Armagnac, Lubina al champagne sobre brandada de bacalao en una bisque, Poularde Aubin con una périgourdine.

X **El Mirall,** passeig Verdaguer 6 ℘ 804 25 02 - ▤. AE ⓪ E VISA
cerrado domingo, miércoles noche y 1ª quincena de septiembre - **Comida** carta 3350 a 4750.

ILLESCAS 45200 Toledo 444 L 18 - 7 942 h. alt. 588 - ☎ 925.
◆ Madrid 36 - Aranjuez 31 - Ávila 144 - Toledo 34.

XX **El Bohío,** av. 18 de Octubre 81 ℘ 51 11 26, Fax 51 11 26 - ▤. AE ⓪ E VISA. ✗
cerrado domingo y 15 agosto-7 septiembre - **Comida** carta 4375 a 4700.

en la autovía N 401 NE : 5 km - ✉ 45200 Illescas - ☎ 925 :

XX **La Alquería,** apartado 46 ℘ 51 38 02 - ▤ P. E VISA. ✗
cerrado sábado y agosto - **Comida** (sólo almuerzo) carta 2450 a 3375.

ILLETAS o **Ses ILLETES** Palma de Mallorca - ver Baleares (Mallorca).

INCA Palma de Mallorca - ver Baleares (Mallorca).

INCLES Andorra - ver Andorra (Principado de) : Soldeu.

INGLÉS (Playa del) Las Palmas - ver Canarias (Gran Canaria) : Maspalomas.

La IRUELA 23476 Jaén 446 S 21 - 2 186 h. alt. 932 - ☎ 953.
Ver : Carretera de los miradores ≤★★.
♦Madrid 365 - Jaén 103 - Úbeda 48.

Sierra de Cazorla ⛰, carret. de la Sierra NE : 1 km ☎ 72 00 15, Fax 72 00 17, ≤, ⛱ - ☎ P. AE ⓓ E VISA. ✗ rest
Comida 1500 - ☕ 475 - **52 hab** 4500/6950.

IRÚN 20300 Guipúzcoa 442 B y C 24 - 53 861 h. alt. 20 - ☎ 943.
Alred. : Ermita de San Marcial ✻ ★★ E : 3 km.
ℹ barrio de Behobia ☎ 62 26 27.
♦Madrid 509 - ♦Bayonne 34 - ♦Pamplona/Iruñea 90 - ♦San Sebastián/Donostia 20.

Lizaso sin rest, Aduana 5 ☎ 61 16 00 - ✗
☕ 375 - **20 hab** 3550/5175.

XXX **Mertxe,** Francisco Gainza 9 - barrio Beraun ☎ 62 46 82, ☂ - AE E VISA
cerrado domingo noche, miércoles y 24 diciembre-3 enero - **Comida** carta 4000 a 5200

XX **Romantxo,** pl. Urdanibia ☎ 62 09 71, Decoración rústica regional - ▤. AE ⓓ E VISA. ✗
cerrado domingo noche, lunes, 23 agosto-8 septiembre y 20 diciembre-7 enero - **Comida** carta aprox. 4100.

XX **Larretxipi,** Larretxipi 5 ☎ 63 26 59 - AE ⓓ E VISA. ✗
cerrado domingo noche y martes - **Comida** carta 3100 a 4250.

en Behobia E : 2 km - ✉ 20300 Irún - ☎ 943 :

X **Enrique,** Complejo Zaisa ☎ 62 26 29 - ▤. AE VISA. ✗
cerrado domingo noche y 20 diciembre- enero - **Comida** carta 2800 a 3600.

X **Trinquete,** Francisco Labandibar 38 ☎ 62 20 20 - AE VISA. ✗
cerrado lunes y del 10 al 30 abril - **Comida** carta 2800 a 3800.

en la carretera de Fuenterrabía a San Sebastián - ✉ 20300 Irún - ☎ 943 :

Urdanibia, NO : 5 km ☎ 63 04 40, Fax 63 04 10, ⛱ - |♦| ▤ TV ☎ 🚗 P - 🏛 25/700 AE VISA. ✗
Comida 1700 - ☕ 500 - **115 hab** 10000/13000 - PA 3150.

XX **Jaizubia,** NO : 4,5 km ☎ 61 80 66 - AE ⓓ E VISA JCB
cerrado lunes y febrero - **Comida** carta 3900 a 6500.

IRUÑEA Navarra - ver Pamplona.

IRURITA 31730 Navarra 442 C 25 - ☎ 948.
♦Madrid 448 - ♦Bayonne 57 - ♦Pamplona/Iruñea 53 - St-Jean-Pied-de-Port 40.

X **Olari,** Pedro María Hualde ☎ 45 22 54 - ▤. VISA. ✗
cerrado lunes salvo agosto y última semana de junio - **Comida** carta 2600 a 3500.

ISABA 31417 Navarra 442 D 27 - 551 h. alt. 813 - ☎ 948.
Alred. : O : Valle del Roncal★ - SE : Carretera★ del Roncal a Ansó.
♦Madrid 467 - Huesca 129 - ♦Pamplona/Iruñea 97.

Isaba ⛰, Bormapea ☎ 89 30 00, Fax 89 30 30, ≤ - |♦| ☎ P. VISA. ✗ rest
Comida 1800 - ☕ 700 - **50 hab** 5600/8600 - PA 3500.

Lola ⛰, Mendigacha 17 ☎ 89 30 12
26 hab.

ISLA - ver a continuación y el nombre propio de la isla.

ISLA 39195 Cantabria 442 B 19 - ☎ 942 - Playa.
♦Madrid 426 - ♦Bilbao/Bilbo 81 - ♦Santander 48.

en la playa de La Arena NO : 2 km - ✉ 39195 Isla - ☎ 942 :

Campomar, ☎ 67 94 32, Fax 67 94 28 - |♦| ▤ rest TV ☎ P. AE ⓓ E VISA. ✗
cerrado diciembre-enero - **Comida** 1550 - ☕ 550 - **41 hab** 7500/8500 - PA 3080.

en la playa de Quejo E : 3 km - ✉ 39195 Isla - ☎ 942 :

Olimpo, barrio La Barrosa ☎ 67 93 32, Fax 67 94 63, ≤ playa, 🏋, ⛱, 🏖, 🎾 - |♦| ▤ TV ☎ 🚗 P - 🏛 25/60. AE ⓓ E VISA. ✗
cerrado 15 diciembre-15 enero - **Comida** 2500 - ☕ 1100 - **68 hab** 12100/16500.

Pelayo, av. Juan Ormaechea 22 ☎ 67 96 01, Fax 67 96 42 - |♦| ▤ rest TV ☎ P
temp. - **27 hab.**

Astuy, ☎ 67 95 40, Fax 67 95 88, ≤, ⛱ - |♦| TV ☎ P. AE ⓓ E VISA JCB. ✗
Comida 1500 - ☕ 550 - **53 hab** 5800/8000 - PA 3400.

La ISLA (Playa de) Murcia - ver Puerto de Mazarrón.

ISLA CANELA (playa de) Huelva - ver Ayamonte.

ISLA CRISTINA 21410 Huelva 446 U 8 - 16 575 h. - 959 - Playa.
Madrid 672 - Beja 138 - Faro 69 - Huelva 56.

Paraíso Playa, av. de la playa 33 18 73, Fax 34 37 45, - hab. AE E VISA.
cerrado 15 diciembre-15 enero - **Comida** *(Semana Santa-septiembre)* 1400 - 500 - **35 hab** 5000/7500 - PA 2900.

Sol y Mar, playa Central 33 20 50, -
Comida 1300 - 250 - **16 hab** 5000/8000.

en la urbanización Islantilla E : 6,5 km - 21410 - 959 :

Confortel Islantilla, 48 60 17, Fax 48 60 70, - - 25/120. AE E VISA JCB.
Manhattan *(sólo buffet)* **Comida** 1800 - ***Titanic :*** **Comida** carta aprox. 3100 - **328 hab** 14000/16000, 16 suites.

ISLANTILLA (Urbanización) Huelva - ver Isla Cristina.

ISLARES 39798 Cantabria 442 B 20 - 942 - Playa.
Madrid 437 - Bilbao/Bilbo 41 - Santander 80.

El Langostero con hab, playa de Arenillas 86 22 12, Fax 86 22 12, -
10 hab.

JACA 22700 Huesca 443 E 28 - 14 426 h. alt. 820 - 974.
Ver : Catedral★ (capiteles historiados★) Museo Episcopal : (frescos★).
Alred. : Monasterio de San Juan de la Peña★★ : paraje★★ - Claustro★ (capiteles★★) SO : 28 km.
av. Regimiento de Galicia 2 36 00 98, Fax 35 51 65.
Madrid 481 - Huesca 91 - Oloron-Ste-Marie 87 - Pamplona/Iruñea 111.

Aparthotel Oroel, av. de Francia 37 36 24 11, Fax 36 38 04, - rest . AE E VISA.
cerrado octubre - **Comida** 2700 - 775 - **124 hab** 9200/11600 - PA 5250.

Gran Hotel, paseo de la Constitucion 1 36 09 00, Fax 36 40 61, - rest . AE E VISA.
cerrado noviembre - **Comida** 2400 - 750 - **164 hab** 8400/10600, 1 suite - PA 4700.

Conde Aznar, paseo de la Constitución 3 36 10 50, Fax 36 07 97 - rest . AE E VISA
Comida (ver también rest. ***La Cocina Aragonesa***) 1975 - 575 - **24 hab** 5500/7800 - PA 3800.

Pradas sin rest, con cafetería, Obispo 12 36 11 50, Fax 36 39 48 - . AE E VISA.
400 - **39 hab** 3700/6500.

Canfranc sin rest, av. Oroel, 23 36 31 32, Fax 36 49 79, - . AE E VISA
500 - **20 hab** 5000/7000.

Mur, Santa Orosia 1 36 01 00 - .
Comida 1600 - 400 - **68 hab** 4200/7000 - PA 3000.

Ramiro I, Carmen 23 36 13 67, Fax 36 13 61 - . E VISA.
cerrado noviembre - **Comida** 1350 - 475 - **28 hab** 4250/6750 - PA 2625.

Ciudad de Jaca sin rest, Sancho Ramírez 15 36 43 11, Fax 36 43 95 - .
julio-septiembre y diciembre-abril - 400 - **18 hab** 3800/5200.

Galindo, Mayor 45 36 37 11, Fax 36 38 58 -
19 hab.

A Boira sin rest, Valle de Ansó 3 36 38 48 - . VISA
450 - **30 hab** 3100/5900.

La Cocina Aragonesa, Cervantes 5 36 10 50, Fax 36 07 97, « Decoración regional » - . AE E VISA.
Comida carta 4100 a 5250.

El Rancho Grande, del Arco 2 36 01 72, Decoración rústica - . VISA.
cerrado lunes y del 15 al 30 de octubre - **Comida** carta aprox. 4900.

José, av. Domingo Miral 4 36 11 12 - . AE E VISA.
cerrado lunes (salvo julio-septiembre) y noviembre - **Comida** carta 2450 a 4200.

JADRAQUE 19240 Guadalajara 444 J 21 - 1 184 h. alt. 832 - 949.
Madrid 103 - Guadalajara 48 - Soria 114.

El Castillo, carret. de Soria 89 02 54 - rest . E VISA.
Comida 1000 - 175 - **19 hab** 2300/4200 - PA 2175.

Cuatro Caminos con hab, Cuatro Caminos 10 89 00 21 - rest . E VISA.
Comida carta 2600 a 3650 - 250 - **8 hab** 3000/5500.

JAÉN 23000 P 446 S 18 – 107 413 h. alt. 574 – ☎ 953.

Ver : paisaje de olivares** (desde la alameda de Calvo Sotelo) Museo provincial* (coleccione arqueológicas* AY **M** – Catedral (sillería*, museo*) AZ **E** – Capilla de San Andrés (capilla de l Inmaculada**) AYZ **B**.

Alred. : Castillo de Santa Catalina (carretera* ※*) O : 4,5 km AZ.

i Arquitecto Bergés 1, ✉ 23007, ☎ 22 27 37 – R.A.C.E. paseo de la Estación 33, ✉ 23008 ☎ 25 38 15.

♦Madrid 336 ① – Almería 232 ② – ♦Córdoba 107 ③ – ♦Granada 94 ② – Linares 51 ① – Úbeda 57 ②.

JAÉN

Bernabé Soriano .... BZ 9
Dr. Civera Espartería ...... AZ 13
Maestra .... AZ 20
Virgen de la Capilla .... BZ 36

Adarves Bajos .... BZ 2
Alamos .... AZ 3
Alféreces Provisionales .... AY 4
Almendros Aguilar .... AZ 5
Andalucía (Av. de) .... AY 6
Arquitecto Bergés .... AY 7
Batallas (Pl. de Las) .... ABY 8
Coca de la Piñera (Pl.) .... BZ 10
Constitución (Pl. de la) .... BZ 12
Ejército Español (Av. del) .... AY 14
Estación (Paseo de la) .... BYZ 15
Granada (Avenida de) ..... BZ 16
Madre Soledad Torres Acosta .... ABZ 18
Madrid (Av. de) .... BYZ 19
Martínez Molina .... AZ 21
Merced Alta .... AZ 22
Muñoz Garnica .... BZ 24
Obispo Estúñiga .... AY 25
Rey Alhamar .... AY 26
Ruiz Jiménez (Av. de) ..... BY 27
San Andrés .... AY 28
San Clemente .... AZ 29
San Francisco (Pl.) .... AZ 31
Santa María (Pl.) .... AZ 32
Vicente Montuno .... BZ 33
Virgen de la Cabeza ...... BY 35

Para el buen uso de los planos de ciudades, consulte los signos convencionales.

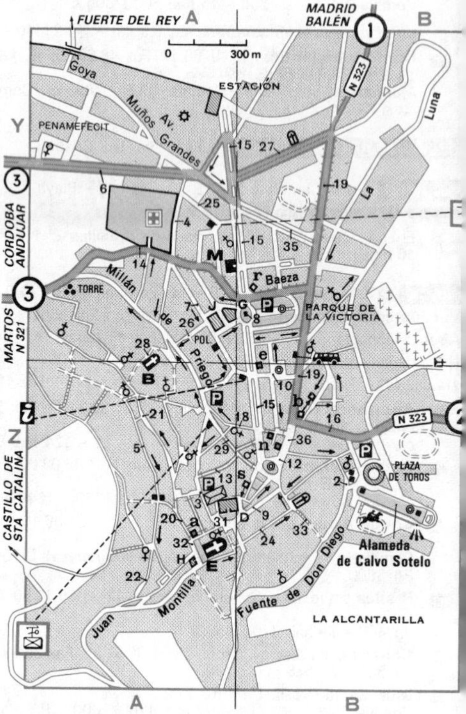

Condestable Iranzo, paseo de la Estación 32, ✉ 23008, ☎ 22 28 00, Fax 26 38 07 – ▯ ▤ TV ☎ – 30/250. AE VISA. ✂ BY **r**
Comida 2300 – ☕ 500 – **159 hab** 7200/11000.

Xauen sin rest, pl. Deán Mazas 3, ✉ 23001, ☎ 26 40 11 – ▯ ▤ TV BZ **s**
☕ 350 – **35 hab** 5200/7000.

Europa sin rest y sin ☕, pl. Belén 1, ✉ 23001, ☎ 22 27 00, Fax 22 26 92 – ▯ ▤ TV ☎. AE ◐ E VISA – **36 hab** 4225/5865. BZ **b**

Reyes Católicos sin rest, av. de Granada 1 - 1°, ✉ 23001, ☎ 22 22 50, Fax 22 22 50 – ▯ ▤. ✂ BZ **b**
cerrado 23 diciembre- 8 enero – ☕ 300 – **28 hab** 3700/5500.

XX **Jockey Club,** paseo de la Estación 20, ✉ 23008, ☎ 25 10 18 – ▤. AE ◐ E VISA. ✂ BY **e**
cerrado domingo y agosto – **Comida** carta 2925 a 4000.

XX **Casa Vicente,** Francisco Martín Mora 1, ✉ 23002, ☎ 23 28 16, – ▤. E VISA AZ **a**
cerrado domingo noche – **Comida** carta aprox. 3400.

X Mesón Río Chico, Nueva 12, ✉ 23001, ☎ 22 85 02 – ▤ BZ **n**

X Mesón Nuyra, pasaje Nuyra, ✉ 23001, ☎ 27 31 31 – ▤ BZ **n**

X Los Mariscos, Nueva 2, ✉ 23001, ☎ 25 32 06 – ▤ BZ **n**

al Oeste : 4,5 km AZ – ✉ 23001 Jaén – ☎ 953 :

Parador de Jaén ⛰, ☎ 23 00 00, Fax 23 09 30, « Instalado en un castillo con < Jaén, olivares y montañas », 🏊 – ▯ ▤ TV ☎ P – 25/60. AE ◐ E VISA. ✂
Comida 3200 – ☕ 1100 – **45 hab** 14500 – PA 6375.

en la carretera N 323 por ② - 953 :

Mistral, 7,3 km, ✉ 23170 La Guardia de Jaén, ☎ 25 13 04, - TV ☎ P - 25/450. E VISA.
Comida 1300 - 250 - **16 hab** 5250/6545 - PA 2800.

La Yuca sin rest, 5,5 km, ✉ 23080 Jaén, ☎ 22 19 50, Fax 22 16 59 - TV ☎ P. AE E VISA
320 - **23 hab** 4985/7210.

LA JARA o **LA XARA** **03700** Alicante 445 P 30 - 96.
18 carret. de Jesús Pobre S : 4 km, ☎ 645 42 52, Fax 645 42 01.
♦Madrid 443 - ♦Alicante/Alacant 88 - ♦Valencia 95.

Venta de Posa, partida Fredat 9 ☎ 578 46 72, Arroces y carnes - P. AE E VISA.
cerrado lunes y noviembre - **Comida** carta aprox. 3100.

JARANDILLA DE LA VERA **10450** Cáceres 444 L 12 - 3 022 h. alt. 660 - 927.
Alred. : Monasterio de Yuste★ SO : 12 km.
♦Madrid 213 - ♦Cáceres 132 - Plasencia 53.

Parador de Jarandilla de la Vera , ☎ 56 01 17, Fax 56 00 88, « Instalado en un castillo feudal del siglo XV », , , - TV ☎ P. AE E VISA.
Comida 3200 - 1100 - **53 hab** 12500 - PA 6375.

El Labrador, av. Calvo Sotelo 123 ☎ 56 07 91 - . E VISA.
cerrado martes y 15 septiembre-15 octubre - **Comida** carta 2300 a 3150.

JÁTIVA o **XÀTIVA** **46800** Valencia 445 P 28 - 24 586 h. alt. 110 - 96.
Ver : Ermita de Sant Feliu (pila de agua bendita★)..
Noguera 1 ☎ 227 33 46.
♦Madrid 379 - ♦Albacete 132 - ♦Alicante/Alacant 108 - ♦Valencia 59.

Vernisa sin rest, Académico Maravall 1 ☎ 227 10 11, Fax 228 13 65 - TV ☎. AE E VISA
375 - **39 hab** 4900/6700.

Casa La Abuela, Reina 17 ☎ 227 05 25 - . AE E VISA JCB.
cerrado domingo y 15 julio-6 agosto - **Comida** carta 2500 a 3900.

JÁVEA o **XÀBIA** **03730** Alicante 445 P 30 - 16 603 h. - 96 - Playa.
Alred. : Cabo de San Antonio★ (≤★) N : 5 km - Cabo de la Nao★ (≤★) SE : 10 km.
9 urb. El Tosalet 4,5 km.
en el puerto : pl. Almirante Bastarreche ☎ 579 07 36 av. del Plá 136, ☎ 646 06 05 (temp).
♦Madrid 457 - ♦Alicante/Alacant 87 - ♦Valencia 109.

Los Pepes, av. Juan Carlos I 32 ☎ 579 38 05, - . VISA.
abril-octubre - **Comida** *(cerrado lunes)* (sólo cena) carta 2200 a 3250.

en el puerto E : 1,5 km - ✉ 03730 Jávea - 96 :

Jávea, Pío X-5 ☎ 579 54 61 - ☎
Comida (sólo cena) - **24 hab.**

Miramar sin rest y sin , pl. Almirante Bastarreche 12 ☎ 579 01 00 - ☎. AE VISA
26 hab 4000/7500.

al Sureste - en la carretera del Cabo de la Nao - ✉ 03730 Jávea - 96 :

Parador de Jávea , playa del Arenal, 4 km ☎ 579 02 00, Telex 66914, Fax 579 03 08, ≤, , « Jardín con césped y palmeras », - TV ☎ P - 25/200. AE E VISA.
Comida 3200 - 1100 - **65 hab** 16000 - PA 6375.

El Rodat , 5,5 km ☎ 647 07 10, Fax 647 15 50, , Climatizada, , - TV ☎ P. AE VISA.
Comida 1600 - 500 - **25 apartamentos** 18300 - PA 3700.

Bahía Vista , Portichol 76, 7,5 km ☎ 577 04 61, Fax 647 09 95, ≤, « Terraza con » - ☎ P. AE E VISA.
Comida *(cerrado lunes mediodía)* 2500 - **17 hab** 12500/15000.

El Negresco, Nantes, 3 km ☎ 646 05 52 - . AE E VISA JCB.
cerrado martes de octubre a mayo, 15 días en noviembre y 15 días en enero - **Comida** (sólo cena de junio a septiembre) carta 2250 a 3800.

Gota de Mar, Cap Martí 531, 5,5 km ☎ 577 16 48, Fax 577 16 48, - P. AE E VISA.
cerrado miércoles y 15 noviembre-15 diciembre - **Comida** (sólo cena) carta 2350 a 4950.

Chez Ángel, Jávea Park, 3 km ☎ 579 27 23 - .

Asador el Caballero, Jávea Park bl 8, L 10, 3 km ☎ 579 34 47 - .

en el Camino Cabanes S : 7 km - ✉ 03730 Jávea - ☎ 96 :

✗ **La Rústica,** Partida Adsubia 64 ✆ 577 08 55, Fax 577 08 55, 余 - Ⓟ. AE ⓓ E VISA. ⛔
cerrado lunes y enero-10 febrero - **Comida** (sólo cena) carta 3900 a 6100.

JAVIER 31411 Navarra 442 E 26 - 132 h. alt. 475 - ☎ 948.
♦Madrid 411 - Jaca 68 - ♦Pamplona/Iruñea 51.

Xavier ⛰, pl. del Santo ✆ 88 40 06, Fax 88 40 78 - ▮ ▤ rest TV ☎. AE E VISA. ⛔
cerrado 22 diciembre-10 febrero - **Comida** carta 2800 a 4500 - ☕ 600 - **46 hab** 5000/7000.

✗ **El Mesón** ⛰ con hab, Explanada ✆ 88 40 35, Fax 88 42 26, 余 - Ⓟ. AE E VISA. ⛔
marzo-15 diciembre - **Comida** carta 2250 a 3350 - ☕ 500 - **8 hab** 4000/5500.

JEREZ DE LA FRONTERA 11400 Cádiz 446 V 11 - 184 364 h. alt. 55 - ☎ 956.
Ver : Bodegas★ AZ - Museo de los relojes "La Atalaya"★★ AY - Real Escuela Andaluza de Arte Ecuestre★ (exhibición★★) BY.
✈ de Jerez, por la carretera N IV ①: 11 km ✆ 15 00 00 - Iberia : pl. del Arenal 2 ✆ 900 33 31 11 BZ y Aviaco, aeropuerto ✆ 15 00 11.
ℹ Larga, Edificio "El Gallo Azul" ✆ 33 11 50.
♦Madrid 613 ② - Antequera 176 ② - ♦Cádiz 35 ③ - Écija 155 ② - Ronda 116 ② - ♦Sevilla 90 ①.

Plano página siguiente

Jerez, av. Alcalde Álvaro Domecq 35, ✉ 11405, ✆ 30 06 00, Telex 75059, Fax 30 50 01, « Jardín con ⛱ », ✂ - ▮ ▤ TV ☎ Ⓟ - 🔺 25/350. AE ⓓ E VISA. ⛔ por ①
Comida 3200 - ☕ 1400 - **121 hab** 12800/16000.

Royal Sherry Park y Rest. El Ábaco, av. Alcalde Álvaro Domecq 11 bis, ✉ 11405, ✆ 30 30 11, Telex 75001, Fax 31 13 00, 余, « Jardín con ⛱ » - ▮ ▤ TV ☎ Ⓟ - 🔺 25/280. AE ⓓ E VISA. ⛔ BY a
Comida carta aprox. 3800 - ☕ 1100 - **173 hab** 13200/16500.

Guadalete, av. Duque de Abrantes 50, ✉ 11407, ✆ 18 22 88, Fax 18 22 93, 余, ⛱ - ▮ ▤ TV ☎ Ⓟ - 🔺 25/550. AE ⓓ E VISA. ⛔ por carret. a Lebrija BY
Comida carta 2800 a 4000 - ☕ 1000 - **124 hab** 14000/17500.

Avenida Jerez sin rest, con cafetería, av. Alcalde Álvaro Domecq 10, ✉ 11405, ✆ 34 74 11, Telex 75157, Fax 33 72 96 - ▮ ▤ TV ☎. AE ⓓ E VISA. ⛔ BY c
☕ 750 - **95 hab** 7000/10000.

Doña Blanca sin rest, Bodegas 11, ✉ 11402, ✆ 34 87 61, Fax 34 85 86 - ▮ ▤ TV ☎ 🚗. AE ⓓ E VISA. ⛔ BZ b
☕ 650 - **30 hab** 7500/12500.

Serit sin rest, Higueras 7, ✉ 11402, ✆ 34 07 00, Fax 34 07 16 - ▮ ▤ TV ☎ 🚗. AE ⓓ E VISA JCB. ⛔ BZ a
☕ 400 - **35 hab** 5000/6800.

El Coloso sin rest y sin ☕, Pedro Alonso 13, ✉ 11402, ✆ 34 90 08, Fax 34 90 08 - ▮ ▤ TV ☎. AE ⓓ E VISA BZ c
28 hab 4000/6600.

✗✗ **Tendido 6,** Circo 10, ✉ 11405, ✆ 34 48 35, Fax 33 03 74, Patio andaluz - ▤. AE ⓓ E VISA. ⛔ BY e
cerrado domingo - **Comida** carta aprox. 3200.

✗ **Gaitán,** Gaitán 3, ✉ 11403, ✆ 34 58 59, Fax 34 58 59, Decoración regional - ▤. AE ⓓ E VISA. ⛔ AY z
cerrado domingo noche - **Comida** carta aprox.3500.

en la carretera N IV por ① : 9 km dirección Sevilla - ☎ 956 :

Don Tico, ✉ 11400 apartado 231 Jerez, ✆ 18 59 06, Fax 18 16 04, 🏋, ⛱ - ▮ ▤ TV ☎ Ⓟ - 🔺 25/500. AE ⓓ E VISA. ⛔
Comida 3000 - ☕ 1000 - **70 hab** 11000/14000 - PA 5900.

en la carretera N 342 por ② - ✉ 11406 Jerez de la Frontera - ☎ 956 :

Montecastillo ⛰, 9,8 km y desvío a la derecha 1,5 km, ✉ apartado 386, ✆ 15 12 00, Fax 15 12 09, <, 余, ⛱, ✂, 18 - ▮ ▤ TV ☎ Ⓟ - 🔺 25/120. AE ⓓ E VISA. ⛔ rest
Comida carta 2300 a 4500 - ☕ 1200 - **120 hab** 14400/16000, 2 suites.

La Cueva Park, 10,5 km, ✉ apartado 536, ✆ 18 91 20, Fax 18 91 21, ⛱ - ▮ ▤ TV ☎ 🚗 Ⓟ - 🔺 25/400. AE ⓓ E VISA. ⛔
Comida (ver rest. ***Mesón La Cueva***) - ☕ 800 - **53 hab** 8000/10000.

✗✗ **Mesón La Cueva,** 10,5 km, ✉ apartado 536, ✆ 18 90 20, Fax 18 90 20, 余, ⛱ - ▤ Ⓟ. AE ⓓ E VISA
Comida carta 2350 a 3300.

en la carretera de Sanlúcar de Barrameda por ④ : 6 km - ✉ 11408 Jerez de la Frontera - ☎ 956 :

✗✗ Venta Antonio, ✉ apartado 618, ✆ 14 05 35, Fax 14 05 35, 余, Pescados y mariscos - ▤ Ⓟ.

JEREZ DE LA FRONTERA

Algarve . . . . BZ 2
Doña Blanca . . . . BZ
Larga . . . . BZ 47

Angustias (Pl. de las) . . . . BZ 5
Arenal (Pl. del) . . . . BZ 8
Armas . . . . ABZ 10
Arroyo (Pl. del) . . . . AZ 12
Asunción (Pl.) . . . . BZ 13
Beato Juan Grande . . . . . . BY 15
Cabezas . . . . AYZ 18
Conde de Bayona . . . . BZ 21
Consistorio . . . . BZ 23
Cordobeses . . . . AY 26
Cristina (Alameda) . . . . BY 28
Cruces . . . . AZ 31
Duque de Abrantes (Av.) . . BY 32
Eguilaz . . . . BYZ 33
Encarnación (Pl. de la) . . . AZ 35
Gaspar Fernández . . . . BYZ 40
José Luis Díaz . . . . AZ 42
Lancería . . . . BZ 45
Letrados . . . . ABZ 50
Luis de Isasy . . . . AYZ 52
Manuel María González . . . . AZ 55
Monti (Pl.) . . . . BZ 57
Nuño de Cañas . . . . BY 60
Pedro Alonso . . . . BZ 62
Peones (Pl.) . . . . AZ 65
Plateros . . . . BZ 67
Pozuelo . . . . ABZ 70
Rafael Rivero (Pl.) . . . . BY 72
San Agustín . . . . BZ 75
San Fernando . . . . AZ 77
San Lucas (Pl.) . . . . AYZ 80
Tornería . . . . BY 82
Vieja (Alameda) . . . . AZ 84

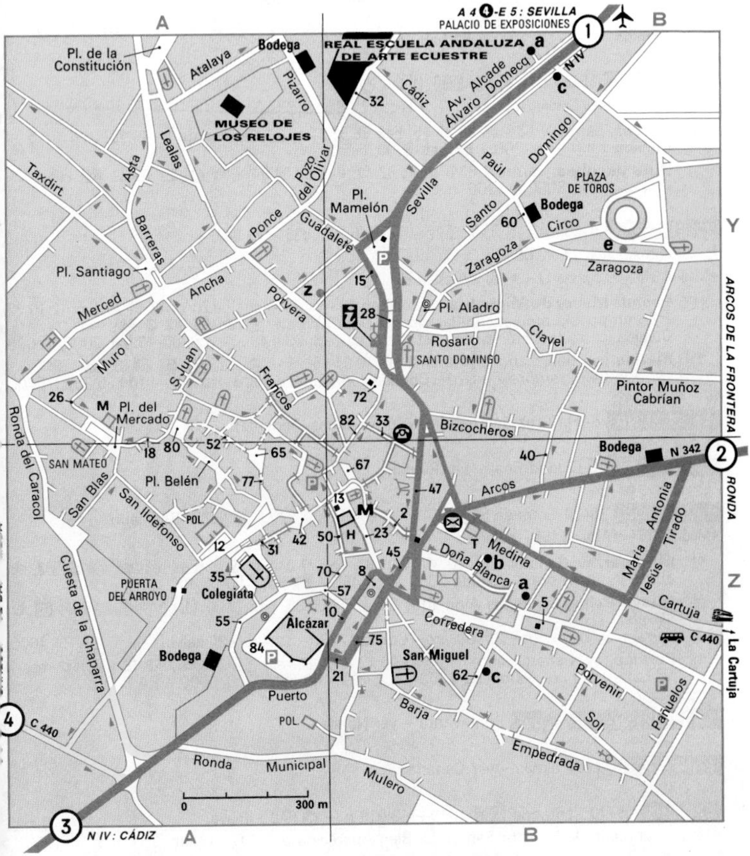

Der Rote MICHELIN-Hotelführer : main cities EUROPE für Geschäftsreisende und Touristen.

JEREZ DE LOS CABALLEROS 06380 Badajoz 444 R 9 – 10 295 h. alt. 507 – 924.
◆ Madrid 444 – Badajoz 75 – Mérida 103 – Zafra 40.

Los Templarios, carret. de Villanueva 73 16 36, Fax 75 03 38, dehesa extremeña, 25/150
46 hab, 3 suites.

Oasis, El Campo 18 73 12 44, Fax 73 14 53 – VISA.
Comida 950 – 175 – **30 hab** 3000/5000 – PA 2000.

La JONQUERA Gerona – ver La Junquera.

JUBIA o **XUBIA** 15570 La Coruña 441 B 5 – ☎ 981 – Playa.
♦Madrid 601 – ♦La Coruña/A Coruña 64 – Ferrol 8 – Lugo 97.

XX ✿ **Casa Tomás,** carret. LC 115 ✆ 38 02 40, Pescados y mariscos – P. AE ⓓ E VISA
cerrado domingo noche y del 15 al 31 de agosto – **Comida** carta 3500 a 5500
Espec. Cigalas plancha, Almejas marinera, Caldeirada Tomás.

La JUNQUERA o **La JONQUERA** 17700 Gerona 443 E 38 – 2 639 h. alt. 112 – ☎ 972.
ℹ autop. A7 - peatge de La Jonquera, ✉ 17700, ✆ 55 43 54, Fax 55 45 80.
♦Madrid 762 – Figueras/Figueres 21 – Gerona/Girona 55 – ♦Perpignan 36.

en la autopista A 7 S : 2 km – ✉ 17700 La Junquera – ☎ 972 :

Porta Catalana, ✆ 55 46 40, Fax 55 52 75 – ⧉ ▤ TV ☎ P. AE ⓓ E VISA. ✂ rest
Comida 1550 – ☕ 700 – **81 hab** 7500/10500.

LABACOLLA 15820 La Coruña 441 D 4 – ☎ 981.
♦ Madrid 628 – ♦ La Coruña/A Coruña 77 – ♦ Lugo 97 – Santiago de Compostela 11.

Garcas, carret N 634 ✆ 88 82 25, Fax 88 83 17 – TV ☎ 🚗 P. AE E VISA. ✂
Comida 1500 – ☕ 300 – **69 hab** 5000/6750.

XX **Ruta Jacobea,** carret N 634 ✆ 88 82 11, Fax 88 84 94 – ▤ P. AE ⓓ E VISA. ✂
Comida carta 3000 a 5200.

LAGUARDIA 01300 Álava 442 E 22 – 1 545 h. alt. 635 – ☎ 941.
ℹ Sancho Abarca, ✆ 10 08 45.
♦Madrid 348 – ♦Logroño 17 – ♦Vitoria/Gasteiz 66.

XXX **Posada Mayor de Migueloa** ⛰ con hab, Mayor de Migueloa 20 ✆ 12 11 75, Fax 12 10 22,
« En un pueblo amurallado-Palacio del siglo XVII » – TV ☎. AE ⓓ E VISA. ✂
Comida *(cerrado 22 diciembre-10 enero)* carta 3400 a 4600 – ☕ 800 – **7 hab** 9000/12000.

XX **Marixa** con hab, Sancho Abarca 8 ✆ 10 01 65, ← – ▤ rest TV. AE ⓓ E VISA. ✂
cerrado 24 diciembre-7 enero – **Comida** carta 3650 a 4500 – ☕ 625 – **10 hab** 3950/5400.

La LAGUNA Santa Cruz de Tenerife – ver Canarias (Tenerife).

Las LAGUNAS Ciudad Real – ver Ruidera.

LANJARÓN 18420 Granada 446 V 19 – 3 954 h. alt. 720 – ☎ 958 – Balneario.
♦Madrid 475 – ♦Almería 157 – ♦Granada 46 – ♦Málaga 140.

Miramar, av. Generalísimo 10 ✆ 77 01 61, Fax 77 01 61, 🏊 – ⧉ ▤ rest ☎. ⓓ E VISA. ✂
abril-10 noviembre – **Comida** 2650 – ☕ 480 – **57 hab** 4900/7400, 2 suites.

Nuevo Palas, av. de las Alpujarras 24 ✆ 77 00 86, Fax 77 01 11, 🏊 – ⧉ ▤ rest TV ☎.
✂ rest
cerrado 31 diciembre-25 febrero – **Comida** 2200 – ☕ 400 – **30 hab** 5000/6000 – PA 4000.

Paraíso, av. Generalísimo 18 ✆ 77 00 12 – ⧉ ▤ rest TV ☎ 🚗. ⓓ E VISA. ✂ rest
febrero-diciembre – **Comida** 2000 – ☕ 400 – **49 hab** 3300/6000 – PA 3100.

La LANZADA (Playa de) Pontevedra – ver Noalla.

LANZAROTE Las Palmas – ver Canarias.

LAREDO 39770 Cantabria 442 B 19 – 13 019 h. – ☎ 942 – Playa.
Alred. : Santuario de Nuestra Señora La Bien Aparecida ※★ SO : 18 km.
ℹ alameda de Miramar ✆ 60 54 92, Fax 60 76 03.
♦Madrid 427 – ♦Bilbao/Bilbo 58 – ♦Burgos 184 – ♦Santander 49.

Ramona, alameda José Antonio 4 ✆ 60 71 89 – TV ☎. ✂
Comida 3600 – ☕ 300 – **9 hab** 6000/7800.

XX **El Marinero,** Zamanillo 6 ✆ 60 60 08 – ▤. AE ⓓ E VISA. ✂
Comida carta 4150 a 4800.

X **Casa Felipe,** travesia Comandante Villar 5 ✆ 60 32 12 – ▤. AE E VISA. ✂
cerrado lunes – **Comida** carta 2800 a 4400.

en el barrio de la playa :

El Ancla ⛰, González Gallego 10 ✆ 60 55 00, Fax 61 16 02 – TV ☎. AE ⓓ E VISA
Comida 3275 – ☕ 775 – **25 hab** 8900/13900.

XX **Camarote,** av. Victoria ✆ 60 67 07 – ▤. AE ⓓ E VISA. ✂
cerrado 24 diciembre-4 enero – **Comida** carta 3300 a 4300.

en la antigua carretera de Bilbao S : 1 km - ✉ 39770 Laredo - ☎ 942 :

Miramar, alto de Laredo ☎ 61 03 67, Fax 61 16 92, ≤ Laredo y bahía, ⛱ - 🛗 📺 ☎ 🅟. AE ⓓ E VISA. ✻
Comida 2500 - ☕ 470 - **45 hab** 7550/10970 - PA 4650.

LARRABASTERRA Vizcaya - ver Sopelana.

LASARTE **20160** Guipúzcoa 442 C 23 - 18 165 h. alt. 42 - ☎ 943 - Hipódromo.
♦Madrid 491 - ♦Bilbao/Bilbo 98 - ♦San Sebastián/Donostia 9 - Tolosa 22.

Txartel sin rest y sin ☕, antigua carret. N I ☎ 36 23 40, Fax 36 48 04 - 🛗 📺 ☎ 🅟. AE E VISA. ✻
51 hab 6500/8500.

Ibiltze sin rest, Antxota 3-4 ☎ 36 56 44, Fax 36 67 46 - 📺 ☎ - **36 hab.**

XXX ✿ **Martín Berasategui,** Loidi 4 ☎ 36 64 71, Fax 36 61 07, ≤, 🌳 - ▤ 🅟. AE ⓓ E VISA JCB. ✻
cerrado domingo noche, lunes, 10 diciembre- 4 enero y del 10 al 18 de marzo - **Comida** carta 4450 a 5050
Espec. Foie-gras sobre costra de cebollita y patata al vinagre de sidra. Rabo de buey al vino tinto. Pastel de praliné con helado de frutos secos.

X **Txartel Txoko,** antigua carret. N I ☎ 37 01 92 - ▤ 🅟. AE E VISA. ✻
Comida carta 3400 a 4600.

S.A.F.E. Neumáticos MICHELIN, Sucursal carret Txiki-Erdi ☎ 37 28 11 y 37 28 00, Fax 36 41 43

LASTRES **33330** Asturias 441 B 14 1 312 h. alt. 21 - ☎ 98 - Playa.
♦Madrid 497 - Gijón 46 - ♦Oviedo 62.

Palacio de Vallados ✈, Pedro Villarta ☎ 585 04 44, Fax 585 05 17, ≤ - 🛗 📺 ☎ 🚗 🅟. AE ⓓ E VISA. ✻
cerrado febrero - **Comida** 2000 - ☕ 600 - **18 hab** 6750/9000 - PA 4600.

Miramar sin rest, bajada al puerto ☎ 585 01 20, ≤ - ✻
Semana Santa-octubre - ☕ 350 - **17 hab** 3900/4900.

X **Eutimio,** carret. del puerto ☎ 585 00 12, ≤, Pescados y mariscos - AE E VISA. ✻
cerrado lunes salvo festivos y navidades - **Comida** carta 2750 a 4500.

LEGUTIANO Álava - ver Villarreal de Álava.

LEINTZ-GATZAGA Álava - ver Salinas de Leniz.

LEIZA o **LEITZA** **31880** Navarra 442 C 24 - 3 123 h. alt. 450 - ☎ 948.
Alred. : Santuario de San Miguel de Aralar★ (iglesia : frontal de altar★★) SO : 28 km.
♦Madrid 446 - ♦Pamplona/Iruñea 51 - ♦San Sebastián/Donostia 47.

en el puerto de Usateguieta E : 5 km alt. 695 - ✉ 31880 Leiza - ☎ 948 :

Basa Kabi ✈, ☎ 51 01 25, Fax 51 01 25, ≤, ⛱ - ▤ rest 🅟. AE E VISA. ✻
Comida 2300 - ☕ 450 - **21 hab** 3700/5250.

LEKEITIO Vizcaya - ver Lequeitio.

LEÓN **24000** P 441 E 13 - 147 625 h. alt. 822 - ☎ 987.
Ver : Catedral★★★ B (vidrieras★★★, trascoro★, Descendimiento★, claustro★) - San Isidoro★ B (Panteón Real★★ : capiteles★ y frescos★★ - Tesoro★★ : Cáliz de Doña Urraca★, Arqueta de los marfiles★) - Antiguo Convento de San Marcos ★ (fachada★★, Museo de León★, Cristo de Carrizo★★★, sacristía★) A.
Excurs. : San Miguel de la Escalada★, pórtico exterior★, iglesia★- 28 km por ② - Cuevas de Valporquero★★ N : 47 km B.
ℹ pl. de Regla 3, ✉ 24003, ☎ 23 70 82, Fax 27 33 91 - R.A.C.E. Gonzalo de Tapia 4, ✉ 24008, ☎ 24 71 22.
♦Madrid 327 ② - ♦Burgos 192 ② - ♦La Coruña/A Coruña 325 ③ - ♦Salamanca 197 ③ - ♦Valladolid 139 ② - ♦Vigo 367 ③.

Plano página siguiente

San Marcos, pl. San Marcos 7, ✉ 24001, ☎ 23 73 00, Telex 89809, Fax 23 34 58, « Lujosa instalación en un convento del siglo XVI », 🌳 - 🛗 ▤ rest 📺 ☎ 🅟 - 🏛 25/500. AE ⓓ E VISA. ✻ A
Comida 3500 - ☕ 1200 - **198 hab** 17500, 2 suites - PA 6970.

Alfonso V, Padre Isla 1, ✉ 24002, ☎ 22 09 00, Fax 22 12 44 - 🛗 ▤ 📺 ☎. AE ⓓ E VISA. ✻
Comida 2500 - ☕ 1100 - **57 hab** 10500/15750, 6 suites - PA 5100. B **v**

LEÓN

Generalísimo Franco . . . . . . B 20
Ordoño II . . . . A
Padre Isla (Av. del) . . . . AB
Rúa . . . . B

Alcalde Miguel Castaño . . . B 2
Calvo Sotelo (Pl. de) . . . . . . A 5
Caño Badillo . . . . B 8
Espolón (Pl. de) . . . . B 12
Facultad (Paseo de la) . . . . A 15
General Sanjurjo (Av.) . . . . A 17
Guzmán el Bueno
(Glorieta de) . . . . A 23
Independencia . . . . B 25
Mariano Andrés (Av. de) . . B 28
Murias de Paredes . . . . B 30
Papalaguinda
(Paseo de) . . . . A 33
Puerta Obispo . . . . B 38
Quevedo (Av. de) . . . . A 40
Ramiro Valbueno . . . . A 45
Sáez de Miera
(Paseo de) . . . . A 47
San Francisco
(Paseo) . . . . B 48
San Isidoro (Pl. de) . . . . . . B 50
San Marcelo (Pl.) . . . . B 52
San Marcos (Pl. de) . . . . . . A 55
Santo Domingo (Pl. de) . . . B 58
Santo Martino (Pl. de) . . . . B 61

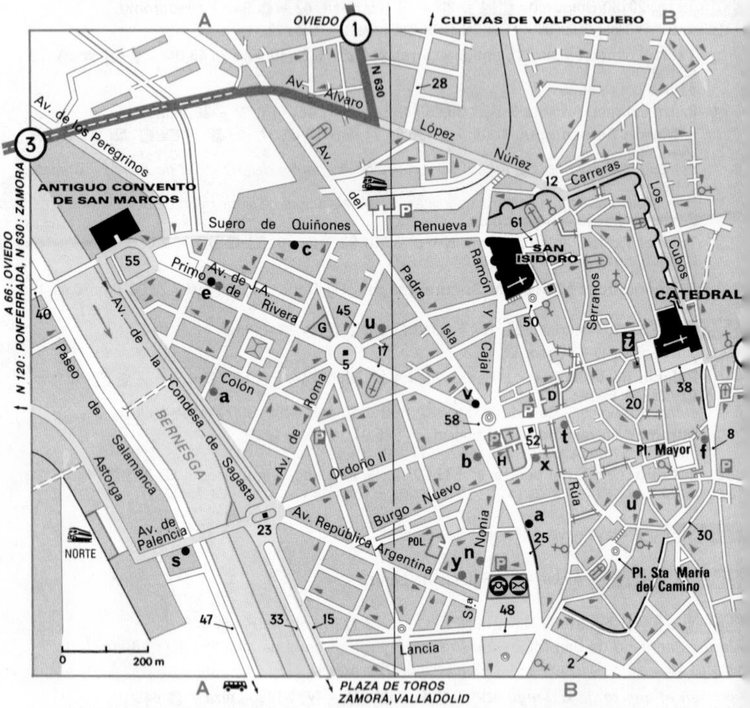

Conde Luna y Rest El Mesón, av. de la Independencia 7, ✉ 24003, ✆ 20 66 00, Fax 21 27 52, ⊡ – |‡| ▤ rest ⊡ ☎ ⇔ – 🏛 45/270. AE ⓓ VISA. ✂ — B a
Comida carta 2400 a 3000 – ☕ 1000 – **147 hab** 8400/13650, 2 suites.

Quindós, av. José Antonio 24, ✉ 24002, ✆ 23 62 00, Fax 24 22 01 – |‡| ⊡ ☎. AE ⓓ E VISA. ✂ — A e
Comida *(cerrado domingo)* 1450 – ☕ 595 – **96 hab** 5990/8750.

Riosol sin rest, con cafetería, av. de Palencia 3, ✉ 24009, ✆ 21 66 50, Telex 89693, Fax 21 69 97 – |‡| ⊡ ☎ – 🏛 25/300. AE ⓓ E VISA. ✂ — A s
☕ 775 – **141 hab** 7000/10500.

Don Suero, av. Suero de Quiñones 15, ✉ 24002, ✆ 23 06 00 – |‡| ☎. ✂ — A c
Comida 900 – ☕ 250 – **106 hab** 2600/4000.

XXX **Independencia,** av. de la Independencia 4, ✉ 24001, ✆ 25 47 52 – ▤. E VISA. ✂ — B b
cerrado domingo noche y lunes – **Comida** carta 2925 a 3950.

XXX **Formela,** av. José Antonio 24, ✉ 24002, ✆ 22 45 34, Fax 24 22 01, Decoración moderna – ▤. AE ⓓ E VISA. ✂ — A e
cerrado domingo – **Comida** carta 2900 a 4250.

XXX **Bitácora,** García I - 8, ✉ 24006, ✆ 21 27 58, Pescados y mariscos, Decoración interior de un barco – ▤. AE ⓓ E VISA JCB. ✂ — B y
cerrado domingo – **Comida** carta 2600 a 4100.

XX **Adonías,** Santa Nonia 16, ✉ 24003, ✆ 20 67 68 – ▤. AE ⓓ E VISA. ✂ — B n
cerrado domingo – **Comida** carta 3150 a 4750.

XX Albina, Condesa de Sagasta 24, ✉ 24001, ✆ 22 19 12 – ▤ — A a

XX **El Llagar,** Julio del Campo 10, ✉ 24002, ✆ 27 20 20, 🍷 – ▤. AE ⓓ E VISA. ✂ — A u
Comida carta aprox. 3500.

XX **Bodega Regia,** General Mola 5, ✉ 24003, ℘ 21 31 73, Fax 21 30 31, 余, Decoración castellana – ≡. AE ⓞ E VISA. ⅋ B **t**
cerrado domingo, 2ª quincena de febrero y 1ª quincena de septiembre – **Comida** carta 2500 a 4050.

XX **Casa Pozo,** pl. San Marcelo 15, ✉ 24003, ℘ 22 30 39 – ≡. AE ⓞ E VISA. ⅋ B **x**
cerrado domingo noche – **Comida** carta 3350 a 4100.

X **Mesón Leonés del Racimo de Oro,** Caño Badillo 2, ✉ 24006, ℘ 25 75 75, 余, Decoración rústica. Patio cervantino – AE E VISA. ⅋ B **f**
cerrado domingo noche y martes – **Comida** carta 2300 a 3800.

X **Nuevo Racimo de Oro,** pl. San Martín 8, ✉ 24003, ℘ 21 47 67, Decoración rústica – ≡. AE E VISA. ⅋ B **u**
cerrado domingo en verano y miércoles resto del año – **Comida** carta 2150 a 3400.

LEPE 21440 Huelva 446 U 8 – 16 562 h. alt. 28 – ☎ 959.

♦ Madrid 657 – ♦ Faro 72 – ♦ Huelva 41 – ♦ Sevilla 121.

🏠 **La Noria** sin rest, av. Diputación ℘ 38 31 93, Fax 38 22 82 – ≡ TV ☎. AE ⓞ E VISA. ⅋
☕ 450 – **18 hab** 5000/8000.

🏠 **Tamara** sin rest, río Segre 19 ℘ 38 35 48, Fax 38 35 49 – ≡ TV ☎. E VISA. ⅋
☕ 250 – **20 hab** 5000/8000.

en la carretera N 431 NE : 1,5 km – ✉ 21440 Lepe – ☎ 959 :

🏠 **Camelot** sin rest, ℘ 38 07 02, Fax 38 07 02 – ≡ TV ☎. AE E VISA. ⅋
☕ 200 – **14 hab** 3000/5000.

LEQUEITIO o LEKEITIO 48280 Vizcaya 442 B 22 – 6 780 h. – ☎ 94.

Alred. : Carretera en cornisa★ de Lequeitio a Deva ≤★.

♦Madrid 452 – ♦Bilbao/Bilbo 59 – ♦San Sebastián/Donostia 61 – ♦Vitoria/Gasteiz 82.

🏨 **Beitia,** av. Pascual Abaroa 25 ℘ 684 01 11, Fax 684 21 65, 余 – |♦|. AE E VISA. ⅋
abril-15 octubre – **Comida** 2100 – ☕ 700 – **30 hab** 5500/8800 – PA 3800.

♀ **Piñupe** sin rest, av. Pascual Abaroa 10 ℘ 684 29 84, Fax 684 07 72 – TV. E VISA. ⅋
cerrado octubre – ☕ 450 – **12 hab** 6000/7100.

XX Egaña, Antiguako Ama 2 ℘ 684 01 03 – ≡.

X **Arropain,** carret. de Marquina S : 1 km ℘ 684 03 13, Decoración rústica – 🅿. AE ⓞ E VISA. ⅋
cerrado miércoles y 24 diciembre-24 enero – **Comida** carta 2800 a 3600.

LÉRIDA o LLEIDA 25000 🅿 443 H 31 – 119 380 h. alt. 151 – ☎ 973.

Ver : La Seo antigua★, situación★, iglesia : capiteles★★, claustro★ : capiteles★ Y.

ℹ av. de Blondel 3, ✉ 25002, ℘ 24 81 20 – R.A.C.C. av. del Segre 6, ✉ 25007, ℘ 24 12 45.

♦Madrid 470 ⑤ – ♦Barcelona 169 ⑤ – Huesca 123 ④ – ♦Pamplona/Iruñea 314 ⑤ – ♦Perpignan 340 ⑤ – Tarbes 276 ① – Tarragona 97 ⑤ – Toulouse 323 ① – ♦Valencia 350 ⑤ – ♦Zaragoza 150 ⑤.

Plano página siguiente

🏨 **NH Pirineos,** Gran passeig de Ronda 63, ✉ 25006, ℘ 27 31 99, Telex 53484, Fax 26 20 43 – |♦| ≡ TV ☎ ⇔ – 🔬 25/180. AE ⓞ E VISA. ⅋ rest Y **c**
Comida 1800 – ☕ 900 – **92 hab** 8550/11850.

🏨 **Sansi Park H. y Camparan Suites H.,** av. Alcalde Porqueras 4, ✉ 25008, ℘ 24 40 00, Fax 24 31 38, Cocina regional – |♦| ≡ TV ☎ ⇔ – 🔬 25/400. AE ⓞ E VISA Y **a**
La LLósa *(cerrado domingo)* **Comida** carta aprox. 2275 – ☕ 700 – **120 hab** 7000, 70 apartamentos.

🏨 **Real** sin rest, av. de Blondel 22, ✉ 25002, ℘ 23 94 05, Fax 23 94 07 – |♦| ≡ TV ☎ – 🔬 25/40. AE E VISA – ☕ 500 – **41 hab** 4500/8200. Z **d**

🏨 **Segriá,** Il passeig de Ronda 23, ✉ 25004, ℘ 23 89 89, Fax 23 36 07 – |♦| ≡ TV ☎. AE ⓞ E VISA. ⅋ rest Y **h**
Comida *(cerrado domingo)* 1375 – ☕ 500 – **49 hab** 5500/8000 – PA 2600.

🏠 **Principal** sin rest, pl. Paeria 7, ✉ 25007, ℘ 23 08 00, Fax 23 08 03 – |♦| ≡ TV ☎. AE E VISA
☕ 400 – **52 hab** 4900/6200. Z **n**

🏠 **Ramón Berenguer IV** sin rest, pl. de Ramón Berenguer IV-2, ✉ 25007, ℘ 23 73 45, Fax 23 95 41 – |♦| ≡ TV. AE ⓞ E VISA Y **z**
☕ 400 – **52 hab** 4000/5500.

XXX **Sheyton Pub,** av. Prat de la Riba 39, ✉ 25008, ℘ 23 81 97, « Interior de estilo inglés » – ≡. AE ⓞ E VISA. ⅋ Y **f**
cerrado sábado y Semana Santa – **Comida** carta 3200 a 4000.

XXX **La Mercè,** av. Navarra 1, ✉ 25006, ℘ 24 84 41, Fax 23 77 02, 余 – ≡. AE ⓞ E VISA
cerrado domingo y del 15 al 31 de agosto – **Comida** carta 3050 a 4550. Y **e**

XXX **Forn del Nastasi,** Salmerón 10, ✉ 25004, ℘ 23 45 10, Fax 23 45 10 – ≡. AE ⓞ E VISA Y **s**
cerrado domingo noche, lunes y del 1 al 15 de agosto – **Comida** carta 2850 a 4000.

Carme	Y 4	Francesc Macià	Y 13
La Sal (Pl.)	Y 14	Mossèn Jacint Verdaguer (Pl.)	Y 17
Magdalena	Y 16	Rep. del Paraguai	Z 21
Major	Z	Sant Crist	Z 23
Paeria (Pl.)	Z 18	Sant Josep (Pl.)	Z 27
Sant Joan (Pl.)	Y 26	Sant Llorenç (Pl.)	Z 28
		Sant Martí (Ronda)	Y 32
Alcalde Rovira Roure (Av.)	Y 2	Saragossa	YZ 33
Almodí Vell	Z 3	Villa de Foix	Z 34

XX **La Pérgola,** Gran passeig de Ronda 123 ✆ 23 82 37 – ▤. AE ⓓ E. ✻ Y d
cerrado domingo en verano y 10 días en agosto – **Comida** carta 3850 a 4650.

XX **L'Antull,** Cristóbal de Boleda 1, ✉ 25006, ✆ 26 96 36 – ▤. ⓓ E VISA. ✻ Y v
cerrado jueves noche, festivos y del 1 al 15 de agosto – **Comida** carta 3600 a 5100.

XX **Callarriba,** Camí Mariola 9 A, ✉ 25192, ✆ 26 19 00, Fax 26 19 43, Cocina regional – ▤ Ⓟ. VISA. ✻ por Pío XII YZ
cerrado domingo noche, lunes y 15 dias en agosto – **Comida** carta 2385 a 4000.

X **La Huerta,** av. Tortosa 9, ✉ 25005, ✆ 24 24 13, Fax 22 09 76 – ▤. AE ⓓ E VISA. ✻
Comida carta 2550 a 4200. por av. del Segre Y

X **Casa Lluís,** pl. de Ramón Berenguer IV - 8, ✉ 25007, ✆ 24 00 26 – ▤. VISA. ✻ Y b
cerrado domingo noche y lunes – **Comida** carta 1950 a 2950.

X **Xalet Suis,** Alcalde Rovira Roure 9, ✉ 25006, ✆ 23 55 67, Fax 22 09 76 – ▤. AE ⓓ E VISA. ✻ Y x
Comida carta 3180 a 4590.

en la carretera N II – ✉ 25001 Lleida – ☎ 973 :

Sol Condes de Urgel y Rest. El Sauce, por ② : 1 km ✆ 20 23 00, Fax 20 24 04 – |$| ▤ TV ☎ Ⓟ – 25/300. AE ⓓ E VISA. ✻
Comida carta 2900 a 4200 – ☕ 750 – **105 hab** 7950/11100.

Ilerda, por ② : 1,5 km ✆ 20 07 50, Telex 53470, Fax 20 08 78 – |$| ▤ TV ☎ Ⓟ – 25/300
106 hab.

en la autopista A2 por ③ : 10 km al Sur – ✉ 25161 Alfés – ☎ 973 :

Lleida sin rest, área de Lleida ✆ 13 60 23, Fax 13 60 25, ← – |$| ▤ TV ☎ ♿ Ⓟ – AE ⓓ E VISA
☕ 850 – **75 hab** 9500/10500.

en la carretera N 240 por ⑤ : 3 km - ✉ 25001 Lleida - ☎ 973 :

XX **Fonda del Nastasi,** ✆ 24 92 22, Interesante bodega - ▤ P. AE ⓞ E VISA
cerrado domingo noche, lunes y del 1 al 15 de agosto - **Comida** carta 2350 a 3350.

LERMA **09340** Burgos 442 F 18 - 2 417 h. alt. 844 - ☎ 947.
♦Madrid 206 - ♦Burgos 37 - Palencia 72.

Alisa, antigua carret. N I ✆ 17 02 50, Fax 17 11 60, - TV ☎ P - 25/300. AE ⓞ E VISA.
Comida 1800 - 400 - **30 hab** 4600/7400 - PA 4000.

Docar sin rest, Santa Teresa de Jesús 18 ✆ 17 10 73 - TV P. AE ⓞ E VISA
360 - **15 hab** 3600/5050.

X **Lis 2,** antigua carret. N I ✆ 17 01 26 - ▤. AE ⓞ E VISA
Comida carta 2450 a 4250.

LÉS **25540** Lérida 443 D 32 - 648 h. alt. 630 - ☎ 973.
pl. de l'Ajuntament, ✆ 64 73 03.
♦Madrid 616 - Bagnères-de-Luchon 23 - ♦Lérida/Lleida 184.

Del Ysard, Sant Jaume 20 ✆ 64 80 00, ← - |
cerrado 10 enero-Semana Santa - **Comida** 1500 - 450 - **35 hab** 4950/5400 - PA 2500.

Europa, Arán 8 ✆ 64 80 16
36 hab.

Talabart, Baños 1 ✆ 64 80 11 - P. E VISA. hab
cerrado noviembre - **Comida** 1600 - 400 - **24 hab** 3000/5100.

When in a hurry use the Michelin Main Road Maps :

970 Europe, 980 Greece, 984 Germany, 985 Scandinavia-Finland,
986 Great Britain and Ireland, 987 Germany-Austria-Benelux, 988 Italy,
989 France, 990 Spain-Portugal *and* 991 Yugoslavia.

LEVANTE (Playa de) Valencia - ver Valencia.

LEYRE (Monasterio de) **31410** Navarra 442 E 26 alt. 750 - ☎ 948.
Ver : ※★★ - Monasterio★★ (cripta★★, iglesia★★ : interior★, portada oeste★).
Alred. : Hoz de Lumbier★ (14 km al Oeste).
♦Madrid 419 - Jaca 68 - ♦Pamplona/Iruñea 51.

Hospedería , ✆ 88 41 00, Fax 88 41 37 - ▤ rest P. AE ⓞ E VISA.
marzo-15 diciembre - **Comida** 2050 - 700 - **29 hab** 3900/7800 - PA 3840.

LIBRILLA **30892** Murcia 445 S 25 - 3 735 h. alt. 167 - ☎ 968.
♦ Madrid 411 - Cartagena 59 - Lorca 46 - ♦ Murcia 29.

en la autovía N 340 NE : 5 km - ✉ 30892 Librilla - ☎ 968 :

Espuña, ✆ 65 91 10, Fax 65 91 10 - ▤ TV ☎ P
60 hab, 2 suites.

LILLA o **L'ILLA** **43414** Tarragona 443 H 33 - ☎ 977.
♦Madrid 533 - ♦Barcelona 107 - ♦Lérida/Lleida 69 - Tarragona 33.

X **Les Fonts de Lilla,** carret. N 240 NE : 1,8 km ✆ 86 03 03, ←, Decoración rústica. Carnes - ▤ P. AE E VISA.
cerrado 25 junio- 25 julio - **Comida** carta aprox. 3250.

LINARES **23700** Jaén 446 R 19 - 58 417 h. alt. 418 - ☎ 953.
♦Madrid 297 - Ciudad Real 154 - ♦Córdoba 122 - Jaén 51 - Úbeda 27 - Valdepeñas 96.

Aníbal, Cid Campeador 11 ✆ 65 04 00, Fax 65 22 04, - | ▤ TV ☎ - 30/600. AE ⓞ E VISA.
Comida 1850 - 590 - **126 hab** 6700/9500 - PA 4000.

Victoria sin rest y sin , Cervantes 7 ✆ 69 25 00, Fax 69 25 12 - ▤ TV ☎ . AE E VISA
39 hab 4000/6000.

LINAS DE BROTO **22378** Huesca 443 E 29 alt. 1 215 - ☎ 974.
♦Madrid 475 - Huesca 85 - Jaca 47.

Jal sin rest, carret. de Ordesa 31 ✆ 48 61 06, ← -
abril-septiembre - 500 - **18 hab** 4500.

La LÍNEA DE LA CONCEPCIÓN 11300 Cádiz 446 X 13 y 14 - 58 646 h. - 956 - Playa.
av. 20 de Abril ☎ 76 99 50, Fax 10 61 34 - R.A.C.E. av. de España 42 ☎ 76 93 51.
♦Madrid 673 - Algeciras 20 - Cádiz 144 - ♦Málaga 127.

Aparthotel Rocamar, av. de España 170 - carret. de Algeciras : 2 km ☎ 10 66 50, Fax 10 30 19, ← - rest - 25/50
92 hab.

Almadraba, Los Caireles 2 ☎ 10 55 66, Fax 10 15 63, - . AE E. rest
Comida 1650 - 600 - **84 hab** 8000/13000 - PA 3325.

Mediterráneo Costa, paseo Marítimo ☎ 10 56 66, Fax 10 54 44, ← - . AE E VISA.
Comida 1250 - 300 - **40 hab** 6000/9500.

El Comedor de Enrique, av. María Guerrero 123 ☎ 10 61 83, Ambiente acogedor - AE E VISA.
cerrado domingo noche y miércoles noche en invierno - **Comida** (sólo cena en verano) carta 2500 a 3000.

LIZARRA Navarra - ver Estella.

LIZARZA o **LIZARTZA** 20490 Guipúzcoa 442 C 23 - 690 h. - 943.
♦Madrid 454 - ♦Pamplona/Iruñea 59 - Tolosa 8 - ♦Vitoria/Gasteiz 98.

Garaicoechea, carret. N 240 ☎ 68 21 20
cerrado domingo noche, jueves noche y 25 septiembre-25 octubre - **Comida** carta 1400 a 2600.

LLADÓ 17745 Gerona 443 J 30 - 481 h. - 972.
♦Madrid 757 - Figueras/Figueres 13 - Gerona/Girona 50.

Can Kiku, pl. Major 1 ☎ 56 51 04 - . E VISA.
cerrado lunes y 25 diciembre-25 enero - **Comida** carta 3390 a 4200.

LLAFRANCH o **LLAFRANC** 17211 Gerona 443 G 39 - 972 - Playa.
♦ Madrid 726 - ♦ Gerona/Girona 42 - Palafrugell 5 - Palamós 16.

Terramar sin rest, con cafetería, passeig de Cipsela 1 ☎ 30 02 00, Fax 30 06 26, ← - . AE E VISA.
abril-septiembre - 850 - **56 hab** 8000/10500.

El Paraíso, Paratge de Farena 3 ☎ 30 04 50, Fax 61 01 66, -
temp. - **54 hab.**

Llevant, Francesc de Blanes 5 ☎ 30 03 66, Fax 30 03 45, - . E VISA. res
cerrado noviembre - **Comida** *(cerrado domingo noche de enero-abril)* 2300 - 1100 - **24 hab** 6100/15800 - PA 4500.

Casamar, Nero 3 ☎ 30 01 04, Fax 61 06 51, , « Terraza con ← » - . AE E VISA rest
Semana Santa-15 octubre - **Comida** 1490 - 580 - **20 hab** 7500/8300 - PA 2900.

L'Espasa, Fra Bernat Boil 14 ☎ 61 50 32,
temp.

LLAGOSTERA 17240 Gerona 443 G 38 - 5 381 h. - 972.
♦Madrid 699 - ♦Barcelona 86 - Gerona/Girona 20.

en la carretera de Sant Feliu de Guíxols E : 5 km - ✉ 17240 Llagostera - 972 :

Els Tinars, ☎ 83 06 26, Fax 83 12 77, , Decoración rústica - . AE E VISA
cerrado martes salvo vísperas y festivos (octubre-mayo) y 16 enero-9 febrero - **Comida** carta 2850 a 4175.

LLANARS 17869 Gerona 443 F 37 - 388 h. - 972.
♦Madrid 701 - ♦Barcelona 129 - Gerona/Girona 82.

Grèvol, carret. de Camprodón ☎ 74 10 13, Fax 74 10 87, ←, « Chalet de montaña decorado con elegancia », - - 25/60. AE E VISA.
Comida *(cerrado del 8 al 23 de mayo y del 13 al 27 de noviembre)* 3600 - 1200 - **36 hab** 15000 - PA 7140.

LLÁNAVES DE LA REINA 24912 León 441 C 15 - Deportes de invierno.
♦Madrid 373 - ♦León 118 - ♦Oviedo 133 - ♦Santander 147.

San Glorio, carret. N 621 ☎ 74 04 18, Fax 74 04 18, ← - . AE E VISA.
Comida (ver rest. **Mesón Llánaves**) - 700 - **26 hab** 4500/6500.

Mesón Llánaves, carret. N 621 ☎ 74 04 18, Fax 74 04 18 - . AE E VISA.
Comida carta 1900 a 2900.

LLANÇÀ Gerona - ver Llansá.

LLANES 33500 Asturias 441 B 15 - 13 382 h. - 98 - Playa.
Nemesio Sobrino 1 540 01 64.
Madrid 453 - Gijón 103 - Oviedo 113 - Santander 96.

Don Paco, Posada Herrera 1 540 01 50, Fax 540 26 81 - AE E VISA.
junio-septiembre - **Comida** 2300 - 750 - **42 hab** 6800/9400 - PA 4100.

G. H. Paraíso sin rest, Pidal 2 540 19 71, Fax 540 25 90 - AE E VISA JCB.
marzo- octubre - 700 - **22 hab** 7900.

Montemar sin rest, con cafetería, Genaro Riestra 8 540 01 00, Fax 540 26 81, - AE E VISA.
750 - **41 hab** 6800/9400.

Miraolas, paseo de San Antón 14 540 08 28, Fax 540 27 74, - E VISA.
Comida 1500 - 500 - **37 hab** 6000/8500 - PA 3500.

Las Rocas sin rest, Marqués de Canillejas 3 540 24 31, Fax 540 24 34 - AE E VISA.
abril-15 octubre - 600 - **33 hab** 6000/8500.

Peñablanca sin rest, Pidal 1 540 01 66 - VISA
junio- septiembre - 500 - **31 hab** 4600/7500.

Sablon's, pl. del Sablon 540 00 62, Fax 540 19 88 - AE E VISA.
abril-octubre - **Comida** carta 2400 a 3350.

en la playa de Toró O : 1 km - 33500 Llanes - 98 :

Mirador de Toró, 540 08 82, - .

en La Arquera - 33500 Llanes - 98 :

Las Brisas, S : 2 km 540 17 26, Fax 540 13 82 -
36 hab.

La Arquera sin rest, S : 2 km 540 24 24, Fax 540 01 75, « Antigua casona con mobiliario de estilo » - . E VISA
800 - **13 hab** 7200/9000.

Prau Riu con hab, carret. de Parres S : 2,5 km 540 11 54, - . AE E VISA.
cerrado octubre y noviembre - **Comida** carta 2600 a 4400 - 500 - **6 hab** 5000.

en San Roque - carretera N 634 SE : 4 km - 33596 San Roque - 98 :

Europa, San Roque 29 541 70 45, Fax 541 70 45 - . AE E VISA.
Comida 1000 - 425 - **24 hab** 3500/5000 - PA 2425.

en La Pereda S : 4 km - 33509 La Pereda - 98 :

La Posada de Babel con hab, 540 25 25, Fax 540 25 25, « Amplia zona de césped con árboles » - . AE VISA. rest
Comida *(cerrado martes y febrero)* carta 3400 a 4100 - 750 - **8 hab** 7500/9800.

Los LLANOS DE ARIDANE Santa Cruz de Tenerife - ver Canarias (La Palma).

LLANSÁ o **LLANÇÁ** 17490 Gerona 443 E 39 - 3 500 h. - 972 - Playa.
Alred. : San Pedro de Roda★★ (paraje★★) S : 15 km.
av. de Europa 37 38 08 55, Fax 38 12 55.
Madrid 767 - Banyuls 31 - Gerona/Girona 60.

Beri, La Creu 17 38 01 98, - rest . E VISA
abril-octubre - **Comida** 1000 - 500 - **60 hab** 2800/5000 - PA 2500.

Carbonell, Mayor 19 38 02 09 - . AE E VISA.
Comida *(cerrado octubre-junio salvo Semana Santa)* 1600 - **31 hab** 2300/4500 - PA 3200.

en la carretera de Port-Bou N : 1 km - 17490 Llançá - 972 :

Gri-Mar, 38 01 67, Fax 38 12 00, , , , - - 25. AE E VISA
7 abril-1 octubre - **Comida** 2350 - 650 - **39 hab** 6300/8900 - PA 4250.

en el puerto NE : 1,5 km - 17490 Llançá - 972 :

Berna, passeig Marítim 13 38 01 50, ,
temp. - **38 hab.**

La Goleta, Pintor Terruella 22 38 01 25, Telex 56322, Fax 12 06 86 - rest .
AE E VISA.
cerrado noviembre - **Comida** *(cerrado miércoles)* 1800 - 550 - **30 hab** 5500/7500 - PA 3950.

El Vaixell, Canigó 18 38 02 95, Pescados y mariscos - . AE E VISA.
cerrado domingo noche en invierno - **Comida** carta 2125 a 3475.

La Vela, Pintor Martínez Lozano 3 38 04 75 - . AE E VISA JCB
cerrado lunes y 16 octubre-15 noviembre - **Comida** carta 2800 a 3600.

X **La Brasa,** pl. Catalunya 6 ℘ 38 02 02, 🏖 - ▤. AE E VISA
cerrado martes (salvo en verano) y 15 diciembre-febrero - **Comida** carta 3100 a 4500.

X **Dany,** passeig Marítim 4 ℘ 38 03 96, ≤ - E VISA
cerrado martes y 15 diciembre-15 febrero - **Comida** carta 2000 a 3400.

X Can Manel, pl. del Port 5 ℘ 38 01 12, ≤, Pescados y mariscos.

LLEIDA - ver Lérida.

LLESSUY o **LLESSUI** **25567** Lérida 443 E 33 alt. 1 400 - ☎ 973 - Deportes de invierno ≴9.

Ver : Valle de Llessui★★.

♦Madrid 603 - ♦Lérida/Lleida 150 - Seo de Urgel/La Seu d'Urgell 66.

en Bernui - carretera de Sort E : 3 km - ✉ 25560 Sort - ☎ 973 :

X Can Joana, ℘ 62 17 58 - Ⓟ.

en Altrón E : 7,5 km - ✉ 25560 Sort - ☎ 973 :

♆ **Vall d'Assua** ⛰, carret. de Llessuy ℘ 62 17 38, ≤ - ▤ rest Ⓟ. ⛔
cerrado noviembre - **Comida** 1750 - ☕ 500 - **12 hab** 3400 - PA 3300.

LLIVIA **17527** Gerona 443 E 35 - 901 h. alt. 1 224 - ☎ 972.

ℹ Forns, ℘ 89 63 13.

♦Madrid 658 - Gerona/Girona 156 - Puigcerdá 6.

🏨 **Llivia** ⛰, av. de Catalunya ℘ 14 60 00, Fax 14 60 00, ≤, 🏊, 🌳, 🎾 - |‡| 📺 ☎ 🚗 Ⓟ
- 🏛 25/150. E VISA. ⛔ rest
cerrado noviembre - **Comida** 2700 - **63 hab** ☕ 6500/9900 - PA 4300.

🏠 **L'Esquirol** ⛰, av. de Catalunya ℘ 89 63 03, Fax 89 63 03, ≤ - Ⓟ. AE E VISA. ⛔
Comida 1500 - **13 hab** ☕ 8000.

XX **Can Ventura,** pl. Major 1 ℘ 89 61 78, Fax 89 61 78, Decoración rústica, Edificio del siglo XVIII, Cocina regional - E VISA. ⛔
cerrado martes y octubre - **Comida** carta 2550 a 3400.

X La Ginesta (Casa David), av. de Catalunya ℘ 89 62 87.

LLODIO **01400** Álava 442 C 21 - 20 251 h. - ☎ 94.

♦Madrid 385 - ♦Bilbao/Bilbo 21 - ♦Burgos 142 - ♦Vitoria/Gasteiz 49.

X **Martina,** Zubiaur 1 ℘ 672 22 68 - ▤. AE ⓓ E VISA. ⛔
Comida carta 3075 a 4200.

en Areta E : 3 km - ✉ 01400 Llodio - ☎ 94 :

XXX **Palacio de Anuncibai,** ✉ apartado 106, ℘ 672 61 88, Fax 672 61 79 - ▤ Ⓟ. AE ⓓ E VISA JCB. ⛔
cerrado domingo noche, Semana Santa y del 1 al 15 de agosto - **Comida** carta 3100 a 4750.

LLOFRIU **17124** Gerona 443 G 39 - ☎ 972.

♦ Madrid 724 - ♦ Gerona/Girona 36 - Palafrugell 3.

X **La Resclosa,** Estación 6-carret C 255 ℘ 30 29 68, 🏖, Decoración regional - Ⓟ. AE E VISA
cerrado jueves y octubre - **Comida** carta 2050 a 3200.

LLORET DE MAR **17310** Gerona 443 G 38 - 22 504 h. - ☎ 972 - Playa.

ℹ pl. de la Vila 1, ℘ 36 47 35, Fax 36 77 50 y Estación de Autobuses ℘ 36 57 88.

♦Madrid 695 ② - ♦Barcelona 67 ② - Gerona/Girona 39 ③.

Plano página siguiente

🏨 **Roger de Flor** ⛰, Turó de l'Estelat, ✉ apartado 66, ℘ 36 48 00, Fax 37 16 37, 🏖, « Grandes terrazas con ≤ », 🏊, 🌳, 🎾 - ▤ rest 📺 ☎ 🚗 Ⓟ - 🏛 25/120. AE ⓓ E VISA. ⛔
abril-octubre - **Comida** 4200 - ☕ 2000 - **87 hab** 10000/17000, 6 suites - PA 8800.

🏨 **G. H. Monterrey,** carret. de Tossa de Mar ℘ 36 40 50, Fax 36 35 12, 🏖, Servicios de talasoterapia, « Amplio jardín », 🏊, 🏊, 🎾 - |‡| ▤ 📺 ☎ ♿ Ⓟ - 🏛 25/425. AE ⓓ E VISA. ⛔ rest
abril-noviembre - **Comida** 2200 - **223 hab** ☕ 8000/16000 - PA 4200.

🏨 **Marsol y Rest. Els Dofins,** passeig Mossèn J. Verdaguer 7 ℘ 36 57 54, Fax 37 22 05, 🏊, 🏊 - |‡| ▤ 📺 ☎ - 🏛 25/75. AE ⓓ E VISA. ⛔
Comida carta 2000 a 3500 - **87 hab** ☕ 7900/10000.

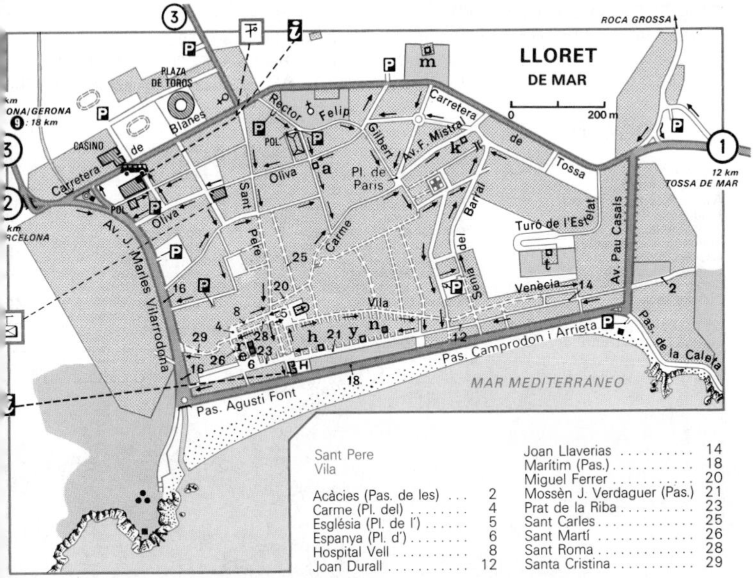

Sant Pere
Vila

Acàcies (Pas. de les) . . . 2
Carme (Pl. del) 4
Església (Pl. de l') 5
Espanya (Pl. d') 6
Hospital Vell 8
Joan Durall 12
Joan Llaverias 14
Marítim (Pas.) 18
Miguel Ferrer 20
Mossèn J. Verdaguer (Pas.) 21
Prat de la Riba 23
Sant Carles 25
Sant Martí 26
Sant Roma 28
Santa Cristina 29

Mercedes, av. F. Mistral 32 ☎ 36 43 12, Fax 36 49 53, – AE E VISA. rest **k**
abril-octubre – **Comida** 1750 – 800 – **88 hab** 5200/8400 – PA 3900.

Excelsior, passeig Mossèn J. Verdaguer 16 ☎ 36 61 76, Telex 97061, Fax 37 16 54 – AE E VISA. rest **y**
abril-octubre – **Comida** 1750 – 525 – **45 hab** 4900/9400.

Santa Ana sin rest, Sénia del Rabic 26 ☎ 36 53 39 – E VISA. **a**
junio-septiembre – **48 hab** 6600.

Can Bolet, Sant Mateu 6 ☎ 37 12 37, Pescados y mariscos – **r**

Can Tarradas, pl. d'Espanya 7 ☎ 36 61 21, Fax 36 80 71, – AE E VISA. **e**
cerrado del 12 al 28 de diciembre – **Comida** carta 2500 a 4700.

Taverna del Mar, Pescadors 5 ☎ 36 40 90, – AE E VISA. **n**
abril-octubre – **Comida** carta 2050 a 3375.

en la carretera de Blanes por ② : 1,5 km – ✉ 17310 Lloret de Mar – ☎ 972 :

Fanals, ☎ 36 41 12, Fax 37 03 29, – – 25/80. E VISA. rest
abril-15 noviembre y Navidades – **Comida** 2200 – **85 hab** 5500/8500.

en la playa de Fanals por ② : 2 km – ✉ 17310 Lloret de Mar – ☎ 972 :

Rigat Park ☎ 36 52 00, Fax 37 04 11, « Parque con arbolado », – – 25/650. AE E VISA. rest
cerrado diciembre-8 enero – **Comida** *(cerrado noviembre- 10 febrero)* 3900 – 1500 – **87 hab** 12000/17000, 17 suites.

en la playa de Santa Cristina por ② : 3 km – ✉ 17310 Lloret de Mar – ☎ 972 :

Santa Marta ☎ 36 49 04, Fax 36 92 80, « Gran pinar », – – 25/120. AE E VISA JCB. rest
cerrado 15 diciembre-1 febrero – **Comida** carta 3800 a 5500 – 1600 – **76 hab** 16000/26000, 2 suites.

en la urbanización Playa Canyelles por ① : 3 km – ✉ 17310 Lloret de Mar – ☎ 972 :

El Trull, ✉ apartado 429, ☎ 36 49 28, Fax 37 13 08, Decoración rústica, –

LODOSA 31580 Navarra 442 E 23 – 4 483 h. alt. 320 – ☎ 948.

♦Madrid 334 – ♦Logroño 34 – ♦Pamplona/Iruñea 81 – ♦Zaragoza 152.

Marzo, Ancha 24 ☎ 69 30 52, Fax 69 41 51 – rest VISA.
Comida 1590 – 550 – **14 hab** 2800/5000 – PA 3170.

LOGROÑO **26000** P La Rioja 442 E 22 – 128 331 h. alt. 384 – ☎ 941.

Excurs. : Valle del Iregua★ (contrafuertes de la sierra de Cameros★) 50 km ③.

ℹ Miguel Villanueva 10, ✉ 26001, ☎ 29 12 60 – **R.A.C.E.** Huesca 3, ✉ 26002, ☎ 24 82 91.

♦Madrid 331 ③ – ♦Burgos 144 ④ – ♦Pamplona/Iruñea 92 ① – ♦Vitoria/Gasteiz 93 ④ – ♦Zaragoza 175 ③.

LOGROÑO

Portales .... **AB** 32

Alférez Provisional (Pl. del) . **A** 2
Autonomía (Av. de la) .... **B** 3
Bretón de los Herreros .... **A** 4
Capitán Gaona .... **B** 5
Carmen (Muro del) .... **B** 6
Cervantes (Muro de) ..... **B** 7
Comandancia .... **A** 8
Daniel Trevijano .... **A** 9
Depósitos .... **A** 10
Doce Ligero de Artillería (Av. del).... **B** 12
Duquesa de la Victoria.... **B** 13
España (Av. de) .... **B** 14
Fausto Elhuyar .... **A** 15
Francisco de la Mata (Muro) **B** 16
Ingenieros Pino y Amorena **B** 19
Juan XXIII (Av. de) .... **B** 22
Marqués de Murrieta ..... **A** 23
Marqués de San Nicolás .. **AB** 25
Mercado (Pl. del) .... **B** 26
Miguel Villanueva .... **A** 27
Navarra (Av. de) .... **B** 28
Navarra (Carret. de) ...... **B** 29
Once de Junio .... **A** 30
Pío XII (Av. de) .... **B** 31
Portugal (Av. de) .... **A** 33
Rioja (Av. de la) .... **A** 34
Rodríguez Paterna .... **B** 35
Sagasta .... **A** 36
Teniente Coronel Santos Ascarza .... **B** 40
Tricio .... **B** 41
Viana (Av. de) .... **B** 42

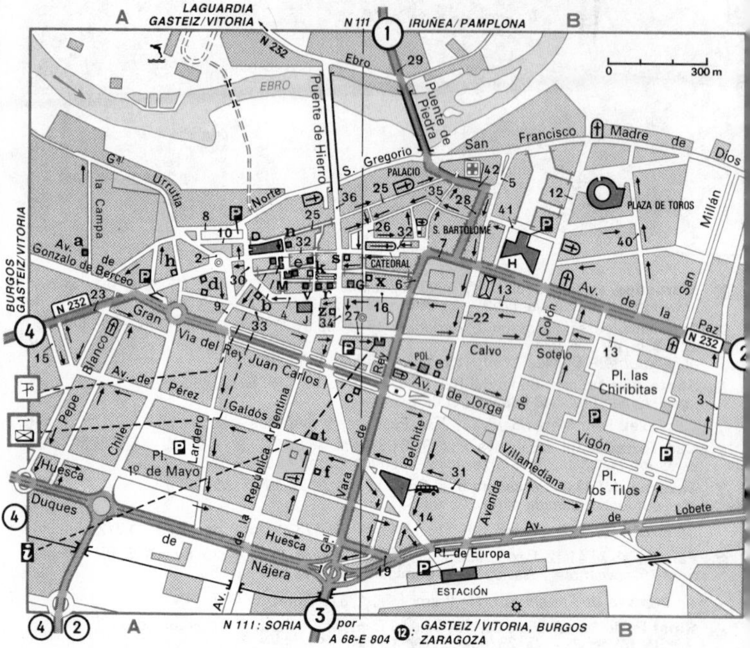

🏨 **NH Herencia Rioja,** Marqués de Murrieta 14, ✉ 26005, ☎ 21 02 22, Fax 21 02 06 – 🛗 ▤ 📺 ☎ 🚗 – 🏛 25/120. AE ⓓ VISA — A **h**
Comida 1600 – ☕ 1000 – **88 hab** 9200/12750 – PA 4200.

🏨 **Carlton Rioja** sin rest, con cafetería, Gran Vía 5, ✉ 26002, ☎ 24 21 00, Telex 37295, Fax 24 35 02 – 🛗 ▤ 📺 ☎ 🚗 – 🏛 25/150. AE ⓓ E VISA JCB — A **c**
☕ 900 – **120 hab** 8500/13800.

🏨 **Sol Bracos** sin rest, con cafetería, Bretón de los Herreros 29, ✉ 26001, ☎ 22 66 08, Telex 37126, Fax 22 67 54 – 🛗 ▤ 📺 ☎. AE ⓓ E VISA. ✂ — A **b**
☕ 975 – **72 hab** 10750/13500.

🏨 **Murrieta** sin rest, con cafetería, av. Marqués de Murrieta 1, ✉ 26005, ☎ 22 41 50, Fax 22 32 13 – 🛗 📺 ☎ 🚗 – 🏛 25/140. AE E VISA. ✂ — A **d**
☕ 635 – **113 hab** 6825/8925.

🏨 **Ciudad de Logroño** sin rest, Menéndez Pelayo 7, ✉ 26002, ☎ 25 02 44, Fax 25 43 90 – 🛗 ▤ 📺 ☎ 🚗 – 🏛 25. AE ⓓ E VISA. ✂ — A **f**
☕ 700 – **95 hab** 6900/9800.

🏨 **Condes de Haro** sin rest, Saturnino Ulargui 6, ✉ 26001, ☎ 20 85 00, Fax 20 87 96 – 🛗 ▤ 📺 ☎ 🚗. AE ⓓ VISA. ✂ — A **d**
☕ 400 – **44 hab** 7200/9000.

Marqués de Vallejo sin rest, Marqués de Vallejo 8, ✉ 26001, ✆ 24 83 33, Fax 24 02 88 - 🛗 TV ☎. AE E VISA — B x
☕ 550 - **30 hab** 5000/7200.

París sin rest y sin ☕, av. de La Rioja 8, ✉ 26001, ✆ 22 87 50 - 🛗 ☎. 🐕 — A z
cerrado 24 diciembre-6 enero - **36 hab** 3900/6300.

Isasa sin rest y sin ☕, Doctores Castroviejo 13 - 1°, ✉ 26003, ✆ 25 65 99 - 🛗 TV ☎. AE VISA. 🐕 — B e
cerrado 23 diciembre- 9 enero - **30 hab** 3000/5000.

Niza sin rest y sin ☕, Capitán Gallarza 13, ✉ 26001, ✆ 20 60 44 - 🛗 ▤ TV ☎. E VISA. 🐕 — A k
16 hab 4500/6200.

La Numantina sin rest y sin ☕, Sagasta 4, ✉ 26001, ✆ 25 14 11 - VISA — A s
cerrado Navidades - **17 hab** 3000/4700.

La Merced, Marqués de San Nicolás 111, ✉ 26001, ✆ 22 11 66, Fax 20 53 20, Interesante bodega, « Elegantemente instalado en un antiguo palacete » - ▤. AE ⓓ E VISA. 🐕
cerrado domingo y del 1 al 20 de agosto - **Comida** carta aprox. 6800. — A n

Casa Emilio, Pérez Galdós 18, ✉ 26002, ✆ 25 88 44 - ▤ — A t

Cachetero, Laurel 3, ✉ 26001, ✆ 22 84 63 - ▤ — A v

Los Gabrieles, Bretón de los Herreros 8, ✉ 26001, ✆ 22 00 43 - ▤. AE ⓓ E VISA
cerrado domingo noche, miércoles, julio y 23 diciembre-7 enero - **Comida** carta 2330 a 3975. — A r

Zubillaga, San Agustín 3, ✉ 26001, ✆ 22 00 76 - ▤. AE ⓓ E VISA. 🐕 — A e
cerrado miércoles, del 1 al 25 de julio y 10 diciembre-8 enero - **Comida** carta 2700 a 3450.

Mesón Egüés, La Campa 3, ✉ 26005, ✆ 20 86 03, Asados - ▤. AE ⓓ E VISA. 🐕
cerrado domingo, Semana Santa y 22 diciembre-3 enero - **Comida** carta 2300 a 4700. — A a

Las Cubanas, San Agustín 17, ✉ 26001, ✆ 22 00 50 - ▤ — A e

El Fogón, Peso 6, ✉ 26001, ✆ 22 00 21 - ▤. 🐕 — A r
cerrado domingo noche, jueves y del 1 al 21 de julio - **Comida** carta 1400 a 2400.

en la carretera de circunvalación por ① : 4 km - ✉ 26006 Logroño - ☏ 941 :

Soto Galo, polígono industrial de Cantabria ✆ 25 91 22, Fax 25 73 89 - 🛗 ▤ TV ☎ Ⓟ - 🏛 25/300. AE E VISA. 🐕 rest
Comida *(cerrado domingo)* 1000 - ☕ 485 - **44 hab** 4450/6900.

Os nossos guias de hotéis, turísticos e mapas de estradas são complementares. Utilize-os conjuntamente.

LOJA

18300 Granada 446 U 17 - 20 321 h. alt. 475 - ☏ 958.
♦Madrid 484 - Antequera 43 - ♦Granada 55 - ♦Málaga 71.

Del Manzanil, carret. de Granada E : 1,5 km ✆ 32 17 11, Fax 32 18 50, 🌳 - 🛗 ▤ TV ☎ Ⓟ. AE ⓓ E VISA. 🐕 rest
Comida 1100 - ☕ 400 - **49 hab** 4000/5700.

en la autovía A 92 S : 5 km - ✉ 18300 Loja - ☏ 968 :

Los Abades, ✆ 32 38 00, Fax 32 38 04, ≤ - 🛗 ▤ TV ☎ 🚗 Ⓟ - 🏛 25/100. AE ⓓ VISA
Comida 1600 - ☕ 500 - **76 hab** 5000/6000 - PA 3500.

Manzanil Área, ✆ 32 32 00, Fax 32 34 80, ≤ - 🛗 ▤ TV ☎ 🚗 Ⓟ - 🏛 25/60. AE ⓓ VISA. 🐕 rest
Comida 1500 - ☕ 350 - **76 hab** 3500/6000 - PA 3000.

en la Finca La Bobadilla- por la autovía A 92 O : 18 km y desvío 3 km - ✉ 18300 Loja - ☏ 958 :

La Bobadilla 🔇, por salida a V. de Tapia, ✉ apartado 52, ✆ 32 18 61, Fax 32 18 10, ≤, Elegante cortijo andaluz, 🏋, 🏊, 🏊, 🌳, 🎾 - 🛗 ▤ TV ☎ Ⓟ - 🏛 25/120. AE ⓓ E VISA JCB. 🐕 rest
La Finca (cerrado mediodía en verano salvo sábado y domingo) **Comida** carta 6700 a 7050 - *EL Cortijo* : **Comida** carta 3200 a 4200 - **50 hab** ☕ 23900/31100, 10 suites.

Lo PAGÁN

Murcia - ver San Pedro del Pinatar.

LORCA

30800 Murcia 445 S 24 - 67 024 h. alt. 331 - ☏ 968.
ℹ Lope Gisbert (Palacio de Guevara) ✆ 46 61 57 Fax464373.
♦Madrid 460 - ♦Almería 157 - Cartagena 83 - ♦Granada 221 - ♦Murcia 64.

El Teatro, pl. Colón 12 ✆ 46 99 09 - ▤. AE ⓓ E VISA. 🐕
cerrado domingo y agosto - **Comida** carta 2300 a 3000.

Rincón de los Valientes, Rincón de los Valientes 3 ✆ 44 12 63 - ▤. VISA. 🐕
Comida carta 1650 a 2400.

LOREDO 39140 Cantabria 442 B 18 - 942 - Playa.
◆Madrid 409 - ◆Bilbao/Bilbo 96 - ◆Santander 26.

El Encinar sin rest, callejo de los Beatos - Latas, ✉ 39140 Somo, ☎ 50 40 33, Fax 50 02 44 - Ⓟ.
15 julio-agosto - ☕ 350 - **19 hab** 6500/8500.

Latas, barrio de Latas ☎ 50 42 33, Fax 50 92 36, - Ⓟ. E VISA.
cerrado domingo noche, lunes, del 15 al 30 de septiembre y del 15 al 30 de diciembre - **Comida** carta 2300 a 3550.

LOYOLA Guipúzcoa - ver Azpeitia.

LUANCO 33440 Asturias 441 B 12 - 98 - Playa.
Ver : Cabo de Peñas★.
◆Madrid 478 - Gijón 15 - ◆Oviedo 43.

Aramar, Gijón 10 ☎ 588 00 25, Fax 588 00 25 - ☎. AE E VISA.
Comida 1200 - ☕ 350 - **31 hab** 5000/7150 - PA 2400.

Casa Néstor, Conde Real Agrado 6 ☎ 588 03 15.

LUARCA 33700 Asturias 441 B 10 - 19 920 h. - 98 - Playa.
Ver : Emplazamiento★.
Excurs. : SO : Valle del Navia : recorrido de Navia a Grandas de Salime (★★ Embalse de Arbón, Vivedro ★★, confluencia★★ del Navia y del Río Frío).
pl. Alfonso X el Sabio ☎ 564 00 83.
◆Madrid 536 - ◆La Coruña/A Coruña 226 - Gijón 97 - ◆Oviedo 101.

Gayoso, paseo de Gómez 4 ☎ 564 00 50, Fax 547 02 71 - TV ☎. AE E VISA
abril-septiembre - **Comida** 1500 - ☕ 500 - **33 hab** 6500/12000 - PA 3500.

Báltico sin rest y sin ☕, paseo del muelle 1 ☎ 564 09 91, - TV. AE E VISA.
15 hab 10000.

Rico sin rest, pl. Alfonso X el Sabio 6 ☎ 547 05 59 - TV ☎. E VISA.
☕ 300 - **15 hab** 7500.

Oria sin rest, Crucero 7 ☎ 564 03 85
temp - **14 hab.**

Leonés, Alfonso X el Sabio 1 ☎ 564 09 95 - AE E VISA
Comida carta 3600 a 4800.

Sport, Rivero 8 ☎ 564 10 78, Fax 564 16 93 - AE E VISA.
cerrado jueves noche en invierno y 15 octubre- 15 noviembre - **Comida** carta 1850 a 3300.

Brasas, Aurelio Martínez 4 ☎ 564 02 89 - VISA.
cerrado martes (salvo en verano) y del 2 al 25 de noviembre - **Comida** carta 2450 a 3200.

en Otur O : 6 km - ✉ 33792 Otur - 98 :

Casa Consuelo, carret. N 634 ☎ 547 07 67, Fax 564 16 42, - TV ☎ Ⓟ. AE E VISA.
Comida (ver rest. **Casa Consuelo**) - ☕ 500 - **37 hab** 5000/6500.

Casa Consuelo, carret. N 634 ☎ 564 18 09, Fax 564 16 42 - Ⓟ. AE E VISA.
Comida carta 3500 a 5500.

LUCENA 14900 Córdoba 446 T 16 - 32 054 h. alt. 485 - 957.
◆Madrid 471 - Antequera 57 - ◆Córdoba 73 - ◆Granada 150.

Baltanás sin rest y sin ☕, av. Parque ☎ 50 05 24, Fax 50 12 72 - TV ☎. AE E VISA
39 hab 4000/6000.

LUGO 27000 P 441 C 7 - 87 605 h. alt. 485 - 982.
Ver : Murallas★★ - Catedral★ (portada Norte : Cristo en Majestad★ Z A.
pl. de España 27, ✉ 27001, ☎ 23 13 61 - R.A.C.E. pl. Santo Domingo 6, ✉ 27001, ☎ 25 07 11.
◆Madrid 506 ② - ◆La Coruña/A Coruña 97 ④ - Orense/Ourense 96 ③ - ◆Oviedo 255 ① - Santiago de Compostela 107 ③.

Plano página siguiente

G.H.Lugo y Rest. Os Marisqueiros, av. Ramón Ferreiro 21, ✉ 27002, ☎ 22 41 52, Telex 86128, Fax 24 16 60, - TV ☎ Ⓟ - 25/600. AE E VISA.
Comida *(cerrado domingo)* carta 2600 a 3100 - ☕ 1200 - **156 hab** 9000/13250, 12 suites. por av. Ramón Ferreiro Z

Méndez Núñez sin rest, Raiña 1, ✉ 27001, ☎ 23 07 11, Fax 22 97 38 - ☎. E VISA
☕ 500 - **86 hab** 6000/8500. Z **a**

España sin rest y sin ☕, Vilalba 2 bis, ✉ 27002, ☎ 23 15 40 - Z **h**
16 hab 2900/4600.

LUGO

Conde Pallarés ...... Z 15
Doctor Castro .... Z 27
Praza Maior .... Z 45
Progreso .... Y 47
Quiroga Ballesteros ... Y 50
Raíña .... Y 53
San Marcos .... Y 68
San Pedro .... Z 71
Santo Domingo (Pr. de) YZ 77
Xeneral Franco ...... Y 85

Anxel López Pérez (Av.) Z 2
Bispo Aguirre .... Z 3
Bolaño Rivadeneira ... Y 5
Campo (Pr. del) ...... Z 8
Comandante Manso (Pr.) .... Z 12
Coruña (Av. de la) .... Y 21
Cruz .... Z 23
Dezaoito de Xullo (Av. del) .... Y 24
Montero Ríos (Av.) ... Z 37
Paxariños .... Z 39
Pío XII (Pr. de) .... Z 43
Ramón Ferreiro ...... Z 56
Rodríguez Mourelo (Av.) Z 62
San Fernando .... Y 65
Santa María (Pr. de) .. Z 74
Teniente Coronel Teijeiro .... YZ 78
Tineria .... Z 80
Vilalba .... Z 83

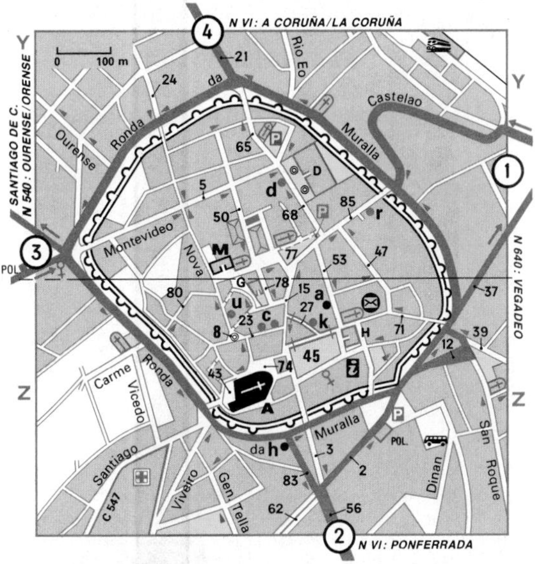

XX **La Barra,** San Marcos 27, ✉ 27001, ✆ 25 29 20, Fax 25 30 22 – ▤. AE ⓓ E VISA. ✂ Y **d**
Comida carta 2825 a 5150.

XX **Alberto,** Cruz 4, ✉ 27001, ✆ 22 83 10, Fax 25 13 58 – ▤. AE ⓓ E VISA JCB. ✂ Z **c**
cerrado domingo – **Comida** carta 2700 a 4750.

XX **Antonio,** av. das Américas 87, ✉ 27004, ✆ 21 64 70 – ▤ Ⓟ. AE ⓓ E VISA JCB. ✂ por ③
Comida carta 2025 a 2825.

XX **España,** General Franco 10, ✉ 27001, ✆ 22 60 16 – ▤. AE ⓓ E VISA. ✂ Y **r**
Comida carta 2250 a 3550.

X **Verruga,** Cruz 12, ✉ 27001, ✆ 22 98 55, Fax 22 98 18 – ▤. AE ⓓ E VISA JCB. ✂ Z **c**
cerrado lunes – **Comida** carta 3050 a 5000.

X **Campos,** Nova 4, ✉ 27001, ✆ 22 97 43, Fax 13 07 58 – ▤. AE ⓓ E VISA. ✂ Z **u**
cerrado del 15 al 30 de octubre – **Comida** carta 2850 a 4900.

X **La Coruñesa,** Dr. Castro 16, ✉ 27001, ✆ 22 10 87 – ▤. AE ⓓ E VISA. ✂ Z **k**
Comida carta 2700 a 3900.

en la carretera N 640 por ① : 4 km – ✉ 27192 Muja – ✆ 982 :

🏨 **Portón do Recanto,** La Campiña ✆ 22 34 55, Fax 25 01 07, ← – ▤ rest TV ☎ 🚗 Ⓟ. AE ⓓ E VISA. ✂
Comida 1500 – ☕ 500 – **23 hab** 5200/6500 – PA 3000.

en la carretera N VI – ✆ 982 :

🏨 **Los Olmos** sin rest, por ④ : 3 km, ✉ 27296 Bocamaos, ✆ 20 00 32, Fax 21 59 18 – |♦| TV ☎ 🚗 Ⓟ. AE E VISA. ✂
☕ 400 – **70 hab** 3500/6000.

🏨 **Torre de Nuñez,** Conturiz- por ② : 4,5 km, ✉ 27160 Conturiz, ✆ 22 72 13, Fax 22 72 70 – |♦| TV ☎ 🚗 Ⓟ. AE VISA. ✂
Comida 1200 – ☕ 350 – **120 hab** 3400/4625 – PA 2735.

XX **O Muiño,** por ② o ③ : 2 km, ✉ 27004 Lugo, ✆ 23 05 50, Fax 25 04 42, 🍽, Decoración rústica, « Terrazas al borde del río » – ▤ Ⓟ. AE ⓓ E VISA. ✂
Comida carta 1800 a 3900.

en la carretera N 540 por ③ : 4,5 km – ✉ 27294 Esperante – ✆ 982 :

🏨 **Santiago,** ✆ 25 03 18, Fax 25 26 00, ✂ – |♦| ▤ TV ☎ 🚗 Ⓟ – 🏛 25/700. AE ⓓ E VISA. ✂
Comida 1700 – ☕ 500 – **60 hab** 7000/9000 – PA 3995.

MACAEL 04867 Almería 446 U 23 – 5 961 h. alt. 535 – ✆ 950.
♦Madrid 531 – Almería 113 – ♦Murcia 145.

🏨 **Villa de Macael** sin rest, av. de Andalucía ✆ 44 55 13 – ▤ TV ☎ Ⓟ. AE E VISA
☕ 300 – **12 hab** 4000/6000.

MAÇANET DE CABRENYS Gerona – ver Massanet de Cabrenys.

Madrid

28000 P 444 K 19 - 3 084 673 h. alt. 646 - ✆ 91.

Ver : Museo del Prado★★★ NY - Casón del buen Retiro★ - El viejo Madrid★ : Plaza Mayor★★ KY, Plaza de la Villa★ KY, Jardines de las Vistillas (❋★) KYZ, Iglesia de San Francisco el Grande (sillería★, sillería de la sacristía★) KZ - Barrio de Oriente★★ : Palacio Real★★ KX (Palacio★ : Salón del Trono★, Real Armería★★, Museo de Carruajes Reales★ DY **M1**, Campo del Moro★), Monasterio de las Descalzas Reales★★ KLX, Real Monasterio de la Encarnación★ KX, Ciudad Universitaria★ DV, Faro de la Moncloa (❋★★) DV, Parque del Oeste★ DV, Casa de Campo★ DX, Zoo★ AM - El Madrid de los Borbones★★ : Plaza de la Cibeles★ MNX, Paseo del Prado★ MNXZ, Museo Thyssen - Bornemisza★★★ MY **M6**, Museo Nacional Centro de Arte Reina Sofía★ (El Guernica★★) MZ, Museo del Ejército★ NY, Puerta de Alcalá★ NX, Parque del Buen Retiro★★ NYZ.

Otras curiosidades : Museo Arqueológico Nacional★★ (Dama de Elche★★★) NV - Museo Lázaro Galdiano★★ (colección de esmaltes y marfiles★★★) HV **M4** - Museo de América★ (Tesoro de los Quimbayas★, Códice Trocortesiano★★★) DV - Real Academia de Bellas Artes de San Fernando★ LX **M2** - San Antonio de la Florida (frescos★★) DX - Museo Cerralbo★ KV - Museo de Cera★ NV - Plaza Monumental de las Ventas★ JV **B** - Museo de la Ciudad (maquetas★) HV.

Hipódromo de la Zarzuela AL - 18, 18 Puerta de Hierro ✆ 216 17 45 AL - 9, 18 Club de Campo ✆ 357 21 32 AL - 18 La Moraleja por ① : 11 km ✆ 650 07 00 - 9 Club Barberán por ⑤ : 10 km ✆ 218 85 05 - 18 Las Lomas - El Bosque por ⑤ : 18 km ✆ 616 21 70 - 18 Real Automóvil Club de España por ① : 28 km ✆ 652 26 00 - 18 Nuevo Club de Madrid, Las Matas por ⑦ : 26 km ✆ 630 08 20 - 9 de Somosaguas O : 10 km por Casa de Campo ✆ 212 16 47.

✈ de Madrid-Barajas por ② : 13 km ✆ 305 83 44 - Iberia : Velázquez 130, ✉ 28006, ✆ 411 10 11 HV y Aviaco, Maudes 51, ✉ 28003, ✆ 534 42 00 FV - 🚗 Chamartín ✆ 733 11 22.

Compañías Marítimas : Cia. Trasmediterránea, Pedro Muñoz Seca 2 NX, ✉ 28001, ✆ 431 07 00, Fax 431 08 04.

ℹ Princesa 1, ✉ 28008, ✆ 541 23 25, Duque de Medinaceli 2, ✉ 28014, ✆ 429 49 51, pl Mayor 3, ✉ 28012, ✆ 266 54 77, Estación de Chamartín, ✉ 28036, ✆ 315 99 76 y aeropuerto de Barajas ✆ 305 86 56 - R.A.C.E. José Abascal 10, ✉ 28003, ✆ 445 85 35, Fax 593 20 64.

♦Barcelona 627 ② - ♦Bilbao/Bilbo 397 ① - ♦La Coruña/A Coruña 603 ⑦ - ♦Lisboa 653 ⑥ - ♦Málaga 548 ④ - ♦Paris 1310 ① - ♦Porto 599 ⑦ - ♦Sevilla 550 ④ - ♦Valencia 351 ③ - ♦Zaragoza 322 ②.

Planos de Madrid

Aglomeración .... p. 2 y 3
Zona Norte .... p. 5
Centro .... p. 6 a 9
Indice de calles de los planos .... p. 3 a 9
Lista alfabética de hoteles y restaurantes .... p. 10 a 12
Lista alfabética de establecimientos con ✿, ✿✿✿ .... p. 12
Lista de restaurantes especializados .... p. 13 a 15
Nomenclatura .... p. 16 a 30

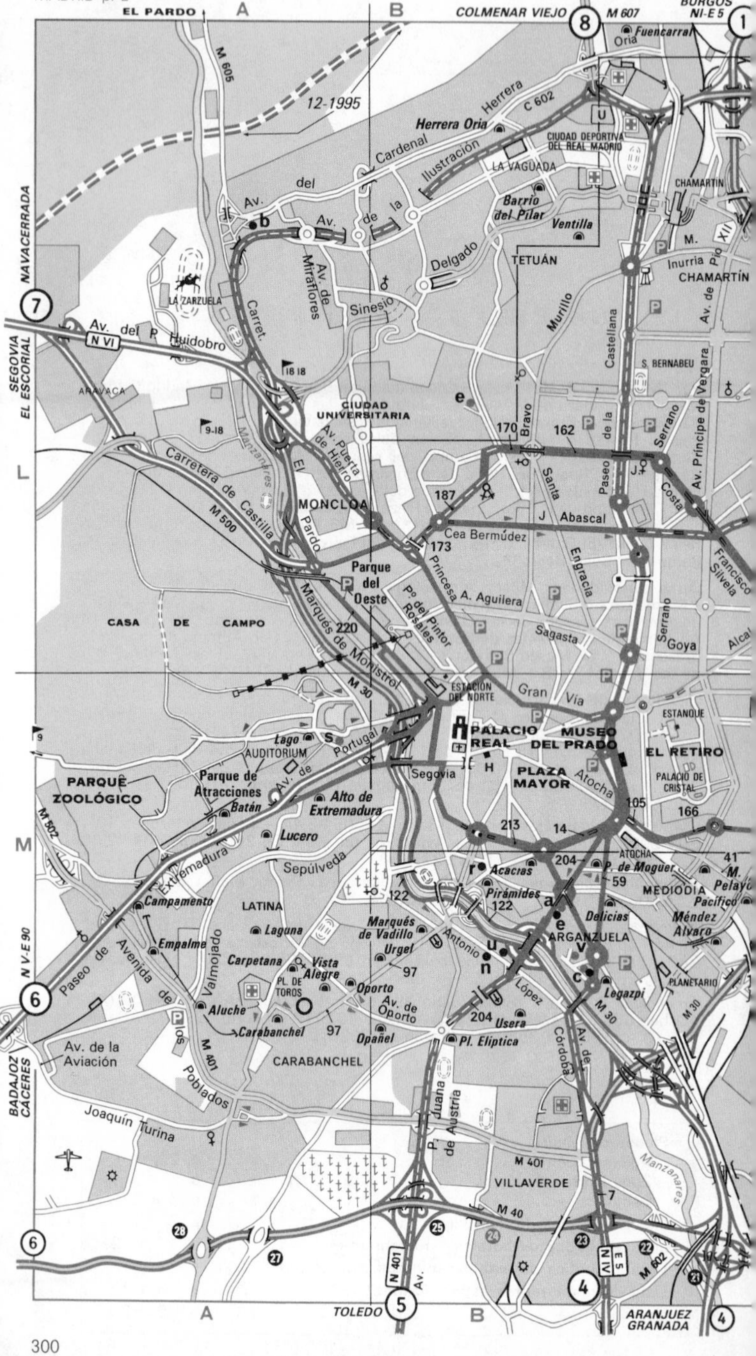
EL PARDO
A
B
COLMENAR VIEJO
8
M 607
BURGOS
NI-E 5
1
Fuencarral
Oria
M 605
12-1995
Herrera Oria
Herrera
C 602
Cardenal
Ilustración
CIUDAD DEPORTIVA DEL REAL MADRID
LA VAGUADA
Av.
del
Av.
de
la
Barrio del Pilar
Ventilla
CHAMARTIN
NAVACERRADA
LA ZARZUELA
Carret.
Av. de Miraflores
Delgado
TETUÁN
M.
Inurria
CHAMARTÍN
XII
7
Av. del P. Huidobro
N VI
Sinesio
Murillo
Castellana
Av. de Pío
SEGOVIA
EL ESCORIAL
18 18
ARAVACA
S. BERNABEU
Av. Príncipe de Vergara
CIUDAD UNIVERSITARIA
9-18
170
Bravo
162
Paseo de la
Serrano
L
Carretera de Castilla
Manzanares
El
Av. Puerta de Hierro
Santa
J.
Costa
M 500
MONCLOA
Pardo
187
J
Abascal
Cea Bermúdez
173
Princesa
Engracia
Francisco Silvela
Parque del Oeste
A. Aguilera
Marqués de Monistrol
Pº del Pintor Rosales
Serrano
CASA DE CAMPO
220
Sagasta
Goya
Alcalá
M 30
ESTACIÓN DEL NORTE
Gran Vía
ESTANQUE
9
Lago
S
Portugal
PALACIO REAL
MUSEO DEL PRADO
EL RETIRO
AUDITORIUM
Av. de
Segovia
H
PLAZA MAYOR
Atocha
PALACIO DE CRISTAL
PARQUE ZOOLÓGICO
Parque de Atracciones
Batán
Alto de Extremadura
105
166
M 502
213
14
M
Lucero
Extremadura
ATOCHA
41
Sepúlveda
204
r
Acacias
P. de Moguer
M. Pelayo
59
MEDIODÍA
Pacífico
Campamento
LATINA
122
Pirámides
122
a
e
Delicias
Méndez Álvaro
Laguna
Marqués de Vadillo
Antonio
ARGANZUELA
Empalme
Valmojado
Urgel
v
Carpetana
Vista Alegre
97
u
n
López
c
PLANETARIO
N V-E 90
Paseo de
Avenida de
PL. DE TOROS
Oporto
Av. de Oporto
Legazpi
6
Aluche
M 30
Carabanchel
97
Opañel
204
Usera
M 401
Pl. Elíptica
Av. de la Aviación
Los Poblados
CARABANCHEL
Córdoba
Av. de
BADAJOZ
CÁCERES
P. Juana de Austria
Joaquín Turina
Manzanares
M 401
VILLAVERDE
7
M 40
6
28
25
24
27
23
22
M 602
21
N 401
Av.
E 5
N IV
4
TOLEDO
5
A
B
ARANJUEZ
GRANADA
4

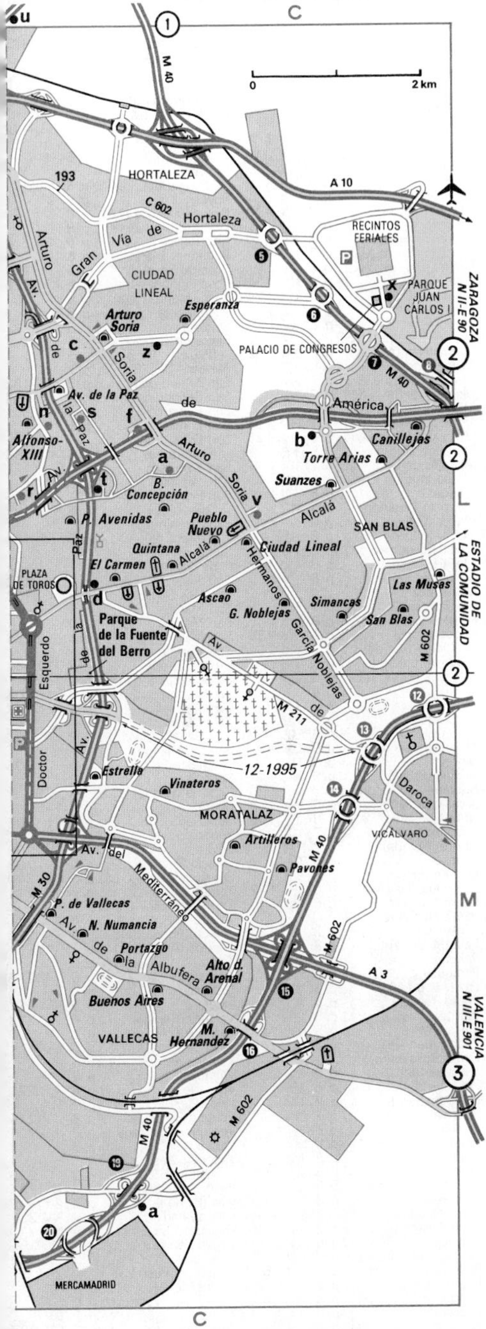

REPERTORIO DE CALLES DEL PLANO DE MADRID

Alcalá	p. 9	MX	
Arenal	p. 8	KY	
Carmen	p. 8	LX	
Fuencarral	p. 8	LV	
Gran Vía	p. 8	LX	
Hortaleza	p. 8	LX	
Mayor (Calle)	p. 8	KY	
Mayor (Plaza)	p. 8	KY	
Montera	p. 8	LX	
Preciados	p. 8	LX	155
Puerta del Sol (Pl.)	p. 8	LY	
San Jerónimo (Carrera de)	p. 8	LY	191

Agustín de Foxá	p. 5	HR	
Alberto Aguilera	p. 6	EV	
Alberto Alcocer (Av. de)	p. 5	HS	
Albufera (Av. de la)	p. 3	CM	
Alcalá	p. 9	MX	
Alcalde Sainz de Baranda	p. 7	HY	
Alfonso XI	p. 9	NX	
Alfonso XII	p. 9	NX	
Alfonso XIII (Av. de)	p. 5	HS	
Almagro	p. 7	GV	
Almirante	p. 9	MV	
Alonso Cano	p. 5	FU	
Alonso Martínez (Pl.)	p. 9	MV	
Álvarez Gato	p. 8	LY	6
Amaniel	p. 8	KV	
América (Av. de)	p. 3	CL	
Andalucía (Av. de)	p. 2	BM	7
Antonio López	p. 2	BM	
Antonio Maura	p. 9	NY	
Apodaca	p. 8	LV	
Arapiles	p. 6	EV	
Arenal	p. 8	KY	
Argensola	p. 9	MV	
Argumosa	p. 8	LZ	
Arrieta	p. 8	KX	13
Arturo Soria	p. 3	CL	
Atocha	p. 8	LY	
Atocha (Ronda de)	p. 6	FZ	14
Ave María	p. 8	LZ	
Aviación (Av. de la)	p. 2	AM	
Ávila	p. 5	FT	
Ayala	p. 9	NV	18
Bailén	p. 8	KY	
Bárbara de Braganza	p. 9	NV	19
Barceló	p. 8	LV	
Barco	p. 8	LV	
Barquillo	p. 9	MX	
Bilbao (Glorieta de)	p. 8	LV	
Blasco de Garay	p. 6	EV	
Bola	p. 8	KX	
Bravo Murillo	p. 5	FT	
Burgos (Av. de)	p. 5	HR	
Caídos de la División Azul	p. 5	HS	21
Callao (Pl. de)	p. 8	LX	22
Canalejas (Pl. de)	p. 8	LY	
Cánovas del Castillo (Pl.)	p. 9	MY	
Capitán Blanco Argibay	p. 5	FS	
Capitán Haya	p. 5	GS	25
Card. Herrera Oria	p. 2	BL	
Carmen	p. 8	LX	
Carranza	p. 6	FV	
Carretas	p. 8	LY	
Cartagena	p. 7	HV	
Cascorro (Pl. de)	p. 8	LZ	
Castellana (Paseo)	p. 9	NV	
Castilla (Carret. de)	p. 2	AL	
Castilla (Pl. de)	p. 5	GS	
Cava Alta	p. 8	KZ	35
Cava Baja	p. 8	KZ	36
Cava de San Miguel	p. 8	KY	39
Cea Bermúdez	p. 6	EV	
Cebada (Pl. de la)	p. 8	KZ	
Cibeles (Pl. de)	p. 9	MX	
Cinca	p. 5	HT	
Ciudad de Barcelona (Av.)	p. 9	NZ	41
Claudio Moyano	p. 9	NZ	
Colegiata	p. 8	LZ	
Colón	p. 8	LV	
Colón (Pl. de)	p. 9	NV	44

Continuación Madrid p. 4

Comandante Zorita p. 5 FT 45
Complutense (Av. de) p. 6 DU
Concepción Jerónima p. 8 LY 48
Concha Espina p. 5 HT
Conde de Casal (Pl.) p. 7 JZ
Conde de Peñalver p. 7 HV
Conde de Romanones p. 8 LY 51
Conde Duque p. 8 KV
Córdoba (Av. de) p. 2 BM
Corredera Baja de San Pablo p. 8 LV
Cortes (Pl. de las) p. 9 MY 53
Costa Rica (Av. de) p. 5 HS 55
Cruz p. 8 LY
Cuatro Caminos (Glta) p. 5 FU 56
Cuchilleros p. 8 KY 58
Cuzco (Pl. de) p. 5 GS
Daroca (Av. de) p. 3 CM
Delicias (Pas. de las) p. 2 BM 59
Diego de León p. 7 HV
Divino Pastor p. 8 LV
Dr Arce (Av. del) p. 5 HU 62
Dr Esquerdo p. 7 JX
Dr Fleming p. 5 GT 63
Donoso Cortés p. 6 EV
Don Pedro p. 8 KZ
Don Ramón de la Cruz p. 7 HV
Dos de Mayo (Pl.) p. 8 LV
Dulcinea p. 5 FT
Duque de Alba p. 8 LZ 65
Echegaray p. 8 LY 66
Eduardo Dato p. 7 GV
Eloy Gonzalo p. 6 FV
El Pardo (Carret. de) p. 2 AL
Embajadores p. 8 LZ
Embajadores (Glta) p. 6 FZ
Emilio Castelar (Pl.) p. 7 HV
Emperador Carlos V (Plaza) p. 9 NZ
Enrique Larreta p. 5 HS 76
Espalter p. 9 NZ
España (Pl. de) p. 8 KV
Espíritu Santo p. 8 LV
Espoz y Mina p. 8 LY 79
Estébanez Calderón p. 5 GS 80
Estudios p. 8 KZ 82
Extremadura (Pas de) p. 2 AM
Felipe IV p. 9 NY
Félix Boix p. 5 HS
Fernando el Católico p. 6 EV
Fernando el Santo p. 9 NV 85
Fernando VI p. 9 MV
Ferraz p. 6 DX
Filipinas (Av.) p. 6 EV
Florida (Pas. de la) p. 6 DX 88
Francisco Gervás p. 5 GS
Francisco Silvela p. 7 HV
Francisco Suárez p. 5 HS
Fray Bernardino Sahagún p. 5 HS 90
Fuencarral p. 8 LV
García de Paredes p. 7 GV
Gen. Ibáñez de Ibero p. 6 EU
Gen. López Pozas p. 5 HS 92
Gen. M. Campos p. 7 GV
Gen. Moscardó p. 5 FT 95
Gen. Perón (Av.) p. 5 GT
Gen. Ricardos p. 2 BM 97
Gen. Vara de Rey (Pl.) p. 8 KZ 99
Gen. Yagüe p. 5 GT
Génova p. 9 NV
Goya p. 9 NV 100
Gran Vía p. 8 LX
Gran Vía de Hortaleza p. 3 CL
Guzmán el Bueno p. 6 EV
Habana (Pas. de la) p. 5 HT
Hermanos García Noblejas p. 3 CL
Hermosilla p. 9 NV
Hernani p. 5 FT
Hortaleza p. 8 LX
Huertas p. 9 MZ
Ibiza p. 7 HY
Ilustración (Av. de la) p. 2 BL
Imperial (Paseo) p. 6 DZ
Independencia (Pl.) p. 9 NX 103
Infanta Isabel (Pas.) p. 9 NZ 105
Infanta Mercedes p. 5 FS
Infantas p. 8 LX
Isaac Peral p. 6 DV
Isabel II (Pl. de) p. 8 KX
Jacinto Benavente (Pl.) p. 8 LY

Jerez p. 5 HS 107
Joaquín Costa p. 5 HU
Joaquín Turina p. 2 AM
Jorge Juan p. 7 HX
José Abascal p. 6 FV
J. Ortega y Gasset p. 7 HV
Juan Bravo p. 7 HV
Juan Duque p. 6 DY
Juan Ramón Jiménez p. 5 HS
Lagasca p. 7 HX 116
Lavapiés p. 8 LZ
Lealtad (Pl. de la) p. 9 NY
Leganitos p. 8 KX
Libreros p. 8 KX 119
Lima (Pl. de) p. 5 GT
López de Hoyos p. 7 HV
López de Hoyos (Glta) p. 7 HV
Luchana p. 6 FV
Luna p. 8 KV
Madrazo (Los) p. 9 MY 121
Madre de Dios p. 5 HS
Magdalena p. 8 LZ
Manuel Becerra (Pl. de) p. 7 JX
Manzanares (Av. del) p. 2 BM 122
Marcenado p. 5 HT
María de Molina p. 7 HV
Mariano de Cavia (Pl.) p. 7 HY
Marqués de Monistrol p. 2 AL
M. de Salamanca (Pl.) p. 7 HV 125
Marqués de Urquijo p. 6 DV 126
Marqués de Viana p. 5 FS
Marqués de Zafra (Pas.) p. 7 JX
Mateo Inurria p. 5 HS
Maudes p. 5 FU
Mauricio Legendre p. 5 HR
Mayor (Calle) p. 8 KY
Mayor (Plaza) p. 8 KY
Mediterráneo (Av. del) p. 3 CM
Mejía Lequerica p. 8 LV 132
Meléndez Valdés p. 6 EV
Menéndez y Pelayo (Av.) p. 7 HY
Mesón de Paredes p. 8 LZ
Miguel Ángel p. 7 GV 136
Miraflores (Av. de) p. 2 AL
Modesto Lafuente p. 6 FV
Moncloa (Pl. de la) p. 6 DV
Montalbán p. 9 NX
Montera p. 8 LX
Montserrat p. 8 KV
Moratín p. 9 MZ
Moret (Paseo de) p. 6 DV
Moreto p. 9 NY
Murillo (Pl. de) p. 9 NZ
Narváez p. 7 HX
Nicasio Gallego p. 6 FV 138
Núñez de Arce p. 8 LY 140
O'Donnell p. 7 HX
Oporto (Av. de) p. 2 BM
Orense p. 5 GS
Oriente (Pl. de) p. 8 KX
Pablo Iglesias (Av.) p. 6 EU 142
Padre Damián p. 5 HS
Padre Huidobro (Av. del) p. 2 AL
Paja (Pl. de la) p. 8 KZ
Palma p. 8 KV
Paraguay p. 5 HS
Paz (Av. de la) p. 3 CL
Pedro Teixeira p. 5 GT 145
Pez p. 8 LV
Pinos Alta p. 5 FS 146
Pintor Juan Gris p. 5 FS 148
Pintor Rosales (Paseo del) p. 6 DX
Pío XII (Av. de) p. 5 HS
Poblados (Av.) p. 2 AM
Portugal (Av. de) p. 2 AM
Pradillo p. 5 HT
Prado p. 9 MY
Prado (Pas. del) p. 9 NZ
Preciados p. 8 LX 155
Presidente Carmona p. 5 FT 157
Princesa p. 8 KV
Princesa Juana de Austria (Av.) p. 2 BM
Príncipe p. 8 LY
Príncipe de Vergara p. 7 HU
Puerta Cerrada (Pl.) p. 8 KY 159
Puerta de Hierro (Av.) p. 2 AL
Puerta de Moros (Pl.) p. 8 KZ 161
Puerta del Sol (Pl.) p. 8 LY
Puerta de Toledo (Glta) p. 6 EZ

R. Fernández Villaverde p. 5 FU 162
Ramón y Cajal (Av.) p. 5 HT
Recoletos p. 9 NX 163
Recoletos (Paseo) p. 9 NV
Reina Cristina (Pas.) p. 7 HZ 166
Reina Mercedes p. 5 FT 168
Reina Victoria (Av.) p. 6 EU 170
República Argentina (Pl.) p. 5 HU
República Dominicana (Pl.) p. 5 HS 172
Reyes p. 8 KV
Reyes Católicos (Av.) p. 6 DV 173
Ribera de Curtidores p. 8 KZ
Ríos Rosas p. 6 FV
Rodríguez Marín p. 5 HT
Rosa de Silva p. 5 FS 177
Rosario Pino p. 5 GS 179
Ruiz Jiménez (Glta) p. 6 EV 181
Sacramento p. 8 KY
Sagasta p. 8 LV
Sagrados Corazones (Plaza) p. 5 HT
Salvador Dalí (Pl.) p. 7 HX
San Amaro (Pl.) p. 5 FT 183
San Bernardino p. 8 KV 184
San Bernardo p. 8 KV
San Enrique p. 5 FT
San Francisco (Carrera de) p. 8 KZ 186
San Francisco (Gran Vía) p. 8 KZ
San Francisco de Sales (Pas.) p. 6 DV 187
San Jerónimo (Carrera de) p. 8 LY 191
San Juan de la Cruz (Pl.) p. 7 GV
San Justo p. 8 KY 192
San Luis (Av. de) p. 3 CL 193
San Marcos p. 9 MX
San Mateo p. 8 LV
San Millán p. 8 KZ 196
San Vicente (Cuesta de) p. 6 DX
Santa Bárbara (Pl.) p. 9 MV
Santa Engracia p. 9 MV 203
Santa Isabel p. 9 MZ
Santa María de la Cabeza (Pas.) p. 2 BM 204
Santo Domingo (Cuesta Pl. de) p. 8 KX 205
Segovia p. 8 KY
Segovia (Ronda) p. 6 EY
Segre p. 2 AM
Sepúlveda p. 5 HT 206
Serrano p. 5 HU
Sevilla p. 8 LY 208
Sinesio Delgado p. 5 GR 209
Sor Ángela de la Cruz p. 5 GS 210
Teruel p. 5 FT 211
Tirso de Molina (Pl.) p. 8 LZ
Toledo p. 8 KZ
Toledo (Ronda de) p. 6 EZ 213
Toreros (Av. de los) p. 7 JV
Torija p. 8 KX
Tudescos p. 8 LX 216
Uruguay p. 5 HT
Valencia p. 6 FZ 217
Valencia (Ronda) p. 6 FZ 218
Valladolid (Av. de) p. 2 AL 220
Valle (Av. del) p. 6 DU
Vallehermoso p. 6 EV
Valmojado p. 2 AM
Valverde p. 8 LV 221
Velázquez p. 7 HX
Ventura Rodríguez p. 8 KV 225
Ventura de la Vega p. 8 LY 227
Vergara p. 8 KY 228
Víctor Andrés Belaunde p. 5 HT 229
Víctor de la Serna p. 5 HT 231
Villa (Pl. de la) p. 8 KY
Villa de París (Pl.) p. 9 NV 232
Villanueva p. 9 NV
Virgen de los Peligros p. 8 LX 233
Virgen del Puerto (Pas. de la) p. 6 DY
Viriato p. 6 FV
Zurbano p. 7 GV
Zurbarán p. 7 GV 237

MADRID

Caídos de la División Azul	HS	21
Capitán Haya	GS	25
Comandante Zorita	FT	45
Costa Rica (Av. de)	HS	55
Cuatro Caminos (Glorieta de)	FU	56
Doctor Arce (Av. del)	HU	62
Doctor Fleming	GT	63
Enrique Larreta	HS	76
Estébanez Calderón	GS	80
Fray Bernardino Sahagún	HS	90
Gen. López Pozas	HS	92
Gen. Moscardó	FT	95
Jerez	HS	107
Pedro Teixeira	GT	145
Pinos Alta	FS	146
Pintor Juan Gris	FS	148
Presidente Carmona	FT	157
Raimundo Fernández Villaverde	FU	162
Reina Mercedes	FT	168
República Dominicana (Pl.)	HS	172
Rosa de Silva	FS	177
Rosario Pino	GS	179
San Amaro (Pl.)	FT	183
Segre	HT	206
Sinesio Delgado	GR	209
Sor Ángela de la Cruz	GS	210
Teruel	FT	211
Victor Andrés Belaunde	HT	229
Victor de la Serna	HT	231

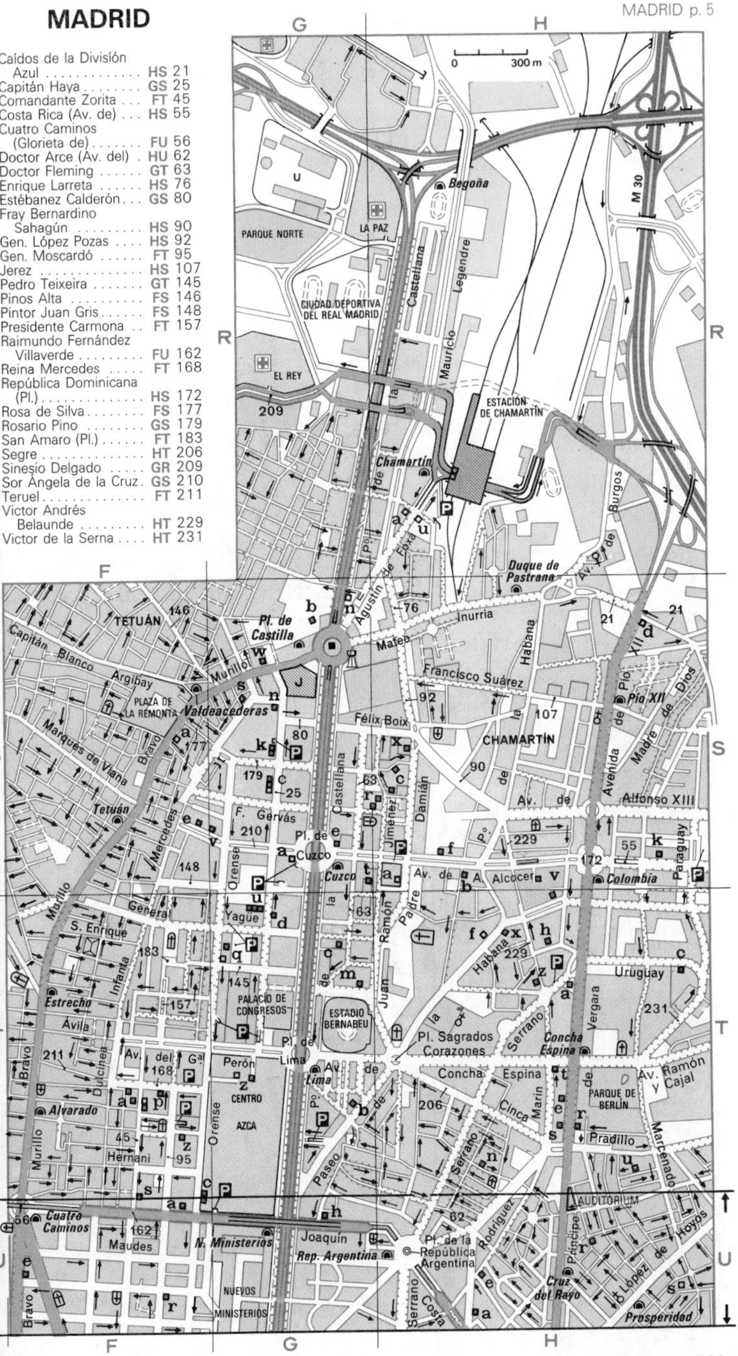

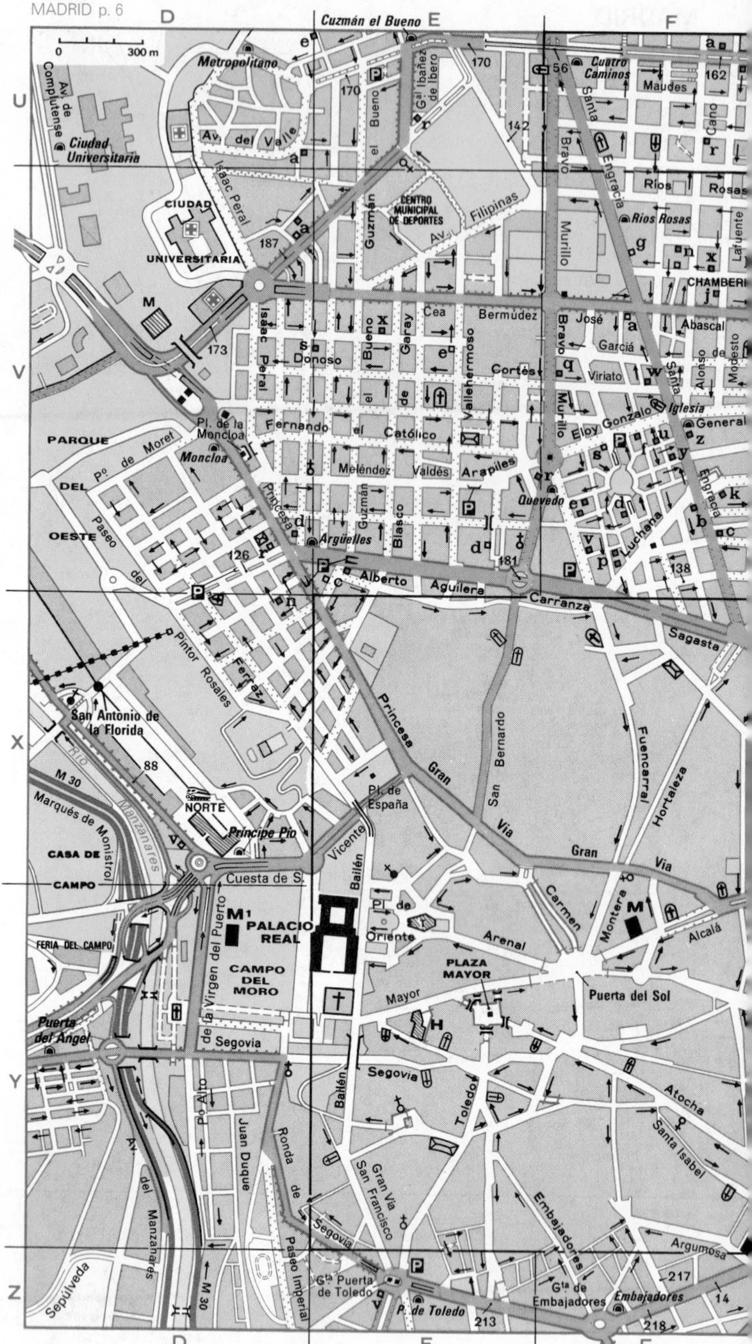
D
E
F
U
V
X
Y
Z
0
300 m
Cuzmán el Bueno
Metropolitano
Av. de Complutense
Ciudad Universitaria
Av. del Valle
Isaac Peral
Bueno
el
Guzmán
Gal Ibañez de Ibero
170
142
56
Cuatro Caminos
Maudes
162
Santa Engracia
Bravo Murillo
Cano
Ríos Rosas
Lafuente
CIUDAD UNIVERSITARIA
CENTRO MUNICIPAL DE DEPORTES
Av. Filipinas
187
Murillo
CHAMBERI
M
173
Isaac Peral
Cea
Bermúdez
José Abascal
Garay
Donoso
García
Alonso de Modesto
Vallehermoso
Cortés
Viriato
Iglesia
Pl. de la Moncloa
Fernando el Católico
Eloy Gonzalo
General
PARQUE DEL OESTE
Po. de Moret
Moncloa
Meléndez Valdés
Arapiles
Paseo del
Princesa
Blasco
Quevedo
Luchana
Argüelles
126
181
138
Alberto Aguilera
Carranza
Sagasta
Pintor Rosales
Ferraz
San Antonio de la Florida
Princesa
San Bernardo
Fuencarral
Hortaleza
Río
M 30
88
Manzanares
Marqués de Monistrol
NORTE
Príncipe Pío
Gran Vía
Pl. de España
Vicente
Bailén
CASA DE CAMPO
Cuesta de S.
Carmen
Montera
M
Alcalá
M1 PALACIO REAL
Pl. de Oriente
Arenal
FERIA DEL CAMPO
Virgen del Puerto
CAMPO DEL MORO
PLAZA MAYOR
Mayor
Puerta del Sol
H
Puerta del Angel
de Segovia
Segovia
Atocha
Po. Alto
Juan Duque
Ronda de Segovia
Bailén
Toledo
Santa Isabel
Av. del Manzanares
Gran Vía San Francisco
Embajadores
Argumosa
Paseo Imperial
Gta Puerta de Toledo
217
Gta de Embajadores
Embajadores
14
Sepúlveda
M 30
P. de Toledo
213
218

MADRID

Atocha (Ronda de)	FZ	14
Florida (Paseo de la)	DX	88
Lagasca	HVX	116
Marqués de Salamanca (Pl.)	HV	125
Marqués de Urquijo	DV	126
Miguel Ángel	GV	136
Reina Cristina (Paseo)	HZ	166
Reina Victoria (Av.)	EU	170
Reyes Católicos (Av.)	DV	173
Ruiz Jiménez (Glorieta)	EV	181
San Francisco de Sales (Pas.)	DV	187
Toledo (Ronda de)	EZ	213
Valencia	FZ	217
Valencia (Ronda de)	FZ	218

Repertorio de calles
ver Madrid p. 3 y p. 4

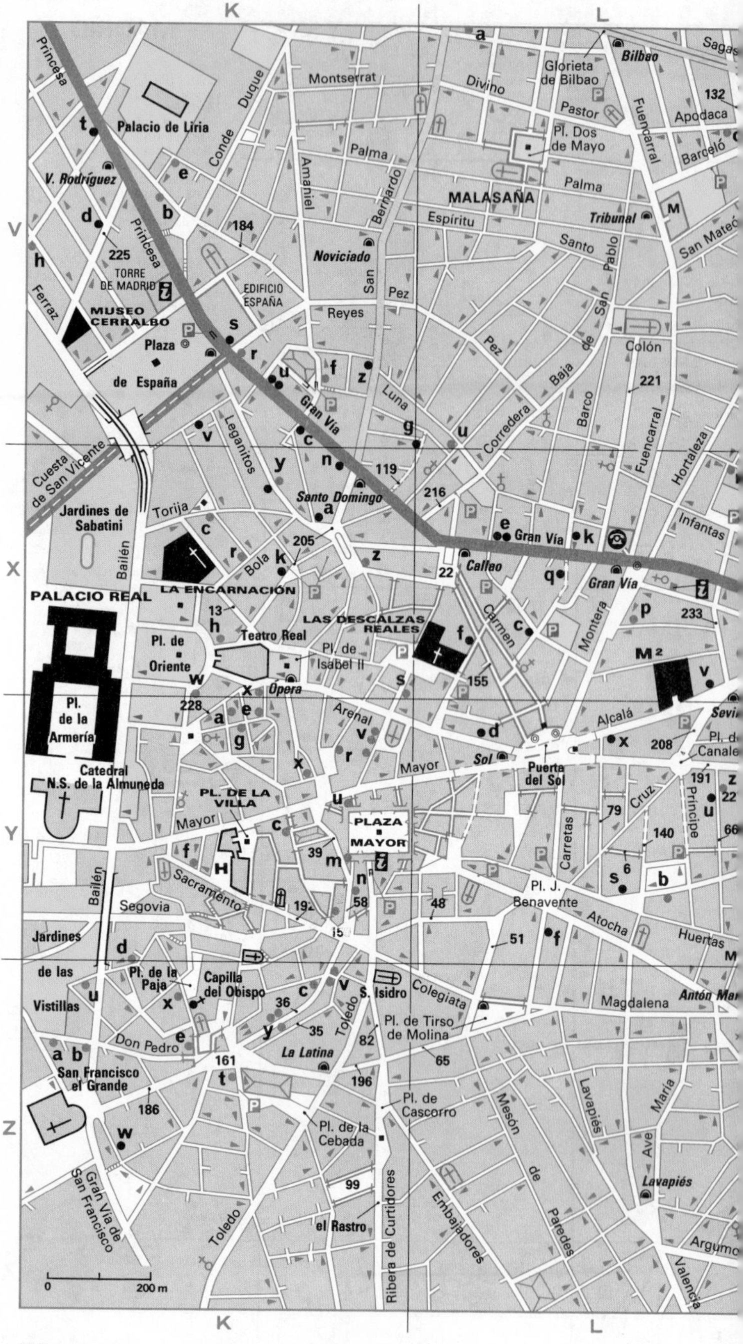

K
L
V
X
Y
Z
Princesa
Palacio de Liria
Conde Duque
Montserrat
Amaniel
San Bernardo
Divino
Glorieta de Bilbao
Bilbao
Sagasta
Pastor
Fuencarral
Apodaca
132
Barceló
Pl. Dos de Mayo
Palma
MALASAÑA
Tribunal
M
Espíritu
Santo
San Pablo
San Mateo
V. Rodríguez
225
TORRE DE MADRID
184
Noviciado
Pez
Ferraz
MUSEO CERRALBO
EDIFICIO ESPAÑA
Reyes
Baja de San Pablo
Colón
Plaza de España
Luna
Gran Vía
Corredera
Barco
221
Hortaleza
Cuesta de San Vicente
Leganitos
119
Santo Domingo
216
Jardines de Sabatini
Torija
205
Gran Vía
Infantas
Bailén
Bola
Callao
22
LA ENCARNACIÓN
PALACIO REAL
LAS DESCALZAS REALES
Carmen
Montera
233
Teatro Real
Pl. de Oriente
Pl. de Isabel II
Ópera
155
M²
Pl. de la Armería
228
Arenal
Alcalá
208
Pl. de Canalejas
Sevilla
Catedral N.S. de la Almuneda
Mayor
Sol
Puerta del Sol
PL. DE LA VILLA
191
Cruz
79
Príncipe
PLAZA MAYOR
140
Carretas
39
Sacramento
Segovia
192
58
48
Pl. J. Benavente
Atocha
Huertas
Jardines de las Vistillas
Pl. de la Paja
Capilla del Obispo
S. Isidro
Colegiata
51
Magdalena
Antón Martín
36
35
Toledo
82
Pl. de Tirso de Molina
Don Pedro
La Latina
65
161
196
San Francisco el Grande
186
Pl. de Cascorro
Pl. de la Cebada
Lavapiés
Mesón de Paredes
Ave María
99
Gran Vía de San Francisco
Ribera de Curtidores
el Rastro
Embajadores
Argumosa
Valencia
0
200 m

MADRID

Alcalá . . . . LMXY
Arenal . . . . KY
Carmen LX
Fuencarral LV
Gran Vía . . . . KLX
Hortaleza LVX
Mayor . . . . KLY
Mayor (Plaza) . . . . KY
Montera LX
Preciados . . . . LX 155
Puerta del Sol (Pl.) . . . . . LY
San Jerónimo (Carrera de) . . . . LMY 191

Álvarez Gato . . . . LY 6
Arrieta . . . . KX 13
Ayala . . . . NV 18
Bárbara de Braganza . . . NV 19
Callao (Pl. de) . . . . LX 22
Cava Alta . . . . KZ 35
Cava Baja . . . . KZ 36
Cava de San Miguel . . . KY 39
Ciudad de Barcelona (Av.) . . . NZ 41
Colón (Pl. de) . . . . NV 44
Concepción Jerónima . . LY 48
Conde de Romanones . . LY 51
Cortés (Pl. de las) . . . . . MY 53
Cuchilleros . . . . KY 58
Duque de Alba . . . . LZ 65
Echegaray . . . . LY 66
Espoz y Mina . . . . LY 79
Estudios . . . . KZ 82
Fernando el Santo . . . . . NV 85
Gen. Vara de Rey (Pl.) . . KZ 99
Goya . . . . NV 100
Independencia (Pl. de la) . NX 103
Infanta Isabel (Pas.) . . . . NZ 105
Libreros . . . . KX 119
Madrazo (Los) . . . . MY 121
Mejía Lequerica . . . . . . LMV 132
Núñez de Arce . . . . LY 140
Puerta Cerrada (Pl.) . . . . KY 159
Puerta de Moros (Pl.) . . . KZ 161
Recoletos . . . . NX 163
San Bernardino . . . . KV 184
San Francisco (Carrera de) KZ 186
San Justo . . . . KY 192
San Millán . . . . KZ 196
Santa Engracia . . . . MV 203
Santo Domingo (Cuesta, Pl. de) . . . . . . KX 205
Sevilla . . . . LY 208
Tudescos . . . . LX 216
Valverde . . . . LV 221
Ventura Rodríguez . . . . . KV 225
Ventura de la Vega . . . . LY 227
Vergara . . . . KY 228
Villa de París (Pl.) . . . . . . NV 232
Virgen de los Peligros . . LX 233

Lista alfabética
(Hoteles y restaurantes)

Página

A

Abeba 21
Abuelita (La) 21
Adriana 21
Agumar 20
Ainhoa 17
Albufera (L') 27
Alcalá 20
Aldar 28
Alkalde 22
Al Mounia 21
Alsace (L') 25
Amparo (El) 21
Ancha (La) 29
Annapurna 25
Antonio 25
Aramo 23
Arce 18
Arcón (El) 19
Argentina (La) 19
Aristos 27
Arosa 16
Arrabiata (L') 29
Asador Ansorena 29
Asador Castillo de Javier 29
Asador de Aranda (El) Preciados 44 18
Asador de Aranda (El) Diego de León 9 22
Asador de Aranda (El) pl. de Castilla 3 29
Asador Errota-Zar 28
Asador Frontón II 28
Asador Velate 23
As de Oros 24
Asquiniña 26
Atlántico 17
Auto 23
Aymar 25

B

Babel 26
Bajamar 17
Balear 26
Balzac 21
Barlovento 29
Bene 26
Berceo 21
Berrio 19
Biergarten 26
Blanca de Navarra 28
Bodegón (El) 27
Bogavante 28
Bola (La) 19
Bolivar 19
Borbollón (El) 22
Borrachos de Velázquez (Los) 30
Botella de Pepe (La) 29
Botín 18
Bóveda del Teatro (La) 19
Brasa (La) 29
Brasserie de Lista 22
Buey II (El) 19

C

Cabo Mayor 28
Café de Oriente 17
Café Viena 24
California 17
Carlos V 17
Carlton 23
Casa Benigna 30
Casa d'a Troya 22
Casa Domingo 22
Casa Félix 26
Casa Gallega, Bordadores 11 18
Casa Gallega, pl. de San Miguel 8 18
Casa Hilda 25
Casa Julián 23
Casa Lucio 18
Casa Marta 19
Casa Paco 19
Casa Pedro 30
Casa Portal 23
Casa Quinta 22
Casa Vallejo 19
Casiña A' 24
Casón del Tormes 16
Castellana Intercontinental 24
Castelló 9 21
Castilla Plaza 27
Cava Real (La) 25
Chaflán (El) 29
Chamartin 27
Chiscón de Castelló (El) 22
Ciao Madrid, Argensola 7 19
Ciao Madrid, Apodaca 20 19
Cigarrales (Los) 23
Claridge 20
Club 31 21
Colón (G.H.) 20
Coloso (El) 16
Combarro 28
Comedor (El) 21
Conde de Orgaz 20
Conde Duque (G.H.) 24
Condes (Los) 17
Convención 20
Corcho (El) 26
Corral de la Morería 19
Cortezo 17
Cuatro Estaciones (Las) 25
Cuevas de Luis Candelas (Las) 18
Cumbres (Las) 30
Currito 24
Cuzco 27

D

Despensa (La) 26
Diana Plus y Rest. Asador San Isidro 23
Dómine Cabra 19
Don Pelayo 17
Don Sancho 26
Don Victor 22
Donzoko 19

E

Emperador 16
Endavant 29
Entrecote (L') – Goya 23
Errota-Zar 17
Escultor 25
Espejo (El) 17
Esquina del Real (La) 19
Esteban 18
Eurobuilding 26

F

Fass 29
Florida Norte 24
Fogón (El) 21
Fonda (La), Lagasca 11 22
Fonda (La) Príncipe de Vergara 211 28
Foque (El) 28
Foxá 25 27
Foxá 32 27
Fragata (La) 27
Fuente Quince (La) 25
Funy (De) 28

G

Gala 26
Gamella (La) 21
Ganges 28
Gastroteca (La) 17
Gaztelubide 30
Gaztelupe 28
Gerardo, Don Ramón de la Cruz 86 22
Gerardo, Alberto Alcocer 46 bis 28
Giralda III (La), Maldonado 4 23

Página

Giralda II (La), Hartzenbuch 12 26
Giralda IV (La), Claudio Coello 24 .. 23
Goizeko Kabi 28
Gran Atlanta (El) 27
Gran Chambelán (El) . 21
Gran Tasca (La) 26
Gran Versalles 24
Grelo (O), Menorca 39 22
Grelo (O) Gaztambide 50 26
Grill de la Ópera (El) .. 19
Grillade (La) 18
Gure - Etxea 18

H

Hang Zhou 22
Hoja (La) 22
Holiday Inn 26
Hontoria 23
Horno de Juan 26
Horno de Santa Teresa ... 17
House of Ming 29

I - J

Ingenio (El) 19
Inglés 17
Italia 17
Izaro 24
Jai-Alai 28
Jardín (El) 27
Jeromín 25
Jockey 25
José Luis 27
Jota Cinco 22
Julián de Tolosa 18

K - L

Kulixka 25
Landó (El) 17
Laray 22
Liabeny 16
Lucca 21
Lúculo 25
Lur Maitea 25
Lutecia 28

M

Magerit 23
Máquina (La) 27
Matador 18
Mayorazgo 16
Meliá Avenida América 20
Meliá Castilla 26
Meliá Madrid 24
Meninas de Velázquez (Las) 28
Mentidero de la Villa (El) 18
Mercator 16

Página

Mesón (El) 30
Mesón Auto 23
Mesón del Cid 26
Mesón El Caserío 29
Mesón Gregorio III ... 18
Mi Pueblo 19
Miguel Ángel 24
Mindanao 24
Mirasierra 28
Misión (La) 22
Moaña 17
Moderno 17
Molino (El) 29

N

NH Argüelles 25
NH Balboa 21
NH Bretón 25
NH Embajada 24
NH La Habana 27
NH Lagasca 20
NH Parque Avenidas . 20
NH Príncipe de Vergara 20
NH Prisma 24
NH Santo Mauro y Rest. Belagua 24
NH Sanvy 20
NH Sur 21
NH Zurbano 24
Nicola (Da) pl. de los Mostenses 11 18
Nicola (Da) Orense 4 . 29
Nicolás 22
Nicolasa 27
Novotel Madrid 20
Novotel Madrid-Campo de las Naciones 20

O - P

Olivo (El) 28
Ópera de Madrid (La) 18
Orbayo 23
Orense 38 27
Oter 21
Ox's 29
Palace 16
Paloma (La) 21
Paparazzi 29
Paradis Madrid 17
Paris 17
Parra (La) 26
Parrilla de Madrid (La). 29
Parrillón 26
Pazo (O') 27
Pazo de Gondomar ... 19
Pedralbes 28
Pedrusco de Aldealcorvo (El). 26
Pelotari 22
Pescador (El) 23
Pinocchio 26
Pintor 20
Platerías 18

Página

Plaza 16
Plaza de Chamberí (La) 25
Polizón 25
Ponteareas 21
Porto Alegre 2 25
Portonovo 30
Posada de la Villa 17
Práctico 27
Prado (El) 16
Praga 23
Princesa 16
Príncipe de Viana 27
Príncipe y Serrano 27
Prosit 23
Prost 29
Puerta de Toledo (Hl.). 23
Puerta de Toledo (Rte) 23
Puertochico 22

Q - R

Quattrocento 26
Quinta del Sordo (La). 19
Quintana (La) 19
Quo Venus 23
Rafa 22
Rafael Pirámides 23
Rafael Ventas 20
Rancho Texano 30
Rasputín 18
Regina 16
Reina Victoria (G.H.) .. 16
Remos (Los) 30
Reses (Las) 25
Reyes Católicos 17
Rianxo (Raimundo F. Villaverde 49) 30
Rianxo (Oruro 11) 29
Rioja (La) 18
Ritz 20
Robata 18
Rugantino 29

S

Sacha 29
Sal Gorda 24
Salotto (Il) 22
Salvador 19
Santo Domingo 16
Sayat Nova 28
Schotis (El) 19
Señorío de Alcocer ... 28
Señorío de Bertiz 27
Señorío de Errazu 25
Serramar 29
Serrano 20
Sixto 23
Sixto Gran Mesón 18
Sofitel-Madrid-Aeropuerto 20
Sofitel -Plaza de España ... 24
Sol Alondras 25
Sol Los Galgos y Rest. Diábolo 20

Página

Solchaga 25
Sorolla 21
St. James 22
Suecia
y Rest. Bellman 16
Suntory 21

T

Taberna
Carmencita 19
Taberna
del Alabardero 19
Taberna de Liria (La) . 18

Página

Tahona (La) 28
Tattaglia.............. 29
Teatriz................. 22
Tirol 24
Toja (La) 18
Trafalgar 25
Trainera (La) 23
Tristana 22
Trovata (La) 22
Tryp Ambassador..... 16
Tryp Fenix 20
Tryp Menfis 16
Tryp Monte Real...... 24
Tryp Togumar 27
Tryp Washington 17

Página

V – W – X – Z

Vaca Verónica (La) ... 19
Valle (Del)............. 19
Vegamar 18
Viejo Madrid 19
Villa (La) 30
Villa de Foz 26
Villa Magna 20
Villa y Corte
de Madrid 21
Viridiana 21
Wellington 20
Xeito (O') 26
Zalacaín 27

Establecimientos con estrellas
Estabelecimentos com estrelas
Les établissements à étoiles
Gli esercizi con stelle
Die Stern-Restaurants
Starred establishments

✿✿✿

Zalacain 27

✿

Amparo (El) 21
Cabo Mayor 28
Casa D'a Troya 22
Cuatro Estaciones (Las) 25
Goizeko Kabi 28
Hontoria 23
Jockey 25
Olivo (El) 28
Paloma (La) 21
Pescador (El) 23
Príncipe de Viana 27
Trainera (La).................. 23
Viridiana 21

Restaurantes especializados
Restaurants classés suivant leur genre
Ristoranti classificati secondo il loro genere
Restaurants nach Art geordnet
Restaurants classified according to type

Andaluces

Berrio 19
Borrachos de Velázquez (Los) 30
Cumbres (Las) 30
Giralda III (La) Maldonado 4 23
Giralda II (La) Hartzenbuch 12 26
Giralda IV (La) Claudio Coello 24 23

Arroces

Albufera (L') 27
Balear 26
St. James 22

Asturianos

Casa Portal 23
Hoja (La) 22

Bacalaos

Foque (El) 28

Carnes y asados

Asador de Aranda (El) Preciados 44 18
Asador de Aranda (El) Diego de León 9 22
Asador de Aranda (El) pl. de Castilla 3 29
Babel 26
Grill de la Ópera (El) 19
Julián de Tolosa 18
Molino (El) 29
Ox's 29
Rancho Texano 30
Reses (Las) 25
Tahona (La) 28

Catalanes

Endavant 29
Fonda (La) Lagasca 11 22
Fonda (La) Príncipe de Vergara 211 28

Cocido

Bola (La) 19

Gallegos

Asquiniña 26
Casa d'a Troya 22
Casa Gallega Bordadores 11 18
Casa Gallega pl. de San Miguel 8 18
Grelo (O') Menorca 39 22
Grelo (O') Gaztambide 50 26
Moaña 17
Pazo de Gondomar 19
Ponteareas 21
Portonovo 30
Rianxo (Raimundo F. Villaverde 49) 30
Rianxo (Oruro 11) 29
Toja (La) 18

Pescados y mariscos

As de Oros 24
Aymar 25
Bajamar 17
Bogavante 28
Combarro 28
Kulixka 25
Pazo (O') 27
Pescador (El) 23
Polizón 25
Remos (Los) 30
Serramar 29
Trainera (La) 23
Vegamar 18
Xeito (O') 26

Vascos y navarros

Ainhoa 17
Asador Velate 23
Currito 24
Gaztelubide 30
Gaztelupe 28
Goizeko-Kabi 28
Gure-Etxea 18
Izaro 24
Jai-Alai 28
Lur Maitea 25
Príncipe de Viana 27

Alemanes

Fass 29

Armenios

Sayat Nova 28

Chinos

Hang Zhou 22
House of Ming 29

Escandinavos

Suecia y Rest. Bellman 16

Franceses

Gastroteca (La) 17

Hindúes

Annapurna 25
Ganges 28

Italianos

Adriana 21
Arrabiata (L') 29
Ciao Madrid Argensola 7 19
Ciao Madrid Apodaca 20 19
Cupola (La) - H. Palace 16
Lucca 21
Nicola (Da) pl. de los Mostenses 11 18
Nicola (Da) Orense 4 29
Paparazzi 29
Pinocchio 26
Quattrocento 26
Rugantino 29
Salotto (Il) 22
Tattaglia 29
Teatriz 22
Trovata (La) 22

Japoneses

Donzoko 19
Robata 18
Suntory 21

Libaneses

Funy (De) 28

Maghrebíes

Aldar 28
Al Mounia 21

Rusos

Rasputín 18

MAPAS Y GUÍAS MICHELIN

Oficina de información y venta

Doctor Esquerdo 157, 28007 Madrid - ℘ 409 09 40

Abierto de lunes a viernes de 8 h. a 16 h. 30

Centro : Paseo del Prado, Puerta del Sol, Gran Vía, Alcalá, Paseo de Recoletos, Plaza Mayor (planos p. 8 y 9)

Palace, pl. de las Cortes 7, ✉ 28014, ℘ 429 75 51, Telex 23903, Fax 429 82 66 - 25/600. rest MY **e**
Comida 6750 - ***La Cupola*** *(Cocina italiana, cerrado lunes)* **Comida** carta 4700 a 6300 - 950 - **436 hab** 29500/37000, 20 suites.

Princesa, Princesa 40, ✉ 28008, ℘ 542 21 00, Telex 44378, Fax 542 73 28, - 25/825. plano p. 6 EV **c**
Comida 2950 - 1950 - **252 hab** 24900/31200, 24 suites.

Plaza, pl. de España, ✉ 28013, ℘ 547 12 00, Telex 27383, Fax 548 23 89, - 25/350. KV **s**
Comida 3800 - 1350 - **294 hab** 15900/19900, 12 suites - PA 7000.

Tryp Ambassador, Cuesta de Santo Domingo 5, ✉ 28013, ℘ 541 67 00, Telex 49538, Fax 559 10 40 - 25/280. KX **k**
Comida carta 3900 a 4900 - 1100 - **163 hab** 16650/20800, 18 suites.

Liabeny, Salud 3, ✉ 28013, ℘ 532 53 06, Telex 49024, Fax 532 74 21 - 25/125. LX **c**
Comida 2700 - 1000 - **224 hab** 11500/17000, 5 suites.

Emperador sin rest, Gran Vía 53, ✉ 28013, ℘ 547 28 00, Telex 46261, Fax 547 28 17, - 25/150. KX **n**
1000 - **232 hab** 14100.

Arosa sin rest, con cafetería, Salud 21, ✉ 28013, ℘ 532 16 00, Telex 43618, Fax 531 31 27 - 25/60. LX **q**
950 - **139 hab** 8500/12000.

G.H. Reina Victoria, pl. de Santa Ana 14, ✉ 28012, ℘ 531 45 00, Telex 47547, Fax 522 03 07 - 25/350. LY **s**
Comida carta aprox. 4100 - **195 hab** 17750/23000, 6 suites.

Santo Domingo, pl. Santo Domingo 13, ✉ 28013, ℘ 547 98 00, Fax 547 59 95 - 25/60. rest KX **a**
Comida 2975 - 1175 - **120 hab** 12475/17475.

Mayorazgo, Flor Baja 3, ✉ 28013, ℘ 547 26 00, Telex 45647, Fax 541 24 85 - 25/250. KV **c**
Comida 1800 - 1200 - **200 hab** 11000/15300 - PA 4800.

El Coloso, Leganitos 13, ✉ 28013, ℘ 559 76 00, Telex 47017, Fax 547 49 68 - 25/200. KX **y**
Comida 2750 - 1200 - **84 hab** 15100/18850.

Suecia y Rest. Bellman, Marqués de Casa Riera 4, ✉ 28014, ℘ 531 69 00, Telex 22313, Fax 521 71 41, Cocina escandinava - 25/150.
Comida *(cerrado sábado mediodía, domingo, festivos y agosto)* carta 4400 a 4800 - 1375 - **119 hab** 17900/21000, 9 suites. MX **r**

Tryp Menfis, Gran Vía 74, ✉ 28013, ℘ 547 09 00, Telex 48773, Fax 547 51 99 - KV **u**
Comida 1250 - 925 - **115 hab** 13250/16525.

Regina sin rest, Alcalá 19, ✉ 28014, ℘ 521 47 25, Telex 27500, Fax 521 47 25 - LX **v**
750 - **142 hab** 9050/11900.

Casón del Tormes sin rest, Río 7, ✉ 28013, ℘ 541 97 46, Fax 541 18 52 - KV **v**
600 - **63 hab** 8000/12000.

El Prado, Prado 11, ✉ 28014, ℘ 369 02 34, Fax 429 28 29 - 25/50. LY **a**
Comida *(cerrado domingo)* 1500 - 400 - **47 hab** 11000/16500 - PA 3400.

Mercator sin rest, con cafetería, Atocha 123, ✉ 28012, ℘ 429 05 00, Telex 46129, Fax 369 12 52 - NZ **b**
800 - **89 hab** 8150/11350.

Carlos V sin rest, Maestro Vitoria 5, ✉ 28013, ℘ 531 41 00, Telex 48547, Fax 531 37 61 – AE ① E VISA JCB. LX f
67 hab 9345/11760.

Cortezo sin rest, con cafetería, Dr Cortezo 3, ✉ 28012, ℘ 369 01 01, Telex 48704, Fax 369 37 74 – AE E VISA. LY f
825 – **88 hab** 8000/11250.

Atlántico sin rest, Gran Vía 38 - 3°, ✉ 28013, ℘ 522 64 80, Telex 43142, Fax 531 02 10 – AE ① E VISA JCB LX e
600 – **80 hab** 8445/11380.

París, Alcalá 2, ✉ 28014, ℘ 521 64 96, Telex 43448, Fax 531 01 88 – AE ① E VISA JCB. LY x
Comida 2700 – 550 – **120 hab** 7700/10900.

Tryp Washington, Gran Vía 72, ✉ 28013, ℘ 541 72 27, Telex 48773, Fax 547 51 99 – AE ① E VISA. KV u
Comida (en el hotel **Tryp Menfis**) – 925 – **120 hab** 11225/14050.

Los Condes sin rest, Los Libreros 7, ✉ 28004, ℘ 521 54 55, Telex 42730, Fax 521 78 82 – AE ① E VISA JCB. KLV g
500 – **68 hab** 7000/9500.

Reyes Católicos sin rest, Ángel 18, ✉ 28005, ℘ 365 86 00, Fax 365 98 67 – AE ① E VISA. KZ w
825 – **38 hab** 7900/12300.

Italia, Gonzalo Jiménez de Quesada 2 - 2°, ✉ 28004, ℘ 522 47 90, Fax 521 28 91 – rest AE ① E VISA. LX k
Comida 2000 – 380 – **58 hab** 5600/7000 – PA 3700.

Moderno sin rest, Arenal 2, ✉ 28013, ℘ 531 09 00, Fax 531 35 50 – AE ① E VISA JCB. LY d
420 – **98 hab** 6300/9900.

Inglés sin rest, Echegaray 8, ✉ 28014, ℘ 429 65 51, Fax 420 24 23 – AE ① E VISA. LY u
500 – **58 hab** 6800/10000.

California sin rest, Gran Vía 38, ✉ 28013, ℘ 522 47 03, Fax 531 61 01 – AE ① E VISA. LX e
350 – **26 hab** 5900/7900.

XXX **Paradis Madrid,** Marqués de Cubas 14, ✉ 28014, ℘ 429 73 03, Fax 429 32 95 – AE ① E VISA. MY v
cerrado sábado mediodía, domingo, festivos, Semana Santa y agosto – **Comida** carta 3525 a 5300.

XXX **Bajamar,** Gran Vía 78, ✉ 28013, ℘ 548 48 18, Fax 559 13 26, Pescados y mariscos – AE ① E VISA JCB. KV r
Comida carta 4900 a 7800.

XXX **El Landó,** pl. Gabriel Miró 8, ✉ 28005, ℘ 366 76 81, Decoración elegante – AE ① E VISA KZ a
cerrado domingo, festivos y agosto – **Comida** carta 3800 a 4400.

XX **El Espejo,** paseo de Recoletos 31, ✉ 28004, ℘ 308 23 47, Fax 593 22 23, « Evocación de un antiguo café parisino » – AE ① E VISA. NV a
Comida carta 3800 a 4600.

XX **Moaña,** Hileras 4, ✉ 28013, ℘ 548 29 14, Fax 541 65 98, Cocina gallega – AE ① E VISA JCB. KY r
cerrado domingo – **Comida** carta 3440 a 5000.

XX **Errota-Zar,** Jovellanos 3-1°, ✉ 28014, ℘ 531 25 64, Fax 531 25 64 – AE ① E VISA.
cerrado domingo, Semana Santa y agosto – **Comida** carta 3600 a 4650. MY s

XX **Ainhoa,** Bárbara de Braganza 12, ✉ 28004, ℘ 308 27 26, Cocina vasca – E VISA.
cerrado domingo y agosto – **Comida** carta 4300 a 5300. NV s

XX **Horno de Santa Teresa,** Santa Teresa 12, ✉ 28004, ℘ 308 66 98 – AE ① E VISA. MV t
cerrado domingo noche, lunes noche, festivos noche, Semana Santa y agosto – **Comida** carta aprox. 4500.

XX **Café de Oriente,** pl. de Oriente 2, ✉ 28013, ℘ 541 39 74, Fax 547 77 07, En una bodega – AE ① E VISA. KXY w
Comida carta 4350 a 6350.

XX **Posada de la Villa,** Cava Baja 9, ✉ 28005, ℘ 366 18 80, Fax 366 18 80, « Antigua posada de estilo castellano » – AE ① E VISA. KZ v
cerrado domingo noche y agosto – **Comida** carta 3275 a 5125.

XX **La Gastroteca,** pl. de Chueca 8, ✉ 28004, ℘ 532 25 64, Cocina francesa – AE ① E VISA MV e
cerrado sábado mediodía, domingo y agosto – **Comida** carta 3700 a 4500.

XX **Don Pelayo,** Alcalá 33, ✉ 28014, ℘ 531 00 31 – AE ① E VISA JCB. MX s
cerrado domingo y del 15 al 30 agosto – **Comida** carta 3150 a 4800.

XX **Platerías,** pl. de Santa Ana 11, ✉ 28012, ✆ 429 70 48, Evocación de un café de principio de siglo – ▤. AE ⓓ E VISA. ✻ LY **b**
cerrado sábado mediodía, domingo, Semana Santa y agosto – **Comida** carta aprox. 4500.

XX **Da Nicola,** pl. de los Mostenses 11, ✉ 28015, ✆ 542 25 74, Fax 547 89 82, Cocina italiana – ▤. AE ⓓ E VISA JCB. ✻ KV **f**
Comida carta 1800 a 2400.

XX **El Asador de Aranda,** Preciados 44, ✉ 28013, ✆ 547 21 56, Cordero asado, « Decoración castellana » – ▤. AE ⓓ E VISA. ✻ KX **z**
cerrado lunes noche y julio – **Comida** carta aprox. 3800.

XX **Arce,** Augusto Figueroa 32, ✉ 28004, ✆ 522 04 40, Fax 522 59 13 – ▤. AE ⓓ E VISA. ✻ MV **c**
cerrado sábado mediodía, domingo y del 15 al 31 de agosto – **Comida** carta 4590 a 5815.

XX **La Rioja,** Las Negras 8, ✉ 28015, ✆ 548 04 97, Fax 542 56 37, Decoración rústica medieval – ▤ Ⓟ. AE ⓓ E VISA JCB. ✻ KV **e**
cerrado domingo – **Comida** carta aprox. 4100.

XX **El Mentidero de la Villa,** Santo Tomé 6, ✉ 28004, ✆ 308 12 85, Fax 319 87 92, « Decoración original » – ▤. AE ⓓ E VISA. ✻ MV **b**
cerrado sábado mediodía, domingo, festivos y 2ª quincena de agosto – **Comida** carta aprox. 4500.

XX **Julián de Tolosa,** Cava Baja 18, ✉ 28005, ✆ 365 82 10, Decoración neorústica-Carnes a la brasa – ▤. AE ⓓ E VISA JCB KZ **c**
cerrado domingo – **Comida** carta 5000 a 6500.

XX **La Taberna de Liria,** Duque de Liria 9, ✉ 28015, ✆ 541 45 19 – ▤. AE ⓓ E VISA. ✻
cerrado sábado mediodía, domingo y 3 últimas semanas de agosto – **Comida** carta aprox. 4300. KV **b**

XX **Sixto Gran Mesón,** Cervantes 28, ✉ 28014, ✆ 429 22 55, Fax 523 31 74, Decoración castellana – ▤. AE ⓓ E VISA. ✻ MY **n**
cerrado domingo noche – **Comida** carta 2875 a 4450.

XX **Casa Gallega,** pl. de San Miguel 8, ✉ 28005, ✆ 547 30 55, Cocina gallega – ▤. AE ⓓ E VISA JCB KY **c**
Comida carta 3650 a 5600.

XX **La Toja,** Siete de Julio 3, ✉ 28012, ✆ 366 46 64, Fax 366 52 30, Cocina gallega – ▤. AE ⓓ E VISA. ✻ KY **u**
cerrado julio – **Comida** carta 3200 a 4975.

XX **Casa Gallega,** Bordadores 11, ✉ 28013, ✆ 551 90 55, Cocina gallega – ▤. AE ⓓ E VISA JCB. ✻ KY **v**
Comida carta 3650 a 5600.

XX **Vegamar,** Serrano Jover 6, ✉ 28015, ✆ 542 73 32, Pescados y mariscos – ▤. AE ⓓ VISA. ✻ plano p. 6 EV **c**
cerrado domingo, Semana Santa y agosto – **Comida** carta 3250 a 4000.

XX **La Grillade,** Jardines 3, ✉ 28013, ✆ 521 22 17, Telex 43618, Fax 531 31 27 – ▤. AE ⓓ E VISA LX **p**
cerrado agosto – **Comida** carta 2950 a 4265.

XX **Gure-Etxea,** pl. de la Paja 12, ✉ 28005, ✆ 365 61 49, Cocina vasca – ▤. AE ⓓ E VISA. ✻ KZ **x**
cerrado domingo, Semana Santa y agosto – **Comida** carta 4675 a 5825.

XX **La Ópera de Madrid,** Amnistía 5, ✉ 28013, ✆ 559 50 92 – ▤. AE ⓓ E VISA. ✻ KY **g**
cerrado domingo, festivos y agosto – **Comida** carta 3425 a 3850.

XX **Botín,** Cuchilleros 17, ✉ 28005, ✆ 366 42 17, Fax 366 84 94, Decoración viejo Madrid, bodega típica – ▤. AE ⓓ E VISA JCB KY **n**
Comida carta 3205 a 4935.

XX **Rasputín,** Yeseros 2, ✉ 28005, ✆ 366 39 62, Rest. ruso – E VISA. ✻ KYZ **d**
cerrado martes – **Comida** carta aprox. 3200.

X **Matador,** Bailén 20, ✉ 28005, ✆ 365 82 37 – ▤. AE ⓓ E VISA. ✻ KZ **b**
cerrado domingo noche, lunes y Semana Santa – **Comida** carta 3360 a 4500.

X **Casa Lucio,** Cava Baja 35, ✉ 28005, ✆ 365 32 52, Fax 366 48 66, Decoración castellana – ▤. AE ⓓ E VISA. ✻ KZ **y**
cerrado sábado mediodía y agosto – **Comida** carta aprox. 5100.

X **Esteban,** Cava Baja 36, ✉ 28005, ✆ 365 90 91, Fax 366 93 91 – ▤. AE ⓓ VISA KZ **y**
cerrado domingo y 2ª quincena de julio – **Comida** carta 3700 a 5250.

X **Robata,** Reina 31, ✉ 28004, ✆ 521 85 28, Fax 531 30 63, Rest. japonés – ▤. AE ⓓ VISA JCB. ✻ LX **a**
cerrado martes – **Comida** carta aprox. 3500.

X **Mesón Gregorio III,** Bordadores 5, ✉ 28013, ✆ 542 59 56 – ▤. AE ⓓ E VISA. ✻
cerrado miércoles y agosto – **Comida** carta 3400 a 4500. KY **v**

X **Las Cuevas de Luis Candelas,** Cuchilleros 1, ✉ 28005, ✆ 366 54 28, Fax 366 18 80, Decoración viejo Madrid - Camareros vestidos como los antiguos bandoleros – ▤. AE ⓓ E VISA. ✻ KY **m**
Comida carta 3275 a 5125.

✗ **Pazo de Gondomar,** San Martín 2, ✉ 28013, ℘ 532 31 63, Cocina gallega – ▤. AE ◑ E VISA JCB. ✗ KXY **s**
Comida carta 2945 a 4835.

✗ **Del Valle,** Humilladero 4, ✉ 28005, ℘ 366 90 25 – ▤. AE VISA. ✗ KZ **t**
cerrado domingo, lunes noche, festivos, Semana Santa y agosto – **Comida** carta aprox. 3500.

✗ **Corral de la Morería,** Morería 17, ✉ 28005, ℘ 365 11 37, Fax 364 12 19, Tablao flamenco – ▤. AE ◑ E VISA JCB. ✗ KZ **u**
Comida (sólo cena-suplemento espectáculo) carta aprox. 7100.

✗ **El Arcón,** Silva 25, ✉ 28004, ℘ 522 60 05 – ▤. AE ◑ E VISA. ✗ LV **u**
cerrado domingo noche y agosto – **Comida** carta 3200/4450.

✗ **Viejo Madrid,** Cava Baja 32, ✉ 28005, ℘ 366 38 38 – ▤. AE ◑ E VISA. ✗ KZ **y**
cerrado lunes y julio – **Comida** carta 4200 a 5900.

✗ **La Bóveda del Teatro,** Prim 5, ✉ 28004, ℘ 531 17 97, En una bodega – ▤. AE ◑ E VISA. ✗ MV **n**
cerrado sábado mediodía, domingo y del 5 al 30 de agosto – **Comida** carta 2850 a 4650.

✗ **El Schotis,** Cava Baja 11, ✉ 28005, ℘ 365 32 30 – ▤. AE ◑ E VISA JCB. ✗ KZ **v**
cerrado domingo noche y 2 semanas en agosto – **Comida** carta aprox. 3800.

✗ **Taberna del Alabardero,** Felipe V - 6, ✉ 28013, ℘ 547 25 77, Fax 547 77 07, Taberna típica – ▤. AE ◑ E VISA KX **h**
Comida carta 3600 a 5150.

✗ **Berrio,** Costanilla de Capuchinos 4, ✉ 28004, ℘ 521 20 35, Fax 522 66 29, Rest. andaluz – ▤. AE ◑ E VISA. ✗ LX **n**
cerrado domingo y agosto – **Comida** carta 2700 a 3550.

✗ **La Quintana,** Bordadores 7, ✉ 28013, ℘ 542 04 88 – ▤. AE ◑ E VISA. ✗ KY **v**
cerrado lunes – **Comida** carta 3475 a 4175.

✗ **Dómine Cabra,** Huertas 54, ✉ 28014, ℘ 429 43 65 – ▤. AE ◑ E VISA JCB MZ **s**
cerrado domingo noche y del 7 al 20 de agosto – **Comida** carta 2900 a 3700.

✗ **Casa Vallejo,** San Lorenzo 9 ℘ 308 61 58 – ▤. AE VISA LV **f**
cerrado domingo, lunes mediodía, Semana Santa y agosto – **Comida** carta aprox. 3500.

✗ **Bolivar,** Manuela Malasaña 28, ✉ 28004, ℘ 445 12 74 – ▤. AE ◑ E VISA. ✗ LV **a**
cerrado martes noche, domingo, Semana Santa y agosto – **Comida** carta 2700 a 3900.

✗ **La Vaca Verónica,** Jesús 7, ✉ 28014, ℘ 429 78 27 – ▤. AE ◑ E VISA MZ **e**
cerrado sábado mediodía, domingo, agosto y Navidades – **Comida** carta 3250 a 4525.

✗ **Ciao Madrid,** Argensola 7, ✉ 28004, ℘ 308 25 19, Cocina italiana – ▤. AE ◑ E VISA. ✗ MV **t**
cerrado sábado mediodía, domingo y agosto – **Comida** carta 2600 a 3750.

✗ **La Argentina,** Válgame Dios 8, ✉ 28004, ℘ 521 37 63 – ▤. ✗ MV **d**
cerrado domingo noche, lunes y 25 julio - 1 septiembre – **Comida** carta 2050 a 3300.

✗ **La Bola,** Bola 5, ✉ 28013, ℘ 547 69 30, Fax 547 04 63, Cocido madrileño – ▤. ✗ KX **r**
cerrado sábado noche (julio-agosto) y domingo – **Comida** carta 3000 a 3700.

✗ **Casa Paco,** Puerta Cerrada 11, ✉ 28005, ℘ 366 31 66 – ▤. ◑. ✗ KY **s**
cerrado domingo y agosto – **Comida** carta 4300 a 4600.

✗ **El Buey II,** pl. de la Marina Española 1, ✉ 28013, ℘ 541 30 41 – ▤. VISA. ✗ KX **c**
Comida carta 1850 a 3475.

✗ **Salvador,** Barbieri 12, ✉ 28004, ℘ 521 45 24 – ▤. AE E VISA. ✗ MX **b**
cerrado domingo y 30 julio-1 septiembre – **Comida** carta 2950 a 4650.

✗ **Taberna Carmencita,** Libertad 16, ✉ 28004, ℘ 531 66 12, Taberna típica – ▤. AE ◑ E VISA. ✗ MX **u**
cerrado sábado mediodía, domingo y agosto – **Comida** carta 2100 a 4200.

✗ **Donzoko,** Echegaray 3, ✉ 28014, ℘ 429 57 20, Fax 429 57 20, Rest. japonés – ▤. AE ◑ E VISA JCB. ✗ LY **z**
cerrado domingo – **Comida** carta 2450 a 4900.

✗ **La Quinta del Sordo,** Sacramento 10, ✉ 28005, ℘ 548 18 52 – ▤. AE ◑ E VISA. ✗ KY **f**
cerrado domingo en verano y domingo noche resto del año – **Comida** carta 2425 a 3575.

✗ **Casa Marta,** Santa Clara 10, ✉ 28013, ℘ 548 28 25 – ▤. AE ◑ E VISA. ✗ KY **a**
cerrado domingo y agosto – **Comida** carta 2050 a 2750.

✗ **La Esquina del Real,** Amnistía 2, ✉ 28013, ℘ 559 43 09 – ▤. AE E VISA. ✗ KY **e**
cerrado del 15 al 30 de agosto – **Comida** carta 3900 a 4400.

✗ **Ciao Madrid,** Apodaca 20, ✉ 28004, ℘ 447 00 36, Cocina italiana – ▤. AE ◑ E VISA. ✗ LV **d**
cerrado sábado mediodía, domingo y septiembre – **Comida** carta 2600 a 3750.

✗ **Mi Pueblo,** Costanilla de Santiago 2, ✉ 28013, ℘ 548 20 73 – ▤. VISA. ✗ KY **x**
cerrado domingo noche, lunes y del 1 al 15 de agosto – **Comida** carta 2700 a 3150.

✗ **El Ingenio,** Leganitos 10, ✉ 28013, ℘ 541 91 33, Fax 547 35 34 – ▤. AE ◑ E VISA. ✗ KX **y**
cerrado domingo y festivos (julio-agosto) – **Comida** carta 2175 a 3050.

✗ **El Grill de la Ópera,** Vergara 3, ✉ 28013, ℘ 548 18 05, Carnes – ▤. AE VISA. ✗ KX **x**
cerrado sábado mediodía, domingo y enero – **Comida** carta 3100 a 4200.

Retiro, Salamanca, Ciudad Lineal : Castellana, Velázquez, Serrano, Goya, Príncipe d
Vergara, Narváez, Don Ramón de la Cruz (plano p. 7 salvo mención especial)

Ritz, pl. de la Lealtad 5, 28014, 521 28 57, Telex 43986, Fax 532 87 76, - - 25/280. rest plano p. 9 NY
Comida carta 4600 a 5400 - 2400 - **127 hab** 42900/49500, 29 suites - PA 16700.

Villa Magna, paseo de la Castellana 22, 28046, 578 20 00, Telex 22914, Fax 575 31 5
- - 25/250. rest GV
Comida (ver rest. **Berceo**) - 2750 - **164 hab** 47250/57750, 18 suites.

Wellington, Velázquez 8, 28001, 575 44 00, Telex 22700, Fax 576 41 64, - - 25/300. HX
Comida (ver rest. **El Fogón**) - 2100 - **198 hab** 19950/32000, 25 suites.

Sol Galgos y Rest. Diábolo, Claudio Coello 139, 28006, 562 66 00, Telex 43957
Fax 561 76 62 - - 25/300. HV
Comida *(cerrado agosto)* carta 3425 a 4725 - 1350 - **358 hab** 15500/26000.

Tryp Fénix, Hermosilla 2, 28001, 431 67 00, Telex 45639, Fax 576 06 61 - - 25/100. plano p. 9 NV
Comida 2050 - 1450 - **213 hab** 20800/26000, 13 suites.

Meliá Avenida América, Juan Ignacio Luca de Tena 36, 28027, 320 30 30,
Fax 320 14 40, - - 25/1200. CL
Comida carta 3500 a 4500 - 1275 - **210 hab** 19500/24375, 18 suites.

Sofitel Madrid-Aeropuerto, Campo de las Naciones, 28042, 721 00 70, Telex 45008,
Fax 721 05 15, - - 50/120. CL
(cerrado 10 días en Navidades y agosto) - **Comida** carta 3600 a 4900 - 1750 - **175 hab**
21000/25000, 3 suites.

NH Príncipe de Vergara, Príncipe de Vergara 92, 28006, 563 26 95, Telex 27064,
Fax 563 72 53 - - 25/300. rest HV
Comida 4000 - 1800 - **167 hab** 18600/26000, 3 suites.

NH Sanvy, Goya 3, 28001, 576 08 00, Telex 44994, Fax 575 24 43 - -
25/150. plano p. 9 NV
Comida (ver rest. **Sorolla**) - 1800 - **131 hab** 18600/26000, 10 suites.

Agumar sin rest, con cafetería, paseo Reina Cristina 7, 28014, 552 69 00, Telex 22814,
Fax 433 60 95 - - 25/150. HZ
1200 - **246 hab** 13500/16800, 6 suites.

Novotel Madrid, Albacete 1, 28027, 405 46 00, Telex 41862, Fax 404 11 05, ,
- - 25/250. plano p. 3 CL
Comida 2375 - 1380 - **236 hab** 14900/15900 - PA 6380.

Pintor, Goya 79, 28001, 435 75 45, Telex 23281, Fax 576 81 57 -
- 25/350. HX
Comida 2120 - 1060 - **174 hab** 14720/18400, 2 suites - PA 5300.

Convención sin rest, con cafetería, O'Donnell 53, 28009, 574 84 00, Telex 23944,
Fax 574 56 01 - - 25/800. JX
Comida 1900 - 1200 - **739 hab** 13500/17000, 51 suites - PA 5000.

Conde de Orgaz, av. Moscatelar 24, 28043, 388 40 99, Fax 388 00 09 -
- 25/100. plano p. 3 CL
Comida 2400 - 1100 - **89 hab** 12800/16500, 1 suite - PA 5865.

NH Parque Avenidas, Biarritz 2, 28028, 361 02 88, Fax 361 21 38 -
- 25/400. JV
Comida carta 3100 a 4050 - 1300 - **198 hab** 15650/21750, 1 suite.

NH Lagasca, Lagasca 64, 28001, 575 46 06, Fax 575 16 94 - - 25/60.
HX
Comida 1600 - 1400 - **100 hab** 16400/22800.

Rafael Ventas, Alcalá 269, 28027, 326 16 20, Fax 326 18 19, -
- 25. CL
Comida 1600 - 925 - **110 hab** 11975/15375, 1 suite.

Alcalá, Alcalá 66, 28009, 435 10 60, Telex 48094, Fax 435 11 05 -
- 25/100. rest HX
Comida *(cerrado agosto)* carta 3050 a 4100 - 950 - **153 hab** 12200/17900.

G. H. Colón, Pez Volador 11, 28007, 573 59 00, Telex 22984, Fax 573 08 09, ,
- - 25/250. JY
Comida 3250 - 1040 - **389 hab** 11000/16000 - PA 6200.

Novotel Madrid-Campo de las Naciones, Campo de las Naciones, 28042,
721 18 18, Fax 721 11 22, , - - 25/400.
Comida 1800 - 1200 - **240 hab** 14900/15900, 5 suites. CL

Claridge, pl. Conde de Casal 6, 28007, 551 94 00, Telex 44970, Fax 501 03 85 -
. JZ
Comida 1300 - 800 - **150 hab** 9950/12990.

Serrano sin rest, Marqués de Villamejor 8, 28006, 435 52 00, Fax 435 48 49 -
. GHV
950 - **30 hab** 11500/14770, 4 suites.

NH Balboa, Núñez de Balboa 112, ✉ 28006, ☎ 563 03 24, Telex 27063, Fax 562 69 80 – 25/30. AE E VISA JCB. HV **n**
Comida 1500 – 1400 – **122 hab** 16400/22800.

NH Sur, paseo Infanta Isabel 9, ✉ 28014, ☎ 539 94 00, Telex 47494, Fax 467 09 96 – 25/30. AE E VISA. plano p. 9 NZ **a**
Comida *(cerrado sábado, domingo, festivos y agosto)* 2950 – 1200 – **68 hab** 14200/19800.

Abeba sin rest, Alcántara 63, ✉ 28006, ☎ 401 16 50, Fax 402 75 91 – AE E VISA. HV **r**
600 – **90 hab** 9000/11750.

XXXXX **Berceo,** paseo de la Castellana 22, ✉ 28006, ☎ 575 33 77, – AE E VISA JCB. GV **y**
Comida carta 6500 a 8500.

XXX **Club 31,** Alcalá 58, ✉ 28014, ☎ 531 00 92 – AE E VISA JCB. plano p. 9 NX **e**
cerrado agosto – **Comida** carta 5800 a 6700.

XXX ✿ **El Amparo,** Puigcerdá 8, ✉ 28001, ☎ 431 64 56, Fax 575 54 91, « Decoración original » – AE E VISA JCB. HX **h**
cerrado sábado mediodía y domingo – **Comida** carta aprox. 6900
Espec. Mousse de ventresca de bonito con bogavante, Rabo de buey guisado al vino tinto, Postre de chocolate con helado de mascarpone.

XXX **Suntory,** Castellana 36, ✉ 28046, ☎ 577 37 34, Fax 577 44 55, Rest. japonés – AE E VISA JCB. GV **d**
cerrado domingo y festivos – **Comida** carta 6560 a 9260.

XXX **Balzac,** Moreto 7, ✉ 28014, ☎ 420 01 77, Fax 429 83 70 – AE E VISA. plano p. 9 NY **a**
cerrado domingo y agosto – **Comida** carta aprox. 5000.

XXX **Villa y Corte de Madrid,** Serrano 110, ✉ 28006, ☎ 564 50 19, Fax 564 50 19, Decoración elegante – AE E VISA JCB. HV **a**
cerrado domingo y agosto – **Comida** carta 3000 a 4800.

XXX **El Gran Chambelán,** Ayala 46, ✉ 28001, ☎ 431 77 45 – AE E VISA. HX **r**
cerrado domingo, Semana Santa y agosto – **Comida** carta aprox. 4500.

XXX **Sorolla,** Hermosilla 4, ✉ 28001, ☎ 431 27 15, Telex 44994, Fax 575 24 43 – AE E VISA. plano p. 9 NV **r**
cerrado domingo, festivos, Semana Santa y agosto – **Comida** carta aprox. 4200.

XXX **El Fogón,** Villanueva 34, ✉ 28001, ☎ 575 44 00, Telex 22700, Fax 576 41 64 – AE E VISA. HX **t**
cerrado agosto – **Comida** carta aprox. 4500.

XXX **El Comedor,** Montalbán 9, ✉ 28014, ☎ 531 69 68, Fax 531 61 91, – AE E VISA. plano p. 9 NX **a**
cerrado sábado mediodía y domingo – **Comida** carta 3800 a 4800.

XXX **Ponteareas,** Claudio Coello 96, ✉ 28006, ☎ 575 58 73, Fax 541 65 98, Cocina gallega – AE E VISA JCB. HV **w**
cerrado domingo, festivos y agosto – **Comida** carta 3440 a 5795.

XX ✿ **La Paloma,** Jorge Juan 39, ✉ 28001, ☎ 576 86 92 – AE E VISA. HX **g**
cerrado sábado mediodía, domingo, Semana Santa y agosto – **Comida** carta 4100 a 5300
Espec. Erizos de mar gratinados con huevos de codorniz (temp), Ragout de lenguado con zamburiñas, Milhojas con pera Willians caramelizada.

XX ✿ **Viridiana,** Juan de Mena 14, ✉ 28014, ☎ 523 44 78, Fax 532 42 74 – AE VISA plano p. 9 NY **r**
cerrado domingo y agosto – **Comida** carta 4700 a 6400
Espec. Cebollas rojas rellenas de morcilla asada, Pechuga de pavo a la canela con dátiles y alcuzcuz, Pastel de mascarpone y café de Jamaica al chocolate blanco.

XX **Adriana,** Ayala 108, ✉ 28006, ☎ 576 37 91, Cocina italiana – AE E VISA JCB. HX **a**
cerrado domingo noche, lunes y agosto – **Comida** carta 3000 a 4950.

XX **La Gamella,** Alfonso XII-4, ✉ 28014, ☎ 532 45 09, Fax 523 11 84 – AE E VISA. plano p. 9 NX **r**
cerrado domingo, lunes, Semana Santa y del 1 al 15 septiembre – **Comida** carta 2100 a 4900.

XX **Castelló 9,** Castelló 9, ✉ 28001, ☎ 435 00 67, Fax 435 91 34 – AE E VISA. HX **e**
cerrado domingo y festivos – **Comida** carta 4225 a 5900.

XX **Lucca,** José Ortega y Gasset 29, ✉ 28006, ☎ 576 01 44, Cocina italiana – AE E VISA JCB. HV **f**
Comida carta 2990 a 3780.

XX **Oter,** Claudio Coello 71, ✉ 28001, ☎ 431 67 71, Fax 401 34 43 – AE E VISA JCB. HX **n**
cerrado domingo y 2ª quincena de agosto – **Comida** carta aprox. 4500.

XX **La Abuelita,** av. de Badajoz 25, ✉ 28027, ☎ 405 49 94 – AE VISA. plano p. 3 CL **a**
cerrado domingo y agosto – **Comida** carta 3170 a 4270.

XX **Al Mounia,** Recoletos 5, ✉ 28001, ☎ 435 08 28, Cocina maghrebí, « Ambiente oriental » – AE E VISA. plano p. 9 NV **u**
cerrado domingo, lunes y agosto – **Comida** carta 3000 a 4850.

XX **Hang Zhou,** López de Hoyos 14, ✉ 28006, ☎ 563 11 72, Rest. chino – ▤. AE ⓓ E VISA
✻ HV u
Comida carta aprox. 1900.

XX **Gerardo,** D. Ramón de la Cruz 86, ✉ 28006, ☎ 401 89 46, Fax 401 34 43 – ▤. AE ⓓ E
VISA. ✻ JX s
Comida carta aprox. 4100.

XX **Teatriz,** Hermosilla 15, ✉ 28001, ☎ 577 53 79, Fax 577 53 79, Cocina italiana-Instalado en un antiguo teatro – ▤. AE ⓓ E VISA JCB. ✻ HX u
Comida carta 2990 a 3780.

XX **St. James,** Juan Bravo 26, ✉ 28006, ☎ 575 00 69, ⌂, Arroces – ▤. AE. ✻ HV t
cerrado domingo – **Comida** carta 4100 a 5000.

XX **Casa Quinta,** Padilla 3, ✉ 28006, ☎ 576 74 18 – ▤ HV m
cerrado domingo y agosto – **Comida** carta 3225 a 4125.

XX **Tristana,** Montalbán 9, ✉ 28014, ☎ 532 82 88 – ▤. AE ⓓ VISA. ✻
cerrado sábado mediodía, domingo, festivos y tres últimas semanas de agosto – **Comida** carta aprox. 4100. plano p. 9 NX a

XX **La Fonda,** Lagasca 11, ✉ 28001, ☎ 577 79 24, Cocina catalana – ▤. AE ⓓ E VISA. ✻
Comida carta aprox. 4100. HX t

XX **Rafa,** Narváez 68, ✉ 28009, ☎ 573 10 87, ⌂ – ▤. AE ⓓ E VISA. ✻ HY a
Comida carta 4300 a 5200.

XX **La Misión,** José Silva 22, ✉ 28043, ☎ 519 24 63, Fax 416 26 93, ⌂, « Evocación de una antigua misión americana » – ▤. AE ⓓ E VISA. ✻ plano p. 3 CL c
cerrado sábado mediodía, domingo, Semana Santa y 25 días en agosto – **Comida** carta 3650 a 4250.

XX **Laray,** Hermanos Bécquer 6, ✉ 28006, ☎ 564 01 75 – ▤. AE ⓓ E VISA. ✻ HV b
cerrado sábado mediodía, domingo y del 10 al 24 de agosto – **Comida** carta 3450 a 4700.

XX ✿ **Casa d'a Troya,** Emiliano Barral 14, ✉ 28043, ☎ 416 44 55, Cocina gallega – ▤. E VISA.
✻ plano p. 3 CL s
cerrado domingo, festivos y 15 julio-1 septiembre – **Comida** (es necesario reservar) carta 2600 a 3850
Espec. Merluza gallega, Lacón con grelos (15 octubre-15 mayo), Tarta de Santiago.

XX **Pelotari,** Recoletos 3, ✉ 28001, ☎ 578 24 97, Fax 431 60 04 – ▤. AE ⓓ E VISA NV u
cerrado domingo – **Comida** carta 3650 a 4725.

XX **Nicolás,** Villalar 4, ✉ 28001, ☎ 431 77 37 – ▤. AE ⓓ E VISA. ✻ NX t
cerrado domingo, lunes, Semana Santa y agosto – **Comida** carta 2725 a 3750.

XX **El Chiscón de Castelló,** Castelló 3, ✉ 28001, ☎ 575 56 62 – ▤. VISA. ✻ HX e
cerrado domingo, festivos y agosto – **Comida** carta 3375 a 5125.

XX **Jota Cinco,** Alcalá 423, ✉ 28027, ☎ 742 93 85, Fax 742 62 09 – ▤ 🚗. AE E VISA. ✻
cerrado domingo y festivos noche – **Comida** carta 3850 a 5425. plano p. 3 CL v

XX **El Borbollón,** Recoletos 7, ✉ 28001, ☎ 431 41 34 – ▤. AE ⓓ E VISA. ✻
cerrado domingo, festivos y agosto – **Comida** carta 3645 a 5595. plano p. 9 NV u

XX **El Asador de Aranda,** Diego de León 9, ✉ 28006, ☎ 563 02 46, Cordero asado – ▤. AE
ⓓ E VISA. ✻ HV s
cerrado domingo noche y agosto – **Comida** carta aprox. 3800.

XX **Puertochico,** Pio Baroja (edificio Casa Cantabria), ✉ 28009, ☎ 504 44 66, Fax 504 34 07, Vivero propio – ▤ 🚗. AE E VISA HY d
cerrado domingo noche y agosto – **Comida** carta 4250 a 7350.

XX **La Trovata,** Jorge Juan 29, ✉ 28001, ☎ 575 08 48, Cocina italiana – ▤. AE ⓓ VISA. ✻
cerrado domingo noche – **Comida** carta aprox. 3500. HX p

XX **Il Salotto,** Velázquez 61, ✉ 28001, ☎ 577 27 09, Cocina italiana – ▤. AE ⓓ E VISA. ✻
cerrado domingo y agosto – **Comida** carta 2750 a 4100. HV j

XX **Alkalde,** Jorge Juan 10, ✉ 28001, ☎ 576 33 59, En una bodega – ▤. AE ⓓ E VISA JCB.
✻ HX v
Comida carta 3940 a 4550.

XX **Casa Domingo,** Alcalá 99, ✉ 28009, ☎ 576 01 37, Fax 575 78 62, ⌂ – ▤. AE E VISA. ✻
Comida carta 3100 a 4800. HX d

XX **La Hoja,** Dr. Castelo 48, ✉ 28009, ☎ 409 25 22, Fax 574 14 78, Cocina asturiana – ▤. E
VISA. ✻ HJX y
cerrado domingo, miércoles noche y agosto – **Comida** carta 4300 a 5100.

XX **Don Víctor,** Emilio Vargas 18, ✉ 28043, ☎ 415 47 47 – ▤. AE ⓓ E VISA. ✻
plano p. 3 CL f
cerrado sábado mediodía, domingo y agosto – **Comida** carta 5100 a 6900.

X **O'Grelo,** Menorca 39, ✉ 28009, ☎ 409 72 04, Cocina gallega – ▤. AE ⓓ E VISA. ✻
cerrado domingo noche – **Comida** carta aprox. 4900. HX y

X **Brasserie de Lista,** José Ortega y Gasset 6, ✉ 28006, ☎ 435 28 18, Fax 575 28 17 – ▤.
AE ⓓ E VISA. ✻ HV z
cerrado sábado mediodía y domingo en agosto – **Comida** carta aprox. 3500.

X **Asador Velate,** Jorge Juan 91, ✉ 28009, ℘ 435 10 24, Cocina vasca – ▤. AE ⓓ E VISA. ✻
cerrado domingo y festivos – **Comida** carta aprox. 4900. HJX **x**

X **Casa Portal,** Doctor Castelo 26, ✉ 28009, ℘ 574 20 26, Cocina asturiana – ▤. E VISA. ✻
cerrado domingo noche, lunes y agosto – **Comida** carta 4200 a 4800. HX **b**

X **La Giralda IV,** Claudio Coello 24, ✉ 28001, ℘ 576 40 69, Rest andaluz – ▤. AE ⓓ VISA. ✻
cerrado domingo noche, festivos noche y agosto – **Comida** carta 3840 a 4700. HX **h**

X **La Giralda III,** Maldonado 4, ✉ 28006, ℘ 577 77 62, Rest. andaluz – ▤. AE ⓓ E VISA. ✻
cerrado domingo, festivos y agosto – **Comida** carta 3725 a 5150. HV **g**

X **Sixto,** José Ortega y Gasset 83, ✉ 28006, ℘ 402 15 83, Fax 523 31 74, 斎 – ▤. AE ⓓ E VISA. ✻ JV **e**
cerrado domingo noche – **Comida** carta 2700 a 4200.

X **L'Entrecote-Goya,** Claudio Coello 41, ✉ 28001, ℘ 577 73 49 – ▤. AE ⓓ VISA. ✻
cerrado domingo y festivos – **Comida** carta 3300 a 3535. HX **u**

X ✿ **La Trainera,** Lagasca 60, ✉ 28001, ℘ 576 05 75, Fax 575 47 17, Pescados y mariscos – ▤. AE E VISA. ✻ HX **k**
cerrado domingo y agosto – **Comida** carta 4300 a 6100
Espec. Sopas de productos del mar, Rodaballo al horno, Langosta a la americana.

X ✿ **El Pescador,** José Ortega y Gasset 75, ✉ 28006, ℘ 402 12 90, Pescados y mariscos – ▤. E VISA. ✻ JV **t**
cerrado domingo y agosto – **Comida** carta 4200 a 5300
Espec. Angulas de Aguinaga, Lenguado Evaristo, Bogavante a la americana.

X **Orbayo,** Claudio Coello 4, ✉ 28001, ℘ 576 41 86 – ▤. AE E VISA. ✻ HX **m**
cerrado domingo, festivos noche y agosto – **Comida** carta 2800 a 3700.

X **Prosit,** José Ortega y Gasset 8, ✉ 28006, ℘ 576 17 85 – ▤. AE ⓓ VISA. ✻ HV **z**
cerrado domingo y festivos noche – **Comida** carta 2675 a 3400.

X **Casa Julián,** Don Ramón de la Cruz 10, ✉ 28001, ℘ 431 35 35 – ▤. AE ⓓ VISA. ✻
cerrado domingo y festivos – **Comida** carta 2600 a 3200. HX **q**

X **Magerit,** Dr. Esquerdo 140, ✉ 28007, ℘ 501 28 84 – ▤. AE ⓓ E VISA. ✻ JZ **b**
cerrado sábado, domingo noche y agosto – **Comida** carta 3300 a 4900.

Arganzuela-Carabanchel-Villaverde : Antonio López, Paseo de Las Delicias, Paseo de Santa María de la Cabeza (plano p. 2 salvo mención especial)

Rafael Pirámides, paseo de las Acacias 40, ✉ 28005, ℘ 517 18 28, Fax 517 00 90 – |‡| ▤ TV ☎ ♿ 🚗. AE ⓓ E VISA. ✻ rest BM **r**
Comida *(cerrado sábado, domingo y agosto)* carta 3100 a 4100 – ☕ 950 – **84 hab** 10475/12875, 9 suites.

Carlton, paseo de las Delicias 26, ✉ 28045, ℘ 539 71 00, Telex 44571, Fax 527 85 10 – |‡| ▤ TV ☎. AE ⓓ VISA. ✻ plano p. 7 GZ **n**
Comida 3000 – ☕ 1100 – **112 hab** 16530/20670 – PA 5680.

Praga sin rest, con cafetería, Antonio López 65, ✉ 28019, ℘ 469 06 00, Telex 22823, Fax 469 83 25 – |‡| ▤ TV ☎ 🚗 – 🏛 25/350. AE ⓓ E VISA. ✻ BM **u**
☕ 790 – **428 hab** 8950/11900.

Diana Plus y Rest Asador San Isidro, carret. M 602, ✉ 28018, ℘ 507 20 40, Telex 42575, Fax 507 14 22 – |‡| ▤ TV ☎ 🚗 – 🏛 25/200. AE ⓓ E VISA. ✻ rest CM **a**
Comida carta 3100 a 5100 – ☕ 800 – **103 hab** 11900/14900, 1 suite.

Aramo, paseo Santa María de la Cabeza 73, ✉ 28045, ℘ 473 91 11, Telex 45885, Fax 473 92 14 – |‡| ▤ TV ☎ 🚗. AE ⓓ E VISA. ✻ rest BM **e**
Comida 1400 – ☕ 900 – **105 hab** 8250/11000.

Puerta de Toledo, glorieta Puerta de Toledo 4, ✉ 28005, ℘ 474 71 00, Telex 22291, Fax 474 07 47 – |‡| ▤ TV ☎ 🚗 – 🏛 25/30. AE ⓓ E VISA JCB. ✻ plano p. 6 EZ **v**
Comida (ver rest. ***Puerta de Toledo***) – ☕ 800 – **152 hab** 6900/10400.

Auto sin ☕, paseo de la Chopera 69, ✉ 28045, ℘ 539 66 00, Fax 530 67 03 – |‡| ☎ 🚗. AE ⓓ E VISA. ✻ BM **c**
Comida (ver rest. ***Mesón Auto***) – **110 hab** 5000/10000.

XX ✿ **Hontoria,** pl. del General Maroto 2, ✉ 28045, ℘ 473 04 25, Decoración rústica – ▤. AE E VISA. ✻ BM **v**
cerrado domingo, festivos y agosto – **Comida** carta 3225 a 4850
Espec. Patata asada rellena con salmón, Envuelto de lechuga con merluza y gambas, Milhojas de manzana con salsa de albaricoque.

XX **Puerta de Toledo,** glorieta Puerta de Toledo 4, ✉ 28005, ℘ 474 76 75, Fax 474 30 35 – ▤. ⓓ VISA plano p. 6 EZ **v**
Comida carta 3050 a 3800.

X **Los Cigarrales,** Antonio López 52, ✉ 28019, ℘ 469 74 52, Fax 569 30 48 – ▤ 🚗. AE ⓓ E VISA JCB. ✻ BM **n**
cerrado domingo noche – **Comida** carta 4200 a 6300.

X **Mesón Auto,** paseo de la Chopera 71, ✉ 28045, ℘ 467 23 49, Fax 530 67 03, Decoración rústica – ▤ Ⓟ. AE ⓓ E VISA. ✻ BM **c**
Comida carta 2500 a 3500.

X **Quo Venus,** Jaime el Conquistador 1, ✉ 28045, ℘ 474 09 83 – ▤. AE ⓓ E VISA. ✻
cerrado domingo noche – **Comida** carta 2775 a 4425. BM **a**

Moncloa : Princesa, Paseo del pintor Rosales, Paseo de la Florida, Casa de Campo (planos p. 2, 6 y 8)

Meliá Madrid, Princesa 27, 28008, 541 82 00, Telex 22537, Fax 541 19 88, - - 25/200. AE E VISA JCB. plano p. 8 KV **t**
Comida carta 3500 a 5600 - 2000 - **253 hab** 25000/30000, 23 suites.

Tryp Monte Real, Arroyofresno 17, 28035, 316 21 40, Telex 22089, Fax 316 39 34, « Jardín », - - 25/250. AE E VISA. plano p. 2 AL **b**
Comida carta 3900 a 6200 - 1500 - **76 hab** 16650/20800, 4 suites.

Florida Norte, paseo de la Florida 5, 28008, 542 83 00, Telex 23675, Fax 547 78 33 - . AE E VISA JCB. plano p. 6 DX **v**
Comida 2500 - 750 - **399 hab** 11500/16000.

Sofitel-Plaza de España sin rest, Tutor 1, 28008, 541 98 80, Telex 43190, Fax 542 57 36 - . AE E VISA plano p. 8 KV **d**
1250 - **99 hab** 21000/25000.

Tirol sin rest. con cafetería, Marqués de Urquijo 4, 28008, 548 19 00 - . E VISA. DV **r**
91 hab 7480/10730, 6 suites.

XXX **Café Viena,** Luisa Fernanda 23, 28008, 548 15 91, « Evocación de un antiguo café » - . AE VISA JCB. plano p. 8 KV **h**
cerrado domingo y agosto - **Comida** carta aprox. 4500.

XX **As de Oros,** Numancia 2, 28039, 311 52 37, Fax 311 78 33, Pescados y mariscos - . AE E VISA. BL **e**
Comida carta 3150 a 5100.

XX **Izaro,** Buen Suceso 3, 28008, 559 80 37, Telex 41651, Fax 559 82 61, Decoración moderna-Cocina vasca - . AE E VISA JCB. plano p. 6 DX **n**
cerrado domingo noche, festivos noche, Semana Santa y agosto - **Comida** carta aprox. 3800.

XX **Sal Gorda,** Beatriz de Bobadilla 9, 28040, 553 95 06 - . AE E VISA. DU **e**
cerrado domingo, festivos noche y agosto - **Comida** carta 3300 a 3975.

X **Currito,** Casa de Campo - Pabellón de Vizcaya, 28011, 464 57 04, Fax 479 72 54, , Cocina vasca - . AE VISA. plano p. 2 AM **s**
cerrado domingo noche - **Comida** carta 4600 a 5700.

X **A'Casiña,** Casa de Campo - Pabellón de Pontevedra, 28011, 526 34 25, Fax 526 37 13, - . AE E VISA. plano p. 2 AM **s**
cerrado domingo noche - **Comida** carta 3200 a 4900.

Chamberí : San Bernardo, Fuencarral, Alberto Aguilera, Santa Engracia (planos p. 6 a 9)

NH Santo Mauro y Rest. Belagua, Zurbano 36, 28010, 319 69 00, Fax 308 54 77, , « Elegante palacete con jardín », - - 25/70. AE E VISA JCB. GV **e**
Comida *(cerrado domingo, festivos y agosto)* carta aprox. 7000 - 1950 - **33 hab** 29160/40500, 4 suites.

Miguel Ángel, Miguel Ángel 31, 28010, 442 00 22, Telex 44235, Fax 442 53 20, , , - - 25/300. AE E VISA JCB. GV **c**
Comida 5500 - 1900 - **251 hab** 27350/34250, 20 suites - PA 11800.

Castellana Inter-Continental, paseo de la Castellana 49, 28046, 310 02 00, Telex 27686, Fax 319 58 53, , « Terraza-jardín », - - 25/550. AE E VISA JCB GV **a**
Comida carta 3900 a 6200 - 1900 - **278 hab** 31000/38000, 27 suites.

Mindanao, San Francisco de Sales 15, 28003, 549 55 00, Telex 22631, Fax 544 55 96, , - - 25/200. AE E VISA JCB. DV **a**
Comida *(cerrado domingo y agosto)* 3500 - 1500 - **272 hab** 16000/20000, 9 suites.

G.H. Conde Duque sin rest, con cafetería, pl. Conde Valle de Suchil 5, 28015, 447 70 00, Telex 22058, Fax 448 35 69 - - 25/100. AE E VISA JCB. EV **d**
1500 - **142 hab** 15250/22850, 1 suite.

Gran Versalles sin rest, Covarrubias 4, 28010, 447 57 00, Telex 49150, Fax 446 39 87 - - 25/120. AE E VISA MV **a**
975 - **143 hab** 15250/21600, 2 suites.

NH Zurbano, Zurbano 79, 28003, 441 45 00, Telex 27578, Fax 441 32 24 - - 25/100. AE E VISA. GV **x**
Comida 3500 - 1000 - **267 hab** 16400/22800, 2 suites.

NH Embajada, Santa Engracia 5, 28010, 594 02 13, Fax 447 33 12, Bonito edificio de estilo español - - 25/45. AE E VISA. MV **r**
Comida 1500 - 1400 - **101 hab** 16400/22800.

NH Prisma, Santa Engracia 120, 28003, 441 93 77, Fax 442 58 51 - - 25/70. AE E VISA JCB. FV **g**
Comida carta aprox. 2700 - 1700 - **103 suites** 18200/22800.

NH Argüelles sin rest, con cafetería, Vallehermoso 65, ✉ 28015, ✆ 593 97 77, Fax 594 27 39 - AE E VISA. EV e
1200 - **75 hab** 14200/19800.

Escultor, Miguel Ángel 3, ✉ 28010, ✆ 310 42 03, Telex 44285, Fax 319 25 84 - 25/150. AE E VISA. GV s
Comida (ver rest. **Señorío de Errazu**) - 1100 - **79 hab** 12000/21000, 3 suites.

NH Bretón sin rest, Bretón de los Herreros 29, ✉ 28003, ✆ 442 83 00, Fax 441 38 16 - AE E VISA. FV n
1100 - **56 hab** 14200/19800.

Sol Alondras sin rest. con cafetería, José Abascal 8, ✉ 28003, ✆ 447 40 00, Telex 49454, Fax 593 88 00 - AE E VISA JCB. FV a
950 - **72 hab** 14500/17900.

Trafalgar sin rest, con cafetería, Trafalgar 35, ✉ 28010, ✆ 445 62 00, Fax 446 64 56 - AE E VISA. FV s
450 - **48 hab** 7900/13200.

XXXX ✿ **Jockey,** Amador de los Ríos 6, ✉ 28010, ✆ 319 24 35, Fax 319 24 35 - AE E VISA JCB. NV k
cerrado sábado mediodía, domingo y agosto - **Comida** carta 6000 a 9400
Espec. Bisque de erizos de mar glaseada, Rodaballo al aceite de oliva virgen con verduras fritas, Costillar de cordero a la provenzal con patatas panadera.

XXXX **Lúculo,** Génova 19, ✉ 28004, ✆ 319 40 29, « Terraza-jardín en verano » - AE E VISA. NV d
cerrado sábado mediodía, domingo y festivos - **Comida** carta aprox. 6900.

XXXX ✿ **Las Cuatro Estaciones,** General Ibáñez Íbero 5, ✉ 28003, ✆ 553 63 05, Telex 43709, Fax 553 32 98, Decoración moderna - AE E VISA JCB. EU r
cerrado sábado mediodía, domingo, festivos y agosto - **Comida** carta 4800 a 5550
Espec. Gazpacho con bogavante Las Cuatro Estaciones (mayo-octubre), Arroz negro con chipirones, Lomo de cordero asado con salsa de tomillo y patatas panadera.

XXX **Lur Maitea,** Fernando el Santo 4, ✉ 28010, ✆ 308 03 50, Fax 308 03 93, Cocina vasca - AE E VISA. MV u
cerrado sábado mediodía, domingo y agosto - **Comida** carta aprox. 4700.

XXX **Annapurna,** Zurbano 5, ✉ 28010, ✆ 308 32 49, Cocina hindú - AE VISA. MV w
cerrado sábado mediodía y domingo - **Comida** carta 2900 a 3550.

XXX **Señorío de Errazu,** Miguel Ángel 3, ✉ 28010, ✆ 308 24 25 - AE E VISA. GV s
cerrado domingo y agosto - **Comida** carta 2300 a 4050.

XX **Aymar,** Fuencarral 138, ✉ 28010, ✆ 445 57 67, Pescados y mariscos - AE E VISA FV e
Comida carta 3900 a 5500.

XX **Las Reses,** Orfila 3, ✉ 28010, ✆ 308 03 82, Carnes - AE VISA. NV e
cerrado sábado mediodía, domingo, festivos y Semana Santa - **Comida** carta aprox. 4500.

XX **Solchaga,** pl. Alonso Martínez 2, ✉ 28004, ✆ 447 14 96, Fax 593 22 23 - AE E VISA. MV x
cerrado sábado mediodía, domingo, festivos y agosto - **Comida** carta 4100 a 5500.

XX **La Cava Real,** Espronceda 34, ✉ 28003, ✆ 442 54 32, Fax 442 34 04 - AE E VISA. FV h
cerrado domingo, festivos, Semana Santa y agosto - **Comida** carta aprox. 5500.

XX **L'Alsace,** Doménico Scarlatti 5, ✉ 28003, ✆ 544 40 75, Fax 544 75 92, « Decoración alsaciana » - AE E VISA DV a
Comida carta 3200 a 4600.

XX **Kulixka,** Fuencarral 124, ✉ 28010, ✆ 447 25 38, Pescados y mariscos - AE E VISA. FV v
cerrado domingo y agosto - **Comida** carta 4500 a 5800.

XX **Porto Alegre 2,** Trafalgar 15, ✉ 28010, ✆ 445 19 74 - P. AE E VISA. FV d
cerrado domingo noche - **Comida** carta 3100 a 4650.

XX **Casa Hilda,** Bravo Murillo 24, ✉ 28015, ✆ 446 35 69 - AE E VISA. FV q
cerrado domingo noche y agosto - **Comida** carta 3050 a 4000.

XX **Jeromín,** San Bernardo 115, ✉ 28015, ✆ 448 98 43, Terraza en verano - AE E VISA. EFV r
cerrado domingo noche y lunes noche - **Comida** carta 2250 a 4350.

XX **Polizón,** Viriato 39, ✉ 28010, ✆ 593 39 19, Pescados y mariscos - AE E VISA JCB. FV w
cerrado domingo noche y 2ª quincena de agosto - **Comida** carta 4050 a 4250.

XX **Antonio,** Santa Engracia 54, ✉ 28010, ✆ 447 40 68 - AE E VISA. FV z
cerrado lunes y agosto - **Comida** carta 2800 a 4600.

XX **La Plaza de Chamberí,** pl. de Chamberí 10, ✉ 28010, ✆ 446 06 97 - AE E VISA. FV k
cerrado domingo y Semana Santa - **Comida** carta 3525 a 3625.

XX **La Fuente Quince,** Modesto Lafuente 15, ✉ 28003, ✆ 442 34 53, Fax 441 90 24 - AE VISA. FV j
cerrado sábado mediodía, domingo, Semana Santa y agosto - **Comida** carta 2550 a 3250.

XX **O'Grelo,** Gaztambide 50, ✉ 28015, ℘ 543 13 01, Cocina gallega – ▤ ⇔. AE ① E VISA. ✂
cerrado domingo noche, lunes y agosto – **Comida** carta aprox. 4800. DEV

XX **Mesón del Cid,** Fernández de la Hoz 57, ✉ 28003, ℘ 442 07 55, Fax 442 96 47 – ▤. AE ① E VISA. ✂
cerrado domingo, Semana Santa y Navidades – **Comida** carta 3400 a 4400. GV

XX **Gala,** Espronceda 14, ✉ 28003, ℘ 441 95 48 – ▤. AE ① E VISA. ✂
cerrado domingo, festivos y agosto – **Comida** carta 3750 a 4850. FV

XX **El Corcho,** Zurbano 4, ✉ 28010, ℘ 308 01 36, Fax 310 32 55 – AE ① E VISA. ✂ NV
cerrado sábado mediodía, domingo y festivos – **Comida** carta aprox. 4500.

XX **Babel,** Alonso Cano 60, ✉ 28003, ℘ 553 08 27, Carnes – ▤. AE ① E VISA. ✂ FU
cerrado sábado mediodía, domingo, festivos, Semana Santa y 3 semanas en agosto – **Comida** carta aprox. 4500.

XX **O'Xeito,** paseo de la Castellana 47, ✉ 28046, ℘ 308 17 18, Decoración de estilo gallego. Pescados y mariscos – ▤. AE ① E VISA. ✂ GV
cerrado sábado, domingo, Semana Santa y agosto – **Comida** carta aprox. 4900.

X **Horno de Juan,** Joaquín María López 30, ✉ 28015, ℘ 543 30 43 – ▤. AE E VISA. ✂
cerrado domingo noche y agosto – **Comida** carta 3100 a 3700. EV

X **La Parra,** Monte Esquinza 34, ✉ 28010, ℘ 319 54 98 – ▤. AE ① E VISA JCB GV
cerrado sábado mediodía, domingo y agosto – **Comida** carta 3300 a 4500.

X **Pinocchio,** Orfila 2, ✉ 28010, ℘ 308 16 47, Fax 766 98 04, Cocina italiana – ▤. AE ① E VISA. ✂ NV
cerrado sábado mediodía, domingo y agosto – **Comida** carta 2460 a 3425.

X **Quattrocento,** General Ampudia 18, ✉ 28003, ℘ 534 49 11, Cocina italiana – ▤. AE ① E VISA. ✂ DU
cerrado domingo y agosto – **Comida** carta 2565 a 3625.

X **El Pedrusco de Aldealcorvo,** Juan de Austria 27, ✉ 28010, ℘ 446 88 33, Decoración castellana – ▤. AE ① E VISA. ✂ FV
cerrado sábado, domingo noche y agosto – **Comida** carta 2700 a 4200.

X **Balear,** Sagunto 18, ✉ 28010, ℘ 447 91 15, Arroces – ▤. AE E VISA. ✂ FV
cerrado domingo noche y lunes noche – **Comida** carta 3550 a 4750.

X **La Gran Tasca,** Santa Engracia 24, ✉ 28010, ℘ 448 77 79, Decoración castellana – ▤ AE ① E VISA JCB. ✂ FV
cerrado domingo – **Comida** carta 3175 a 4900.

X Parrillón, Santa Engracia 41, ✉ 28010, ℘ 446 02 25 – ▤ FV

X **Casa Félix,** Bretón de los Herreros 39, ✉ 28003, ℘ 441 24 79 – ▤ Ⓟ. AE E VISA. ✂
Comida carta 3200 a 4450. FV

X **Asquiniña,** Modesto Lafuente 88, ✉ 28003, ℘ 553 17 95, Fax 554 91 51, Cocina gallega – ▤. AE E VISA. ✂ FU
Comida carta 3200 a 3600.

X **Don Sancho,** Bretón de los Herreros 58, ✉ 28003, ℘ 441 37 94 – ▤. AE ① E VISA. ✂
cerrado domingo, lunes noche, festivos, Semana Santa y agosto – **Comida** carta 3100 a 3600. GV

X **La Giralda II,** Hartzenbuch 12, ✉ 28010, ℘ 445 77 79, Fax 445 17 43, Rest. andaluz – ▤. AE ① VISA. ✂ FV
cerrado domingo y julio – **Comida** carta 3725 a 4250.

X **Biergarten,** Gaztambide 3, ✉ 28015, ℘ 543 06 49, Cervecería bávara – ▤. AE ① VISA. ✂
cerrado domingo, festivos noche y lunes – **Comida** carta 2625 a 3275. DV

X **Villa de Foz,** Gonzálo de Córdoba 10, ✉ 28010, ℘ 446 89 93 – AE E VISA. ✂ FV
cerrado domingo y agosto – **Comida** carta 3200 a 4200.

X **Bene,** Castillo 19, ✉ 28010, ℘ 448 08 78 – ▤. AE ① E VISA. ✂ FV
cerrado domingo y agosto – **Comida** carta 3200 a 4175.

X **La Despensa,** Cardenal Cisneros 6, ✉ 28010, ℘ 446 17 94 – ▤. AE ① E VISA. ✂
cerrado domingo en verano, domingo noche y lunes resto del año y septiembre – **Comida** carta 2325 a 2850. FV

Chamartín, Tetuán : Capitán Haya, Orense, Alberto Alcocer, Paseo de la Habana (plano p. 5 salvo mención especial)

Meliá Castilla, Capitán Haya 43, ✉ 28020, ℘ 571 22 11, Telex 23142, Fax 571 22 10, 🏊 – |♦| ▤ 📺 ☎ ♿ ⇔ – 🏛 25/800. AE ① E VISA JCB. ✂ GS
Comida (ver rest ***L'Albufera*** y ***La Fragata***) – ☕ 2100 – **896 hab** 24700/28500, 14 suites.

Holiday Inn, pl. Carlos Trías Beltrán 4 (acceso por Orense 22-24), ✉ 28020, ℘ 597 01 02, Telex 44709, Fax 597 02 92, 🏋, 🏊 – |♦| ▤ 📺 ☎ ♿ – 🏛 25/400. AE ① E VISA JCB. ✂ rest
La Terraza :* Comida** carta 3600 a 4700 - ***La Tasca *(sólo almuerzo-buffet, cerrado sábado, domingo, festivos y agosto)* **Comida** carta 1350 – ☕ 1850 – **282 hab** 24900/31200, 31 suites. GT

Eurobuilding, Padre Damián 23, ✉ 28036, ℘ 345 45 00, Telex 22548, Fax 345 45 76, ☂, « Jardín y terraza con 🏊 », 🏋 – |♦| ▤ 📺 ☎ ⇔ – 🏛 25/900. AE ① E VISA JCB. ✂
La Taberna :* Comida** carta 3775 a 4500 - ***Le Relais *(sólo almuerzo buffet)* **Comida** carta 3200 – ☕ 1975 – **416 hab** 23900/29200, 84 suites. HS

Cuzco sin rest, con cafetería, paseo de la Castellana 133, ✉ 28046, ☎ 556 06 00, Telex 22464, Fax 556 03 72, – ▯ ▤ ▭ ☎ ⇔ Ⓟ – 25/450. AE ⓞ E VISA. ✂
☐ 1200 – **320 hab** 17200/21500, 8 suites. GS **a**

Chamartín sin rest, estación de Chamartín, ✉ 28036, ☎ 323 18 33, Telex 49201, Fax 733 02 14 – ▯ ▤ ▭ ☎ – 25/500. AE ⓞ E VISA JCB. ✂ HR
☐ 1100 – **360 hab** 11340/13125, 18 suites.

NH La Habana, paseo de la Habana 73, ✉ 28036, ☎ 345 82 84, Telex 41869, Fax 457 75 79 – ▯ ▤ ▭ ☎ ⇔ – 25/250. AE ⓞ E VISA. ✂ HT **f**
Comida 2500 – ☐ 1800 – **157 hab** 16400/22800.

Orense 38, Pedro Teixeira 5, ✉ 28020, ☎ 597 15 68, Fax 597 12 95, – ▯ ▤ ▭ ☎ ⇔. AE ⓞ E VISA. ✂ GT **q**
Comida carta aprox. 4800 – ☐ 925 – **140 hab** 14600/17600.

Foxá 32, Agustín de Foxá 32, ✉ 28036, ☎ 733 10 60, Fax 314 11 65 – ▯ ▤ ▭ ☎ ⇔ – 25/250. AE ⓞ E VISA. ✂ HR **u**
Comida 1750 – ☐ 1500 – **63 hab** 18200/22750, 98 suites – PA 4250.

Foxá 25, Agustín de Foxá 25, ✉ 28036, ☎ 323 11 19, Fax 314 53 11 – ▯ ▤ ▭ ☎ ⇔. AE ⓞ E VISA. ✂ HR **a**
Comida 1750 – ☐ 1500 – **121 suites** 18200/22750 – PA 4250.

Castilla Plaza, paseo de la Castellana 220, ✉ 28046, ☎ 323 11 86, Fax 315 54 06 – ▯ ▤ ▭ ☎ ⇔ – 25/150. AE ⓞ E VISA. ✂ GS **n**
Comida 1800 – ☐ 1200 – **147 hab** 17500/18500 – PA 5600.

El Gran Atlanta sin rest, Comandante Zorita 34, ✉ 28020, ☎ 553 59 00, Fax 533 08 58, – ▯ ▤ ▭ ☎ ⇔ – 25/120. AE ⓞ E VISA. ✂ FT **p**
☐ 1100 – **180 hab** 14800/20500.

El Jardín sin rest, carret. N I km 5'7 (entrada por M 40-vía de servicio), ✉ 28050, ☎ 302 83 36, Fax 766 86 91, ⛱, ✂ – ▯ ▤ ▭ ☎ ⇔ Ⓟ. AE ⓞ E VISA
41 apartamentos ☐ 15000/19000. plano p. 2 CL **u**

Tryp Togumar sin rest, Canillas 59, ✉ 28002, ☎ 519 00 51, Fax 519 48 45 – ▯ ▤ ▭ ☎ ⇔. AE E VISA. ✂ HU **s**
☐ 550 – **62 hab** 10300.

Aristos, av. Pío XII-34, ✉ 28016, ☎ 345 04 50, Fax 345 10 23 – ▯ ▤ ▭ ☎. AE ⓞ E VISA. ✂
Comida (ver rest *El Chaflán*) – ☐ 800 – **24 hab** 12750/17000, 1 suite. HS **d**

Práctico sin rest, Bravo Murillo 304, ✉ 28020, ☎ 571 28 80, Fax 571 56 31 – ▯ ▤ ▭ ☎ ⇔ – 25/40. AE ⓞ VISA. ✂ FS **a**
☐ 850 – **35 hab** 12500/15525.

XXXXX ✿✿✿ **Zalacaín,** Álvarez de Baena 4, ✉ 28006, ☎ 561 48 40, Fax 561 47 32, – ▤. AE ⓞ E VISA JCB. ✂ plano p. 7 GV **b**
cerrado sábado mediodía, domingo, festivos Semana Santa y agosto – **Comida** carta 7400 a 8400
Espec. Pequeño búcaro, Merluza a la emulsión de tomate y albahaca, Manita de cerdo rellena de cordero.

XXXXX **Príncipe y Serrano,** Serrano 240, ✉ 28016, ☎ 458 62 31, Fax 458 86 76 – ▤ ⇔. AE ⓞ E VISA. ✂ HT **a**
cerrado sábado mediodía, domingo y agosto – **Comida** carta 4400 a 5200.

XXXX **El Bodegón,** Pinar 15, ✉ 28006, ☎ 562 88 44 – ▤. AE ⓞ E VISA JCB. ✂ plano p. 7 GV **q**
cerrado sábado mediodía, domingo, festivos y agosto – **Comida** carta 4950 a 5800.

XXXX ✿ **Príncipe de Viana,** Manuel de Falla 5, ✉ 28036, ☎ 457 15 49, Fax 457 52 83, , Cocina vasco-navarra – ▤. AE ⓞ E VISA JCB. ✂ GT **c**
cerrado sábado mediodía, domingo, Semana Santa y agosto – **Comida** carta 4900 a 5625
Espec. Cardo con alcachofas (temp), Bacalao al ajoarriero, Pichón guisado.

XXXX **La Máquina,** Sor Ángela de la Cruz 22, ✉ 28020, ☎ 572 33 18, Fax 570 13 04 – ▤. AE ⓞ E VISA. ✂ FS **e**
cerrado domingo – **Comida** carta 4225 a 5450.

XXXX **Nicolasa,** Velázquez 150, ✉ 28002, ☎ 563 17 35, Fax 564 32 75 – ▤. AE ⓞ E VISA. ✂
cerrado domingo y agosto – **Comida** carta 4650 a 5800. HU **a**

XXX **O'Pazo,** Reina Mercedes 20, ✉ 28020, ☎ 553 23 33, Fax 554 90 72, Pescados y mariscos – ▤. E VISA. ✂ FT **p**
cerrado domingo, Semana Santa y agosto – **Comida** carta 4200 a 5500.

XXX **L'Albufera,** Capitán Haya 43, ✉ 28020, ☎ 579 63 74, Fax 571 22 10, Arroces – ▤ ⇔. AE ⓞ E VISA. ✂ GS **c**
Comida carta 3550 a 5700.

XXX **La Fragata,** Capitán Haya 43, ✉ 28020, ☎ 570 98 34 – ▤ ⇔. AE ⓞ E VISA JCB. ✂
cerrado agosto – **Comida** carta 3900 a 4800. GS **c**

XXX **José Luis,** Rafael Salgado 11, ✉ 28036, ☎ 457 50 36, Telex 41779, Fax 344 18 37 – ▤. AE ⓞ E VISA. ✂ GT **m**
cerrado domingo y agosto – **Comida** carta 4050 a 6000.

XXX **Señorío de Bertiz,** Comandante Zorita 6, ✉ 28020, ☎ 533 27 57, Fax 534 50 90 – ▤. AE ⓞ E VISA. ✂ FT **s**
cerrado sábado mediodía, domingo y agosto – **Comida** carta 4225 a 5300.

XXX **Bogavante,** Capitán Haya 20, ✉ 28020, ☎ 556 21 14, Fax 597 00 79, Pescados y mariscos – ▤. AE ⓞ E VISA JCB. ✂ GT d
cerrado domingo noche – **Comida** carta 4250 a 6700.

XXX **Señorío de Alcocer,** Alberto Alcocer 1, ✉ 28036, ☎ 345 16 96 – ▤. AE ⓞ E VISA. ✂
cerrado domingo, Semana Santa y agosto – **Comida** carta 4450 a 5650. GS e

XXX ✿ **El Olivo,** General Gallegos 1, ✉ 28036, ☎ 359 15 35, Fax 345 91 83 – ▤. AE ⓞ E VISA JCB. ✂ HS c
cerrado domingo, lunes y agosto – **Comida** carta 4650 a 5300
Espec. Surtido de bacalaos, Lamprea bordalesa al vino de la Ribera del Duero (primavera), Merluza cocida en su corto caldo.

XXX ✿ **Goizeko Kabi,** Comandante Zorita 37, ✉ 28020, ☎ 533 01 85, Fax 533 02 14, Cocina vasca – ▤. AE ⓞ E VISA. ✂ FT a
cerrado domingo – **Comida** carta 5600 a 7350
Espec. Marmita de bacalao y bogavante con patatas, Arroz con almejas, gambas y chipirones Tórtolas asadas sobre tosta de setas (temp).

XXX ✿ **Cabo Mayor,** Juan Ramón Jiménez 37, ✉ 28036, ☎ 350 87 76, Fax 359 16 21 – ▤. AE ⓞ E VISA JCB. ✂ GHS r
cerrado domingo y Semana Santa – **Comida** carta 4400 a 6100
Espec. Ensalada de jamón y foie-gras con pasas y piñones, Rodaballo con chipirones al aceite de zanahoria, Lágrima de chocolate sobre crema de vainilla.

XXX **El Foque,** Suero de Quiñones 22, ✉ 28002, ☎ 519 25 72, Espec. en bacalaos – ▤. AE ⓞ E VISA. ✂ HU r
cerrado domingo – **Comida** carta 4150 a 5250.

XXX **Blanca de Navarra,** av. de Brasil 13, ✉ 28020, ☎ 555 10 29 – ▤. AE ⓞ E VISA JCB
cerrado domingo y agosto – **Comida** carta 3700 a 4700. GT q

XXX **Lutecia,** Corazón de María 78, ✉ 28002, ☎ 519 34 15 – ▤. AE ⓞ VISA. ✂
plano p. 3 CL n
cerrado sábado mediodía, domingo y agosto – **Comida** carta 2850 a 3450.

XX **Ganges,** Bolivia 11, ✉ 28016, ☎ 457 27 29, Cocina hindú – ▤. AE ⓞ E VISA. ✂ HST v
Comida carta aprox. 4500.

XX **Combarro,** Reina Mercedes 12, ✉ 28020, ☎ 554 77 84, Fax 534 25 01, Pescados y mariscos – ▤. AE ⓞ E VISA JCB. ✂ FT a
cerrado domingo noche y agosto – **Comida** carta 4200 a 5275.

XX **Sayat Nova,** Costa Rica 13, ✉ 28016, ☎ 350 87 55, Fax 350 76 47, Cocina armenia – ▤. AE ⓞ E VISA. ✂ HS k
cerrado domingo y agosto – **Comida** carta 3250 a 4150.

XX **Aldar,** Alberto Alcocer 27, ✉ 28036, ☎ 359 68 75, Fax 350 55 82, 🍴, espec. cocina maghrebí – ▤. AE ⓞ E VISA. ✂ HS f
Comida carta 3400 a 4100.

XX **La Tahona,** Capitán Haya 21 (lateral), ✉ 28020, ☎ 555 04 41, Cordero asado, « Decoración castellano-medieval » – ▤. AE ⓞ E VISA. ✂ GT u
cerrado domingo noche y agosto – **Comida** carta aprox. 3800.

XX **De Funy,** Serrano 213, ✉ 28016, ☎ 457 95 22, Fax 458 85 84, 🍴, Rest. libanés – ▤. AE ⓞ E VISA. ✂ HT z
Comida carta 3900 a 5450.

XX **La Fonda,** Príncipe de Vergara 211, ✉ 28002, ☎ 563 46 42, Cocina catalana – ▤. AE ⓞ E VISA. ✂ HT e
Comida carta aprox. 3500.

XX **Gaztelupe,** Comandante Zorita 32, ✉ 28020, ☎ 534 90 28, Cocina vasca – ▤. AE ⓞ E VISA. ✂ FT p
cerrado domingo noche – **Comida** carta 5000 a 5600.

XX **Mirasierra,** Peña Auseba 5 (Colonia Mirasierra), ✉ 28034, ☎ 735 03 78, Fax 734 48 10, 🍴, « Terraza con arbolado » – ▤. AE ⓞ E VISA. ✂ por ⑧
cerrado sábado mediodía, domingo y agosto – **Comida** carta 3700 a 5500.

XX **Jai-Alai,** Balbina Valverde 2, ✉ 28002, ☎ 561 27 42, Fax 561 38 46, 🍴, Cocina vasca – ▤. AE ⓞ E VISA JCB GU h
cerrado lunes – **Comida** carta 3050 a 4825.

XX **Pedralbes,** Basílica 15, ✉ 28020, ☎ 555 30 27, 🍴 – ▤. AE ⓞ E VISA. ✂ FT z
cerrado domingo noche – **Comida** carta aprox. 3500.

XX **Asador Errota-Zar,** Corazón de María 32, ✉ 28002, ☎ 413 52 24, Fax 519 30 84 – ▤. AE ⓞ E VISA CL r
cerrado domingo, Semana Santa y agosto – **Comida** carta 3600 a 5600.

XX **Asador Frontón II,** Pedro Muguruza 8, ✉ 28036, ☎ 345 36 96 – ▤. AE ⓞ E VISA. ✂
Comida carta aprox. 4800. HS c

XX **Las Meninas de Velázquez,** Uruguay 16, ✉ 28016, ☎ 519 73 65, Fax 519 73 74 – ▤. AE ⓞ E VISA. ✂ HT c
cerrado domingo y agosto – **Comida** carta aprox. 4500.

XX **Gerardo,** Alberto Alcocer 46 bis, ✉ 28016, ☎ 457 94 59 – ▤. AE ⓞ VISA. ✂ HS v
cerrado domingo y 14 agosto-septiembre – **Comida** carta 3400 a 5175.

XX **Rugantino,** Velázquez 136, ✉ 28006, ☎ 561 02 22, Cocina italiana – ▤. AE ⓓ E VISA JCB. ✂ plano p. 7 HV **e**
Comida carta 3030 a 3470.

XX **La Brasa,** Infanta Mercedes 105, ✉ 28020, ☎ 579 36 43 – ▤. ✂ GS **s**
cerrado domingo y agosto – **Comida** carta 1800 a 3750.

XX **Serramar,** Rosario Pino 12, ✉ 28020, ☎ 570 07 90, Pescados y mariscos – ▤. AE ⓓ E VISA GS **k**
cerrado domingo – **Comida** carta 3850 a 4775.

XX **Tattaglia,** paseo de la Habana 17, ✉ 28036, ☎ 562 85 90, Cocina italiana – ▤. AE ⓓ E VISA JCB. ✂ GT **b**
Comida carta 3390 a 3700.

XX **Paparazzi,** Sor Ángela de la Cruz 22, ✉ 28020, ☎ 579 67 67, Cocina italiana – ▤. AE ⓓ E VISA JCB. ✂ FGS **v**
Comida carta 2690 a 3150.

XX **Ox's,** Juan Ramón Jiménez 11, ✉ 28036, ☎ 458 19 03, Carnes a la brasa – ▤. AE ⓓ E VISA. ✂ GHS **t**
cerrado domingo, Semana Santa y agosto – **Comida** carta 3975 a 4850.

XX **Barlovento,** paseo de la Habana 84, ✉ 28016, ☎ 344 14 79 – ▤. AE ⓓ VISA. ✂ HT **x**
cerrado domingo noche, del 15 al 31 de septiembre – **Comida** carta aprox. 4500.

XX **Endavant,** Velázquez 160, ✉ 28002, ☎ 561 27 38, 🏠, Cocina catalana – ▤. AE ⓓ VISA. ✂ HU **e**
cerrado domingo – **Comida** carta 3550 a 4600.

XX **Fass,** Rodríguez Marín 84, ✉ 28002, ☎ 563 60 83, Fax 563 74 53, Decoración estilo bávaro-Cocina alemana – ▤. AE ⓓ E VISA HT **t**
Comida carta aprox. 3250.

XX **Asador Castillo de Javier,** Capitán Haya 19, ✉ 28020, ☎ 556 87 97 – ▤. AE ⓓ E VISA JCB. ✂ GT **u**
cerrado sábado mediodía y del 10 al 17 de agosto – **Comida** carta aprox. 4100.

XX **La Parrilla de Madrid,** Capitán Haya 19 (posterior), ✉ 28020, ☎ 555 12 83, Fax 597 29 18 – ▤. AE ⓓ E VISA GT **u**
cerrado domingo – **Comida** carta 3175 a 4875.

XX **L'Arrabbiata,** General Perón 40 A, ✉ 28020, ☎ 556 90 46, Cocina italiana – ▤. AE ⓓ E VISA JCB. ✂ GT **z**
cerrado sábado mediodía, domingo, festivos y 2 semanas en agosto – **Comida** carta aprox. 3200.

XX **La Botella de Pepe,** Padre Damián 47, ✉ 28016, ☎ 350 72 55, 🏠 – ▤. AE ⓓ VISA. ✂ HS **x**
cerrado domingo – **Comida** carta 3200 a 4100.

XX **Sacha,** Juan Hurtado de Mendoza 11 (posterior), ✉ 28036, ☎ 345 59 52, 🏠 – ▤. AE ⓓ E VISA. ✂ GHS **r**
cerrado domingo, festivos, Semana Santa y del 10 al 31 de agosto – **Comida** carta aprox. 4900.

XX **Rianxo,** Oruro 11, ✉ 28016, ☎ 457 10 06, Cocina gallega – ▤. AE ⓓ E VISA. ✂ HT **h**
Comida carta 3850 a 6400.

XX **El Chaflán,** av. Pío XII-34, ✉ 28016, ☎ 350 61 93, Fax 345 10 23, 🏠 – ▤. AE ⓓ E VISA. ✂ HS **d**
cerrado domingo noche – **Comida** carta 4100 a 4900.

XX **House of Ming,** paseo de la Castellana 74, ✉ 28046, ☎ 561 10 13, Fax 561 98 27, Rest. chino – ▤. AE ⓓ E VISA. ✂ plano p. 7 GV **f**
Comida carta 2425 a 3915.

X **El Molino,** Conde de Serrallo 1, ✉ 28020, ☎ 571 24 09, Decoración castellana. Asados – ▤. AE ⓓ E VISA. ✂ GS **w**
Comida carta 3050 a 3800.

X **La Ancha,** Príncipe de Vergara 204, ✉ 28002, ☎ 563 89 77, 🏠 – ▤. AE ⓓ E VISA. ✂ HT **r**
cerrado domingo, festivos, Semana Santa y Navidades – **Comida** carta 3500 a 4750.

X **El Asador de Aranda,** pl. de Castilla 3, ✉ 28046, ☎ 733 87 02, Cordero asado, Decoración castellana – ▤. AE ⓓ E VISA. ✂ GS **b**
cerrado domingo noche y 7 agosto-7 septiembre – **Comida** carta aprox. 3800.

X **Prost,** Orense 6, ✉ 28020, ☎ 555 29 94 – ▤. AE ⓓ VISA. ✂ FT **c**
cerrado domingo y festivos – **Comida** carta 2700 a 3400.

X **Da Nicola,** Orense 4, ✉ 28020, ☎ 555 77 53, Fax 556 68 17, Cocina italiana – ▤. AE ⓓ E VISA. ✂ FTU **c**
Comida carta 1800 a 2400.

X **Asador Ansorena,** Capitán Haya 55 (interior), ✉ 28020, ☎ 579 64 51 – ▤. AE ⓓ E VISA. ✂ GS **n**
cerrado domingo, Semana Santa y agosto – **Comida** carta aprox. 5400.

X **Mesón el Caserío,** Capitán Haya 49, ✉ 28020, ☎ 570 96 29, Decoración rústica – ▤. AE ⓓ E VISA. ✂ GS **k**
Comida carta aprox. 3500.

X **Rianxo,** Raimundo Fernández Villaverde 49, ✉ 28003, ☎ 534 88 32, Cocina gallega – ▤. AE ⓓ E VISA. ✻ FU **a**
cerrado domingo y agosto – **Comida** carta 3850 a 6400.

X **Casa Benigna,** Benigno Soto 9, ✉ 28002, ☎ 413 33 56 – ▤. AE ⓓ E VISA HT **u**
Comida carta 3150 a 5250.

X **La Villa,** Leizarán 19, ✉ 28002, ☎ 563 55 99 – ▤. AE ⓓ E VISA. ✻ HT **n**
cerrado sábado mediodía, domingo, festivos, Semana Santa y agosto – **Comida** carta aprox. 3500.

X **Los Borrachos de Velázquez,** Príncipe de Vergara 205, ✉ 28002, ☎ 564 04 01, Fax 563 93 35, Rest. andaluz – ▤. AE E VISA JCB HT **s**
cerrado domingo – **Comida** carta 3400 a 4600.

X **Las Cumbres,** Alberto Alcocer 32, ✉ 28036, ☎ 458 76 92, Taberna andaluza – ▤. AE ⓓ E VISA. ✻ HS **b**
Comida carta aprox. 3800.

Alrededores

por la salida ② N II y acceso carretera Coslada - San Fernando E : 12 km – ✉ 28022 Madrid – ☎ 91 :

XX **Rancho Texano,** av. Aragón 364 ☎ 747 47 36, Fax 747 94 68, 🌴, Carnes a la brasa, « Terraza » – ▤ Ⓟ. AE ⓓ E VISA JCB. ✻
cerrado domingo noche – **Comida** carta 3500 a 6095.

por la salida ⑦ – ✉ 28023 Madrid – ☎ 91 :

XXX **Gaztelubide,** Sopelana 13 - La Florida, 12,8 km ☎ 372 85 44, 🌴, Cocina vasca – ▤ Ⓟ. AE ⓓ E VISA. ✻
cerrado domingo noche – **Comida** carta 4250 a 6500.

XX **Portonovo,** 10,5 km ☎ 307 01 73, Fax 307 02 86, 🌴, Cocina gallega – ▤ Ⓟ. AE ⓓ E VISA JCB. ✻
cerrado domingo noche – **Comida** carta 3395 a 5495.

XX **Los Remos,** 13 km ☎ 307 72 30, Fax 372 84 35, 🌴, Pescados y mariscos – ▤ Ⓟ. E VISA. ✻
cerrado domingo noche – **Comida** carta 4400 a 5400.

por la salida ⑧ : en Fuencarral : 9 km – ✉ 28034 Madrid – ☎ 91 :

XX **Casa Pedro,** Nuestra Señora de Valverde 119 ☎ 734 02 01, Fax 358 40 89, 🌴, Decoración castellana – ▤. AE ⓓ E VISA JCB. ✻
Comida carta 3250 a 4200.

por la salida ⑧ : 14,5 km – ✉ 28049 Madrid – ☎ 91 :

XX **El Mesón,** carret. M 607 ☎ 734 10 19, Fax 734 05 77, 🌴, Decoración rústica en una casa de campo castellana – ▤ Ⓟ. AE ⓓ E VISA
cerrado domingo noche – **Comida** carta 3500 a 5600.

Ver también : ***Barajas*** por ② : 14 km
Alcobendas por ① : 16 km.

S.A.F.E. Neumáticos MICHELIN, División Comercial, Dr. Esquerdo 157, ✉ 28007 JY ☎ 409 09 40, Fax 409 31 11

S.A.F.E. Neumáticos MICHELIN, Sucursal av. José Gárate 7, COSLADA por ② o ③, ✉ 28820 ☎ 671 80 11 y 673 00 12, Fax 671 91 14

MADRONA **40154** Segovia 442 J 17 alt. 1 088 – ☎ 921.
♦ Madrid 90 – ♦ Ávila 58 – ♦ Segovia 9.

Sotopalacio sin rest, Segovia 15 ☎ 48 51 00, Fax 48 52 24 – TV ☎. AE VISA. ✻
☕ 300 – **12 hab** 3500/6000.

El MADROÑAL Las Palmas – ver Canarias (Gran Canaria) : Santa Brígida.

MAGALUF Palma de Mallorca – ver Baleares (Mallorca).

MAGAZ **34220** Palencia 442 G 16 – 782 h. alt. 728 – ☎ 979.
♦ Madrid 237 – ♦ Burgos 79 – ♦ León 137 – Palencia 9 – ♦ Valladolid 49.

Europa Centro 🔇, (urb. Castillo de Magaz-carret de Palencia O : 1 km) ☎ 78 40 00, Fax 78 41 85, ← – 🛗 ▤ TV ☎ 🚗 Ⓟ – 🏛 25/500. AE ⓓ E VISA. ✻ rest
Comida 2900 – ☕ 1000 – **122 hab** 7300/10000.

MAHÓN Palma de Mallorca – ver Baleares (Menorca).

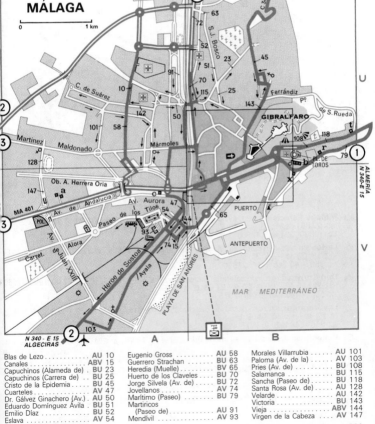

MAJADAHONDA 28220 Madrid 444 K 18 – 33 426 h. – ☎ 91

R.A.C.E. Gran Vía 17 2º B ✆ 639 14 14.

♦Madrid 18.

🏨 **Majadahonda Club,** El Carralero- carret. de Boadilla S : 1,5 km ✆ 634 02 56, Fax 634 01 29, 🎾, 🏊 – |🛗| ▤ 📺 ☎ 🚗 – 🏔 25/300. AE ⓓ E VISA. ✗
Comida 4500 – ☕ 750 – **41 hab** 14850/18700 – PA 9000.

✗ **Peñalba,** av. Doctor Calero ✆ 639 10 29 – ▤. AE VISA. ✗
cerrado domingo, miércoles noche y agosto – **Comida** carta 4200 a 5450.

✗ **Prost,** Mar Egeo - El Zoco ✆ 638 00 08, 🏖, Típica cervecería alemana – ▤. AE ⓓ VISA. ✗
cerrado domingo, lunes y festivos noche – **Comida** carta 2750 a 3750.

MÁLAGA 29000 P 446 V 16 – 534 683 h. – ☎ 95 – Playa. **Ver** : Gibralfaro : ≤★★ DY - Alcazaba★ (museo★) DY. **Alred.** : Finca de la Concepción★ 7 km por ④ – ⛳18 Club de Campo de Málaga por ② : 9 km ✆ 238 11 20 – ⛳9 de El Candado por ① : 5 km ✆ 229 46 66.

✈ de Málaga por ② : 9 km ✆ 224 00 00 – Iberia : Molina Larios 13, ✉ 29015, ✆ 221 37 31 CY y Aviaco : aeropuerto ✆ 223 08 63.

🚆 ✆ 231 13 96.

⛴ para Melilla : Cía. Trasmediterránea, Estación Marítima, ✉ 29016 CZ ✆ 222 43 93, Fax 222 48 83.

ℹ pasaje de Chinitas, 4 ✉ 29015, ✆ 221 34 45, y Aeropuerto Internacional ✉ 29006, ✆ 224 00 00 – R.A.C.E. Calderería 1, ✉ 29008, ✆ 221 42 60, Fax 238 77 42.

♦Madrid 548 ④ – Algeciras 133 ② – ♦Córdoba 175 ④ – ♦Sevilla 217 ④ – ♦Valencia 651 ④.

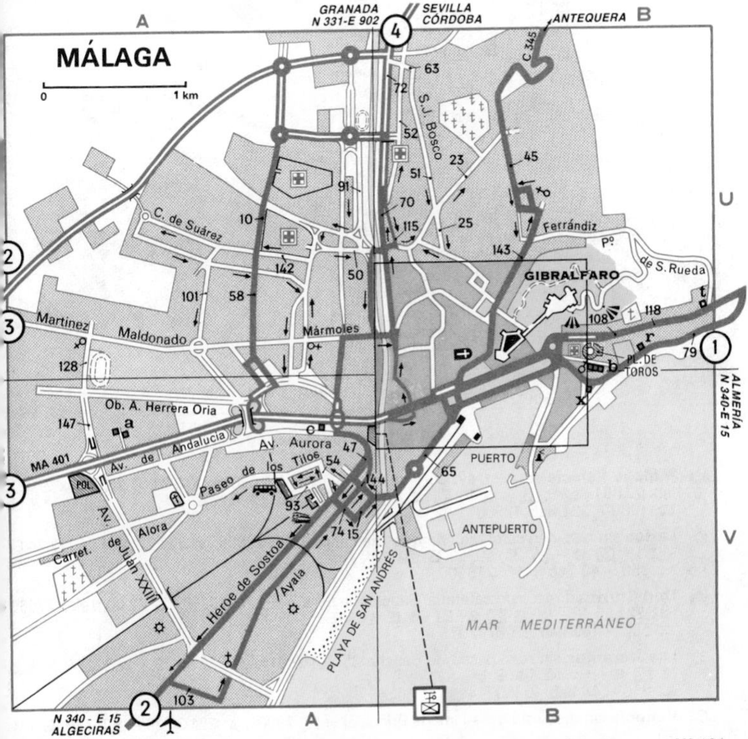

Blas de Lezo	AU	10
Canales	ABV	15
Capuchinos (Alameda de)	BU	23
Capuchinos (Carrera de)	BU	25
Cristo de la Epidemia	BU	45
Cuarteles	AV	47
Dr. Gálvez Ginachero (Av.)	AU	50
Eduardo Domínguez Ávila	BU	51
Emilio Díaz	BU	52
Eslava	AV	54
Eugenio Gross	AU	58
Guerrero Strachan	BU	63
Heredia (Muelle)	BV	65
Huerto de los Claveles	BU	70
Jorge Silvela (Av. de)	BU	72
Jovellanos	AV	74
Marítimo (Paseo)	BU	79
Martiricos (Paseo de)	AU	91
Mendívil	AV	93
Morales Villarrubia	AU	101
Paloma (Av. de la)	AV	103
Pries (Av. de)	BU	108
Salamanca	BU	115
Sancha (Paseo de)	BU	118
Santa Rosa (Av. de)	AU	128
Velarde	AU	142
Victoria	BU	143
Vieja	ABV	144
Virgen de la Cabeza	AV	147

MÁLAGA

Constitución . . . . CY 40
Granada . . . . CDY
Marqués de Larios . . . . . CYZ 84
Nueva . . . . CYZ
Santa Lucía . . . . CY 123

Aduana (Pl. de la) . . . . . . DY 2
Arriola (Pl. de la) . . . . CZ 5
Atocha (Pasillo) . . . . CZ 8
Calderena . . . . CY 13
Cánovas del Castillo (Pas.) . DZ 18
Cárcer . . . . CY 27
Casapalma . . . . CY 30
Colón (Alameda de) . . . . . . CZ 32
Comandante Benítez
(Av. del) . . . . CZ 35
Compañía . . . . CY 37
Cortina del Muelle . . . . CZ 42
Especerías . . . . CY 56
Frailes . . . . CDY 61
Huerto del Conde . . . . DY 67
Mariblanca . . . . CY 77
Martínez . . . . CZ 86
Molina Larios . . . . CYZ 95
Postigo de los Abades . . CDZ 10
Reding (Paseo de) . . . . . . DY 11
Santa Isabel (Pasillo de) . CYZ 12
Santa María . . . . CY 12
Sebastián Souvirón . . . . . CZ 13
Strachan . . . . CZ 13
Teatro (Pl. del) . . . . CY 13
Tejón y Rodríguez . . . . CY 13
Tetuán (Puente de) . . . . . . CZ 14

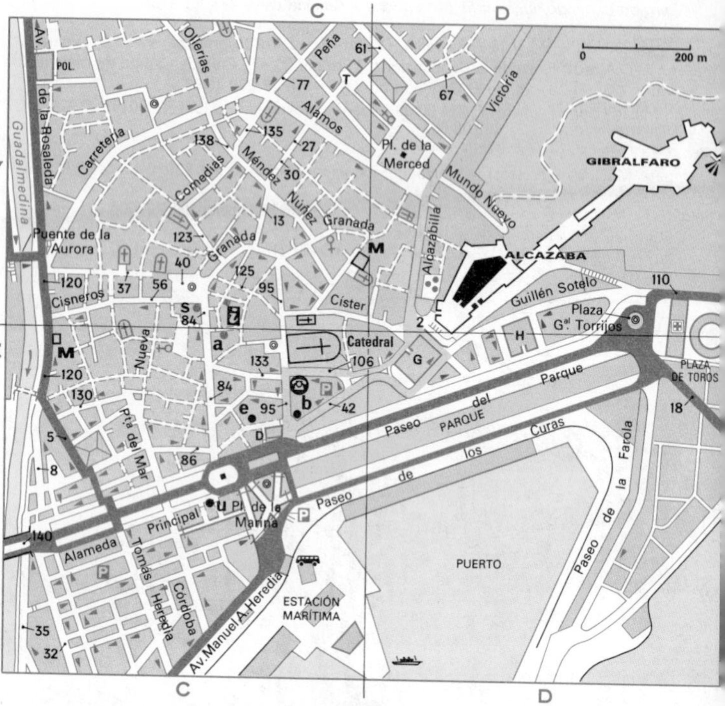

Málaga Palacio sin rest, av. Cortina del Muelle 1, ✉ 29015, ✆ 221 51 85, Telex 77021, Fax 221 51 85, ≤, ⛱ – |♦| ▤ TV ☎ – 🏃 25/300. AE ⊙ E VISA. ✂
☕ 1000 – **221 hab** 12500/17800. CZ **b**

Larios sin rest, con cafetería, Marqués de Larios 2, ✉ 29005, ✆ 222 22 00, Fax 222 24 07 – |♦| ▤ TV ☎ – 🏃 25/40. AE E VISA. ✂
☕ 950 – **40 hab** 11500/16500. CY **s**

Don Curro sin rest, con cafetería, Sancha de Lara 7, ✉ 29015, ✆ 222 72 00, Telex 77366, Fax 221 59 46 – |♦| ▤ TV ☎. AE ⊙ E VISA JCB
☕ 650 – **100 hab** 9600/12075. CZ **e**

Los Naranjos sin rest, paseo de Sancha 35, ✉ 29016, ✆ 222 43 19, Fax 222 59 75 – |♦| ▤ TV ☎ 🚗. AE ⊙ E VISA. ✂
☕ 850 – **40 hab** 10300/14100, 1 suite. BU **t**

Venecia sin rest y sin ☕, Alameda Principal 9, ✉ 29001, ✆ 221 36 36 – |♦| TV ☎. E VISA. ✂
40 hab 4500/6900. CZ **u**

XXX **Café de París,** Vélez Málaga 8, ✉ 29016, ✆ 222 50 43, Fax 260 38 64 – ▤. AE ⊙ E VISA JCB. ✂
cerrado domingo y del 1 al 15 de septiembre – **Comida** carta 3800 a 5900. BV **x**

XX **Adolfo,** paseo Marítimo Pablo Ruiz Picasso 12, ✉ 29016, ✆ 260 19 14 – ▤. AE E VISA. ✂
cerrado domingo – **Comida** carta 2850 a 3800. BU **r**

Calycanto, Maestranza 8, ✉ 29016, ☎ 221 22 22 – ▤. E VISA. ✖ BUV b
cerrado domingo en julio-agosto, domingo noche resto del año y 22 agosto-6 septiembre – **Comida** carta 2525 a 3100.

Refectorium, Cervantes 8, ✉ 29016, ☎ 221 89 90 – ▤. AE ⓓ E VISA. ✖ BUV b
cerrado del 15 al 30 de junio – **Comida** carta aprox. 4100.

Cueva del Camborio, av. de la Aurora 18, ✉ 29006, ☎ 234 78 16 – ▤. AE ⓓ E VISA. ✖ AV c
cerrado domingo y agosto – **Comida** carta aprox. 3200.

Huesca, Virgen de la Esperanza 21, ✉ 29007, ☎ 227 55 59 – ▤. AE ⓓ E VISA AV a
cerrado domingo y agosto – **Comida** carta 3000 a 4000.

El Chinitas, Moreno Monroy 4, ✉ 29015, ☎ 221 09 72, terraza – ▤. AE ⓓ E VISA. ✖ CYZ a
Comida carta 1950 a 3350.

en la playa de El Palo por ① : 6 km – ✉ 29017 Málaga – ☎ 95 :

Casa Pedro, Quitapenas 121 ☎ 229 00 13, ← – ‖ ▤. AE ⓓ E VISA. ✖
cerrado lunes noche – **Comida** carta 3425 a 4150.

Ver también : ***Torremolinos*** por ② : 14 km.

MALPARTIDA DE PLASENCIA

10680 Cáceres 444 M 11 – 4 234 h. alt. 467 – ☎ 927.
♦Madrid 237 – ♦Cáceres 91 – Plasencia 8.

Monfragüe, carret. C 511, SE : 1 km ☎ 40 48 81, Fax 40 40 73 – ▤ TV ☎ ⇐ P
40 hab.

Las Princesas, carret. C 511, SE : 1 km ☎ 45 91 00, Fax 45 92 13 – ▤ TV ☎ P. VISA. ✖
Comida 900 – ☕ 225 – **27 hab** 3800/6000 – PA 1700.

MALLORCA

Baleares – ver Baleares.

MANCHA REAL

23100 Jaén 446 S 19 – 8 409 h. alt. 760 – ☎ 953.
♦Madrid 355 – ♦Córdoba 118 – ♦Granada 92 – Jaén 19.

La Zambra, La Zambra 47 ☎ 35 11 93, Fax 35 11 93 – ‖ ▤ TV ☎
11 hab.

La MANGA DEL MAR MENOR

30370 Murcia 445 T 27 – ☎ 968 – Playa.

18, 18 La Manga SO : 11 km ☎ 56 45 11.

urb. Castillo de Mar - Torre Norte - San Javier ☎ 14 18 12, Fax 14 21 72 y Gran Vía km 2 ☎ 56 33 55.

♦Madrid 473 – Cartagena 34 – ♦Murcia 83.

Villas La Manga, Gran Vía de La Manga ☎ 14 52 22, Fax 14 52 22, piscina, tenis – ▤ TV ☎ P – 25/80. AE ⓓ E VISA. ✖
cerrado 10 enero-febrero – **Comida** 1500 – ☕ 500 – **60 hab** 9600/14200 – PA 3100.

Dos Mares sin rest y sin ☕, pl. Bohemia ☎ 14 00 93 – ▤ ☎. VISA. ✖
28 hab 4500/8000.

El Velero-Los Churrascos, Gran Vía La Manga - urb. los Snipes ☎ 14 05 07 – ▤. AE ⓓ E VISA
15 junio-15 septiembre – **Comida** carta aprox. 4300.

Borsalino, edificio Babilonia ☎ 56 31 30, ←, terraza, Cocina francesa – AE ⓓ E VISA
cerrado martes en invierno y 15 enero-16 febrero – **Comida** carta 3000 a 4600.

Arpón, Cala del Pino ☎ 14 09 76, Fax 14 01 47, terraza – ▤. AE ⓓ E VISA
cerrado domingo y lunes (en invierno) y noviembre – **Comida** carta 2450 a 4125.

San Remo, Hacienda Dos Mares ☎ 14 08 13, Fax 14 07 14, terraza – ▤. AE ⓓ E VISA. ✖
Comida carta 2300 a 3110.

Michel, edificio Babilonia ☎ 56 30 02, ←, terraza, Cocina francesa – E VISA
cerrado lunes y enero – **Comida** carta 2050 a 4550.

MANILVA

29691 Málaga 446 W 14 – 4 902 h. – ☎ 95 – Playa.
♦Madrid 643 – Algeciras 40 – ♦ Málaga 97 – Ronda 61.

en el Puerto de la Duquesa SE : 4 km – ✉ 29692 puerto de La Duquesa – ☎ 95 :

Macues, ☎ 289 03 39, ←, terraza – AE ⓓ E VISA. ✖
cerrado lunes y febrero – **Comida** carta 2450 a 4600.

en la carretera de Cádiz SE : 4,5 km – ✉ 29691 Manilva – ☎ 95 :

La Duquesa, ☎ 289 12 11, Fax 289 16 30, gimnasio, piscina, piscina cubierta, tenis, 18 – ‖ ▤ TV ☎ P
93 hab.

en Castillo La Duquesa SE : 4,8 km – ✉ 29691 Manilva – ☎ 95 :

Mesón del Castillo, pl. Mayor ☎ 289 07 66 – ▤. AE ⓓ E VISA. ✖
cerrado lunes y noviembre – **Comida** carta 2725 a 4650.

MANISES 46940 Valencia **445** N 28 – 24 453 h. – ✪ 96.

🚆 de Maníses, carret. de Ribaroja NO : 2,5 km 🖋 379 08 50.

🛫 de Valencia-Maníses, 🖋 154 60 15.

🚌 aeropuerto de Valencia, 🖋 152 14 52.

◆Madrid 346 – Castellón de la Plana/Castelló de la Plana 78 – Requena 64 – ◆Valencia 9,5.

🏨 **Sol Azafata,** autopista del aeropuerto 🖋 154 61 00, Telex 61451, Fax 153 20 19 – ▮♦▮ ▤
📺 ☎ 🚗 🅿 – 🔬 25/300. ⏏ 🔘 ⋿ 𝘷𝘪𝘴𝘢 𝗃𝗰𝗯, 𝕾 rest
Comida 2500 – 🖵 1000 – **126 hab** 8500/13500, 4 suites – PA 5100.

MANLLEU 08560 Barcelona **443** F 36 – 16 242 h. alt. 461 – ✪ 93.

◆Madrid 649 – ◆Barcelona 78 – Gerona/Girona 104 – Vich/Vic 9.

🏠 **Torres y Rest. Torres Petit,** passeig de Sant Joan 42 🖋 850 61 88, Fax 850 63 13 – ▤ rest
📺 ☎ ⋿ 𝘷𝘪𝘴𝘢, 𝕾
cerrado 15 diciembre-8 enero – **Comida** *(cerrado domingo)* carta 3200 a 6050 – 🖵 550
– **17 hab** 3600/5500.

✗ La Cabanya, Vía Ausetania 1 🖋 851 33 19, Mariscos – ▤. 𝗃𝗰𝗯.

MANRESA 08240 Barcelona **443** G 35 – 66 879 h. alt. 205 – ✪ 93.

🚌 pl. Major 1, 🖋 872 53 78, Fax 872 25 93.

◆Madrid 591 – ◆Barcelona 67 – ◆Lérida/Lleida 122 – ◆Perpignan 239 – Tarragona 115 – Sabadell 67.

🏨 **Pere III,** Muralla Sant Francesc 49 🖋 872 40 00, Fax 875 05 06 – ▮♦▮ ▤ 📺 ☎ 🅿 –
🔬 25/600. ⋿ 𝘷𝘪𝘴𝘢, 𝕾 rest
Comida 1700 – 🖵 500 – **113 hab** 7000/9000.

✗✗ **La Cuina,** Alfons XII - 18 🖋 872 89 69 – ▤. ⏏ 🔘 ⋿ 𝘷𝘪𝘴𝘢. 𝕾
cerrado jueves – **Comida** carta 3000 a 4500.

✗✗ Aligué, carret. de Vic-barriada El Guix 8 🖋 873 25 62 – ▤ 🅿.

MANZANARES 13200 Ciudad Real **444** O 19 – 18 326 h. alt. 645 – ✪ 926.

◆Madrid 173 – Alcázar de San Juan 63 – Ciudad Real 52 – Jaén 159.

🏨 **Parador de Manzanares,** autovía N IV 🖋 61 04 00, Fax 61 09 35, ⊼ – ▮♦▮ ▤ 📺 ☎ 🚗
🅿 – 🔬 25/300. ⏏ 🔘 ⋿ 𝘷𝘪𝘴𝘢. 𝕾
Comida 2800 – 🖵 1000 – **50 hab** 9500 – PA 5610.

🏨 El Cruce, autovía N IV 🖋 61 19 00, Fax 61 19 12, 🌤, « Amplío jardín con césped y ⊼ »
– ▤ 📺 ☎ 🅿 – 🔬 25/200
37 hab.

🏠 **Manzanares** sin rest, autovía N IV 🖋 61 08 00, ⊼ – ▤ 📺 🅿. ⏏ 🔘 ⋿ 𝘷𝘪𝘴𝘢. 𝕾
🖵 300 – **23 hab** 3360/4800.

MANZANARES EL REAL 28410 Madrid **444** J 18 – 2 334 h. alt. 908 – ✪ 91.

Ver : Castillo★.

◆Madrid 53 – Ávila 85 – El Escorial 34 – ◆Segovia 51.

🏨 **Parque Real,** Padre Damián 4 🖋 853 99 12, Fax 853 99 60, 🌤 – ▮♦▮ ▤ 📺 ☎ 🚗 –
🔬 25/100. ⏏ 🔘 ⋿ 𝘷𝘪𝘴𝘢. 𝕾
cerrado del 5 al 30 de diciembre – **Comida** 2250 – 🖵 650 – **24 hab** 6000/8000 – PA 4800.

✗ Taurina, pl. Generalísimo 8 🖋 853 07 73 – ▤
Comida (sólo almuerzo).

MANZANERA 44420 Teruel **445** L 27 – 465 h. alt. 700 – ✪ 978 – Balneario.

◆Madrid 352 – Teruel 51 – ◆Valencia 120.

en la carretera de Abejuela SO : 4 km – ✉ 44420 Manzanera – ✪ 978 :

🏠 **Baln. El Paraíso** ⊚, 🖋 78 18 18, Telex 62025, Fax 78 18 18, ⊼, 𝕾 – 🅿. ⋿ 𝘷𝘪𝘴𝘢. 𝕾
junio-septiembre – **Comida** 2000 – 🖵 550 – **64 hab** 5100/7800.

MAÓ Palma de Mallorca – ver Baleares (Menorca) : Mahón.

MARANGES o MERANGES 17539 Gerona **443** E 35 – 61 h. – ✪ 972.

◆Madrid 652 – Gerona/Girona 166 – Puigcerdá 18 – Seo de Urgel/La Seu d'Urgell 50.

✗ **Can Borrell** ⊚ con hab, Retorn 3 🖋 88 00 33, Fax 88 01 44, ≤, 🌤, Cocina catalana,
Decoración rústica, « En un típico pueblo de montaña » – 🅿. ⋿ 𝘷𝘪𝘴𝘢. 𝕾
cerrado enero-marzo salvo fines de semana – **Comida** *(cerrado lunes noche y martes en invierno)* carta 2900 a 4350 – 🖵 650 – **8 hab** 6000/8000.

MARBELLA **29600** Málaga 446 W 15 – 84 410 h. – ☎ 95 – Playa.

Río Real-Los Monteros por ① : 5 km ✆ 277 37 76 – Nueva Andalucía por ② : 5 km ✆ 278 72 00 – Aloha Golf, urb.Aloha por ② : 8 km ✆ 281 23 88 – Golf Las Brisas, Nueva Andalucía por ② : 11 km ✆ 281 08 75.

glorieta de la Fontanilla ✆ 277 14 42, Fax 277 94 57.

♦Madrid 602 ① – Algeciras 77 ② – ♦Cádiz 201 ② – ♦Málaga 56 ①.

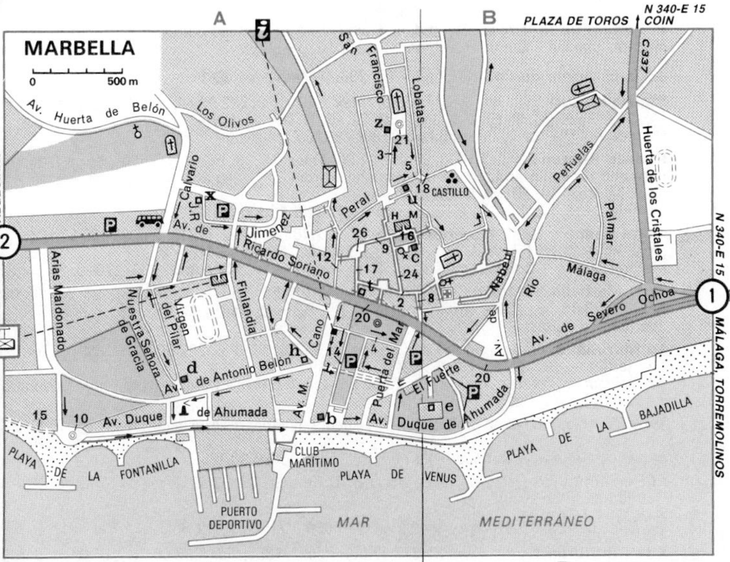

Alameda	A 2	Ancha	A 3	Mar (Av. del)	A 14
Huerta Chica	A 12	Carlos Mackintosch	A 4	Marítimo (Pas.)	A 15
Naranjos (Pl. de los)	A 16	Chorrón	A 5	Portada	B 18
Pedraza	A 17	Enrique del Castillo	AB 8	Ramón y Cajal (Av.)	AB 20
Victoria (Pl.)	A 26	Estación	A 9	Santo Cristo (Pl. de)	A 21
		Fontanilla (Glorieta)	A 10	Valdés	A 24

Meliá Don Pepe y Grill La Farola, José Meliá ✆ 277 03 00, Telex 77055, Fax 277 99 54, ≤ mar y montaña, « Césped con vegetación subtropical », – 25/400. AE ⓓ E VISA JCB. por ②
Comida carta 6060 a 7400 – 2200 – **182 hab** 23000/34500, 18 suites – PA 10100.

El Fuerte, av. del Fuerte ✆ 286 15 00, Telex 77523, Fax 282 44 11, ≤, « Terrazas con jardín y palmeras », – 25/600. AE ⓓ E VISA. rest AB **e**
Comida 3400 – 1300 – **244 hab** 9800/13800, 19 suites – PA 6480.

Marbella Inn sin rest, con cafetería, Jacinto Benavente, bloque 6 ✆ 282 54 87, Fax 282 54 87, Climatizada – AE ⓓ E VISA. A **x**
530 – **40 apartamentos** 8250/10300.

San Cristóbal, Ramón y Cajal 3 ✆ 277 12 50, Telex 77712, Fax 286 20 44 – AE E VISA. rest A **t**
Comida 1625 – 525 – **97 hab** 6600/9300 – PA 3300.

Lima sin rest, av. Antonio Belón 2 ✆ 277 05 00, Fax 286 30 91 – AE ⓓ E VISA. A **h**
450 – **64 hab** 6360/7950.

XXX ✿ **La Fonda,** pl. Santo Cristo 10 ✆ 277 25 12, « Patio andaluz » – AE ⓓ E VISA.
cerrado domingo – **Comida** (sólo cena) carta 5225 a 6200 A **z**
Espec. Crema de lentejas, Mero al azafrán con arroz salvaje, Emincé de ternera al estragón con rusty.

XX **Santiago,** av. Duque de Ahumada 5 ✆ 277 43 39, Fax 282 45 03, Pescados y mariscos – AE ⓓ E VISA JCB. A **b**
cerrado noviembre – **Comida** carta 3700 a 5050.

XX **Triana,** Gloria 11 ✆ 277 99 62, Especialidad en arroces – AE ⓓ E VISA.
cerrado lunes y 10 enero-febrero – **Comida** (sólo cena en agosto) carta 3250 a 4350.

XX **Cenicienta,** av. Cánovas del Castillo 52 (circunvalación) ✆ 277 43 18, – AE E VISA
Comida (sólo cena) carta aprox. 4150. por ②

XX **Hostería del Mar,** av. Cánovas del Castillo 1A ☎ 277 02 18, « Terraza » – AE VISA.
cerrado domingo – **Comida** carta 2950 a 3450. por ②

XX **Mena,** pl. de los Naranjos 10 ☎ 277 15 97, – AE E VISA. A c
marzo-noviembre – **Comida** carta 3450 a 4700.

X **Mamma Angela,** Virgen del Pilar 26 ☎ 277 68 99, Cocina italiana – . A d
cerrado martes (salvo en verano) y 15 noviembre-15 diciembre – **Comida** (sólo cena) carta 2425 a 3100.

X **El Balcón de la Virgen,** Remedios 2 ☎ 277 60 92, Edificio del siglo XVI – AE E VISA
cerrado martes – **Comida** (sólo cena) carta 1620 a 2885. A u

en la carretera de Cádiz por ② – ✉ 29600 Marbella – 95 :

Marbella Club, 3 km ☎ 277 13 00, Telex 77319, Fax 282 98 84, climatizada, – 25/180. AE E VISA JCB.
Comida 6000 – 2200 – **66 hab** 27800/39100, 24 suites.

Puente Romano, 3,5 km ☎ 277 01 00, Telex 77399, Fax 277 57 66, « Elegante conjunto de estilo andaluz en un magnífico jardín », climatizada, – 25/170. AE E VISA.
Comida carta 4150 a 6250 – 1700 – **217 hab** 26000/35500.

Coral Beach y Rest. Florencia, 5 km ☎ 282 45 00, Telex 79816, Fax 282 62 57, – 25/300. AE E VISA.
marzo-octubre – **Comida** (sólo cena) 4000 – 1750 – **148 hab** 22000/27000, 22 suites.

Tryp Marbella Dinamar Club 24, 6 km, ✉ 29660 Nueva Andalucía, ☎ 281 05 00, Fax 281 23 46, « Jardín con », – 25/150
106 hab, 10 suites.

XXXX **La Meridiana,** camino de la Cruz 3,5 km ☎ 277 61 90, Fax 282 60 24, « Terraza con jardín » – . AE E VISA
cerrado lunes, martes mediodía y 15 enero- 15 febrero – **Comida** (sólo cena en verano) carta 5100 a 7200.

XXX **Villa Tiberio,** 2,5 km ☎ 277 17 99, Cocina italiana, « Terraza-jardín » – . AE E VISA.
cerrado domingo – **Comida** (sólo cena) carta 4200 a 5300.

XX **El Portalón,** 3 km ☎ 282 78 80, Fax 286 10 75 – . AE E VISA.
Comida carta aprox. 4500.

en la carretera de Málaga por ① – ✉ 29600 Marbella – 95 :

Los Monteros, 5,5 km ☎ 277 17 00, Telex 77059, Fax 282 58 46, « Jardín subtropical », 18 – 25/80. AE E VISA.
El Corzo (sólo cena) **Comida** carta 4900 a 6700 – **160 hab** 25000/32000, 9 suites.

Don Carlos y Rest. Los Naranjos, 10 km ☎ 283 11 40, Telex 77481, Fax 283 34 29, « Amplio jardín », climatizada, – 25/1200. AE E VISA JCB.
Comida carta 4675 a 7400 – 1900 – **223 hab** 23500/30000, 15 suites.

Artola sin rest, 12,5 km ☎ 283 13 90, Fax 283 04 50, « En un campo de golf », 9 – . AE E VISA
600 – **29 hab** 7000/10000, 2 suites.

XXX **La Hacienda,** 11,5 km y desvío 1,5 km ☎ 283 12 67, Fax 283 33 28, « Decoración rústica - Patio » – . AE E VISA JCB
cerrado lunes (salvo agosto), martes (salvo julio y agosto) y 15 noviembre-18 diciembre – **Comida** (sólo cena julio y agosto) carta 5080 a 6680.

XX **Las Banderas,** 9,5 km y desvío 0,5 km ☎ 283 18 19, – AE E VISA
cerrado miércoles – **Comida** carta 2000 a 3100.

X **La Reserva Dos Pinos,** urb. Los Pinos, 8 km ☎ 283 87 93, – . AE E VISA.
cerrado lunes – **Comida** carta aprox. 3600.

X **La Hostería,** 8 km ☎ 283 11 35, – . E VISA.
cerrado martes y febrero – **Comida** carta 2225 a 3500.

Ver también : ***Puerto Banús*** por ② : 8 km
San Pedro de Alcántara por ② : 13 km.

MARENY DE VILCHES 46408 Valencia 445 O 29 – 96 – Playa.

♦Madrid 375 – ♦Alicante/Alacant 145 – ♦Valencia 27.

Ariane, Mediterráneo 73 - playa ☎ 176 07 16, – . E VISA
mayo-septiembre – **Comida** 1935 – 485 – **48 hab** 3145/6290 – PA 3705.

MARGOLLES 33547 Asturias 441 B 14 – 98.

♦ Madrid 491 – Gijón 80 – ♦ Oviedo 73 – Ribadesella 11.

La Tiendona, carret. N 634 ☎ 584 04 74, Fax 584 13 16, « Casona del siglo XIX » – . E VISA.
Comida 1600 – 600 – **18 hab** 6000/8000 – PA 3800.

La MARINA o **La MARINA DEL PINET** 03194 Alicante 445 R 28 – ✪ 96 – Playa.
◆Madrid 437 – ◆Alicante/Alacant 31 – Cartagena 79 – ◆Murcia 57.

🏠 **Marina** sin rest, con cafetería, av. de la Alegría 30 ℘ 541 94 50, Fax 541 94 25 – 🛗 📺 ☎.
ΑΕ ⓪ Ε 𝘝𝘐𝘚𝘈 𝗝𝗖𝗕. ⫣⫣
⫥ 375 – **20 hab** 2500/4500.

MARKINA - XEMEIN Vizcaya – ver Marquina.

MARMOLEJO 23770 Jaén 446 R 17 – 7 239 h. alt. 245 – ✪ 953 – Balneario.
◆Madrid 331 – Andújar 10 – ◆Córdoba 71 – Jaén 76.

🏨 **G. H. Confortel Marmolejo** ⫸, Calvario 101 ℘ 54 00 00, Fax 54 06 50, ≤, 🌳, ⊿, 🌳
– 🛗 🍴 🅿 – 🔬 25/60. ΑΕ ⓪ 𝘝𝘐𝘚𝘈. ⫣⫣ rest
Comida 1600 – ⫥ 550 – **54 hab** 6600/8250.

MARQUINA o **MARKINA - XEMEIN** 48270 Vizcaya 442 C 22 – 4 847 h. alt. 85 – ✪ 94.
Alred. : Balcón de Vizcaya★★ SO : 15 km.
◆Madrid 443 – ◆Bilbao/Bilbo 50 – ◆San Sebastián/Donostia 58 – ◆Vitoria/Gasteiz 60.

✕✕ **Itsas-Lur,** San Agustín 4 ℘ 616 78 09, Decoración regional – 🍴. ΑΕ ⓪ Ε 𝘝𝘐𝘚𝘈. ⫣⫣
Comida carta aprox. 3500.

MARTINET 25724 Lérida 443 E 35 alt. 980 – ✪ 973.
◆Madrid 626 – ◆Lérida/Lleida 157 – Puigcerdá 26 – Seo de Urgel/La Seu d'Urgell 24.

✕✕✕ **Boix** con hab, carret N 260 ℘ 51 50 50, Fax 51 50 65, 🌳, ⊿, 🌳 – 🛗 🍴 rest 📺 ☎ 🅿.
ΑΕ ⓪ Ε 𝘝𝘐𝘚𝘈
Comida carta aprox. 4200 – **26 hab** ⫥ 8000/10000, 8 suites.

MARTORELL 08760 Barcelona 443 H 35 – 16 793 h. – ✪ 93.
◆Madrid 598 – ◆Barcelona 32 – Manresa 37 – ◆Lérida/Lleida 141 – Tarragona 80.

✕ **Manel** con hab, Pedro Puig 74 ℘ 775 23 87, Fax 775 23 87 – 🛗 🍴 rest 📺 ☎ 🚗 –
🔬 25/35. ΑΕ ⓪ Ε 𝘝𝘐𝘚𝘈
Comida carta 3050 a 5750 – ⫥ 800 – **29 hab** 6600/7590 – PA 4240.

en la urbanización Can Amat-por la carretera N II NO : 6 km – ✉ 08760 Martorell – ✪ 93 :

✕✕ **Paradis Can Amat,** ℘ 771 40 27, Fax 771 47 03 – 🍴 🅿. ΑΕ ⓪ 𝘝𝘐𝘚𝘈. ⫣⫣
Comida carta 2200 a 4100.

MASCA Santa Cruz de Tenerife – ver Canarias (Tenerife).

MASIAS DE VOLTREGÁ o **Les MASIES DE VOLTREGÁ** 08519 Barcelona 443 F 36 –
2 423 h. – ✪ 93.
◆Madrid 649 – ◆Barcelona 78 – Gerona/Girona 104 – Vich/Vic 12.

✕ **Cal Peyu,** carret. N 152 ℘ 850 25 35 – 🍴 🅿. ΑΕ ⓪ Ε 𝘝𝘐𝘚𝘈. ⫣⫣
cerrado martes noche, miércoles, y del 1 al 15 de agosto – **Comida** carta 2000 a 3500.

MAS NOU (Urbanización) Gerona – ver Playa de Aro.

MASPALOMAS Las Palmas – ver Canarias (Gran Canaria).

La MASSANA Andorra – ver Andorra (Principado de).

MASSANET DE CABRENYS o **MAÇANET DE CABRENYS** 17720 Gerona 443 E 38 –
690 h. – ✪ 972.
◆Madrid 769 – Figueras/Figueres 28 – Gerona/Girona 62.

🏠 **Els Caçadors** ⫸, urb. Casanova ℘ 54 41 36, ≤, ⊿, 🌳, ✕ – 🛗 🍴 rest 📺 🅿. Ε 𝘝𝘐𝘚𝘈. ⫣⫣
Comida 1650 – ⫥ 650 – **18 hab** 4000/8000 – PA 3950.

🏠 **Pirineos** ⫸, Burriana 10 ℘ 54 40 00 – 🅿. Ε 𝘝𝘐𝘚𝘈. ⫣⫣ rest
cerrado 9 enero-26 febrero – **Comida** *(cerrado domingo noche)* 1100 – ⫥ 400 – **30 hab**
3000/6000.

Les hôtels ou restaurants agréables
sont indiqués dans le guide par un signe rouge.

Aidez-nous en nous signalant les maisons où,
par expérience, vous savez qu'il fait bon vivre.

Votre guide Michelin sera encore meilleur.

🏰🏰🏰 ⋯ 🏠

✕✕✕✕✕ ⋯ ✕

MATADEPERA **08230** Barcelona 443 H 36 – 4 734 h. – ☎ 93.

♦Madrid 617 – ♦Barcelona 32 – ♦Lérida/Lleida 160 – Manresa 38.

🏠 Matadepera, pl. Alfons Sala ✆ 787 01 25 – ▤ rest
15 hab.

XX **El Celler,** Gaudí 2 ✆ 787 08 57, Fax 730 06 79 – ▤. AE E VISA
cerrado domingo noche, 1ª semana de agosto y del 15 al 30 de noviembre – **Comida** carta 3200 a 4700.

en Plà de Sant Llorenç N : 2,5 km – ✉ 08230 Matadepera – ☎ 93 :

XX **Masía Can Solà del Plà,** ✆ 787 08 07, Fax 730 03 12, Espec. en bacalaos – ▤ Ⓟ. AE E VISA JCB. ✗
cerrado martes y agosto – **Comida** carta 2875 a 3525.

MATAELPINO **28492** Madrid 444 J 18 – ☎ 91.

♦Madrid 51 – ♦Segovia 43.

XX **Azaya,** Muñoz Grandes 7 ✆ 857 33 95, ≤, 🏞 – Ⓟ. ⓓ E VISA. ✗
Comida carta 3400 a 5050.

MATAGORDA (Urbanización) Las Palmas – ver Canarias (Lanzarote) : Puerto del Carmen.

MATALEBRERAS **42113** Soria 442 G 23 – 119 h. alt. 1 200 – ☎ 975.

♦Madrid 262 – ♦Logroño 134 – ♦Pamplona/Iruñea 133 – Soria 36 – ♦Zaragoza 122.

🏠 **Mari Carmen,** carret. N 122 ✆ 38 30 68, Fax 64 67 24 – ▤ rest Ⓟ. ⓓ E VISA. ✗
Comida 1470 – ☕ 475 – **30 hab** 2750/3850 – PA 3415.

MATAMOROSA **39200** Cantabria 442 D 17 – ☎ 942.

♦Madrid 346 – Aguilar de Campóo 31 – Reinosa 3 – ♦Santander 71.

X **Mesón Las Lanzas,** Real 85 ✆ 75 19 57, Fax 75 53 43 – Ⓟ. AE ⓓ E VISA. ✗
Comida carta 2825 a 3750.

MATARÓ **08300** Barcelona 443 H 37 – 101 479 h. – ☎ 93 – Playa.

ℹ Parc Central, ✉ 08304, ✆ 799 03 55, Fax 757 76 35.

♦Madrid 661 – ♦Barcelona 28 – Gerona/Girona 72 – Sabadell 47.

🏨 **NH Ciutat de Mataró,** Camí Real 648, ✉ 08302, ✆ 757 55 22, Fax 757 57 26 – |‡| ▤ TV ☎ ♿ 🚗 – 🏛 25/600. AE ⓓ E VISA. ✗
Comida 2500 – ☕ 900 – **105 hab** 9500/11850 – PA 5900.

🏨 **Colón** sin rest, con cafetería, Colón 6, ✉ 08301, ✆ 790 58 04, Fax 790 62 86 – |‡| ▤ TV ☎. AE ⓓ E VISA
☕ 720 – **52 hab** 5500/8250.

XX **El Nou Cents,** Torrent 21, ✉ 08302, ✆ 799 37 51 – ▤. AE ⓓ E VISA
cerrado domingo y del 1 al 25 de agosto – **Comida** carta 3250 a 4600.

X **Gumer's,** Nou de les Caputxines 10, ✉ 08301, ✆ 796 23 61 – ▤. E VISA. ✗
cerrado domingo noche, lunes y del 1 al 21 de agosto – **Comida** carta 3325 a 4600.

MAYORGA **47680** Valladolid 442 F 14 – 1 501 h. – ☎ 983.

♦Madrid 259 – ♦León 58 – Palencia 70 – ♦Valladolid 77.

🏠 **Madrileño,** carret. N 601 ✆ 75 10 39 – Ⓟ. AE E VISA. ✗
Comida 1000 – ☕ 300 – **15 hab** 2000/4000 – PA 1950.

MAZAGÓN **21130** Huelva 446 U 9 – ☎ 959 – Playa.

ℹ av. de los Descubridores ✆ 37 63 00.

♦Madrid 638 – Huelva 23 – ♦Sevilla 102.

por la carretera de Matalascañas – ✉ 21130 Mazagón – ☎ 959 :

🏨 **Parador de Mazagón** 🌙, SE : 6,5 km ✆ 53 63 00, Fax 53 62 28, ≤ mar, « Jardín con 🏊 », 🎾 – ▤ TV ☎ Ⓟ – 🏛 25/180. AE ⓓ E VISA. ✗
Comida 3200 – ☕ 1100 – **43 hab** 15000 – PA 6375.

🏨 **Albaida,** SE : 1km ✆ 37 60 29, Fax 37 61 08 – ▤ TV ☎ Ⓟ – 🏛 25/45. AE ⓓ E VISA JCB. ✗
Comida 1750 – ☕ 450 – **24 hab** 5000/6800 – PA 3500.

EL MÉDANO Santa Cruz de Tenerife – ver Canarias (Tenerife).

MEDINACELI 42240 Soria [442] I 22 - 775 h. alt. 1 201 - ☎ 975.

♦Madrid 154 - Soria 76 - ♦Zaragoza 178.

✗ **Arco Romano y Resid. Medinaceli** ⛰ con hab y sin ☕, Portillo 1 ℘ 32 61 30, ≤ - E VISA. 🐕
cerrado noviembre - **Comida** *(cerrado lunes)* carta 2100 a 3500 - **7 hab** 3000/4500.

✗ **Las Llaves,** pl. Mayor 13 ℘ 32 63 51, Decoración rústica - AE E VISA. 🐕
cerrado 15 enero- 15 febrero, lunes, domingo noche (abril-octubre) y martes (noviembre-marzo) - **Comida** (cenas con reserva en invierno) carta 2425 a 3650.

en la antígua carretera N II SE : 3,5 km - ✉ 42240 Medinaceli - ☎ 975 :

🏨 **Nico-H. 70,** ℘ 32 60 11, Fax 32 60 52, 🏊 - TV ☎ 🚗 P. AE ⓓ E VISA. 🐕
Comida 2000 - ☕ 500 - **22 hab** 5800/7500 - PA 3800.

🏨 **Duque de Medinaceli,** ℘ 32 61 11, Fax 32 64 72 - TV ☎ 🚗. AE ⓓ E VISA. 🐕
Comida 1550 - ☕ 300 - **12 hab** 3200/6100 - PA 3300.

MEDINA DEL CAMPO 47400 Valladolid [442] I 15 - 20 499 h. alt. 721 - ☎ 983.

Ver : Castillo de la Mota★.

ℹ pl. Mayor 1 ℘ 80 48 17.

♦Madrid 154 - ♦Salamanca 81 - ♦Valladolid 43.

🏨 **La Mota** sin rest y sin ☕, Fernando el Católico 4 ℘ 80 04 50, Fax 80 36 30 - |♦| TV ☎ P. AE E VISA
40 hab 3400/5000.

🏨 **El Orensano,** Claudio Moyano 20 ℘ 80 03 41 - 🚗. E VISA. 🐕
Comida 1000 - ☕ 250 - **24 hab** 2500/3500.

✗✗ Don Pepe, Claudio Moyano 1 ℘ 80 18 95, 🏖 - ▤.

✗✗ **Mónaco,** pl. de España 26 ℘ 81 02 95 - ▤. E VISA
Comida carta 2600 a 3950.

MEDINA DE POMAR 09500 Burgos [442] D 19 - 5 584 h. - ☎ 947.

♦Madrid 329 - ♦Bilbao/Bilbo 81 - ♦Burgos 86 - ♦Santander 108.

✗ **San Francisco,** Juan de Ortega 3 ℘ 19 09 33 - 🐕
cerrado lunes noche y 22 diciembre-26 enero - **Comida** carta aprox. 3200.

✗ **El Olvido,** av. de Burgos ℘ 19 00 01 - ▤ P. E VISA. 🐕
cerrado octubre - **Comida** carta aprox. 3100.

MEDINA DE RIOSECO 47800 Valladolid [442] G 14 - 4 945 h. alt. 735 - ☎ 983.

Ver : Iglesia de Santa María (capilla de los Benavente★).

♦Madrid 223 - ♦León 94 - Palencia 50 - ♦Valladolid 41 - Zamora 80.

✗✗ **La Rua,** San Juan 25 ℘ 70 05 19, 🏖 - ▤. AE ⓓ E VISA. 🐕
cerrado jueves noche y septiembre - **Comida** carta 2200 a 3000.

MEDINA SIDONIA 11012 Cádiz [446] W 12 - 15 877 h. alt. 304 - ☎ 956.

♦Madrid 620 - Algeciras 73 - Arcos de la Frontera 42 - ♦Cádiz 42 - Jerez de la Frontera 37.

en la carretera C 346 S : 4 km - ✉ 11012 Medina Sidonia - ☎ 956 :

✗ **Medina Park** con hab, ℘ 41 21 03 - ▤ TV ☎. AE ⓓ E VISA JCB. 🐕
Comida carta 1950 a 3200 - **5 hab** 3500/5500.

Las MELEGUINAS Las Palmas - ver Canarias (Gran Canaria) : Santa Brígida.

MELILLA 29800 [959] ⑥ y ⑪ - 63 670 h. - ☎ 95 - Playa.

Ver : Ciudad vieja★ : Terraza Museo Municipal ✳★.

✈ de Melilla, carret. de Yasinen por av. de la Duquesa Victoria 4 km AY ℘ 267 81 40 - Iberia : Cándido Lobera 2 ℘ 268 15 07.

⛴ para Almería y Málaga : Cía. Trasmediterránea : General Marina 1 ℘ 268 19 18, Telex 77084 AY.

ℹ av. General Aizpuru 20, ✉ 29804, ℘ 267 40 13 - R.A.C.E. Pablo Vallescá 8 - 2º edificio Ánfora ℘ 268 17 13 Fax 268 17 13.

Plano página siguiente

🏨 **Parador de Melilla** ⛰, av. Cándido Lobera, ✉ 29801, ℘ 268 49 40, Fax 268 34 86, ≤, 🏊, 🌳 - |♦| ▤ TV ☎ P. AE ⓓ E VISA. 🐕 AY **a**
Comida 3500 - ☕ 1100 - **40 hab** 13000 - PA 6885.

🏨 **Rusadir,** Pablo Vallescá 5, ✉ 29801, ℘ 268 12 40, Fax 267 05 27 - |♦| ▤ TV ☎ - 🎤 25/100. AE ⓓ E VISA AY **e**
Comida 1800 - ☕ 675 - **35 hab** 10960/13700 - PA 3715.

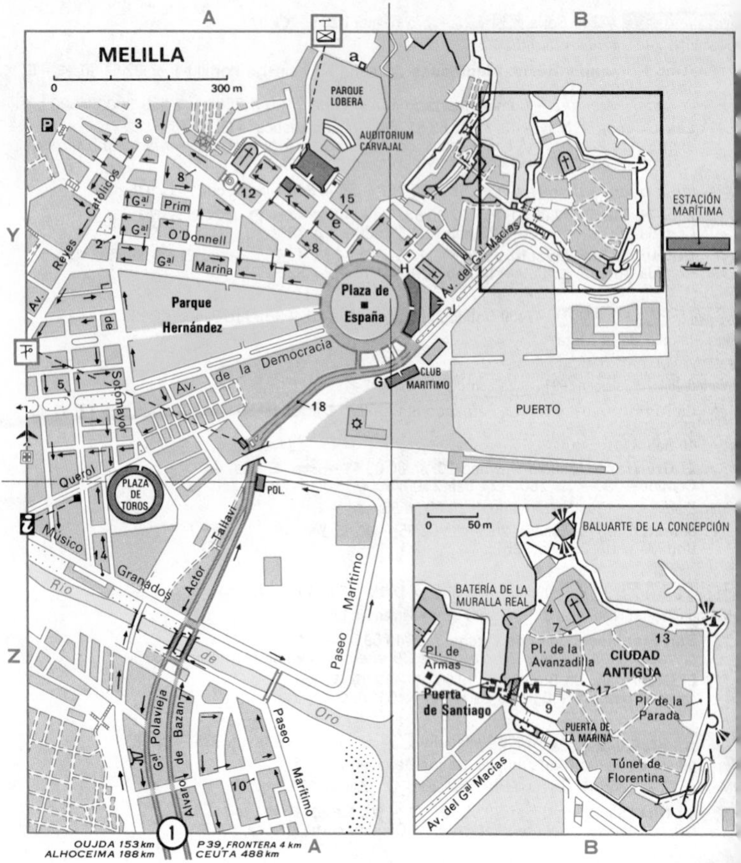

Juan Carlos I, Rey (Av. de) .... AY 8	Concepción .... BZ 4	Menéndez y Pelayo (Pl.) ... AY 1
	Duquesa Victoria .... AY 5	Miguel Acosta .... BZ 1
	Iglesia .... BZ 7	Pablo Vallescá .... AY 1
Castillejos .... AY 2	Maestranza (Pl. de la) .... BZ 9	San Miguel .... BZ 1
Comandante Benitez (Pl.) ... AY 3	Marqués de Montémar ... AZ 10	Tte. Gen. Garcia-Valiño .... AY 1

X Granada, Marqués de Montemar 36, ✉ 29806, ☏ 267 30 26 – ▤
por Av. Marqués de Montemar AZ

X Los Salazones, Conde Alcaudete 15, ✉ 29806, ☏ 267 36 52, Fax 267 15 15, Pescados mariscos – ▤
por Av. Marqués de Montemar AZ

X **Mesón La Choza,** av. Alférez Guerrero Romero, ✉ 29806, ☏ 268 16 29, Carnes – ▤. AE E VISA. ✱
por av. General Mola AY
cerrado martes y 22 julio- 22 agosto – **Comida** carta 2305 a 3210.

MENORCA Palma de Mallorca – ver Baleares.

MERANGES Gerona – ver Maranges.

SES MERAVELLES Palma de Mallorca – ver Baleares (Mallorca) : Palma de Mallorca.

ES MERCADAL Palma de Mallorca – ver Baleares (Menorca).

MÉRIDA **06800** Badajoz 444 P 10 Y 11 – 51 135 h. alt. 221 – ☎ 924.

Ver : Mérida romana★★ : Museo Nacional de Arte Romano★★, Mosaicos★, BYZ **M1** – Teatr romano★★ BZ – Anfiteatro romano★ BZ – Puente romano★ BZ.

ℹ Pedro María Plano ☏ 31 53 53.

♦Madrid 347 ② – ♦Badajoz 62 ③ – ♦Cáceres 71 ① – Ciudad Real 252 ② – ♦Córdoba 254 ③ – ♦Sevilla 194 ③

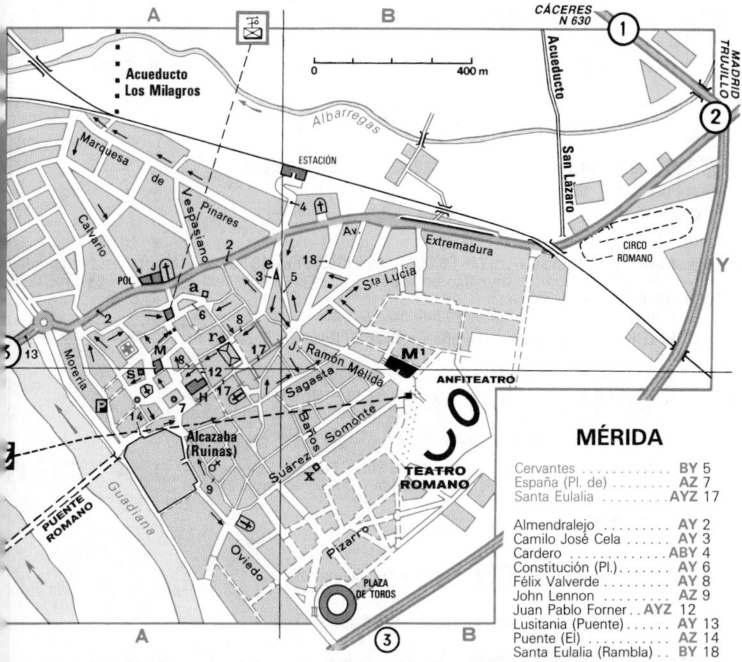

MÉRIDA

Cervantes . . . . BY 5
España (Pl. de) . . . . AZ 7
Santa Eulalia . . . . AYZ 17

Almendralejo . . . . AY 2
Camilo José Cela . . . . . . AY 3
Cardero . . . . ABY 4
Constitución (Pl.) . . . . . . AY 6
Félix Valverde . . . . AY 8
John Lennon . . . . AZ 9
Juan Pablo Forner . . AYZ 12
Lusitania (Puente) . . . . . . AY 13
Puente (El) . . . . AZ 14
Santa Eulalia (Rambla) . . BY 18

Parador de Mérida, pl. de la Constitución 3 ☎ 31 38 00, Fax 31 92 08, « Instalado en un antiguo convento », – ‖ ▤ TV ☎ – 🅿 – 25/150. AE ⓓ E VISA. ✻ AY **a**
Comida 3500 – ☕ 1200 – **80 hab** 16000, 2 suites – PA 6970.

Nova Roma, Suárez Somonte 42 ☎ 31 12 61, Fax 30 01 60 – ‖ ▤ TV ☎ 🅿 – 25/200. AE E VISA. ✻ BZ **x**
Comida 1600 – ☕ 800 – **55 hab** 8000/10450 – PA 3400.

Cervantes, Camilo José Cela 10 ☎ 31 49 01, Fax 31 13 42 – ‖ ▤ TV ☎. AE E VISA. ✻ AY **e**
Comida *(cerrado domingo)* 1800 – ☕ 500 – **30 hab** 4500/8000 – PA 3280.

Nicolás, Félix Valverde Lillo 13 ☎ 31 96 10 – ▤. AE ⓓ E VISA. ✻ AY **r**
cerrado domingo noche y del 8 al 25 de septiembre – **Comida** carta 2500 a 4250.

Rufino, pl. de Santa Clara 2 ☎ 30 19 30, – ▤. AE ⓓ E VISA. ✻ AZ **s**
cerrado domingo y agosto – **Comida** carta 3000 a 4300.

en la antigua carretera N V – ✉ 06800 Mérida – ☎ 924 :

Tryp Medea, av. de Portugal por ③ : 3 km ☎ 37 24 00, Fax 37 30 20, – ‖ ▤ TV ☎ – 25/350. AE ⓓ E VISA. ✻
Comida carta 2600 a 4200 – ☕ 1000 – **126 hab** 9600/12000.

Las Lomas, por ② : 3 km ☎ 31 10 11, Telex 28840, Fax 30 08 41, – ‖ ▤ TV ☎ 🅿 – 25/800. AE ⓓ E VISA. ✻
Comida 3200 – ☕ 1200 – **134 hab** 11200/14000 – PA 6080.

MIAJADAS **10100** Cáceres 444 O 12 – 9 619 h. alt. 297 – ☎ 927.
♦Madrid 291 – ♦Cáceres 60 – Mérida 52.

El Cortijo, carret. de Don Benito S : 1 km ☎ 34 79 95, Fax 34 79 95 – ▤ TV ☎ 🅿. VISA. ✻
cerrado 2ª quincena de junio – **Comida** 1200 – ☕ 350 – **20 hab** 2500/4500 – PA 2650.

en la antigua carretera N V SO : 2 km – ✉ 10100 Miajadas – ☎ 927 :

La Torre, ☎ 34 78 55, Fax 34 78 55 – ▤ TV ☎ 🅿
31 hab.

MIAMI PLAYA o MIAMI PLATJA **43892** Tarragona 443 I 32 – 1 438 h. – ☎ 977 – Playa.
♦Madrid 532 – Tarragona 33 – Tortosa 53.

Tropicana, carret. N 340 ☎ 81 03 40, Fax 81 05 18, – ▤ TV ☎ 🅿. E VISA. ✻ rest
Comida 1400 – ☕ 550 – **34 hab** 3500/6000.

MIERES 33600 Asturias 441 C 12 - 53 170 h. alt. 209 - ☎ 98.
♦Madrid 426 - Gijón 48 - ♦León 102 - ♦Oviedo 19.

XX **Casa Oscar,** La Vega 39 ☎ 546 68 88, Pescados y mariscos - ▤. AE E VISA. ⚔
cerrado domingo y agosto - **Comida** carta 2800 a 4600.

X **L'Albar,** Teodoro Cuesta 1 ☎ 546 84 45 - ▤. AE E VISA
cerrado lunes y julio - **Comida** carta 2800 a 4250.

MIJAS 29650 Málaga 446 W 16 - 32 835 h. alt. 475 - ☎ 95.
Ver : Pueblo★.
Golf Mijas S : 5 km ☎ 247 68 43.
♦Madrid 585 - Algeciras 115 - ♦Málaga 30.

Mijas, urb. Tamisa 2 ☎ 248 58 00, Telex 77393, Fax 248 58 25, ≤ montañas, Fuengirola y mar, 🏖, « Conjunto de estilo andaluz », 🏊, 🌳, 🎾 - ▤ rest 📺 ☎ 🅿 - 🏛 25/70. AE ⓓ E VISA JCB. ⚔
Comida 2500 - ☕ 1200 - **94 hab** 10000/12000, 3 suites - PA 6200.

X **El Olivar,** av. Virgen de la Peña - edificio El Rosario ☎ 248 61 96, ≤, 🏖 - AE ⓓ E VISA ⚔
cerrado sábado - **Comida** carta 1550 a 2650.

X **El Capricho,** Los Caños 5- 1° ☎ 248 51 11 - AE ⓓ E VISA JCB. ⚔
cerrado miércoles y 15 noviembre-15 diciembre - **Comida** carta 2500 a 3325.

en la carretera de Fuengirola S : 4 km - ✉ 29650 Mijas - ☎ 95 :

XX **Valparaíso,** ☎ 248 59 75, Fax 248 59 96, ≤ Fuengirola y mar, 🏖, 🏊 - 🅿. AE E VISA. ⚔
cerrado domingo en invierno - **Comida** (sólo cena) carta 2950 a 3800.

MIJAS COSTA Málaga - ver Fuengirola.

MIJAS GOLF (Urbanización) Málaga - ver Fuengirola.

El MILIARIO Segovia - ver Honrubia de la Cuesta.

MIRAFLORES DE LA SIERRA 28792 Madrid 444 J 18 - 2 649 h. alt. 1 150 - ☎ 91.
♦Madrid 52 - El Escorial 50.

X **Mesón Maito,** General Sanjurjo 2 ☎ 844 35 67, Fax 844 37 52, 🏖, Decoración castellan... - ▤. AE ⓓ E VISA. ⚔
Comida carta 3050 a 4200.

X **Asador La Fuente,** Mayor 12 ☎ 844 42 16, 🏖, Asados - ▤. AE ⓓ E VISA. ⚔
cerrado lunes y 13 octubre- 14 noviembre - **Comida** carta aprox. 3200.

X **Las Llaves,** Calvo Sotelo 4 ☎ 844 40 57 - ▤. AE ⓓ E VISA. ⚔
Comida carta aprox. 3100.

MIRANDA DE EBRO 09200 Burgos 442 D 21 - 37 197 h. alt. 463 - ☎ 947.
♦Madrid 322 - ♦Bilbao/Bilbo 84 - ♦Burgos 79 - ♦Logroño 71 - ♦Vitoria/Gasteiz 33.

Tudanca y Rest. Horno de San Juan, carret. N I ☎ 31 18 43, Telex 39442, Fax 31 18 4... - |‡| ▤ rest 📺 ☎ 🅿. AE ⓓ E VISA. ⚔
Comida *(cerrado domingo noche y festivos noche)* 1800 - ☕ 575 - **120 hab** 5575/8215

XXX **Neguri,** Estación 80 ☎ 32 25 12 - ▤. AE ⓓ E VISA. ⚔
cerrado domingo noche, lunes, Semana Santa y del 9 al 24 de agosto - **Comida** carta 340... a 4225.

X **Carlos III,** Arenal 76 ☎ 31 49 03 - ▤. E VISA. ⚔
cerrado lunes y agosto - **Comida** carta 1700 a 2900.

X Casa Rafael, Estación 23 ☎ 31 01 71.

MOGRO 39310 Cantabria 442 B 18 - ☎ 942.
♦Madrid 394 - ♦Santander 15 - Torrelavega 12.

El Desierto sin rest, junto estación ferrocarril ☎ 57 66 47, ≤, « Antigua casona » - ☎ 🅿 AE VISA. ⚔
Semana Santa y 15 junio- 15 septiembre - ☕ 400 - **11 hab** 4400/6900.

MOGUER 21800 Huelva 446 U 9 - 12 193 h. alt. 50 - ☎ 959.
Ver : Iglesia del convento de Santa Clara (sepulcros★).
♦Madrid 618 - Huelva 19 - ♦Sevilla 82.

Platero sin rest y sin ☕, Aceña 4 ☎ 37 21 59 - ⚔
18 hab 2540/3180.

LE GUIDE MICHELIN DU PNEUMATIQUE

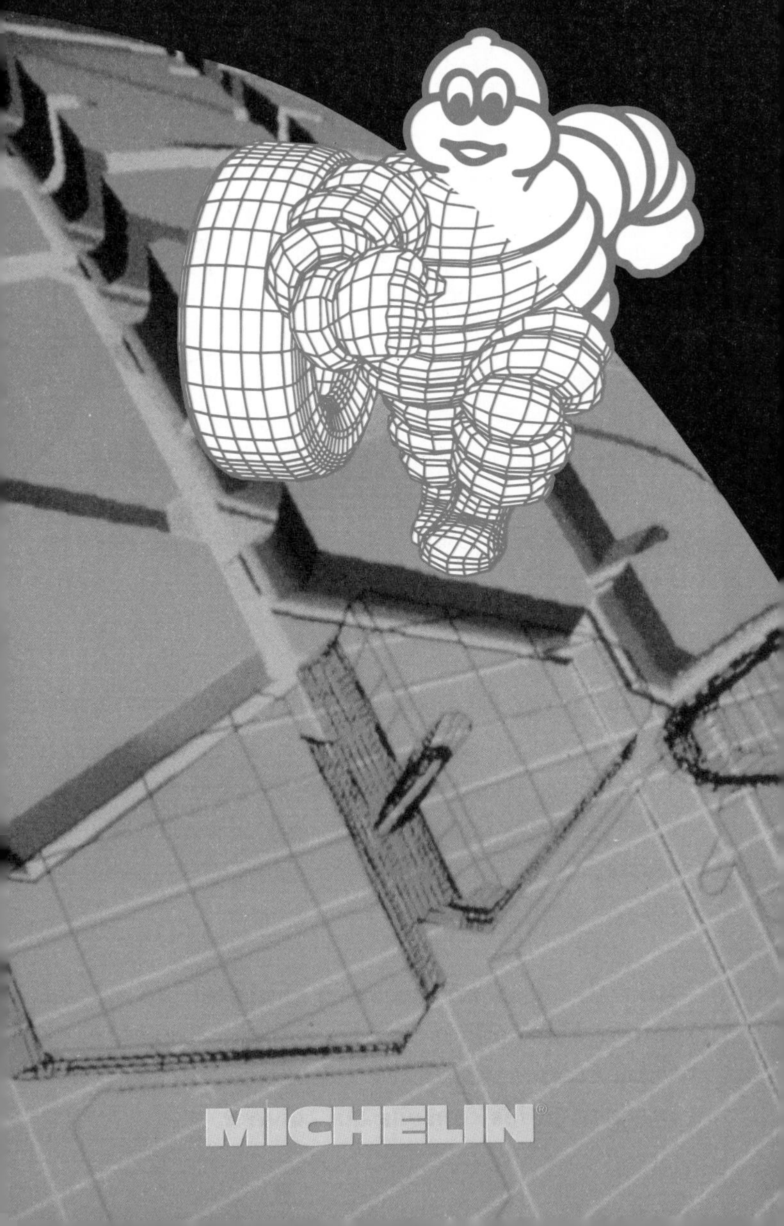

MICHELIN®

QU'EST-CE QU'UN PNEU ?

Produit de haute technologie, le pneu constitue le seul point de liaison de la voiture avec le sol. Ce contact correspond, pour une roue, à une surface équivalente à celle d'une carte postale. Le pneu doit donc se contenter de ces quelques centimètres carrés de gomme au sol pour remplir un grand nombre de tâches souvent contradictoires:

Porter le véhicule à l'arrêt, mais aussi résister aux transferts de charge considérables à l'accélération et au freinage.
Transmettre la puissance utile du moteur, les efforts au freinage et en courbe.
Rouler régulièrement, plus sûrement, plus longtemps pour un plus grand plaisir de conduire.
Guider le véhicule avec précision, quels que soient l'état du sol et les conditions climatiques.
Amortir les irrégularités de la route, en assurant le confort du conducteur et des passagers ainsi que la longévité du véhicule.
Durer, c'est-à-dire, garder au meilleur niveau ses performances pendant des millions de tours de roue.

Afin de vous permettre d'exploiter au mieux toutes les qualités de vos pneumatiques, nous vous proposons de lire attentivement les informations et les conseils qui suivent.

Le pneu est le seul point de liaison de la voiture avec le sol.

Comment lit-on un pneu ?

① «Bib» repérant l'emplacement de l'indicateur d'usure.

② Marque enregistrée. ③ Largeur du pneu: ≃ 185 mm.

④ Série du pneu H/S: 70 ⑤ Structure: R (radial).

⑥ Diamètre intérieur: 14 pouces (correspondant à celui de la jante). ⑦ Pneu: MXV. ⑧ Indice de charge: 88 (560 kg).

⑨ Code de vitesse: H (210 km/h).

⑩ Pneu sans chambre: Tubeless. ⑪ Marque enregistrée.

Codes de vitesse maximum:

Q : 160 km/h
R : 170 km/h
S : 180 km/h
T : 190 km/h
H : 210 km/h
V : 240 km/h
W: 270 km/h
ZR : supérieure à 240 km/h.

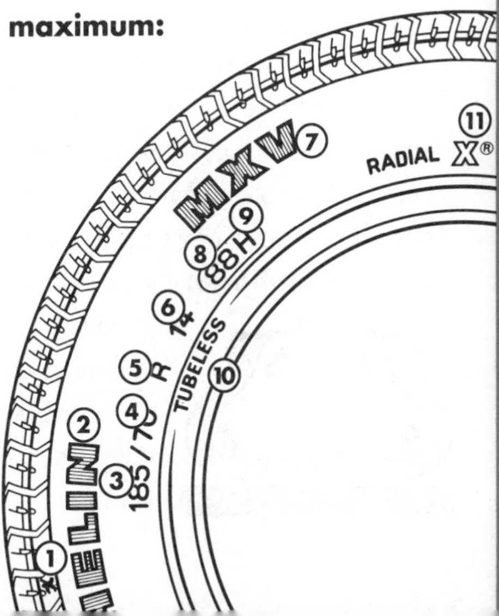

GONFLEZ VOS PNEUS, MAIS GONFLEZ-LES BIEN

POUR EXPLOITER AU MIEUX LEURS PERFORMANCES ET ASSURER VOTRE SECURITE.

Contrôlez la pression de vos pneus, sans oublier la roue de secours, dans de bonnes conditions:
Un pneu perd régulièrement de la pression. Les pneus doivent être contrôlés, une fois toutes les 2 semaines, à froid, c'est-à-dire une heure au moins après l'arrêt de la voiture ou après avoir parcouru 2 à 3 kilomètres à faible allure.
En roulage, la pression augmente; ne dégonflez donc jamais un pneu qui vient de rouler: considérez que, pour être correcte, sa pression doit-être au moins supérieure de 0,3 bar à celle préconisée à froid.
Le surgonflage: si vous devez effectuer un long trajet à vitesse soutenue, ou si la charge de votre voiture est particulièrement importante, il est généralement conseillé de majorer la pression de vos pneus. Attention; l'écart de pression avant-arrière nécessaire à l'équilibre du véhicule doit être impérativement respecté. Consultez les tableaux de gonflage Michelin chez tous les professionnels de l'automobile et chez les spécialistes du pneu, et n'hésitez pas à leur demander conseil.
Le sous-gonflage: lorsque la pression de gonflage est insuffisante, les flancs du pneu travaillent anormalement, ce qui entraîne une fatigue excessive de la carcasse, une élévation de température et une usure anormale.

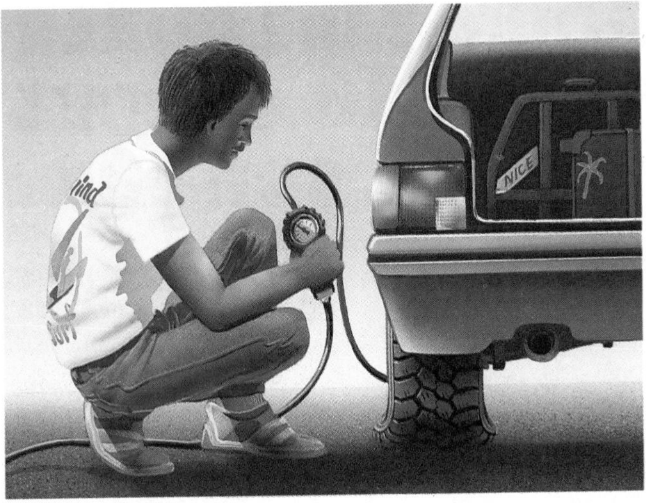

Vérifiez la pression de vos pneus régulièrement et avant chaque voyage.

Le pneu subit alors des dommages irréversibles qui peuvent entraîner sa destruction immédiate ou future.

En cas de perte de pression, il est impératif de consulter un spécialiste qui en recherchera la cause et jugera de la réparation éventuelle à effectuer.

Le bouchon de valve: en apparence, il s'agit d'un détail; c'est pourtant un élément essentiel de l'étanchéité. Aussi, n'oubliez pas de le remettre en place après vérification de la pression, en vous assurant de sa parfaite propreté.

Voiture tractant caravane, bateau...

Dans ce cas particulier, il ne faut jamais oublier que le poids de la remorque accroît la charge du véhicule. Il est donc nécessaire d'augmenter la pression des pneus arrière de votre voiture, en vous conformant aux indications des tableaux de gonflage Michelin. Pour de plus amples renseignements, demandez conseil à votre revendeur de pneumatiques, c'est un véritable spécialiste.

POUR FAIRE DURER VOSPNEUS,GARDEZ UN OEIL SUR EUX.

Afin de préserver longtemps les qualités de vos pneus, il est impératif de les faire contrôler régulièrement, et avant chaque grand voyage. Il faut savoir que la durée de vie d'un pneu peut varier dans un rapport de 1 à 4, et parfois plus, selon son entretien, l'état du véhicule, le style de conduite et l'état des routes ! L'ensemble roue-pneumatique doit être parfaitement équilibré pour éviter les vibrations qui peuvent apparaître à partir d'une certaine vitesse. Pour supprimer ces vibrations et leurs désagréments, vous confierez l'équilibrage à un professionnel du pneumatique car cette opération nécessite un savoir-faire et un outillage très spécialisé.

Les facteurs qui influent sur l'usure et la durée de vie de vos pneumatiques:

les caractéristiques du véhicule (poids, puissance...), le profil des routes (rectilignes, sinueuses), le revêtement (granulométrie: sol lisse ou rugueux), l'état mécanique du véhicule (réglage des trains avant, arrière, état des suspensions et des freins...), le style de conduite (accélérations, freinages, vitesse de passage en courbe...), la vitesse (en ligne droite à 120 km/h un pneu s'use deux fois plus vite qu'à 70 km/h), la pression des pneumatiques (si elle est incorrecte, les pneus s'useront beaucoup plus vite et de manière irrégulière).

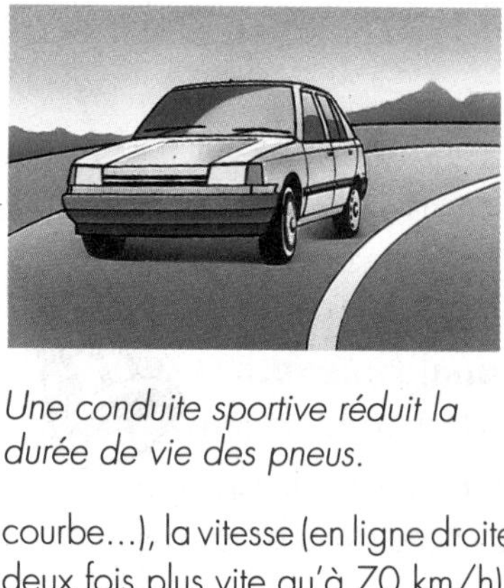

Une conduite sportive réduit la durée de vie des pneus.

D'autres événements de nature accidentelle (chocs contre trottoirs, nids de poule...), en plus du risque de déréglage et

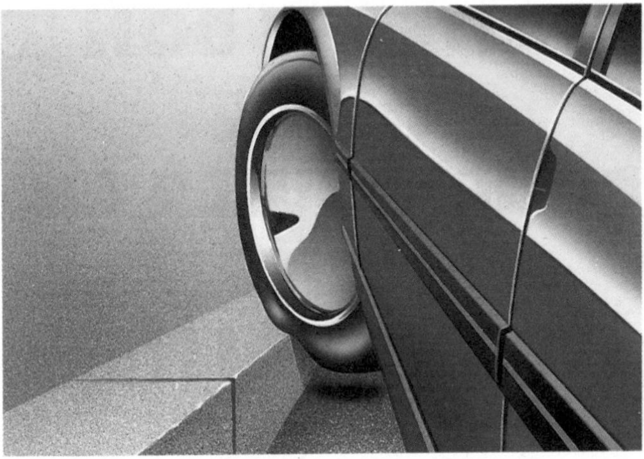

Les chocs contre les trottoirs, les nids de poule... peuvent endommager gravement vos pneus.

de détérioration de certains éléments du véhicule, peuvent provoquer des dommages internes au pneumatique dont les conséquences ne se manifesteront parfois que bien plus tard. Un contrôle régulier de vos pneus vous permettra donc de détecter puis de corriger rapidement les anomalies (usure anormale, perte de pression...). A la moindre alerte, adressez-vous immédiatement à un revendeur spécialiste qui interviendra pour préserver les qualités de vos pneus, votre confort et votre sécurité.

SURVEILLEZ L'USURE DE VOS PNEUMATIQUES:

Comment ? Tout simplement en observant la profondeur de la sculpture. C'est un facteur de sécurité, en particulier sur sol mouillé. Tous les pneus possèdent des indicateurs d'usure de 1,6 mm d'épaisseur. Ces indicateurs sont repérés par un Bibendum situé aux «épaules» des pneus Michelin. Un examen visuel suffit pour connaître le niveau d'usure de vos pneumatiques. Attention: même si vos pneus n'ont pas encore atteint la limite d'usure légale (en France, la profondeur restante de la sculpture doit être supérieure à 1,6 mm sur l'ensemble de la bande de roulement), leur capacité à évacuer l'eau aura naturellement diminué avec l'usure.

FAITES LE BON CHOIX POUR ROULER EN TOUTE TRANQUILLITE.

Le type de pneumatique qui équipe d'origine votre véhicule a été déterminé pour optimiser ses performances. Il vous est cependant possible d'effectuer un autre choix en fonction de votre style de conduite, des conditions climatiques, de la nature des routes et des trajets effectués.

Dans tous les cas, il est indispensable de consulter un spécialiste du pneumatique, car lui seul pourra vous aider à trouver la solution la mieux adaptée à votre utilisation.

Montage, démontage, équilibrage du pneu; c'est l'affaire d'un professionnel:

un mauvais montage ou démontage du pneu peut le détériorer et mettre en cause votre sécurité.

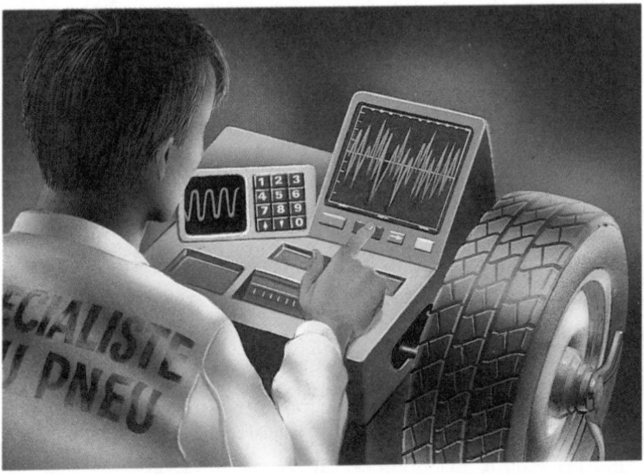

Sauf cas particulier et exception faite de l'utilisation provisoire de la roue de secours, les pneus montés sur un essieu donné doivent être identiques. Il est conseillé de monter les pneus neufs ou les moins usés à l'AR pour assurer la meilleure tenue de route en situation difficile (freinage d'urgence ou courbe serrée) principalement sur chaussée glissante.

En cas de crevaison, seul un professionnel du pneu saura effectuer les examens nécessaires et décider de son éventuelle réparation.
Il est recommandé de changer la valve ou la chambre à chaque intervention.
Il est déconseillé de monter une chambre à air dans un ensemble tubeless.
L'utilisation de pneus cloutés est strictement réglementée; il est important de s'informer avant de les faire monter.
Attention: la capacité de vitesse des pneumatiques Hiver «M+S» peut être inférieure à celle des pneus d'origine. Dans ce cas, la vitesse de roulage devra être adaptée à cette limite inférieure.

INNOVER POUR ALLER PLUS LOIN

En 1889, Edouard Michelin prend la direction de l'entreprise qui porte son nom. Peu de temps après, il dépose le brevet du pneumatique démontable pour bicyclette. Tous les efforts de l'entreprise se concentrent alors sur le développement de la technique du pneumatique. C'est ainsi qu'en 1895, pour la première fois au monde, un véhicule automobile baptisé «l'Eclair» roule sur pneumatiques. Testé sur ce véhicule lors de la course Paris-Bordeaux-Paris, le pneumatique démontre immédiatement sa supériorité sur le bandage plein.

Créé en 1898, le Bibendum symbolise l'entreprise qui, de recherche en innovation, du pneu vélocipède au pneu avion, impose le pneumatique à toutes les roues.

En 1946, c'est le dépôt du brevet du pneu radial ceinturé acier, l'une des découvertes majeures du monde du transport.

Cette recherche permanente de progrès a permis la mise au point de nouveaux produits. Ainsi, depuis 1991, le pneu dit "vert" ou "basse résistance au roulement", est devenu une réalité. Ce concept contribue à la protection de l'environnement, en permettant une diminution de la consommation de carburant du véhicule, et le rejet de gaz dans l'atmosphère.

Concevoir les pneus qui font tourner chaque jour 2 milliards de roues sur la terre, faire évoluer sans relâche plus de 3500 types de pneus différents, c'est le combat permanent des 4500 chercheurs Michelin.

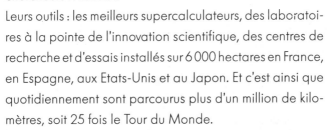

Leurs outils : les meilleurs supercalculateurs, des laboratoires à la pointe de l'innovation scientifique, des centres de recherche et d'essais installés sur 6000 hectares en France, en Espagne, aux Etats-Unis et au Japon. Et c'est ainsi que quotidiennement sont parcourus plus d'un million de kilomètres, soit 25 fois le Tour du Monde.

Leur volonté: écouter, observer puis optimiser chaque fonction du pneumatique, tester sans relâche, et recommencer.

C'est cette volonté permanente de battre demain le pneu d'aujourd'hui pour offrir le meilleur service à l'utilisateur, qui a permis à Michelin de devenir le leader mondial du pneumatique.

RENSEIGNEMENTS UTILES.

POUR PREPARER VOTRE VOYAGE

Pour vos itinéraires routiers en France et en Europe:

36 15 ou **36 16 MICHELIN**

Vous trouverez : itinéraires détaillés, distances, péages, temps de parcours.

Mais aussi : hôtels-restaurants, curiosités touristiques, renseignements pneumatiques.

VOS PNEUMATIQUES :

Vous avez des observations, vous souhaitez des précisions concernant l'utilisation de vos pneumatiques Michelin,... écrivez-nous à :

Manufacture Française des Pneumatiques Michelin.
Boîte Postale Consommateurs
63040 Clermont-Ferrand Cedex.

ou téléphonez-nous à :

Agen	53 96 28 47	Clermont-Fd	73 91 29 31	Pau	59 32 56 33
Ajaccio	95 20 30 55	Dijon	80 67 35 38	Périgueux	53 03 98 13
Amiens	22 92 47 28	Grenoble	76 98 51 54	Perpignan	68 54 53 10
Angers	41 43 65 52	Le Havre	35 25 22 20	Reims	26 09 19 32
Angoulême	45 69 30 02	Lille	20 98 40 48	Rennes	99 50 72 00
Annecy	50 51 59 70	Limoges	55 05 18 18	Rodez	65 42 17 88
Arras	21 71 12 08	Lorient	97 76 03 60	Rouen	35 73 63 73
Aurillac	71 64 90 33	Lyon	78 69 49 48	St-Étienne	77 74 22 88
Auxerre	86 46 98 66	Marseille	91 02 08 02	Strasbourg	88 39 39 40
Avignon	90 88 11 10	Montélimar	75 01 80 91	Toulouse	61 41 11 54
Bayonne	59 55 13 73	Montpellier	67 79 50 79	Tours	47 28 60 59
Besançon	81 80 24 53	Nancy	83 21 83 21	Région parisienne	
Bordeaux	56 39 94 95	Nantes	40 92 15 44	Aubervilliers	48 33 07 58
Bourg	74 45 24 24	Nice	93 31 66 09	Buc	39 56 10 66
Brest	98 02 21 08	Niort	49 33 00 42	Maisons-Alfort	48 99 55 60
Caen	31 26 68 19	Orléans	38 88 02 20	Nanterre	47 21 67 21

MOIÁ Barcelona - ver Moyá.

MOJÁCAR **04638** Almería 446 U 24 - 4 305 h. alt. 175 - 950 - playa.
Ver : Paraje★.
18 Club Cortijo Grande (Turre) ℘ 47 93 12.
pl. Nueva ℘ 47 51 62.
♦Madrid 527 - ♦Almería 95 - ♦Murcia 141.

en la playa :

Parador de Mojácar, carret. de Carboneras SE : 2,5 km ℘ 47 82 50, Fax 47 81 83, ≤, - 25/300. AE E VISA.
Comida 3200 - 1100 - **98 hab** 12500 - PA 6375.

Continental, carret de Garrucha NE : 4 km ℘ 47 81 64, Fax 47 51 36, ≤, - hab. E VISA.
Comida 2000 - 500 - **23 hab** 8000/10000 - PA 4000.

Nuevo Puntazo, carret. de Carboneras SE : 4,5 km ℘ 47 82 29, Fax 47 82 85, ≤, - rest - 25/150. AE E VISA.
Comida 1400 - **36 hab** 6050/8050.

El MOLAR **28710** Madrid 444 J 19 - 2 755 h. alt. 817 - 91.
♦Madrid 44 - Aranda de Duero 115 - Guadalajara 63.

Azul sin rest, av. José Antonio 57 ℘ 841 02 53, Fax 841 02 55 - . E VISA.
400 - **29 hab** 6500.

en la autovía N I S : 5 Km - 28710 El Molar - 91 :

Le Normandie, ℘ 841 00 53, Fax 522 19 93, « Hosteria rústica en un verde paraje », - . AE E VISA
cerrado domingo noche y lunes (salvo festivos) - **Comida** carta 3825 a 5110.

La MOLINA **17537** Gerona 443 E 35 alt. 1 300 - 972 - Deportes de invierno 1 21.
av. Supermolina, ℘ 89 20 31, Fax 14 50 48.
♦Madrid 651 - ♦Barcelona 148 - Gerona/Girona 131 - ♦Lérida/Lleida 180.

Roc Blanc , alt. 1 450 ℘ 14 50 00, Fax 14 50 02, ≤, - . AE E VISA. rest
3 diciembre-16 abril y julio-11 septiembre - **Comida** 1730 - 660 - **30 hab** 5050/8200 - PA 3290.

Adserá , alt. 1 600 ℘ 89 20 01, Fax 89 20 25, ≤, - . AE VISA. rest
julio-11 septiembre y diciembre-abril - **Comida** (sólo buffet) 2000 - 690 - **41 hab** 6500/9000.

MOLINA DE ARAGÓN **19300** Guadalajara 444 J 24 - 3 656 h. alt. 1 050 - 949.
♦Madrid 197 - Guadalajara 141 - Teruel 104 - ♦Zaragoza 144.

Rosanz, paseo de los Adarves 12 ℘ 83 23 36 -
cerrado 22 diciembre-enero - **Comida** 1400 - 400 - **33 hab** 2400/5000.

MOLINASECA **24413** León 441 E 10 - 744 h. - 987.
♦Madrid 383 - ♦León 103 - Lugo 125 - ♦Oviedo 213 - ♦Ponferrada 6,5.

Casa Ramón, jardines Ángeles Balboa, 2 ℘ 45 31 53 - . AE E VISA JCB.
cerrado lunes y 20 septiembre- 10 octubre - **Comida** carta 2800 a 4150.

El MOLINAR Palma de Mallorca - ver Baleares (Mallorca) : Palma de Mallorca.

LOS MOLINOS **28460** Madrid 444 J 17 - 2 530 h. alt. 1 045 - 91.
♦Madrid 55 - Ávila 71 - Segovia 57.

Ferrero, Pradillos 10 ℘ 855 01 07 - E VISA.
Comida carta aprox. 3300.

Asador Paco, Pradillos 11 ℘ 855 17 52, Asados y carnes -
Comida (sólo almuerzo salvo en verano).

MOLLET o **MOLLET DEL VALLÉS** **08100** Barcelona 443 H 36 - 40 947 h. alt. 65 - 93.
♦Madrid 631 - ♦Barcelona 17 - Gerona/Girona 80 - Sabadell 25.

Catalán, Can Flaquer 10 - Can Pantiquet ℘ 570 64 34, Fax 570 56 06 - - 50/70. AE E VISA. rest
Comida 1750 - 685 - **65 hab** 6500/7950 - PA 4185.

MOLLÓ 17868 Gerona 443 E 37 – 333 h. – 972.

♦Madrid 707 – ♦Barcelona 135 – Gerona/Girona 88 – Prats de Mollo 24.

- **François**, carret. de Camprodón 13 00 29, Fax 13 00 34, montaña y valle del río Tort, – . *cerrado del 16 al 30 de noviembre* – **Comida** *(cerrado lunes)* 1800 – 600 – **28 hab** 3400/6170 – PA 3550.
- **Calitxó**, passatge El Serrat 74 03 86, Fax 74 03 86, montañas, Pista polideportiva – . *cerrado 15 enero-15 febrero* – **Comida** *(cerrado lunes)* 2100 – 850 – **25 hab** 6200.

MOMBUEY 49310 Zamora 441 F 11 – 530 h. – 980.

♦Madrid 320 – ♦León 124 – Orense/Ourense 181 – ♦Valladolid 138 – Zamora 86.

- **La Ruta,** carret. N 525 SE : 1 km 64 27 30, – . **Comida** 1025 – 325 – **14 hab** 1785/3965 – PA 2100.

MONASTERIO – ver el nombre propio del monasterio.

MONDARIZ-BALNEARIO 36878 Pontevedra 441 F 4 – 662 h. alt. 70 – 986 – Balneario.

♦Madrid 575 – Orense/Ourense 70 – Pontevedra 51 – ♦Vigo 34.

- **Tryp Mondariz**, av. Enrique Peinador 65 61 56, Fax 65 61 86, Servicios terapéuticos, – – 25/300. **Comida** 2500 – 1100 – **65 hab** 11500/15500 – PA 5100.

MONDRAGÓN o **ARRASATE** 20500 Guipúzcoa 442 C 22 – 25 213 h. alt. 211 – 943.

♦Madrid 390 – ♦San Sebastián/Donostia 79 – Vergara/Bergara 9 – ♦Vitoria/Gasteiz 34.

- **Arrasate** sin rest, Biteri 1 79 73 22, Fax 79 14 16 – . 450 – **12 hab** 6000/8500.

MONESTERIO 06260 Badajoz 444 R 11 – 5 202 h. alt. 755 – 924.

♦Madrid 444 – ♦Badajoz 126 – Cáceres 150 – ♦Córdoba 197 – Mérida 82 – ♦Sevilla 97.

- **Moya,** paseo de Extremadura 278 51 61 36, Fax 51 63 24 – . **Comida** 1000 – 200 – **36 hab** 5000 – PA 1870.

MONFORTE DE LEMOS 27400 Lugo 441 E 7 – 20 510 h. alt. 298 – 982.

♦Madrid 501 – Lugo 65 – ♦Orense/Ourense 49 – Ponferrada 112.

- **Puente Romano** sin rest, pl. Doctor Goyanes 6 41 11 68, Fax 40 35 51 – . 200 – **15 hab** 2000/3500.
- XX **La Fortaleza,** Campo de la Virgen (subida al Castillo) 40 06 04 – . **Comida** carta 2150 a 3300.
- XX **O Grelo,** Chantada 16 40 47 01 – . **Comida** carta 2390 a 3600.

MONNEGRE o **MONTNEGRE** 03115 Alicante 445 Q 28 – 96.

♦Madrid 435 – ♦Alicante/Alacant 18 – ♦Valencia 176.

- **Valle del Sol**, 595 09 73, Fax 595 08 85, – . rest **Comida** 1600 – **24 hab** 5400/7400 – PA 2880.

MONREAL DEL CAMPO 44300 Teruel 443 J 25 – 2 318 h. alt. 939 – 978.

♦Madrid 245 – Teruel 56 – ♦Zaragoza 126.

- **El Botero,** av. de Madrid 2 86 31 66, Fax 86 34 96 – rest . **Comida** 1100 – 300 – **30 hab** 2200/4000 – PA 2100.

MONTANEJOS 12448 Castellón de la Plana 443 L 29 – 422 h. – 964.

♦Madrid 408 – Castellón de la Plana/Castelló de la Plana 62 – Teruel 106 – ♦ Valencia 95.

- Rosaleda del Mijares, carret. de Tales 28 13 10 79, Fax 13 14 66 – rest **57 hab.**
- **Xauen**, av. Fuente de los Baños 26 13 11 51, Fax 13 13 75 – . *15 marzo- 15 octubre* – **Comida** 1400 – 400 – **48 hab** 2200/3800 – PA 3300.

MONTAÑAS DEL FUEGO Las Palmas – ver Canarias (Lanzarote).

MONTBLANCH o **MONTBLANC** 43400 Tarragona 443 H 33 - 5 612 h. alt. 350 - ☎ 977.

ℹ Muralla de Sta Tecia 18, ✆ 86 12 32, Fax 86 24 24.

♦Madrid 518 - ♦Barcelona 112 - ♦Lérida/Lleida 61 - Tarragona 36.

- **Ducal,** Frances Maciá 11 ✆ 86 00 25, Fax 86 21 31 - ▤ rest ☎ 🅟 - 🏛 25/50. AE ⓓ E VISA. ✗ rest
  Comida 975 - ▭ 425 - **41 hab** 2650/4600 - PA 2375.
- **El Molí del Mallol,** Muralla Santa Anna 2 ✆ 86 05 91, Fax 86 26 83 - ▤ 🅟. AE ⓓ E VISA. ✗
  Comida carta 2050 a 3400.

MONTBRIÓ DEL CAMP 43340 Tarragona 443 I 33 - 1 393 h. - ☎ 977.

♦Madrid 554 - ♦Barcelona 125 - ♦Lérida/Lleida 97 - Tarragona 21.

- **Torre dels Cavallers,** carret. de Cambrils ✆ 82 60 53, Fax 82 60 53, ⛱, Decoración rústica - 🅟. AE ⓓ E VISA. ✗
  cerrado martes - **Comida** carta 2350 a 3200.

MONTE - ver el nombre propio del monte.

MONTE LENTISCAL Las Palmas - ver Canarias (Gran Canaria) : Santa Brígida.

MONTEAGUDO 30160 Murcia 445 R 26 - ☎ 968.

♦Madrid 400 - ♦Alicante/Alacant 77 - ♦Murcia 5.

- **Monteagudo,** av. Constitución 93 ✆ 85 00 64 - ▤ 🅟. AE ⓓ E VISA. ✗
  cerrado domingo noche - **Comida** carta aprox. 3900.

MONTE HACHO Ceuta - ver Ceuta.

MONTEMAYOR 14530 Córdoba 446 T 15 - 3 629 h. alt. 387 - ☎ 957.

♦ Madrid 433 - ♦ Córdoba 33 - Jaén 117 - Lucena 37.

- **Castillo de Montemayor,** carret. N 331 ✆ 38 42 00, Fax 38 43 06, ⛱, 🏊 - 🛗 ▤ TV ☎ ♿ 🅟 - 🏛 25/800. AE ⓓ VISA. ✗
  Comida carta 2300 a 3000 - ▭ 250 - **54 hab** 3200/6000 - PA 2450.

MONTFERRER o **MONTFERRER I CASTELLBÒ** 25711 Lérida 443 E 34 - 681 h. - ☎ 973.

♦Madrid 599 - ♦Lérida/Lleida 130 - Seo de Urgel/La Seu d'Urgell 3.

- **La Masía,** carret. N 260 ✆ 35 24 45 - ▤ 🅟. E VISA. ✗
  cerrado martes noche, miércoles y 20 junio-20 julio - **Comida** carta 2375 a 3075.

MONTILLA 14550 Córdoba 446 T 16 - 21 607 h. alt. 400 - ☎ 957.

♦Madrid 443 - ♦Córdoba 45 - Jaén 117 - Lucena 28.

- **Las Camachas,** antigua carret. N 331 ✆ 65 00 04, ⛱ - ▤ 🅟. AE ⓓ E VISA. ✗
  Comida carta aprox. 3500.

en la carretera N 331 - ✉ 14550 Montilla - ☎ 957 :

- **Don Gonzalo,** SO : 3 km ✆ 65 06 58, Fax 65 06 66, ⛱, 🏊, 🌳, 🎾 - 🛗 ▤ TV ☎ 🅟 - 🏛 25/70. AE ⓓ E VISA. ✗
  Comida 1500 - ▭ 500 - **29 hab** 5000/8400.
- **Alfar,** NO : 5 km ✆ 65 11 11, Fax 65 11 20 - ▤ TV ☎ 🅟. AE E VISA. ✗
  Comida 1000 - ▭ 250 - **32 hab** 3500/5500.

MONTMELÓ 08160 Barcelona 443 H 36 - 7 470 h. alt. 72 - ☎ 93.

♦ Madrid 627 - ♦ Barcelona 18 - ♦ Gerona/Girona 80 - Manresa 54.

- **Florenza,** av. Pompeu Fabra 24 ✆ 568 17 45, Fax 572 15 06 - ▤. AE ⓓ E VISA. ✗
  cerrado domingo, Semana Santa y 15 días en agosto - **Comida** carta 3225 a 4325.

MONTRÁS o **MONT-RAS** 17253 Gerona 443 G 39 - 1 372 h. alt. 88 - ☎ 972.

♦ Madrid 718 - ♦ Gerona/Girona 38 - Palafrugell 3 - Palamós 8.

- **Madame Zozo,** av. de Cataluña 6-carret C 255 ✆ 30 01 17, ⛱, Decoración regional - ▤ 🅟. AE ⓓ E VISA
  abril-septiembre - **Comida** carta 2800 a 5100.

MONTSENY 08460 Barcelona 443 G 37 - 277 h. alt. 522 - ☎ 93.

Alred. : Sierra de Montseny★.

♦Madrid 673 - ♦Barcelona 60 - Gerona/Girona 68 - Vich/Vic 36.

XX **Can Barrina** con hab, carret. de Palautordera S : 1,2 km ✆ 847 30 65, Fax 847 31 84, Antigua casa de campo, « Césped con , terraza y < sierra de Montseny » - P. AE ⓓ E VISA. ✻
Comida carta 2450 a 4250 - ☕ 1250 - **11 hab** 6500/9500.

en la carretera de Tona NO : 8 km - ✉ 08460 Montseny - ☎ 93 :

Sant Bernat , ✆ 847 30 11, Fax 847 30 11, < valle y montañas, « Magnífica situación en la sierra de Montseny », - TV P. AE ⓓ E VISA. ✻
Comida 2710 - ☕ 720 - **20 hab** 8230/10285 - PA 4910.

MONTSERRAT 08691 Barcelona 443 H 35 alt. 725 - ☎ 93.

Ver : Lugar★★★ - La Moreneta★.

Alred. : Carretera de acceso por el oeste <★★.

♦Madrid 594 - ♦Barcelona 53 - ♦Lérida/Lleida 125 - Manresa 22.

Abat Cisneros , pl. Monestir ✆ 835 02 01, Fax 828 40 06 - rest TV ☎. AE ⓓ E VISA. ✻
Comida 2500 - ☕ 650 - **41 hab** 4785/8000.

Monestir sin rest y sin ☕, pl. Monestir ✆ 835 02 01, Fax 828 40 06 - TV ☎
temp. - **34 hab.**

MONZÓN 22400 Huesca 443 G 30 - 14 405 h. alt. 368 - ☎ 974.

pl. Aragón, ✆ 404 854.

♦Madrid 463 - Huesca 70 - ♦Lérida/Lleida 50.

Vianetto, av. de Lérida 25 ✆ 40 19 00, Fax 40 45 40 - rest TV ☎
84 hab.

Bellomonte, av. de Lérida 87 ✆ 40 20 44 - TV ☎ P. AE ⓓ E VISA JCB. ✻
Comida 1000 - ☕ 300 - **16 hab** 1850/3700 - PA 2300.

XX **Piscis,** pl. de Aragón 1 ✆ 40 00 48 - . AE ⓓ VISA
Comida carta 3150 a 4100.

MONZÓN DE CAMPOS 34410 Palencia 442 F 16 - 876 h. alt. 750 - ☎ 979.

♦Madrid 237 - ♦Burgos 95 - Palencia 11 - ♦Santander 190.

XXX **Castillo de Monzón** con hab, ✆ 80 80 75, Fax 80 83 03, « Instalado en un castillo medieval dominando la Tierra de Campos » - ☎ P. AE ⓓ E VISA. ✻
Comida carta aprox. 3800 - ☕ 600 - **10 hab** 6000/13000.

MORA 45400 Toledo 444 M 18 - 9 244 h. alt. 717 - ☎ 925.

♦Madrid 100 - Ciudad Real 92 - Toledo 31.

Agripino, pl. Príncipe de Asturias 8 ✆ 30 00 00 - rest P
20 hab.

X **Los Conejos** con hab, Cánovas del Castillo 14 ✆ 30 15 04 - TV ☎. AE VISA. ✻
Comida carta aprox. 3250 - ☕ 300 - **5 hab** 3000/5000.

MORA DE RUBIELOS 44400 Teruel 443 L 27 - 1 313 h. - ☎ 978.

♦Madrid 341 - Castellón de la Plana/Castelló de la Plana 92 - Teruel 40 - ♦Valencia 129.

Jaime I, pl. de la Villa ✆ 80 00 92, Fax 80 60 50 - TV ☎. AE ⓓ E VISA. ✻ rest
Comida 3025 - ☕ 675 - **35 hab** 6500/9000.

MORAIRA 03724 Alicante 445 P 30 - 757 h. - ☎ 96 - Playa.

Edificio del Castillo, ✆ 574 51 68, Fax 574 01 66.

♦Madrid 483 - ♦Alicante/Alacant 75 - Gandía 65.

XX **La Sort,** av. de Madrid 1 ✆ 574 51 35, Fax 574 51 35, - . AE E VISA
cerrado domingo en invierno, del 1 al 15 de febrero y del 15 al 30 de noviembre - **Comida** carta 2650 a 4950.

X **Casa Dorita,** Iglesia 6 ✆ 574 48 61, - . E VISA. ✻
cerrado lunes y del 15 al 31 octubre - **Comida** carta 2700 a 3100.

por la carretera de Calpe - ✉ 03724 Moraira - ☎ 96 :

Swiss Moraira , O : 2,5 km ✆ 574 71 04, Telex 63855, Fax 574 70 74, , - TV ☎ P - 30/100. AE ⓓ E VISA. ✻ rest
cerrado enero - **Comida** *(cerrado domingo y lunes)* (sólo cena salvo en verano) 3500 - ☕ 1200 - **25 hab** 13000/16500 - PA 6000.

Gema H., Estaca de Bares 11, SO : 2,5 km, ✉ apartado 330, ℘ 574 71 88, Fax 574 71 88, ≤, ⛱, 🌳, 🎾 – |‡| ☎ 🅟. AE ⓓ E VISA. ✻ rest
cerrado noviembre – **Comida** *(cerrado enero-abril y octubre-diciembre)* 1300 – ☕ 500 – **39 hab** 4750/6950 – PA 2635.

Moradix sin rest, Moncayo 1, O : 1,5 km ℘ 574 40 56, Fax 574 45 25, ≤ – |‡| ☎ 🅟. E VISA
☕ 500 – **30 hab** 4000/6000.

XXX ✿✿ **Girasol,** SO : 1,5 km ℘ 574 43 73, Fax 649 05 45, 🌳, Villa acondicionada con elegancia – ▤ 🅟. AE ⓓ E VISA JCB. ✻
cerrado lunes (salvo julio-agosto) y 10 enero- 3 marzo – **Comida** (sólo cena en verano salvo domingo) carta 5500 a 7100
Espec. Ensalada de cigalas con jabugo, naranja y tomate, Lomo de cordero en costra de sésamo (temp), Raviolis de chocolate en salsa de azafrán y sorbete de pera.

XX **La Bona Taula,** SO : 1,5 km ℘ 649 02 06, ≤ mar, 🌳 – ▤ 🅟. AE E VISA. ✻
cerrado martes – **Comida** carta 2600 a 3475.

en El Portet NE : 1,5 km – ✉ 03724 Moraira – ☎ 96 :

XXX **Le Dauphin,** ✉ apartado 324 Moraira, ℘ 649 04 32, Fax 649 04 32, 🌳, « Villa mediterránea con terraza y ≤ peñón de Ifach, Calpe y mar » – ▤. ⓓ E VISA. ✻
cerrado lunes, noviembre y febrero – **Comida** (sólo cena) carta 4500 a 5100.

LA MORALEJA

Madrid – ver Alcobendas.

MORALZARZAL

28411 Madrid 444 J 18 – 2 248 h. alt. 979 – ☎ 91.
♦Madrid 42 – Ávila 77 – ♦Segovia 57.

XXX ✿ **El Cenador de Salvador,** av. de España 30 ℘ 857 77 22, Fax 857 77 80, 🌳, « Terraza-jardín » – 🅟. AE ⓓ E VISA. ✻
cerrado lunes (salvo festivos) y del 15 al 30 octubre – **Comida** carta 5575 a 7375
Espec. Boullabesa de cigalitas y mejillones, Codorniz de viña con compota de berenjena (temp), Soufflé de chocolate cremoso.

MORELLA

12300 Castellón de la Plana 445 K 29 – 2 717 h. alt. 1 004 – ☎ 964.
Ver : Emplazamiento★ – Basílica de Santa María la Mayor★ – Castillo ≤★.
🅘 Torres de San Miguel ℘ 17 30 02.
♦Madrid 440 – Castellón de la Plana/Castelló de la Plana 98 – Teruel 139.

Rey Don Jaime, Juan Giner 6 ℘ 16 09 11, Fax 16 09 11 – |‡| ▤ rest 📺 ☎. AE ⓓ E VISA. ✻
Comida 1300 – ☕ 500 – **44 hab** 4000/7000 – PA 2500.

Elías, Colomer 7 ℘ 16 00 92, Fax 16 00 92 – E VISA. ✻
Comida 1250 – ☕ 350 – **17 hab** 3900 – PA 2700.

X **Meson del Pastor,** cuesta Jovaní 5 ℘ 16 02 49, Fax 16 02 49 – ▤. E VISA. ✻
cerrado miércoles salvo festivos – **Comida** (sólo almuerzo) carta 1475 a 2300.

MORRO DEL JABLE

Las Palmas – ver Canarias (Fuerteventura).

MÓSTOLES

28930 Madrid 444 L 18 – 193 056 h. – ☎ 91.
♦Madrid 19 – Toledo 64.

X **Mesón Gregorio I,** Reyes Católicos 16, ✉ 28938, ℘ 613 22 75, Decoración típica – ▤. E VISA. ✻
Comida carta aprox. 4100.

en la autovía N V SO : 5,5 km – ✉ 28935 Móstoles – ☎ 91 :

XX **La Fuencisla,** ℘ 647 22 89, « Decoración rústica » – ▤ 🅟. E VISA. ✻
Comida carta 3700 a 4500.

MOTA DEL CUERVO

16630 Cuenca 444 N 21 – 5 568 h. alt. 750 – ☎ 967.
Alred. : Belmonte (castillo : artesonados★ mudéjares, antigua colegiata : sillería★) NE : 14 km – Villaescusa de Haro (capilla de la Asunción★) NE : 20 km.
♦Madrid 139 – ♦Albacete 108 – Alcázar de San Juan 36 – Cuenca 113.

Mesón de Don Quijote, carret. N 301 ℘ 18 02 00, Fax 18 07 11, Decoración regional, ⛱ – ▤ ☎ 🚗 🅟. VISA. ✻
Comida 1500 – ☕ 300 – **36 hab** 4200/6000 – PA 3300.

MOTILLA DEL PALANCAR

16200 Cuenca 444 N 24 – 4 744 h. alt. 900 – ☎ 969.
♦Madrid 202 – Cuenca 68 – ♦Valencia 146.

Del Sol, carret. N III ℘ 33 10 25, Fax 33 10 30 – ▤ rest 📺 ☎ 🚗 🅟. AE ⓓ E VISA. ✻
Comida 1900 – ☕ 450 – **38 hab** 3300/5500 – PA 3400.

X **Seto** (prevista apertura hotel), carret N III-O : 1,5 km ℘ 33 32 28 – ▤ 🅟. AE ⓓ E VISA. ✻
Comida carta aprox. 3500.

MOTRICO o **MUTRIKU** 20830 Guipúzcoa 442 C 22 – 4 466 h. – 943 – Playa.
Ver : Emplazamiento★.
♦Madrid 464 – ♦Bilbao/Bilbo 75 – ♦San Sebastián/Donostia 46.

XX **Jarri-Toki,** carret. de Deva E : 1 km ✆ 60 32 39, ≤ mar, – ℗. AE E VISA.
cerrado domingo noche y lunes (septiembre-mayo) – **Comida** carta 3350 a 5400.

X **Mendixa,** pl. Churruca 13 ✆ 60 34 94, Pescados y mariscos – AE ⓓ E VISA
cerrado lunes y 20 diciembre-13 abril – **Comida** carta 3200 a 4100.

MOTRIL 18600 Granada 446 V 19 – 45 880 h. alt. 65 – 958.
Playa Granada SO : 8 km ✆ 60 04 12 – Los Moriscos, carret. de Bailén : 8 km ✆ 60 04 12
♦Madrid 501 – ♦Almería 112 – Antequera 147 – ♦Granada 71 – ♦Málaga 96.

Costa Nevada, Martín Cuevas 31 ✆ 60 05 00, Fax 82 16 08, – 25/80. AE E VISA
Comida 1750 – 520 – **65 hab** 5775/8100.

Tropical sin, Rodríguez Acosta 23 ✆ 60 04 50, Fax 60 04 50 – AE ⓓ E VISA.
Comida *(cerrado domingo)* 1350 – **21 hab** 4000/6000.

MOYÁ o **MOIÁ** Barcelona 443 G 38 – 3 303 h. alt. 776 – 93.
Alred. : Estany (iglesia : capiteles del claustro★★) N : 8 km.
♦Madrid 611 – ♦Barcelona 72 – Manresa 26.

MOZÁRBEZ 37183 Salamanca 441 J 13 – 324 h. alt. 871 – 923.
♦Madrid 219 – Bejar 64 – Peñaranda de Bracamonte 53 – ♦Salamanca 14.

Mozárbez, carret. N 630 ✆ 30 82 91, Fax 30 82 91 – rest ℗. AE E VISA.
Comida 1700 – 500 – **28 hab** 3500/5000 – PA 3325.

MUCHAVISTA (playa) Alicante – ver Campello.

MUNDACA o **MUNDAKA** 48360 Vizcaya 442 B 21 – 1 639 h. – 94 – Playa.
♦ Madrid 436 – ♦ Bilbao/Bilbo 35 – ♦ San Sebastián/Donostia 105.

Atalaya sin rest, paseo de Txorrokopunta 2 ✆ 687 68 88, Fax 687 68 99 – ℗ – 25. AE ⓓ E VISA
900 – **15 hab** 7900/11900.

El Puerto sin rest, Portu 1 ✆ 687 67 25, Fax 617 70 64, ≤ – ⓓ E VISA
900 – **11 hab** 7500/9500.

X La Fonda, pl. Olazábal ✆ 687 65 43.

MUNGUÍA o **MUNGIA** 48100 Vizcaya 442 B 21 – 12 995 h. alt. 20 – 94.
♦Madrid 449 – Bermeo 17 – ♦Bilbao/Bilbo 16 – ♦San Sebastián/Donostia 114.

Lauaxeta, Lauaxeta 4 ✆ 674 43 80, Fax 674 43 79 – rest E VISA.
Comida 1900 – 600 – **17 hab** 6800/7800 – PA 4200.

ELS MUNTS Tarragona – ver Torredembarra.

MURCIA 30000 P 445 S 26 – 338 250 h. alt. 43 – 968.
Ver : Catedral★ (Fachada★, Capilla de los Vélez★, Museo : San Jerónimo★, campanario : ≤★) DY – Museo Salzillo★ CY.

de Murcia-San Javier por ② : 50 km ✆ 57 05 50 – Iberia : av. Alfonso X El Sabio 11, ✉ 30008, ✆ 24 00 50 DY.

Alejandro Séiquer 4, ✉ 30001, ✆ 21 37 16 Fax 21 01 53 – R.A.C.E. av. de la Libertad 2, ✉ 30009, ✆ 23 02 66.

♦Madrid 395 ① – ♦Albacete 146 ① – ♦Alicante/Alacant 81 ① – Cartagena 49 ② – Lorca 64 ③ – ♦Valencia 256 ①.

Plano página siguiente

Meliá 7 Coronas, paseo de Garay 5, ✉ 30003, ✆ 21 77 72, Telex 67067, Fax 22 12 94, « Terraza jardín » – 25/400. AE ⓓ E VISA. X **x**
Comida 3200 – 1300 – **153 hab** 13700/17200, 1 suite.

Rincón de Pepe, pl. Apóstoles 34, ✉ 30001, ✆ 21 22 39, Telex 67116, Fax 22 17 44 – 25/600. AE ⓓ E VISA JCB. D **r**
Comida (ver rest. ***Rincón de Pepe***) – 1500 – **158 hab** 13750/17600, 4 suites.

NH Amistad Murcia, Condestable 1, ✉ 30009, ✆ 28 29 29, Fax 28 08 28 – 25/600. AE ⓓ E VISA. X **r**
Comida 2700 – 1050 – **143 hab** 10080/15000, 5 suites.

MURCIA

Colón (Alameda de) . . . . DZ
Floridablanca . . . . DZ, X 18
Isidoro de la Cierva . . . . DY 40
Platería . . . . DY
Trapería . . . . DY

Alfonso x el Sabio (Gran Vía) . . . . DY, X 2
Cardenal Belluga (Pl.) . . . DY 5
Ciudad de Almería (Av.) . . . . . X 7
Constitución (Av. de la) . X 9
Emilio Díez de Revenga (Plaza) . . . . . X 12
España (Glorieta de) . . . . DZ 15
Garay (Paseo de) . . . . . . DZ 20
General Primo de Rivera (Avenida) . . . . . X 22
General Yagüe . . . . X 25
Gómez Cortina . . . . CY 28
Industria . . . . X 30
Infante Juan Manuel (Avenida) . . . . DZ 33
Intendente Jorge Palacio (Av.) . . . . X 35
Isaac Albéniz . . . . X 37
Jaime I el Conquistador . . . . . X 42
José Antonio Ponzoa . . . DY 44
Juan Carlos I (Av. de) . . . X 46
Juan XXIII (Plaza de) . . . X 48
Levante (Ronda de) . . . . . X 50
Libertad (Av. de la) . . . . . X 53
Licenciado Cascales . . . . DY 56
Luis Fontes Pagán . . . . . X 58
Marcos Redondo . . . . . . CY 60
Mariano Vergara . . . . X 61
Marqués de Corvera (Paseo) . . X 63
Martínez Tornel (Pl.) . . . . DZ 65
Miguel de Cervantes (Av.) . . X 67
Norte (Ronda) . . . . X 69
Obispo Frutos . . . . X 71
Perea (Avenida) . . . . X 73
Proclamación . . . . DZ 75
San Francisco (Plano de) . . . . CYZ 78
Sociedad . . . . DY 80
Teniente Flomesta (Av.) . . . . DZ 83
Vistabella (Puente de) . . . . . X 85

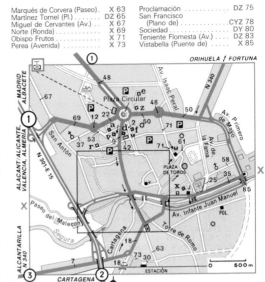

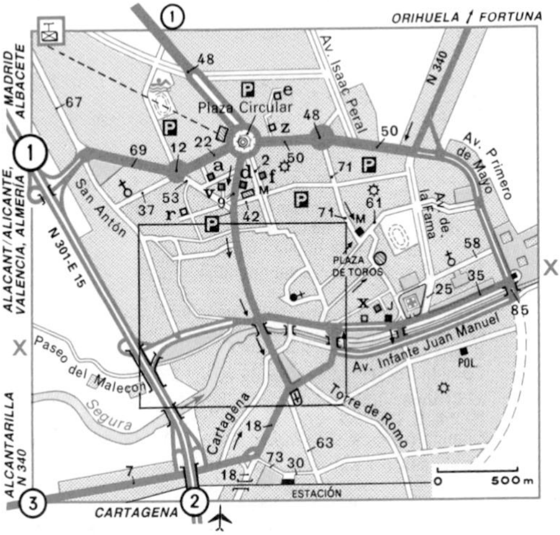

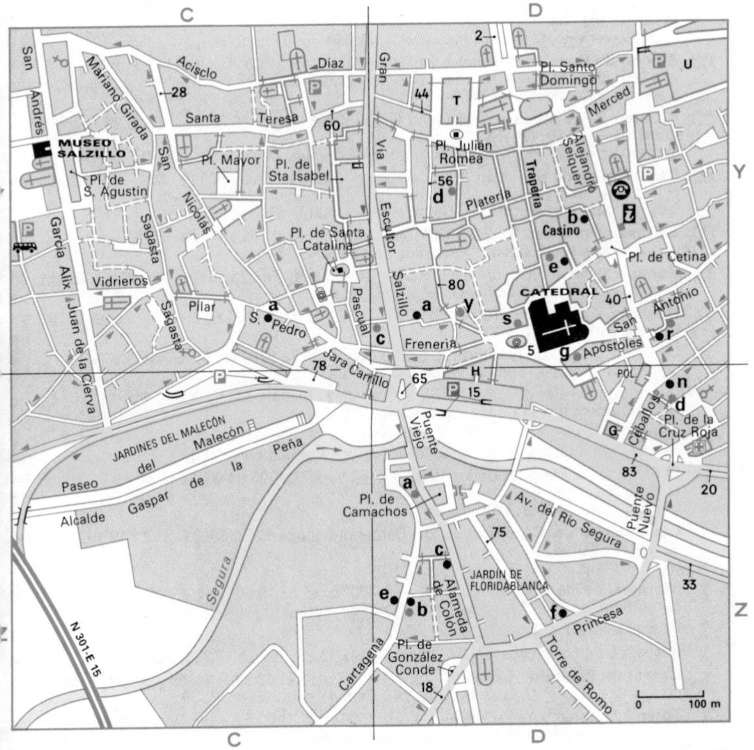

Arco de San Juan, pl. de Ceballos 10, ✉ 30003, ☎ 21 04 55, Fax 22 08 09 – 25/80. AE VISA JCB. DZ n
Comida (ver rest. ***Del Arco***) – 1250 – **112 hab** 9975/14250, 3 suites.

Conde de Floridablanca, Princesa 18, ✉ 30002, ☎ 21 46 26, Fax 21 32 15 – AE E VISA. DZ f
Comida *(cerrado sábado, domingo y agosto)* carta aprox. 3500 – 900 – **80 hab** 8800/12000, 5 suites.

Hispano 2, Radio Murcia 3, ✉ 30001, ☎ 21 61 52, Fax 21 68 59 – 25/100. AE E VISA DY e
Comida (ver rest. ***Hispano***) – 900 – **35 hab** 8500/11500.

Churra-Vistalegre con cafetería, Arquitecto Juan J. Belmonte 4, ✉ 30007, ☎ 20 17 50, Fax 20 17 95 – AE E VISA. X e
Comida (ver rest. ***El Churra***) – 400 – **57 hab** 5500/8000.

Fontoria sin rest, Madre de Dios 4, ✉ 30004, ☎ 21 77 89, Fax 21 07 41 – 25/120. AE E VISA. DY a
800 – **120 hab** 9500/11900.

Pacoche Murcia, Cartagena 30, ✉ 30002, ☎ 21 33 85, Fax 21 33 85 – AE E VISA. DZ e
Comida (ver rest. ***Universal Pacoche***) – 450 – **72 hab** 6000/9000.

La Huertanica, Infante 5, ✉ 30001, ☎ 21 76 69, Fax 21 25 04 – AE E VISA. DY b
Comida 1600 – 750 – **31 hab** 5000/7000 – PA 3150.

El Churra, Obispo Sancho Dávila 1, ✉ 30007, ☎ 23 84 00, Fax 23 77 93 – AE E VISA. X z
Comida (ver rest. ***El Churra***) – 400 – **96 hab** 5500/7500, 1 suite.

Casa Emilio sin rest, con cafetería, Alameda de Colón 9, ✉ 30002, ☎ 22 06 31, Fax 21 30 29 – E VISA. DZ c
450 – **42 hab** 5000/7000.

Majesty sin rest, pl. San Pedro 5, ✉ 30004, ☎ 21 47 42, Fax 21 67 65 – **68 hab.** CY a

Universal Pacoche sin, Cartagena 21, ✉ 30002, ☎ 21 76 05, Fax 21 76 05 – AE E VISA. DZ b
Comida (ver rest. ***Universal Pacoche***) – **47 hab** 3500/5500.

XXX **Rincón de Pepe,** pl. Apóstoles 34, ✉ 30001, ☎ 21 22 39, Telex 67116, Fax 22 17 44 – AE E VISA JCB. – *cerrado domingo (junio-julio) domingo noche resto del año y agosto* – **Comida** carta 3400 a 4400. DY r

XXX **Alfonso X,** av. Alfonso X el Sabio 8, ✉ 30008, ☎ 23 10 66, Fax 24 26 26, Decoración moderna – AE VISA. X f
cerrado domingo y festivos (julio-agosto) – **Comida** carta 2850 a 4050.

XXX **Del Arco,** pl. de San Juan 1, ✉ 30003, ☎ 21 04 55, Fax 22 08 09, – AE E VISA JCB. DZ d
cerrado domingo y agosto – **Comida** carta 2500 a 4500.

XXX **Baltasar,** Apóstoles 10, ✉ 30001, ☎ 22 09 24, Fax 21 68 59 – E VISA DY g
cerrado domingo y agosto – **Comida** carta aprox. 3600.

XX **Rocío,** Batalla de las Flores, ✉ 30008, ☎ 24 29 30, Fax 23 76 61 – AE E VISA. X a
cerrado domingo – **Comida** carta aprox. 3900.

XX **Hispano,** Arquitecto Cerdá 7, ✉ 30001, ☎ 21 61 52, Fax 21 68 59 – AE E VISA. DY e
Comida carta 2300 a 4000.

XX **La Onda,** Bando de la Huerta 8, ✉ 30008, ☎ 24 78 82 – AE E VISA. X v
cerrado domingo – **Comida** carta 2800 a 3600.

XX **Pacopepe,** Madre de Dios 14, ✉ 30004, ☎ 21 95 87 – AE E VISA. DY c
cerrado domingo – **Comida** carta aprox. 3500.

XX **Acuario,** pl. Puxmarina 1, ✉ 30004, ☎ 21 99 55 – AE E VISA. DY y
cerrado domingo y del 15 al 30 de agosto – **Comida** carta 2200 a 3100.

XX **El Churra,** av. Marqués de los Vélez 12, ✉ 30007, ☎ 23 84 00, Fax 23 77 93 – AE E VISA. X z
Comida carta 2100 a 3100.

X **Las Cocinas del Cardenal,** pl. del Cardenal Belluga 7, ✉ 30001, ☎ 21 13 10, – AE E VISA. DY s
Comida carta aprox. 2400.

X **Morales,** av. de la Constitución 12, ✉ 30008, ☎ 23 10 26 – E VISA. X d
cerrado sábado noche y domingo – **Comida** carta 3100 a 4100.

X Paco's, Alfaro 7, ✉ 30001, ☎ 21 42 96 – DY d

X Roses, pl. de Camachos 17, ✉ 30002, ☎ 21 13 25, Fax 21 13 25 – DZ a

X **Universal Pacoche,** Cartagena 25, ✉ 30002, ☎ 21 13 38 – AE E VISA. DZ b
cerrado sábado y 15 días en agosto – **Comida** carta aprox. 2500.

X **Torro's,** Jerónimo Yáñez de Alcalá, ✉ 30003, ☎ 21 02 62 – AE E VISA. X x
cerrado domingo y del 15 al 30 de agosto – **Comida** carta 2200 a 3100.

MURGUÍA 01130 Álava 442 D 21 alt. 620 – ☎ 945.
♦Madrid 362 – ♦Bilbao/Bilbo 45 – ♦Vitoria/Gasteiz 19.

Zuya, Domingo Sautu 30 ✆ 43 03 00, Fax 43 00 27 – TV ☎ P – 25. AE ① E VISA. ✕ rest
Comida 1700 – ☐ 700 – **15 hab** 5000/7000 – PA 4000.

en la autopista A 68 NO : 5 km – ✉ 01130 Murguia – ☎ 945 :

Motel Altube, ✆ 43 01 50, Fax 43 02 51 – ▤ rest P. AE ① E VISA. ✕
Comida 1500 – ☐ 650 – **20 hab** 8480 – PA 3650.

Altube, ✆ 43 01 73, Fax 43 02 51 – ▤ rest P. AE ① E VISA. ✕
Comida 1500 – ☐ 650 – **20 hab** 5280/6600 – PA 3650.

MURIEDAS 39600 Cantabria 442 B 18 – ☎ 942.
♦Madrid 392 – ♦Bilbao/Bilbo 102 – ♦Burgos 149 – ♦Santander 7.

Parayas sin rest, con cafetería, av. de la Concordia 6 ✆ 25 13 00 – |$| TV ☎ ⇔. AE E VISA. ✕
☐ 450 – **22 hab** 5000/7100.

Un consejo Michelin :

Para que sus viajes sean un éxito, prepárelos de antemano.

Los mapas y las guías Michelin le proporcionan todas las indicaciones útiles sobre : itinerarios, visitas de curiosidades, alojamiento, precios, etc...

MUROS 15250 La Coruña 441 D 2 – 10 178 h. – ☎ 981 – Playa.
♦Madrid 674 – Pontevedra 97 – Santiago de Compostela 72.

Muradana y Rest. A Maia, av. Castelao 99 ✆ 82 68 85 – |$| ☎. VISA. ✕
Comida 1300 – ☐ 350 – **16 hab** 5000/7000 – PA 2950.

A Esmorga, paseo del Bombé ✆ 82 65 28, ≤ – AE E VISA. ✕
cerrado domingo noche de (noviembre-mayo) – **Comida** carta 2025 a 2925.

MUTRIKU Guipúzcoa – ver Motrico.

NÁJERA 26300 La Rioja 442 E 21 – 6 901 h. – ☎ 941.
Ver : Monasterio de Santa María la Real★, (claustro★★, iglesia : panteón real★, sepulcro de Blanca de Navarra★ - coro alto : sillería★).
Alred. : San Millán de la Cogolla (Monasterio de Suso★, Monasterio de Yuso : marfiles tallados★★) SO : 18 km.
♦Madrid 324 – ♦Burgos 85 – ♦Logroño 28 – ♦Vitoria/Gasteiz 84.

Mesón Duque Forte, San Julián 13 ✆ 36 37 84 – AE E VISA. ✕
cerrado lunes, del 15 al 30 de septiembre y 15 días en Navidades – **Comida** carta aprox. 2900.

NAVA 33520 Asturias 441 B 13 – 5 564 h. – ☎ 98.
♦Madrid 463 – Gijón 41 – ♦Oviedo 32 – ♦Santander 173.

en la carretera N 634 E : 7 km – ✉ 33582 Ceceda – ☎ 98 :

La Cueva de Narciso, ✆ 570 41 37, Fax 570 42 02 – ☎ ⇔ P. AE E VISA. ✕ hab
Comida 1500 – ☐ 450 – **20 hab** 5000/6000.

NAVACERRADA 28491 Madrid 444 J 17 – 1 597 h. alt. 1 203 – ☎ 91 – Deportes de invierno en el Puerto de Navacerrada ≴ 11.
♦Madrid 50 – El Escorial 21 – ♦Segovia 35.

Ricardo, Audiencia ✆ 853 11 23 – ▤. E VISA. ✕
cerrado lunes – **Comida** carta 3150 a 4100.

La Galería, Iglesia 9 ✆ 856 05 79 – ▤. AE VISA. ✕
cerrado del 15 al 30 de septiembre – **Comida** carta 3750 a 4950.

Felipe, av. de Madrid 2 ✆ 856 08 34, Fax 856 08 34 – ▤. AE ① E VISA. ✕
Comida carta 3700 a 5250.

Asador Felipe, del Mayo 3 ✆ 853 10 41, Fax 854 08 34, ☂, Decoración castellana – AE ① E VISA. ✕
cerrado martes (otoño-invierno) – **Comida** carta 2700 a 5250.

Espinosa, Santísimo 6 ✆ 856 08 02
Comida (sólo almuerzo en invierno salvo fines de semana).

La Cocina del Obispo, Dr Villasante 7 ✆ 856 09 36, ☂ – AE ① E VISA. ✕
Comida carta aprox. 3825.

en la carretera M 601 - ✉ 28491 Navacerrada - ☎ 91 :

Arcipreste de Hita, NO : 1,5 km ☎ 856 01 25, Fax 856 02 70, ≤ pantano y montañas, – |‡| ▤ rest TV ☎ P - 25/60. AE E VISA.
Comida 3000 - ▭ 800 - **40 hab** 10000/12000 - PA 6000.

XXX **La Fonda Real,** NO : 2 km ☎ 856 03 05, Fax 856 03 52, « Decoración castellana de siglo XVIII » - P. AE E VISA.
Comida (sólo almuerzo de domingo a jueves en invierno) carta 4500 a 5600.

XX **Las Postas** con hab, SO : 1,5 km ☎ 856 02 50, Fax 853 11 51, ≤, - ▤ rest TV ☎ P - 25/60. AE E VISA
Comida carta aprox. 4300 - ▭ 490 - **20 hab** 5600/7000.

en el valle de La Barranca NE : 3,5 km - ✉ 28491 Navacerrada - ☎ 91 :

La Barranca, pinar de La Barranca alt. 1 470 ☎ 856 00 00, Fax 856 03 52, ≤, - |‡| TV ☎ P - 25/35. AE E VISA
Comida 2850 - ▭ 810 - **42 hab** 7450/9350, 2 suites - PA 5700.

NAVACERRADA (Puerto de) 28470 Madrid-Segovia 444 J 17 alt. 1 860 - ☎ 91 - Deportes de invierno : 11. **Ver :** Puerto★ (≤★).

♦Madrid 57 - El Escorial 28 - ♦Segovia 28.

Pasadoiro, carret. N 601 ☎ 852 14 27, ≤ - P. AE VISA
Comida 2250 - ▭ 375 - **36 hab** 5000/7000 - PA 4250.

NAVAL 22320 Huesca 443 F 30 - 303 h. alt. 637 - ☎ 974.

♦Madrid 471 - Huesca 81 - ♦Lérida/Lleida 108.

Olivera, San Miguel ☎ 30 03 01, ≤, - ▤ rest P
30 hab.

NAVALCARNERO 28600 Madrid 444 L 17 - 10 294 h. alt. 671 - ☎ 91.

♦Madrid 32 - El Escorial 42 - Talavera de la Reina 85.

Real Villa de Navalcarnero, paseo San Damián 3 ☎ 811 24 93, Fax 811 11 42, ≤, - |‡| ▤ TV ☎ P - 25/300. AE E VISA.
Comida 1750 - ▭ 450 - **36 hab** 7000/8500 - PA 3500.

XX **Hostería de las Monjas,** pl. de la Iglesia 1 ☎ 811 18 19, , Decoración castellana - ▤ AE E VISA - **Comida** carta 3100 a 4600.

en la carretera N V - ✉ 28600 Navalcarnero - ☎ 91 :

El Labrador G. H., SO : 5 km ☎ 813 94 20, Fax 813 94 44, , - ▤ ☎ P. AE E VISA.
Comida 1200 - **82 hab** ▭ 4800/6500.

XX **Felipe IV,** E : 3 km ☎ 811 09 13, - ▤ P. AE E VISA.
Comida carta aprox. 4300.

NAVALMORAL DE LA MATA 10300 Cáceres 444 M 13 - 15 211 h. alt. 514 - ☎ 927.

♦Madrid 180 - ♦Cáceres 121 - Plasencia 69.

Brasilia, antigua carret. N V ☎ 53 07 50, - ▤ P. VISA.
Comida 2375 - ▭ 380 - **43 hab** 4160/6640.

X **Los Arcos de Baram,** Regimiento Argel 6 ☎ 53 30 60 - ▤. E VISA.
Comida carta 2300 a 3850.

Las NAVAS DEL MARQUÉS 05230 Ávila 442 K 17 - 4 087 h. alt. 1 318 - ☎ 91.

♦Madrid 81 - Ávila 40 - El Escorial 26.

X **Montecarlo,** García del Real 22 ☎ 897 06 49 - ▤. E VISA.
Comida carta aprox. 2900.

NAVIA 33710 Asturias 441 B 9 - 8 914 h. - ☎ 98 - Playa.

El Muelle 3, ☎ 563 00 94, (temp).

♦Madrid 565 - ♦La Coruña/A Coruña 203 - Gijón 118 - ♦ Oviedo 122.

Palacio Arias sin rest, av. José Antonio 11 ☎ 547 36 75, Fax 547 36 83, « Antiguo palacete » - |‡| TV ☎ P. AE VISA
▭ 425 - **15 hab** 7000/14000.

Blanco, La Colorada N : 1 km ☎ 563 07 75, Fax 547 32 01 - |‡| ▤ rest TV ☎ P - 25/300. AE E VISA.
Comida 1500 - ▭ 400 - **38 hab** 3500/6500.

Palacio Arias II, av. José Antonio 11 ☎ 547 36 75, Fax 547 36 83 - |‡| TV ☎ P. AE VISA. rest
Comida 920 - ▭ 425 - **29 hab** 3700/7400, 4 apartamentos - PA 2265.

X **El Sotanillo,** Mariano Luiña 24 ☎ 563 08 84 - AE E VISA.
cerrado sábado - **Comida** carta aprox. 4300.

NA XAMENA (Urbanización) Palma de Mallorca – ver Baleares (Ibiza) : San Miguel.

NEGREIRA **15830** La Coruña 441 D 3 – 6 265 h. alt. 183 – ☎ 981.

♦Madrid 633 – ♦La Coruña/A Coruña 92 – Santiago de Compostela 20.

Tamara, carret. de Santiago ☎ 88 52 01, Fax 88 58 13 – ☎ . AE E. ✻
Comida 1200 – ☕ 300 – **40 hab** 3500/6000, 20 apartamentos.

NEGURI Vizcaya – ver Getxo.

NERJA **29780** Málaga 446 V 18 – 14 334 h. – ☎ 95 – Playa.

Alred. : Cuevas de Nerja★★ NE : 4 km – Carretera★ de Nerja a La Herradura ≤★★.

Golf Nerja ☎ 252 02 08.

Puerta del Mar 2 ☎ 252 15 31.

♦Madrid 549 – ♦Almería 169 – ♦Granada 120 – ♦Málaga 52.

Parador de Nerja, playa de Burriana - Tablazo ☎ 252 00 50, Fax 252 19 97, ≤ mar, « Césped frente al mar », – – 25/80. AE E VISA. ✻
Comida 3200 – ☕ 1100 – **73 hab** 14500 – PA 6375.

Perla Marina, Mérida 7 ☎ 252 33 50, Fax 252 40 83, ≤, – – 25/180. AE VISA. ✻ rest
Comida (sólo buffet) 2200 – ☕ 700 – **106 hab** 8200/14000 – PA 4400.

Plaza Cavana, pl. Cavana 10 ☎ 252 40 00, Fax 252 40 08, – – 25/175. AE E VISA. ✻
Comida *(cerrado martes)* (sólo cena en verano) 1450 – **22 hab** ☕ 8500/11500.

Balcón de Europa, paseo Balcón de Europa 1 ☎ 252 08 00, Fax 252 44 90, ≤, – – 25/100. AE E VISA. ✻ rest
Comida 2300 – ☕ 700 – **105 hab** 9450/12750 – PA 4500.

Don Peque sin rest, Diputación Provincial 13 - 1° ☎ 252 13 18 – . AE E VISA. ✻
☕ 300 – **10 hab** 3500/4400.

Estrella del Mar, Bella Vista 5 ☎ 252 04 61,
cerrado febrero – **Comida** 975 – ☕ 350 – **12 hab** 3300/4100 – PA 1900.

De Miguel, Pintada 2 ☎ 252 29 96 – . E VISA. ✻
cerrado lunes y febrero – **Comida** (sólo cena de octubre a mayo) carta 2200 a 3275.

Pepe Rico, Almirante Ferrándiz 28 ☎ 252 02 47, Fax 252 44 98, – E VISA. ✻
cerrado martes y 23 enero-6 febrero y 30 noviembre-22 diciembre – **Comida** carta 2355 a 3525.

Verano Azul, Almirante Ferrándiz 31 ☎ 252 18 95 – AE E VISA. ✻
cerrado miércoles y 15 noviembre-15 diciembre – **Comida** carta 1925 a 2850.

en la carretera N 340 E : 1,5 km – ✉ 29780 Nerja – ☎ 95 :

Nerja Club, ☎ 252 01 00, Fax 252 26 08, ≤, , , –
67 hab.

NIGRÁN **36209** Pontevedra 441 F 3 – ☎ 986.

♦Madrid 619 – Orense/Ourense 108 – Pontevedra 44 – ♦Vigo 17.

Los Abetos, carret. C 550 N : 1 km entrada Los Abetos-Nigrán ☎ 36 81 47, Fax 36 55 67, – . AE E VISA JCB. ✻
Comida carta 2980 a 4340.

Los NOGALES o **AS NOGAIS** **27677** Lugo 441 D 8 – 1 867 h. – ☎ 982.

♦Madrid 451 – Lugo 53 – Ponferrada 69.

Fonfría, carret. N VI ☎ 36 40 44 –
27 hab.

NOALLA **36990** Pontevedra 441 E 3 – ☎ 986 – Playa.

♦ Madrid 633 – Pontevedra 27 – Santiago de Compostela 79.

en la playa de La Lanzada O : 1,3 km – ✉ 36990 Noalla – ☎ 986 :

Delfín Azul, ☎ 74 51 66, Fax 74 48 09, ≤ – . E VISA. ✻
Comida 2100 – **38 hab** ☕ 4500/7000.

Marola , ☎ 74 32 44, Fax 74 32 44, ≤, – . E VISA. ✻
abril-octubre – **Comida** 1850 – ☕ 400 – **58 hab** 5000/6000.

NOIA La Coruña – ver Noya.

NOJA 39180 Cantabria 442 B 19 - 1 562 h. - ☎ 942 - Playa.

♦Madrid 422 - ♦Bilbao/Bilbo 79 - ♦Santander 44.

en la playa de Ris NO : 2 km - ✉ 39184 Ris - ☎ 942 :

Torre Cristina ⑤, La Sierra 9 ☎ 67 54 20, Fax 63 10 24, ≤, ⛱ - |‡| TV ☎ Ⓟ. VISA. ✻
Semana Santa-septiembre - **Comida** 1300 - ☐ 400 - **49 hab** 6700/9900.

Montemar ⑤ sin rest, Arenal 21 ☎ 63 03 20, ✻ - |‡| ☎ Ⓟ
temp - **59 hab.**

La Encina, av. de Ris 75 ☎ 63 01 41, Fax 63 01 41, ≤ - |‡| ☎ Ⓟ. AE VISA. ✻
Semana Santa y mayo-septiembre - **Comida** 1500 - ☐ 450 - **47 hab** 4800/7900 - PA 2500.

Los Nogales, av. de Ris 21 ☎ 63 02 65 - Ⓟ
temp - **27 hab.**

NOREÑA 33180 Asturias 441 B 12 - 4 193 h. - ☎ 98.

♦Madrid 447 - ♦Oviedo 12.

Doña Nieves sin ☐, Pio XII 4 ☎ 574 02 74, Fax 574 12 71 - |‡| TV ☎. AE E VISA. ✻
Comida (en el hotel **Cabeza**) - **27 hab** 6150/8480.

Cabeza, Javier Lauzurica 4 ☎ 574 02 74, Fax 574 12 71 - |‡| TV ☎ 🚗. AE E VISA. ✻
Comida *(cerrado domingo)* 1700 - ☐ 500 - **48 hab** 5800/6800.

NOVO SANCTI PETRI (Urbanización) Cádiz - ver Chiclana de la Frontera.

NOYA o **NOIA** 15200 La Coruña 441 D 3 - 14 082 h. - ☎ 981.

Ver : Iglesia de San Martín★.

Alred. : O : Ría de Muros y Noya★★.

Excurs. : Mirador del Curota★★★ SO : 35 km.

♦Madrid 639 - ♦La Coruña/A Coruña 109 - Pontevedra 62 - Santiago de Compostela 35.

Park ⑤, carret. de Muros-Barro ☎ 82 37 29, Fax 82 31 33, ≤, ⛱ - TV ☎ Ⓟ. E VISA. ✻
Comida 2800 - ☐ 500 - **35 hab** 5000/7500.

Ceboleiro con hab, Galicia 15 ☎ 82 05 31, Fax 82 44 97 - ▤ rest TV ☎. AE ⓓ E VISA. ✻
Comida carta 2500 a 3600 - ☐ 300 - **13 hab** 4000/8000.

La NÚCIA o **La NUCIA** 03530 Alicante 445 Q 29 - 6 106 h. alt. 85 - ☎ 96.

♦Madrid 450 - ♦Alicante/Alacant 56 - Gandía 64.

en la carretera de Benidorm - ✉ 03530 La Nucía - ☎ 96 :

Nuevo Alcázar, S : 5 km ☎ 587 32 08, Fax 587 32 08, 🏝, « Bonita terraza evocando el patio de los Leones de la Alhambra granadina » - Ⓟ. AE ⓓ E VISA. ✻
cerrado lunes salvo julio-agosto - **Comida** carta 1820 a 4220.

Kaskade I, urb. Panorama III S : 4,5 km y desvío a la derecha 1 km ☎ 587 31 40, 🏝, ⛱ - VISA. ✻
cerrado del 1 al 15 de diciembre - **Comida** carta 1900 a 2800.

Kaskade II, urbanización Panorama I S : 5 km y desvío a la derecha 0,3 km ☎ 587 33 37, 🏝, ⛱ - Ⓟ.

NUESTRA SEÑORA DE LA SALUT (Santuario de) Gerona 443 F 37 - ✉ 17174 Sant Feliu de Pallerols - ☎ 972.

♦Madrid 706 - ♦Barcelona 122 - Gerona/Girona 59 - Vich/Vic 37.

La Salut ⑤, ☎ 44 40 06, Fax 44 40 06, « Magnífica situación con ≤ montañas y valle » - |‡| TV ☎ ♿ Ⓟ. AE VISA. ✻
Comida 1200 - ☐ 475 - **30 hab** 3000/6000 - PA 2300.

NUEVA DE LLANES 33592 Asturias 441 B 15 - ☎ 98.

♦Madrid 495 - Cangas de Onís 31 - Gijón 77 - Llanes 20 - ♦Oviedo 92 - Ribadesella 10.

Cuevas del Mar sin rest, pl. de Laverde Ruiz ☎ 541 03 77 - |‡| TV ☎. AE ⓓ E VISA
☐ 400 - **12 hab** 5000/7500.

NUEVA EUROPA (Urbanización) Las Palmas - ver Canarias (Gran Canaria) : Maspalomas.

NULES 12520 Castellón de la Plana 445 M 29 - 11 510 h. - ☎ 964.

♦Madrid 402 - Castellón de la Plana/Castelló de la Plana 19 - Teruel 125 - ♦Valencia 54.

Barbacoa, carret. de Burriana ☎ 67 05 04 - ▤ Ⓟ. AE ⓓ E VISA
cerrado domingo noche, lunes noche y agosto - **Comida** carta 2050 a 3100.

OCHANDIANO u **OTXANDIO** 48210 Bilbao 442 C 22 - ☎ 945.
◆ Madrid 377 - ◆ Bilbao/Bilbo 50 - ◆ Vitoria/Gasteiz 23.

- **María Jesús,** pl. Nagusia 15 ☎ 45 00 28 - E VISA. ✻
  cerrado lunes y del 7 al 31 de agosto - **Comida** carta 3500 a 4600.

OIARTZUN Guipúzcoa - ver Oyarzun.

OIEREGI Navarra - ver Oyeregui.

OION Álava - ver Oyón.

OJEDO 39585 Cantabria 442 C 16 - ☎ 942.
◆Madrid 398 - Aguilar de Campóo 81 - ◆Santander 111.

- **Infantado,** carret. N 621 ☎ 73 09 39, Fax 73 05 78, ⛱ - |$| ▤ rest TV ☎ ⇔ P. AE ⊙ E VISA JCB. ✻
  Comida 2000 - ☕ 450 - **48 hab** 5900/9100 - PA 4450.
- **Martín,** carret. N 621 ☎ 73 02 33, ≤ - AE VISA. ✻
  cerrado enero - **Comida** carta 1625 a 2800.

OJÉN 29610 Málaga 446 W 15 - 1 976 h. alt. 780 - ☎ 95.
◆Madrid 610 - Algeciras 85 - ◆Málaga 64 - Marbella 8.

en la Sierra Blanca NO : 10 km por C 337 y carretera particular - ✉ 29610 Ojen - ☎ 95 :

- **Refugio de Juanar** ⛰, ☎ 288 10 00, Fax 288 10 01, « Refugio de caza », ⛱, ✻, ✻ - TV ☎ P. AE ⊙ E VISA JCB. ✻
  Comida 2650 - ☕ 775 - **25 hab** 6800/8800 - PA 5200.

OLABERRÍA 20212 Guipúzcoa 442 C 23 - 1 078 h. alt. 332 - ☎ 943.
◆ Madrid 419 - ◆ Pamplona/Iruñea 65 - ◆ San Sebastián/Donostia 42 - ◆ Vitoria/Gasteiz 72.

en la carretera N I NO : 2,4 km - ✉ 20212 Olaberría - ☎ 943 :

- **Castillo,** ☎ 88 19 58, Fax 88 34 60 - |$| ▤ rest TV ☎ ⇔ P. AE ⊙ E VISA. ✻ rest
  cerrado 2ª quincena de agosto y Navidades - **Comida** *(cerrado domingo noche)* 3000 - ☕ 750 - **28 hab** 5060/8030 - PA 5700.

OLAVE u **OLABE** 31799 Navarra 442 D 25 - ☎ 948.
◆Madrid 411 - ◆Bayonne 106 - Pamplona/Iruñea 12.

- **Sarasate,** carret. N 121 ☎ 33 08 20 - P. E VISA. ✻
  cerrado domingo noche, lunes, Semana Santa, del 14 al 21 de julio y Navidades - **Comida** carta aprox. 3100.

OLEIROS 15173 La Coruña 441 B 5 - 18 727 h. alt. 79 - ☎ 981.
◆Madrid 580 - ◆La Coruña/A Coruña 8 - Ferrol 24 - Santiago de Compostela 78.

- **El Refugio,** pl. de Galicia 11 ☎ 61 08 03, Fax 63 14 80 - ▤. AE ⊙ E VISA JCB. ✻
  cerrado domingo noche - **Comida** carta 2850 a 5400.

OLITE 31390 Navarra 442 E 25 - 3 049 h. alt. 380 - ☎ 948.
Ver : Castillo de los Reyes de Navarra★ - Iglesia de Santa María la Real (fachada★).
ℹ Castillo Palacio ☎ 74 00 35 (Semana Santa-octubre).
◆Madrid 370 - ◆Pamplona/Iruñea 43 - Soria 140 - ◆Zaragoza 140.

- **Parador de Olite** ⛰, pl. de los Teobaldos 2 ☎ 74 00 00, Fax 74 02 01, « Instalado parcialmente en el antiguo castillo de los Reyes de Navarra » - |$| ▤ TV ☎ - 🏛 25/110. AE ⊙ E VISA. ✻
  Comida 3200 - ☕ 1100 - **43 hab** 13000 - PA 6375.
- **Carlos III el Noble,** Rua de Medios 1 ☎ 74 06 44 - TV. AE E VISA. ✻
  Comida 1800 - ☕ 500 - **13 hab** 4500/7000 - PA 3500.
- **Casa Zanito** con hab, Mayor 16 ☎ 74 00 02, Fax 71 20 87 - |$| ▤ TV ☎. AE ⊙ E VISA. ✻
  cerrado 22 diciembre-9 enero - **Comida** carta aprox. 4350 - **15 hab** ☕ 6000/8500.

OLIVA 46780 Valencia 445 P 29 - 20 311 h. - ☎ 96 - Playa.
◆Madrid 424 - ◆Alicante/Alacant 101 - Gandía 8 - ◆Valencia 76.

en la playa E : 2 km - ✉ 46780 Oliva - ☎ 96 :

- **Pau-Pi** sin rest, Roger de Lauria 2 ☎ 285 12 02, Fax 285 10 49 - ☎ P. E VISA
  cerrado del 1 al 15 de noviembre - ☕ 515 - **40 hab** 3000/5985.

La OLIVA (Monasterio de) 31310 Navarra 442 E 25.

Ver : Monasterio★ (iglesia★★, claustro★).

♦Madrid 366 – ♦Pamplona/Iruñea 73 – ♦Zaragoza 117.

OLOST u OLOST DE LLUÇANÈS 08519 Barcelona 443 G 36 – 960 h. alt. 669 – ☎ 93.

♦Madrid 618 – ♦Barcelona 85 – Gerona/Girona 98 – Manresa 71.

X ✿ **Sala** con hab, pl. Major 4 ☎ 888 01 06 – ▤ rest TV. AE ⓓ E VISA. ✖
cerrado del 1 al 15 septiembre y Navidad – **Comida** *(cerrado domingo noche)* carta 3200 a 6300 – ☕ 450 – **12 hab** 2500/5000
Espec. Escalopes de foie sauté sobre lamas de manzana reineta, Rodaballo al horno con patatas del bufet, Becada en salmis (noviembre-febrero).

OLOT 17800 Gerona 443 F 37 – 26 613 h. alt. 443 – ☎ 972.

ℹ Lorenzana 15 ☎ 26 01 41.

♦Madrid 700 – ♦Barcelona 130 – Gerona/Girona 55.

Riu Olot sin rest, carret. de Santa Pau ☎ 26 94 44, Fax 26 67 03, ≤ – |♦| ▤ TV ☎ ⇔ P – 🔑 25/40. AE E VISA. ✖
32 hab ☕ 8000/10200.

Borrell sin rest, Nónit Escubós 8 ☎ 26 92 75, Fax 27 04 08 – |♦| ▤ TV ☎ ⇔. AE E VISA. ✖
☕ 750 – **24 hab** 4400/7500.

Perla d'Olot, av. Santa Coloma 97 ☎ 26 23 26, Fax 27 07 74 – |♦| ▤ TV ☎ ⇔. AE ⓓ E VISA. ✖ rest
Comida *(cerrado junio)* 1030 – ☕ 440 – **20 apartamentos** 3700/5700 – PA 2000.

La Perla, carret. La Deu 9 ☎ 26 23 26, Fax 27 07 74 – |♦| ▤ rest ☎ ⇔. AE ⓓ E VISA. ✖
Comida *(cerrado junio)* 1030 – ☕ 440 – **30 hab** 1700/3200 – PA 2000.

XX **Les Cols,** Mas les Cols-carret. de La Canya ☎ 26 92 09, 🌳 – ▤. AE ⓓ E VISA JCB
cerrado domingo, festivos y 24 julio-13 agosto – **Comida** carta 2450 a 3450.

XX **Ramón,** pl. Clarà 10 ☎ 26 10 01 – ▤. AE ⓓ E VISA. ✖
cerrado jueves, 2ª quincena de mayo y 2ª quincena octubre – **Comida** carta 2950 a 4500.

X **La Deu,** carret. La Deu - S : 2 km por carret. de Vich ☎ 26 10 04, Fax 26 64 36, 🌳 – ▤ P. AE ⓓ E VISA. ✖
cerrado domingo noche – **Comida** carta 2060 a 4150.

OLULA DEL RÍO 04860 Almería 446 T 23 – 5 695 h. alt. 487 – ☎ 950.

♦Madrid 528 – Almería 116 – ♦Murcia 142.

La Tejera, antigua carret. N 336 ☎ 44 22 12, Fax 44 15 12, 🌳 – ▤ TV ☎ P. AE VISA. ✖
Comida 1000 – **36 hab** ☕ 3500/6000.

ÓLVEGA 42110 Soria 442 G 24 – 2 911 h. – ☎ 976.

♦Madrid 257 – ♦Pamplona/Iruñea 127 – Soria 45 – ♦Zaragoza 114.

Los Infantes, La Pista ☎ 64 53 87
21 hab.

ONDÁRROA 48700 Vizcaya 442 C 22 – 10 265 h. – ☎ 94 – Playa.

Ver : Pueblo típico★.

Alred. : Carretera en cornisa★ de Ondárroa a Lequeitio ≤★.

♦Madrid 427 – ♦Bilbao/Bilbo 61 – ♦San Sebastián/Donostia 49 – ♦Vitoria/Gasteiz 72.

ONTENIENTE u ONTINYENT 46870 Valencia 445 P 28 – 29 511 h. alt. 400 – ☎ 96.

♦Madrid 369 – ♦Albacete 122 – ♦Alicante/Alacant 91 – ♦Valencia 84.

X **Rincón de Pepe,** av. de Valencia 1 ☎ 238 32 10 – ▤. AE ⓓ E VISA. ✖
cerrado domingo, Semana Santa y 1ª quincena de julio – **Comida** carta 2500 a 3500.

ONTIGOLA 45340 Toledo 444 L 19 – 1 068 h. alt. 607 – ☎ 925.

♦Madrid 51 – Aranjuez 5 – Ocaña 11 – Toledo 46.

en la autovía N IV SO : 4,5 km – ✉ 45340 Ontígola – ☎ 925 :

Aranjuez, ☎ 12 05 41 – ▤ TV ☎ ⇔ P. E VISA. ✖
Comida 1300 – ☕ 300 – **34 hab** 2500/5000 – PA 2900.

OÑATE u OÑATI 20560 Guipúzcoa 442 C 22 - 10 264 h. alt. 231 - ☎ 943.
Alred. : Carretera★ a Arantzazu.
♦Madrid 401 - ♦San Sebastián/Donostia 74 - ♦Vitoria/Gasteiz 45.

por la carretera de Mondragón O : 1,5 km - ✉ 20560 Oñate - ☎ 943 :

Etxe-Aundi, Torre Auzo 9 ☎ 78 19 56, Edificio de estilo regional - P. AE ⓓ E VISA.
cerrado domingo noche, lunes noche y 22 diciembre-2 enero - **Comida** carta 3000 a 4200.

en la carretera de Aránzazu - ✉ 20560 Oñate - ☎ 943 :

Soraluze, SO : 2 km ☎ 71 61 79, Fax 71 60 70, ≤ - rest TV ☎ P. AE E VISA.
Comida *(cerrado domingo noche)* 950 - 500 - **12 hab** 5700/7000 - PA 2400.

Urtiagain, SO : 4 km ☎ 78 08 14 - P.

ÓRDENES u ORDES 15680 La Coruña 441 C 4 - 11 693 h. - ☎ 981.
♦ Madrid 599 - ♦La Coruña/A Coruña 39 - Santiago de Compostela 27.

Nogallas, Alfonso Senra 110 ☎ 68 01 55, Fax 68 01 31 - TV ☎. AE E VISA.
Comida 1400 - 350 - **38 hab** 2500/5500 - PA 3150.

ORDESA Y MONTE PERDIDO (Parque Nacional de) Huesca 443 E 29 y 30 alt. 1 320.
Ver : Parque Nacional★★★.
♦Madrid 490 - Huesca 100 - Jaca 62.

Hoteles y restaurantes ver : Torla SO : 8 km.

ORDINO Andorra - ver Andorra (Principado de).

ORDUÑA 48460 Vizcaya 442 D 20 - 4 194 h. alt. 283 - ☎ 945.
Alred. : S : Carretera del Puerto de Orduña ※★.
♦Madrid 357 - ♦Bilbao/Bilbo 41 - ♦Burgos 111 - ♦Vitoria/Gasteiz 40.

Llarena, Burgos 6 ☎ 38 39 99 - . AE ⓓ E VISA.
cerrado 1ª quincena de julio - **Comida** (sólo almuerzo salvo viernes, sábado, vísperas de festivos y agosto) carta 2800 a 3800.

ORENSE u OURENSE 32000 P 441 E 6 - 108 382 h. alt. 125 - ☎ 988.
Ver : Catedral★ (Pórtico del Paraíso★★) AY **B** - Museo Arqueológico y de Bellas Artes (Camino del Calvario★) AZ **M** - Claustro de San Francisco★ AY.
Excurs. : Ribas de Sil (Monasterio de San Esteban : paraje★) 27 km por ② - Gargantas del Sil★ 26 km por ② - Iberia ☎ 22 84 00.
Curros Enríquez 1 (Torre de Orense) ☎ 37 20 20 - R.A.C.E. Valle Inclán 5, ✉ 32003, ☎ 23 25 27.
♦Madrid 499 ④ - Ferrol 198 ① - ♦La Coruña/A Coruña 183 ① - Santiago de Compostela 111 ① - ♦Vigo 101 ⑤.

Plano página siguiente

G. H. San Martín sin rest, Curros Enriquez 1, ✉ 32003, ☎ 37 16 30, Fax 37 21 38 - TV ☎ - 25/150. AE ⓓ E VISA. AY **a**
1150 - **90 hab** 10000/15300, 1 suite.

Padre Feijoó sin rest, Cruz Bermella 2, ✉ 32005, ☎ 22 31 00, Fax 22 31 00 - TV ☎. ⓓ E VISA. AY **p**
660 - **71 hab** 3900/6100.

Altiana sin rest. con cafetería, Ervedelo 14, ✉ 32002, ☎ 37 09 52, Fax 37 01 28 - TV ☎ - 25/40. ⓓ E VISA. AY **u**
150 - **32 hab** 3400/5000.

Zarampallo, Hermanos Villar 29, ✉ 32005, ☎ 23 00 08 - rest TV ☎. AE E VISA. hab
Comida *(cerrado domingo)* 1000 - 600 - **14 hab** 3500/5500. AY **c**

Sanmiguel, San Miguel 12, ✉ 32005, ☎ 22 12 45, Fax 24 27 49 - . AE ⓓ E VISA JCB AY **s**
cerrado martes salvo (festivos y vísperas) y del 10 al 31 de enero - **Comida** carta 4000 a 5250.

Martín Fierro, Sáenz Díez 17, ✉ 32003, ☎ 37 26 43, Fax 37 22 63 - P. AE ⓓ E VISA JCB. AY **b**
cerrado domingo - **Comida** carta 2800 a 4300.

Marmite, Curros Enriquez 8, ✉ 32003, ☎ 24 32 55 - . AE ⓓ E VISA. AY **d**
cerrado domingo noche salvo vísperas de festivos - **Comida** carta 2050 a 3250.

en El Cumial por ④ : 6 km - ✉ 32970 Cumial - ☎ 988 :

Auriense, ☎ 23 49 00, Fax 24 50 01, ≤, , - TV ☎ P - 25/500. AE VISA.
Comida 2000 - 500 - **137 hab** 5500/8600.

OURENSE/ORENSE

Bedoya . . . . AY
Capitán Eloy . . . . AY
Cardenal Quiroga Palacios . . . . . . AY 9
Coronel Ceano Vivas . . . . . AY 10
Doctor Marañón . . . . AZ 16
Lamas Carvajal . . . . AY 20
Paseo . . . . AY
Paz . . . . AY 29
Praza Maior . . . . AZ
Progreso . . . . AYZ
Santo Domingo . . . . AY 39

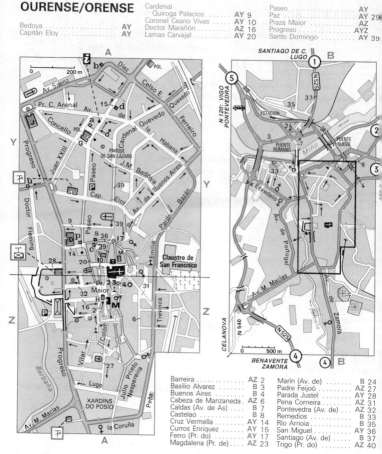

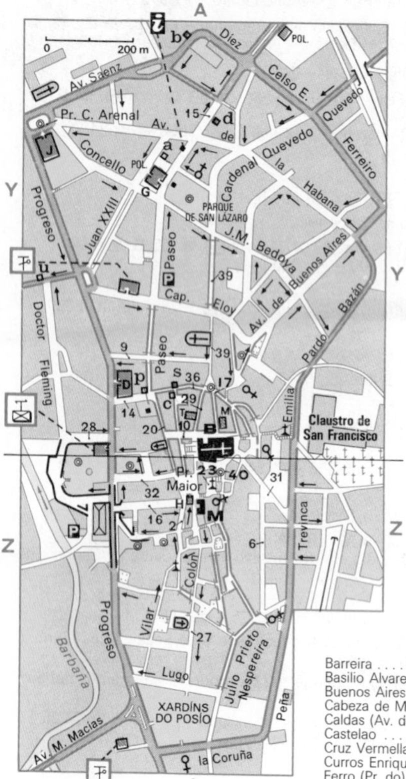

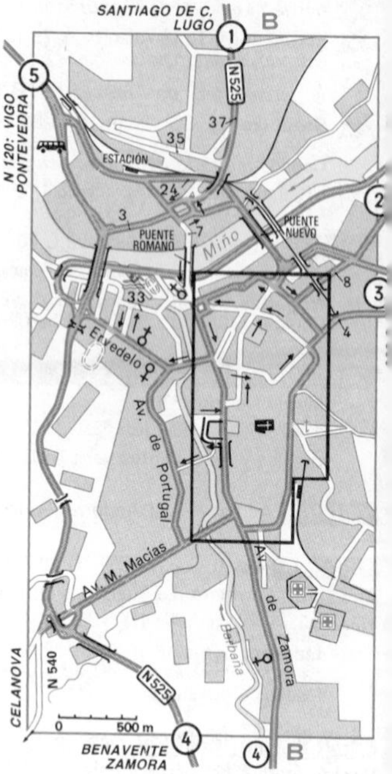

Barreira . . . . AZ 2
Basilio Alvarez . . . . B 3
Buenos Aires . . . . B 4
Cabeza de Manzaneda . AZ 6
Caldas (Av. de As) . . . . B 7
Castelao . . . . B 8
Cruz Vermella . . . . AY 14
Curros Enriquez . . . . . . AY 15
Ferro (Pr. do) . . . . AY 17
Magdalena (Pr. de) . . . . AZ 23
Marín (Av. de) . . . . B 24
Padre Feijoó . . . . AZ 27
Parada Justel . . . . AY 28
Pena Corneira . . . . AZ 31
Pontevedra (Av. de) . . . AZ 32
Remedios . . . . B 33
Río Arnoia . . . . B 35
San Miguel . . . . AY 36
Santiago (Av. de) . . . . . B 37
Trigo (Pr. do) . . . . AZ 40

*Recorra los países de **Europa** con los **mapas Michelin** de la serie roja (nº 980 a 991).*

ORGAÑA u **ORGANYÀ** **25794** Lérida 443 F 33 – 1 049 h. alt. 558 – ☎ 973.
Alred. : Grau de la Granta ★ S : 6 km.
🅸 pl. Hormilles, ✆ 38 30 07, Fax 38 35 36.
♦Madrid 579 – ♦Lérida/Lleida 110 – Seo de Urgel/La Seu d'Urgell 23.

ÓRGIVA **18400** Granada 446 V 19 – 4 994 h. alt. 450 – ☎ 958.
♦Madrid 485 – ♦Almería 121 – ♦Granada 55 – ♦Málaga 121.

Alpujarras, El Empalme ✆ 78 55 49, Fax 78 43 90 – rest. AE VISA.
Comida 1000 – 250 – **22 hab** 3000/5000 – PA 2250.

ORIENT Palma de Mallorca – ver Baleares (Mallorca).

ORIO **20810** Guipúzcoa 442 C 23 – 4 247 h. – ☎ 943 – Playa.
Alred. : Carretera de Zarauz ≤★.
♦Madrid 479 – ♦Bilbao/Bilbo 85 – ♦Pamplona/Iruñea 100 – ♦San Sebastián/Donostia 20.

XXX **Itsas-Ondo,** Kaia 7 ✆ 13 11 79 – AE E VISA.
cerrado martes y 20 octubre-20 noviembre – **Comida** carta aprox. 4100.

X **Aitzondo,** carret. N 634 ✆ 83 27 00 – AE E VISA.
cerrado domingo noche y 21 diciembre-21 enero – **Comida** carta 2350 a 4150.

OROPESA **45460** Toledo 444 M 14 – 2 911 h. alt. 420 – ☎ 925. Ver : Castillo★.
♦Madrid 155 – Ávila 122 – Talavera de la Reina 33.

Parador de Oropesa, pl. del Palacio 1 ☎ 43 00 00, Fax 43 07 77, Instalado en un palacio feudal, – | – 25/45. AE E VISA.
Comida 3500 – 1200 – **48 hab** 12500 – PA 6970.

OROPESA DEL MAR u **ORPESA** **12594** Castellón de la Plana 445 L 30 – 2 451 h. alt. 16 – ☎ 964 – Playa – av. de la Plana 4 ☎ 31 00 20.
♦Madrid 447 – Castellón de la Plana/Castelló de la Plana 22 – Tortosa 100.

en la zona de la playa – ✉ 12594 Oropesa del Mar – ☎ 964 :

Neptuno Playa sin rest, paseo Marítimo La Concha 1 ☎ 31 00 40, Fax 31 00 75, ≤ – | . AE E VISA
abril -septiembre – 600 – **88 hab** 5500/9000.

Oropesa Sol sin rest, av. de Madrid 11 ☎ 31 01 50 – | .
15 marzo-septiembre – 190 – **50 hab** 3190/4525.

Blasori, carret. del Faro 66 ☎ 31 00 81 – . JCB
temp.

en Las Playetas-carretera de Benicasim (por la costa) S : 5 km – ✉ 12594 Oropesa del Mar – ☎ 964 :

El Cid, ☎ 30 07 00, Fax 30 48 78, , , – | rest . E VISA.
Semana Santa-octubre – **Comida** 1800 – 650 – **52 hab** 5400/6400 – PA 3600.

La OROTAVA Santa Cruz de Tenerife – ver Canarias (Tenerife).

ORREAGA Navarra – ver Roncesvalles.

ORRIOLS **17468** Gerona 443 F 38 – ☎ 972.
♦ Madrid 730 – Figueras/Figueres 21 – Gerona/Girona 20.

Castell Palau d'Orriols, av. del Castell 6 ☎ 56 04 18, Fax 56 04 18, , « Palacio de estilo renacentista » – . VISA
cerrado al mediodía de lunes a jueves en invierno – **Comida** carta 2640 a 5450.

ORTIGOSA DEL MONTE **40421** Segovia 442 J 17 – 290 h. – ☎ 921.
♦Madrid 72 – Ávila 56 – ♦Segovia 15.

en la carretera N 603 – ✉ 40421 Ortigosa del Monte – ☎ 921 :

Venta Vieja, E : 2,5 km ☎ 48 91 64, , Decoración rústica – **Comida** (sólo almuerzo en invierno).

Becea, E : 2,3 km ☎ 48 90 49, –
cerrado lunes noche – **Comida** carta aprox. 3100.

OSEJA DE SAJAMBRE **24916** León 441 C 14 – 345 h. alt. 760.
Alred. : Mirador★★ ≤★★ N : 2 km – Desfiladero de los Beyos★★★ NO : 5 km – Puerto del Pontón★ (≤★★) S : 11 km – Puerto de Panderruedas★ (mirador de Piedrafitas ≤★★ 15 mn a pie) SE : 17 km.
♦Madrid 385 – ♦León 122 – ♦Oviedo 108 – Palencia 159.

OSORNO LA MAYOR **34460** Palencia 442 E 16 – 1 786 h. – ☎ 979.
♦Madrid 277 – ♦Burgos 58 – Palencia 51 – ♦Santander 150.

Tierra de Campos, La Fuente ☎ 81 72 16 – | . E VISA.
cerrado febrero – **Comida** 1900 – 500 – **30 hab** 4300/5500 – PA 3700.

OSUNA **41640** Sevilla 446 U 14 – 16 240 h. alt. 328 – ☎ 95.
Ver : Zona monumental★ – Colegiata (lienzos de Ribera★, Sepulcro Ducal★) – calle San Pedro★.
♦Madrid 489 – ♦Córdoba 85 – ♦Granada 169 – ♦Málaga 123 – ♦Sevilla 92.

Doña Guadalupe, pl. de Guadalupe 6 ☎ 481 05 58 – . AE VISA.
cerrado martes y del 1 al 15 de agosto – **Comida** carta 2350 a 3550.

OTUR Asturias – ver Luarca.

OTURA **18630** Granada 446 V 18 – 2 547 h. alt. 792 – ☎ 958.
♦Madrid 443 – ♦Almería 172 – ♦Granada 13 – ♦Málaga 148.

al Suroeste : 1 km – ✉ 18630 Otura – ☎ 958 :

Mesón Mayerling, cruce carret. de Malá ☎ 55 52 81 – .

OURENSE – ver Orense.

OVIEDO 33000 **P** Asturias 441 B 12 – 204 276 h. alt. 236 – ✪ 98. **Ver** : Catedral★ (retablo mayor★, Cámara Santa : estatuas-columnas★★, tesoro★★) BYZ – Antiguo Hospital del Principado (escudo★) AY **P. Alred.** : Santuarios del Monte Naranco★ (Santa María del Naranco★★, San Miguel de Lil lo★ : jambas★★) NO : 4 km por av. de los Monumentos AY. **Excurs.** : Iglesia de Santa Cristina de Lena★ ≤★ 34 km ② – Teverga ≤★ de Peñas Juntas, desfiladero de Teverga★ 43 km ③.

Club Deportivo La Barganiza : 12 km ✆ 525 63 61 (ext. 54).

✈ de Asturias por ① : 47 km ✆ 554 77 33 – Iberia : Uría 21 (AY), ✉ 33003, ✆ 523 24 00.

i pl. Alfonso-II El Casto 6, ✉ 33003, ✆ 521 33 85 – **R.A.C.E.** pl. Congoría Carbajal 3, ✉ 33004, ✆ 522 31 06.

♦Madrid 445 ② – ♦Bilbao/Bilbo 306 ① – ♦La Coruña/A Coruña 326 ③ – Gijón 29 ① – ♦León 121 ② – ♦Santander 203 ②.

OVIEDO

Palacio Valdés .... AY 28
Pelayo .... AYZ 30
Uría .... AY 45

Adelantado de la Florida .. BY 2
Alcalde G. Conde .... BY 3
Alfonso II (Plaza) .... BZ 4
Argüelles .... ABY 5
Arzobispo Guisasola .... BZ 6
Cabo Noval .... AZ 7
Campos de los Patos (Pl.) . BY 8
Canóniga .... BZ 9
Cimadevilla .... BZ 10
Constitución (Plaza de la) .... BZ 12
Covadonga .... AY 13
Daoiz y Velarde (Pl. de) ... BZ 14
División Azul .... AZ 15
Fruela .... ABZ 17
Ingeniero Marquina .... AY 18
Marqués de Gastañaga ... BZ 20
Marqués de Santa Cruz ... AZ 21
Martínez Marina .... ABZ 22
Martínez Vigil .... BY 23
Melquiades Álvarez .... AY 25
Monumentos (Av. de los) .... AY 27
Porlier (Plaza de) .... BZ 32
Postigo Alto .... BZ 33
Riego (Plaza) .... BZ 34
San Antonio .... BZ 36
San Francisco .... ABZ 37
San José .... BZ 38
San Vicente .... BYZ 39
Tenderina Alta .... BY 42
Teniente Alfonso Martínez . BY 44

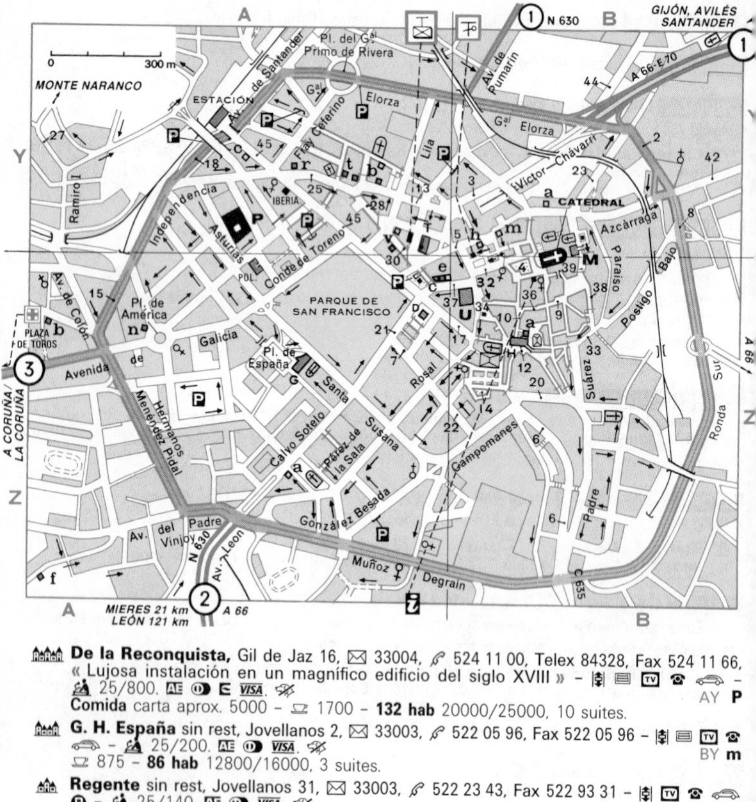

De la Reconquista, Gil de Jaz 16, ✉ 33004, ✆ 524 11 00, Telex 84328, Fax 524 11 66, « Lujosa instalación en un magnífico edificio del siglo XVIII » – 25/800. AE VISA. – AY **P**
Comida carta aprox. 5000 – 1700 – **132 hab** 20000/25000, 10 suites.

G. H. España sin rest, Jovellanos 2, ✉ 33003, ✆ 522 05 96, Fax 522 05 96 – 25/200. AE VISA. – BY **m**
875 – **86 hab** 12800/16000, 3 suites.

Regente sin rest, Jovellanos 31, ✉ 33003, ✆ 522 23 43, Fax 522 93 31 – 25/140. AE VISA. – BY **a**
875 – **126 hab** 12800/16000.

NH Principado, San Francisco 6, ✉ 33003, ✆ 521 77 92, Fax 521 39 46 – rest – 25/200. AE VISA. – AZ **e**
Comida 1500 – 950 – **62 hab** 9550/13260, 4 suites.

Clarín sin rest. con cafetería, Caveda 23, ✉ 33002, ✆ 522 72 72, Fax 522 80 18 – 🛗 📺 ☎ – 🏛 25/60. AE E VISA. ✻ — AY b
☕ 800 – **47 hab** 8500/11800.

Ramiro I sin rest, con cafetería, av. Calvo Sotelo 13, ✉ 33007, ✆ 523 28 50, Telex 84042, Fax 523 63 29 – 🛗 📺 ☎ 🚗 – 🏛 25/30. AE ⓓ E VISA. ✻ — AZ a
83 hab ☕ 8775/12575.

La Gruta, alto de Buenavista, ✉ 33006, ✆ 523 24 50, Fax 525 31 41, ≤, Vivero propio – 🛗 ▤ 📺 ☎ 🅟 – 🏛 25/600. AE ⓓ E VISA JCB. ✻ — por ③
Comida carta 3500 a 4600 – ☕ 750 – **101 hab** 7000/10900, 4 suites.

La Jirafa sin rest, Pelayo 6, ✉ 33002, ✆ 522 22 44, Telex 89951, Fax 522 50 48, ≤ – 🛗 📺 ☎ – 🏛 25/30. AE ⓓ E VISA. ✻ — AY v
☕ 650 – **84 hab** 8350/11970, 5 suites.

Favila sin rest., Uría 37, ✉ 33003, ✆ 525 38 77, Fax 527 61 69 – 🛗 📺 ☎. AE E VISA. ✻ — AY c
☕ 500 – **24 hab** 6000/7400.

XXX **Del Arco,** pl. de América, ✉ 33005, ✆ 525 55 22, Fax 527 58 79 – ▤. AE ⓓ E VISA. ✻ — AZ n
cerrado domingo y agosto – **Comida** carta 3950 a 6200.

XXX ✿ **Casa Fermín,** San Francisco 8, ✉ 33003, ✆ 521 64 52, Fax 522 92 12 – ▤. AE ⓓ E VISA. ✻ — AZ c
cerrado domingo noche – **Comida** carta 3650 a 4700
Espec. Crema de andaricas, Merluza a la sidra, Chuletillas de venado con salsa de cerezas (temp).

XX **Marchica,** Dr Casal 10, ✉ 33004, ✆ 521 30 27, Fax 522 35 29 – ▤. AE ⓓ E VISA. ✻ — AY t
Comida carta aprox. 5250.

XX **Casa Lobato,** av. de los Monumentos 67, ✉ 33012, ✆ 529 77 45, Fax 511 18 25, ≤, 🌳 – 🅟. AE ⓓ VISA. ✻ — hacia Monte Naranco AY
cerrado martes y noviembre – **Comida** carta 3150 a 3625.

XX **Casa Conrado,** Argüelles 1, ✉ 33003, ✆ 522 39 19, Fax 521 26 09 – ▤. AE ⓓ E VISA. ✻ — BY h
cerrado domingo y agosto – **Comida** carta 3150 a 4150.

XX Peñarronda, Valentín Masip 15, ✉ 33013, ✆ 523 18 42 – ▤ — AZ b

XX **La Goleta,** Covadonga 32, ✉ 33002, ✆ 522 07 73, Fax 521 26 09 – ▤. AE ⓓ E VISA. ✻ — AY b
cerrado domingo y julio – **Comida** carta 3150 a 3950.

XX **Pelayo,** Pelayo 15, ✉ 33003, ✆ 521 26 52 – ▤. AE ⓓ E VISA. ✻ — AY v
cerrado domingo – **Comida** carta aprox. 4450.

XX **Logos,** San Francisco 10, ✉ 33003, ✆ 521 20 70 – ▤. AE ⓓ E VISA JCB. ✻ — AZ c
cerrado domingo en julio y agosto – **Comida** carta 2700 a 4300.

X **La Querencia,** av. del Cristo 29, ✉ 33006, ✆ 525 73 70, Carnes a la brasa – ▤. AE E VISA. ✻ — AZ f
Comida carta 3100 a 4500.

X **El Raitán,** pl. de Trascorrales 6, ✉ 33009, ✆ 521 42 18, Fax 522 83 21, Cocina regional, « Decoración rústica regional » – ▤. AE E VISA. ✻ — BZ a
cerrado domingo – **Comida** carta aprox. 3500.

X **Cabo Peñas,** Melquíades Álvarez 24, ✉ 33002, ✆ 522 03 20, Rest. típico – ▤. AE ⓓ E VISA. ✻ – **Comida** carta 2900 a 3400. — AY r

X **La Campana,** San Bernabé 7, ✉ 33002, ✆ 522 49 32 – ✻ — AY t
cerrado domingo y agosto – **Comida** carta 2800 a 3700.

en la carretera N 634 por Tenderina Alta BY – ✉ 33010 Oviedo – ☎ 98 :

Las Lomas, ✆ 528 22 61, Fax 529 96 95 – 🛗 📺 ☎ 🅟 – 🏛 25/300. AE ⓓ E VISA. ✻
Comida 1250 – **102 hab** ☕ 8500/12000.

OYARZUN u OIARTZUN 20180 Guipúzcoa 442 C 24 – 8 393 h. alt. 81 – ☎ 943.

◆Madrid 481 – ◆Bayonne 42 – ◆Pamplona/Iruñea 98 – ◆San Sebastián/Donostia 13.

XXX ✿✿ **Zuberoa,** barrio Iturrioz 8 ✆ 49 12 28, Fax 47 16 08, 🌳, « Rústico elegante en un caserío del siglo XV con bonita terraza y ≤ » – ▤ 🅟. AE ⓓ E VISA. ✻
cerrado domingo noche, lunes, del 1 al 15 de enero, 25 mayo-7 junio y del 15 al31 de octubre – **Comida** carta 5450 a 7550
Espec. Salteado de vieiras y nabos sobre crema de coliflor (temp), Lomo de salmonete sobre compota de cebolla y tomate a la albahaca, Milhojas de arroz con leche.

XX ✿ **Matteo,** barrio Ugaldetxo 11 ✆ 49 11 94 – ▤. AE ⓓ E VISA. ✻ – *cerrado domingo noche, lunes, Semana Santa y Navidades-10 enero* – **Comida** carta 3650 a 4850
Espec. Ensalada templada de langostinos y gambas, Lenguado en escamas de patata y vinagreta de perejil y mostaza, Lomitos de ciervo con frutos otoñales (temp).

X **Kazkazuri,** Kazkazuri ✆ 49 32 26, Fax 49 32 29, 🌳 – AE ⓓ E VISA
cerrado domingo noche – **Comida** carta 2750 a 3650.

X **Albistur,** pl. Martintxo 38-barrio de Alcibar ✆ 49 07 11, 🌳 – ⓓ E VISA. ✻
cerrado domingo noche, martes y 16 junio-7 julio – **Comida** carta 3500 a 4500.

en la carretera de Irún NE : 2 km – ✉ 20180 Oyarzun – ☎ 943 :

XXX **Gurutze-Berri** 🐌 con hab, ✆ 49 06 25, Fax 49 37 23 – ▤ rest 📺 ☎ 🅟. AE ⓓ E VISA. ✻
cerrado febrero – **Comida** *(cerrado domingo noche, lunes y febrero)* carta 2800 a 3650 – ☕ 450 – **18 hab** 4300/6200.

OYEREGUI u **OIEREGUI** 31720 Navarra 442 C 25 – ✆ 948.
Alred. : NO : Valle del Bidasoa★.
♦Madrid 449 – ♦Bayonne 68 – ♦Pamplona/Iruñea 50.

⌂ Mugaire, ✆ 59 20 50, Fax 59 20 50 – ▤ rest ☎ Ⓟ
14 hab.

OYÓN u **OION** 01320 Álava 442 E 22 – 2 192 h. alt. 440 – ✆ 941.
♦Madrid 339 – ♦Logroño 4 – ♦Pamplona/Iruñea 90 – ♦Vitoria/Gasteiz 89.

⌂ Felipe IV, av. Navarra 28 ✆ 11 00 56, Fax 11 04 00, ⛱ – TV ☎ 🚗 Ⓟ
30 hab.

XX **Mesón la Cueva,** Concepción 15 ✆ 11 00 22, « Instalado en una antigua bodega » – ▤
E VISA. ✗
cerrado lunes – **Comida** carta 2000 a 2850.

PADRÓN 15900 La Coruña 441 D 4 – 10 147 h. – ✆ 981.
Excurs. : Mirador del Curota★★★ SO : 39 km.
♦Madrid 634 – ♦La Coruña/A Coruña 94 – Orense/Ourense 135 – Pontevedra 37 – Santiago de Compostela 20.

XX **Chef Rivera** con hab, enlace Parque 7 ✆ 81 04 13, Fax 81 14 54 – |≑| ▤ rest ☎ 🚗. AE
① E VISA. ✗
Comida *(cerrado domingo noche en invierno)* carta 2700 a 4550 – ☕ 500 – **20 hab**
3400/4850.

en la carretera N 550 N : 2 km – ✉ 15900 Padrón – ✆ 981 :

⌂ **Scala,** ✆ 81 13 12, Fax 81 15 00, ⇐ – Ⓟ. E VISA. ✗
Comida 1300 – ☕ 275 – **147 hab** 5000/9000 – PA 2780.

Le nostre guide alberghi e ristoranti, guide turistiche e carte stradali sono complementari. Utilizzatele insieme.

PAGUERA Baleares – ver Baleares (Mallorca).

PAJARES (Puerto de) 33693 Asturias 441 C 12 alt. 1 364 – ✆ 98 – Deportes de invierno : ⛷ 13.
Ver : Puerto★★ – Carretera del puerto★★.
♦Madrid 378 – ♦León 59 – ♦Oviedo 59.

PALAFRUGELL 17200 Gerona 443 G 39 – 17 343 h. alt. 87 – ✆ 972 – Playas : Calella, Llafranch y Tamariu.

Alred. : Cap Roig : Jardín Botánico★ : ⇐★★ SE : 5 km.
ℹ Carrilet 2 ✆ 30 02 28, Fax 61 12 61.
♦Madrid 736 ② – ♦Barcelona 123 ② – Gerona/Girona 39 ① – Port-Bou 108 ①.

XX **La Xicra,** Estret 17 ✆ 30 56 30, Fax 30 56 30 – ▤. AE ① E VISA. ✗ **e**
cerrado martes noche y miércoles (salvo agosto) y noviembre – **Comida** carta 3075 a 4700.

X **La Casona,** paraje La Sauleda 4 ✆ 30 36 61 – ▤ Ⓟ. E VISA. ✗ **c**
cerrado domingo noche, lunes y noviembre -15 diciembre – **Comida** carta 1950 a 3050.

X Reig, Torres Jonama 53 ✆ 30 07 95 – ▤ **a**

Ver también : ***Llofriu*** por ① : 2,5 km
Montràs por ② : 2 km
Calella de Palafrugell SE : 3,5 km
Llafranch SE : 3,5 km
Tamariu E : 4,5 km

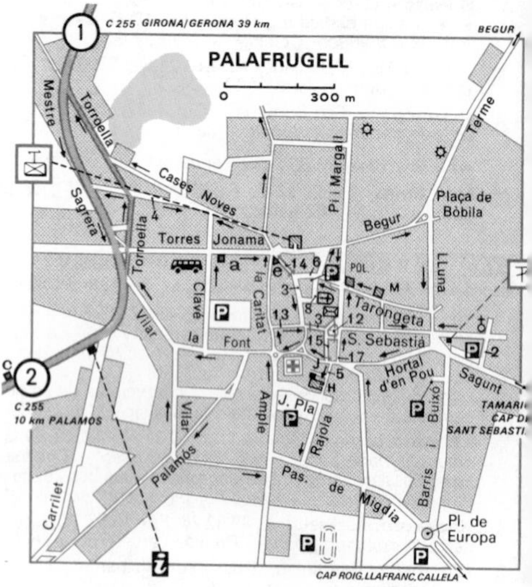

Cavallers	3	Església (Pl. de l')	8
Bruc	2	Nova (Pl.)	12
Cementiri	4	Quatre Cases	13
Cervantes	5	Sant Antoni	14
Dels Valls	6	Sant Martí	15
		Santa Margarida	17

PALAMÓS 17230 Gerona 443 G 39 - 13 258 h. - ☎ 972 - Playa.

ℹ passeig del Mar, ℰ 31 43 90, Fax 31 43 90.

♦Madrid 726 - ♦Barcelona 109 - Gerona/Girona 49.

- **Trias,** passeig del Mar ℰ 60 18 00, Fax 60 18 19, ≤, climatizada - |◊| ▤ ☎ ⇐ Ⓟ. AE ⊙ E VISA. ✻ rest
  8 abril-8 octubre - **Comida** 3200 - ⊇ 950 - **70 hab** 7500/16000.
- **Marina,** av. 11 de Setembre 48 ℰ 31 42 50, Telex 57077, Fax 60 00 24 - |◊| ▤ rest TV ☎. AE ⊙ E VISA. ✻ rest
  Comida *(cerrado del 24 al 31 de diciembre)* 1475 - ⊇ 525 - **62 hab** 6000/7500.
- Vostra Llar, av. President Macià 12 ℰ 31 42 62, Fax 31 43 07, ☂ - |◊| ▤ rest
  temp - **45 hab.**
- XXX **Port Reial,** passeig del Mar 8 ℰ 31 85 99, ☂ - ▤. AE ⊙ E VISA
  Comida carta 3100 a 4750.
- XX **La Gamba,** pl. Sant Pere 1 ℰ 31 46 33, Fax 31 85 26, ☂, Pescados y mariscos - ▤. AE ⊙ E VISA. ✻
  cerrado miércoles mediodía en verano, miércoles resto del año y noviembre - **Comida** carta 3450 a 4575.
- XX **Plaça Murada,** pl. Murada 5 ℰ 31 53 76, ≤ - ▤. AE ⊙ E VISA
  cerrado martes (salvo junio-septiembre) y noviembre - **Comida** carta 2500 a 3250.
- X **La Menta,** Tauler i Servià 1 ℰ 31 47 09 - ▤. AE ⊙ E VISA. ✻
  cerrado miércoles y noviembre - **Comida** carta 3350 a 4450.
- X **María de Cadaqués,** Notaries 39 ℰ 31 40 09, Pescados y mariscos - ▤. AE ⊙ E VISA
  cerrado lunes y 15 diciembre-15 enero - **Comida** carta 3800 a 4700.
- X **L'Art,** passeig del Mar 7 ℰ 31 55 32 - ▤. AE ⊙ E VISA
  cerrado jueves noche, domingo noche y enero - **Comida** carta 3050 a 5050.

en La Fosca NE : 2 km - ☎ 972 :

- **Áncora** ⛵, Josep Plà, ✉ 17230 apartado 242 Palamós, ℰ 31 48 58, Fax 60 24 70, ≤, ⛱, ✻ - ▤ rest ☎ Ⓟ. AE E VISA. ✻ rest
  cerrado enero - **Comida** 2375 - ⊇ 675 - **44 hab** 6100/8500.

en Plà de Vall-Llobregà - carretera de Palafrugell C 255 N : 3,5 km - ✉ 17253 Vall Llobregà - ☎ 972 :

- XX **Mas dels Arcs,** ✉ 17230 apartado 115 Palamós, ℰ 31 51 35, Fax 60 01 12 - ▤ Ⓟ. ⊙ E VISA. ✻
  cerrado jueves (salvo junio-15 septiembre) y 10 enero-15 febrero - **Comida** carta 2475 a 3900.

PALAU SAVERDERA 17495 Gerona 443 F 39 - 682 h. - ☎ 972.

♦Madrid 763 - Figueras/Figueres 17 - Gerona/Girona 56.

- X **Terra Nostra,** San Onofre 12 ℰ 53 03 04, ≤, ☂ - Ⓟ. AE E VISA. ✻
  cerrado lunes y enero-febrero - **Comida** carta 1750 a 3000.

en la carretera de Castelló d'Empuries SO : 3 km - ✉ 17487 Empuriabrava - ☎ 972 :

- X **Aiguamolls,** Veïnat les Torroelles ℰ 55 20 63, Fax 55 20 63, ☂ - ▤ Ⓟ. AE E VISA. ✻
  cerrado lunes y noviembre - **Comida** carta 2800 a 3400.

PALENCIA 34000 Ⓟ 442 F 16 - 81 988 h. alt. 781 - ☎ 979.

Ver : Catedral★★ (interior★★ : tríptico★, Museo★ : tapices★).

Alred. : Baños de Cerrato (Basílica de San Juan Bautista★) 14 km por ②.

ℹ Mayor 105, ✉ 34001, ℰ 74 00 68 - R.A.C.E. av. Casado del Alisal 25, ✉ 34001, ℰ 74 69 50.

♦Madrid 235 ② - ♦Burgos 88 ② - ♦León 128 ③ - ♦Santander 203 ① - ♦Valladolid 47 ②.

Plano página siguiente

- **Castilla Vieja,** av. Casado del Alisal 26, ✉ 34001, ℰ 74 90 44, Fax 74 75 77 - |◊| ▤ rest TV ☎ ⇐ - 🏛 25/250. AE ⊙ E VISA. ✻ rest — **x**
  Comida 1800 - ⊇ 700 - **87 hab** 6800/9500.
- **Rey Sancho,** av. Ponce de León, ✉ 34005, ℰ 72 53 00, Fax 71 03 34, ☂, ✻ - |◊| ▤ rest TV ☎ ⇐ Ⓟ - 🏛 25/300. AE ⊙ E VISA. ✻ — **a**
  Comida 1750 - ⊇ 750 - **100 hab** 6000/9500 - PA 3200.
- **Monclús** sin rest, Menéndez Pelayo 3, ✉ 34001, ℰ 74 43 00, Fax 74 43 00 - |◊| TV ☎. AE ⊙ E VISA JCB — **c**
  ⊇ 350 - **40 hab** 3600/5800.
- **Colón 27** sin rest y sin ⊇, Colón 27, ✉ 34002, ℰ 74 07 00 - |◊| TV ☎. E VISA — **f**
  22 hab 4100/6000.
- **Ávila** sin rest, Conde Vallellano 5, ✉ 34002, ℰ 71 19 10, Fax 71 19 10 - TV ☎ ⇐. AE E VISA. ✻ — **n**
  ⊇ 450 - **20 hab** 3600/5700.

PALENCIA

Mayor
Mayor (Pl.) 24

Asturias (Av. de) 2
Barrio y Mier 3
Cardenal Almaraz 4
Cardenal Cisneros (Av.) . . 5
Cervantes (Pl.) 8
Don Sancho 10
Eduardo Dato 14
España (Pl. de) 15
General Franco 16
Ignacio Martínez
de Azcoitia 20
Jorge Manrique 21
José Antonio Primo
de Rivera (Av.) 22
Mayor (Puente) 26
Miguel Primo
de Rivera (Av.) 27
Padre Faustino
Calvo (Pas. del) 28
República Argentina (Av.) . 32
Salvino Sierra 33
San Marcos 34
Santander (Av. de) 38

Los nombres de las principales calles comerciales figuran en rojo al principio del indice de calles de los planos de ciudades.

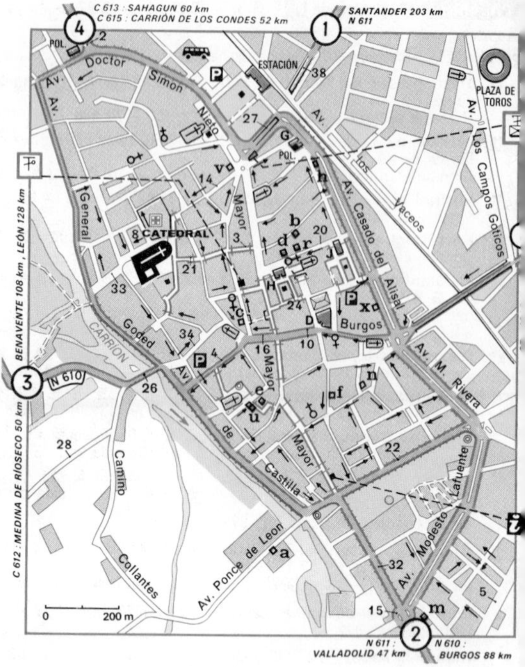

XX **La Fragata,** Pedro Fernández del Pulgar 6, ✉ 34005, ✆ 75 01 29 – ▤. AE E VISA. ⨳
Comida carta aprox. 3800. **u**

XX **Lorenzo,** av. Casado del Alisal 6, ✉ 34001, ✆ 74 35 45 – ▤. AE ◑ E VISA. ⨳ **h**
cerrado domingo y 10 septiembre-10 octubre – **Comida** carta aprox. 4500.

XX **Isabel,** Valentín Calderón 6, ✉ 34001, ✆ 74 99 98 – ▤. AE E VISA. ⨳ **b**
cerrado domingo, lunes noche y del 15 al 30 agosto – **Comida** carta 1975 a 2775.

X **Casa Damián,** Martínez de Azcoitia 9, ✉ 34001, ✆ 74 46 28 – ▤. AE ◑ E VISA. ⨳ **r**
cerrado lunes y 24 julio-24 agosto – **Comida** carta 3100 a 4100.

X José Luis, Pedro Fernández del Pulgar 11, ✉ 34005, ✆ 74 15 10 – ▤ **u**

X **Asador La Encina,** Casañé 2, ✉ 34002, ✆ 71 09 36, Decoración rústica – ◑ E VISA. ⨳
cerrado del 1 al 15 agosto – **Comida** carta 3100 a 3500. **m**

Ver también : ***Magaz*** por ② : 10 km.

La PALMA Santa Cruz de Tenerife – ver Canarias.

PALMA DEL RÍO **14700** Córdoba 446 S 14 – 17 978 h. – ☎ 957.
♦Madrid 462 – ♦Córdoba 55 – ♦Sevilla 92.

XX **Hospedería de San Francisco** con hab, av. Pío XII-35 ✆ 71 01 83, Fax 71 01 83, Antiguo convento – ▤ TV ☎ 🚗. E VISA
cerrado agosto – **Comida** *(cerrado domingo noche y lunes noche)* carta aprox. 2750 – ☕ 350 – **17 hab** 5000/8500.

PALMA DE MALLORCA Palma de Mallorca – ver Baleares (Mallorca).

PALMA NOVA o **PALMANOVA** Palma de Mallorca – ver Baleares (Mallorca).

El PALMAR **46012** Valencia 445 O 29 – ☎ 96.
♦Madrid 368 – Gandía 48 – ♦Valencia 20.

X Racó de l'Olla, carret. de El Saler N : 1,5 km ✆ 161 00 72, Fax 162 70 68, ≤, 🏡, « En un paraje verde junto a la Albufera » – ▤ P
Comida (sólo almuerzo salvo en julio-agosto).

Las PALMAS DE GRAN CANARIA Las Palmas – ver Canarias (Gran Canaria).

PALMONES (Playa de) Cádiz - ver Algeciras.

El PALO (Playa de) Málaga - ver Málaga.

PALOS DE LA FRONTERA 21810 Huelva 446 U 9 - 7 335 h. alt. 26 - 959.
◆ Madrid 623 - ◆ Huelva 12 - ◆ Sevilla 93.

La Pinta, Rábida 79 ✆ 35 05 11, Fax 53 01 64 - ▤ TV ☎. AE ⓓ E VISA. ✂
Comida 1400 - ☕ 350 - **30 hab** 7000/10000 - PA 3150.

PALS 17256 Gerona 443 G 39 - 1 675 h. - 972.
Ver : Pueblo medieval★.
18 de Pals ✆ 63 60 06.
ℹ Aniceta Figueras 11, ✆ 63 61 61, Fax 66 75 18.
◆ Madrid 744 - Gerona/Girona 41 - Palafrugell 8.

XX **Alfred,** La Font 7 ✆ 63 62 74 - ▤ Ⓟ. AE E VISA. ✂
cerrado domingo noche y lunes (salvo en verano) y 17 octubre-17 noviembre - **Comida** carta 2850 a 3800.

en la playa - ✉ 17256 Pals - 972 :

La Costa 🐦, E : 8 km ✆ 66 77 40, Fax 66 77 36, ≤, « Gran 🏊 junto a un pinar », Fø, ✂, 18 - |♦| ▤ TV ☎ ♿ 🚗 Ⓟ - 🧑 25/70. AE ⓓ E VISA. ✂
19 marzo-15 noviembre - **Comida** 3550 - ☕ 1400 - **120 hab** 14640/18300 - PA 8500.

XXX ✿ **Sa Punta** (Hotel) 🐦 con hab, E : 6 km ✆ 66 73 76, Fax 66 73 15, « 🏊 con terrazas ajardinadas » - |♦| ▤ TV ☎ 🚗 Ⓟ - 🧑 25/60. AE ⓓ E VISA JCB. ✂ rest
Comida carta 4180 a 5800 - **11 hab** 16000/18000, 1 suite
Espec. Lentejas estofadas a la marinera, Suquet de pescado de roca a la ampurdanesa, Mató con confitura de higos verdes.

PALLEJÀ 08780 Barcelona 443 H 35 - 6 595 h. - 93.
◆ Madrid 606 - ◆ Barcelona 20 - Manresa 48 - Tarragona 89.

XX **Pallejà Paradis,** av. Prat de la Riba 119 ✆ 663 00 96, Fax 663 00 97, Decoración rústica en una antigua casa señorial - ▤ Ⓟ. AE ⓓ E VISA
Comida carta 2825 a 3900.

PAMPLONA o **IRUÑEA** 31000 Ⓟ Navarra 442 D 25 - 191 197 h. alt. 415 - 948.
Ver : Catedral★ (sepulcro★, claustro★) BY - Museo de Navarra★ (mosaicos★, capiteles★, pinturas murales★, arqueta hispano-árabe★) AY **M.**
9 de Ulzama por ① : 21 km ✆ 30 51 62.
✈ de Pamplona por ③ : 7 km ✆ 31 75 51 - Aviaco : aeropuerto ✉ 31003, ✆ 31 71 82.
ℹ Duque de Ahumada 3, ✉ 31002, ✆ 22 07 41, Fax 21 20 59 - **R.A.C.V.N.** av. Sancho el Fuerte 29, ✉ 31007, ✆ 26 65 62, Fax 17 68 83.
◆ Madrid 385 ③ - ◆ Barcelona 471 ③ - ◆ Bayonne 118 ① - ◆ Bilbao/Bilbo 157 ⑤ - ◆ San Sebastián/Donostia 94 ⑤ - ◆ Zaragoza 169 ③.

Planos páginas siguientes

Iruña Park H., ronda Ermitagaña, ✉ 31008, ✆ 17 32 00, Telex 37948, Fax 17 23 87 - |♦| ▤ TV ☎ ♿ 🚗 - 🧑 25/1000. AE ⓓ E VISA. ✂ X **r**
Comida 3200 - ☕ 1420 - **219 hab** 14100/17700, 6 suites.

Tres Reyes, jardines de la Taconera, ✉ 31001, ✆ 22 66 00, Telex 37720, Fax 22 29 30, Fø, 🏊 climatizada - |♦| ▤ TV ☎ 🚗 Ⓟ - 🧑 25/400. AE ⓓ E VISA. ✂ rest AY **x**
Comida 4000 - ☕ 1600 - **168 hab** 14100/17700 - PA 9500.

Blanca de Navarra, Av. Pío XII 43, ✉ 31008, ✆ 17 10 10, Telex 37888, Fax 17 54 14 - |♦| ▤ TV ☎ 🚗 - 🧑 25/400. AE E VISA. ✂ X **e**
Comida 2700 - ☕ 1100 - **102 hab** 11600/14600 - PA 5525.

NH Ciudad de Pamplona, Iturrama 21, ✉ 31007, ✆ 26 60 11, Telex 37913, Fax 17 36 26 - |♦| ▤ TV ☎ 🚗 - 🧑 25/80. AE ⓓ E VISA. ✂ rest X **a**
Comida 3500 - ☕ 1050 - **117 hab** 22000.

Reino de Navarra sin rest, con cafetería, Acella 1, ✉ 31008, ✆ 17 75 75, Fax 17 77 78 - |♦| ▤ TV ☎ 🚗 - 🧑 25. AE ⓓ E VISA. ✂ X **n**
☕ 950 - **83 hab** 11000/12500.

Maisonnave, Nueva 20, ✉ 31001, ✆ 22 26 00, Telex 37994, Fax 22 01 66 - |♦| ▤ rest TV ☎ 🚗 - 🧑 25/60. AE ⓓ E VISA. ✂ rest AY **e**
Comida 1600 - ☕ 1000 - **152 hab** 18300/25000 - PA 3570.

Sancho Ramírez, Sancho Ramírez 11, ✉ 31008, ✆ 27 17 12, Fax 17 11 43 - |♦| ▤ TV ☎ 🚗 - 🧑 25/120 X **s**
86 hab.

Avenida y Rest. Leyre, av. de Zaragoza 5, ✉ 31003, ✆ 24 54 54, Fax 23 23 23 - |♦| ▤ TV ☎. AE ⓓ E VISA JCB. ✂ BZ **a**
Comida *(cerrado domingo noche)* carta 2850 a 3800 - ☕ 900 - **24 hab** 8900/13900.

IRUÑEA PAMPLONA

Abejeras . . . . X 3
Artica . . . . V 7
Baja Navarra (Av.) . . . . X 8
Barañain (Av. de) . . . . X 10
Bayona (Av.) . . . . V 13
Biurdana . . . . VX 14
Buenaventura Iñiguez . . . . . X 15
Enamorados . . . . V 23
Ermitagaña (Ronda) . . . . . . X 24
Fuente de la Teja (Camino) . . . . X 28
Julián Gayarre . . . . X 34
Landaben (Av.) . . . . V 35
Lezkairu (Camino) . . . . X 37
Magdalena . . . . V 39
Mendigorría . . . . V 42
Monasterio Irache . . . . X 45
Monasterio Velate . . . . X 46
Pío XII (Av.) . . . . X 53
Río Queiles . . . . X 58
San Cristóbal . . . . V 62
San Pedro (Puente de) . . . . V 68
Tajonar . . . . X 75
Valle de Aranguren . . . . . . X 76

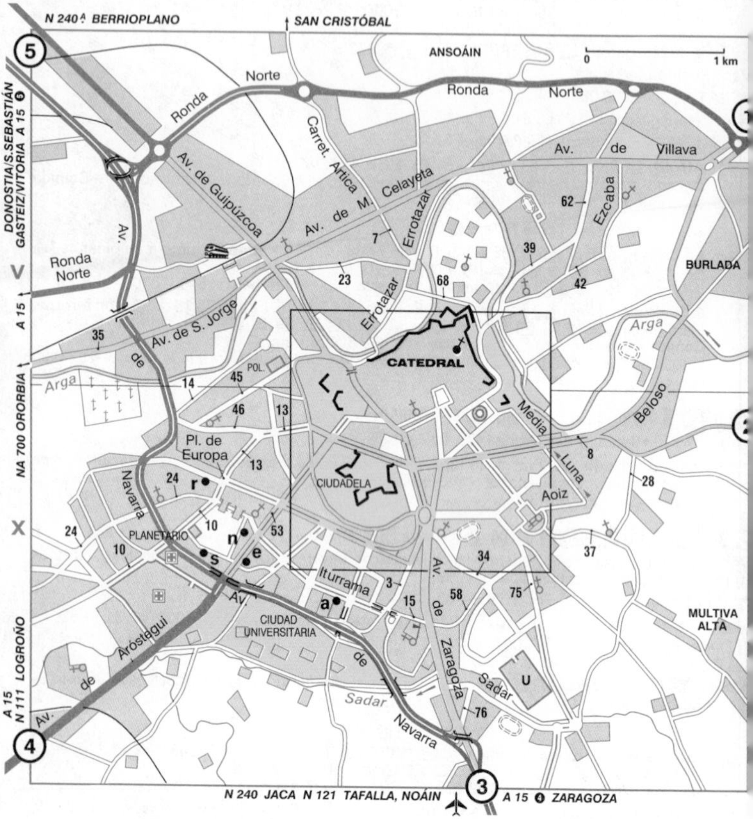

Orhi sin rest, Leyre 7, ✉ 31002, ☎ 22 85 00, Fax 22 83 18 – 🛗 TV ☎. AE ⓓ E VISA
☕ 990 – **55 hab** 9700/14300. BZ **c**

Yoldi sin rest, con cafetería, av. San Ignacio 11, ✉ 31002, ☎ 22 48 00, Fax 21 20 45 – 🛗 TV ☎ 🚗. E VISA
☕ 900 – **48 hab** 9000/13500. BZ **p**

Eslava sin rest, pl. Virgen de la O-7, ✉ 31001, ☎ 22 22 70, Fax 22 51 57 – 🛗 TV ☎. AE ⓓ E VISA. ✗ AY **m**
cerrado del 24 al 31 de diciembre – ☕ 500 – **28 hab** 5000/10500.

XXXX ✿ **Josetxo,** pl. Príncipe de Viana 1, ✉ 31002, ☎ 22 20 97, « Decoración elegante » – ▤. AE ⓓ E VISA. ✗ BZ **r**
cerrado domingo y agosto – **Comida** carta 6125 a 8200
Espec. Ensalada de langostinos templados y verduritas crujientes, Solomillo con foie al vino de Oporto, Pastel otoñal con helado de vainilla hecho en casa.

XXX **Rodero,** Arrieta 3, ✉ 31002, ☎ 22 80 35 – ▤. AE ⓓ E VISA. ✗ BY **s**
cerrado domingo y del 1 al 25 de agosto – **Comida** carta 3800 a 5500.

XXX ✿ **Europa** con hab, Espoz y Mina 11 - 1°, ✉ 31002, ☎ 22 18 00, Fax 22 92 35 – 🛗 ▤ TV ☎. AE ⓓ E VISA. ✗ BY **r**
Comida *(cerrado domingo)* carta 4150 a 5550 – ☕ 850 – **25 hab** 6900/12900
Espec. Patatas rellenas de trufa, Salteado de lomos de rape negro con cigalitas, Risotto de pichón de Bresse.

IRUÑEA PAMPLONA

Carlos III (Av. de) . . . . BYZ
Chapitela . . . . BY 17
García Castañón . . . . ABY 30
San Ignacio (Av. de) . . . . . BYZ 66
Zapatería . . . . AY 89

Amaya . . . . BYZ 4
Ansoleaga . . . . AY 5
Bayona (Av. de) . . . . AY 13
Castillo de Maya . . . . BZ 16
Conde Oliveto (Av. del) . . . AZ 19
Cortes de Navarra . . . . BY 20
Cruz (Pl. de la) . . . . BZ 22
Esquiroz . . . . AZ 25
Estafeta . . . . BY 26
Juan de Labrit . . . . BY 33
Leyre . . . . BYZ 36
Mayor . . . . AY 40
Mercaderes . . . . BY 43
Navarrería . . . . BY 48
Navas de Tolosa . . . . AY 50

Paulino Caballero . . . . BZ 51
Príncipe de Viana (Pl. del) . . . . . . BZ 54
Reina (Cuesta de la) . . . . . . AY 56
Roncesvalles (Av. de) . . . . . BY 59
Sancho el Mayor . . . . ABZ 60
San Fermín . . . . BZ 63
San Francisco (Pl. de) . . . . AY 65
Sangüesa . . . . BZ 69
Santo Domingo . . . . AY 70
Sarasate (Paseo de) . . . . . . AY 72
Taconera (Recta de) . . . . . . AY 73
Vínculo (Pl. del) . . . . AYZ 78

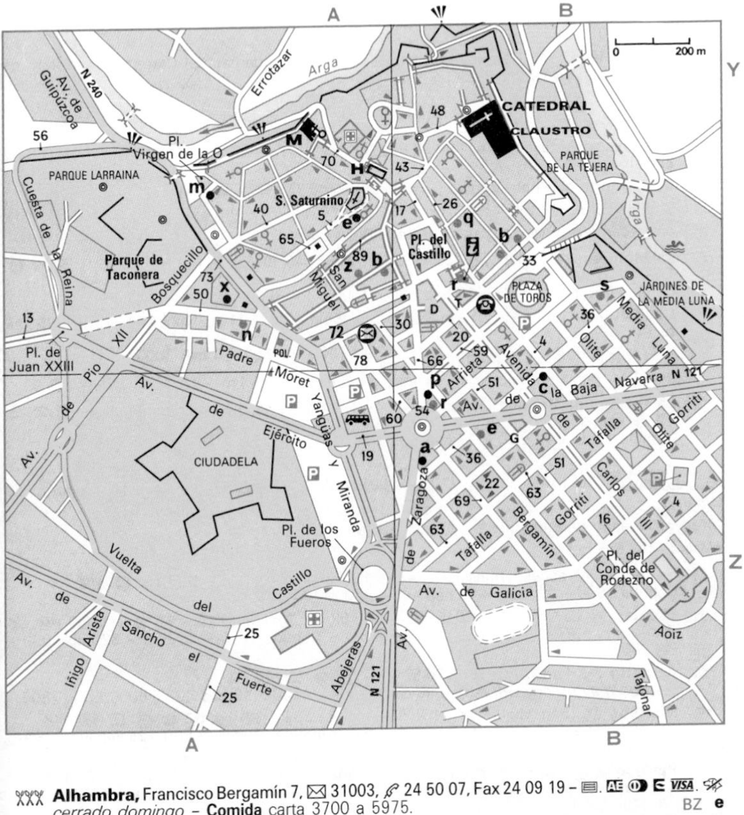

XXX **Alhambra,** Francisco Bergamín 7, ⊠ 31003, ✆ 24 50 07, Fax 24 09 19 – ▤. AE ◑ E VISA. ✻ — BZ **e**
cerrado domingo – **Comida** carta 3700 a 5975.

XXX ✿ **Hartza,** Juan de Labrit 19, ⊠ 31001, ✆ 22 45 68, « Rústico elegante » – ▤. AE ◑ E VISA. ✻ — BY **b**
cerrado domingo noche, lunes, del 1 al 26 de agosto y 10 días en Navidades – **Comida** carta 5800 a 6700
Espec. Pasta gratinada con verduras, Lomos de merluza a las finas hierbas, Pirámide de chocolate.

XX **Don Pablo,** Navas de Tolosa 19, ⊠ 31002, ✆ 22 52 99 – ▤. AE ◑ E VISA. ✻ — AY **n**
cerrado domingo noche, lunes y 25 julio-5 septiembre – **Comida** carta 3250 a 4850.

XX **La Chistera,** San Nicolás 40, ⊠ 31001, ✆ 21 05 12 – ▤. AE ◑ E VISA. ✻ — AY **z**
Comida carta aprox. 4800.

XX **Otano,** San Nicolás 5 - 1°, ⊠ 31001, ✆ 22 70 36, Fax 21 20 12, Decoración regional – ▤. AE E VISA – *cerrado domingo noche* – **Comida** carta 3400 a 4300. — AY **b**

XX **Juan de Labrit,** Juan de Labrit 29, ⊠ 31001, ✆ 22 90 92 – ▤. AE ◑ E VISA — BY **b**
cerrado domingo noche y 15 julio-15 agosto – **Comida** carta 3000 a 4550.

X **Castillo de Javier,** bajada de Javier 2 -1°, ⊠ 31001, ✆ 22 18 94, Fax 22 18 94 – ▤. AE ◑ E VISA JCB — BY **q**
cerrado lunes salvo julio y agosto – **Comida** carta 2375 a 2900.

La PANADELLA 08289 Barcelona 443 H 34 – ⚙ 93.

◆Madrid 539 – ◆Barcelona 90 – ◆Lérida/Lleida 70.

🏨 **Bayona,** carret. N II, ✉ 08289 Montmaneu, ✆ 809 20 11, Fax 809 21 75 – ▤ rest 🅿. AE ① E VISA. ✑
Comida 1300 – ☲ 525 – **64 hab** 3200/5500 – PA 3125.

PANCORBO 09280 Burgos 442 E 20 – 598 h. alt. 635 – ⚙ 947.

◆Madrid 308 – ◆Bilbao/Bilbo 99 – ◆Burgos 65 – ◆Vitoria/Gasteiz 49.

🏨 **Pancorbo,** autovía N I ✆ 35 40 00, Fax 35 42 90 – ☎ 🚗 🅿. AE VISA
Comida 1600 – ☲ 450 – **30 hab** 3200/4800 – PA 3000.

PANES 33570 Asturias 441 C 16 alt. 50 – ⚙ 98.

Alred. : Desfiladero de la Hermida★★ SO : 12 km – O : Gargantas del Cares★★ : carretera de Poncebos (desfiladero★).

🅱 Mayor ✆ 541 42 97.

◆Madrid 427 – ◆Oviedo 128 – ◆Santander 89.

🏨 Tres Palacios, Mayor ✆ 541 40 32 – 🛗 🅿
28 hab.

✗ **Covadonga** con hab, Virgilio Linares ✆ 541 40 35, 🍽 – ☎. VISA. ✑
Comida carta 2150 a 3700 – ☲ 300 – **10 hab** 3500/6000.

en la carretera de Cangas de Onís – ⚙ 98 :

🏨 **La Molinuca,** O : 6 km, ✉ 33570 Panes, ✆ 541 40 30, Fax 541 43 97, ≤, 🍽 – 📺 ☎ 🅿.
E VISA. ✑
Comida 1500 – ☲ 500 – **18 hab** 5000/7000 – PA 3500.

✗ **Casa Julián** con hab, O : 9 km, ✉ 33578 Llonin, ✆ 541 44 96, Fax 541 41 79, ≤ – 🅿. ①
E VISA. ✑
marzo-noviembre – **Comida** carta 2500 a 5100 – ☲ 500 – **4 hab** 8000.

en Alles, por la carretera de Cangas de Onís O : 10,5 km – ✉ 33578 Alles – ⚙ 98 :

🏨 **La Tahona de Besnes** 🐾, ✆ 541 42 49, Fax 541 42 49, « Rústico regional » – 📺 ☎. AE ① E VISA. ✑
Comida 1650 – ☲ 700 – **19 hab** 6335/7920 – PA 4000.

PANTICOSA 22661 Huesca 443 D 29 – 1 005 h. alt. 1 185 – ⚙ 974 – Balneario – Deportes de invierno : ⚡ 17.

Alred. : Balneario de Panticosa★ – N : Garganta del Escalar★★.

◆Madrid 481 – Huesca 86.

🏨 **Sabocos** 🐾, acceso Telesilla ✆ 48 75 11, Fax 48 74 17, ≤ – 🛗 📺 ☎ 🅿. VISA. ✑
Comida 1500 – ☲ 600 – **18 hab** 4000/6500 – PA 3060.

🏨 **Escalar** 🐾, La Cruz ✆ 48 70 08, Fax 48 70 03, ≤, ☒ climatizada – 📺 ☎ 🚗. AE VISA. ✑
4 diciembre-20 abril y 15 junio-septiembre – **Comida** 1250 – ☲ 500 – **32 hab** 5000 –
PA 2500.

🏨 **Arruebo** 🐾, La Cruz 8 ✆ 48 70 52, ≤ – 📺 ☎. AE VISA. ✑
cerrado mayo y noviembre – **Comida** 1500 – ☲ 500 – **18 hab** 4000/6000 – PA 2800.

🏨 **Morlans** 🐾, San Miguel ✆ 48 70 57, Fax 48 73 86 – ▤ rest 📺 ☎ 🅿. AE VISA. ✑
cerrado mayo-15 junio y octubre-noviembre – **Comida** 1400 – ☲ 500 – **25 hab** 4000/6000
– PA 2750.

🏨 **Panticosa** 🐾, La Cruz ✆ 48 70 00 – 🅿. VISA. ✑
diciembre-15 abril y julio-15 septiembre – **Comida** 1300 – ☲ 500 – **30 hab** 3800/5000 –
PA 2400.

🏨 **Valle de Tena** 🐾, La Cruz ✆ 48 70 73, Fax 48 70 92 – 📺 ☎ 🅿. E VISA. ✑
diciembre-15 abril y 15 junio-25 septiembre – **Comida** 1300 – ☲ 500 – **28 hab** 3800/5300
– PA 2400.

El PARDO 28048 Madrid 444 K 18 – ⚙ 91.

Ver : Palacio Real★ – Convento de Capuchinos : Cristo yacente★.

◆Madrid 13 – ◆Segovia 93.

✗ **Pedro's,** av. de La Guardia ✆ 376 08 83, 🍽 – ▤. AE E VISA. ✑
Comida carta 2625 a 3100.

✗ **Menéndez,** av. de La Guardia 25 ✆ 376 15 56, 🍽 – ▤. AE ① E VISA. ✑
cerrado agosto – **Comida** carta 2550 a 4700.

✗ **La Marquesita,** av. de La Guardia 29 ✆ 376 19 15, 🍽 – ▤. AE ① E VISA
Comida carta 3675 a 4775.

PAREDES Pontevedra – ver Vilaboa.

PARETS o **PARETS DEL VALLÈS** **08150** Barcelona 443 H 36 – 10 928 h. alt. 94 – ☎ 93.
♦Madrid 637 – ♦Barcelona 26 – Gerona/Girona 81 – Manresa 64.

XX **El Jardí,** Major 1 ☎ 573 02 97, terraza, « Terraza » – aire acondicionado. AE ① VISA. ✗
cerrado lunes noche, martes, Semana Santa y agosto – **Comida** carta 3100 a 4600.

PASAJES DE SAN JUAN o **PASAI DONIBANE** **20110** Guipúzcoa 442 B 24 – 18 203 h. – ☎ 943.
Ver : Localidad pintoresca★.
Alred. : Trayecto★★ de Pasajes de San Juan a Fuenterrabía por el Jaizkíbel.
⛴ para Canarias : Cía. Trasmediterránea, Herrera zona portuaria, ☎ 39 92 40.
♦Madrid 477 – ♦Pamplona/Iruñea 100 – St-Jean-de-Luz 27 – ♦San Sebastián/Donostia 10.

XX **Casa Cámara,** San Juan 79 ☎ 52 36 99, ≤, Pescados y mariscos – VISA. ✗
cerrado domingo noche y lunes – **Comida** carta 2850 a 5650.

X **Nicolasa,** San Juan 59 ☎ 51 54 69, ≤ – VISA. ✗
cerrado domingo noche, lunes y 15 diciembre-15 enero – **Comida** carta 3000 a 3500.

X **Txulotxo,** San Juan 71 ☎ 52 39 52, ≤, Pescados y mariscos – AE ① E VISA. ✗
cerrado domingo noche, martes, 15 octubre-3 noviembre y 20 diciembre-8 enero – **Comida** carta 2400 a 3200.

En esta guía,
el mismo símbolo en rojo o en **negro**, *la misma palabra en*
letra fina o en **negrita**, *no significan lo mismo.*

Lea atentamente la introducción.

PASAJES DE SAN PEDRO o **PASAI SAN PEDRO** **20110** San Sebastián 442 C 24 – 18 203 h. – ☎ 943.
♦Madrid 458 – ♦Bayonne 50 – ♦Pamplona/Iruñea 84 – ♦San Sebastián/Donostia 51.

en Trintxerpe : – ✉ 20110 Trintxerpe – ☎ 943 :

XX **Izkiña,** Euskadi Etorbidea 19 ☎ 39 90 43, Fax 39 90 43, Pescados y mariscos – aire acondicionado. AE E VISA. ✗
cerrado domingo noche, lunes noche – **Comida** carta 2600 a 4500.

PATALAVACA (Playa de) Las Palmas – ver Canarias (Gran Canaria) : Arguineguín.

PATONES **28189** Madrid 444 J 19 – 339 h. alt. 832 – ☎ 91.
♦Madrid 76 – Guadalajara 55 – ♦Segovia 116.

en Patones de Arriba : – ✉ 28189 Patones – ☎ 91

El Tiempo Perdido ⑤, travesía del Ayuntamiento 7 ☎ 843 21 52, Fax 843 21 48, « Ambiente acogedor » – aire acondicionado TV ☎. AE ① E VISA
fines de semana y puentes – **Comida** (ver rest. ***El Poleo***) – ▭ 1500 – **5 hab** 22600.

XX **El Poleo,** travesía del Arroyo 3 ☎ 843 21 01, « Rústico elegante » – aire acondicionado. AE ① E VISA
fines de semana y puentes – **Comida** *(cerrado 15 julio-15 agosto)* carta 3400 a 4700.

PAU **17494** Gerona 443 F 39 – 363 h. – ☎ 972.
♦Madrid 760 – Figueras/Figueres 14 – Gerona/Girona 53.

XX **L'Olivar d'en Norat,** carret. de Rosas E : 1 km ☎ 53 03 00, terraza, Cocina vasca – aire acondicionado Ⓟ. AE ① E VISA
cerrado lunes – **Comida** carta 3050 a 5100.

El PAULAR (Monasterio de) **28741** Madrid 444 J 18 alt. 1 073 – ☎ 91.
Ver : Monasterio★ (retablo★★).
♦Madrid 76 – ♦Segovia 55.

Hoteles y restaurantes ver : Rascafría N : 1,5 km.

PAXARIÑAS (Playa de) Pontevedra – ver Portonovo.

PECHINA **04259** Almería 446 V 22 – 2 166 h. alt. 98 – ☎ 950 – Balneario.
♦ Madrid 566 – Almería 12 – Guadix 102.

al Noreste : 8 km – ☎ 950 :

Baln. de Sierra Alhamilla ⑤, Los Baños ☎ 31 74 13, Fax 31 74 13, ≤ sierra, valle y mar, terraza, « Antiguas albercas », piscina de agua termal – TV ☎. AE ① E VISA. ✗
Comida 1850 – ▭ 600 – **22 hab** 5500/9000.

PEDRAZA DE LA SIERRA 40172 Segovia [442] I 18 – 448 h. alt. 1 073 – ✆ 921.

Ver : Pueblo histórico★★.

◆Madrid 126 – Aranda de Duero 85 – ◆Segovia 35.

🏨 **El Hotel de la Villa** 🍴, Calzada ℰ 50 86 51, Fax 50 86 53, « Ambiente acogedor. Decoración elegante » – 🖿 ☎ – 🚗 25/50. 🖭 ⋿ VISA. ✶
Comida 3700 – 🗠 750 – **22 hab** 11000/12500, 2 suites.

🏨 **La Posada de Don Mariano** 🍴, Mayor 14 ℰ 50 98 86, Fax 50 98 86, « Elegante decoración interior » – 🇹🇻 ☎. 🖭 ⓄⒹ ⋿ VISA. ✶
Comida carta 3600 a 4300 – 🗠 950 – **18 hab** 9000/11000.

✗ **La Olma,** pl. del Ganado 1 ℰ 50 99 81 – 🖭 ⓄⒹ ⋿ VISA. ✶
cerrado martes y 2ª quincena de septiembre salvo fines de semana – **Comida** carta 2650 a 4300.

✗ El Corral de Joaquina, Íscar 3 ℰ 50 98 19.

PEDREZUELA 28723 Madrid [444] J 19 – 798 h. – ✆ 91.

◆Madrid 44 – Aranda de Duero 117 – Guadalajara 72.

✗✗ **Los Nuevos Hornos (Ángel),** carret. NI-N : 2 km ℰ 843 35 71, Fax 843 38 73, 🕭 – 🖿 Ⓟ 🖭 ⋿ VISA. ✶
cerrado lunes noche, martes y agosto – **Comida** carta 3600 a 5200.

Las PEDROÑERAS 16660 Cuenca [444] N 21 y 22 – 6 475 h. alt. 700 – ✆ 967.

◆Madrid 160 – ◆Albacete 89 – Alcázar de San Juan 58 – Cuenca 111.

✗✗ ✿ **Las Rejas,** av. del Brasil ℰ 16 10 89, « Decoración regional » – 🖿 Ⓟ. 🖭 ⓄⒹ ⋿ VISA ᴊᴄʙ. ✶
Comida carta 3700 a 5200
Espec. Lubina sobre patatas y cebolla confitada, Lomos de cordero braseados con pisto y ajos, Foie-gras con crema de alubias y muslitos de codorniz.

PEGUERA Palma de Mallorca – ver Baleares (Mallorca) : Paguera.

PENÁGUILA 03815 Alicante [445] P 28 – 351 h. alt. 685 – ✆ 96.

◆Madrid 432 – Alcoy/Alcoi 19 – ◆Alicante/Alacant 76 – Gandía 100.

al Oeste : 3,5 km – ✉ 03815 Penáguila – ✆ 96 :

🏠 Mas de Pau 🍴, carret. de Alcoy ℰ 551 31 11, Fax 551 31 09, ≤, 🕭, Interior rústico, 🔾, ✶ – 🇹🇻 ☎ Ⓟ – 🚗 25/65
18 hab.

PEÑAFIEL 47300 Valladolid [442] H 17 – 5 003 h. alt. 755 – ✆ 983.

Ver : Castillo★.

◆Madrid 176 – Aranda de Duero 38 – ◆Valladolid 55.

✗ **Asador Mauro,** subida a San Vicente ℰ 87 30 14, Cordero asado – 🖿. 🖭 ⓄⒹ ⋿ VISA. ✶
cerrado por la noche de lunes a miércoles – **Comida** carta 2500 a 3600.

PEÑARANDA DE BRACAMONTE 37300 Salamanca [441] J 14 – 6 290 h. alt. 730 – ✆ 923.

◆Madrid 164 – Ávila 56 – ◆Salamanca 43.

✗✗ **Las Cabañas,** Carmen 10 ℰ 54 02 03 – 🖿. 🖭 VISA. ✶
cerrado lunes – **Comida** carta 2700 a 3600.

PEÑARROYA PUEBLONUEVO 14200 Córdoba [446] R 14 – 13 946 h. alt. 577 – ✆ 957.

◆ Madrid 394 – Azuaga 46 – ◆ Córdoba 83 – ◆ Sevilla 232.

🏨 **Gran Hotel** sin rest. con cafetería, Trinidad 7 ℰ 57 00 58, Fax 57 01 94 – 🖿 🇹🇻 ☎. VISA. ✶
🗠 400 – **12 hab** 4500/7000.

✗ **Los Corales,** Constitución 8 ℰ 57 05 68 – 🖿. 🖭 ⓄⒹ ⋿ VISA. ✶
cerrado lunes noche y del 15 al 30 de julio – **Comida** carta 1650 a 3050.

PEÑÍSCOLA 12598 Castellón de la Plana [445] K 31 – 3 677 h. – ✆ 964 – Playa.

Ver : Ciudad Vieja★ (castillo ≤★).

🅱 paseo Marítimo, ℰ 48 02 08, Fax 48 02 08.

◆Madrid 494 – Castellón de la Plana/Castelló de la Plana 76 – Tarragona 124 – Tortosa 63.

🏨 **Hostería del Mar** (Parador Colaborador), av. Papa Luna 18 ℰ 48 06 00, Fax 48 13 63, ≤ mar y Peñíscola, Cenas medievales los sábados, « Interior castellano », 🔾 climatizada, 🕭, ✶ – 🛗 🖿 🇹🇻 ☎ Ⓟ. 🖭 ⓄⒹ ⋿ VISA. ✶ rest
Comida 2400 – 🗠 1050 – **85 hab** 9700/12900, 1 suite – PA 5000.

🏨 Jaime I, av. Pigmalión ℰ 48 99 00, Fax 48 94 10, 🔾, – 🛗 🖿 🇹🇻 ☎ Ⓟ
47 hab.

Prado, av. Papa Luna 3 ☎ 48 91 20, Fax 48 95 17, ≤, - rest AE E VISA.
abril-octubre - **Comida** 2000 - 500 - **154 hab** 5000/7500 - PA 3075.

Porto Cristo, av. Papa Luna 2 ☎ 48 07 18, Fax 48 90 49, - VISA.
Semana Santa-15 octubre - **Comida** 2300 - 400 - **26 hab** 3800/6000 - PA 6000.

Cabo de Mar, av. Primo de Rivera 1 ☎ 48 00 16, ≤ - rest
temp - **23 hab.**

Marina, av. José Antonio 42 ☎ 48 08 90, Fax 48 08 90 - rest E VISA.
abril-15 diciembre - **Comida** 1300 - 400 - **19 hab** 2100/4000.

Ciudad de Gaya, av. Papa Luna 1 ☎ 48 00 24, ≤, - E VISA. rest
Semana Santa-septiembre - **Comida** 1400 - 500 - **27 hab** 3500/5900 - PA 3300.

Tío Pepe, av. José Antonio 32 ☎ 48 06 40 - rest
Comida 1200 - **10 hab** 6000.

Les Doyes, av. Papa Luna 10 ☎ 48 07 95, Fax 48 08 55, - AE E VISA.
abril-septiembre - **Comida** carta 2950 a 4450.

Simó con hab, Porteta 5 ☎ 48 06 20, Fax 48 06 20, ≤, - AE E VISA.
marzo-septiembre - **Comida** *(cerrado lunes)* carta aprox. 4600 - 500 - **10 hab** 3000/6500.

en la urbanización Las Atalayas-por la carretera CS 500 NO : 1 km - ✉ 12598 Peñíscola - 964 :

Benedicto XIII, ☎ 48 08 01, Fax 48 95 23, ≤, - rest TV - 25/80. AE E VISA JCB.
marzo-octubre - **Comida** 1925 - 825 - **30 hab** 5480/7300 - PA 3975.

Casa Severino, ☎ 48 07 03 - AE E VISA.
cerrado miércoles (salvo julio-agosto) y noviembre-2 diciembre - **Comida** carta 2900 a 4600.

PERALADA Gerona - ver Perelada.

PERALEJO 28211 Madrid 444 K 17 - 91.

♦Madrid 54 - El Escorial 6 - Ávila 70 - ♦Segovia 66 - Toledo 103.

Casavieja, ☎ 899 20 11, Decoración rústica. Espec. en carnes - .

PERALES DE TAJUÑA 28540 Madrid 444 L 19 - 1 961 h. alt. 585 - 91.

♦Madrid 40 - Aranjuez 44 - Cuenca 125.

Las Vegas, antigua carret. N III ☎ 874 83 89, - AE E VISA.
Comida carta 2850 a 3200.

PERALTA 31350 Navarra 442 E 24 - 4 544 h. alt. 292 - 948.

♦Madrid 347 - ♦Logroño 70 - ♦Pamplona/Iruñea 59 - ♦Zaragoza 122.

Atalaya con hab, Dabán 11 ☎ 75 01 52 - rest TV AE E VISA JCB.
cerrado 23 diciembre-7 enero - **Comida** *(cerrado domingo, festivos noche y lunes)* carta 3050 a 4100 - **22 hab** 3000/5000.

PERAMOLA 25790 Lérida 443 F 33 - 393 h. alt. 566 - 973.

♦Madrid 567 - ♦Lérida/Lleida 98 - Seo de Urgel/La Seu d'Urgell 47.

al Noreste : 2,5 km - ✉ 25790 Peramola - 973

Can Boix (anexo), ☎ 47 02 66, Fax 47 02 66, ≤, - TV AE E VISA. rest
cerrado 1ª quincena de noviembre y 10 enero-10 febrero - **Comida** carta 2900 a 4850 - 735 - **48 hab** 4600/16740.

PERATALLADA 17113 Gerona 443 G 39 - 972.

♦Madrid 752 - Gerona/Girona 33 - Palafrugell 16.

Castell de Peratallada con hab, pl. del Castell ☎ 63 40 21, Fax 63 40 11, « Instalado en un castillo medieval », - hab AE VISA.
mayo-octubre - **Comida** carta 4000 a 5800 - **5 hab** 38000.

La Riera, pl. les Voltes 3 ☎ 63 41 42, Decoración rústica, « Instalado en una antigua casa medieval » - AE E VISA
cerrado martes y 10 diciembre-10 marzo - **Comida** carta 2600 a 3700.

Can Nau, d'en Bas 12 ☎ 63 40 35, « Instalado en una antigua casa de estilo regional » - E VISA.
cerrado domingo noche salvo agosto, miércoles salvo festivos y 31 enero-10 marzo - **Comida** carta 2550 a 3450.

El Borinot, del Forn 15 ☎ 63 40 84 - AE E VISA.
cerrado martes y enero - **Comida** carta 1885 a 3700.

La PEREDA Asturias - ver Llanes.

PERELADA o **PERALADA** 17491 Gerona 443 F 39 - 1 118 h. - ☎ 972.
♦Madrid 738 - Gerona/Girona 42 - Perpignan 61.

XX **Cal Sagristà,** Rodona 2 ✆ 53 83 01, 🍽 - AE E VISA
cerrado martes y 15 días en febrero - **Comida** carta 3000 a 3200.

PERELLÓ o **El PERELLÓ** 43519 Tarragona 443 J 32 - 2 119 h. - ☎ 977.
♦Madrid 519 - Castellón de la Plana/Castelló de la Plana 132 - Tarragona 59 - Tortosa 33.

X **Censals,** carret. N 340 ✆ 49 00 59 - ▤ P. AE ◑ E VISA. ✂
cerrado martes noche, miércoles y 1ª quincena de noviembre - **Comida** carta 2100 a 4600.

El PERELLÓ 46420 Valencia 445 O 29 - ☎ 96 - Playa.
♦Madrid 373 - Gandía 38 - ♦Valencia 25.

♆ **Antina** sin rest, Buenavista 18 ✆ 177 00 19 - |♦|. AE ◑ E VISA
julio-1 octubre - **30 hab** ☐ 3650/5150.

PERILLO La Coruña - ver La Coruña.

PIEDRA (Monasterio de) Zaragoza 443 I 24 alt. 720 - ✉ 50210 Nuévalos - ☎ 976.
Ver : Parque y cascadas★★.
♦Madrid 231 - Calatayud 29 - ♦Zaragoza 118.

🏨 **Monasterio de Piedra** 🐎, ✆ 84 90 11, Fax 84 90 54, « Instalado en el antiguo monasterio », 🏊, 🎾 - ▤ rest TV ☎ P - 🏛 25/100. AE ◑ E VISA. ✂ rest
Comida 2300 - ☐ 500 - **61 hab** 6500/9500 - PA 4100.

El PÍ DE SANT JUST 25286 Lérida 443 G 34 - ☎ 973.
♦Madrid 582 - ♦Lérida/Lleida 113 - Manresa 47 - Solsona 5.

X **El Pí de Sant Just** con hab, carret. C 1410 ✆ 48 07 00, Fax 48 09 38, 🏊, 🎾 - ▤ rest P. AE ◑ E VISA
Comida *(cerrado lunes)* 1200 - ☐ 450 - **7 hab** 4500.

PIEDRAFITA DEL CEBRERO o **PEDRAFITA DO CEBREIRO** 27670 Lugo 441 D 8 - 2 103 h. alt. 1 062 - ☎ 982.
♦Madrid 433 - Lugo 71 - Ponferrada 51.

♆ Rebollal, carret. N VI ✆ 36 71 15
18 hab.

PIEDRALAVES 05440 Ávila 442 L 15 - 2 097 h. alt. 730 - ☎ 91.
♦Madrid 95 - Ávila 83 - Plasencia 159.

🏨 **Almanzor,** Progreso 4 ✆ 866 50 00, « Terraza con arbolado y 🏊 » - ▤ rest ☎ P. VISA. ✂
cerrado noviembre - **Comida** 1450 - ☐ 550 - **59 hab** 3500/4700.

LA PINEDA (Playa de) Tarragona - ver Salou.

PINEDA DE MAR 08397 Barcelona 443 H 38 - 16 317 h. - ☎ 93 - Playa.
ℹ Sant Joan Nonell, ✆ 767 15 60, Fax 767 12 12.
♦Madrid 694 - ♦Barcelona 51 - Gerona/Girona 46.

🏨 **Mercè y Rest. La Taverna,** Rdo Antoni Doltra 2 ✆ 767 00 78, Fax 767 10 10, 🏊, 🎾 - |♦| ▤ rest. AE ◑ E VISA. ✂ rest
mayo-25 octubre - **Comida** *(cerrado lunes y 9 enero-13 abril)* carta 2600 a 3900 - ☐ 600 - **170 hab** 2500/4500.

🏨 **Mont Palau,** Roig i Jalpi 1 ✆ 767 14 66, Fax 767 05 83, 🏊 - |♦| P. AE ◑ E VISA. ✂ rest
abril-octubre - **Comida** 1200 - ☐ 450 - **82 hab** 3500/5200.

PINETA (Valle de) Huesca - ver Bielsa.

PINOS GENIL 18191 Granada 446 U 19 - 1 069 h. alt. 774 - ☎ 958.
♦Madrid 443 - ♦Granada 13.

en la carretera de Granada - ✉ 18191 Pinos Genil - ☎ 958

🏨 Labella María, O : 0,5 km ✆ 48 87 70, Fax 48 87 26 - |♦| ▤ TV ☎ P
25 hab.

XX **Los Pinillos,** O : 3 km ✆ 48 61 09, Fax 48 72 16, 🍽 - ▤ P. AE ◑ E VISA
cerrado domingo noche, martes y agosto - **Comida** carta 2950 a 4300.

PLÀ DE SANT LLORENÇ Barcelona – ver Matadepera.

PLÀ DE VALL - LLOBREGÀ Gerona – ver Palamós.

PLASENCIA 10600 Cáceres 444 L 11 – 36 826 h. alt. 355 – ☎ 927.
Ver : Catedral★ (retablo★, sillería★) – ℹ del Rey 8, ✆ 42 21 59.
Madrid 257 – ◆Ávila 150 – ◆Cáceres 85 – Ciudad Real 332 – ◆Salamanca 132 – Talavera de la Reina 136.

- **Alfonso VIII,** Alfonso VIII-34 ✆ 41 02 50, Fax 41 80 42 – 25/400. AE VISA.
  Comida carta 3350 a 4400 – 700 – **55 hab** 6500/10000, 2 suites.
- **Florida 2,** av. de España 22 ✆ 41 38 58 – AE VISA.
  Comida carta aprox. 3600.
- **El Carro,** av. de la Vera 18 ✆ 41 40 81 – AE VISA.
  cerrado lunes – **Comida** carta 2300 a 4100.

en la carretera N 630 : – ✉ 10600 Plasencia – ☎ 927 :

- **Azar,** SO : 3 km ✆ 42 18 33, Fax 42 18 33 – 25/400. VISA.
  Comida 1700 – 800 – **48 hab** 5300/8000 – PA 3600.
- **Real,** N : 1,5 km ✆ 41 29 00, Fax 41 68 24 – AE VISA.
  Comida 1200 – 350 – **56 hab** 3000/5000 – PA 2340.

PLASENCIA DEL MONTE 22810 Huesca 443 F 28 – 263 h. alt. 535 – ☎ 974.
Madrid 407 – Huesca 17 – ◆Pamplona/Iruñea 147.

- El Cobertizo con hab, carret. A 132 ✆ 27 00 11, – rest
  24 hab.

PLATJA D'ARO Gerona – ver Playa de Aro.

PLAYA – ver el nombre propio de la playa.

PLAYA BARCA Las Palmas – ver Canarias (Fuerteventura).

PLAYA BLANCA Las Palmas – ver Canarias (Fuerteventura) : Puerto del Rosario.

PLAYA BLANCA DE YAIZA Las Palmas – ver Canarias (Lanzarote).

PLAYA CANYELLES (Urbanización) Gerona – ver Lloret de Mar.

PLAYA DE ARO o **PLATJA D'ARO** 17250 Gerona 443 G 39 – 4 785 h. – ☎ 972 – Playa.
ℹ Jacinto Verdaguer 11, ✆ 81 71 79, Fax 82 56 57.
◆Madrid 715 – ◆Barcelona 102 – Gerona/Girona 37.

- **Columbus** , passeig del Mar ✆ 81 71 66, Fax 81 75 03, ←, – 25/250. AE VISA.
  Comida 2950 – **108 hab** 11100/17200, 2 suites.
- **Guitart Platja d'Aro,** av. d'Estrasburg ✆ 81 72 20, Fax 81 61 68, – 25/400. AE VISA.
  Comida 2500 – **186 hab** 9300/12600, 11 suites – PA 5750.
- **Cosmopolita,** Pinar del Mar 1 ✆ 81 73 50, Fax 81 74 50, ←, – rest. VISA. rest
  cerrado 10 enero-10 febrero y 15 noviembre-15 diciembre – **Comida** 1500 – 700 – **90 hab** 6800/12000 – PA 2500.
- **Costa Brava y Rest. Can Poldo** , carret. de Palamós - Punta d'en Ramís ✆ 81 73 08, Fax 82 63 48, ←, « Al borde del mar » – AE VISA. rest
  marzo-noviembre – **Comida** carta 2800 a 4100 – **58 hab** 5800/9200.
- **Mar Condal II** , paseo Marítimo 102 ✆ 81 80 69, Fax 81 61 14, ←, – AE VISA.
  Semana Santa y 15 mayo- 15 octubre – **Comida** 1000 – **120 hab** 8800/15300, 5 suites.
- **Xaloc,** carret. de Palamós - playa de Rovira ✆ 81 73 00, Fax 81 61 00 – AE VISA. rest
  8 abril-septiembre – **Comida** (sólo cena) 1850 – 650 – **47 hab** 6400/10800.
- Els Pins, Nostra Señora del Carme 34 ✆ 81 72 19, Fax 81 75 46 –
  temp – **65 hab.**
- **Miramar,** Virgen del Carmen 45 ✆ 81 71 50, Fax 81 71 50, ← – AE VISA. rest
  10 mayo-septiembre – **Comida** 1400 – **42 hab** 5100/8700.
- **Aradi,** carret. de Palamós ✆ 81 73 76, Fax 81 75 72, – AE VISA
  Comida carta 2600 a 4050.
- **Japet** con hab, carret. de Palamós 50 ✆ 81 73 66, – AE VISA. rest
  Comida *(cerrado martes)* carta 2800 a 3800 – 400 – **20 hab** 3500/5600.

en la carretera de Mas Nou O : 1,5 km – ✉ 17250 Playa de Aro – ☎ 972 :

XXX ⚘ **Carles Camós-Big Rock** ⛰ con hab, barri de Fanals 5 ☎ 81 80 12, Fax 81 89 71 « Antigua masía señorial », ⛱ – ▤ TV ☎ P. AE ⓓ E VISA
Comida *(cerrado domingo noche y lunes)* carta 4400 a 5900 – ☕ 1100 – **5 suites** 24000
Espec. Lentejas a la marinera, Solomillo Carles Camós, Capriccio Big Rock con fresitas.

en Condado de San Jorge NE : 2 km – ✉ 17251 Calonge – ☎ 972 :

Park H. San Jorge, ☎ 65 23 11, Fax 65 25 76, « Agradable terraza con arbolado, ≤ rocas y mar », Ⅎ6, ⛱, ✂ – |♦| ▤ rest TV ☎ P – 🏛 25/100. AE ⓓ E VISA. ✂ rest
cerrado diciembre y enero – **Comida** 2700 – ☕ 1300 – **99 hab** 14250/18000, 5 suites – PA 6700.

en la carretera de San Feliú de Guixols – ✉ 17250 Playa de Aro – ☎ 972 :

Panamá sin rest, SO : 1 km ☎ 81 76 39, Fax 81 79 34, ⛱ – |♦|. AE E VISA
abril-octubre – ☕ 400 – **42 hab** 4900/6900.

X Mas Candell, desvío a la derecha SO : 2,5 km ☎ 81 88 81, Fax 81 52 18, ☂, Carnes a la brasa, « Masía típica del siglo XVI » – ▤ P
temp – **Comida** (sólo cena).

en la urbanización Mas Nou NO : 4,5 km – ✉ 17250 Playa de Aro – ☎ 972 :

XXX **Mas Nou,** ☎ 81 78 53, Telex 57205, Fax 81 67 22, ≤, Decoración rústica, ⛱, ✂ – ▤ P AE ⓓ E VISA
cerrado martes noche y miércoles (octubre-junio) y noviembre – **Comida** carta 3500 a 5650

PLAYA DE LAS AMÉRICAS Santa Cruz de Tenerife – ver Canarias (Tenerife).

PLAYA DE SAN JUAN o **PLATJA DE SAN JUAN** **03540** Alicante 445 Q 28 – ☎ 96 – Playa.

♦Madrid 424 – ♦Alicante/Alacant 7 – Benidorm 33.

Sidi San Juan ⛰, ☎ 516 13 00, Telex 66263, Fax 516 33 46, ≤ mar, ☂, ⛱, ⛱, ⛱, ✂ – |♦| ▤ TV ☎ P – 🏛 25/250. AE ⓓ E VISA. ✂ rest
Comida 3450 - ***Grill Sant Joan :*** **Comida** carta 3550 a 4100 – ☕ 1400 – **172 hab** 14200/18500, 4 suites.

Almirante y Rest. Pocardy ⛰, av. de Niza 38 ☎ 565 01 12, Fax 565 71 69, ≤, ☂, ⛱, ⛱, ✂ – |♦| ▤ TV ☎ P – 🏛 25/150. AE ⓓ VISA. ✂
Comida carta 2400 a 3800 – ☕ 510 – **68 hab** 5980/6490.

Castilla, av. países Escandinavos 7 ☎ 516 20 33, Fax 516 20 61, ⛱ – |♦| ▤ rest TV ☎ P – 🏛 25/120. AE E VISA. ✂
Comida 1900 – ☕ 600 – **154 hab** 6500/9900 – PA 4200.

XX **Estella,** av. Costa Blanca 125 ☎ 516 04 07 – ▤. AE ⓓ E VISA. ✂
cerrado lunes, domingo noche y 20 noviembre-20 diciembre – **Comida** carta 2630 a 4270.

X **Regina,** av. de Niza 19 ☎ 526 41 39, ☂ – ▤. AE E VISA
cerrado miércoles (noviembre-mayo) y del 16 al 31 de octubre – **Comida** carta aprox. 3450.

X Max's, Curricán 43 ☎ 516 59 15, Cocina francesa.

X Marcolisa, av. La Condomina 62 ☎ 516 41 38, ☂, Cocina franco-belga
Comida (sólo cena julio-agosto).

PLAYA GRANDE Murcia – ver Puerto de Mazarrón.

Las PLAYAS Santa Cruz de Tenerife – ver Canarias (Hierro) : Valverde.

Las PLAYETAS Castellón de la Plana – ver Oropesa del Mar.

LA POBLA DE BENIFASSÀ Castellón de la Plana – ver La Puebla de Benifasar.

La POBLA DE CLARAMUNT **08787** Barcelona 443 H 35 – 1 635 h. – ☎ 93.

♦Madrid 570 – ♦Barcelona 71 – ♦Lérida/Lleida 101 – Manresa 35.

en la carretera C 244 S : 2 km – ✉ 08787 La Pobla de Claramunt – ☎ 93 :

X **La Farga,** residencial El Xaro ☎ 808 61 85, Fax 808 61 85, « Césped con ⛱ », ✂ – ▤ P. E VISA. ✂
cerrado lunes y febrero – **Comida** carta 2265 a 3445.

La POBLA DE FARNALS Valencia – ver Puebla de Farnals.

POBLET (Monasterio de) 43448 Tarragona 443 H 33 alt. 490 – ☎ 977.

Ver : Monasterio★★★ (claustro★★ : capiteles★, iglesia★★ : panteón real★★, retablo del altar mayor★★).

♦Madrid 528 – ♦Barcelona 122 – ♦Lérida/Lleida 51 – Tarragona 46.

⌂ **Monestir** ⛰, Les Masíes, ✉ 43440 L'Espluga de Francolí, ℘ 87 00 58, ☂, 🏊 – ▮ ▤ rest ☎ 🚗 🅿. E VISA. ✗
abril-octubre – **Comida** 1950 – ☕ 675 – **30 hab** 4800/6500 – PA 3850.

XX **Masía del Cadet** ⛰ con hab, Les Masies, ✉ 43440 L'Espluga de Francolí, ℘ 87 08 69, ≤, ☂ – ▮ ☎ 🅿. AE ⓓ E VISA JCB. ✗
cerrado domingo noche, lunes y del 7 al 20 de noviembre – **Comida** carta 2650 a 3700 – ☕ 775 – **12 hab** 5000/7500.

X **Fonoll,** pl. Ramón Berenguer IV - 2 ℘ 87 03 33, Fax 87 03 33, ☂ – 🅿. AE ⓓ E VISA
cerrado 20 diciembre-20 enero – **Comida** carta 1650 a 2950.

POBRA DO CARAMIÑAL La Coruña – ver Puebla del Caramiñal.

Los POCILLOS (Playa de) Las Palmas – ver Canarias (Lanzarote) : Puerto del Carmen.

POLA DE ALLANDE 33880 Asturias 441 C 10 – 710 h. alt. 524 – ☎ 98.

♦Madrid 500 – Cangas 21 – Luarca 84 – ♦Oviedo 106.

⌂ **La Nueva Allandesa,** Donato Fernández 3 ℘ 580 70 27 – TV. AE E VISA. ✗
Comida 1000 – ☕ 300 – **24 hab** 6000.

POLA DE SIERO 33510 Asturias 441 B 12 – ☎ 98.

♦ Madrid 470 – Gijón 23 – ♦ Oviedo 17.

⌂ **Lóriga** sin rest, Valeriano León 22 ℘ 572 00 26, Fax 572 07 98 – ▮ TV ☎ 🚗. AE ⓓ E VISA. ✗
☕ 550 – **40 hab** 5500/8950.

POLOP 03520 Alicante 445 Q 29 – 1 903 h. alt. 230 – ☎ 96.

Alred. : Guadalest★ : Situación★ NO : 14 km.

♦Madrid 449 – ♦Alicante/Alacant 57 – Gandía 63.

X **Ca L'Àngeles,** Gabriel Miró 36 ℘ 587 02 26 – VISA. ✗
cerrado martes y 22 junio-22 julio – **Comida** carta aprox. 3500.

POLLENSA o **POLLENÇA** Palma de Mallorca – ver Baleares (Mallorca).

PONFERRADA 24400 León 441 E 10 – 59 702 h. alt. 543 – ☎ 987.

ℹ Gil y Carrasco, 4 (junto al Castillo) ℘ 42 42 36.

♦Madrid 385 – Benavente 125 – ♦León 105 – Lugo 121 – Orense/Ourense 159 – ♦Oviedo 210.

⌂ **Del Temple,** av. de Portugal 2 ℘ 41 00 58, Fax 42 35 25, « Decoración evocadora de la época de los Templarios » – ▮ ▤ TV ☎ 🚗 – 🏛 25/50. AE ⓓ E VISA JCB. ✗
Comida carta aprox. 3000 – ☕ 775 – **110 hab** 7150/10500, 2 suites.

⌂ **Madrid,** av. de La Puebla 44 ℘ 41 15 50, Fax 41 18 61 – ▮ ▤ rest TV ☎. AE E VISA JCB. ✗
Comida *(cerrado domingo noche)* 975 – ☕ 400 – **55 hab** 3100/4750 – PA 2000.

⌂ **Bérgidum** sin rest, con cafetería, av. de la Plata 2 ℘ 40 15 99, Telex 89893, Fax 40 16 00 – ▮ ▤ TV ☎ 🚗. AE ⓓ E VISA. ✗
☕ 800 – **71 hab** 6500/9500.

X **Ballesteros,** Fueros de León 12 ℘ 41 11 60 – ▤. AE ⓓ E VISA. ✗
cerrado domingo – **Comida** carta 2600 a 4050.

en la carretera N VI - NE : 6 km – ✉ 24400 Ponferrada – ☎ 987 :

XX **Azul Montearenas,** ℘ 41 70 12, Fax 42 48 21, ≤ – ▤ 🅿. AE ⓓ E VISA. ✗
cerrado domingo noche – **Comida** carta 2900 a 3500.

PONS o **PONTS** 25740 Lérida 443 G 33 – 2 247 h. alt. 363 – ☎ 973.

♦Madrid 533 – ♦Barcelona 131 – ♦Lérida/Lleida 64.

⌂ **Boncompte,** pl. Sant Cristófol 1 ℘ 46 10 02, Fax 46 10 04 – ▮ ▤ TV ☎ ♿ 🚗 🅿. AE E VISA
Comida 1500 – ☕ 500 – **34 hab** 4000/7000.

⌂ **Pedra Negra,** carret. de Seo de Urgel NE : 1km ℘ 46 01 00, 🏊 – ▤ rest 🅿. AE VISA. ✗
Comida *(cerrado lunes)* 1690 – ☕ 375 – **10 hab** 2430/4895 – PA 3160.

X **Ventureta** con hab, carret. de Seo de Urgel 2 ℘ 46 03 45, Fax 46 03 45 – ▤ rest. VISA. ✗
Comida carta aprox. 3400 – ☕ 500 – **7 hab** 2500/3500.

PONT D'ARRÓS Lérida – ver Viella.

EL PONT DE BAR 25723 Lérida 443 E 34 – 169 h. – ✆ 973.
◆ Madrid 614 – Puigcerdà 34 – Seu de Urgel/La Seu d'Urgell 23.

en la carretera N 260 E : 3,5 km – ✉ 25723 El Pont de Bar – ✆ 973 :

XX **La Taverna dels Noguers,** ✆ 38 40 20 – ▤ Ⓟ. E VISA. ✗
cerrado jueves, 9 enero-3 febrero y del 1 al 15 de julio – **Comida** (sólo almuerzo salvo sábado) carta 3350 a 4900.

PONT DE MOLINS 17706 Gerona 443 F 38 – 260 h. – ✆ 972.
◆ Madrid 749 – Figueras/Figueres 6 – Gerona/Girona 42.

X **El Molí** con hab, carret. Les Escaules O : 2 km ✆ 52 80 11, Fax 52 81 01, Antiguo molino, – ☎ Ⓟ. AE ⓓ E VISA. ✗
13 abril-30 octubre – **Comida** *(cerrado martes noche, miércoles y 15 diciembre-15 enero)* carta 1900 a 3800 – **8 hab** ☕ 5000/8000.

PONT DE SUERT 25520 Lérida 443 E 32 – 2 143 h. alt. 838 – ✆ 973.
Alred. : Embalse de Escales★ S : 5 km.
◆ Madrid 555 – ◆ Lérida/Lleida 123 – Viella 40.

en la carretera de Bohí N : 2,5 km – ✉ 25520 Pont de Suert – ✆ 973 :

X **Mesón del Remei,** ✆ 69 02 55, Fax 69 05 48, Carnes a la brasa – Ⓟ. E VISA. ✗
cerrado lunes salvo en verano – **Comida** carta 1600 a 3300.

ES PONT D'INCA Palma de Mallorca – ver Baleares (Mallorca).

PONTEAREAS Pontevedra – ver Puenteareas.

PONTEDEUME La Coruña – ver Puentedeume.

PONTEVEDRA 36000 P 441 E 4 – 75 148 h. – ✆ 986.
Ver : Barrio antiguo★ : Plaza de la Leña★ BY – Museo Provincial : (tesoros célticos★) BY **M1** – Iglesia de Santa María la Mayor★ (fachada oeste★) AY.
Alred. : Mirador de Coto Redondo★★ ※★★ 14 km por ③ – Iberia ✆ 85 66 22.
✆ 85 13 13.
General Mola 1, ✉ 36002, ✆ 85 08 14, Fax 85 10 48 – R.A.C.E. Benito Corbal 32, ✉ 36003, ✆ 85 57 43.
◆ Madrid 599 ② – Lugo 146 ① – Orense/Ourense 100 ② – Santiago de Compostela 57 ① – ◆ Vigo 27 ③.

Plano página siguiente

Parador de Pontevedra, Barón 19, ✉ 36002, ✆ 85 58 00, Fax 85 21 95, « Antiguo pazo acondicionado », – ▤ TV ☎ Ⓟ – 25/40. AE ⓓ E VISA. ✗ AY **a**
Comida 3200 – ☕ 1100 – **47 hab** 11500 – PA 6375.

Galicia Palace, av. de Vigo 3, ✉ 36003, ✆ 86 44 11, Fax 86 10 26 – ▤ TV ☎ – 25/300. AE ⓓ E VISA. ✗ BZ **t**
Comida 1800 – ☕ 900 – **80 hab** 9200/11500, 5 suites.

Rías Bajas sin rest, con cafetería, Daniel de la Sota 7, ✉ 36001, ✆ 85 51 00, Telex 88068, Fax 85 51 00 – TV ☎ – 25/90. AE ⓓ E VISA BZ **n**
☕ 600 – **93 hab** 6600/10500, 7 suites.

Don Pepe sin rest, carret. de La Toja 24, ✉ 36163 Poyo, ✆ 87 22 60, Fax 87 34 33 – TV ☎ Ⓟ. AE ⓓ VISA. ✗ por Puente de la Barca AY
☕ 500 – **25 hab** 7800.

Virgen del Camino sin rest, Virgen del Camino 55, ✉ 36001, ✆ 85 59 00, Fax 85 09 00 – TV ☎ – 25/50. AE ⓓ E VISA. ✗ BZ **v**
☕ 600 – **53 hab** 6900/10500.

Ruas sin rest. con cafetería, Sarmiento, ✉ 36002, ✆ 84 64 16, Fax 84 64 11 – ▤ TV ☎ BY **r**
22 hab.

Madrid, Andrés Mellado 5, ✉ 36001 – TV BZ **c**
40 hab.

XX **Román,** Augusto García Sánchez 12, ✉ 36001, ✆ 84 35 60 – ▤. AE ⓓ E VISA. ✗
cerrado domingo noche salvo julio y agosto – **Comida** carta aprox. 3300. BZ **s**

XX ✿ **Doña Antonia,** soportales de la Herrería 4 1°, ✉ 36002, ✆ 84 72 74 – AE ⓓ E VISA. ✗
cerrado domingo – **Comida** carta 3250 a 3975
Espec. Tosta de vieiras, Rape braseado con ajada, Cordero al horno con miel. BZ **x**

X **Chipén,** Peregrina 3, ✉ 36201, ✆ 85 26 61 – ▤. AE ⓓ E VISA BZ **a**
cerrado domingo – **Comida** carta 2300 a 3100.

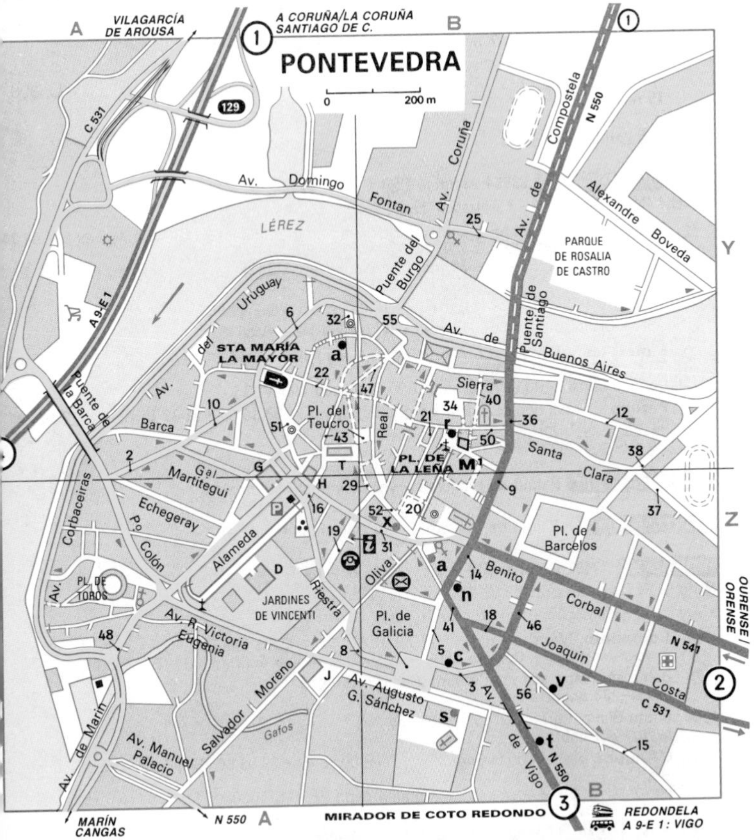

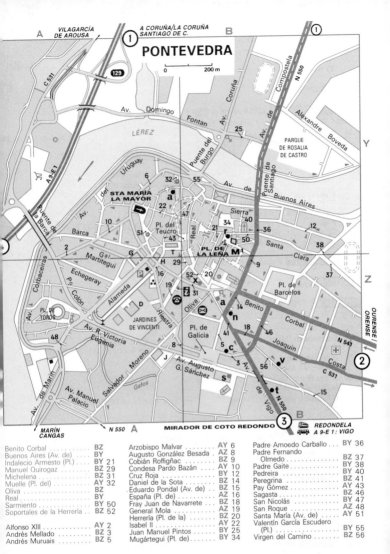

Benito Corbal	BZ	
Buenos Aires (Av. de)	BY	
Indalecio Armesto (Pl.)	BY	21
Manuel Quiroga	BZ	29
Michelena	BZ	31
Muelle (Pl. del)	AY	32
Oliva	BZ	
Real	BY	
Sarmiento	BY	50
Soportales de la Herrería	BZ	52
Alfonso XIII	AY	2
Andrés Mellado	BZ	3
Andrés Muruais	BZ	5
Arzobispo Malvar	AY	6
Augusto González Besada	AZ	8
Cobián Roffignac	BZ	9
Condesa Pardo Bazán	AY	10
Cruz Roja	BY	12
Daniel de la Sota	BZ	14
Eduardo Pondal (Av. de)	BZ	15
España (Pl. de)	AZ	16
Fray Juan de Navarrete	BZ	18
General Mola	AZ	19
Herrería (Pl. de la)	BZ	20
Isabel II	AY	22
Juan Manuel Pintos	BY	25
Mugártegui (Pl. de)	BY	34
Padre Amoedo Carballo	BY	36
Padre Fernando Olmedo	BZ	37
Padre Gaite	BY	38
Pedreira	BY	40
Peregrina	BZ	41
Pay Gómez	AY	43
Sagasta	BZ	46
San Nicolás	BY	47
San Roque	AZ	48
Santa María (Av. de)	AY	51
Valentín García Escudero (Pl.)	BY	55
Virgen del Camino	BZ	56

en San Salvador de Poyo por Puente de la Barca AY – ✉ 36994 San Salvador de Poyo – ☎ 986 :

París sin rest, carret. de La Toja : 3 km ☎ 87 31 98, Fax 87 31 98, ⛱ – |♦| TV ☎ P. E VISA. ✂
☕ 400 – **39 hab** 2600/5100.

✗✗ ✿ **Casa Solla,** carret. de La Toja : 2 km ☎ 87 28 84, Fax 87 31 29 – ▤ P. AE E VISA. ✂
cerrado domingo noche, jueves noche y Navidades – **Comida** carta 3100 a 5200
Espec. Ragoût de setas del bosque (otoño-invierno), Lomo de merluza con erizos y verdura de mar, Soufflé de chocolate con piña y crema de naranjas.

en San Juan de Poyo por Puente de la Barca : 4 km AY – ✉ 36994 San Juan de Poyo – ☎ 986 :

San Juan sin rest, Cesteiro 6 ☎ 77 00 20, Fax 77 05 11 – |♦| TV ☎ 🚗 P. AE VISA. ✂
☕ 300 – **72 hab** 4000/5000.

en la carretera N 550 por ① : 4 km - ✉ 36157 Alba - ☎ 986 :

X **Corinto** con hab, ✆ 87 03 45 - Ⓟ. E VISA. ✂
cerrado 22 diciembre-22 enero - **Comida** *(cerrado lunes)* carta 2000 a 3400 - ☕ 300 - **16 hab** 2500/4000.

PONTS Lérida - ver Pons.

PÓO DE CABRALES **33554** Asturias 441 C 15 - ☎ 98.
♦Madrid 453 - ♦Oviedo 104 - ♦Santander 113.

Principado de Europa ⛰, Mirador del Naranjo de Bulnes 2 ✆ 584 54 74, Fax 584 54 74, ≤ - |♦| TV ☎ ⇔ Ⓟ. AE VISA. ✂
Comida 1500 - ☕ 475 - **34 hab** 5500/9000 - PA 3475.

PORRIÑO **36400** Pontevedra 441 F 4 - 15 093 h. alt. 29 - ☎ 986.
♦Madrid 585 - Orense/Ourense 86 - Pontevedra 34 - ♦Porto 142 - ♦Vigo 15.

Motel Acapulco y Rest. Albariño, Antonio Palacios 147 ✆ 33 15 07, Fax 33 64 65 - ▤ TV ⇔ Ⓟ. AE ⓞ E VISA. ✂ rest
Comida carta 2100 a 2600 - ☕ 500 - **40 hab** 4950/9350.

Parque sin rest, con cafetería, parque del Cristo ✆ 33 16 04, Fax 33 15 79 - |♦| TV ☎ ⇔. AE ⓞ E VISA. ✂
☕ 700 - **47 hab** 6000/7500.

PORTALS NOUS Palma de Mallorca - ver Baleares (Mallorca).

PORTALS VELLS Palma de Mallorca - ver Baleares (Mallorca).

PORT-BOU **17497** Gerona 443 E 39 - 1 908 h. - ☎ 972 - Playa.
ℹ pg. Lluís Companys, ✆ 39 02 84, Fax 12 51 23.
♦Madrid 782 - Banyuls 17 - Gerona/Girona 75.

Comodoro, Méndez Núñez 1 ✆ 39 01 87, 🏖 - AE E VISA
junio-septiembre - **Comida** 1600 - ☕ 500 - **14 hab** 4500/7000 - PA 3200.

Bahía sin rest y sin ☕, Cerbere 2 ✆ 39 01 96, ≤
temp - **33 hab.**

Costa Blava, Cerbere 20 ✆ 39 03 86
temp - **21 hab.**

X **L'Àncora,** passeig de la Sardana 3 ✆ 39 00 25, Fax 39 03 60, 🏖, Decoración rústica - E VISA
cerrado martes y noviembre - **Comida** carta 2550 a 4600.

PORT D'ALCUDIA Palma de Mallorca - ver Baleares (Mallorca) : Puerto de Alcudia.

PORT D'ANDRATX Palma de Mallorca - ver Baleares (Mallorca) : Puerto de Andraitx.

PORT DE LA SELVA Gerona - ver Puerto de la Selva.

PORT DE POLLENÇA Palma de Mallorca - ver Baleares (Mallorca) : Puerto de Pollensa.

PORT DE SÓLLER Palma de Mallorca - ver Baleares (Palma de Mallorca) : Puerto de Sóller.

PORT-ESCALA Gerona - ver La Escala.

PORT SALVI Gerona - ver San Felíu de Guíxols.

PORTELA DE VALCARCE León - ver Vega de Valcarce.

El PORTET Alicante - ver Moraira.

PORTO COLOM o **PORTOCOLOM** Palma de Mallorca - ver Baleares (Mallorca).

PORTO CRISTO o **PORTOCRISTO** Palma de Mallorca - ver Baleares (Mallorca).

PORTO PETRO o **PORTOPETRO** Palma de Mallorca - ver Baleares (Mallorca).

PORTO PÍ Palma de Mallorca - ver Baleares (Mallorca) : Palma de Mallorca.

PORTOMARÍN Lugo - ver Puertomarín.

PORTONOVO 36970 Pontevedra 441 E 3 - 986 - Playa.
◆Madrid 626 - Pontevedra 22 - Santiago de Compostela 79 - ◆Vigo 49.

Caneliñas sin rest, av. de Pontevedra 40 69 03 63, Fax 69 08 90 - TV. AE E VISA.
abril-octubre - 450 - **29 hab** 6000/6800.

Siroco sin rest, av. de Pontevedra 12 72 08 43, Fax 69 10 16, ≤ - TV. AE E VISA.
abril-octubre - 400 - **32 hab** 5000/8000.

Nuevo Cachalote, Marina 72 34 54, Fax 72 34 55 - rest. E VISA.
abril-octubre - **Comida** 1600 - 400 - **31 hab** 4000/7300 - PA 3060.

Cachalote sin rest, Marina 72 08 52, Fax 72 34 55 - . E VISA.
mayo-octubre - 400 - **27 hab** 3500/5900.

Punta Lucero, av. de Pontevedra 18 72 02 24, Fax 69 02 58, ≤ - . E VISA.
marzo-octubre - **Comida** 2000 - 400 - **35 hab** 4000/6000.

Titanic, Rafael Pico 46 72 36 45 - . E VISA.
cerrado lunes y Navidades - **Comida** carta aprox. 3685.

en la playa de Canelas O : 1 km - 36970 Portonovo - 986 :

Villa Cabicastro, 69 08 48, Fax 69 02 58, - TV - 25/100. E VISA.
marzo-noviembre - **Comida** *(abril-octubre)* 2000 - 450 - **34 apartamentos** 10500/15000.

Duna , 69 14 11, Fax 69 14 43, ≤ - hab . E VISA.
abril-octubre - **Comida** 1600 - 400 - **33 hab** 5300/9500 - PA 3060.

Canelas, 72 08 67, Fax 69 08 90 - rest TV . AE VISA JCB.
abril-octubre - **Comida** 1550 - 400 - **36 hab** 5000/5800 - PA 2800.

en la playa de Paxariñas O : 2 km - 36970 Portonovo - 986 :

Luz de Luna, 69 09 09, Fax 69 12 63, ≤, , -
temp - **67 hab.**

Ver también : ***Sangenjo*** E : 1,5 km - Noalla NO : 9 km.

PORTUGOS 18415 Granada 446 V 20 - 457 h. alt. 1 305 - 958.
◆Madrid 506 - ◆Granada 77 - Motril 56.

Nuevo Malagueño , 76 60 98, Fax 85 73 37, ≤ - TV . E VISA.
cerrado 15 junio-15 julio - **Comida** *(cerrado lunes)* 1200 - 520 - **30 hab** 4200/7500.

POSADA DE VALDEÓN 24915 León 441 C 15 - 496 h. alt. 940 - 987.
◆ Madrid 411 - ◆ León 123 - ◆ Oviedo 140 - ◆ Santander 170.

Casa Abascal , El Salvador 74 05 07, Fax 74 05 07 - TV . AE E VISA.
Comida 2000 - 400 - **40 hab** 5500/6500.

POTES 39570 Cantabria 442 C 16 - 1 411 h. alt. 291 - 942.
Ver : Paraje★.
Alred. : Santo Toribio de Liébana ≤★ SO : 3 km - Desfiladero de la Hermida★★ N : 18 km - Puerto de San Glorio★ (Mirador de Llesba ≤★★) SO : 27 km y 30 mn a pie.
pl. Jesús de Monasterio 73 07 87 (temp.).
◆Madrid 399 - Palencia 173 - ◆Santander 115.

Picos de Valdecoro y Rest. Paco Wences, Roscabado 5 73 00 25, Fax 73 03 15, ≤ - rest . AE E VISA - **Comida** carta 1900 a 2800 - 500 - **41 hab** 6000/8000.

en la carretera de Fuente Dé O : 1,5 km - 39570 Potes - 942 :

La Cabaña sin rest, 73 00 50, ≤, - . AE E VISA
junio-septiembre - **24 hab** 4500/7500.

POVEDA DE LA SIERRA 19463 Guadalajara 444 K 23 - 171 h. alt. 1 198 - 949.
◆Madrid 234 - Cuenca 94 - Guadalajara 175 - Teruel 140.

Alto Tajo, La Ermita 81 61 51 - E VISA.
Comida 1000 - 175 - **23 hab** 2750/4000 - PA 2175.

POZOBLANCO 14400 Córdoba 446 Q 15 - 15 445 h. alt. 649 - 957.
Club de Pozoblanco : 3 km 10 02 39.
◆Madrid 361 - Ciudad Real 164 - ◆Córdoba 67.

Los Godos, Villanueva de Córdoba 32 10 00 22, Fax 10 00 22 - TV . AE E VISA.
Comida 950 - 700 - **35 hab** 4500/8000.

en la carretera de Alcaracejos O : 2 km - 14400 Pozoblanco - 957 :

San Francisco, 10 15 12 - TV . AE E VISA.
Comida 950 - 700 - **40 hab** 5500/9000.

POZUELO DE ALARCÓN 28023 Madrid 444 K 18 – 48 297 h. – ☎ 91.
♦Madrid 10.

XXX **Bracamonte,** General Mola 44 ☎ 351 04 02, 🏡 – ▤ Ⓟ. AE ⓓ E VISA. ✂
cerrado domingo, lunes mediodía y 8 agosto-8 septiembre – **Comida** carta aprox. 4400

XX **La Española,** av. Juan XXIII 5 ☎ 715 87 85, Fax 352 67 93, 🏡 – ▤ Ⓟ. AE ⓓ E VISA
cerrado domingo noche y lunes – **Comida** carta 4550 a 5650.

XX **El Fogón de Pozuelo,** Tahona 17 ☎ 715 99 94, 🏡 – ▤. AE E VISA. ✂
cerrado domingo noche, lunes y agosto – **Comida** carta aprox. 3500.

XX **Tere,** av. Generalísimo 64 ☎ 352 19 98, 🏡 – ▤. AE ⓓ E VISA. ✂
cerrado 3 semanas en agosto – **Comida** carta aprox. 5100.

X **Bodega La Salud,** Jesús Gil González 36 ☎ 715 33 90, Fax 352 67 93, Carnes a la brasa – ▤. AE ⓓ E VISA. ✂
cerrado domingo noche, jueves, Semana Santa y agosto – **Comida** carta 3100 a 3900.

en la carretera M 602 SE : 2,5 km – ✉ 28023 Pozuelo de Alarcón – ☎ 91 :

X **Chaplin,** Zoco ☎ 715 75 59, 🏡 – ▤. AE ⓓ E VISA. ✂
cerrado domingo y festivos noche – **Comida** carta 3275 a 4025.

en Húmera SE : 3 km – ✉ 28023 Pozuelo de Alarcón – ☎ 91 :

XX **El Montecillo,** ☎ 715 18 18, 🏡, « En un pinar », ✂ – ▤ Ⓟ. AE E VISA. ✂
cerrado lunes salvo festivos o vísperas y agosto – **Comida** carta aprox. 3500.

PRADERA DE NAVALHORNO Segovia – ver La Granja.

PRADES 43364 Tarragona 443 I 32 – 475 h. – ☎ 977.
♦Madrid 530 – ♦Lérida/Lleida 68 – Tarragona 50.

X **L'Estanc,** pl. Mayor 9 ☎ 86 81 67, Carnes – E VISA. ✂
cerrado miércoles y 15 enero-15 febrero – **Comida** carta 2350 a 3400.

PRADO 33344 Asturias 441 B 14 alt. 135 – ☎ 98.
♦ Madrid 498 – Gijón 56 – ♦ Oviedo 96 – ♦ Santander 141.

Caravia, carret. N 632 ☎ 585 30 14 – Ⓟ. E VISA. ✂
Comida *(cerrado domingo noche en Semana Santa, verano y vísperas de festivos)* 1250 – ☕ 350 – **20 hab** 3100/6000 – PA 2850.

PRATS DE CERDAÑA o **PRATS DE CERDANYA** 25721 Lérida 443 E 35 – 133 h. alt. 1 100 – ☎ 972 – Deportes de invierno en Masella E : 9 km : ⛷ 7.
♦Madrid 639 – ♦Lérida/Lleida 170 – Puigcerdà 14.

Moixaró 🌿, carret. de Alp ☎ 89 02 38, ←, 🏊, 🌳 – ☎ Ⓟ
temp – **40 hab.**

PRAVIA 33120 Asturias 441 B 11 – 9 831 h. alt. 17 – ☎ 98.
Alred. : Cabo de Vidio★★ (←★★) – Cudillero (típico pueblo pesquero★) N : 15 km – Ermita del Espíritu Santo (←★) N : 15 km.
♦Madrid 490 – Gijón 49 – ♦Oviedo 55.

X **Balbona,** Pico Meras 2 ☎ 582 11 62 – ▤. AE ⓓ E VISA. ✂
cerrado martes y del 16 al 30 de septiembre – **Comida** carta 2200 a 3700.

en Beifar SE : 3,5 km – ✉ 33129 Beifar – ☎ 98 :

X **Juan de la Tuca,** carret. C 632 ☎ 582 06 94 – ▤. AE VISA
cerrado jueves y enero – **Comida** carta aprox. 3100.

PREMIÀ DE DALT 08338 Barcelona 443 H 37 – 6 511 h. – ☎ 93.
♦Madrid 627 – ♦Barcelona 22 – Gerona/Girona 82.

X **La Granja,** de la Cisa 52 ☎ 752 28 73, 🏡, 🏊 – Ⓟ. AE ⓓ E VISA. ✂
cerrado jueves, del 1 al 20 de febrero y del 1 al 10 de septiembre – **Comida** carta 3000 a 3800.

en la carretera de Premià de Mar S : 2 km – ✉ 08338 Premià de Dalt – ☎ 93 :

XX **Sant Antoni,** Penedés 43 ☎ 752 34 81, Fax 752 34 81, 🏡, Decoración regional – Ⓟ. AE ⓓ E VISA. ✂
cerrado domingo noche – **Comida** carta 2450 a 3825.

PREMIÀ DE MAR 08330 Barcelona 443 H 37 – 22 740 h. – ☎ 93 – Playa.
♦Madrid 653 – ♦Barcelona 20 – Gerona/Girona 82.

XX **Jordi,** Mossèn Jacint Verdaguer 128 ☎ 751 09 10 – ▤. AE E VISA
cerrado domingo noche y lunes – **Comida** carta 2650 a 4450.

PRENDES 33438 Asturias 441 B 12 - ☎ 98.
♦Madrid 484 - Avilés 17 - Gijón 10 - ♦Oviedo 39.

XX ✿ **Casa Gerardo,** carret. N 632 ✆ 588 77 97, Fax 588 77 98 - ▤ Ⓟ. AE E VISA. ✂
cerrado lunes y junio - **Comida** (sólo almuerzo salvo viernes y sábado) carta 4500 a 5700
Espec. Los bocartes rellenos de anchoa, Ventresca de bonito asada a los dos vinos (verano), Rabo de buey deshuesado envuelto en hojas de col.

PRIEGO DE CÓDOBA 14800 Códoba 446 T 17 - 20 823 h. alt. 649 - ☎ 957.
Ver : Fuentes del Rey y de la Salud★ - Parroquia de la Asunción : Capilla del Sagrario★★ - Barrio de la Villa★ - El Adarve★.
♦Madrid 395 - Antequera 85 - ♦Córdoba 103 - ♦Granada 79.

La PROVIDENCIA Asturias - ver Gijón.

PRULLANS 25727 Lérida 443 E 35 - 192 h. alt. 1 096 - ☎ 973.
♦Madrid 632 - ♦Lérida/Lleida 163 - Puigcerdá 22.

Muntanya ⛰, Puig 3 ✆ 51 02 60, Fax 51 06 06, ≤, ⛱, 🌳 - |♦| ☎ Ⓟ
32 hab.

PUÇOL Valencia - ver Puzol.

La PUEBLA DE ARGANZÓN 09294 Burgos 442 D 21 - 289 h. - ☎ 945.
♦Madrid 338 - ♦Bilbao/Bilbo 75 - ♦Burgos 95 - ♦Logroño 75 - ♦Vitoria/Gasteiz 17.

X Palacios, carret. N I - km 333 ✆ 37 30 30 - Ⓟ.

PUEBLA DE BENIFASAR 12599 Castellón de la Plana 445 K 30 - 231 h. alt. 600 - ☎ 977.
♦Madrid 531 - Amposta 53 - Castellón de la Plana 122 - Peñíscola 65 - Tarragona 139 - Tortosa 53.

La Tinença ⛰, Mayor 50 ✆ 72 90 44, Fax 72 90 44, ≤ - ▤ rest TV ☎ ♿. E VISA. ✂ rest
Comida *(cerrado febrero)* 1500 - ☕ 475 - **10 hab** 5500/6500 - PA 3475.

PUEBLA DE FARNALS o **LA POBLA DE FARNALS** 46137 Valencia 445 N 29 - 4 501 h. - ☎ 96.
♦Madrid 369 - Castellón de la Plana/Castelló de la Plana 58 - ♦Valencia 18.

en la playa E : 5 km - ✉ 46137 Puebla de Farnals - ☎ 96 :

XX **Bergamonte,** Av. del Mar 10 ✆ 146 16 12, ⛱, « Típica barraca valenciana », ⛱, 🎾 - ▤ Ⓟ. AE VISA. ✂
Comida carta 2900 a 3900.

PUEBLA DEL CARAMIÑAL o **POBRA DO CARAMIÑAL** 15940 La Coruña 441 E 3 - 9 863 h. - ☎ 981 - Playa.
♦Madrid 665 - ♦La Coruña/A Coruña 123 - Pontevedra 68 - Santiago de Compostela 51.

XX O'Lagar, Condado 5 ✆ 83 00 37 - ▤.

PUEBLA DE SANABRIA 49300 Zamora 441 F 10 - 1 696 h. alt. 898 - ☎ 980.
Alred. : Carretera a San Martín de Castañeda ≤★ NE : 20 km.
♦Madrid 341 - ♦León 126 - Orense/Ourense 158 - ♦Valladolid 183 - Zamora 110.

Parador de Puebla de Sanabria ⛰, carret. del lago 18 ✆ 62 00 01, Fax 62 03 51, ≤ - |♦| TV ☎ 🚗 Ⓟ - 🏛 25/40. AE ⓓ E VISA. ✂
Comida 3000 - ☕ 1000 - **44 hab** 9000 - PA 5950.

Los Perales ⛰ sin rest, colonia Los Perales ✆ 62 00 25, Fax 62 03 85 - TV ☎ Ⓟ. AE ⓓ E VISA
☕ 600 - **18 hab** 5600/7000.

Carlos V sin rest, av. Braganza 6 ✆ 62 01 61 - **10 hab.**

Victoria sin rest y sin ☕, Ánimas, 20 ✆ 62 00 12
temp - **10 hab.**

ES PUJOLS Palma de Mallorca - ver Baleares (Formentera).

PUENTE ARCE 39478 Cantabria 442 B 18 - ☎ 942.
◆Madrid 380 - ◆Bilbao/Bilbo 110 - ◆Santander 13 - Torrelavega 14.

XXX ✿ **El Molino,** carret. N 611 ✆ 57 50 55, Fax 57 52 54, « Instalado en un antiguo molino » - P. AE ⦿ E VISA. ✻
cerrado domingo noche y lunes salvo en verano - **Comida** carta 3500 a 5300
Espec. Ensalada de rape y salmón marinado al eneldo, Lubina a la vinagreta de tomate con trufa, Pularda rellena en salsa de vino tinto y colmenillas.

XX **Puente Arce (Casa Setien),** barrio del Puente 5 ✆ 57 52 51, Fax 57 50 35, terraza, Decoración rústica, « Terraza-jardín » - ▤ P. AE ⦿ E VISA. ✻
cerrado octubre - **Comida** carta 2200 a 3700.

en la carretera de Vioño S : 2 km - ✉ 39478 Puente Arce - ☎ 942 :

X **Paraíso del Pas,** ✉ 39478 Oruña, ✆ 57 50 01, terraza, « Decoracion rústica » - P. AE E VISA. ✻
cerrado lunes - **Comida** carta 2800 a 3600.

PUENTEAREAS o **PONTEAREAS** 36860 Pontevedra 441 F 4 - 15 630 h. - ☎ 986.
◆Madrid 576 - Orense/Ourense 75 - Pontevedra 45 - ◆Vigo 26.

X **La Fuente,** Alcázar de Toledo 4 ✆ 64 09 32 - ▤. AE ⦿ E VISA. ✻
cerrado 15 septiembre-5 octubre - **Comida** carta 2200 a 3300.

PUENTE DE SAN MIGUEL 39530 Cantabria 442 B 17 - ☎ 942.
◆ Madrid 376 - Burgos 141 - ◆ Santander 25 - Torrelavega 4.

XX **La Ermita 1883** con hab, pl. Javier Irastorza 89 ✆ 83 82 47, Fax 71 90 71 - ▤ TV. AE VISA. ✻ rest
Comida carta 2700 a 4150 - ☕ 300 - **6 hab** 5200.

PUENTE DE SANABRIA 49350 Zamora 441 F 10 - ☎ 980.
Alred. : N : Carretera a San Martín de Castañeda ≤★.
◆Madrid 347 - Benavente 90 - ◆León 132 - Orense/Ourense 164 - Zamora 116.

⌂ Gela sin rest, carret. del lago ✆ 62 03 40
11 hab.

PUENTEDEUME o **PONTEDEUME** 15600 La Coruña 441 B 5 - 8 851 h. - ☎ 981 - Playa.
◆Madrid 599 - ◆La Coruña/A Coruña 48 - Ferrol 15 - Lugo 95 - Santiago de Compostela 85.

XX **Brasilia,** carret. N VI ✆ 43 02 49 - AE VISA. ✻
Comida carta 2250 a 5500.

X Yoli, Ferreiros 8 ✆ 43 01 86.

PUENTE GENIL 14500 Córdoba 446 T 15 - 25 969 h. alt. 171 - ☎ 957.
◆Madrid 469 - ◆Córdoba 71 - ◆Málaga 102 - ◆Sevilla 128.

⌂ **Xenil** sin rest y sin ☕, Poeta García Lorca 3 ✆ 60 02 00, Fax 60 04 43 - |‡| ▤ ☎ P. ⦿ VISA. ✻
35 hab 5000/7500.

PUENTE LA REINA 31100 Navarra 442 D 24 - 2 155 h. alt. 346 - ☎ 948.
Ver : Iglesia del Crucifijo (Cristo★) - Iglesia Santiago (portada★).
Alred. : Eunate★ E : 5 km - Cirauqui★ (iglesia de San Román : portada★) O : 6 km.
◆Madrid 403 - ◆Logroño 68 - ◆Pamplona/Iruñea 24.

⌂ **Jakue,** carret. de Pamplona NE : 1 km ✆ 34 10 17, Fax 34 11 20, ≤, ⌂ - ▤ rest TV ☎ P. AE ⦿ VISA. ✻ rest
Comida 1500 - ☕ 500 - **27 hab** 7200/9000 - PA 3000.

XXX **Mesón del Peregrino** con hab, carret. de Pamplona NE : 1 km ✆ 34 00 75, Fax 34 11 90, terraza, « Decoración original y jardín con piscina » - ▤ rest TV ☎ P. AE E VISA
cerrado lunes y 24 diciembre-7 enero - **Comida** carta 3150 a 5100 - ☕ 1300 - **15 hab** 6000/8000.

PUENTE VIESGO 39670 Santander 442 C 18 - 2 464 h. - ☎ 942 - Balneario.
Ver : Cueva del castillo★.
◆ Madrid 364 - ◆ Bilbao/Bilbo 128 - ◆ Burgos 125 - ◆ Santander 30.

⌂ **G. H. Puente Viesgo,** barrio la Iglesia ✆ 59 80 61, Fax 59 82 61, Fб, piscina, jardín, ✻ - |‡| ▤ rest TV ☎ ⌂ P - 🏛 25/300. AE ⦿ E VISA. ✻
Comida 2500 - ☕ 1100 - **98 hab** 14000/16000, 3 suites - PA 4800.

PUERTO - ver el nombre propio del puerto.

PUERTO BANÚS Málaga 446 W 15 - ✉ 29660 Nueva Andalucía - ☎ 95 - Playa.
Ver : Puerto deportivo★.
♦Madrid 622 - Algeciras 69 - ♦Málaga 67 - Marbella 8.

XXX **Taberna del Alabardero,** muelle Benabola ☏ 281 27 94, Fax 281 86 30, 🏖 - ▤. AE ◑ E VISA
cerrado 15 enero-febrero - **Comida** carta 3900 a 6225.

XX **Cipriano,** edificio Levante - local 4 y 5 ☏ 281 10 77, Fax 281 10 77, 🏖, Pescados y mariscos - ▤. AE ◑ E VISA. ✗ - **Comida** carta 4350 a 6000.

PUERTO DE ALCUDIA Palma de Mallorca - ver Baleares (Mallorca).

PUERTO DE ANDRAITX Palma de Mallorca - ver Baleares (Mallorca).

PUERTO DE LA CRUZ Santa Cruz de Tenerife - ver Canarias (Tenerife).

PUERTO DE LA SELVA o **El PORT DE LA SELVA** **17489** Gerona 443 E 39 - 760 h. - ☎ 972 - Playa.
♦Madrid 776 - Banyuls 39 - Gerona/Girona 69.

⌂ **Amberes,** Selva de Mar ☏ 38 70 30, 🏖 - Ⓟ. VISA
abril-septiembre - **Comida** 1500 - ☕ 525 - **24 hab** 6000/7000.

XX **Ca l'Herminda,** l'Illa 7 ☏ 38 70 75, ≤, 🏖, Decoración rústica - ▤. E VISA
abril-septiembre - **Comida** *(cerrado domingo noche y lunes de abril a junio)* carta 2760 a 4490.

X Bellavista, Platja 3 ☏ 38 70 50, ≤, 🏖 **Comida** (sólo almuerzo en invierno).

PUERTO DEL CARMEN Las Palmas - ver Canarias (Lanzarote).

PUERTO DEL ROSARIO Las Palmas - ver Canarias (Fuerteventura).

PUERTO DE MAZARRÓN **30860** Murcia 445 T 26 - ☎ 968 - Playa.
ℹ av. Dr. Meca 47, ☏ 59 44 26, Fax 59 44 26.
♦Madrid 459 - Cartagena 33 - Lorca 55 - ♦Murcia 69.

🏨 **La Cumbre** 🔇, urb. La Cumbre ☏ 59 48 61, Fax 59 44 50, ≤, 🏊 - 🛗 ▤ 📺 ☎ 🚗 Ⓟ - 🧑‍🏫 25/300. AE ◑ E VISA. ✗
Comida 1900 - ☕ 650 - **119 hab** 6600/9500 - PA 3700.

XX **Virgen del Mar,** paseo Marítimo 2 ☏ 59 50 57, ≤, 🏖, Pescados y mariscos - ▤. AE E VISA. ✗
cerrado noviembre - **Comida** carta 2100 a 3600.

X **El Puerto,** pl. del Mar ☏ 59 48 05 - ▤. E VISA. ✗
cerrado lunes noche y octubre - **Comida** carta 2000 a 2800.

en la playa de la Isla O : 1 km - ✉ 30860 Puerto de Mazarrón - ☎ 968 :

⌂ **Durán,** ☏ 59 40 50, Fax 59 15 83 - ☎. AE ◑ E VISA. ✗
junio-septiembre - **Comida** (ver rest. ***Miramar***) - ☕ 300 - **29 hab** 4200/6300.

X **Miramar,** ☏ 59 40 08, ≤ - ▤ Ⓟ. AE ◑ E VISA. ✗
junio-septiembre - **Comida** carta 2550 a 3750.

en la playa de la Reya O : 1,5 km - ✉ 30860 Puerto de Mazarrón - ☎ 968 :

X **Barbas,** ☏ 59 41 06, ≤, Pescados y mariscos - ▤. AE ◑ E VISA. ✗
cerrado martes noche y 20 diciembre-25 febrero - **Comida** carta 2300 a 2750.

en Playa Grande O : 3 km - ✉ 30870 Mazarrón - ☎ 968 :

🏨 **Playa Grande,** carret. de Bolnuevo ☏ 59 44 81, Fax 15 34 30, ≤, 🏖, 🏊 - 🛗 ▤ ☎ 🚗 - 🧑‍🏫 25/250. E VISA. ✗ - **Comida** 2500 - ☕ 650 - **38 hab** 7200/9200 - PA 3650.

PUERTO DE POLLENSA Palma de Mallorca - ver Baleares (Mallorca).

EI PUERTO DE SANTA MARÍA **11500** Cádiz 446 W 11 - 69 663 h. - ☎ 956 - Playa.
⛳9 Vista Hermosa O : 1,5 km ☏ 85 00 11 - ℹ Guadalete 1 ☏ 24 24 13, Fax 54 22 46.
♦Madrid 610 - ♦Cádiz 22 - Jerez de la Frontera 12 - ♦Sevilla 102.

🏨 **Monasterio de San Miguel,** Larga 27 ☏ 54 04 40, Telex 76255, Fax 54 26 04, 🏖, « Antiguo convento », 🏊 - 🛗 ▤ 📺 ☎ 🚗 - 🧑‍🏫 25/400. AE ◑ E VISA JCB. ✗
Comida *(cerrado domingo y lunes salvo Navidad, Semana Santa y verano)* carta 2600 a 3950 - ☕ 1200 - **137 hab** 12550/16900, 13 suites.

🏨 **Santa María** sin rest, con cafetería, av de la Bajamar ☏ 87 32 11, Telex 76251, Fax 87 36 52, 🏊 - 🛗 ▤ 📺 ☎ 🚗 - 🧑‍🏫 25/280. AE ◑ E VISA. ✗
☕ 650 - **100 hab** 8160/10200.

Los Cántaros sin rest, con cafetería, Curva 6 ✆ 54 02 40, Fax 54 11 21 – |‡| ▤ TV ☎ P. AE ⓓ E VISA. ✻
☕ 400 – **39 hab** 7500/9800.

Chaikana sin rest, Javier de Burgos 17 ✆ 54 29 02, Fax 54 29 22 – ▤ TV ☎. AE ⓓ E VISA. ✻
25 hab ☕ 5000/7000.

XX **Casa Flores,** Ribera del Río 9 ✆ 54 35 12, Fax 54 02 64 – ▤. AE ⓓ E VISA JCB. ✻
Comida carta 2550 a 3650.

X El Patio, pl. Herrería ✆ 54 05 06, Instalado en una antigua posada – ▤.

X **Los Portales,** Ribera del Río 13 ✆ 54 21 16, Fax 54 21 16 – ▤. AE ⓓ E VISA. ✻
Comida carta 2450 a 3700.

X **El Ancla,** av. de la Libertad 7 ✆ 54 13 71 – ▤. AE ⓓ E VISA. ✻
cerrado domingo noche salvo en verano – **Comida** carta 2400 a 2950.

en la carretera de Cádiz S : 2,5 km – ✉ 11500 El Puerto de Santa María – ☎ 956 :

Meliá el Caballo Blanco, av. Madrid 1 ✆ 56 25 41, Telex 76070, Fax 56 27 12, 🏖, « Jardín con 🏊 » – ▤ TV ☎ P – 🏛 25/150. AE ⓓ E VISA. ✻ rest
Comida 2900 – ☕ 1200 – **94 hab** 11000/13800 – PA 5950.

en Valdelagrana-por la carretera de Cádiz S : 2,5 km – ✉ 11500 El Puerto de Santa María – ☎ 956 :

Puertobahía, av. La Paz 38 ✆ 56 27 00, Telex 76174, Fax 56 12 21, ≤, 🏊, 🎾 – |‡| ▤ TV ☎ P – 🏛 25/200. AE E VISA. ✻
Comida 2400 – ☕ 650 – **330 hab** 8100/11950 – PA 5200.

en la carretera de Rota – ✉ 11500 El Puerto de Santa María – ☎ 956 :

Del Mar sin rest, con cafetería, av. Marina de Guerra O : 1,5 km ✆ 87 59 11, Fax 85 87 16 – ▤ TV ☎ 🚗. AE ⓓ E VISA. ✻
☕ 650 – **40 hab** 9000/11000.

XXX **El Faro del Puerto,** O : 0,5 km ✆ 87 09 52, Fax 54 04 66, 🏖, Pescados y mariscos – ▤ P. AE ⓓ E VISA. ✻
cerrado domingo noche salvo verano – **Comida** carta aprox. 4500.

XX La Goleta, O : 1,5 km ✆ 85 42 32, 🏖 – ▤.

X Asador de Castilla, O : 3 km ✆ 87 16 01, 🏖, Cordero asado – ▤ P.

en Puerto Sherry SO : 3,5 km – ✉ 11500 El Puerto de Santa María – ☎ 956 :

Yacht Club y Rest. La Regata, av. de la Libertad ✆ 87 20 00, Fax 85 33 00, ≤, 🏖, 🏊, 🏊 – |‡| ▤ TV ☎ P – 🏛 25/450. AE ⓓ E VISA. ✻ rest
Comida carta 3275 a 5100 – ☕ 1000 – **58 hab** 15000/18750.

PUERTO DE SANTIAGO

Santa Cruz de Tenerife – ver Canarias (Tenerife).

PUERTO DE SÓLLER

Palma de Mallorca – ver Baleares (Mallorca).

PUERTO LÁPICE

13650 Ciudad Real 444 O 19 – 1 000 h. alt. 676 – ☎ 926.
♦Madrid 135 – Alcázar de San Juan 25 – Ciudad Real 62 – Toledo 85 – Valdepeñas 65.

Aprisco, autovía N IV - N : 1 km ✆ 57 61 50, Fax 57 61 50, « Conjunto de estilo manchego », 🏊 – ▤ rest P. ⓓ E VISA. ✻
Comida 1600 – ☕ 300 – **17 hab** 1600/2900.

X **Venta del Quijote,** El Molino 4 ✆ 57 61 10, Fax 57 61 10, 🏖, Cocina regional, « Antigua venta manchega » – AE ⓓ E VISA. ✻
Comida carta 3000 a 4800.

PUERTO LUMBRERAS

30890 Murcia 445 T 24 – 9 824 h. alt. 333 – ☎ 968.
♦Madrid 466 – ♦Almería 141 – ♦Granada 203 – ♦Murcia 80.

Parador de Puerto Lumbreras, av. de Juan Carlos I-77 ✆ 40 20 25, Fax 40 28 36, 🏊, 🌳 – |‡| ▤ TV ☎ 🚗 P. AE ⓓ E VISA. ✻
Comida 3000 – ☕ 1000 – **60 hab** 9000 – PA 5950.

Riscal, av. Juan Carlos I-5 ✆ 40 20 50, Fax 40 06 71, 🏖 – ▤ TV ☎ P – 🏛 25/800. E VISA. ✻ rest
Comida 1400 – ☕ 500 – **48 hab** 3850/5500 – PA 3200.

Salas, carret. N 340 ✆ 40 21 00, Fax 40 23 88 – ▤ TV P. AE ⓓ E VISA. ✻ rest
Comida 1200 – ☕ 300 – **37 hab** 2500/4800 – PA 2300.

PUERTO NAOS

Santa Cruz de Tenerife – ver Canarias (La Palma).

PUERTO SHERRY

Cádiz – ver El Puerto de Santa María.

PUERTOLLANO **13500** Ciudad Real 444 P 17 - 49 459 h. alt. 708 - ☎ 926.

♦Madrid 235 - Ciudad Real 38.

Sambo, Lope de Vega 3 ☎ 43 11 24, Fax 41 08 28 - |‡| ▤ TV ☎ 🚗 - 🏔 25/150. AE ⓓ E VISA. ✗
Comida 1800 - ☕ 700 - **39 hab** 5760/10000 - PA 4000.

Cabañas, carret. de Ciudad Real 3 ☎ 42 06 50, Fax 42 06 54 - |‡| ▤ TV ☎. VISA. ✗
Comida 1200 - ☕ 300 - **45 hab** 4200/7100 - PA 2465.

Casa Gallega, Vélez 5 ☎ 42 01 00 - ▤. AE E VISA. ✗
cerrado lunes - **Comida** carta 1650 a 2600.

en la carretera de Ciudad Real NE : 2 km - ✉ 13500 Puertollano - ☎ 926 :

Verona, ☎ 42 54 79 - |‡| ▤ TV ☎ P. VISA. ✗
Comida 1500 - ☕ 300 - **30 hab** 4800/8400 - PA 2805.

PUERTOMARÍN o **PORTOMARÍN** **27170** Lugo 441 D 7 - 2 159 h. - ☎ 982.

Ver : Iglesia★.

♦Madrid 515 - Lugo 40 - Orense/Ourense 80.

Pousada de Portomarín ⛰, av. de Sarria ☎ 54 52 00, Fax 54 52 70, ≤, Fб, ⛱ - |‡| ▤ rest TV ☎ 🚗 P - 🏔 25/300. AE ⓓ E VISA. ✗
Comida 2700 - ☕ 950 - **32 hab** 8350/11000, 2 suites.

Los PUERTOS DE SANTA BÁRBARA **30396** Murcia 445 T 26 - ☎ 968.

♦ Madrid 436 - Cartagena 12 - Lorca 58 - ♦ Murcia 46.

María Zapata, S : 1 km ☎ 16 30 30, Antigua casa de campo - ▤ P. AE ⓓ E VISA. ✗
Comida carta aprox. 3400.

PUIG o **EL PUIG** **46540** Valencia 445 N 29 - 6 430 h. alt. 50 - ☎ 96.

♦Madrid 367 - Castellón de la Plana/Castelló de la Plana 57 - ♦Valencia 20.

Ronda II, ronda Este 15 ☎ 147 12 28, Fax 147 12 28 - |‡| ▤ TV ☎. AE E VISA. ✗
Comida (ver rest. ***L'Horta***) - **59 hab** ☕ 5000/7500.

Ronda I, ronda Este 9 ☎ 147 12 79, Fax 147 12 79 - |‡| TV ☎ 🚗. AE E VISA. ✗
Comida (ver rest. ***L'Horta***) - ☕ 350 - **45 hab** 3500/5400.

Pensión Ronda, ronda Este 5 ☎ 147 12 79 - |‡|. AE E VISA. ✗
Comida (ver rest. ***L'Horta***) - ☕ 350 - **19 hab** 1700/3000.

L'Horta, ronda Este 9 ☎ 147 12 79, Fax 147 12 79 - ▤. AE E VISA. ✗
cerrado domingo noche - **Comida** carta 2000 a 2900.

PUIGCERDÀ **17520** Gerona 443 E 35 - 6 414 h. alt. 1 152 - ☎ 972.

⛳18 de Cerdaña SO : 1 km ☎ 88 09 50.

ℹ Querol, ☎ 88 05 42.

♦Madrid 653 - ♦Barcelona 169 - Gerona/Girona 152 - ♦Lérida/Lleida 184.

Del Lago ⛰ sin rest, av. Dr Piguillem, 7 ☎ 88 10 00, Fax 14 15 11, « Amplio jardín con ⛱ » - TV ☎ P. AE E VISA. ✗
☕ 700 - **13 hab** 6000/9300, 2 suites.

Puigcerdà, av. Catalunya 42 ☎ 88 21 81, Fax 88 12 56 - |‡| ▤ rest TV ☎. AE VISA. ✗
Comida 1500 - **39 hab** ☕ 6200/8300.

Estació, pl. Estació 2 ☎ 88 03 50
23 hab.

El Caliú, Alfons I-1 ☎ 88 00 12 - AE E VISA
cerrado miércoles, del 15 al 30 de junio y del 15 al 31 de octubre - **Comida** carta 2750 a 4900.

La Tieta, dels Ferrers 20 ☎ 88 01 56 - VISA. ✗
cerrado martes y miércoles (salvo en Semana Santa, agosto y Navidades) y junio - **Comida** carta 2750 a 4600.

La Vila, Alfons I-34 ☎ 14 08 04 - ▤. AE E VISA. ✗
cerrado lunes, 24 junio-4 julio y del 7 al 20 de noviembre - **Comida** carta 3000 a 3900.

en la carretera de Llivia NE : 1 km - ✉ 17520 Puigcerdà - ☎ 972 :

Del Prado, ☎ 88 04 00, Fax 14 11 58, ⛱, 🌳, 🎾 - |‡| ▤ rest TV ☎ 🚗 P - 🏔 25/100. AE ⓓ E VISA
Comida 2500 - ☕ 575 - **54 hab** 5500/8000 - PA 4900.

Ver también : ***Bolvir*** SO : 6 km.

PUNTA PRIMA Palma de Mallorca - ver Baleares (Formentera) : Es Pujols.

PUNTA UMBRÍA 21100 Huelva 446 U 9 – 9 897 h. – 959 – Playa.

♦Madrid 648 – Huelva 21.

Ayamontino, av. de Andalucía 35 ℘ 31 14 50, Fax 31 03 16 – |‡| ☎ ⇐. Ⓟ. AE ⊙ E VISA. ✻
Comida 2000 – ☐ 425 – **45 hab** 5000/8000 – PA 4200.

en la antigua carretera de Huelva NO : 7,5 km – ✉ 21100 Punta Umbría – 959 :

✕✕ **El Paraíso,** ℘ 31 27 56, Fax 31 27 56 – ▤ Ⓟ. AE ⊙ E VISA. ✻
Comida carta 2900 a 4400.

PUZOL o **PUÇOL** 46530 Valencia 445 N 29 – 12 432 h. – 96.

♦Madrid 373 – Castellón de la Plana/Castelló de la Plana 54 – ♦Valencia 25.

Monte Picayo ⚘, urb. Monte Picayo ℘ 142 01 00, Telex 62087, Fax 142 21 68, ⛱,
En la ladera de un monte con ≤, ⛆, ⛆, ✻ – |‡| ▤ TV ☎ Ⓟ – 25/800. AE ⊙ E VISA. ✻
Comida carta aprox. 4000 – ☐ 1300 – **79 hab** 17500/21950, 4 suites.

✕✕ **Asador Mares,** carret. de Barcelona 17 ℘ 142 07 21, ⛱ – ▤. AE ⊙ E VISA. ✻
cerrado domingo – **Comida** carta 2325 a 3950.

✕ **Rincón del Faro,** carret. de Barcelona 49 ℘ 142 01 20 – ▤. AE ⊙ E VISA. ✻
cerrado domingo noche, lunes noche y septiembre – **Comida** carta 3200 a 4400.

QUART DE POBLET 46930 Valencia 445 N 28 – 96.

♦Madrid 343 – ♦Valencia 8.

✕ **Casa Gijón,** Joanot Martorell 16 ℘ 154 50 11, Fax 154 10 65, Decoración típica – ▤. AE ⊙ E VISA. ✻
Comida carta 2170 a 3750.

QUEJO (Playa de) Cantabria – ver Isla.

QUEVEDA 39314 Cantabria 442 B 17 – 623 h. alt. 41 – 942.

♦ Madrid 382 – ♦ Santander 22 – Santillana del Mar 6 – Torrelavega 6.

La Casona de Luis, carret C 6316 ℘ 89 50 05 – TV ☎ Ⓟ. VISA. ✻
Comida 1000 – ☐ 350 – **12 hab** 7000/8000 – PA 2040.

QUIJAS 39590 Cantabria 442 B 17 – 942.

♦Madrid 386 – ♦Burgos 147 – ♦Oviedo 172 – ♦Santander 32.

El Hidalgo de Quijas, carret. N 634 ℘ 83 83 60, Fax 83 80 50, ≤, ⛱, « Antigua casona » – TV ☎ Ⓟ. AE ⊙ E VISA. ✻
Comida *(cerrado martes)* carta 2800 a 3500 – ☐ 650 – **11 hab** 11500.

✕✕✕ **Hostería de Quijas** con hab, carret. N 634 ℘ 82 08 33, Fax 83 80 50, ⛱, « Casa señorial del siglo XVIII con amplio jardín y ⛆ » – TV ☎ Ⓟ. AE ⊙ E VISA. ✻
Comida *(cerrado lunes)* carta 3650 a 4775 – ☐ 650 – **14 hab** 6800/9500, 5 suites.

QUINTANAR DE LA ORDEN 45800 Toledo 444 N 20 – 8 991 h. alt. 691 – 925.

♦Madrid 120 – ♦Albacete 127 – Alcázar de San Juan 27 – Toledo 98.

Castellano, carret. N 301 ℘ 18 00 50, Fax 18 00 54 – ▤ rest TV ☎ Ⓟ. E VISA. ✻
Comida 1500 – ☐ 400 – **38 hab** 2800/4900.

✕ **Costablanca,** carret. N 301 ℘ 18 05 19 – ▤ Ⓟ. AE VISA. ✻
Comida carta 2350 a 3300.

QUINTANAR DE LA SIERRA 09670 Burgos 442 G 20 – 2 093 h. alt. 1 200.

Alred. : Laguna Negra de Neila★★ (carretera★★) NO : 15 km.

♦Madrid 253 – ♦Burgos 76 – Soria 70.

QUIROGA 27320 Lugo 441 E 8 – 4 657 h. – 982.

♦Madrid 461 – Lugo 89 – Orense/Ourense 79 – Ponferrada 79.

Marcos, carret. C 533 ℘ 42 84 52, ≤, ⛆ – ▤ rest Ⓟ. VISA. ✻
Comida 1600 – ☐ 450 – **16 hab** 4500 – PA 3200.

en la carretera de Monforte de Lemos C 533 NO : 13,5 km – ✉ 27391 Freigeiro – 982 :

Río Lor, ℘ 42 81 09 – Ⓟ. VISA. ✻
Comida 1500 – ☐ 250 – **28 hab** 2000/4000 – PA 3000.

La RÁBITA **18760** Granada 446 V 20 - ☎ 958 - Playa.
♦Madrid 549 - ♦Almería 69 - ♦Granada 120 - ♦Málaga 152.

Las Conchas, paseo Marítimo 55 ☎ 82 90 17, ← - |‡| ▤ hab TV ☎ ⇐ P. ⓓ E VISA. ✻
abril-septiembre - **Comida** 1360 - ☐ 460 - **24 hab** 4800/8200, 1 suite - PA 2100.

RACÓ DE SANTA LLÚCIA Barcelona - ver Villanueva y Geltrú.

RAJÓ o **RAXÓ** **36992** Pontevedra 441 E 3 - ☎ 986 - Playa.
♦ Madrid 617 - Orense/Ourense 103 - Pontevedra 13 - Santiago de Compostela 68.

Gran Proa, playa ☎ 74 04 33, Fax 74 03 17 - |‡| ▤ rest TV ☎. E VISA. ✻ hab
Comida 1750 - ☐ 500 - **43 hab** 6080/7600 - PA 3400.

RAMALES DE LA VICTORIA **39800** Cantabria 442 C 19 - 2 481 h. alt. 84 - ☎ 942.
♦Madrid 368 - ♦Bilbao/Bilbo 64 - ♦Burgos 125 - ♦Santander 51.

XX ✿ **Rio Asón** con hab, Barón de Adzaneta 17 ☎ 64 61 57, Fax 67 83 60 - ▤ rest. AE ⓓ E VISA. ✻
cerrado 22 diciembre- 1 febrero - **Comida** *(cerrado lunes noche en verano, domingo noche y lunes resto del año)* carta 3700 a 5200 - ☐ 385 - **9 hab** 3000/5000
Espec. Calabacín relleno de cigalas y tomate confitado, Pierna de corderito lechal rellena de setas y sus riñones en corteza de sal, Pastel de chocolate caliente.

en la carretera S 510 NO : 2,5 km - ✉ 39800 Ramales de la Victoria - ☎ 942 :

X **La Palette** con hab, El Montañal ☎ 64 61 43 - P. AE E VISA
cerrado 22 diciembre-5 enero - **Comida** *(cerrado lunes)* carta 1700 a 2600 - ☐ 300 - **10 hab** 2500/3500.

RANDA Palma de Mallorca - ver Baleares (Mallorca).

RASCAFRÍA **28740** Madrid 444 J 18 - 1 366 h. alt. 1 163 - ☎ 91.
♦Madrid 78 - Segovia 54.

Rosaly, av. del Valle 39 ☎ 869 12 13, Fax 869 12 55, ← - P. VISA. ✻
Comida 1000 - ☐ 250 - **22 hab** 3000/4800.

X **Los Calizos** ⛰ con hab, carret. de Miraflores E : 1 km ☎ 869 11 12, Fax 869 11 12, ☂, ☂ - P. AE ⓓ E VISA. ✻
Comida carta aprox. 3500 - ☐ 600 - **12 hab** 6000/8000.

en la carretera N 604 - ☎ 91 :

Santa María de El Paular ⛰, S : 1,5 km, ✉ 28741 El Paular, ☎ 869 10 11, Telex 23222, Fax 869 10 06, « Antigua cartuja del siglo XIV », ♨ climatizada, ☂, ✂ - TV ☎ P - 🏛 25/100. AE ⓓ E VISA. ✻
Comida 3800 - ☐ 1600 - **58 hab** 13000/18000 - PA 9000.

X **Pinosaguas,** S : 5,5 km, ✉ 28740 Rascafría, ☎ 869 10 25, « En un pinar » - P. VISA. ✻
cerrado martes y octubre - **Comida** carta 2400 a 3000.

RAXÓ Pontevedra - ver Rajó.

Los REALEJOS Santa Cruz de Tenerife - ver Canarias (Tenerife).

REBOREDO **36988** Pontevedra 441 E 3 - ☎ 986 - Playa.
♦ Madrid 650 - ♦ La Coruña/A Coruña 116 - Pontevedra 52 - Santiago de Compostela 36.

Bosque-Mar (anexo 🏛), ☎ 73 10 55, Fax 73 05 12, ♨, ☂ - TV ☎ ⇐ P
temp. - **39 hab**, 12 apartamentos.

Mirador Ría de Arosa, ☎ 73 08 38, Fax 73 06 48, ← - TV ☎ ⇐ P. AE E VISA
Semana Santa-octubre - **Comida** 2200 - ☐ 500 - **24 hab** 4100/6800.

REINOSA **39200** Cantabria 442 C 17 - 12 852 h. alt. 850 - ☎ 942 - Balneario en Fontibre - Deportes de invierno en Alto Campóo O : 25 km : ⛷5.
Alred. : Cervatos★ (colegiata★ : decoración escultórica★) S : 5 km.
Excurs. : Pico de Tres Mares★★★ ✻★★★ O : 26 km y telesilla.
♦Madrid 355 - ♦Burgos 116 - Palencia 129 - ♦Santander 74.

Vejo, av. Cantabria 83 ☎ 75 17 00, Fax 75 47 63, ←, ♨, ✂ - |‡| TV ☎ ⇐ P - 🏛 25/500. AE ⓓ VISA. ✻ rest
Comida 2250 - ☐ 500 - **71 hab** 6300/9000 - PA 4000.

Tajahierro sin rest y sin ☐, Pelilla 8 ☎ 75 35 24 - ✻
13 hab 2000/3000.

en Alto Campóo O : 25 km - ✉ 39200 Reinosa - ☎ 942 :

Corza Blanca ⛰, alt. 1 660 ☎ 77 92 51, Fax 77 92 50, ≤, ⛱ - |♦| ☎ 🅟. AE ⓓ E VISA. ✂
cerrado mayo y noviembre - **Comida** 1950 - ☕ 430 - **68 hab** 5500/7900 - PA 3700.

RENEDO DE CABUÉRNIGA 39516 Cantabria 441 C 17 - ☎ 942.
♦Madrid 400 - ♦Burgos 156 - ♦Santander 60.

Reserva del Saja ⛰, carret. de Reinosa ☎ 70 61 90, Fax 70 61 08, ≤ - ▤ rest ☎ 🅟. VISA. ✂
Comida 1600 - ☕ 650 - **26 hab** 6500/7600 - PA 3285.

RENEDO DE PIÉLAGOS 39470 Santander 442 B 18 - ☎ 942.
♦ Madrid 372 - ♦ Bilbao/Bilbo 120 - ♦ Burgos 133 - ♦ Santander 22.

Romano I, carret N 623 ☎ 57 20 60, Fax 22 30 71 - |♦| TV ☎ ⛟. AE E VISA. ✂
cerrado 23 diciembre-8 enero - **Comida** (sólo cena) 1300 - ☕ 450 - **35 hab** 5500/8000 - PA 2850.

RENTERÍA o **ERRENTERIA** 20100 Guipúzcoa 442 C 24 - 41 163 h. alt. 11 - ☎ 943.
♦Madrid 479 - ♦Bayonne 45 - ♦Pamplona/Iruñea 98 - ♦San Sebastián/Donostia 8.

Lintzirin, carret. N I - E : 1,5 km, ✉ apartado 30, ☎ 49 20 00, Fax 49 25 04 - |♦| ▤ rest TV 🅟. AE ⓓ E VISA. ✂ rest
Comida 900 - ☕ 600 - **132 hab** 4700/7100.

REQUENA 46340 Valencia 445 N 26 - 17 014 h. alt. 292 - ☎ 96.
♦Madrid 279 - ♦Albacete 103 - ♦Valencia 69.

Mesón del Vino, av. Arrabal 11 ☎ 230 00 01, Decoración rústica - AE E VISA. ✂
cerrado martes y septiembre - **Comida** carta 2450 a 2700.

REUS 43200 Tarragona 443 I 33 - 88 595 h. alt. 134 - ☎ 977.
⛳18 Aigüesverdes : carret de Cambrils km 1,8-Mas Guardià ☎ 75 27 25.
✈ de Reus E : 3 km ☎ 75 75 15.
ℹ pl. Llibertat, ☎ 34 59 43, ✉ 43201, Fax 34 00 10.
♦Madrid 547 - ♦Barcelona 118 - Castellón de la Plana/Castelló de la Plana 177 - ♦Lérida/Lleida 90 - Tarragona 14.

Quality Inn, carret. de Salou SE : 1,5 km, ✉ 43205, ☎ 75 57 40, Fax 75 57 45 - |♦| ▤ TV ☎ ♿ ⛟ - 🎤 25/50. AE E VISA. ✂
Comida 1500 - ☕ 675 - **60 hab** 6300/8900 - PA 3160.

Gaudí sin rest, con cafetería, raval Robuster 49, ✉ 43204, ☎ 34 55 45, Fax 34 28 08 - |♦| TV ☎ - 🎤 25/175. AE ⓓ E VISA
☕ 550 - **73 hab** 3600/5300.

Simonet, Raval Santa Anna 18, ✉ 43201, ☎ 34 59 74, Fax 34 45 81, 🍽 - ▤ TV ☎ ⛟ E VISA. ✂
cerrado 24 diciembre-2 enero - **Comida** *(cerrado domingo noche)* 1950 - ☕ 450 - **45 hab** 3750/6500 - PA 3650.

XXX **La Glorieta del Castell,** pl. Castell 2, ✉ 43201, ☎ 34 08 26 - ▤. AE ⓓ E VISA. ✂
cerrado domingo y 2ª quincena de agosto - **Comida** carta 3200 a 4550.

XX **El Restaurant de la Fira,** av. Sant Jordi (palau de Fires i Congressos), ✉ 43201 ☎ 31 78 00, Fax 31 78 00 - ▤. AE ⓓ E VISA. ✂
cerrado domingo noche - **Comida** carta aprox. 2500.

X **Jesús i Fina,** Raval Sant Pere 18, ✉ 43204, ☎ 34 42 60 - ▤. AE ⓓ E VISA. ✂
cerrado domingo, festivos y agosto - **Comida** carta 3050 a 4075.

X **El Tupí,** Joan Bertran 3, ✉ 43202, ☎ 31 05 37 - ▤. AE ⓓ E VISA. ✂
cerrado domingo y del 15 al 31 de agosto - **Comida** carta 2700 a 3500.

en la carretera de Tarragona SE : 1 km - ✉ 43206 Reus - ☎ 977 :

X **Masia Típica Crusells,** ☎ 75 40 60, Fax 77 24 12, Decoración regional - ▤ 🅟. AE ⓓ E VISA. ✂
Comida carta 2275 a 4300.

en Castellvell (Baix Camp) N : 2 km - ✉ 43392 Castellvell - ☎ 977 :

X **El Pa Torrat,** av. de Reus 24 ☎ 85 52 12, Decoración rústica - Cocina catalana - ▤. E VISA ✂
cerrado martes, festivos noche, del 15 al 31 de agosto y 24 diciembre-2 enero - **Comida** carta 2400 a 3450.

La REYA (Playa de) Murcia - ver Puerto de Mazarrón.

RIALP o **RIALB** 25594 Lérida 443 E 33 - 440 h. alt. 725 - ☎ 973.
◆Madrid 593 - ◆Lérida/Lleida 141 - Sort 5.

Condes del Pallars, av. Flora Cadena 2 ✆ 62 03 50, Fax 62 12 32, ←, Fö, ⛱, ⛱, ⛱, ✗ - |♦| ▤ TV ☎ P - 🔔 25/150. AE ⓓ E VISA JCB. ✗
Comida 2500 - ☕ 1200 - **171 hab** 7000/11000 - PA 5440.

RIAÑO 24900 León 441 D 14 - 485 h. alt. 1 125 - ☎ 987.
ℹ av. Valcayo, ✆ 74 06 65 (temp.).
◆ Madrid 374 - ◆ León 95 - ◆ Oviedo 112 - ◆ Santander 166.

Presa, av. Valcayo ✆ 74 06 37, Fax 74 07 37, ← - |♦| ▤ TV ☎ ⇔. AE E VISA. ✗
Comida 1700 - ☕ 575 - **33 hab** 5000/7500 - PA 3465.

Abedul sin rest, av. Valcayo ✆ 74 07 06, ← - ☎ ⇔. ✗
☕ 400 - **14 hab** 3500/6000.

RIAZA 40500 Segovia 442 I 19 - 1 650 h. alt. 1 200 - ☎ 921 - Deportes de invierno en La Pinilla S : 9 km : 🚡2 ⛷8.
◆Madrid 116 - Aranda de Duero 60 - ◆Segovia 70.

La Trucha ⛰, av. Dr. Tapia 17 ✆ 55 00 61, Fax 55 00 86, ←, ⛱, ⛱ - ▤ rest TV ☎. VISA. ✗
Comida 1700 - ☕ 400 - **30 hab** 4750/7015 - PA 3300.

Casaquemada con hab, Isidro Rodríguez 18 ✆ 55 00 51, Decoración rústica - ▤ TV ☎. AE ⓓ E VISA. ✗
Comida carta 3200 a 4300 - ☕ 500 - **9 hab** 6000/8000.

Casa Marcelo, pl. del Generalísimo 16 ✆ 55 03 20 - AE E VISA. ✗
cerrado martes y 18 diciembre- 8 enero - **Comida** carta 3300 a 4800.

La Taurina, pl. del Generalísimo 6 ✆ 55 01 05 - AE E VISA. ✗
cerrado octubre - **Comida** (solo almuerzo en invierno salvo fines de semana y puentes) carta aprox. 2800.

RIBADEO 27700 Lugo 441 B 8 - 8 761 h. alt. 46 - ☎ 982.
Alred. : Puente ←★.
ℹ pl. de España ✆ 11 06 89.
◆Madrid 591 - ◆La Coruña/A Coruña 158 - Lugo 90 - ◆Oviedo 169.

Parador de Ribadeo ⛰, Amador Fernández ✆ 10 08 25, Fax 10 03 46, ← ría del Eo y montañas - |♦| TV ☎ ⇔ P. AE ⓓ E VISA. ✗
Comida 3200 - ☕ 1100 - **46 hab** 11500, 1 suite - PA 6375.

Eo ⛰ sin rest, av. de Asturias 5 ✆ 10 07 50, Fax 10 00 21, ←, ⛱ - ☎. AE ⓓ E VISA
15 junio-15 septiembre - ☕ 400 - **24 hab** 7000/7700.

Voar, carret. N 634 ✆ 10 06 85, Fax 13 06 85, ✗ - TV ☎ ⇔ P - 🔔 25/300. AE E VISA. ✗ rest
Comida 1100 - ☕ 400 - **42 hab** 5600/6800 - PA 2250.

Mediante, pl. de España 8 ✆ 13 04 53, Fax 13 07 58 - |♦| TV ☎. AE ⓓ E VISA. ✗
Comida *(cerrado noviembre y lunes salvo de julio a septiembre)* 1200 - ☕ 300 - **20 hab** 5200/7500.

O Forno, av. de Asturias 4 ✆ 13 08 02, Fax 13 08 03 - ▤ rest TV ☎ ⇔. AE E VISA. ✗
Comida 950 - ☕ 275 - **17 hab** 5000/7000 - PA 2175.

Santa Cruz, Diputación 22 ✆ 13 05 49 - TV ⇔. AE E VISA. ✗
Comida 900 - ☕ 350 - **17 hab** 4500/6800.

Presidente sin rest, Virgen del Camino 3 ✆ 10 00 92 - AE E VISA
☕ 350 - **19 hab** 5000/6000.

O Xardín, Reinante 20 ✆ 10 02 22, Fax 10 02 22 - AE ⓓ E VISA
cerrado lunes en invierno y 23 diciembre-enero - **Comida** carta aprox. 3900.

Oviedo Bar I con hab, Amando Pérez 5 ✆ 11 01 31 - |♦| TV ☎. AE E VISA. ✗
Comida *(cerrado lunes)* carta 2000 a 3000 - ☕ 300 - **14 hab** 4000/6000.

RIBADESELLA 33560 Asturias 441 B 14 - 6 182 h. - ☎ 98 - Playa.
Ver : Cuevas Tito Bustillo★ (pinturas rupestres★).
ℹ Puente Río Sella - carret. de la Piconera ✆ 586 00 38.
◆Madrid 485 - Gijón 67 - ◆Oviedo 84 - ◆Santander 128.

Marina sin rest, Gran Vía ✆ 586 00 50, Fax 586 13 31 - |♦|
44 hab.

La Bohemia, Gran Vía 53 ✆ 586 11 50, Fax 586 13 31 - ▤.

Náutico, Marqués de Argüelles 9 ✆ 586 00 42, ← - VISA. ✗
Comida carta 4800 a 5900.

Xico, López Muñiz 9 ✆ 586 03 45 - AE ⓓ E VISA
cerrado del 15 al 30 de septiembre - **Comida** carta 2450 a 3800.

en la playa :

G.H. del Sella ⛰, ☎ 586 01 50, Fax 585 74 49, ≤, ⛱, 🌳, 🎾 - |♦| TV ☎ P - 25/300. AE ⓞ E VISA. ✻
abril-15 octubre - **Comida** 2700 - ☕ 700 - **82 hab** 15000 - PA 5335.

Don Pepe sin rest. con cafetería, Dionisio Ruisánchez 12 ☎ 585 78 81, Fax 585 78 77, ≤ - |♦| TV ☎ 🚗. AE ⓞ E VISA. ✻
abril-15 octubre - ☕ 650 - **32 hab** 8800/11000.

Ribadesella Playa sin rest, Ricardo Cangás 3 ☎ 586 07 15, Fax 586 02 20, ≤ - ☎ P. AE ⓞ E VISA. ✻
☕ 450 - **17 hab** 7500/8900.

La Playa ⛰, ☎ 586 01 00, ≤ - TV P
temp. - **11 hab.**

Derby sin rest, ☎ 586 00 92 - |♦| ☎. VISA
15 marzo-octubre - ☕ 350 - **24 hab** 3900/5700.

en Santianes-carretera N 634 S : 3,5 km - ✉ 33560 Ribadesella - ☎ 98 :

La Ribera, ☎ 586 02 31 - P
Comida (ver rest. La Ribera) - **16 hab.**

La Ribera, ☎ 586 06 26 - ▤ P.

RIBAFORADA **31550** Navarra 442 G 25 - 3 148 h. alt. 262 - ☎ 948.

♦Madrid 326 - ♦Logroño 113 - Soria 95 - Tudela 10 - ♦Zaragoza 71.

en la carretera N 232 SO : 2 km - ✉ 31550 Ribaforada - ☎ 948 :

NH Sancho el Fuerte, ☎ 86 40 25, Fax 81 91 52, ⛱, 🎾 - ▤ TV ☎ 🚗 P - 25/125. E VISA. ✻
Comida 1650 - ☕ 650 - **68 hab** 5700/7700 - PA 3950.

RIBAS DE FRESER o **RIBES DE FRESER** **17534** Gerona 443 F 36 - 2 358 h. alt. 920 - ☎ 972 - Balneario.

ℹ pl. Ajuntament 3, ☎ 72 77 28.

♦Madrid 689 - ♦Barcelona 118 - Gerona/Girona 101.

Catalunya Park H. ⛰, passeig Mauri 9 ☎ 72 71 98, Fax 72 70 17, ≤, « Césped con ⛱ » - |♦| 🚗. ✻
Semana Santa y julio-septiembre - **Comida** 2200 - ☕ 700 - **45 hab** 3675/7075 - PA 4400.

Catalunya, Sant Quintí 37 ☎ 72 70 17, Fax 72 70 17 - |♦|. ✻
Comida (sólo cena) 2200 - ☕ 600 - **18 hab** 3000/6600.

Sant Antoni, Sant Quintí 55 ☎ 72 70 18, 🍽, ⛱ climatizada - E VISA. ✻
cerrado del 15 al 31 de octubre - **Comida** 2050 - ☕ 650 - **24 hab** 3500/6500 - PA 3995.

RIBERA DE CARDÓS **25570** Lérida 443 E 33 alt. 920 - ☎ 973.

Alred. : Valle de Cardós★.

♦Madrid 614 - ♦Lérida/Lleida 157 - Sort 21.

Cardós ⛰, Reguera 2 ☎ 62 31 00, Fax 62 31 58, ≤, ⛱ - |♦| 🚗. E VISA. ✻ rest
Semana Santa-septiembre - **Comida** 1800 - ☕ 495 - **50 hab** 4500/6800.

Sol i Neu ⛰, Llimera 1 ☎ 62 31 37, Fax 62 31 37, ≤, ⛱, 🎾 - P. E VISA. ✻
15 marzo-20 diciembre - **Comida** 1500 - ☕ 475 - **30 hab** 4000/5500 - PA 2900.

RIBES DE FRESER Gerona - ver Ribas de Freser.

RICOTE **30610** Murcia 445 R 25 - 1 679 h. alt. 400 - ☎ 968.

♦Madrid 371 - Archena 10 - Cieza 15 - Cehegin 40 - Lorca 93 - ♦Murcia 37.

El Sordo, Algarrobo ☎ 69 71 50, Fax 69 72 09, Carnes - ▤ P. AE E VISA. ✻
cerrado miércoles y julio - **Comida** carta 1850 a 2550.

La RIERA DE GAIÀ **43762** Tarragona 443 I 34 - 894 h. - ☎ 977.

♦Madrid 558 - ♦Barcelona 102 - ♦Lérida/Lleida 118 - Sitges 34 - Tarragona 14.

La Masía de L'Era, Sant Joan 64 ☎ 65 54 02, 🍽 - P. E VISA. ✻
Comida *(sólo almuerzo de octubre a marzo salvo viernes y sábado)* carta 1900 a 2700.

RINCÓN DE LA VICTORIA **29730** Málaga 446 V 17 - 13 007 h. - 95 - Playa.

◆Madrid 568 - ◆Almería 208 - ◆Granada 139 - ◆Málaga 13.

Rincón Sol, av. del Mediterráneo 24 ℘ 240 11 00, Fax 240 43 79, ≤ - |‡| ▤ TV ☎ ♿ - 🔬 25/180. AE ⓓ E VISA JCB
Comida 1950 - ☐ 600 - **87 hab** 7000/9000 - PA 4000.

RIPOLL **17500** Gerona 443 F 36 - 11 204 h. alt. 682 - 972.

Ver : Antiguo Monasterio de Santa María★ (portada★★).

Alred. : San Juan de las Abadesas★ (iglesia de San Juan★ : descendimiento de la Cruz★★, claustro★) NE : 10 km.

ℹ pl. de l'Abat Oliba 3 ℘ 70 23 51.

◆Madrid 675 - ◆Barcelona 104 - Gerona/Girona 86 - Puigcerdá 65.

Del Ripollés, pl. Nova 11 ℘ 70 02 15 - TV ☎. AE E VISA. ✻
Comida 1500 - ☐ 450 - **8 hab** 4750/6500 - PA 3200.

El Racó del Francès, Plà d'Ordina 11 ℘ 70 18 94, Cocina francesa - Ⓟ. E VISA
cerrado lunes, del 17 al 30 de abril y 15 días en noviembre - **Comida** carta 3000 a 4500.

en la carretera N 152 - ✉ 17500 Ripoll - 972 :

Solana del Ter, S : 2 km ℘ 70 10 62, Fax 71 43 43, ≤, ƒá, ⛱, 🌳, ✻ - TV ☎ 🚗 Ⓟ - 🔬 25/300. E VISA. ✻
cerrado noviembre - **Comida** *(cerrado domingo noche en invierno)* 2400 - ☐ 700 - **37 hab** 5800/8800 - PA 4800.

Grill El Gall, NO : 3 km por vía de servicio ℘ 70 24 51, Carnes a la parrilla - Ⓟ. AE ⓓ E VISA. ✻
cerrado miércoles en invierno y del 9 al 23 de enero - **Comida** carta 2100 a 2675.

RIPOLLET **08291** Barcelona 443 H 36 - 26 835 h. - 93.

◆Madrid 625 - ◆Barcelona 11 - Gerona/Girona 74 - Sabadell 6.

Eulalia, Casanovas 29 ℘ 692 04 02 - ▤ Ⓟ. AE ⓓ E VISA
cerrado domingo, lunes noche y del 7 al 29 de agosto - **Comida** carta 3300 a 4700.

RIS (Playa de) Cantabria - ver Noja.

RIUDARENAS o **RIUDARENES** **17421** Gerona 443 G 38 - 1 102 h. alt. 84 - 972.

◆Madrid 693 - ◆Barcelona 80 - Gerona/Girona 32.

La Brasa, carret. Santa Coloma 21 ℘ 85 60 17, Fax 85 62 38, Cocina regional - ▤. AE ⓓ E VISA. ✻
cerrado domingo noche, lunes y 10 enero-25 febrero - **Comida** carta 1650 a 2310.

ROA DE DUERO **09300** Burgos 442 G 18 - 2 264 h. - 947.

◆Madrid 181 - Aranda de Duero 20 - ◆Burgos 82 - Palencia 72 - ◆Valladolid 76.

Chuleta, av. de la Paz 7 ℘ 54 03 12 - ▤. E VISA. ✻
Comida carta 2650 a 5700.

ROCAFORT **46111** Valencia 445 N 28 - 4 055 h. - 96.

◆Madrid 361 - ◆Valencia 11.

L'Été, Francisco Carbonell 33 ℘ 131 11 90 - ▤. AE E VISA JCB. ✻
cerrado domingo y Semana Santa - **Comida** carta 2750 a 4950.

La RODA **02630** Albacete 444 O 23 - 12 938 h. alt. 716 - 967.

◆Madrid 210 - ◆Albacete 37.

Flor de la Mancha, Alfredo Atienza 139 ℘ 44 05 55, Fax 44 09 04 - |‡| ▤ rest TV ☎ Ⓟ. E VISA. ✻
Comida 1800 - ☐ 450 - **26 hab** 3000/6000 - PA 4050.

en la carretera N 301 NO : 2,5 km - ✉ 02630 La Roda - 967 :

Juanito, ℘ 44 15 12, Fax 44 15 12 - ▤ Ⓟ
Comida carta 3100 a 3700.

ROIS **15911** La Coruña 441 D 4 - 981.

◆Madrid 638 - ◆La Coruña/A Coruña 98 - Pontevedra 41.

Casa Ramallo, Castro 5 ℘ 80 41 80, Fax 80 41 80, 🌳 - Ⓟ. AE E VISA. ✻
cerrado lunes y 24 diciembre-7 enero - **Comida** carta 2300 a 3600.

RONCESVALLES o **ORREAGA** **31650** Navarra 442 C 26 – 60 h. alt. 952 – ✆ 948.

Ver : Pueblo★, Conjunto Monumental : (museo★).

Antiguo Molino, ✆ 76 01 93 (Semana Santa-octubre).

♦Madrid 446 – ♦Pamplona/Iruñea 47 – St-Jean-Pied-de-Port 29.

La Posada, ✆ 76 02 25, Fax 76 02 25 – E VISA.
cerrado noviembre – **Comida** 1600 – ☐ 550 – **18 hab** 4600/5700 – PA 3600.

RONDA **29400** Málaga 446 V 14 – 35 788 h. alt. 750 – ✆ 95.

Ver : Situación★★ – Barrio de la ciudad★ YZ – Camino de los Molinos ≤★ Z – Puente Nuevo ≤★ Y – Plaza de Toros★ Y.

Alred. : Cueva de la Pileta★ (carretera de acceso ≤★★) por ① : 27 km..

Excurs. : Carretera★★ de Ronda a San Pedro de Alcántara (cornisa★★) por ② – Carretera★ de Ronda a Algeciras por ③.

pl. de España 1 ✆ 287 12 72.

♦Madrid 612 ① – Algeciras 102 ③ – Antequera 94 ① – ♦Cádiz 149 ① – ♦Málaga 96 ② – ♦Sevilla 147 ①.

RONDA

Espinel (Carrera de) . . . . . Y

Animas . . . . Y
Armiñan . . . . YZ
Capitán Cortés . . . . Y 3
Carmen Abela (Pl. de) . . . Y 5
Descalzos (Pl. de los) . . . . Y
Doctor Fleming (Av.) . . . . Y 6
Duquesa de Parcent (Pl. de la) . . . . Z 8
España (Pl. de) . . . . Y 12
González Campos . . . . Z 15
Las Imágenes . . . . Z 18
Maria Auxiliadoras (Pl.) . . . Z 20
Marqués de Salvatierra . . Z 21
Merced (Pl. de la) . . . . Y 24
Padre Mariano Soubirón . . . . Y 26
Prado . . . . Z
Peñas . . . . Y
Real . . . . Y
Ruedo Alameda (Pl.) . . . . . Z
Ruedo de Gameros . . . . . Z 27
Santa Cecilia . . . . Y 30
Santo Domingo . . . . Y 33
Sevilla . . . . Y
Tenorio . . . . YZ
Virgen de la Paz . . . . Y
Virgen de los Dolores . . . . Y

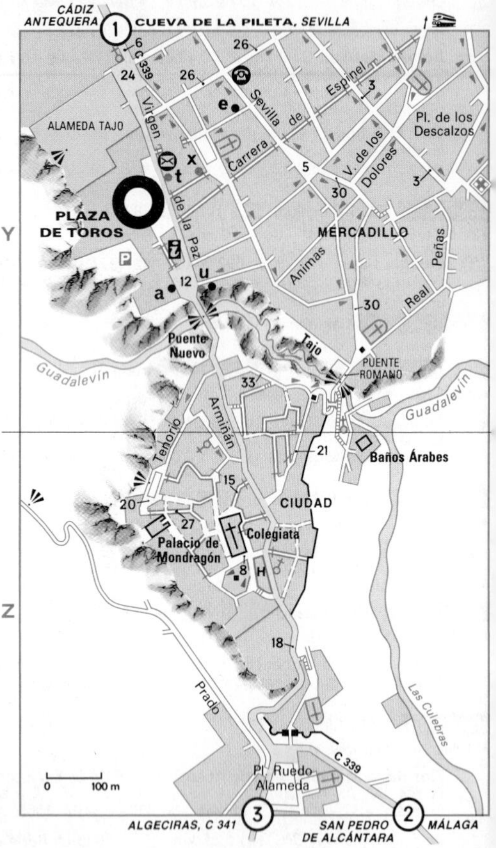

Un consejo Michelin :

Para que sus viajes sean un éxito, prepárelos de antemano. Los mapas y las guías Michelin le proporcionan todas las indicaciones útiles sobre : itinerarios, visitas de curiosidades, alojamiento, precios, etc...

Parador de Ronda, pl. de España ✆ 287 75 00, Fax 287 81 88, ≤, Instalado en el antiguo Ayuntamiento, « Al borde del tajo », ☐, ☐ – |♦| ☐ TV ☎ ☐ – 25/80. AE ① E VISA. Y a
Comida 3200 – ☐ 1100 – **71 hab** 15000, 8 suites – PA 6375.

Reina Victoria, av. Dr. Fleming 25 ✆ 287 12 40, Fax 287 10 75, « Al borde del Tajo, ≤ valle y serranía de Ronda », ☐, ☐ – |♦| ☐ TV ☎ P – 25/40. AE ① E VISA. por ①
Comida 3000 – ☐ 1000 – **89 hab** 9000/14000 – PA 5600.

Don Miguel, Villanueva 8 ☎ 287 77 22, Fax 287 83 77, ← - |‡| ▤ TV 🚗. AE ⓓ E VISA. ✗ Y u
cerrado del 9 al 23 enero - **Comida** (ver rest. **Don Miguel**) - ☐ 375 - **19 hab** 5500/9000.

Virgen de los Reyes sin rest, Lorenzo Borrego 13 ☎ 287 11 40 - |‡| TV 🚗 Y e
30 hab.

Don Miguel, pl. de España 3 ☎ 287 10 90, Fax 287 83 77, 🏛, « Terrazas sobre el Tajo » - ▤. AE ⓓ E VISA. ✗ Y u
cerrado del 9 al 23 de enero - **Comida** carta 2300 a 3500.

Pedro Romero, Virgen de la Paz 18 ☎ 287 11 10, Fax 287 10 61, « Decoración típica » - ▤. AE ⓓ E VISA Y t
Comida (sólo almuerzo del 24 al 31 de diciembre) carta 2575 a 3475.

Alhambra, Pedro Romero 9 ☎ 287 69 34, 🏛 - ▤. AE ⓓ E VISA. ✗ Y x
cerrado lunes y del 1 al 10 enero - **Comida** carta 1900 a 3100.

ROQUETAS DE MAR 04740 Almería 446 V 22 - 32 361 h. - ☏ 950 - Playa.

18 Playa Serena ☎ 32 20 55.

♦Madrid 605 - ♦Almería 18 - ♦Granada 176 - ♦Málaga 208.

Al Sur : 4 km - ✉ 04740 Roquetas de Mar - ☏ 950 :

Al-Baida, av. Las Gaviotas ☎ 33 38 21, 🏛 - ▤. AE ⓓ E VISA JCB. ✗
cerrado lunes (salvo festivos y verano) y 15 enero-28 febrero - **Comida** carta 2500 a 4750.

La Colmena, Lago Como - edificio Concordia I ☎ 33 35 65, Fax 33 46 13, 🏛, ⛱ - ▤. AE ⓓ E VISA JCB. ✗
cerrado martes y febrero - **Comida** carta 3600 a 4200.

ROSAS o ROSES 17480 Gerona 443 F 39 - 10 303 h. - ☏ 972 - Playa.

ℹ pl. de les Botxes, ☎ 25 73 31, Fax 15 09 96.

♦Madrid 763 - Gerona/Girona 56.

Terraza, passeig Marítim 16 ☎ 25 61 54, Fax 25 68 66, ←, 🏛, ⛱ climatizada, 🎾 - |‡| ▤ TV ☎ 🚗 Ⓟ - 🏛 25/150. AE ⓓ E VISA. ✗ rest
Semana Santa-octubre - **Comida** *(cerrado abril)* 3000 - ☐ 1100 - **112 hab** 9000/15000.

Coral Platja, av. de Rhode 28 ☎ 25 62 50, Fax 15 18 11, ← - |‡| TV ☎ Ⓟ. AE E VISA. ✗ rest
Semana Santa-noviembre - **Comida** 1750 - ☐ 680 - **123 hab** 6800/11500 - PA 3250.

Goya, Riera Ginjolers ☎ 25 61 23, Fax 15 14 61, ⛱ - |‡| ▤ rest TV ☎ Ⓟ. AE E VISA. ✗
abril-25 octubre - **Comida** 1300 - ☐ 700 - **65 hab** 5500/8400.

Novel Risech, av. de Rhode 183 ☎ 25 62 84, Fax 25 68 11, ←, 🏛 - |‡| ▤ rest. AE E VISA. ✗ rest
cerrado 12 noviembre-16 diciembre - **Comida** 1250 - ☐ 625 - **83 hab** 2800/5000 - PA 2750.

Casa del Mar sin rest, av. de Rhode 21 ☎ 25 64 50, Fax 25 64 54 - Ⓟ. AE E VISA
abril-octubre - ☐ 500 - **28 hab** 6000.

✿ **Flor de Lis,** Cosconilles 47 ☎ 25 43 16, Fax 25 43 16, Cocina francesa - ▤. AE ⓓ E VISA. ✗
cerrado martes (salvo julio-septiembre), 4 enero-Semana Santa y 16 octubre-21 diciembre - **Comida** (sólo cena) carta 4925 a 6625
Espec. Cocktail de bogavante, Gambas con frutas exóticas al curry, Solomillo de ternera con salmón ahumado y salsa bearnesa.

L'Entrecot, Joan Badosa 9 ☎ 25 42 63, Fax 25 41 19, 🏛, Decoración rústico-catalán - AE ⓓ E VISA
cerrado miércoles (enero-marzo) y 13 noviembre-15 diciembre - **Comida** carta 2150 a 3575.

Llevant, av. de Rhode 145 ☎ 25 68 35, 🏛 - ▤. AE ⓓ E VISA. ✗
cerrado martes (salvo agosto), enero y febrero - **Comida** carta 2200 a 3100.

en la urbanización Santa Margarita O : 2 km - ✉ 17480 Rosas - ☏ 972 :

Sant Marc, av. de la Bocana 42 ☎ 25 44 00, Telex 56246, Fax 25 47 50, ⛱ - |‡| ▤ rest Ⓟ. AE ⓓ E VISA. ✗
cerrado enero - **Comida** 1675 - **240 hab** ☐ 7675/11350 - PA 4235.

Goya Park, Port de Reig 25 ☎ 25 75 50, Fax 25 43 41, ←, ⛱ - |‡| ▤ rest ☎ Ⓟ. AE ⓓ E VISA. ✗
marzo-noviembre y Navidades - **Comida** 1625 - ☐ 700 - **245 hab** 6300/9750 - PA 3350.

Montecarlo, av. de la Platja ☎ 25 66 73, Fax 25 57 03, ←, ⛱ - |‡| ▤ rest ☎. AE ⓓ E VISA. ✗ rest
25 marzo-11 noviembre - **Comida** 1600 - ☐ 650 - **126 hab** 5550/8770.

Monterrey, passeig Marítim 72 ☎ 25 66 76, Fax 25 38 69, ←, ⛱ - |‡| ▤ rest ☎ 🚗 Ⓟ. AE ⓓ E VISA. ✗ rest
abril-octubre y 26 diciembre- 3 enero - **Comida** 1600 - **135 hab** ☐ 7400/10600.

Marítim, Jacinto Benavente 2 ☎ 25 63 90, Fax 25 68 75, ←, ⛱, 🎾 - |‡| ☎ Ⓟ. AE ⓓ E VISA JCB. ✗ rest
marzo-noviembre - **Comida** 1350 - **132 hab** ☐ 5650/9300 - PA 3200.

Rosamar, av. Nautilus 25 ℘ 25 47 12, Fax 25 48 50, – |\$| ☎ Ⓟ. AE ⓓ E VISA. ✻
Semana Santa-octubre – **Comida** 1000 – ☐ 500 – **56 hab** 5500/9000 – PA 2100.

El Jabalí, platja Salatá ℘ 25 65 25, , Decoración rústica – ▤ Ⓟ. AE ⓓ E VISA JCB
marzo-octubre – **Comida** carta 2400 a 3700.

en la playa de Canyelles Petites SE : 2,5 km – ✉ 17480 Rosas – ✆ 972 :

Vistabella , ℘ 25 62 00, Fax 25 32 13, ←, , « Terraza ajardinada », , – ▤ rest ☎ . Ⓟ. AE ⓓ E VISA. ✻ rest
abril-octubre – **Comida** 4750 – **46 hab** ☐ 10800/14600.

Canyelles Platja, av. Díaz Pacheco 7 ℘ 25 65 00, Fax 25 66 47, ←, , – |\$| ▤ rest ☎ . AE ⓓ E VISA. ✻ rest
14 abril-24 septiembre – **Comida** 2100 – ☐ 700 – **100 hab** 6800/11800 – PA 4100.

en la playa de la Almadraba SE : 4 km – ✉ 17480 Roses – ✆ 972 :

Almadraba Park H. , ℘ 25 65 50, Fax 25 67 50, ← mar, , « Terrazas ajardinadas », , – |\$| ▤ TV ☎ Ⓟ – 25/190. AE ⓓ E VISA. ✻ rest
7 abril-16 octubre – **Comida** 4100 – ☐ 1100 – **66 hab** 8900/14000 – PA 7900.

en la carretera de Figueras O : 4,5 km – ✉ 17480 Rosas – ✆ 972 :

XXX ✿ **La Llar,** ✉ apartado 315, ℘ 25 53 68 – ▤ Ⓟ. AE ⓓ E VISA. ✻
cerrado jueves no festivos (salvo verano) y enero – **Comida** carta 3825 a 4925
Espec. Carpaccio de manitas de cerdo con gambas y aceite de hierbas, Pescado con espardenyes confitadas, Carro de postres.

en Cala Montjoi SE : 7 km – ✉ 17480 Rosas – ✆ 972 :

XXX ✿✿ **El Bulli,** ✉ apartado 30, ℘ 15 04 57, Fax 15 07 17, , Decoración rústica – ▤ Ⓟ. AE ⓓ E VISA
marzo-octubre – **Comida** *(cerrado lunes y martes salvo de julio a septiembre)* carta 7700 a 10300
Espec. Cigalas con ceps, vinagreta de piñones y ajos tiernos, Gazpacho de bogavante a la albahaca y coral, Virutas de mango con queso fresco a la miel.

ROTA 11520 Cádiz 446 W 10 – 27 139 h. – ✆ 956 – Playa.

pl. de Andalucía, ℘ 82 91 05, Fax 84 02 00.
♦Madrid 632 – ♦Cádiz 44 – Jerez de la Frontera 34 – ♦Sevilla 125.

X Antonio, urb. Virgen del Mar, ℘ 84 04 00, ←, Pescados y mariscos – ▤
temp.

en la carretera de Chipiona O : 2 km – ✉ 11520 Rota – ✆ 956 :

Playa de la Luz , av. Diputación ℘ 81 05 00, Telex 76063, Fax 81 06 06, , « Conjunto típico andaluz », , , – ▤ rest TV ☎ & Ⓟ – 25/300. AE ⓓ E VISA. ✻
Comida 2500 – ☐ 1100 – **289 hab** 9375/12500 – PA 5185.

X **Bodegón La Almadraba,** av. Diputación 138 ℘ 81 18 82, Fax 81 18 82, – ▤ Ⓟ. AE ⓓ E VISA. ✻
Comida carta aprox. 3600.

LAS ROZAS 28230 Madrid 444 K 18 – 35 211 h. alt. 718 – ✆ 91.

♦Madrid 16 – ♦Segovia 91.

en la autovía N VI – ✉ 28230 Las Rozas – ✆ 91 :

XX **Gobolem,** La Cornisa 18 SE : 2km ℘ 634 05 44, – ▤ Ⓟ. AE ⓓ E VISA. ✻
cerrado domingo noche – **Comida** carta 2950 a 4700.

XX **El Asador de Aranda,** SE : 1,5 km ℘ 639 30 27, , Cordero asado, « Decoración castellana. Patio-terraza » – ▤ Ⓟ. AE ⓓ E VISA. ✻
cerrado domingo noche y 3 semanas en agosto – **Comida** carta aprox. 3800.

La RUA o A RUA 32350 Orense 441 E 8 – 4 933 h. alt. 371 – ✆ 988.

♦Madrid 448 – Lugo 114 – Orense/Ourense 109 – Ponferrada 61.

Os Pinos, carret. N 120 O : 1,5 km ℘ 31 17 16, Fax 31 22 91 – TV ☎ Ⓟ. E VISA. ✻
Comida 1400 – ☐ 400 – **26 hab** 3000/4500 – PA 3200.

RUBÍ 08191 Barcelona 443 H 36 – 50 384 h. alt. 123 – ✆ 93.

♦Madrid 616 – ♦Barcelona 24 – ♦Lérida/Lleida 160 – Mataró 43.

Sant Pere II sin rest, Riu Segre 27 ℘ 588 59 95, Fax 588 50 36, ← – |\$| TV ☎ . E VISA JCB
☐ 950 – **18 hab** 6750/8800.

en la urbanización Els Avets SO : 2 km – ✉ 08191 Rubí – ✆ 93 :

X **Macxim,** Guatlla 20 ℘ 699 55 58, Fax 697 45 55, – ▤. AE E VISA. ✻
cerrado sábado mediodía, domingo noche y del 14 al 27 de agosto – **Comida** carta 2950 a 4000.

RUBIELOS DE MORA **44415** Teruel 443 L 28 - 570 h. - ☎ 978.

ℹ pl. de Hispano América 1 ℘ 80 40 96.

♦Madrid 357 - ♦Castellón de la Plana/Castelló de la Plana 93 - ♦Teruel 56.

- **Montaña Rubielos** ⑤, av. de los Mártires ℘ 80 42 36, Fax 80 42 84 - TV ☎ P - 25/300. AE E VISA. ✗
  Comida 1500 - ☕ 475 - **30 hab** 3500/7500 - PA 2950.

- **Portal del Carmen** ⑤, Glorieta 2 ℘ 80 41 53, Fax 80 42 38, 🏨, Instalado en un convento del siglo XVII - AE ⓘ E VISA. ✗
  Comida *(cerrado jueves y del 1 al 10 de septiembre)* carta 2200 a 3250.

RUGAT **46842** Valencia 445 P 28 - 199 h. alt. 300 - ☎ 96.

♦Madrid 398 - Alcoy/Alcoi 41 - Denia 46 - Gandia 21.

- **La Casa Vieja** ⑤, Horno 2 ℘ 281 40 13, Fax 281 40 13, 🏨, « Ambiente acogedor en un marco rústico », 🏊 - VISA. ✗ rest
  Comida *(cerrado lunes)* 1200 - **5 hab** ☕ 3500/7500.

RUIDERA **13249** Ciudad Real 444 P 21 - 575 h. - ☎ 926.

♦Madrid 215 - ♦Albacete 106 - Ciudad Real 94.

- León, av. Castilla la Mancha 65 ℘ 52 80 65 - P
  29 hab.

en Las Lagunas SE : 5 km - ⊠ 13249 Ruidera - ☎ 926 :

- **La Colgada** ⑤, ℘ 52 80 25, ≤ - ▤ rest P. VISA. ✗
  Comida 1300 - ☕ 400 - **38 hab** 4500.

RUPIT **08569** Barcelona 443 F 37 - 353 h. - ☎ 93.

♦Madrid 668 - ♦Barcelona 97 - Gerona/Girona 75 - Manresa 93.

- **Estrella,** pl. Bisbe Font 1 ℘ 856 50 05, Fax 856 50 05 - |♦| ▤ rest. AE E VISA. ✗ rest
  Comida 1750 - ☕ 650 - **29 hab** 4600/6500 - PA 3530.

RUTE **14960** Córdoba 446 U 16 - 9 703 h. alt. 637 - ☎ 957.

♦Madrid 494 - Antequera 60 - ♦Córdoba 96 - ♦Granada 127.

- **María Luisa,** carret. Lucena-Loja ℘ 53 80 96, Fax 53 90 37, 🏊, 🏊, 🌳 - |♦| ▤ TV ☎ P. AE E VISA. ✗
  Comida 3000 - **29 hab** ☕ 5000/8000.

SA RIERA (Playa de) Gerona - ver Bagur.

SABADELL **08200** Barcelona 443 H 36 - 189 184 h. alt. 188 - ☎ 93 - Iberia : paseo Manresa 14 ℘ 725 49 87.

♦Madrid 626 - ♦Barcelona 20 - ♦Lérida/Lleida 169 - Mataró 47 - Tarragona 108.

- **Sabadell,** pl. Catalunya 10, ⊠ 08201, ℘ 727 92 00, Fax 727 86 17 - |♦| ▤ TV ☎ & 🚗 - 25/300. AE ⓘ E VISA JCB. ✗
  Comida 2900 - ☕ 950 - **110 hab** 7590.

- **G.H. Alexandra y Rest. Gran Mercat,** av. Francesc Macià 62, ⊠ 08206, ℘ 723 11 11, Fax 723 12 32 - |♦| ▤ TV ☎ & 🚗 - 25/400. AE ⓘ E VISA
  Comida 2450 - ☕ 900 - **106 hab** 5940/6900 - PA 5800.

- **Alfa Sabadell** sin rest. con cafetería, av. Francesc Macià 66, ⊠ 08206, ℘ 723 11 11, Fax 723 12 32 - |♦| ▤ TV ☎ & 🚗. AE ⓘ E VISA
  ☕ 900 - **66 hab** 6900.

- **Urpi,** av. 11 Setembre 38, ⊠ 08208, ℘ 723 48 48, Fax 723 35 28 - |♦| ▤ TV ☎ 🚗 - 25. AE ⓘ E VISA JCB. ✗ rest
  Comida 1500 - ☕ 600 - **126 hab** 3500/6000 - PA 3000.

- ✿ **Marcel,** Advocat Cirera 40, ⊠ 08201, ℘ 727 53 00 - ▤. AE ⓘ E VISA
  cerrado domingo noche, lunes y agosto - **Comida** carta 4950 a 6000
  Espec. Crema de ceps y picadillo de gambas, Merluza sobre vinagreta de chipirones y pasta fresca, Pichón rustido al jugo de trufa y judías del ganxet.

- **Forrellat,** Horta Novella 27, ⊠ 08201, ℘ 725 71 51 - ▤. AE ⓘ E VISA JCB. ✗
  cerrado domingo noche, Semana Santa y agosto - **Comida** carta aprox. 4700.

SABANELL Playa de Gerona - ver Blanes.

SABINOSA Santa Cruz de Tenerife - ver Canarias (Hierro).

SABIÑÁNIGO **22600** Huesca 443 E 28 - 9 917 h. alt. 798 - 974.
◆Madrid 443 - Huesca 53 - Jaca 18.

La Pardina, Santa Orosia 36 - carret. de Jaca 48 09 75, Fax 48 10 73, - rest
64 hab.

Mi Casa, av. del Ejército 32 48 04 00, Fax 48 29 79 - rest . AE VISA.
(cerrado domingo noche salvo verano) - **Comida** 1500 - 600 - **72 hab** 5000/6900.

en la carretera de circunvalación E : 1,5 km - 22600 Sabiñánigo - 974 :

Confortel Sabiñánigo, 48 34 45, Fax 48 32 80, - rest . AE E VISA.
Comida 1300 - 900 - **48 hab** 7000/8700 - PA 2975.

SACEDÓN **19120** Guadalajara 444 K 21 - 1 632 h. alt. 740 - 949.
◆Madrid 107 - Guadalajara 51.

Mariblanca, glorieta de los Mártires 2 35 00 44, - rest . AE E VISA.
Comida 1300 - 425 - **27 hab** 3350/5000 - PA 2570.

Pino, carret. de Cuenca 35 01 48 - . AE E VISA JCB.
cerrado martes y 15 diciembre-20 enero - **Comida** carta 2500 a 3900.

SADA **15160** La Coruña 441 B 5 - 9 190 h. - 981 - Playa.
◆Madrid 584 - ◆La Coruña/A Coruña 20 - Ferrol 38.

Sada Palace H., paseo Marítimo 62 34 06, Fax 62 38 06, - -
25/1000
76 hab.

S' AGARÓ **17248** Gerona 443 G 39 - 972 - Playa.
Ver : Centro veraniego★ (≤★).
◆Madrid 717 - ◆Barcelona 103 - Gerona/Girona 38.

Hostal de La Gavina, pl. de la Rosaleda 32 11 00, Fax 32 15 73, , « Lujosa instalación, con mobiliario de gran estilo », - - 25/130.
AE E VISA.
Semana Santa-octubre - **Comida** 5500 - ***Grill Candlelight* : Comida** carta 4820 a 6850 - 1850 - **74 hab** 24000/36000.

S'Agaró H., platja de Sant Pol 32 52 00, Fax 32 45 33, - - 25/250. AE E VISA. rest
cerrado diciembre - **Comida** 3400 - 1200 - **80 hab** 11650/17800 - PA 6675.

Caleta Park, platja de Sant Pol 32 00 12, Fax 32 40 96, - - 25/100. AE E VISA. rest
Semana Santa y 20 mayo-septiembre - **Comida** 2450 - **100 hab** 7000/12800.

Sant Pol, platja de Sant Pol 125, 17220 San Feliu de Guixols, 32 10 70, Fax 82 23 78, - hab . AE E VISA. rest
cerrado 16 octubre-10 noviembre - **Comida** *(cerrado miércoles)* 2200 - 700 - **24 hab** 6500/10000 - PA 3900.

Barcarola, platja de Sant Pol 82 09 82, Fax 82 01 97, -
Comida carta 2800 a 3500.

Alicia - Can Joan, carret. de Castell d'Aro 47, 17220 San Feliú de Guixols, 32 48 99, Pescados y mariscos - . E VISA.
cerrado domingo noche, lunes y diciembre - **Comida** carta 3250 a 6050.

SAGUNTO **o** **SAGUNT** **46500** Valencia 445 M 29 - 55 957 h. alt. 45 - 96.
pl. Cronista Chabret 266 22 13, Fax 265 05 63.
◆Madrid 350 - Castellón de la Plana/Castelló de la Plana 40 - Teruel 120 - ◆Valencia 25.

Azahar sin rest, av. País Valencià 8 266 33 68, Fax 265 01 75 - . AE E VISA.
500 - **25 hab** 4800/6900.

L'Armeler, subida del Castillo 44 266 43 82, - . AE E VISA JCB
cerrado domingo noche y lunes salvo (julio-septiembre) - **Comida** carta 2950 a 4250.

en el puerto E : 6 km - 46520 Puerto de Sagunto - 96 :

Teide, av. 9 de Octubre 53 267 22 44, Fax 267 57 85 - . AE E VISA.
Comida 1300 - 450 - **23 hab** 3300/6500 - PA 2800.

El Bergantín sin rest, pl. del Sol 268 03 59, Fax 267 33 23 - . E VISA.
Comida *(cerrado domingo)* 1200 - 350 - **27 hab** 2200/4900 - PA 2350.

Violeta, av. 9 de Octubre 40 267 00 03 - .

El Almirez, Cataluña 7 268 00 30 - . E VISA
cerrado lunes y del 10 al 30 de enero - **Comida** carta 3400 a 4000.

en la playa de Corinto NE : 12 km - ✉ 46500 Sagunto - ☎ 96 :

XX **Coll Verd de Corinto,** av. Danesa 43-E ☎ 260 91 04, Fax 260 89 70, ⛱ - ▤. ⓘ E VISA. ✗
cerrado lunes (salvo festivos) y 15 enero-15 febrero - **Comida** carta 2600 a 3300.

SAHAGÚN 24320 León 441 E 14 - 3 351 h. alt. 816 - ☎ 987.
♦ Madrid 298 - ♦ León 66 - ♦ Palencia 63 - ♦ Valladolid 110.

La Codorniz, av. de la Constitución 93 ☎ 78 02 76, Fax 78 01 86 - ▤ rest TV ☎ 🚗 - 🏛 25/60. AE E VISA. ✗
Comida 1400 - ☕ 500 - **26 hab** 3500/4500.

Alfonso VI, Antonio Nicolás 6 ☎ 78 11 44, Fax 78 12 58 - AE ⓘ E VISA. ✗
cerrado 20 diciembre-15 enero - **Comida** *(cerrado domingo de octubre-junio)* 900 - ☕ 300 - **10 hab** 3000/4200 - PA 1785.

SALAMANCA 37000 P 441 J 12 y 13 - 186 322 h. alt. 800 - ☎ 923.
Ver : El centro monumental★★★ : Plaza Mayor★★★ ABY, Casa de las Conchas★ AY, Patio de las Escuelas★★★ (fachada de la Universidad★★★) AZ **U** - Escuelas Menores (patio★, cielo de Salamanca★) - Catedral Nueva★★ (fachada occidental★★) AZ **A** - Catedral Vieja★★ (retablo mayor★★, sepulcro★★ del obispo Anaya) AZ **B** - Convento de San Esteban★ (fachada★, medallones del claustro★) BZ - Convento de las Dueñas (claustro★★) BZ **F** - Palacio de Fonseca (patio★) ABY **D** - Otras curiosidades : Iglesia de la Purísima Concepción (retablo de la Inmaculada Concepción★) AY **P** - Convento de las Úrsulas (sepulcro★) AY **X**, Colegio Fonseca (capilla★, patio★) AY **E**.

ℹ Gran Vía 41, ✉ 37001, ☎ 26 85 71 pl. Mayor 10, ✉ 37002, ☎ 21 83 42 - R.A.C.E. España 6, ✉ 37001, ☎ 21 29 25.

♦Madrid 205 ② - Ávila 98 ② - ♦Cáceres 217 ③ - ♦Valladolid 115 ① - Zamora 62 ⑤.

Plano página siguiente

Parador de Salamanca, Teso de la Feria 2, ✉ 37008, ☎ 26 87 00, Telex 23585, Fax 21 54 38, ←, 🏊, 🌳, 🎾 - |‡| ▤ TV ☎ 🚗 P - 🏛 25/220. AE ⓘ E VISA. ✗ — AZ **a**
Comida 3500 - ☕ 1200 - **108 hab** 14000 - PA 6970.

NH Palacio de Castellanos, San Pablo 58, ✉ 37001, ☎ 26 18 18, Fax 26 18 19, ⛱ - |‡| ▤ TV ☎ 🚗 - 🏛 25/200. AE ⓘ E VISA. ✗ — ABZ **r**
Comida 3000 - ☕ 1100 - **63 hab** 13200/17900.

Gran Hotel y Rest. Feudal, pl. Poeta Iglesias 3, ✉ 37001, ☎ 21 35 00, Telex 26809, Fax 21 35 00 - |‡| ▤ TV ☎ - 🏛 25/600. AE ⓘ E VISA. ✗ rest — BY **r**
Comida carta aprox. 4400 - ☕ 1250 - **136 hab** 14000/18500, 4 suites.

Rector sin rest, Rector Esperabé 10, ✉ 37008, ☎ 21 84 82, Fax 21 40 08 - |‡| ▤ TV ☎ 🚗. AE ⓘ E VISA. ✗ — AZ **e**
☕ 950 - **14 hab** 12000/16000.

Monterrey y Rest. El Fogón, Azafranal 21, ✉ 37001, ☎ 21 44 00, Telex 27836, Fax 21 44 00 - |‡| ▤ TV ☎ - 🏛 25/250. AE ⓘ E VISA. ✗ — BY **u**
Comida carta aprox. 4800 - ☕ 1100 - **89 hab** 12900/17500.

Sol Salamanca sin rest, Álava 8, ✉ 37001, ☎ 26 11 11, Fax 26 24 29 - |‡| ▤ TV ☎ 🚗 - 🏛 25/60. AE ⓘ E VISA. ✗ — BYZ **f**
☕ 950 - **59 hab** 10500/13125, 4 suites.

San Polo, Arroyo de Santo Domingo 1, ✉ 37008, ☎ 21 11 77, Fax 21 11 77 - |‡| ▤ TV ☎. AE ⓘ E VISA — AY **n**
Comida 1500 - ☕ 750 - **37 hab** 8300/12300.

Las Torres, Concejo 4, ✉ 37002, ☎ 21 21 00, Fax 21 21 01 - |‡| ▤ TV ☎. AE ⓘ E VISA. ✗ — BY **e**
Comida 2000 - ☕ 900 - **44 hab** 9000/12000 - PA 3900.

Rona Dalba sin rest, pl. San Juan Bautista 12, ✉ 37002, ☎ 26 32 32, Fax 26 32 32 - |‡| ▤ TV ☎ - 🏛 25/90. AE ⓘ E VISA — AZ **a**
☕ 850 - **89 hab** 6000/10000.

Castellano III sin rest, con cafetería, San Francisco Javier 2, ✉ 37003, ☎ 26 16 11, Telex 48097, Fax 26 67 41 - |‡| ▤ TV ☎ 🚗 - 🏛 25/35. AE ⓘ E VISA. ✗ — BY **z**
☕ 900 - **73 hab** 9500/12500.

Condal sin rest, con cafetería, pl. Santa Eulalia 3, ✉ 37002, ☎ 21 84 00, Fax 21 84 00 - |‡| TV ☎. AE E VISA. ✗ — BY **v**
☕ 550 - **70 hab** 5500/8500.

Don Juan sin rest, Quintana 6, ✉ 37001, ☎ 26 14 73, Fax 26 24 75 - |‡| ▤ TV ☎. E VISA. ✗ — ABY **s**
☕ 550 - **16 hab** 6500/9000.

Amefa sin rest y sin ☕, Pozo Amarillo 18, ✉ 37002, ☎ 21 81 89, Fax 26 02 00 - |‡| ▤ TV ☎. AE E VISA — BY **t**
33 hab 5500/7975.

El Toboso sin rest, Clavel 7, ✉ 37001, ☎ 27 14 64, Fax 27 14 64 - |‡| TV ☎. AE E VISA — BY **x**
☕ 400 - **30 hab** 4200/6000, 7 apartamentos.

SALAMANCA

Azafranal .... BY 8
Mayor (Pl.) .... BY
Toro .... BY
Zamora .... BY

Anaya .... AZ 2
Álvaro Gil .... BY 4
Ángel (Pl.) .... BY 7
Balmes .... AZ 10
Bordadores .... AY 12
Cervantes .... AY 14
Campanía .... AY 17
Comuneros (Av. de los) ... BY 18
Concilio de Trento .... BZ 21
Condes de Crespo Rascón . AY 22
Desengaño (Paseo) ...... AZ 25
Dr. Torres Villarroel
(Paseo del) .... BY 27
Enrique Estevan (Puente) .. AZ 28
Estación (Paseo de la) .... BY 31
Fray Luis de Granada ..... AY 32
Federico Anaya (Av. de) ... BY 34
Juan de la Fuente .... BZ 37
Libertad (Pl. de la) ...... ABY 39
Libreros .... AZ 40
María Auxiliadora .... BY 42
Marquesa de Almanza .... BZ 43
Mateo Hernández (Av.) ... AY 44
Meléndez .... AY 45
Obispo Jarrín .... BY 46
Padilla .... BY 48
Palominos .... AZ 50
Patio Chico .... AZ 51
Pedro Mendoza .... BY 53
Peña de Francia .... AY 54
Pozo Amarillo .... BY 58
Prior .... AY 59
Ramón y Cajal .... AY 61
Reyes de España (Av.) .... AZ 63
San Justo .... BY 71
Santa Eulalia (Pl.) .... BY 72
Sánchez Fabres (Puente) .. AZ 74
Sancti Spiritus (Cuesta) ... BY 75
Sorias .... AY 77
Tostado .... AZ 79

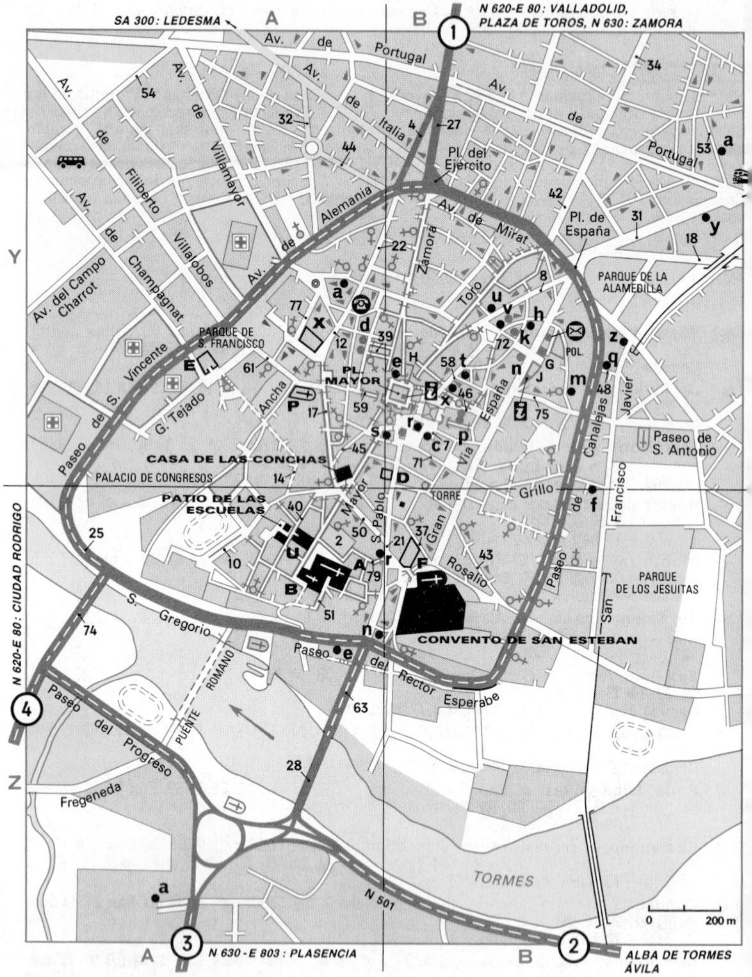

Un consejo Michelin :

Para que sus viajes sean un éxito, prepárelos de antemano.
Los mapas y las guías Michelin le proporcionan todas las indicaciones útiles sobre : itinerarios, visitas de curiosidades, alojamiento, precios, etc.

Reyes Católicos sin rest, paseo de la Estación 32, ✉ 37004, ✆ 24 10 64, Fax 24 10 64 - 🛗 ▤ TV ☎ 🚗. 🚫 BY **y**
☕ 450 - **33 hab** 3900/5400.

Gran Vía sin rest, con cafetería, Rosa 4, ✉ 37001, ✆ 21 54 01, Fax 21 09 54 - 🛗 TV ☎ BY **h**
47 hab.

Le Petit Hotel sin rest y sin ☕, ronda Sancti Spíritus 39, ✉ 37001, ✆ 26 55 76 - ▤ TV ☎. VISA BY **m**
15 hab 3700/5800.

Milán sin rest, pl. del Ángel 5, ✉ 37001, ✆ 21 75 18, Fax 21 96 97 - 🛗 TV ☎. E VISA. 🚫
☕ 350 - **25 hab** 3500/5250. BY **c**

París sin rest, Padilla 1, ✉ 37001, ✆ 26 29 70, Fax 26 09 91 - TV ☎. E VISA. 🚫 BY **q**
☕ 350 - **13 hab** 3800/5000.

Castellano II sin rest, Pedro Mendoza 36, ✉ 37003, ✆ 24 28 12, Telex 48097, Fax 26 67 41 - TV 🚗. 🚫 BY **a**
☕ 600 - **29 hab** 6500/8500.

XX ✿ **Chez Víctor,** Espoz y Mina 26, ✉ 37002, ✆ 21 31 23, Fax 21 76 99 - ▤. AE ⦿ E VISA JCB ABY **d**
cerrado domingo noche, lunes y agosto - **Comida** carta 3900 a 5450
Espec. Torta de caracoles y espinacas a los tres quesos, Salsichón de ave con compota de frutas y verduras al curry, Tarrina de cassis con coulis de manzana.

XX **Chapeau,** Gran Vía 20, ✉ 37001, ✆ 27 18 33 - ▤. AE ⦿ E VISA. 🚫 BY **n**
cerrado domingo noche - **Comida** carta 3300 a 4600.

XX **Albatros,** Obispo Jarrín 10, ✉ 37001, ✆ 26 93 87 - ▤. AE ⦿ E VISA JCB. 🚫 BY **p**
Comida carta 2800 a 4350.

XX **La Posada,** Aire 1, ✉ 37001, ✆ 21 72 51 - ▤. AE ⦿ E VISA. 🚫 BY **k**
cerrado del 1 al 15 de agosto - **Comida** carta 3200 a 3400.

XX **El Botón Charro,** Hovohambre 6, ✉ 37001, ✆ 21 64 62 - ▤. AE ⦿ E VISA. 🚫 BY **p**
cerrado domingo noche - **Comida** carta 3000 a 4000.

X **Le Sablon,** Espoz y Mina 20, ✉ 37002, ✆ 26 29 52 - ▤. AE ⦿ E VISA. 🚫 ABY **d**
cerrado martes y julio - **Comida** carta 3000 a 3900.

X **Río de la Plata,** pl. del Peso 1, ✉ 37001, ✆ 21 90 05 - ▤. E VISA. 🚫 BY **r**
cerrado lunes y julio - **Comida** carta 3100 a 4600.

X **Asador Arandino,** Azucena 5, ✉ 37001, ✆ 21 73 82 - ▤. AE E VISA. 🚫 BY **v**
cerrado lunes y 2ª quincena de julio - **Comida** carta 3350 a 4850.

en la carretera N 630 por ⑤ : 3 km - ✉ 37184 Villares de la Reina - ☎ 923 :

Helmántico, ✆ 22 12 20, Fax 24 53 41 - 🛗 ▤ TV ☎ 🚗 P. AE ⦿ E VISA. 🚫
Comida 1900 - ☕ 925 - **55 hab** 7600/11500.

Moderno, ✆ 12 03 68, Fax 12 14 39 - ▤ TV ☎ 🚗 P. AE E VISA. 🚫
Comida 1200 - ☕ 500 - **19 hab** 5500/7500 - PA 2465.

Ver también : ***Santa Marta de Tormes*** por ② : 6 km

SALARDÚ

25598 Lérida 443 D 32 alt. 1 267 - ☎ 973 - Deportes de invierno en Baqueira Beret E : 6 km : ⛷11.

ℹ Balmes 2, ✆ 64 50 30.

♦Madrid 611 - ♦Lérida/Lleida 172 - Viella 9.

Petit Lacreu sin rest, carret. de Viella ✆ 64 41 42, Fax 64 42 43, ≤, ⛱ climatizada, 🌳 - 🛗 TV ☎ P. E VISA. 🚫
cerrado mayo-junio y octubre-noviembre - ☕ 900 - **30 hab** 6000/9000.

Lacreu, carret. de Viella ✆ 64 42 22, Fax 64 42 43, ≤, ⛱ climatizada, 🌳 - 🛗 TV ☎ P. E VISA. 🚫
cerrado mayo-junio y octubre-noviembre - **Comida** 2000 - ☕ 600 - **70 hab** 4000/6400.

Garona, ✆ 64 50 10, Fax 64 40 26, ≤ - 🛗 TV ☎ 🚗. E VISA. 🚫
julio-septiembre y diciembre-abril - **Comida** 1850 - ☕ 600 - **28 hab** 3500/5600.

Deth Païs 🐚, pl. de la Pica ✆ 64 58 36, Fax 64 45 00, ≤ - 🛗 TV ☎ P. E VISA. 🚫
julio-septiembre y diciembre-5 mayo - **Comida** 1500 - ☕ 550 - **18 hab** 4300/8000.

en Bagergue N : 2 km - ✉ 25598 Salardú - ☎ 973 :

X **Casa Perú,** Sant Antoni 6 ✆ 64 54 37, Fax 64 54 37 - 🚫
cerrado mayo-junio y octubre-noviembre - **Comida** carta 2650 a 3050.

en Tredós por la carretera del Port de la Bonaigua - ✉ 25598 Salardú - ☎ 973 :

De Tredós 🐚, E : 1,4 km ✆ 64 40 14, Fax 64 43 00, ≤ - 🛗 TV ☎ ♿ P. E VISA. 🚫
diciembre-abril y julio-septiembre - **Comida** (sólo cena) 2500 - ☕ 900 - **37 hab** 10200/12800.

Orri 🐚, E : 1,2 km ✆ 64 60 86, Fax 64 07 54 - 🛗 TV ☎ P. AE VISA. 🚫
diciembre - mayo y julio - octubre - **Comida** 1900 - **30 hab** ☕ 9000/18000 - PA 3825.

en Baqueira - por la carretera del Port de la Bonaigua E : 4 km – ✉ 25598 Salardú – ☎ 973 :

Montarto y Rest. La Perdiu Blanca, ☎ 64 44 44, Telex 57707, Fax 64 52 00, ≤ alta montaña, climatizada, – *temp.* – **166 hab.**

Tuc Blanc, ☎ 64 43 50, Fax 64 60 08 – 25/250. AE E VISA. *cerrado mayo-junio y octubre-noviembre* – **Comida** 2475 – 1000 – **165 hab** 10600/16500 – PA 5050.

Val de Ruda sin rest, ☎ 64 52 58, Fax 64 58 11, ≤, Decoración típica aranesa – JCB *temp.* – **34 hab.**

SALAS DE LOS INFANTES 09600 Burgos 442 F 20 – 2 064 h. – ☎ 947.

♦Madrid 230 – Aranda de Duero 69 – ♦Burgos 53 – ♦Logroño 118 – Soria 92.

Moreno, Filomena Huerta 5 ☎ 38 01 35 – E VISA. *cerrado 15 enero-15 febrero* – **Comida** *(cerrado lunes)* 1300 – 300 – **15 hab** 3200/3900.

SALDAÑA 34100 Palencia 442 E 15 – 3 100 h. – ☎ 979.

♦Madrid 291 – ♦Burgos 92 – ♦León 101 – Palencia 65.

Dipo's, carret. de Relea N : 1,5 km ☎ 89 01 44, Fax 89 05 50, ≤, – VISA. **Comida** 1500 – 400 – **40 hab** 3400/5400.

Europe

Si le nom d'un hôtel figure en petits caractères demandez, à l'arrivée, les conditions à l'hôtelier.

El SALER 46012 Valencia 445 N 29 – ☎ 96 – Playa.

18 El Saler, Parador Luis Vives S : 7 km ☎ 161 11 86.

♦Madrid 356 – Gandía 55 – ♦Valencia 8.

al Sur :

Sidi Saler, playa : 3 km ☎ 161 04 11, Telex 64208, Fax 161 08 38, ≤, – 25/300. AE E VISA. rest **Comida** carta 3000 a 4600 – 1450 – **260 hab** 15200/21500, 16 suites.

Parador de El Saler, 7 km ☎ 161 11 86, Fax 162 70 16, ≤, « En el centro de un campo de golf », 18 – 25/60. AE E VISA. **Comida** 3500 – 1200 – **58 hab** 16000 – PA 6970.

SALINAS 33400 Asturias 441 B 12 – ☎ 98.

Ver : Desde la Peñona perspectiva★ de la playa.

♦ Madrid 488 – Avilés 5 – Gijón 24 – ♦ Oviedo 37.

El Pinar, Pablo Laloux, 15 ☎ 550 18 22, Fax 550 06 61, ≤ – **17 hab.**

XXX **Real Balneario,** Juan Sitges 3 ☎ 551 86 13, ≤, – AE E VISA. **Comida** carta 3900 a 5900.

X **Las Conchas,** Pablo Laloux - edificio Espartal ☎ 550 14 45, ≤, – AE E VISA *cerrado lunes y octubre* – **Comida** carta 3600 a 4800.

X **Piemonte,** Príncipe de Asturias 71 ☎ 550 00 25, – AE E VISA. *cerrado miércoles* – **Comida** carta aprox. 3125.

SALINAS DE LENIZ o **LEINTZ-GATZAGA** 20530 Guipúzcoa 442 D 22 – 188 h. – ☎ 943.

♦Madrid 377 – ♦Bilbao/Bilbo 66 – ♦San Sebastián/Donostia 83 – Vitoria/Gasteiz 22.

en el puerto de Arlabán - carretera C 6213 SO : 3 km – ✉ 20530 Salinas de Leniz – ☎ 943 :

XX **Gure Ametsa** con hab, ☎ 71 49 52, Fax 71 49 52 – rest . AE E VISA. *cerrado del 10 al 30 agosto* – **Comida** *(cerrado lunes noche)* carta 2850 a 3400 – 450 – **5 hab** 3750/4500.

SALINAS DE SIN 22365 Huesca 443 E 30 alt. 725 – ☎ 974.

♦Madrid 541 – Huesca 146.

X **Mesón de Salinas** con hab, cruce carret. de Bielsa ☎ 50 51 71 – rest . AE E VISA. *cerrado del 1 al 27 de diciembre* – **Comida** carta 1930 a 2950 – 500 – **16 hab** 2300/4000.

SALOBREÑA 18680 Granada 446 V 19 - 9 220 h. alt. 100 - ☎ 958 - Playa.

Los Moriscos, SE : 5 km ✆ 60 04 12.

♦Madrid 499 - Almería 119 - ♦Granada 70 - ♦Málaga 102.

en la carretera de Málaga - ✉ 18680 Salobreña - ☎ 958 :

Salobreña ⛰, O : 4 km ✆ 61 02 61, Fax 61 01 01, ≤ mar y costa, 🏖, 🏊, 🎾 - 🛗 📺 ☎ 🅿 - 🏛 25/400. AE ⓓ E VISA. ✗ rest
Comida 1950 - ☕ 580 - **130 hab** 5780/8040, 1 suite.

Salambina, O : 1 km ✆ 61 00 37, Fax 61 13 28, ≤ plantaciones de cañas y mar, 🏖 - ▤ rest ☎ 🅿. AE ⓓ E VISA. ✗
Comida 1750 - ☕ 470 - **14 hab** 3700/5390 - PA 3175.

SALOU 43840 Tarragona 443 I 33 - 8 236 h. - ☎ 977 - Playa.

ℹ Montblanc 1, ✆ 38 01 36, Fax 38 07 47.

♦Madrid 556 - ♦Lérida/Lleida 99 - Tarragona 10.

Regente Aragón y Rest. Regente, Llevant 5 ✆ 35 20 02, Fax 35 20 03, 🏊 - 🛗 ▤ 📺 ☎ 🚗. AE ⓓ E VISA. ✗
Comida carta 2500 a 3900 - ☕ 1000 - **60 hab** 8900/12600.

Caspel, Alfons V 9 ✆ 38 02 07, Fax 35 01 75, 🏊, 🏊 - 🛗 ▤ 📺 ☎ - 🏛 25/170. AE ⓓ E VISA. ✗
Comida 1500 - ☕ 750 - **95 hab** 7200/8650.

Casablanca Playa, passeig Miramar 12 ✆ 38 01 07, Fax 35 01 17, ≤, 🏊 - 🛗 ▤ 📺 ☎ ♿ 🚗. AE E VISA. ✗
Comida 1250 - **63 hab** ☕ 8050/11100 - PA 2560.

Planas, pl. Bonet 3 ✆ 38 01 08, Fax 38 05 33, ≤, « Terraza con arbolado » - 🛗 ▤ rest 📺 ☎. E VISA. ✗
15 abril-1 octubre - **Comida** 1700 - ☕ 575 - **100 hab** 3800/6900 - PA 2600.

Albatros, Brusel-les 60 ✆ 38 50 70, Fax 38 50 70, 🏖 - ▤. AE ⓓ E VISA
cerrado domingo noche, lunes y del 1 al 15 de enero - **Comida** carta aprox. 4350.

Casa Font, Colóm 17 ✆ 38 57 45, Fax 38 24 36, ≤ - ▤. AE ⓓ E VISA
cerrado Navidades - **Comida** carta 2900 a 4050.

La Goleta, Gavina - playa Capellans ✆ 38 35 66, ≤, 🏖 - ▤ 🅿. AE ⓓ E VISA. ✗
Comida carta 2750 a 5200.

Can Felip, vía Augusta 19 ✆ 38 55 55, 🏖, Pescados y mariscos - ▤. E VISA. ✗
cerrado lunes y 20 diciembre-15 enero - **Comida** carta 2925 a 4950.

en la playa de la Pineda E : 7 km - ✉ 43840 Salou - ☎ 977 :

Carabela Roc sin rest, con cafetería, Pau Casals 108 ✆ 37 01 66, Fax 37 07 62, ≤, « Terraza bajo los pinos » - 🛗 🅿. AE ⓓ E VISA
Semana Santa-octubre - **96 hab** ☕ 4365/7900.

SALT 17190 Gerona 443 G 38 - 21 939 h. alt. 86 - ☎ 972.

♦ Madrid 695 - ♦ Gerona/Girona 3 - Palafrugell 40 - Palamós 46.

Vilanova, passeig Marqués de Camps 51 ✆ 23 30 26 - ▤. AE ⓓ E VISA. ✗
cerrado domingo, Semana Santa y tres semanas en agosto - **Comida** carta 2100 a 3160.

SALLENT DE GÁLLEGO 22640 Huesca 443 D 29 - 1 823 h. alt. 1 305 - ☎ 974 - Deportes de invierno en El Formigal ⛷4.

♦Madrid 485 - Huesca 90 - Jaca 52 - Pau 78.

Garmo Blanco, ✆ 48 82 19, ≤ - E VISA. ✗
cerrado noviembre - **Comida** carta aprox. 3250.

en El Formigal NO : 4 km alt. 1 480 - ✉ 22640 El Formigal - ☎ 974 :

Formigal ⛰, ✆ 49 00 30, Telex 58885, Fax 48 82 67, ≤ alta montaña, 🏋 - 🛗 📺 ☎ 🚗 🅿 - 🏛 25/120. AE ⓓ E VISA. ✗ rest
diciembre-15 octubre - **Comida** 2500 - ☕ 900 - **125 hab** 7000/10500 - PA 5000.

Villa de Sallent ⛰, ✆ 48 83 11, Fax 48 81 34, ≤ alta montaña - 🛗 📺 ☎ 🚗. AE ⓓ E VISA. ✗
Comida 2000 - ☕ 900 - **40 hab** 8000/12000 - PA 3920.

Eguzki-Lore ⛰, ✆ 48 80 75, Fax 48 80 68, ≤ alta montaña
temp. - **32 hab.**

SAMIEIRA 36992 Pontevedra 441 E 3 - ☎ 986.

♦Madrid 616 - Pontevedra 12 - Santiago de Compostela 69 - ♦Vigo 38.

Covelo, carret. de La Toja ✆ 74 11 21, Fax 74 15 20, ≤, 🏊 - 🛗 📺 ☎ 🅿
temp. - **53 hab.**

Covelmar, carret de La Toja ✆ 74 10 00, Fax 74 10 98 - 🛗 📺 ☎ 🚗
temp. - **65 hab.**

SAMIL (Playa de) Pontevedra – ver Vigo.

SAN ADRIÁN 31570 Navarra 442 E 24 – 4 998 h. – 948.
◆Madrid 324 – ◆Logroño 56 – ◆Pamplona/Iruñea 74 – ◆Zaragoza 131.

Ochoa, Delicias 3 67 08 26 – VISA.
Comida *(cerrado 15 días en septiembre)* 1000 – 400 – **15 hab** 2000/3500.

XX **Ríos,** av. Celso Muerza 18 69 60 87, Fax 67 05 95 – . AE VISA
cerrado domingo y del 1 al 15 de agosto – **Comida** carta 2500 a 4100.

SAN AGUSTÍN (Playa de) Las Palmas – ver Canarias (Gran Canaria) : Maspalomas.

SAN AGUSTÍN Palma de Mallorca – ver Baleares (Mallorca) : Palma de Mallorca.

SAN AGUSTÍN Palma de Mallorca – ver Baleares : Ibiza.

SAN AGUSTÍN DEL GUADALIX 28750 Madrid 444 J 19 – 3 133 h. alt. 648 – 91.
◆Madrid 35 – Aranda de Duero 128.

El Figón de Raúl, av. de Madrid 19 841 90 11, Fax 841 90 50 – TV . AE E VISA.
Comida 1500 – 300 – **16 hab** 6500/8000 – PA 3500.

XX **Araceli,** av. de Madrid 10 841 85 31, Fax 841 90 50, – . AE E VISA
Comida carta 4090 a 4890.

SAN ANDRÉS Santa Cruz de Tenerife – ver Canarias (Tenerife).

SAN ANDRÉS DE LLAVANERAS o **SANT ANDREU DE LLAVANERES** 08392 Barcelona 443 M 37 – 4 182 h. alt. 114 – 93.
de Llavaneras O : 8 km 792 60 50.
◆Madrid 666 – ◆Barcelona 33 – Gerona/Girona 67.

XX **La Bodega,** av. Sant Andreu 6 792 67 79, Fax 795 28 64, – . AE VISA.
cerrado lunes – **Comida** carta 3500 a 4650.

SAN ANDRÉS DEL RABANEDO 24191 León 441 E 13 – 21 643 h. alt. 825 – 987.
◆Madrid 331 – ◆Burgos 196 – ◆León 4 – Palencia 132.

X **Casa Teo,** Corpus Christi 203 22 30 05,
cerrado domingo noche, lunes y marzo – **Comida** carta 1500 a 3700.

SAN ANTONIO DE CALONGE o **SANT ANTONI DE CALONGE** 17252 Gerona 443 G 39 – 972 – Playa.
av. Catalunya, 65 17 14, Fax 66 10 80.
◆Madrid 717 – ◆Barcelona 107 – Gerona/Girona 47.

Rosa dels Vents, passeig de Mar 65 13 11, Fax 65 06 97, ←, – . E VISA. rest
abril-septiembre – **Comida** 1500 – 700 – **48 hab** 7000/10000.

Rosamar, passeig Josep Mundet 43 65 05 48, Fax 65 21 61, ← – rest TV . AE E VISA.
Semana Santa-octubre – **Comida** 1750 – **50 hab** 9000/12800 – PA 3600.

Reymar, Torre Valentina 65 22 11, Telex 50077, Fax 65 12 13, ←, , – . E VISA. rest
junio-septiembre – **Comida** 1550 – 600 – **49 hab** 6500/9400.

XX **Costa Brava** con hab, av. Catalunya 28 65 10 61 – rest . AE E VISA
cerrado noviembre – **Comida** carta 1975 a 4250 – 500 – **7 hab** 6000.

XX **Refugi de Pescadors,** passeig Josep Mundet 55 65 06 64, , Imitación del interior de un barco. Pescados y mariscos – . AE E VISA.
Comida carta 2925 a 4150.

SAN ANTONIO DE PORTMANY Palma de Mallorca – ver Baleares (Ibiza).

SAN BAUDILIO DE LLOBREGAT o **SANT BOI DE LLOBREGAT** 08830 Barcelona 443 H 36 – 77 894 h. – 93.
◆Madrid 626 – ◆Barcelona 11 – Tarragona 83.

El Castell , Castell 1 640 07 00, Fax 640 07 04, – rest TV – 25/100. AE E VISA
Comida 1300 – **43 hab** 5000/8000 – PA 2600.

SAN CARLOS DE LA RÁPITA o **SANT CARLES DE LA RÁPITA** 43540 Tarragona 443 K 31 - 10 574 h. - 977.

pl. Carles III-13, 74 01 00, Fax 74 43 87.

◆Madrid 505 - Castellón de la Plana/Castelló de la Plana 91 - Tarragona 90 - Tortosa 29.

La Rápita, pl. Lluís Companys 74 15 07, Fax 74 19 54, - rest - 25/50. E VISA.
Semana Santa-octubre - **Comida** (sólo buffet) 1400 - 500 - **232 apartamentos** 9860 - PA 2450.

Miami Park, av. Constitució 33 74 03 51, Fax 74 11 66 - . AE E VISA
abril-octubre - **Comida** (ver rest. ***Miami***) - 600 - **80 hab** 3750/6900.

Llansola, Sant Isidre 98 74 04 03, Fax 74 04 03 - rest . E VISA.
cerrado enero - **Comida** *(cerrado domingo noche y lunes mediodía)* 1350 - 475 - **18 hab** 3500/6500 - PA 2700.

Plaça Vella y Rest. L'Áncora, Arsenal 31 74 24 96, Fax 74 43 97 - rest
21 hab.

Juanito Platja, passeig Marítim 74 04 62, Fax 74 27 57, <, - . E VISA. rest
abril-septiembre - **Comida** 1700 - 400 - **35 hab** 3800/6000 - PA 3000.

Varadero, av. Constitució 1 74 10 01, , Pescados y mariscos - . AE E VISA
cerrado lunes y 15 diciembre-20 enero - **Comida** carta 3400 a 5000.

Miami, av. Constitució 37 74 05 51, Fax 74 11 66, Pescados y mariscos - . AE E VISA
cerrado por la noche de domingo a jueves (en invierno) - **Comida** carta 2600 a 3900.

Can Víctor, Vista Alegre 8 74 29 05, Fax 74 53 30, , Pescados y mariscos - . AE E VISA.
Comida carta 3000 a 3875.

Casa Ramón, Pou de les Figueretes 7 74 14 58, Fax 74 53 30, Pescados y mariscos - . AE E VISA. - **Comida** carta 3000 a 3875.

Brasseria Elena, pl. Lluís Companys 1 74 29 68, , Carnes a la brasa - AE E VISA.
cerrado martes en invierno y del 14 al 30 de octubre - **Comida** carta 1300 a 2725.

Can Batiste con hab, Sant Isidre 204 74 23 08 - rest . E VISA.
Comida carta 1650 a 3050 - 400 - **10 hab** 3000/6000.

SAN CELONI o **SANT CELONI** 08470 Barcelona 443 G 37 - 11 937 h. alt. 152 - 93.

Alred. : NO : Sierra de Montseny★ : itinerario★★ de San Celoni a Santa Fé - Carretera★ de San Celoni a Tona por Montseny.

◆Madrid 662 - ◆Barcelona 49 - Gerona/Girona 57.

Suis sin rest, Major 152 867 00 02, Fax 867 43 43 - . E VISA.
650 - **30 hab** 4500/6800.

El Racó de Can Fabes, Sant Joan 6 867 28 51, Fax 867 38 61, Decoración rústica - . AE E VISA JCB
cerrado domingo noche, lunes, 30 enero- 13 febrero y 26 junio- 10 julio - **Comida** carta 7350 a 8150
Espec. Ragú de ris de veau con verduras al jugo de trufas, Salmón semicurado al aceite de especias, Fricassé de caracoles y calamares con tomate.

Can Botey, pl. de la Vila 22 867 37 90 - . AE E VISA JCB.
cerrado lunes noche, martes y del 1 al 15 de febrero - **Comida** carta 2700 a 3775.

Les Tines, passeig dels Esports 16 867 25 54, - .

en la carretera C 251 SO : 5,5 km - 08460 Santa María de Palautordera - 93 :

Palautordera, 848 94 51, Fax 848 94 51 - . E VISA.
cerrado lunes y 15 enero-1 febrero - **Comida** carta 2575 a 3700.

SAN CIBRIÁN 39110 Santander 442 B 18 - 942.

◆Madrid 388 - ◆Bilbao/Bilbo 86 - ◆Santander 12 - Torrelavega 15.

Château La Roca , José María Pereda 57 91 02, Fax 57 91 97 - rest . AE E VISA.
cerrado Navidades - **Comida** 1200 - 650 - **56 hab** 8300/12800 - PA 3050.

SAN COSME 33155 Asturias 441 B 11 - 98.

◆ Madrid 530 - Gijón 58 - Luarca 37 - ◆ Oviedo 71.

El Chisco , 559 73 21, Fax 559 72 65 - . E VISA.
cerrado 20 septiembre-20 octubre - **Comida** 800 - 300 - **22 hab** 4200/7000 - PA 1900.

SAN CUGAT DEL VALLÉS o **SANT CUGAT DEL VALLÈS** 08190 Barcelona 443 H 36 - 38 834 h. alt. 180 - 93.

Ver : Monasterio★.

18 de Sant Cugat 674 39 08.

◆Madrid 615 - ◆Barcelona 18 - Sabadell 9.

al Noroeste : 3 km

🏨 **Novotel Barcelona-Sant Cugat** 🐦, pl. Xavier Cugat, ✉ apartado 122, ✆ 589 41 41, Fax 589 30 31, ≤, 🌂, 🏊 - |◆| ▤ TV ☎ ♿ 🚗 Ⓟ - 🏛 25/300. AE ⓓ E VISA
Comida 1950 - ☕ 1250 - **146 hab** 11550/14450, 4 suites.

en Valldoreix SO : 3,5 km - ✉ 08190 Valldoreix - ✆ 93 :

🏨 **La Reserva,** rambla Mossèn Jacint Verdaguer 41 ✆ 589 21 21, Fax 674 21 00, ≤, « Antigua casa señorial », 🏊, 🌳 - |◆| ▤ TV ☎ 🚗. AE ⓓ E VISA. ✂
cerrado 30 julio-27 agosto - **Comida** carta 3200 a 4250 - ☕ 1000 - **16 hab** 18000/21600.

por la carretera de Rubí y desvío a la izquierda O : 3,5 km - ✉ 08190 Sant Cugat del Vallés - ✆ 93 :

✗ **Can Ametller,** junto a la autopista A7 ✆ 674 91 51, Fax 674 58 55, 🌂 - ▤ Ⓟ. AE ⓓ E VISA. ✂
cerrado domingo noche, lunes (salvo festivos), del 15 al 30 de enero y del 1 al 7 de agosto - **Comida** carta 2675 a 4250.

en la carretera de Barcelona SE : 6 km. - ✉ 08190 San Cugat del Vallés - ✆ 93 :

✗ **Can Cortés,** urbanización Can Cortés ✆ 674 17 04, Fax 675 27 07, ≤, 🌂, Enoteca de vinos y cavas catalanes, « Antigua masía », 🏊 - Ⓟ. AE ⓓ E VISA. ✂
cerrado domingo noche, lunes noche y del 16 al 27 de octubre - **Comida** carta 2750 a 3550.

SAN EMILIANO

24144 León 441 D 12 - 995 h. - ✆ 987.

♦Madrid 386 - ♦León 69 - ♦Oviedo 70 - Ponferrada 89.

🏠 **Asturias,** ✆ 59 41 50 - ✂ rest
Comida 1200 - ☕ 350 - **23 hab** 2200/3800 - PA 2200.

SAN ESTEBAN DE BAS o SANT ESTEVE D'EN BAS

17176 Gerona 443 F 37 - ✆ 972.

♦Madrid 692 - ♦Barcelona 122 - Gerona/Girona 48.

🏠 Sant Antoni, carret. C 152 ✆ 69 00 33, Fax 69 04 62, ≤, 🏊, 🎾 - ▤ rest Ⓟ - **35 hab.**

SAN FELIÚ DE GUIXOLS o SANT FELIU DE GUÍXOLS

17220 Gerona 443 G 39 - 16 088 h. - ✆ 972 - Playa.

Alred. : Recorrido en cornisa★★ de San Feliú de Guixols a Tossa de Mar (calas★) 23 km por ②.

ℹ pl. Monestir 54 ✆ 82 00 51, Fax 82 01 19.

♦Madrid 713 ③ - ♦Barcelona 100 ③ - Gerona/Girona 35 ③.

Plano página siguiente

🏨 **Curhotel Hipócrates** 🐦, carret. de Sant Pol 229 ✆ 32 06 62, Fax 32 38 04, ≤, Servicios terapéuticos y de cirugía estética, 🏋, 🏊 - |◆| TV ☎ Ⓟ - 🏛 25/180. VISA. ✂ — B c
15 marzo-10 diciembre - **Comida** 2000 - ☕ 850 - **84 hab** 8000/12000 - PA 4120.

🏨 **Plaça** sin rest, pl. Mercat 22 ✆ 32 51 55, Fax 82 13 21 - |◆| ▤ TV ☎. AE ⓓ E VISA. ✂
☕ 600 - **16 hab** 11000. — A f

🏠 **Turist H.,** Sant Ramón 45 ✆ 32 08 41, Fax 32 20 59 - |◆| 🚗. AE ⓓ E VISA. ✂ rest
12 abril-septiembre - **Comida** 1150 - ☕ 315 - **20 hab** 2600/5200 - PA 2250. — B k

✗✗ **Eldorado Petit,** rambla Vidal 23 ✆ 32 18 18, Fax 82 14 69 - ▤. AE ⓓ E VISA. ✂ — A q
cerrado miércoles (octubre-abril) y 20 días en noviembre - **Comida** carta 2800 a 5850.

✗✗ **Bahía,** passeig del Mar 18 ✆ 32 02 19, 🌂 - ▤. AE ⓓ E VISA — A r
Comida carta 3560 a 4850.

✗ **Montserrat - Can Salvi,** passeig del Mar 23 ✆ 32 10 13, 🌂 - AE ⓓ E VISA — A r
cerrado miércoles y 15 noviembre-15 diciembre - **Comida** carta 3700 a 4700.

✗ ✿ **Can Toni,** Sant Martiriá 29 ✆ 32 10 26 - ▤. AE ⓓ E VISA — A u
cerrado martes de octubre a mayo - **Comida** carta 3100 a 4200
Espec. Rollo de col y butifarra dulce con carajos, Setas con gambas y albóndigas de rape (temp), Medallón de conejo relleno de bogavante y fideos de mar.

✗ **Cau del Pescador,** Sant Domènec 11 ✆ 32 40 52, Pescados y mariscos - ▤. AE ⓓ E VISA. ✂ — A n
cerrado lunes en invierno y 7 enero-7 febrero - **Comida** carta 2600 a 5500.

✗ **Náutic,** puerto deportivo ✆ 32 06 63, ≤, 🌂 - ▤. AE E VISA. ✂ — B p
cerrado lunes de octubre a mayo (salvo festivos) del 1 al 15 de febrero y del 1al 15 de noviembre - **Comida** carta 2175 a 4425.

✗ **Amura,** pl. Sant Pere 7 ✆ 32 10 35, ≤, 🌂 - ▤. AE E VISA — A m
cerrado martes (octubre-mayo) - **Comida** carta 2775 a 3700.

✗ **L'Infern,** Sant Ramón 41 ✆ 32 03 01 - E VISA. ✂ — B k
cerrado domingo noche de octubre-mayo - **Comida** carta 2500 a 3750.

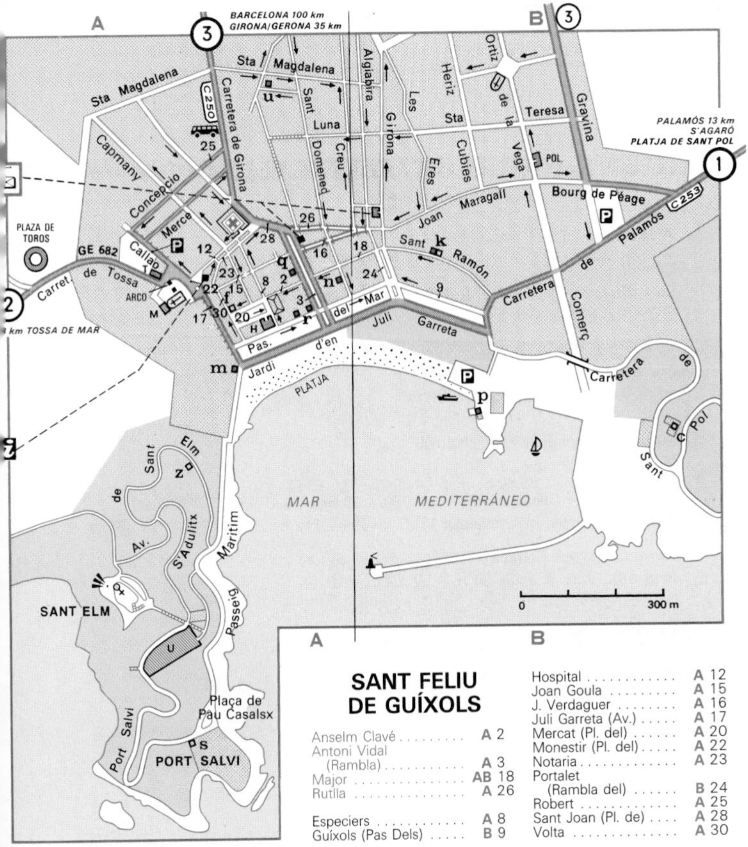

SANT FELIU DE GUÍXOLS

Anselm Clavé . . . . A 2
Antoni Vidal (Rambla) . . . . A 3
Major . . . . AB 18
Rutlla . . . . A 26
Especiers . . . . A 8
Guíxols (Pas Dels) . . . . . B 9
Hospital . . . . A 12
Joan Goula . . . . A 15
J. Verdaguer . . . . A 16
Juli Garreta (Av.) . . . . . A 17
Mercat (Pl. del) . . . . . . A 20
Monestir (Pl. del) . . . . . A 22
Notaria . . . . A 23
Portalet (Rambla del) . . . . . . B 24
Robert . . . . A 25
Sant Joan (Pl. de) . . . . A 28
Volta . . . . A 30

en Sant Elm – ✉ 17220 Sant Feliú de Guíxols – ☏ 972 :

🏨 **Montjoi** 🐎, ✆ 32 03 00, Fax 32 03 04, ⩽, 🏊 – |♦| 📺 ☎ ♿ 🅿. AE ⓓ E VISA. ✂ rest
marzo-15 noviembre y Navidades – **Comida** 2500 – ☕ 500 – **115 hab** 10000/15000 – PA 4000. A **z**

en Port Salvi – ✉ 17220 Sant Feliu de Guíxols – ☏ 972 :

🏨 Eden Roc 🐎, ✆ 32 01 00, Fax 82 17 05, ⩽, 🌴, « Agradables exteriores con terrazas, jardín y 🏊 » – |♦| ▤ rest ☎ 🅿 – 🏛 25/350 A **s**
temp. – **120 hab.**

SAN FERNANDO Palma de Mallorca – ver Baleares (Formentera).

SAN FERNANDO 11100 Cádiz 446 W 11 – 91 696 h. – ☏ 956 – Playa.
♦Madrid 634 – Algeciras 108 – ♦Cádiz 13 – ♦Sevilla 126.

🏨 **Bahía Sur,** Parque Comercial Bahía Sur ✆ 89 91 04, Fax 88 87 16, 🌴, 🏊 – |♦| ▤ 📺 ☎ 🅿 – 🏛 25/850. AE ⓓ E VISA
Comida *(cerrado domingo noche y lunes)* 2700 – ☕ 1025 – **100 hab** 8400/12000.

✗ **Venta de Vargas,** pl. Camarón de la Isla ✆ 88 16 22, Decoración regional – ▤. AE VISA. ✂
cerrado lunes y 2ª quincena noviembre – **Comida** carta 2000 a 3475.

SAN FERNANDO DE HENARES 28830 Madrid 444 L 20 - 25 477 h. - ☎ 91.
♦Madrid 17 - Guadalajara 40.

en la carretera de Mejorada del Campo SE : 3 km - ✉ 28529 Rivas-Vaciamadrid - ☎ 91 :

XXX **Palacio del Negralejo,** ✆ 669 11 25, Fax 672 54 55, « Instalación rústica en una antigua casa de campo señorial » - ▤ Ⓟ. AE ◑ E VISA. ✻
cerrado domingo noche y agosto - **Comida** carta 4350 a 6200.

SAN FRUCTUOSO DE BAGÉS o **SANT FRUITÒS DE BAGÉS** 08272 Barcelona 443 G 35 - 4 549 h. - ☎ 93.
♦Madrid 596 - ♦Barcelona 72 - Manresa 5.

Alfa Bagés y Rest. Gran Mercat ⛰, carret. de Vic E : 1,5 km ✆ 878 86 00, Fax 878 87 00 - |♦| ▤ TV ☎ Ⓟ - 25/180. AE ◑ E VISA. ✻ rest
Comida carta 2200 a 3200 - ☕ 950 - **55 hab** 9345/11445 - PA 4900.

XX **La Cuina,** carret. de Vic 73 ✆ 876 00 32 - ▤ Ⓟ. AE ◑ E VISA. ✻
cerrado martes - **Comida** carta 2500 a 4500.

SAN HILARIO SACALM o **SANT HILARI SACALM** 17403 Gerona 443 G 37 - 4 677 h. alt. 801 - ☎ 972 - Balneario.
ℹ carret. de Arbúcies, ✆ 86 88 26, (temp.).
♦Madrid 664 - ♦Barcelona 82 - Gerona/Girona 43 - Vich/Vic 36.

Suizo, pl. Verdaguer 8 ✆ 86 80 00 - |♦|
temp. - **39 hab.**

Ripoll, Vic 26 ✆ 86 80 25, Fax 86 80 26 - |♦|. E VISA. ✻
abril-octubre - **Comida** 1490 - ☕ 550 - **33 hab** 3200/4500 - PA 3000.

Torrás y Tarres, pl. Gravalosa 13 ✆ 86 80 96, Fax 87 22 34 - |♦| ▤ rest TV ☎. AE E VISA. ✻
cerrado enero - **Comida** 1700 - ☕ 575 - **48 hab** 3000/4845 - PA 3000.

Brugués, Valls 4 ✆ 86 80 18 - AE ◑ E VISA. ✻
julio-septiembre - **Comida** 1400 - ☕ 350 - **16 hab** 1800/3600 - PA 3150.

SAN ILDEFONSO Segovia - ver La Granja.

SAN JAVIER 30730 Murcia 445 S 27 - 15 277 h. alt. 27 - ☎ 968.
♦Madrid 440 - ♦Alicante/Alacant 76 - Cartagena 34 - ♦Murcia 45.

X **Moderno,** pl. García Alix ✆ 57 00 49, Fax 57 05 66 - ▤. AE E VISA. ✻
cerrado 2ª quincena de septiembre - **Comida** carta aprox. 4500.

SAN JOSÉ 04118 Almería 446 V 23 - ☎ 950 - Playa.
♦Madrid 590 - Almería 40.

San José y Rest. Borany ⛰, Correo ✆ 38 01 16, Fax 38 00 02, ≤, 🏠, « Villa frente al mar » - TV Ⓟ. E VISA. ✻
cerrado 15 enero-15 marzo - **Comida** carta 3000 a 4900 - ☕ 700 - **8 hab** 15000.

Tres Pinos ⛰ sin rest, camino de la Escuela ✆ 38 02 12, Fax 38 02 13, 🏊 - TV. E VISA. ✻
cerrado febrero - ☕ 300 - **16 apartamentos** 8000/10000.

SAN JOSÉ Palma de Mallorca - ver Baleares (Ibiza).

SAN JOSE DE LA RINCONADA 41300 Sevilla 446 T 12 - 8 098 h. - ☎ 95.
♦Madrid 532 - Aracena 87 - Carmona 42 - Huelva 105 - ♦Sevilla 14.

en la carretera C 433 SO : 4,5 km 41300 San José de la Rinconada - ☎ 95 :

Majaravique, ✆ 490 30 99, Fax 490 34 60 - ▤ TV ☎ Ⓟ
32 hab.

SAN JUAN DE ALICANTE 03550 Alicante 445 Q 28 - 14 369 h. - ☎ 96.
♦Madrid 426 - Alcoy 46 - ♦Alicante/Alacant 9 - Benidorm 34.

Villa San Juan sin rest, pl. de la Constitución 6 ✆ 565 39 54, Fax 594 02 93 - ▤ TV ☎ 🚗. AE ◑ E VISA. ✻
☕ 500 - **40 hab** 7000/8000.

XXX **El Patio de San Juan,** av. de Alicante 17 (S : 1 km) ✆ 565 68 00, Fax 515 30 51, 🏠 - ▤ Ⓟ. ◑ E VISA
cerrado domingo noche, miércoles y noviembre - **Comida** (sólo cena en verano) carta 2800 a 4100.

X **La Quintería,** Dr. Gadea 17 ✆ 565 22 94, Cocina gallega - ▤. AE E VISA. ✻
cerrado miércoles y junio - **Comida** carta 3500 a 4600.

SAN JUAN DE AZNALFARACHE Sevilla – ver Sevilla.

SAN JUAN DE POYO Pontevedra – ver Pontevedra.

SAN JUAN DEL REPARO Santa Cruz de Tenerife – ver Canarias (Tenerife).

SAN JULIÁN DE SALES o **SAN XULIÁN DE SALES** 15885 La Coruña 𝟜𝟜𝟙 D 4 – ◎ 981.
◆ Madrid 629 – ◆ La Coruña/A Coruña 78 – Lugo 105 – Santiago de Compostela 9.

XXX **Roberto** ⑤ con hab, ℘ 51 17 69, Fax 51 17 69, 㡷, Antigua casa de campo con jardín.
Decoración rústica – 🖿 rest 📺 ☎ ℗. 🖭 E 𝑉𝐼𝑆𝐴. ⨯
cerrado del 1 al 15 de agosto – **Comida** (cerrado domingo noche) carta 3500 a 5550 –
4 hab ⊃ 10000.

SAN JULIÁN DE VILLATORTA o **SANT JULIÁ DE VILATORTA** 08514 Barcelona 𝟜𝟜𝟛
G 36 – 1 934 h. alt. 595 – ◎ 93.
◆Madrid 643 – ◆Barcelona 72 – Gerona/Girona 85 – Manresa 58.

XX **Ca la Manyana** con hab, av. Nostra Senyora de Montserrat 38 ℘ 812 24 94, Fax 888 70 04
– 🖿 rest ☎. 🖭 E 𝑉𝐼𝑆𝐴
cerrado del 1 al 20 de noviembre – **Comida** (cerrado domingo noche y lunes) carta 3250
a 5400 – ⊃ 600 – **21 hab** 3850/6500.

SAN LORENZO Palma de Mallorca – ver Baleares (Ibiza).

SAN LORENZO DE EL ESCORIAL 28200 Madrid 𝟜𝟜𝟜 K 17 – 8 704 h. alt. 1 040 – ◎ 91.
Ver : Monasterio★★★ (Palacios★★ : tapices★, Panteones★★ : Panteón de los Reyes★★-Panteón
de los Infantes★) – Salas capitulares★ ; Basílica★★ ; Biblioteca★★ – Nuevos Museos★★ : (El Mar-
tirio de San Mauricio y la legión Tebana★) – Casita del Príncipe★ (Techos pompeyanos★).
Alred. : Silla de Felipe II ≼★ S : 7 km..
🏬 La Herrería ℘ 890 51 11.
🅱 Floridablanca 10 ℘ 890 15 54.
◆Madrid 46 – ◆Ávila 64 – ◆Segovia 52.

🏰 **Victoria Palace,** Juan de Toledo 4 ℘ 890 15 11, Telex 22227, Fax 890 12 48, « Terraza con
arbolado », 🏊, – 🛗 🖿 rest 📺 ☎ ℗ – 🔬 25/80. 🖭 ⓄⒹ E 𝑉𝐼𝑆𝐴. ⨯
Comida 3610 – ⊃ 965 – **85 hab** 10595/14715.

🏨 Miranda Suizo, Floridablanca 18 ℘ 890 47 11, Fax 890 43 58, 㡷 – 🛗 🖿 hab 📺 ☎
48 hab.

🏠 **Cristina,** Juan de Toledo 6 ℘ 890 19 61, Fax 890 12 04, 㡷 – 🛗 ☎. E 𝑉𝐼𝑆𝐴. ⨯
Comida 1600 – ⊃ 350 – **16 hab** 5400 – PA 3200.

XXX **Charolés,** Floridablanca 24 ℘ 890 59 75, Fax 890 05 92, 㡷 – 🖿. 🖭 ⓄⒹ E 𝑉𝐼𝑆𝐴. ⨯
Comida carta 4600 a 6550.

XX **Parrilla Príncipe** con hab, Floridablanca 6 ℘ 890 16 11, Fax 890 76 01, 㡷 – 🖿 rest 📺
☎. 🖭 ⓄⒹ E 𝑉𝐼𝑆𝐴. ⨯
Comida carta 3500 a 5300 – ⊃ 700 – **18 hab** 5100/7200.

XX **El Regalero Real,** del Rey 41 ℘ 890 45 13, Fax 890 45 47, 㡷 – 🖿. ⓄⒹ 𝑉𝐼𝑆𝐴
cerrado domingo noche y lunes (salvo julio-agosto), del 1 al 15 de febrero y del 1 al
15 de noviembre – **Comida** carta 4400 a 5550.

X **Alaska,** pl. de San Lorenzo 4 ℘ 890 43 65, Fax 890 43 65, 㡷 – 🖭 ⓄⒹ E 𝑉𝐼𝑆𝐴. ⨯
cerrado lunes – **Comida** carta 2500 a 4250.

X **Mesón Serrano,** Floridablanca 4 ℘ 890 17 04, 㡷 – 𝑉𝐼𝑆𝐴
cerrado lunes de septiembre a 15 de junio – **Comida** carta 2700 a 4050.

al Noroeste : 1,8 km – ⊠ 28200 San Lorenzo de el Escorial – ◎ 91 :

XX **Horizontal,** Camino Horizontal ℘ 890 38 11, Fax 890 38 11, 㡷 – ℗. 🖭 ⓄⒹ E 𝑉𝐼𝑆𝐴. ⨯
Comida carta 3200 a 4700.

SAN LORENZO DE MORUNYS o **SANT LLORENÇ DE MORUNYS** 25282 Lérida 𝟜𝟜𝟛 F 34
– 839 h. – ◎ 973.
◆Madrid 596 – ◆Barcelona 148 – Berga 31 – ◆Lérida/Lleida 127.

🏠 **Cas-Tor** ⑤, carret. de La Coma NO : 1 km ℘ 49 21 02, 🏊, ⨯ – 📺 ℗. ⓄⒹ E 𝑉𝐼𝑆𝐴
24 junio-septiembre y fines de semana resto del año (salvo noviembre) – **Comida** 1800 –
⊃ 595 – **17 hab** 2800/5100 – PA 3600.

SAN LUIS Palma de Mallorca – ver Baleares (Menorca).

SAN MARTÍN DE LA VIRGEN DE MONCAYO 50584 Zaragoza 443 G 24 – 332 h. alt. 813 – 🕸 976.

◆Madrid 292 – ◆Zaragoza 100.

🎇 Gomar 🐾, camino de la Gayata 🖉 64 05 41 – 🕭
20 hab.

SAN MARTÍN DE VALDEIGLESIAS 28680 Madrid 444 K 16 – 5 428 h. alt. 681 – 🕸 91.

◆Madrid 73 – Ávila 58 – Toledo 81.

🏨 **La Corredera,** Corredera Alta 28 🖉 861 10 84, Fax 861 01 17 – 🗐 📺 ☎. 🖭 ⓪ 📧 𝘝𝘐𝘚𝘈. 🦌
Comida (ver rest. **Los Arcos**) – ⚏ 400 – **11 hab** 5000/7500.

🅇 **Los Arcos,** pl. de la Corredera 1 🖉 861 04 34, Fax 861 02 02, 🍴 – 🗐. 🖭 ⓪ 📧 𝘝𝘐𝘚𝘈 𝗝𝗖𝗕
Comida carta aprox. 3200.

SAN MARTÍN SARROCA o **SANT MARTÍ SARROCA** 08731 Barcelona 443 H 34 – 2 394 h. – 🕸 93.

◆Madrid 583 – ◆Barcelona 65 – ◆Tarragona 65.

🅇🅇 **Ca l'Anna,** Pepet Teixidor 14 - barri La Roca SO : 1,5 km 🖉 899 14 08, « Bonita terraza acristalada » – 🗐. 🖭 ⓪ 📧 𝘝𝘐𝘚𝘈
cerrado domingo noche y lunes – **Comida** carta 3225 a 4750.

SAN MIGUEL Palma de Mallorca – ver Baleares (Ibiza).

SAN MIGUEL DE LUENA 39687 Cantabria 442 C 18 – 🕸 942.

◆Madrid 345 – ◆Burgos 102 – ◆Santander 54.

en la subida al puerto del Escudo - carretera N 623 SE : 2,5 km – ✉ 39687 San Miguel de Luena – 🕸 942 :

🅇 **Ana Isabel** con hab, 🖉 59 41 96 – 🅟. 🖭 ⓪ 𝘝𝘐𝘚𝘈. 🦌
19 marzo-1 noviembre – **Comida** carta 1675 a 2725 – ⚏ 250 – **9 hab** 3500/6000.

SAN PEDRO DE ALCÁNTARA 29670 Málaga 446 W 14 – 🕸 95 – Playa.

Excurs. : Carretera★★ de San Pedro de Alcántara a Ronda (cornisa★★).

🔝, Guadalmina O : 3 km 🖉 278 13 77 – 🔝 Aloha O : 3 km 🖉 281 23 88 – 🔝 Atalaya Park O : 3,5 km 🖉 278 18 94 – 🔝 Nueva Andalucía NE : 7 km 🖉 278 72 00 – 🔝 Las Brisas, Nueva Andalucía NE : 11 km 🖉 281 08 75.

🅱 Marqués del Duero 61, 🖉 278 52 52, Fax 278 90 90.

◆Madrid 624 – Algeciras 69 – ◆Málaga 69.

en la carretera de Ronda N : 2 km – ✉ 29670 San Pedro de Alcántara – 🕸 95 :

🅇🅇 **El Gamonal,** 🖉 278 99 21, 🍴 – 🅟. 🖭 𝘝𝘐𝘚𝘈. 🦌
cerrado miércoles – **Comida** (sólo cena en verano) carta 2600 a 3400.

en la carretera de Cádiz – ✉ 29678 San Pedro de Alcántara – 🕸 95 :

🏨 **Golf H. Guadalmina** 🐾, SO : 2 km y desvío 1,2 km-urb. Guadalmina 🖉 288 50 51, Telex 77058, Fax 288 22 91, ≼, 🍴, 🏖, ⚓, 🏊, 🦌, %, 🔝 – 🗐 📺 ☎ 🅟 – 🔬 25. 🖭 ⓪ 📧 𝘝𝘐𝘚𝘈. 🦌 rest
Comida 4000 – ⚏ 1250 – **80 hab** 17000/22000 – PA 8000.

🅇 **Los Nieto,** SO : 2,2 km 🖉 288 34 91, 🍴 – 🗐. 𝘝𝘐𝘚𝘈. 🦌
cerrado domingo – **Comida** carta 2050 a 3550.

SAN PEDRO DE RIBAS o **SANT PERE DE RIBES** 08810 Barcelona 443 I 35 – 13 722 h. alt. 44 – 🕸 93.

◆Madrid 596 – ◆Barcelona 46 – Sitges 4 – Tarragona 52.

🅇🅇 **El Tovalló Verd,** carret dels Carçs 58 🖉 896 21 21 – 🗐. 🖭 📧 𝘝𝘐𝘚𝘈. 🦌
cerrado miércoles y 15 octubre-5 noviembre – **Comida** carta 3000 a 3900.

🅇🅇 **El Rebost de l'Avia,** dels Cards 29 🖉 896 08 35, Fax 896 27 92 – 🗐. 🖭 ⓪ 📧 𝘝𝘐𝘚𝘈. 🦌
cerrado lunes – **Comida** carta 2850 a 3700.

en la carretera de Olivella NE : 1,5 km – ✉ 08810 San Pedro de Ribas – 🕸 93 :

🅇 **Can Lloses,** 🖉 896 07 46, ≼, Carnes – 🗐 🅟. 📧 𝘝𝘐𝘚𝘈. 🦌
cerrado martes y del 2 al 27 octubre – **Comida** carta 2025 a 2950.

SAN PEDRO DE RUDAGUERA 39539 Cantabria 442 B 17 – 442 h. alt. 70 – 🕸 942.

◆ Madrid 387 – ◆ Santander 36 – Santillana del Mar 23 – Torrelavega 14.

🅇 **La Ermita 1826** 🐾 con hab, 🖉 71 90 71, Fax 71 90 71, Decoración rústica-regional – 🗐 rest 📺 🖭 𝘝𝘐𝘚𝘈
Comida carta 2150 a 2950 – ⚏ 300 – **7 hab** 4500.

SAN PEDRO DE VIVERO o SAN PEDRO DE VIVEIRO **27866** Lugo 441 B 7 - ☎ 982.
◆ Madrid 615 - ◆ La Coruña/A Coruña 142 - Ferrol 97 - Lugo 104.

O Val do Naseiro ⟡, ☎ 59 84 34, Fax 59 82 64 - |♦| ▤ TV ☎ ⇐ P - 🏂 25/700. AE E VISA. ✻
Comida 1200 - ☐ 400 - **41 hab** 6750/10500 - PA 2700.

SAN PEDRO DEL PINATAR **30740** Murcia 445 S 27 - 12 221 h. - ☎ 968 - Playa.
🅸 explanada de lo Pagán, ☎ 18 23 01.
◆Madrid 441 - ◆Alicante/Alacant 70 - Cartagena 40 - ◆Murcia 51.

Mariana sin rest, av. Dr. Artero Guirao 136 ☎ 18 10 13 - ▤ P. ✻
6 marzo-octubre - ☐ 300 - **25 hab** 2220/4060.

Juan Mari, Alcalde Julio Albaladejo 12 ☎ 18 38 69 - ▤. AE ⓓ VISA. ✻
cerrado lunes - **Comida** carta 2900 a 4100.

en Lo Pagán S : 2,5 km - ✉ 30740 San Pedro del Pinatar - ☎ 968 :

Neptuno, Generalísimo 6 ☎ 18 19 11, Fax 18 33 01, ≤ - |♦| ▤ TV ☎ ⇐. AE ⓓ E VISA.
✻ rest
Comida 2475 - ☐ 735 - **40 hab** 5000/9000.

Arce sin rest, Marqués de Santillana 117 ☎ 18 22 47 - ▤ ☎ ⇐. ✻
abril-septiembre - ☐ 400 - **14 hab** 3180/5830.

Venezuela, Campoamor ☎ 18 15 15, 🏖 - ▤.

SAN POL DE MAR o SANT POL DE MAR **08395** Barcelona 443 H 37 - 2 383 h. - ☎ 93 - Playa.
◆Madrid 679 - ◆Barcelona 44 - Gerona/Girona 53.

Gran Sol (Hotel escuela), carret. N II ☎ 760 00 51, Fax 760 09 85, ≤, 🏊, ✻ - |♦| TV ☎
P - 🏂 25/100. AE ⓓ E VISA. ✻ rest
Comida 2300 - ☐ 1150 - **44 hab** 7900/11300 - PA 4800.

La Costa, Nou 32 ☎ 760 01 51, ≤, 🏖 - |♦| ☎ ⇐. ✻
junio-septiembre - **Comida** (sólo almuerzo) 1100 - ☐ 475 - **17 hab** 3400/6150.

✿ **Sant Pau,** Nou 10 ☎ 760 06 62, Fax 760 09 50, 🏖 - ▤ P. AE E VISA. ✻
cerrado domingo noche, lunes, 17 abril-2 mayo y del 13 al 29 de noviembre - **Comida** carta 5200 a 8200
Espec. Confitado de tomate con gambas de Arenys, Canette rustido con agridulce de higos (agosto-octubre), Hojaldre caliente de cabello de ángel y piñones.

SAN QUIRICO DE BESORA o SANT QUIRZE DE BESORA **08580** Barcelona 443 F 36 - 2 027 h. alt. 550 - ☎ 93.
◆Madrid 661 - ◆Barcelona 90 - Puigcerdá 79.

Ca la Cándida, Berga 8 ☎ 855 04 11 - ▤. VISA
cerrado domingo noche, lunes y 24 mayo-7 junio - **Comida** carta 2500 a 3900.

en la carretera N 152 S : 1 km - ✉ 08580 San Quirico de Besora - ☎ 93 :

El Túnel, ☎ 852 91 53, Fax 852 90 31 - ▤ P. VISA. ✻
cerrado martes y 25 junio-15 julio - **Comida** carta 2100 a 3300.

SAN ROQUE **11360** Cádiz 446 X 13 - 23 092 h. alt. 110 - ☎ 956.
◆Madrid 678 - Algeciras 15 - ◆Cádiz 136 - ◆Málaga 123.

La Solana ⟡ sin rest, O : 2,5 km por carret. de Algeciras y desvío (salida 116 autovía) ☎ 78 02 36, Fax 78 02 36, ≤, « Antigua casa de campo », 🏊, 🌳 - TV P - 🏂 25. AE E VISA
☐ 750 - **19 hab** 8000/10000.

en la carretera de La Línea de la Concepción - ✉ 11360 San Roque - ☎ 956 :

✿ **Los Remos,** Villa Victoria S : 3 km ☎ 69 84 12, Fax 69 84 97, 🏖, Villa de estilo neo-colonial rodeada de jardín - ▤ P. AE ⓓ E VISA. ✻
cerrado domingo - **Comida** carta 4000 a 6100
Espec. Raya a la manteca negra, Ventresca de atún guisado con manzanilla, Guiso de fideos con mero y coquinas.

Pedro, Santa Rita 3 - barriada Campamento S : 4 km ☎ 69 84 53, 🏖 - ▤. AE ⓓ E VISA. ✻
cerrado domingo - **Comida** carta 2700 a 3400.

SAN ROQUE Asturias - ver Llanes.

SAN ROQUE TORREGUADIARO **11312** Cádiz 446 X 14 - ☎ 956 - Playa.
⛳9 La Cañada O : 3 km ☎ 79 41 00.
◆Madrid 650 - Algeciras 29 - ◆Cádiz 153 - ◆Málaga 104.

Patricia sin rest, ☎ 61 53 00, Fax 61 58 50, ≤ - P. AE ⓓ E VISA
☐ 475 - **30 hab** 4350/7250.

SAN SADURNÍ DE NOYA o **SANT SADURNÍ D'ANOIA** 08770 Barcelona 443 H 35 – 9 283 h. – ☎ 93.

♦Madrid 578 – ♦Barcelona 44 – ♦Lérida/Lleida 120 – Tarragona 68.

en la carretera de Ordal SE : 4,5 km – ✉ 08770 Els Casots – ☎ 93 :

XX **Mirador de las Cavas,** ☎ 899 31 78, Fax 899 33 88, ≤ – ▤ Ⓟ. AE ⓓ E VISA. ✻
cerrado domingo noche, lunes y 15 días en agosto – **Comida** carta 3400 a 5250.

SAN SALVADOR o **SANT SALVADOR** Palma de Mallorca – ver Baleares (Mallorca).

SAN SALVADOR (Playa de) Tarragona – ver Vendrell.

SAN SALVADOR DE POYO Pontevedra – ver Pontevedra.

SAN SEBASTIÁN o **DONOSTIA** 20000 Ⓟ Guipúzcoa 442 C 24 – 176 019 h. – ☎ 943 – Playa.

Ver : Emplazamiento y bahía★★★A – Monte Igueldo ≤★★★ A – Monte Urgull ≤★★ CY.

Alred. : Monte Ulía ≤★ NE : 7km por N I B.

Hipódromo de Lasarte por ② : 9 km.

18 de San Sebastián, Jaizkíbel por N I : 14 km (B) ☎ 61 68 45.

✈ de San Sebastián, Fuenterrabía por ① : 20 km ☎ 64 22 40 – Iberia : Bengoetxea 3, ✉ 20004, ☎ 901 33 31 11 CZ y Aviaco : aeropuerto, ✉ 20280 ☎ 64 34 64 y ☎ 64 12 67.

🚗 ☎ 28 57 67.

ℹ Reina Regente, ✉ 20003, ☎ 48 11 66, Fax 48 11 72 y Fueros 1 ✉ 20005 ☎ 42 62 82 Fax 43 17 46 – R.A.C.V.N. Echaide 12, ✉ 20005, ☎ 43 08 00, Fax 42 91 50.

♦Madrid 488 ② – ♦Bayonne 54 ① – ♦Bilbao/Bilbo 100 ③ – ♦Pamplona/Iruñea 94 ② – ♦Vitoria/Gasteiz 115 ②.

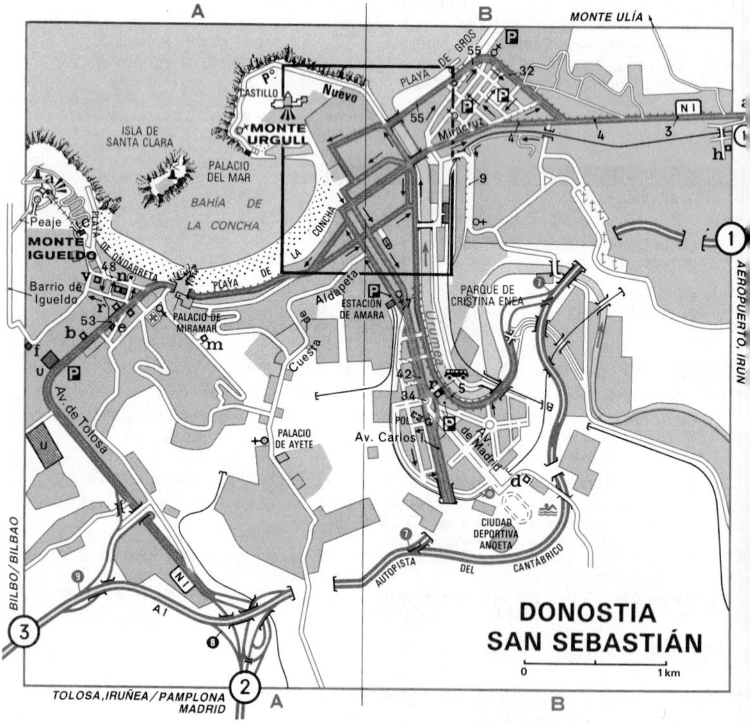

Alcalde J. Elosegui (Av.) . . . . . B 3
Ategorrieta (Av. de) . . . . B 4
Bizkaia (Paseo de) . . . . B 5
Centenario (Pl. del) . . . . B 7
Duque de Mandas (Pas.) . . . . B 9
Navarra (Av. de) . . . . B 32
Pío XII (Pl. de) . . . . B 34
Sancho el Sabio (Av. de) . . . . B 42
Satrustegi (Av. de) . . . . A 48
Zumalakarregi (Av.) . . . . A 53
Zurriola (Paseo de) . . . . B 55

DONOSTIA SAN SEBASTIÁN

Andia . . . . CZ 2
Boulevard
(Alameda del) . . . . CY 6
Garibai . . . . CY
Hernani . . . . CY
Libertad (Av. de) . . . . CDYZ
Urbieta . . . . CDZ

Constitución (Pl. de la) . . . . CY 8
Euskadi (Pl. de) . . . . DY 10
Fermín Calbetón . . . . CY 12
Getaria . . . . DZ 18
Gipúzkoa (Pl. de) . . . . DY 19
Iñigo . . . . CY 22
Kursaal (Puente del) . . . . . . DY 27
Lasala (Pl.) . . . . CY 28
María Cristina
(Puente de) . . . . DZ 30
Miramar . . . . CZ 31

Puerto . . . . CY 35
Ramón María Lili (Pas.) . . . DY 37
Reina Regente . . . . DY 38
República
Argentina (Pas.) . . . . DY 41
San Jerónimo . . . . CY 44
San Juan . . . . CY 45
Santa Catalina
(Puente de) . . . . DY 47
Urdaneta . . . . DZ 51
Zabaleta . . . . DY 54

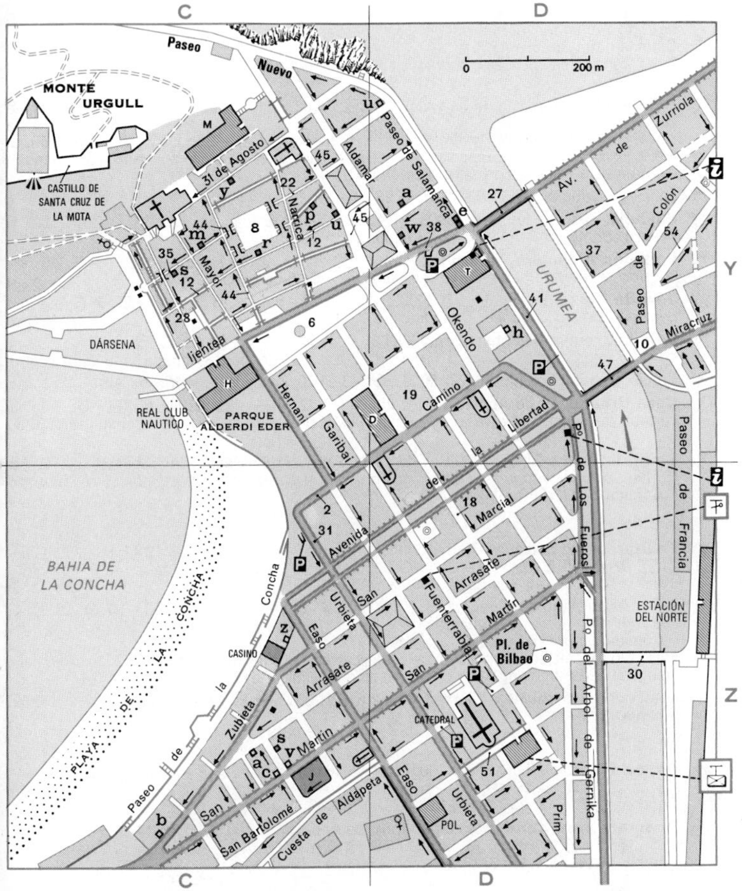

Centro :

María Cristina, Okendo, ✉ 20004, ☏ 42 49 00, Telex 38195, Fax 42 39 14, ⩽ – |♦| ▤ TV ☎ – 🛉 25/425. AE ⓓ E VISA. ✈ DY **h**
Comida carta aprox. 5700 – ☐ 2000 – **109 hab** 29200/37900, 27 suites.

De Londres y de Inglaterra, Zubieta 2, ✉ 20007, ☏ 42 69 89, Telex 36378, Fax 42 00 31, ⩽ – |♦| ▤ TV ☎ – 🛉 25/60. AE ⓓ E VISA. ✈ CZ **z**
Comida 1975 – ☐ 1100 – **133 hab** 16000/20000, 12 suites.

Orly, pl. Zaragoza, ✉ 20007, ☏ 46 32 00, Telex 38033, Fax 45 61 01, ⩽ – |♦| ▤ rest TV ☎ 🚗 – 🛉 25/250. AE ⓓ E VISA. ✈ CZ **a**
Comida 1800 – ☐ 900 – **60 hab** 11000/16750.

Europa sin rest, con cafetería, San Martín 52, ✉ 20007, ☏ 47 08 80, Telex 38065, Fax 47 17 30 – |♦| TV ☎ – 🛉 25/80. AE ⓓ E VISA. ✈ CZ **v**
☐ 850 – **65 hab** 12000/15000.

Niza sin rest, Zubieta 56, ✉ 20007, ✆ 42 66 63, Fax 42 66 63 – AE VISA. 675 – **41 hab** 6350/13500. CZ b

Parma sin rest, Paseo de Salamanca 10, ✉ 20003, ✆ 42 88 93, Fax 42 40 82 – AE E VISA. – 800 – **21 hab** 7000/12500. DY u

Bahía sin rest, San Martín 54 bis, ✉ 20007, ✆ 46 92 11, Telex 38065, Fax 46 39 14 – E VISA – 400 – **59 hab** 8500. CZ c

XXXX **Casa Nicolasa,** Aldamar 4 - 1º, ✉ 20003, ✆ 42 17 62, Fax 42 09 57 – AE E VISA JCB
cerrado domingo, lunes noche (salvo en verano) y 22 enero- 6 febrero – **Comida** carta 5550 a 6800. DY w

XXX ✿ **Urepel,** paseo de Salamanca 3, ✉ 20003, ✆ 42 40 40 – AE E VISA. DY e
cerrado domingo, martes noche, Semana Santa, tres semanas en julio y Navidades – **Comida** carta 3525 a 4300
Espec. Zortziko de anchoas y pescados azules (verano), Chicharro a la escama dorada, Callos y morros.

XXX ✿ **Panier Fleuri,** paseo de Salamanca 1, ✉ 20003, ✆ 42 42 05, Fax 42 42 05 – AE E VISA JCB. DY e
cerrado domingo noche, miércoles y 3 semanas en junio – **Comida** carta 4825 a 6025
Espec. Ensalada templada de colas de cigalitas, Charlota de calabacín con mollejitas y hongos, Tarta de pera caliente con salsa de roquefort.

XX Lanziego, Triunfo 3, ✉ 20007, ✆ 46 23 84 – CZ s

XX **Salduba,** Pescadería 6, ✉ 20003, ✆ 42 56 27 – AE E VISA. CY p
cerrado domingo y noviembre – **Comida** carta 3300 a 4200.

XX **Bodegón Alejandro,** Fermin Calbetón 4, ✉ 20003, ✆ 42 71 58 – AE E VISA.
cerrado domingo noche, lunes y noviembre – **Comida** carta 2850 a 4900. CY u

XX **Juanito Kojua,** Puerto 14, ✉ 20003, ✆ 42 01 80, Fax 42 18 71 – AE E VISA
cerrado domingo noche – **Comida** carta 3300 a 5200. CY m

XX **Beti Jai,** Fermín Calbetón 22, ✉ 20003, ✆ 42 77 37 – AE E VISA JCB. CY r
cerrado lunes, martes, 20 junio-10 julio y 20 diciembre-7 enero – **Comida** carta 3350 a 4700.

X Bretxa, General Echagüe 5, ✉ 20003, ✆ 43 04 20, Pescados y mariscos – DY a

X **Casa Urbano,** 31 de Agosto 17, ✉ 20003, ✆ 42 04 34 – AE E VISA. CY y
cerrado domingo, miércoles noche, 2ª quincena de junio y Navidades – **Comida** carta 3050 a 3700.

X **Barbarín,** Puerto 21, ✉ 20003, ✆ 42 18 86, Fax 47 21 84, Decoración regional – AE E VISA. – *cerrado lunes (salvo julio-agosto) del 1 al 15 noviembre y del 1 al 15 marzo* – **Comida** carta 3250 a 5100. CY s

al Este :

Pellizar, paseo Zubiaurre 70 (barrio Inchaurrondo), ✉ 20015, ✆ 28 12 11, Fax 28 16 55 – AE E VISA. – *cerrado 8 diciembre-10 enero* – **Comida** *(cerrado domingo)* 1500 – 550 – **46 hab** 6500/9500 – PA 3020. B h

XXXX ✿✿✿ **Arzak,** alto de Miracruz 21, ✉ 20015, ✆ 27 84 65, Fax 27 27 53 – AE E VISA JCB. – *cerrado domingo noche, lunes, 18 junio-6 julio y del 5 al 29 de noviembre* – **Comida** carta 6550 a 8250 B a
Espec. Cigalas salteadas con manos de cerdo, Lubina con pimiento amarillo e infusión de verbena limonera, Tarta de mango con crema de limón y almíbar de romero.

X Mirador de Ulía, subida al Monte Ulía, 5 km, ✉ 20013, ✆ 27 27 07, Fax 27 27 07, ≤ ciudad y bahía, B

al Sur :

Amara Plaza, pl. Pio XII, ✉ 20010, ✆ 46 46 00, Fax 47 25 48 – – 25/350. AE E VISA. B r
Comida 1500 – 950 – **160 hab** 12000/14500, 3 suites.

Anoeta y Rest. Xanti, ciudad deportiva de Anoeta, ✉ 20014, ✆ 45 14 99, Fax 45 20 36, – – 25/100. AE E VISA. B d
Comida carta 3000 a 5100 – 600 – **26 hab** 11000/14000.

al Oeste :

Aránzazu Donostia, Vitoria-Gasteiz 1, ✉ 20009, ✆ 21 90 77, Fax 21 86 95 – – 25/400. AE E VISA. A b
Comida 2900 – 1200 – **176 hab** 11500/17500, 4 suites – PA 7000.

Costa Vasca , av. Pío Baroja 15, ✉ 20008, ✆ 21 10 11, Telex 36551, Fax 21 24 28, , – – 25/350. AE E VISA. A m
Comida 3000 – 1200 – **196 hab** 11500/17500, 7 suites.

Monte Igueldo , paseo del Faro 134, 5 km, ✉ 20008, ✆ 21 02 11, Telex 38096, Fax 21 50 28, ✻ mar, bahía y ciudad, « Magnífica situación dominando la bahía », – rest – 25/200. AE E VISA. rest A a
Comida 2200 – 980 – **125 hab** 9400/16000 – PA 4500.

San Sebastián sin rest, con cafetería, av. Zumalakarregi 20, ✉ 20008, ✆ 21 44 00, Telex 36302, Fax 21 72 99, – – 25/120. AE E VISA. A r
1200 – **90 hab** 9000/15000, 2 suites.

La Galería sin rest, av. Infanta Cristina 1, ✉ 20008, ☎ 21 60 77, Fax 21 12 98 - |₫| TV ☎. AE E VISA. ⚘ A n
725 - **23 hab** 9000/12000.

Ezeiza, av. de Satrustegi 13, ✉ 20008, ☎ 21 43 11, Fax 21 47 68 - |₫| ▤ TV ☎ ⇔. AE E VISA. ⚘ A v
Comida *(cerrado lunes)* 1300 - 500 - **30 hab** 8500/11000 - PA 2635.

Nicol's, paseo de Gudamendi 21, 5 km, ✉ 20008, ☎ 21 57 99, Fax 21 17 24, «Amplio césped» - TV ☎ P. AE ⓓ E VISA. ⚘ rest A
Comida 1100 - 550 - **23 hab** 5500/9000 - PA 2300.

Codina, av. Zumalakarregi 21, ✉ 20008, ☎ 21 22 00, Telex 38187, Fax 21 25 23 - |₫| TV ☎ **77 hab.** A e

XXXX ✿✿ **Akelarre,** paseo del Padre Orcolaga 56-barrio de Igueldo 7,5 km, ✉ 20008, ☎ 21 20 52, Fax 21 92 68, ≤ mar - ▤ P. AE ⓓ E VISA. ⚘ A
cerrado domingo noche, lunes (salvo festivos), febrero y 1ª quincena de octubre - **Comida** carta 5250 a 6500
Espec. Langostinos frescos con garbanzos fritos y flor capuchina, Sapito al horno con estragón de nuestro jardín, Mousse de queso Idiazábal con salsa de mamia.

XXXX **Chomin,** av. Infanta Beatriz 16, ✉ 20008, ☎ 21 07 05, Fax 21 14 01, - AE ⓓ E VISA. ⚘ A n
cerrado domingo noche y noviembre - **Comida** carta 3750 a 5300.

XX **Rekondo,** paseo de Igueldo 57, ✉ 20008, ☎ 21 29 07, - ▤ P. AE ⓓ E VISA. ⚘
cerrado miércoles, 2ª quincena de junio y tres semanas en noviembre - **Comida** carta 3475 a 4900. A f

X **Buena Vista** con hab, paseo Balenciaga, 42 - barrio de Igueldo 5 km, ✉ 20008, ☎ 21 06 00, ≤ - ☎ P. AE E VISA. ⚘ A
cerrado 30 enero-10 marzo - **Comida** *(cerrado domingo noche y lunes)* (sólo almuerzo en invierno) carta 2700 a 3800 - 400 - **8 hab** 4500/7000.

X **San Martín,** plazoleta del Funicular 5, ✉ 20008, ☎ 21 40 84, ≤, - AE ⓓ E VISA A c
cerrado domingo y 20 días en abril - **Comida** carta 3400 a 5050.

X **Oihandar,** av. Zumalakarregi 25, ✉ 20008, ☎ 21 12 66 - ▤. VISA. ⚘ A e
Comida carta 2450 a 3350.

Ver también : ***Lasarte*** por ② : 9 km
Oyarzun por ① : 13 km.

SAN SEBASTIÁN DE LA GOMERA Santa Cruz de Tenerife - ver Canarias (Gomera).

SAN SEBASTIÁN DE LOS REYES 28700 Madrid 444 K 19 - 53 794 h. - ☎ 91.

♦Madrid 17.

XXX **Izamar,** av. Matapiñonera 6 - Polígono Industrial ☎ 654 38 93, , Pescados y mariscos - ▤ P. AE VISA. ⚘
cerrado domingo noche y lunes - **Comida** carta 3250 a 4800.

en la autovía N I - ✉ 28700 San Sebastián de Los Reyes - ☎ 91 :

XXX **Mesón Tejas Verdes,** ☎ 652 73 07, , Decoración castellana, - ▤ P. AE ⓓ E VISA. ⚘
cerrado domingo noche, festivos noche y agosto - **Comida** carta 3000 a 3900.

XX **Vicente,** NE : 6,5 Km ☎ 663 95 32, Fax 651 31 71 - ▤ P. AE ⓓ E VISA. ⚘
cerrado domingo y 15 días en agosto - **Comida** carta 3250 a 4900.

XX **Pablo,** ☎ 652 65 65, Fax 663 69 00, - ▤ P. AE ⓓ VISA. ⚘
cerrado martes noche, Semana Santa y del 8 al 25 de agosto - **Comida** carta 2700 a 3900.

en la carretera de Algete NE : 7 km - ✉ 28700 San Sebastián de los Reyes - ☎ 91 :

X **El Molino,** ☎ 653 59 83, , Decoración castellana - Asados - ▤ P. AE ⓓ E VISA. ⚘
Comida carta 2950 a 5300.

SAN VICENTE DE LA BARQUERA 39540 Cantabria 442 B 16 - 4 349 h. - ☎ 942 - Playa.

Ver : Emplazamiento★.

Alred. : Carretera de Unquera ≤★.

av. Generalísimo 6, ☎ 71 07 97.

♦Madrid 421 - Gijón 131 - ♦Oviedo 141 - ♦Santander 64.

Resid. Miramar sin rest, La Barquera N : 1 km ☎ 71 03 63, Fax 71 00 75, ≤ - |₫| TV ☎ ⇔ P
temp. - **21 hab.**

Boga-Boga, pl. José Antonio 9 ☎ 71 01 35, - |₫|. AE ⓓ E VISA. ⚘
cerrado Navidad-15 enero - **Comida** *(cerrado martes de octubre-1 junio)* 1800 - 475 - **18 hab** 5300/7075 - PA 3700.

Luzón sin rest, av. Miramar 1 ☎ 71 00 50, Fax 71 00 50, ≤ - VISA. ⚘
400 - **36 hab** 4500/7200.

🏨 **Miramar** ⚓, La Barquera N : 1 km ℰ 71 00 75, Fax 71 00 75, ≤ playa, mar y montaña, ⛱
– 📺 ☎ 🅿
15 hab.

🏨 **Noray** ⚓ sin rest, paseo de la Barquera ℰ 71 21 41, Fax 71 24 32, ≤ – 📺 ☎ ⟸ 🅿 🅰🅴
🕦 🅴 𝘝𝘐𝘚𝘈. ※
☲ 400 – **20 hab** 4600/6900.

✕✕ **Maruja,** av. Generalísimo ℰ 71 00 77 – 🅰🅴 🕦 🅴 𝘝𝘐𝘚𝘈. ※
Comida carta 3000 a 4300.

SAN VICENTE DEL HORTS o **SANT VICENÇ DELS HORTS** 08620 Barcelona 𝟒𝟒𝟑 H 36 –
20 715 h. – ✪ 93.

◆Madrid 612 – ◆Barcelona 20 – Tarragona 92.

en la carretera de Sant Boi SE : 1,5 km – ✉ 08620 Sant Vicenç dels Horts – ✪ 93 :

✕ **Las Palmeras,** ℰ 656 13 16, Fax 676 80 47 – 🍽 🅿 🅰🅴 🅴 𝘝𝘐𝘚𝘈. ※
Comida carta 3200 a 4700.

SAN VICENTE DEL MAR Pontevedra – ver El Grove.

SAN VICENTE DEL RASPEIG 03690 Alicante 𝟒𝟒𝟓 Q 28 – 30 119 h. alt. 110 – ✪ 96.

◆Madrid 422 – Alcoi/Alcoy 49 – ◆Alacant/Alicante 9 – Benidorm 48.

✕ **La Paixareta,** Torres Quevedo 10 ℰ 566 58 39 – 🍽. 🅰🅴 🕦 🅴 𝘝𝘐𝘚𝘈 𝗝𝗖𝗕. ※
cerrado domingo noche – **Comida** carta 2800 a 3800.

SAN VICENTE DE TORANZO 39699 Cantabria 𝟒𝟒𝟐 C 18 alt. 168 – ✪ 942.

◆Madrid 354 – ◆Bilbao/Bilbo 124 – ◆Burgos 115 – ◆Santander 40.

🏤 **Posada del Pas,** carret. N 623 ℰ 59 44 11, Fax 59 43 86, ☱, ※ – 🍽 rest 📺 ☎ ⟸ 🅿
🅰🅴 🕦 🅴 𝘝𝘐𝘚𝘈. ※
Comida 1475 – ☲ 475 – **32 hab** 5000/9500 – PA 3425.

SAN XULIÁN DE SALES La Coruña – ver San Julián de Sales.

SANGENJO o **SANXENXO** 36960 Pontevedra 𝟒𝟒𝟏 E 3 – 14 659 h. – ✪ 986 – Playa.
🅱 av. del Generalísimo 36 ℰ 72 02 85.

◆Madrid 622 – Orense/Ourense 123 – Pontevedra 18 – Santiago de Compostela 75.

🏩 **Sanxenxo,** av. Generalísimo 3 ℰ 69 11 11, Fax 72 37 79, ≤, ⛱, ☱ – 🛗 🍽 📺 ☎ ⟸ –
🅷 25/35. 🅰🅴 🕦 🅴 𝘝𝘐𝘚𝘈. ※
Semana Santa-noviembre – **Comida** 3000 – ☲ 750 – **47 hab** 11500/14500 – PA 5750.

🏤 Rotilio, av. del Puerto 7 ℰ 72 02 00, Fax 72 41 88, ≤ – 🛗 📺 ☎
40 hab.

🏤 **Minso** sin rest, av. do Porto 1 ℰ 72 01 50, Fax 69 09 32, ≤ – 🛗 📺 ☎. 🅰🅴 🕦 🅴 𝘝𝘐𝘚𝘈. ※
cerrado 15 diciembre-15 enero – ☲ 475 – **44 hab** 4800/8000.

🏤 Ton, El Castañal ℰ 69 10 03, Fax 69 10 06 – 🛗 ☎ 🅿
78 hab.

🏨 **Faro Salazón** sin rest, Sol 6 ℰ 72 33 99, Fax 72 40 68 – 🛗 ☎ ⟸. 🅴 𝘝𝘐𝘚𝘈. ※
15 marzo-noviembre – **30 hab** ☲ 6500/8800.

🏨 **Punta Vicaño** sin rest, av. de Silgar 94 ℰ 72 00 11, Fax 72 07 81, ☱ – ⟸ 🅿 🅰🅴 🕦 🅴
𝘝𝘐𝘚𝘈. ※
junio-septiembre – ☲ 400 – **30 hab** 4000/6700.

🏨 **Cervantes 2** sin rest, Progreso 27 ℰ 72 43 34, Fax 72 07 01 – 🛗 ☎. 🅴 𝘝𝘐𝘚𝘈. ※
junio-septiembre – ☲ 350 – **20 hab** 3750/5900.

🏨 **Cervantes,** Progreso 29 ℰ 72 07 00, Fax 72 07 01, ⛱ – ☎. 🅴 𝘝𝘐𝘚𝘈. ※
junio-septiembre – **Comida** 1850 – ☲ 350 – **18 hab** 3750/5900.

✕✕ La Taberna de Rotilio, av. del Puerto ℰ 72 02 00, Fax 72 41 88 – 🍽.

✕ **Casa Román** con hab, Carlos Casas 2 ℰ 72 00 31, Fax 72 00 31 – 🛗 🍽 rest 📺 ☎. 🅰🅴 🕦
🅴 𝘝𝘐𝘚𝘈. ※
julio-20 septiembre – **Comida** carta aprox. 2800 – ☲ 300 – **32 hab** 5000.

✕ **Mesón Don Camilo,** Emilia Pardo Bazán 9 ℰ 69 11 24 – 🍽. 🅴 𝘝𝘐𝘚𝘈. ※
cerrado miércoles y del 15 al 30 de octubre – Comida carta 1500 a 2800.

en la carretera C 550 E : 3,5 km – ✉ 36960 Sangenjo – ✪ 986 :

🏨 **Áncora** sin rest, La Granja-Dorrón ℰ 74 10 74, Fax 74 13 90 – 🅿 🅰🅴 🕦 🅴 𝘝𝘐𝘚𝘈. ※
mayo-octubre – **29 hab** ☲ 5000/6500.

Ver también : *Portonovo* O : 1,5 km.

SANGÜESA 31400 Navarra 442 E 26 - 4 447 h. - ☎ 948.
Ver : Iglesia de Santa María la Real★ (portada sur★★).
ℹ Alfonso el Batallador 20, ☎ 87 03 29.
♦Madrid 408 - Huesca 128 - ♦Pamplona/Iruñea 46 - ♦Zaragoza 140.

Yamaguchy, carret. de Javier E : 0,5 km ☎ 87 01 27, Fax 87 07 00, - rest. AE VISA JCB.
Comida 2700 - 750 - **40 hab** 4300/7200 - PA 5225.

SANLÚCAR DE BARRAMEDA 11540 Cádiz 446 V 10 - 57 044 h. - ☎ 956 - Playa.
Ver : Nuestra Señora de la O : (portada★) - Iglesia de Santo Domingo★ : (Bóvedas★).
ℹ Calzada del Ejército ☎ 36 61 10, Fax 36 61 32.
♦Madrid 669 - ♦Cádiz 45 - Jerez 23 - ♦Sevilla 106.

Doñana, av. Cabo Noval ☎ 36 50 00, Fax 36 71 41, - TV - 25/350. AE VISA.
Comida 1900 - 750 - **96 hab** 8800/11000 - PA 4500.

Tartaneros sin rest, Tartaneros 8 ☎ 36 20 44, Fax 36 00 45 - TV. AE VISA.
600 - **22 hab** 8000/10000.

Los Helechos sin rest, pl. Madre de Dios 9 ☎ 36 13 49, Fax 36 96 50 - . AE VISA.
500 - **56 hab** 5000/7000.

Posada de Palacio sin rest, Caballeros 11 (barrio alto) ☎ 36 48 40, Fax 36 50 60 - VISA
cerrado enero y febrero - 700 - **13 hab** 5000/8000.

Mirador Doñana, bajo de Guía ☎ 36 42 05, Fax 36 74 17, ←, , Pescados y mariscos - . AE VISA.
cerrado 15 enero-15 febrero - **Comida** carta 2625 a 3350.

El Veranillo, prolongación av. Cerro Falón ☎ 36 27 19, - . AE VISA.
cerrado domingo noche - **Comida** carta 1800 a 3200.

SANLÚCAR LA MAYOR 41800 Sevilla 446 T 11 - 9 448 h. alt. 143 - ☎ 95.
♦Madrid 569 - Huelva 72 - ♦Sevilla 27.

Hacienda Benazuza y Rest. La Alquería , Virgén de las Nieves ☎ 570 33 44, Fax 570 34 10, ←, « Instalado en una alquería árabe del siglo X », - TV - 25/300. AE VISA. rest
cerrado 15 julio-agosto - **Comida** carta 5500 a 7000 - 1500 - **26 hab** 29000/37000, 18 suites.

SANT AGUSTÍ Palma de Mallorca - ver Baleares (Ibiza) : San Agustín.

SANT ANDREU DE LLAVANERES Barcelona - ver San Andrés de Llavaneras.

SANT ANTONI DE CALONGE Gerona - ver San Antonio de Calonge.

SANT ANTONI DE PORTMANY Palma de Mallorca - ver Baleares (Ibiza) : San Antonio de Portmany.

SANT BOI DE LLOBREGAT Barcelona - ver San Baudilio de Llobregat.

SANT CARLES DE LA RÁPITA Tarragona - ver San Carlos de la Rápita.

SANT CELONI Barcelona - ver San Celoni.

SANT CUGAT DEL VALLÉS Barcelona - ver San Cugat del Vallés.

SANT ELM Gerona - ver San Feliú de Guixols.

SANT ESTEVE D'EN BAS Gerona - ver San Esteban de Bas.

SANT FELIU DE GUÍXOLS Gerona - ver San Feliú de Guixols.

SANT FERRAN Palma de Mallorca - ver Baleares (Formentera) : San Fernando.

SANT HILARI SACALM Gerona - ver San Hilario Sacalm.

SANT JOSEP DE SA TALAIA Palma de Mallorca - ver Baleares (Ibiza) : San José.

SANT JULIÁ DE VILATORTA Barcelona - ver San Julián de Villatorta.

SANT JULIÁ DE LÓRIA Andorra - ver Andorra (Principado de).

SANT JUST DESVERN Barcelona - ver Barcelona : Alrededores.

SANT LLORENÇ Palma de Mallorca - ver Baleares (Ibiza) : San Lorenzo.

SANT LLORENÇ DE MORUNYS Lérida - ver San Lorenzo de Morunys.

SANT LLUÍS Palma de Mallorca - ver Baleares (Menorca) : San Luis.

SANT MARTÍ D'EMPURIES Gerona - ver La Escala.

SANT MARTÍ SARROCA Barcelona - ver San Martín Sarroca.

SANT MIQUEL DE BALANSAT Palma de Mallorca - ver Baleares (Ibiza) : San Miguel.

SANT PERE DE RIBES Barcelona - ver San Pedro de Ribas.

SANT POL DE MAR Barcelona - ver San Pol de Mar.

SANT QUIRZE DE BESORA Barcelona - ver San Quirico de Besora.

SANT SADURNÍ D'ANOIA Barcelona - ver San Sadurní de Noya.

SANTA BRÍGIDA Las Palmas - ver Canarias (Gran Canaria).

SANTA COLOMA Andorra - ver Andorra (Principado de).

SANTA COLOMA DE FARNÉS o **SANTA COLOMA DE FARNERS** **17430** Gerona 443 G 38 - 8 111 h. alt. 104 - ☎ 972 - Balneario.
♦Madrid 700 - ♦Barcelona 87 - Gerona/Girona 30.

- **Baln. Termas Orión**, afueras S : 2 km ✆ 84 00 65, Fax 84 04 66, En un gran parque, ... - rest ... E VISA.
cerrado 15 enero-20 febrero - **Comida** - ☐ 550 - **66 hab** 5800/9550 - PA 3800.
- Can Gurt con hab, carret. de Sils ✆ 84 02 60, Fax 84 02 60 - rest **17 hab.**

en la carretera de Sils SE : 2 km - ✉ 17430 Santa Coloma de Farnés - ☎ 972 :

- Mas Solá, ✆ 84 08 48, Decoración rústica regional, « Antigua masía », de pago, - .

SANTA CRISTINA (Playa de) La Coruña - ver La Coruña.

SANTA CRISTINA (Playa de) Gerona - ver Lloret de Mar.

SANTA CRISTINA DE ARO o **SANTA CRISTINA D'ARO** **17246** Gerona 443 G 39 - 1 859 h. - ☎ 972.
Club Costa Brava ✆ 83 71 50.
pl. Mn. B. Reixac 1, ✆ 83 70 10, Fax 83 74 12.
♦Madrid 709 - ♦Barcelona 96 - Gerona/Girona 31.

junto al golf O : 2 km - ✉ 17246 Santa Cristina de Aro - ☎ 972 :

- **Golf Costa Brava**, ✆ 83 51 51, Fax 83 75 88, ... - ... 25/200. AE E VISA. rest
Semana Santa- 12 octubre - **Comida** 3000 - ☐ 1000 - **91 hab** 8500/14500.

en la carretera de Playa de Aro E : 2 km - ✉ 17246 Santa Cristina de Aro - ☎ 972 :

- **Mas Torrellas**, ✆ 83 75 26, Fax 83 75 27, Antigua masía, ... - AE E VISA. hab
cerrado 10 enero-febrero - **Comida** *(cerrado miércoles)* 2000 - **17 hab** ☐ 7000/11000.

en la carretera de Gerona NO : 2 km - ✉ 17246 Santa Cristina d'Aro - ☎ 972 :

- **Les Panolles,** ✆ 83 70 11, Fax 83 72 54, « Masía típica decorada en estilo rústico » - AE E VISA
cerrado miércoles noche (octubre-junio) - **Comida** carta 3775 a 4945.

en la carretera de Romanyá NO : 3 km - ✉ 17246 Santa Cristina d'Aro - ☎ 972 :

- Bell-Lloch (chez Raymond's), urb. Bell-Lloch 2A ✆ 83 72 61, Decoración rústica - .

SANTA CRUZ 15179 La Coruña 441 B 4 - ☎ 981 - Playa.
◆Madrid 584 - ◆La Coruña/A Coruña 4 - Ferrol 28 - Santiago de Compostela 82.

Porto Cobo ♨, Casares Quiroga 16 ℘ 61 41 00, Fax 61 49 20, < bahía y La Coruña, ⚓ - |$| [TV] ☎ Ⓟ - 🔔 25/150. AE ⓓ E VISA JCB. ✗
Comida 2000 - ☕ 650 - **58 hab** 7000/10000 - PA 3955.

SANTA CRUZ DE LA PALMA Santa Cruz de Tenerife - ver Canarias (La Palma).

SANTA CRUZ DE LA SERÓS 22792 Huesca 443 E 27 - 137 h. - ☎ 974.
Ver : Pueblo★.
◆Madrid 480 - Huesca 85 - Jaca 14 - ◆Pamplona/Iruñea 105.

en la carretera N 240 N : 4,5 km - ⊠ 22792 Santa Cruz de la Serós - ☎ 974 :

Aragón, ℘ 36 21 89, Fax 35 54 90, <, ⚓ - Ⓟ. AE E VISA. ✗
cerrado 15 septiembre-10 octubre - **Comida** 1500 - ☕ 500 - **21 hab** 3000/4500 - PA 3500.

SANTA CRUZ DE LA ZARZA 45370 Toledo 444 M 20 - 4 300 h. alt. 760 - ☎ 925.
◆Madrid 74 - Cuenca 100 - Toledo 80 - ◆Valencia 285.

Santa Cruz, Magallanes 17 ℘ 14 31 18 - ▤ rest Ⓟ. VISA. ✗
Comida 950 - ☕ 150 - **10 hab** 2400/3000 - PA 2050.

SANTA CRUZ DE MUDELA 13730 Ciudad Real 444 Q 19 - 4 775 h. alt. 716 - ☎ 926 - Balneario.
◆Madrid 218 - Ciudad Real 77 - Jaén 118 - Valdepeñas 15.

al Noreste : 3,5 km - ☎ 926 :

Baln. Cervantes ♨, Camino de los Molinos ℘ 33 13 13, Fax 34 28 25, ⚓ - ▤ [TV] ☎ Ⓟ. AE VISA. ✗
Comida 1500 - ☕ 550 - **85 hab** 5900/6900 - PA 2500.

SANTA CRUZ DE TENERIFE Santa Cruz de Tenerife - ver Canarias (Tenerife).

SANTA ELENA 23213 Jaén 446 Q 19 - 1 076 h. alt. 742 - ☎ 953.
◆Madrid 255 - ◆Córdoba 143 - Jaén 78.

El Mesón con hab, av. Andalucía 91 ℘ 66 41 00, <, ⛱ - ▤ rest Ⓟ. ⓓ E VISA. ✗
Comida carta aprox. 2800 - ☕ 450 - **20 hab** 3000/4800.

SANTA EUGENIA DE BERGA 08519 Barcelona 443 G 36 - 1 591 h. alt. 538 - ☎ 93.
◆Madrid 641 - ◆Barcelona 70 - Gerona/Girona 83 - Vich/Vic 4.

L'Arumi H., carret. d'Arbúcies 1 ℘ 889 53 32, Fax 889 55 73, < - |$| ▤ [TV] ☎ 🚗 Ⓟ. AE ⓓ E VISA. ✗
Comida (ver rest. ***L'Arumi***) - ☕ 300 - **18 hab** 6600/8900.

L'Arumi, carret. d'Arbúcies 21 ℘ 885 56 03 - ▤ Ⓟ. AE ⓓ E VISA. ✗
cerrado domingo noche, lunes y julio - **Comida** carta 2600 a 3500.

SANTA EULALIA DEL RÍO o **SANTA EULÀRIA DES RIU** Palma de Mallorca - ver Baleares (Ibiza).

SANTA FÉ 18320 Granada 446 U 18 - 11 645 h. alt. 580 - ☎ 958.
◆Madrid 441 - Antequera 8 - ◆Granada 11.

Colón y Rest. La Cúpula, Buenavista ℘ 44 09 89, Fax 44 06 05, ⛱ - ▤ [TV] ☎ 🚗. AE ⓓ E VISA. ✗
Comida *(cerrado martes)* carta 2000 a 2800 - ☕ 400 - **25 hab** 6200/9200.

SANTA GERTRUDIS DE FRUITERA Palma de Mallorca - ver Baleares (Ibiza).

SANTA MARGARITA (Urbanización) Gerona - ver Rosas.

SANTA MARGARITA Y MONJÓS o **SANTA MARGARIDA i ELS MONJÓS** 08730 Barcelona 443 I 34 y 35 - 3 922 h. alt. 161 - ☎ 93.
◆Madrid 571 - ◆Barcelona 59 - Tarragona 43.

Hostal del Penedés, carret. N 340 ℘ 898 00 61, Fax 818 60 32 - ▤ [TV] ☎ Ⓟ. AE E VISA
Comida 1300 - ☕ 600 - **32 hab** 4000/7000 - PA 2900.

SANTA MARIA DE HUERTA **42260** Soria 442 I 23 – 611 h. alt. 764 – ☎ 975.

Ver : Monasterio★★ (claustro de los Caballeros★, refectorio★★).

♦Madrid 182 – Soria 84 – ♦Zaragoza 131.

- **Santa María de Huerta,** antigua carret. N II N : 1 km ✆ 32 70 11, Fax 32 70 11 – ▤ TV ☎ ♿ 🅿 – 25/130. E VISA. ✻
 Comida 2950 – **40 hab** ☕ 7700/11000 – PA 5695.

SANTA MARÍA DE MAVE **34492** Palencia 442 D 17 – ☎ 979.

♦Madrid 323 – ♦Burgos 79 – ♦Santander 116.

- **Hostería El Convento** 🐦, ✆ 12 36 11, Fax 12 54 92, Antiguo convento – 🅿. AE E VISA. ✻
 Comida 1500 – ☕ 500 – **19 hab** 4000/6000 – PA 3500.

SANTA MARIA DEL MAR **33457** Asturias 441 B 11 – ☎ 98.

♦ Madrid 500 – Avilés 12 – Luarca 53 – ♦ Oviedo 50.

- **Aeromar** 🐦, carret. del aeropuerto SO : 1 km, ✉ 33457 Naveces, ✆ 551 96 46, Fax 551 97 62 – TV ☎ 🅿. AE ⓓ E VISA. ✻
 Comida 3000 – ☕ 600 – **14 hab** 9600/12000 – PA 5500.
- X **Román** con hab, paseo Marítimo 11 ✆ 553 06 01, Fax 553 31 23, ← – ☎. AE ⓓ E VISA. ✻
 Comida carta 2900 a 4600 – ☕ 350 – **14 hab** 5000/6000.

SANTA MARTA DE TORMES **37900** Salamanca 441 S 13 – 6 932 h. alt. 778 – ☎ 923.

♦Madrid 187 – Avila 81 – Plasencia 123 – ♦Salamanca 4.

en la carretera N 501 E : 1,5 km – ✉ 37900 Santa Marta de Tormes – ☎ 923 :

- **Regio y Rest. Lazarillo de Tormes,** ✆ 13 88 88, Telex 22895, Fax 13 80 44, 🌳, 🏊, 🎾 – |‡| ▤ TV ☎ 🅿 – 25/600. AE ⓓ E VISA JCB. ✻
 Comida carta 3925 a 6150 – ☕ 950 – **121 hab** 8500/12500.

SANTA OLALLA **45530** Toledo 444 L 16 – 2 273 h. alt. 487 – ☎ 925.

♦Madrid 81 – Talavera de la Reina 36 – Toledo 42.

- Recio, antigua carret. N V ✆ 79 72 09, Fax 79 72 10, 🏊 – ▤ rest 🅿
 40 hab.

SANTA PAU **17811** Gerona 443 F 37 – 1 381 h. – ☎ 972.

♦Madrid 690 – Figueras/Figueres 55 – Gerona/Girona 45.

- X **Cal Sastre** 🐦 con hab en anexo, placeta dels Balls 6 ✆ 68 04 21, ← – TV. AE ⓓ E VISA. ✻
 cerrado del 1 al 15 de febrero y del 1 al 15 de junio – **Comida** *(cerrado domingo noche y lunes)* carta 2050 a 3050 – ☕ 500 – **10 hab** 4000/7000.

SANTA PERPETUA DE MOGODA **08130** Barcelona 443 H 36 – 16 710 h. alt. 74 – ☎ 93.

♦Madrid 632 – ♦Barcelona 14 – Mataró 41 – Sabadell 6.

en Santiga-por la carretera de Sabadell B 140 O : 3 km – ✉ 08130 Santiga – ☎ 93 :

- XX Castell de Santiga, pl. Santiga 6 ✆ 560 71 53, Fax 574 24 20, 🌳 – ▤ 🅿.

SANTA POLA **03130** Alicante 445 R 28 – 15 365 h. – ☎ 96 – Playa.

🅱 pl. de la Diputación ✆ 669 22 76.

♦Madrid 423 – ♦Alicante/Alacant 19 – Cartagena 91 – ♦Murcia 75.

- Polamar, Astilleros 12 ✆ 541 32 00, Fax 541 31 83, ←, 🌳 – |‡| ▤ TV ☎
 76 hab.
- **Patilla,** Elche 29 ✆ 541 10 15, Fax 541 52 95 – |‡| ▤ rest TV ☎ 🅿. AE ⓓ E VISA. ✻
 Comida 1900 – ☕ 600 – **72 hab** 4900/7200 – PA 3740.
- **Picola,** Alicante 64 ✆ 541 10 44 – ▤ rest. AE E VISA. ✻
 Comida 1500 – ☕ 475 – **20 hab** 3400/3850.
- XX Batiste, playa de Poniente ✆ 541 14 85, ←, 🌳 – ▤ 🅿.
- X **Miramar,** av. Pérez Ojeda ✆ 541 10 00, ←, 🌳 – ▤. AE ⓓ E VISA. ✻
 Comida carta 3500 a 4200.
- X Gaspar's, av. González Vicens 2 ✆ 541 35 44 – ▤.

en la playa del Varadero E : 1,5 km – ✉ 03130 Santa Pola – ☎ 96 :

- XX **Varadero,** Santiago Bernabeu ✆ 541 17 66, ←, 🌳 – ▤ 🅿. AE ⓓ E VISA JCB. ✻
 Comida carta 2500 a 4500.

en la carretera N 332 N : 2,5 km - ✉ 03130 Santa Pola - ☎ 96 :

X **El Faro,** ☎ 541 21 36, ⌂ - ▤ P. AE ⓓ E VISA. ✈ - **Comida** carta 2600 a 4000.

en la carretera de Elche NO : 3 km - ✉ 03130 Santa Pola - ☎ 96 :

XX **María Picola,** ☎ 541 35 13, ⌂ - P. AE ⓓ E VISA. ✈
cerrado lunes y octubre - **Comida** carta aprox. 4200.

SANTA PONSA o **SANTA PONÇA** Palma de Mallorca - ver Baleares (Mallorca).

SANTA ÚRSULA Santa Cruz de Tenerife - ver Canarias (Tenerife).

SANTANDER 39000 P Cantabria 442 B 18 - 196 218 h. - ☎ 942 - Playa.
Ver : Museo Regional de Prehistoria y Arqueología★ (bastones de mando★) BY D - El Sardinero★★ BX.
⛳ de Pedreña por ② : 24 km ☎ 50 00 01.
✈ de Santander por ② : 7 km ☎ 25 10 04 - Iberia : paseo de Pereda 18, ✉ 39004, ☎ 22 97 00 BY y Aviaco : aeropuerto ☎ 25 10 07.
🚗 ☎ 22 71 61.
⛴ Cia. Trasmediterránea, paseo de Pereda 13, ✉ 39004, ☎ 22 14 00, Telex 35834.
ℹ pl. Porticada 1, ✉ 39001, ☎ 31 07 08 - R.A.C.E. Santa Lucía 51, ✉ 39003, ☎ 36 21 98.
♦Madrid 393 ① - ♦Bilbao/Bilbo 116 ② - ♦Burgos 154 ① - ♦León 266 ① - ♦Oviedo 203 ① - ♦Valladolid 250 ①.

Plano página siguiente

NH Ciudad de Santander, Menéndez Pelayo, 13, ✉ 39006, ☎ 22 79 65, Fax 21 73 03 - |$| ▤ TV ☎ ⇔ P - 🏊 25/220. AE ⓓ E VISA. ✈ AX c
Comida 2800 - ☕ 950 - **60 hab** 10500/16200, 2 suites - PA 5900.

Central sin rest, con cafetería, General Mola 5, ✉ 39004, ☎ 22 24 00, Fax 36 38 29 - |$| ▤ TV ☎. AE ⓓ E VISA. ✈ AY c
41 hab ☕ 9240/14520.

Piñamar, Ruiz de Alda 15, ✉ 39009, ☎ 36 18 66, Fax 36 19 36 - ▤ TV ☎. E VISA. ✈
cerrado 24 diciembre-7 enero - **Comida** 1800 - ☕ 600 - **34 hab** 8900/11800 - PA 3750. AX x

México sin rest, Calderón de la Barca 3, ✉ 39002, ☎ 21 24 50, Fax 22 92 38 - |$| TV ☎. E VISA. ✈ AZ w
☕ 600 - **35 hab** 5300/9000.

Alisas sin rest, con cafetería, Nicolás Salmerón 3, ✉ 39009, ☎ 22 27 50, Telex 35771, Fax 22 24 86 - TV ☎. AE ⓓ E VISA. ✈ AX r
☕ 700 - **70 hab** 7300/11500.

San Glorio 2 sin rest. con cafetería, Federico Vial 3, ✉ 39009, ☎ 22 16 66, Fax 31 21 09 - TV ☎ - **33 hab.** AX e

San Glorio sin rest. con cafetería, Ruiz Zorrilla 18, ✉ 39009, ☎ 31 29 62, Fax 22 89 27 - TV ☎. AE VISA. ✈ - ☕ 400 - **30 hab** 7500/9000. AX x

Romano sin rest, Federico Vial 8, ✉ 39009, ☎ 22 30 71, Fax 22 30 71 - TV ☎. AE E VISA. ✈
☕ 375 - **25 hab** 4500/7550. AX u

Liébana sin rest, Nicolás Salmerón 9, ✉ 39009, ☎ 22 32 50, Fax 22 99 10 - |$| ☎. AE ⓓ E VISA. ✈ - ☕ 350 - **30 hab** 5275/6590. AX r

XX **Zacarías,** General Mola 41, ✉ 39003, ☎ 21 23 33 - ▤. AE ⓓ E VISA BY r
Comida carta 3650 a 4700.

XX **Puerto,** Hernán Cortés 63, ✉ 39003, ☎ 21 93 93, Pescados y mariscos - ▤. AE ⓓ E VISA. ✈ - **Comida** carta 4100 a 5400. BY m

XX **Iris,** Castelar 5, ✉ 39004, ☎ 21 52 25 - ▤. AE ⓓ E VISA. ✈ BY e
Comida carta 3700 a 4750.

XX **Cañadío,** Gómez Oreña 15 (pl. Cañadío), ✉ 39003, ☎ 31 41 49 - ▤. AE ⓓ E VISA JCB. ✈
Comida carta 3100 a 4500. BY c

XX **La Bombi,** Casimiro Sainz 15, ✉ 39003, ☎ 21 30 28 - ▤. AE E VISA. ✈ BY b
Comida carta 3550 a 4650.

XX **Mesón Segoviano,** Menéndez Pelayo 49, ✉ 39006, ☎ 31 10 10, Decoración castellana - ▤. AE ⓓ E VISA. ✈ AX a
cerrado domingo - **Comida** carta 3400 a 4500.

XX **Posada del Mar,** Juan de la Cosa 3, ✉ 39004, ☎ 21 56 56, « Decoración rústica » - ▤. AE ⓓ E VISA. ✈ BY p
cerrado domingo y 10 septiembre-10 octubre - **Comida** carta 3300 a 4800.

X **Laury,** av. Pedro San Martín, 4 (Cuatro Caminos), ✉ 39010, ☎ 33 01 09, Fax 34 63 85, Pescados y mariscos - ▤. AE ⓓ E VISA JCB. ✈ AX v
cerrado lunes - **Comida** carta 3000 a 5700.

X **Machinero,** Ruiz de Alda 16, ✉ 39009, ☎ 31 49 21 - ▤. AE E VISA. ✈ AX t
cerrado domingo noche - **Comida** carta 3200 a 3500.

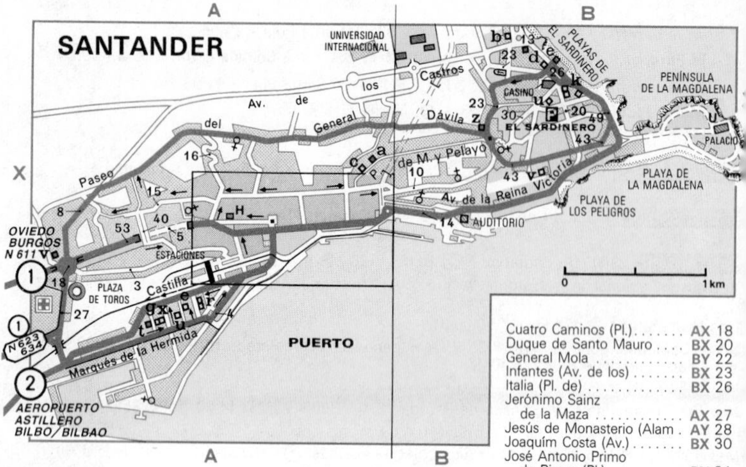

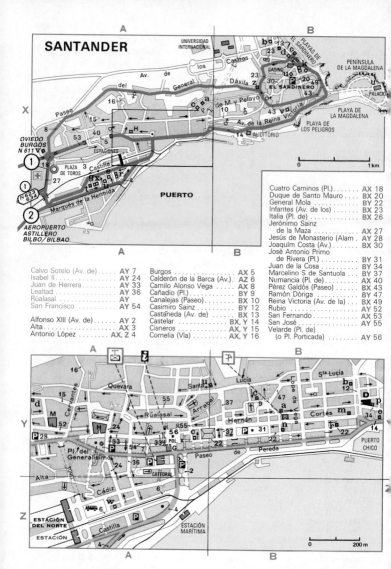

Calvo Sotelo (Av. de)	AY 7
Isabel II	AY 24
Juan de Herrera	AY 33
Lealtad	AY 36
Rúalasal	AY
San Francisco	AY 54
Alfonso XIII (Av. de)	AY 2
Alta	AX 3
Antonio López	AX, Z 4
Burgos	AX 5
Calderón de la Barca (Av.)	AZ 6
Camilo Alonso Vega	AX 8
Cañadio (Pl.)	BY 9
Canalejas (Paseo)	BX 10
Casimiro Sainz	BY 12
Castañeda (Av. de)	BX 13
Castelar	BX, Y 14
Cisneros	AX, Y 15
Cornelia (Vía)	AX, Y 16
Cuatro Caminos (Pl.)	AX 18
Duque de Santo Mauro	BX 20
General Mola	BY 22
Infantes (Av. de los)	BX 23
Italia (Pl. de)	BX 26
Jerónimo Sainz de la Maza	AX 27
Jesús de Monasterio (Alam.	AY 28
Joaquím Costa (Av.)	BX 30
José Antonio Primo de Rivera (Pl.)	BY 31
Juan de la Cosa	BY 34
Marcelino S de Santuola	BY 37
Numancia (Pl. de)	AX 40
Pérez Galdós (Paseo)	BX 43
Ramón Dóriga	BY 47
Reina Victoria (Av. de la)	BX 49
Rubio	AY 52
San Fernando	AX 53
San José	AY 55
Velarde (Pl. de) (o Pl. Porticada)	AY 56

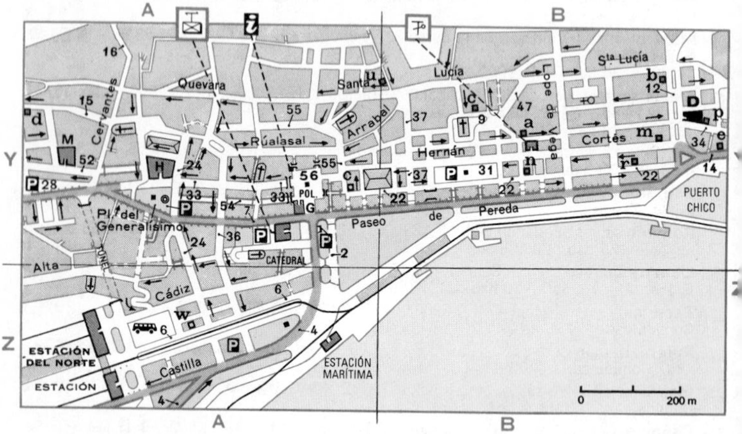

✗ **El Marinero,** Florida 15, ✉ 39007, ℘ 23 95 17, Fax 23 95 17 – ▤. AE ⓓ E VISA. 🐕
cerrado domingo, 2ª quincena enero y 2ª quincena septiembre – **Comida** carta 2550 a 3250. AY **d**

✗ **Bodega del Riojano,** Río de la Pila 5, ✉ 39003, ℘ 21 67 50, Fax 57 52 54, « Mesón típico » – AE ⓓ E VISA. 🐕 ABY **u**
cerrado domingo noche salvo en verano – **Comida** carta 2500 a 3300.

✗ **Bodega Cigaleña,** Daoiz y Velarde 19, ✉ 39003, ℘ 21 30 62, Museo del vino-Decoración rústica – ▤. AE ⓓ E VISA. 🐕 BY **a**
cerrado domingo, 20 junio-3 julio y 20 octubre-20 noviembre – **Comida** carta 2500 a 4900.

✗ **Mesón Gele,** Eduardo Benot 4, ✉ 39003, ℘ 22 10 21 – ▤. AE E VISA. 🐕 BY **n**
cerrado domingo noche, lunes mediodía, del 15 al 30 de junio y del 15 al 30 de noviembre – **Comida** carta 2600 a 3200.

en El Sardinero - ✉ 39005 Santander - ☎ 942 :

Real y Rest. El Puntal ⛰, paseo Pérez Galdós 28 ☎ 27 25 50, Telex 39012, Fax 27 45 73, « Magnífica situación con ≤ bahía », 🌳 - |‡| ▤ TV ☎ P - 🔏 25/200. AE ⊙ E VISA. ✂ BX v
Comida carta 3600 a 5250 - ☕ 1300 - **116 hab** 24800/34000, 9 suites - PA 6640.

Chiqui y Rest. Los Molinucos ⛰, av. Manuel García Lago 9 ☎ 28 27 00, Fax 27 30 32, ≤ playa y mar - |‡| ▤ rest TV ☎ ♿ 🚗 P - 🔏 25/700. AE E VISA. ✂
Comida carta 2500 a 3900 - ☕ 1000 - **157 hab** 12000/16900, 4 suites.
por av. de Castañeda BX

Santemar, Joaquin Costa 28 ☎ 27 29 00, Telex 35963, Fax 27 86 04, ✂ - |‡| ▤ TV ☎ 🚗 - 🔏 25/600. AE ⊙ E VISA. ✂ BX u
Comida 2500 - ☕ 1100 - **344 hab** 15600/19500, 6 suites - PA 6100.

Sardinero, pl. Italia 1 ☎ 27 11 00, Telex 35795, Fax 27 16 98, ≤ - |‡| ▤ rest TV ☎ - 🔏 25/90. AE ⊙ E VISA. ✂ BX d
Comida 2500 - ☕ 875 - **113 hab** 11500/16000 - PA 5000.

Rhin, av. Reina Victoria 153 ☎ 27 43 00, Fax 27 86 53, ≤ - |‡| TV ☎ - 🔏 25/60. AE ⊙ E VISA. ✂ BX k
Comida 1900 - ☕ 575 - **95 hab** 8025/12290.

Don Carlos, Duque de Santo Mauro 20 ☎ 28 00 66, Fax 28 11 77 - |‡| TV ☎ 🚗. E VISA. ✂ rest BX k
Comida 1950 - ☕ 550 - **28 apartamentos** 24000 - PA 3700.

Colón sin rest y sin ☕, pl. de las Brisas 1 ☎ 27 23 00, ≤ - ☎. ✂ BX b
julio-septiembre - **31 hab** 4500/7000.

Carlos III sin rest, av. Reina Victoria 135 ☎ 27 16 16 - TV ☎. VISA. ✂ BX k
abril-2 noviembre - ☕ 355 - **20 hab** 5800/7400.

La Sardina, Dr. Fleming 3 ☎ 27 10 35, Fax 57 52 54, Interior barco de pesca - ▤. AE ⊙ E VISA. ✂ por av. de Castañeda BX
cerrado domingo noche y martes (salvo en verano) - **Comida** carta 3100 a 5100.

Rhin, pl. de Italia 2, ✉ 39005, ☎ 27 30 34, Fax 27 86 53, ≤, 🌂 - ▤. AE ⊙ E VISA. ✂ BX e
Comida carta 3400 a 4250.

Piquio, pl. de las Brisas ☎ 27 55 03, Fax 27 55 05, ≤ - ▤. AE ⊙ E VISA. ✂ BX d
cerrado lunes en invierno - **Comida** carta 3075 a 3875.

La Flor de Miranda, av. de Los Infantes 1, ✉ 39004, ☎ 27 10 56 - ▤. AE ⊙ VISA. ✂ BX z
Comida carta 2250 a 4150.

Ver también : ***Puente Arce*** por ① : 13 km
San Cibrián por av. de los Castros : 6 km AX.

SANTES CREUS (Monasterio de) 43815 Tarragona 443 H 34 alt. 340 - ☎ 977.

Ver : Monasterio★★ (gran claustro★★ ; sala capitular★ ; iglesia★ : rosetón★).

♦Madrid 555 - ♦Barcelona 95 - ♦Lérida/Lleida 83 - Tarragona 32.

Grau ⛰ con hab, Pere El Gran 3 ☎ 63 83 11 - ▤ rest. AE E VISA. ✂
cerrado 15 diciembre-15 enero - **Comida** *(cerrado lunes)* carta 2600 a 3900 - ☕ 375 - **15 hab** 2400/3800.

SANTIAGO DE COMPOSTELA 15700 La Coruña 441 D 4 - 105 851 h. alt. 264 - ☎ 981.

Ver : Plaza del Obradoiro o Plaza de España★★★ V - Catedral★★★ (Fachada del Obradoiro★★★, Pórtico de la Gloria★★★, Museo de tapices★★, Claustro★, Puerta de las Platerías★★) V - Palacio Gelmírez (Salón sinodal★) V **A** - Hostal de los Reyes Católicos★ : fachada★ V - Barrio antiguo★★ VX : Plaza de la Quintana★★ - Puerta del Perdón★, Monasterio de San Martín Pinario★ V - Colegiata de Santa María del Sar★ (arcos geminados★) Z.

Alred. : Pazo de Oca★ : parque★★ 25 km por ③.

⛳ Aero Club de Santiago por ② : 9 km ☎ 59 24 00.

✈ de Santiago de Compostela, Labacolla por ② : 12 km ☎ 59 74 00 - Iberia : General Pardiñas 36 ☎ 57 20 24 Z.

ℹ Vilar 43 ✉ 15705, ☎ 58 40 81 - R.A.C.E. Romero Donallo 1, ☎ 53 18 00.

♦Madrid 613 ② - ♦La Coruña/A Coruña 72 ② - Ferrol 103 ② - Orense/Ourense 111 ③ - ♦Vigo 84 ④.

Plano página siguiente

Hostal de los Reyes Católicos, pl. del Obradoiro 1, ✉ 15705, ☎ 58 22 00, Telex 86004, Fax 56 30 94, « Lujosa instalación en un magnífico edificio del siglo XVI, mobiliario de gran estilo » - |‡| TV ☎ 🚗 - 🔏 25/300. AE ⊙ E VISA. ✂ V
Comida 3500 - ☕ 1200 - **130 hab** 23000, 6 suites - PA 6970.

Araguaney, Alfredo Brañas 5, ✉ 15701, ☎ 59 59 00, Telex 86108, Fax 59 02 87, 🏊 climatizada - |‡| ▤ TV ☎ 🚗 - 🔏 25/300. AE ⊙ E VISA. ✂ Z c
Comida 3000 - ☕ 1300 - **65 hab** 17500/22000.

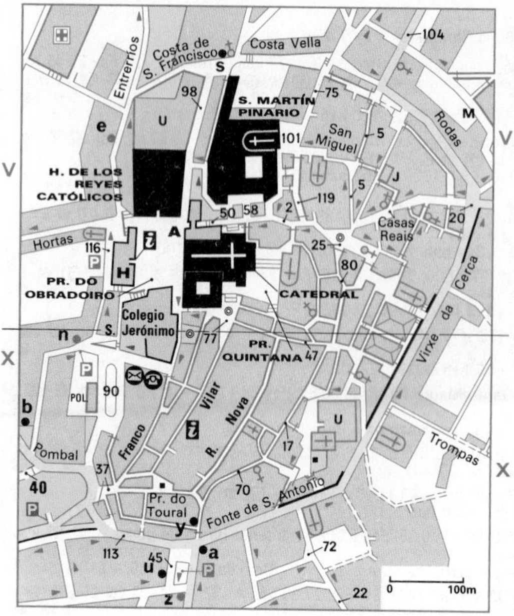

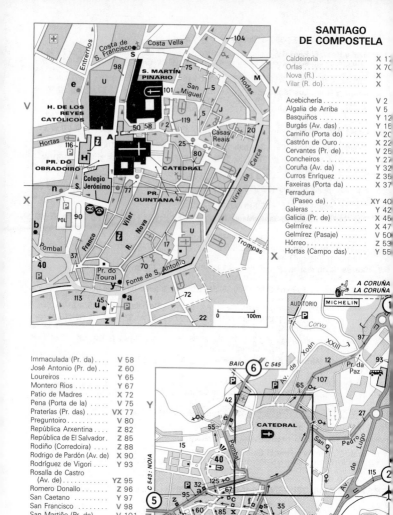

SANTIAGO DE COMPOSTELA

Caldeireria	X 1
Orfas	X 7
Nova (R.)	X
Vilar (R. do)	X
Acebichería	V 2
Algalia de Arriba	V 5
Basquiños	Y 12
Burgás (Av. das)	Y 15
Camiño (Porta do)	V 20
Castrón de Ouro	X 22
Cervantes (Pr. de)	V 25
Concheiros	Y 27
Coruña (Av. da)	Y 32
Curros Enríquez	Z 35
Faxeiras (Porta da)	X 37
Ferradura (Paseo da)	XY 40
Galeras	Y 42
Galicia (Pr. de)	X 45
Gelmírez	X 47
Gelmírez (Pasaje)	V 50
Hórreo	Z 53
Hortas (Campo das)	Y 55

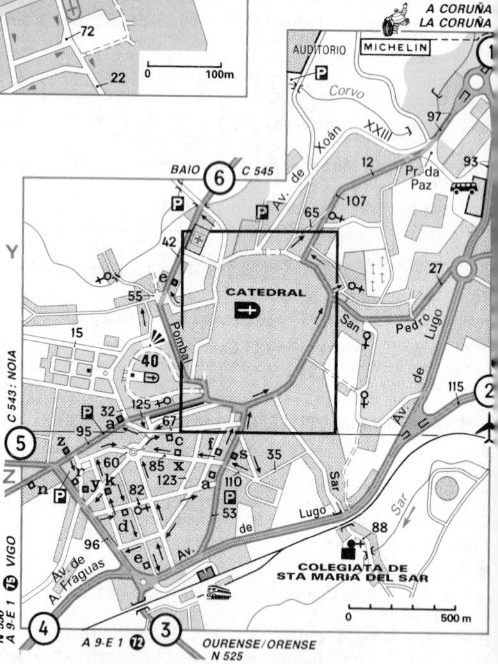

Immaculada (Pr. da)	V 58
José Antonio (Pr. de)	Z 60
Loureiros	Y 65
Montero Rios	Y 67
Patio de Madres	X 72
Pena (Porta de la)	V 75
Praterías (Pr. das)	VX 77
Preguntoiro	V 80
República Arxentina	Z 82
República de El Salvador	Z 85
Rodiño (Corredoira)	Z 88
Rodrigo de Pardón (Av. de)	X 90
Rodríguez de Vigori	Y 93
Rosalía de Castro (Av. de)	YZ 95
Romero Donallo	Z 96
San Caetano	Y 97
San Francisco	V 98
San Martiño (Pr. de)	V 101
San Roque	V 104
Santa Clara	Y 107
Santiago de Guayaquil	Z 110
Senra	X 113
Torrente Ballester (Av.)	Y 115
Trinidade	V 116
Troia	V 119
Xeneral Pardiñas	Z 123
Xoán Carlos I (Av.)	Y 125

Peregrino, av. Rosalía de Castro, ✉ 15706, ☎ 52 18 50, Telex 82352, Fax 52 17 77, ←, climatizada, – |‡| rest TV ☎ P – 25/250. AE ⓓ E VISA JCB. rest Z **n**
Comida 4100 – 1200 – **148 hab** 10500/15500.

Compostela sin rest, con cafetería, Hórreo 1, ✉ 15702, ☎ 58 57 00, Telex 82387, Fax 56 32 69 – |‡| TV ☎ – 25/200. AE ⓓ E VISA. X **a**
900 – **98 hab** 9100/14000, 1 suite.

Gelmírez sin rest, con cafetería, Hórreo 92, ✉ 15702, ☎ 56 11 00, Telex 82387, Fax 56 32 69 – |‡| TV ☎ – 25/50. AE ⓓ E VISA. Z **a**
600 – **138 hab** 6800/9600.

Hogar San Francisco sin rest, Campillo de San Francisco 3, ✉ 15705, ☎ 58 16 00, Fax 57 19 16, « Instalado en el convento de San Francisco » - |♦| ☎ P - 25/70. AE E VISA. ✻ V s
cerrado 15 diciembre-15 enero - ☐ 550 - **71 hab** 6800/9400.

Windsor sin rest, República de El Salvador 16-A, ✉ 15701, ☎ 59 29 39 - |♦| TV Z x
50 hab.

Universal sin rest, pl. de Galicia 2, ✉ 15706, ☎ 58 58 00, Fax 58 57 90 - |♦| TV ☎. AE ⊙ E VISA. ✻ X u
☐ 450 - **54 hab** 4500/7000.

México sin rest, República Argentina 33 - 4°, ✉ 15706, ☎ 59 80 00, Fax 59 80 16 - |♦|. E VISA. ✻ Z d
☐ 350 - **57 hab** 3500/5900.

Rey Fernando sin rest, Fernando III el Santo 30 - 6°, ✉ 15702, ☎ 59 35 50, Fax 59 00 96 - |♦|. E VISA. ✻ Z e
☐ 400 - **24 hab** 4550/6500.

Vilas, av. Romero Donallo 9 - A, ✉ 15706, ☎ 59 11 50, Fax 59 11 50 - ☎. AE ⊙ E VISA. ✻ Z r
Comida (ver rest. ***Anexo Vilas***) - ☐ 400 - **28 hab** 4000/6500.

Alameda sin rest, San Clemente 32, ✉ 15705, ☎ 58 81 00, Fax 58 86 89 - TV. AE E VISA. ✻ X b
☐ 400 - **20 hab** 4000/6000.

Mapoula sin rest y sin ☐, Entremurallas 10 - 3°, ✉ 15702, ☎ 58 01 24, Fax 58 40 89 - |♦| ☎ X y
12 hab 3000/4200.

XXXX ✿ **Toñi Vicente,** Rosalía de Castro 24, ✉ 15706, ☎ 59 41 00, Fax 59 35 54 - ▤. AE ⊙ E VISA JCB. ✻ Y a
cerrado domingo, del 7 al 18 de enero y del 17 al 31 de agosto - **Comida** carta 3850 a 5500
Espec. Ensalada marinada de lubina, Ensalada de vieiras al vinagre de Modena y aceite de perejil, Mero en costra de patata.

XX **Anexo Vilas,** av. de Villagarcía 21, ✉ 15706, ☎ 59 86 37, Fax 59 11 50 - ▤. AE ⊙ E VISA JCB. ✻ Z y
cerrado lunes - **Comida** carta 4000 a 5000.

XX **La Tacita d'Juan,** Hórreo 31, ✉ 15702, ☎ 56 20 41, Fax 59 27 14 - ▤. AE E VISA. ✻
cerrado domingo y del 1 al 15 de agosto - **Comida** carta 3300 a 5100. Z s

XX **Nixon,** Santiago de Chile 15, ✉ 15702, ☎ 53 15 31 - ▤. AE E VISA. ✻ Z k
cerrado domingo y del 15 al 31 de agosto - **Comida** carta 3000 a 4300.

XX **Don Gaiferos,** Rua Nova 23, ✉ 15705, ☎ 58 38 94 - ▤. AE ⊙ E VISA. ✻ X t
cerrado domingo y del 22 al 31 diciembre - **Comida** carta 3500 a 4250.

XX **Fornos,** Hórreo 24, ✉ 15702, ☎ 56 57 21, Fax 57 17 27 - ▤. AE ⊙ E VISA. ✻ X z
cerrado domingo noche - **Comida** carta 3500 a 5200.

XX **Carretas,** Carretas 21, ✉ 15705, ☎ 56 31 11, Fax 56 29 39 - ▤. AE ⊙ E VISA. ✻ V e
cerrado domingo noche - **Comida** carta 3200 a 4800.

XX **San Clemente,** San Clemente 6, ✉ 15705, ☎ 58 08 82, Fax 56 29 39, 余 - ▤. AE ⊙ E VISA. ✻ X n
Comida carta 3200 a 4800.

XX **Don Quijote,** Galeras 20, ✉ 15705, ☎ 58 68 59, Fax 57 29 69 - ▤. AE ⊙ E VISA. ✻ Y e
Comida carta 2150 a 4950.

X **Vilas,** Rosalía de Castro 88, ✉ 15706, ☎ 59 21 70, Fax 59 11 50 - AE ⊙ E VISA JCB. ✻ Z z
cerrado domingo - **Comida** carta 4000 a 5000.

en la carretera N 550 por ① : 6 km - ✉ 15884 Sionlla - ☎ 981 :

Castro, Formarís ☎ 88 81 14, Fax 88 80 63, ← - |♦| ▤ TV ☎ P. AE ⊙ E VISA. ✻
Comida (ver rest. **Castro**) - ☐ 700 - **60 hab** 6000/10500.

X **Castro,** Formarís ☎ 58 25 91, Fax 88 80 63 - P. AE ⊙ E VISA. ✻
cerrado domingo - **Comida** carta 2100 a 3400.

en la carretera N 634 por ② - ✉ 15820 Labacolla - ☎ 981 :

Santiago Apóstol, cuesta de San Marcos- 4 km ☎ 55 71 55, Fax 58 64 99, ← - |♦| TV ☎ P - 25/200. AE ⊙ E VISA. ✻ rest
Comida 2000 - ☐ 850 - **97 hab** 6600/9600, 1 suite - PA 3840.

XX **Sexto,** San Marcos - 5 km ☎ 57 14 07, Fax 57 14 07, 余, Vivero propio - ▤ P. AE E VISA. ✻
Comida carta 2500 a 3900.

en la carretera N 525 por ③ : 3,5 km - ✉ 15893 Santa Lucía - ☎ 981 :

Santa Lucía sin rest, ☎ 54 92 83, Fax 54 93 00 - |♦| TV ☎ P. AE VISA. ✻
☐ 450 - **105 hab** 6300/8900.

en la carretera de La Estrada C 541 por ③ - ✉ 15894 Montouto - ☎ 981 :

Los Tilos ⚘ sin rest, con cafetería, 3 km ☎ 52 36 06, Telex 88169, Fax 80 15 14, ≤, ⛱, - |‡| TV ☎ - 25/500. AE ⓓ VISA JCB. ✗ ☐ 800 - **89 hab** 10000/14000, 4 suites.

Congreso, 4,5 km ☎ 52 38 08, Telex 86585, Fax 52 37 43, ⛱ - |‡| TV ☎ P - 25/400. AE ⓓ E VISA
Comida 2400 - ☐ 675 - **101 hab** 7000/10700.

Ver también : ***Labacolla*** por ② : 9 km
San Julián de Sales por ③ : 9 km
Ameneiro por ④ : 7 km.

S.A.F.E. Neumáticos MICHELIN, Sucursal, Polígono El Tambre, vía Edison-Parcela 68 por ① ☎ 58 02 57 y 58 84 10, Fax 58 82 59

SANTIAGO DE LA RIBERA 30720 Murcia 445 S 27 - ☎ 968 - Playa.

Club Mar Menor ☎ 57 00 21.
Padre Juan ☎ 57 17 04 Fax 57 39 63.
♦Madrid 438 - ♦Alicante/Alacant 76 - Cartagena 37 - ♦Murcia 48.

Ribera, explanada de Barnuevo 12 ☎ 57 02 00, - |‡| ☎. E VISA. ✗ rest
cerrado 15 diciembre-15 enero - **Comida** *(cerrado lunes y 15 diciembre-15 enero)* 1500 - ☐ 500 - **40 hab** 3400/6600 - PA 3000.

SANTIAGO DEL MONTE 33459 Asturias 441 B 11 - ☎ 98.

♦Madrid 487 - Gijón 37 - Oviedo 44.

Cristal Aeropuerto, carret. del aeropuerto 91 ☎ 551 95 45, Fax 551 98 01 - |‡| ▤ TV ☎ ⇔ P - 25/300. AE ⓓ E VISA. ✗ rest
Comida 1800 - ☐ 750 - **52 hab** 6800/8500 - PA 3480.

SANTIANES Asturias - ver Ribadesella.

SANTIGA Barcelona - ver Santa Perpetua de Mogoda.

SANTILLANA DEL MAR 39330 Cantabria 442 B 17 - 3 839 h. alt. 82 - ☎ 942.

Ver : Pueblo pintoresco★★ : Colegiata★ (interior : cuatro Apótoles★, retablo★, claustro★ : capiteles★★).
Alred. : Cueva prehistórica★★ de Altamira (techo★★★) SO : 2 km.
pl. Mayor ☎ 81 82 51.
♦Madrid 393 - ♦Bilbao/Bilbo 130 - ♦Oviedo 171 - ♦Santander 30.

Parador de Santillana del Mar ⚘, pl. Ramón Pelayo 8 ☎ 81 80 00, Fax 81 83 91, « Antigua casa señorial », ⚘ - |‡| TV ☎ ⇔ P - 25/120. AE ⓓ E VISA. ✗
Comida 3200 - ☐ 1100 - **56 hab** 15000 - PA 6375.

Altamira ⚘, Cantón 1 ☎ 81 80 25, Fax 84 01 36, « Casa señorial del siglo XVII » - ▤ rest TV ☎. AE ⓓ E VISA. ✗
Comida 1575 - ☐ 550 - **32 hab** 6000/10000 - PA 3150.

Los Infantes, av. Le Dorat 1 ☎ 81 81 00, Fax 84 01 03, « Fachada de época » - TV ☎. AE E VISA. ✗ rest
Comida 1700 - ☐ 550 - **50 hab** 9000/13000 - PA 3500.

Santillana, El Cruce ☎ 81 80 11, Fax 84 01 03 - TV ☎. AE E VISA. ✗ rest
cerrado 15 enero-15 febrero - **Comida** 1700 - ☐ 550 - **38 hab** 9000/13000 - PA 3500.

Siglo XVIII ⚘ sin rest, barrio Revolgo ☎ 84 02 10, Fax 84 02 11, ⛱ - TV ☎ P. AE E VISA. ✗
cerrado 22 diciembre-enero - ☐ 400 - **16 hab** 6500/10000.

Cuevas sin rest, av. Antonio Sandi ☎ 81 83 84, Fax 81 83 89 - ☎ P. AE E VISA. ✗
marzo-noviembre - ☐ 350 - **40 hab** 6500/7500.

Los Ángeles ⚘, Campo de Revolgo 13 ☎ 81 81 40, Fax 84 01 77 - TV ☎. VISA. ✗
marzo-noviembre - **Comida** 1400 - ☐ 400 - **25 hab** 7000/10000 - PA 2720.

Los Hidalgos ⚘ sin rest, Campo de Revolgo ☎ 81 81 01, Fax 84 01 70 - ☎ P. AE ⓓ E VISA. ✗
abril-30 octubre - ☐ 375 - **26 hab** 5300/6900.

San Marcos, av. Antonio Sandi ☎ 84 01 88, Fax 81 81 85 - ☎ P. AE VISA. ✗
marzo-noviembre - **Comida** 1300 - ☐ 400 - **19 hab** 7000/8000 - PA 2100.

Salldemar sin rest, av. Marcelino Sanz de Sautuola ☎ 84 01 80, Fax 81 80 23 - ☎ P. AE E VISA
marzo-octubre - ☐ 350 - **14 hab** 5500/7000.

Conde Duque ⚘ sin rest, Campo de Revolgo ☎ 81 83 36, Fax 84 01 70 - ☎ P. AE ⓓ E VISA. ✗
abril-30 octubre - ☐ 375 - **14 hab** 5300/6900.

Los Blasones, pl. de la Gándara ✆ 81 80 70 – AE ⓓ E VISA. ✻
15 marzo-10 diciembre – **Comida** carta 2150 a 4100.

La Robleda, Campo de Revolgo ✆ 84 02 02, Fax 82 02 61 – Ⓟ. AE ⓓ E VISA. ✻
Comida carta 2800 a 3200.

en la carretera de Suances N : 1 km – ✉ 39330 Santillana del Mar – ✆ 942 :

Colegiata, Los Hornos ✆ 84 02 16, Fax 84 02 17, « En una ladera con ≤ », – TV ☎ Ⓟ
27 hab.

SANTO DOMINGO DE LA CALZADA 26250 La Rioja 442 E 21 – 5 308 h. alt. 639 – ✆ 941.

Ver : Catedral★ (retablo mayor★).

♦Madrid 310 – ♦Burgos 67 – ♦Logroño 47 – ♦Vitoria/Gasteiz 65.

Parador de Santo Domingo de la Calzada, pl. del Santo 3 ✆ 34 03 00, Fax 34 03 25, Antiguo hospital de peregrinos – hab TV ☎. AE ⓓ E VISA. ✻
Comida 3200 – 1100 – **61 hab** 13000 – PA 6375.

El Corregidor, Mayor 14 ✆ 34 21 28, Fax 34 21 15 – rest TV ☎ – 25/300. AE ⓓ E VISA. ✻ rest
cerrado 11 diciembre- 6 enero – **Comida** 2075 – 800 – **32 hab** 8000/10000 – PA 4210.

El Rincón de Emilio, pl. Bonifacio Gil 7 ✆ 34 09 90 – . E VISA. ✻
cerrado martes noche y febrero – **Comida** carta 2200 a 2750.

Mesón El Peregrino, av. de Calahorra 19 ✆ 34 02 02, Decoración rústica – E VISA. ✻
cerrado lunes, 15 días en enero y Navidades – **Comida** carta 1800 a 3500.

SANTO DOMINGO DE SILOS (Monasterio de) 09610 Burgos 442 G 19 – 328 h. – ✆ 947.

Ver : Monasterio★★ (claustro★★★).

♦Madrid 203 – ♦Burgos 58 – Soria 99.

Tres Coronas de Silos, pl. Mayor 6 ✆ 39 00 47, Fax 39 00 65, « Conjunto castellano » – ☎. AE E VISA. ✻ rest
Comida 2500 – 850 – **16 hab** 5800/8900 – PA 5350.

Cruces, pl. Mayor 1 ✆ 39 00 64
13 hab.

SANTO TOMÉ DEL PUERTO 40590 Segovia 442 I 19 – 370 h. – ✆ 921.

♦Madrid 100 – Aranda de Duero 61 – ♦Segovia 54.

Mirasierra, carret. N I ✆ 55 71 05, – Ⓟ. AE ⓓ E VISA. ✻
cerrado 24 diciembre-28 enero – **Comida** 1750 – 600 – **16 hab** 5000/7500 – PA 3250.

SANTOÑA 39740 Cantabria 442 B 19 – 10 929 h. – ✆ 942 – Playa.

♦Madrid 441 – ♦Bilbao/Bilbo 81 – ♦Santander 48.

Castilla, Manzanedo 29 ✆ 66 22 61, Fax 66 24 51 – rest TV ☎. AE ⓓ E VISA JCB. ✻
cerrado 23 diciembre- 24 enero – **Comida** *(cerrado domingo noche)* 1700 – 500 – **42 hab** 5500/8000 – PA 3315.

en la playa de Berria NO : 3 km – ✉ 39740 Santoña – ✆ 942 :

Juan de la Cosa, ✆ 66 12 38, Fax 66 16 32, ≤ – rest TV ☎ Ⓟ – 25/300. AE ⓓ E VISA. ✻
cerrado enero-15 febrero – **Comida** 2100 – 850 – **18 apartamentos** 8500/10500.

SANTPEDOR 08251 Barcelona 443 G 35 – 4 579 h. alt. 320 – ✆ 93.

♦Madrid 638 – ♦Barcelona 69 – Manresa 6 – Vich/Vic 54.

Ramón, camí de Juncadella ✆ 832 08 50, Fax 827 22 41, – Ⓟ. AE ⓓ E VISA JCB. ✻
cerrado domingo noche – **Comida** carta 4900 a 7000.

SANTUARIO – ver el nombre propio del santuario.

SANTURCE o SANTURTZI 48980 Vizcaya 442 B 20 – 50 124 h. – ✆ 94.

♦Madrid 411 – Bilbao/Bilbo 15 – ♦Santander 97.

Currito, av. Murrieta 21 ✆ 483 32 14, Fax 483 35 29, ≤, – Ⓟ. AE ⓓ E VISA. ✻
cerrado domingo noche – **Comida** carta aprox. 5500.

Kai-Alde, Capitán Mendizábal 7 ✆ 461 00 34, – AE ⓓ E VISA. ✻
cerrado lunes noche – **Comida** carta 2400 a 4200.

Lucas, Iparraguirre 34 ✆ 461 68 00, Fax 461 68 00, – Ⓟ. AE E VISA. ✻
Comida carta aprox. 4500.

SANXENXO Pontevedra – ver Sangenjo.

El SARDINERO Cantabria – ver Santander.

SARDÓN DE DUERO 47340 Valladolid 442 H 16 – 679 h. – ☺ 983.
◆Madrid 208 – Aranda de Duero 66 – ◆Valladolid 26.

🏠 **Sardón,** carret. N 122 ℰ 68 03 07, Fax 68 03 07 – ▦ rest. 🖭 ⑩ E ⱽⁱˢᵃ. ⪪
Comida 1300 – ⌑ 300 – **12 hab** 2300/4300.

SARRIA 27600 Lugo 441 D 7 – 12 437 h. alt. 420 – ☺ 982.
Alred. : Portomarín : Iglesia★ E : 20 km.
◆Madrid 491 – Lugo 32 – Orense/Ourense 81 – Ponferrada 109.

🏨 Alfonso IX ⪪, Peregrino 29 ℰ 53 00 05, Fax 53 12 61 – ▐▌ ▦ 🖭 ☎ ⟵ ☻ – 🅰 25/400.
JCB
60 hab.

🏨 **Villa de Sarria,** Benigno Quiroga 49 ℰ 53 19 38, Fax 53 25 05 – ▐▌ ▦ rest 🖭 ☎. E ⱽⁱˢᵃ.
⪪
Comida *(cerrado domingo y del 15 al 30 de septiembre)* 1700 – ⌑ 500 – **23 hab**
4000/6500.

⚐ **Londres,** Calvo Sotelo 153 ℰ 53 24 56, Fax 53 30 06 – 🖭 ⱽⁱˢᵃ. ⪪
Comida 850 – ⌑ 300 – **20 hab** 2000/4000 – PA 1995.

SARRIÓN 44460 Teruel 443 L 27 – 1 021 h. – ☺ 978.
◆Madrid 338 – Castellón de la Plana/Castelló de la Plana 118 – Teruel 37 – ◆Valencia 109.

⚐ Atalaya, carret. N 234 ℰ 78 04 59 – ☻
15 hab.

⚐ **El Asturiano,** carret. N 234 ℰ 78 10 00 – 🖭 ☎ ⟵ ☻. ⪪
Comida 2400 – ⌑ 300 – **15 hab** 3000/4500.

en La Escaleruela E : 9 km – ⊠ 44460 Sarrión – ☺ 974 :

✗ La Escaleruela, ℰ 78 01 40, Decoración rústica, ⅃ – ☻.

*Todas as localidades de **Portugal** mencionadas neste guia
estão sublinhadas em vermelho no mapa Michelin nº 440 a 1/400 000.*

SEGOVIA 40000 ℙ 442 J 17 – 57 617 h. alt. 1 005 – ☺ 921.
Ver : Emplazamiento★★ - Acueducto romano★★★ BY – Ciudad vieja★★ : Catedral★★ AY (claustro★,
tapices★) – Plaza de San Martín★ (iglesia de San Martín★) BY 78 – Iglesia de San Esteban : (torre★)
AX – Alcázar★ AX – Iglesia de San Millán★ BY – Monasterio de El Parral★ AX.
Alred. : La Granja de San Ildefonso★ (Palacio : Museo de Tapices★★, jardines★★ : surtidores★★)
SE : 11 km por ③ – Palacio de Riofrío★ S : 11 km por ⑤.
🛈 pl. Mayor 10, ⊠ 40001, ℰ 46 03 34, Fax 46 03 30 – R.A.C.E. pl. Ezequiel González 24, ⊠ 40002,
ℰ 44 36 26.
◆Madrid 87 ④ – Ávila 67 ⑤ – ◆Burgos 198 ② – ◆Valladolid 110 ①.

Plano página siguiente

🏨 **Los Arcos,** paseo de Ezequiel González 26, ⊠ 40002, ℰ 43 74 62, Telex 49823,
Fax 42 81 61 – ▐▌ ▦ 🖭 ☎ ⟵ – 🅰 25/225. 🖭 ⑩ E ⱽⁱˢᵃ JCB. ⪪   BY **t**
Comida (ver rest. **La Cocina de Segovia**) – ⌑ 1000 – **59 hab** 8500/12000.

🏨 **Infanta Isabel** sin rest, Isabel la Católica 1, ⊠ 40001, ℰ 44 31 05, Fax 43 32 40 – ▐▌ ▦
🖭 ☎ ⟵ – 🅰 25. 🖭 ⑩ E ⱽⁱˢᵃ JCB. ⪪   BY **a**
⌑ 850 – **29 hab** 7000/10900.

🏨 **Acueducto,** av. del Padre Claret 10, ⊠ 40001, ℰ 42 48 00, Fax 42 84 46 – ▐▌ ▦ 🖭 ☎
⟵ – 🅰 25/200. 🖭 ⱽⁱˢᵃ. ⪪   BY **v**
Comida 2400 – ⌑ 750 – **78 hab** 6300/9450 – PA 4715.

🏨 **Los Linajes** ⪪ sin rest, con cafetería, Dr. Velasco 9, ⊠ 40003, ℰ 46 04 75, Fax 46 04 79
– ▐▌ 🖭 ⟵ – 🅰 25/200. 🖭 ⑩ E ⱽⁱˢᵃ JCB. ⪪   AX **p**
⌑ 725 – **55 hab** 6800/10500.

🏨 **Las Sirenas** sin rest y sin ⌑, Juan Bravo 30, ⊠ 40001, ℰ 43 40 11, Fax 43 06 33 – ▐▌ ▦
🖭 ☎. 🖭 ⑩ E ⱽⁱˢᵃ JCB. ⪪   BY **f**
39 hab 5000/7500.

🏨 **Corregidor,** carret. de Ávila 1, ⊠ 40002, ℰ 42 57 61, Fax 44 24 36 – ▐▌ 🖭 ☎ – 🅰 25/70.
🖭 ⑩ E ⱽⁱˢᵃ. ⪪   BY **a**
Comida carta 1050 a 2600 – ⌑ 500 – **54 hab** 4800/6100.

🏠 **Don Jaime** sin rest, Ochoa Ondátegui 8, ⊠ 40001, ℰ 44 47 87 – 🖭 ☎. E ⱽⁱˢᵃ   BY **b**
⌑ 325 – **16 hab** 2800/4800.

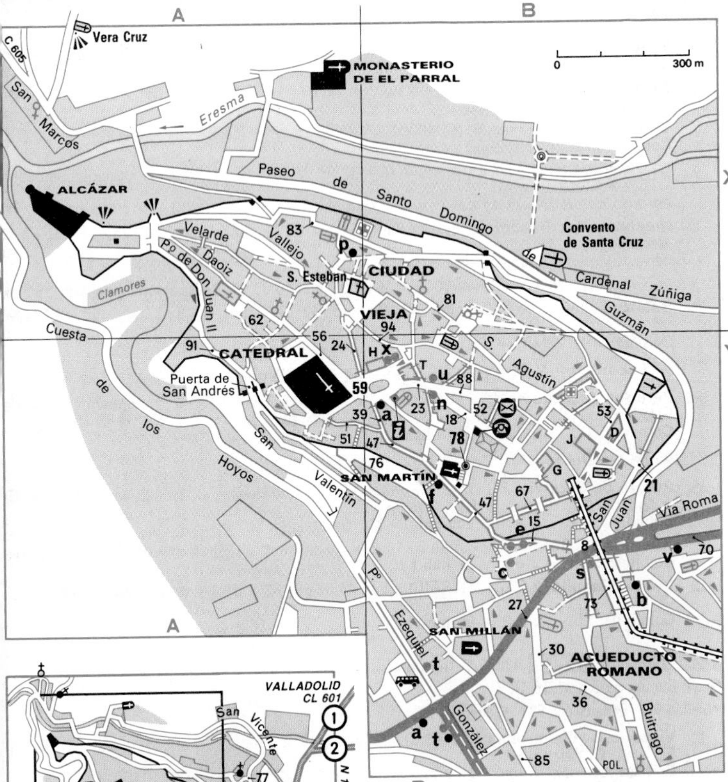

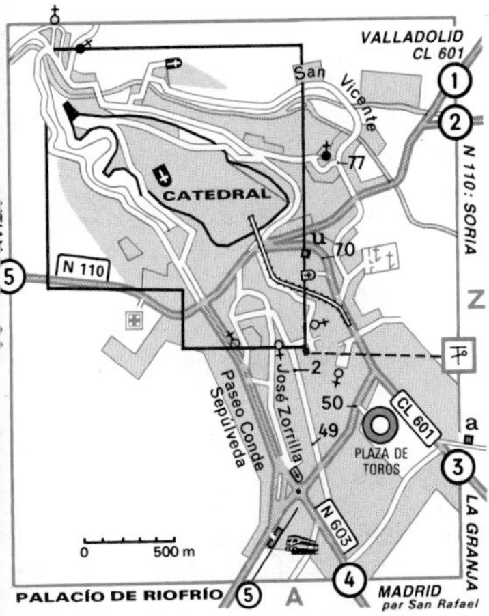

SEGOVIA

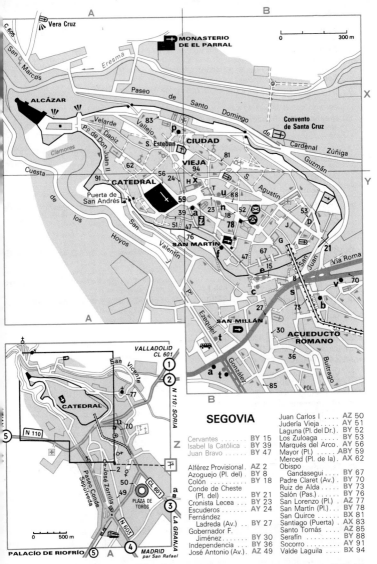

Cervantes . . . . BY 15
Isabel la Católica . BY 39
Juan Bravo . . . . . . BY 47

Alférez Provisional . AZ 2
Azoguejo (Pl. del) . BY 8
Colón . . . . BY 18
Conde de Cheste (Pl. del) . . . . BY 21
Cronista Lecea . . . BY 23
Escuderos . . . . AY 24
Fernández Ladreda (Av.) . . BY 27
Gobernador F. Jiménez . . . . BY 30
Independencia . . . BY 36
José Antonio (Av.) . AZ 49
Juan Carlos I . . . . AZ 50
Judería Vieja . . . . . AY 51
Laguna (Pl. del Dr.) . BY 52
Los Zuloaga . . . . . BY 53
Marqués del Arco . AY 56
Mayor (Pl.) . . . . . ABY 59
Merced (Pl. de la) . AX 62
Obispo Gandasegui . . . . BY 67
Padre Claret (Av.) . BY 70
Ruiz de Alda . . . . . BY 73
Salón (Pas.) . . . . . . BY 76
San Lorenzo (Pl.) . AZ 77
San Martín (Pl.) . . . BY 78
San Quirce . . . . . . BX 81
Santiago (Puerta) . AX 83
Santo Tomás . . . . AZ 85
Serafín . . . . BY 88
Socorro . . . . AY 91
Valde Laguila . . . . BX 94

XXX **La Cocina de Segovia,** paseo de Ezequiel González, 26, ✉ 40002, ☎ 43 74 62, Fax 42 81 61 – ▤ 🚗. AE ⓓ E VISA JCB. ✗ BY **t**
Comida carta 3050 a 4800.

XX **Mesón de Cándido,** pl. Azoguejo 5, ✉ 40001, ☎ 42 59 11, Fax 42 96 33, « Casa del siglo XV, decoración castellana » – ▤. AE ⓓ E VISA. ✗ BY **s**
Comida carta 3200 a 3900.

XX **José María,** Cronista Lecea 11, ✉ 40001, ☎ 46 11 11, Fax 46 02 73 – ▤. AE ⓓ E VISA JCB BY **u**
Comida carta 2600 a 4250.

XX **Duque,** Cervantes 12, ✉ 40001, ☎ 43 05 37, Fax 44 12 66, « Decoración castellana » – ▤. AE ⓓ E VISA JCB BY **e**
Comida carta 2990 a 4095.

XX **Maracaibo,** paseo de Ezequiel González 25, ✉ 40002, ☎ 43 11 77 – ▤. AE ⓓ E VISA. ✗ BY **t**
Comida carta 3150 a 5000.

X **El Bernardino,** Cervantes 2, ✉ 40001, ✆ 43 32 25, Fax 43 17 41 – ▤. AE ⓓ E VISA JCB. ✻
Comida carta 2425 a 3550. BY e

X **Mesón Mayor,** pl. Mayor 3, ✉ 40001, ✆ 46 09 15, Fax 46 08 95, ☂ – ▤. AE VISA. ✻
Comida carta 2250 a 3350. BY x

X **Solaire,** Santa Engracia 3, ✉ 40001, ✆ 43 55 25 – ▤. AE ⓓ VISA. ✻ BY c
Comida carta 2600 a 2950.

X **La Oficina,** Cronista Lecea 10, ✉ 40001, ✆ 46 02 83, Fax 46 02 29, Decoración castellana – AE ⓓ E VISA JCB BY n
cerrado del 10 al 30 de noviembre – **Comida** carta 2300 a 3200.

X **Mesón de los Gascones,** av. del Padre Claret 14, ✉ 40001, ✆ 42 10 95 – ▤. AE ⓓ E VISA. ✻ AZ u
cerrado lunes – **Comida** carta 2300 a 2950.

X La Taurina, pl. Mayor 8, ✉ 40001, ✆ 46 09 02, Fax 46 08 97, Decoración castellana BY x

X **Solaire 2,** carret. de Palazuelos, ✉ 40004, ✆ 42 10 63, Fax 44 45 42, ☂ – AE ⓓ E VISA. ✻ AZ a
Comida carta 2350 a 4500.

en la carretera N 601 por ① : 3 km – ✉ 40003 Segovia – ☎ 921 :

Parador de Segovia ⛰, ✆ 44 37 37, Telex 47913, Fax 43 73 62, ≤ Segovia y sierra de Guadarrama, Ⅎ₺, ⛱, ⛱, ✂ – |‡| ▤ TV ☎ ⇔ P – ⚲ 25/300. AE ⓓ E VISA. ✻
Comida 3500 – ☕ 1200 – **113 hab** 16000 – PA 6970.

en la carretera N 110 por ② – ✉ 40196 La Lastrilla – ☎ 921 :

Puerta de Segovia, 2,8 km ✆ 43 71 61, Fax 43 79 63, Ⅎ₺, ⛱, ✂ – |‡| ▤ TV ☎ ⇔ P – ⚲ 25/1000. AE ⓓ E VISA JCB. ✻
Comida 2700 – ☕ 800 – **205 hab** 6400/10600 – PA 5270.

Avenida del Sotillo, 3 km ✆ 44 54 14, Fax 435 669 – |‡| ▤ TV ☎ ⇔ P. AE E VISA. ✻ rest
Comida 1500 – ☕ 600 – **29 hab** 5500/7200 – PA 3000.

Venta Magullo, 2,5 km ✆ 43 50 11, Fax 44 07 63, Ⅎ₺ – ▤ TV ☎ ⇔ P. AE ⓓ E VISA. ✻
Comida 1125 – ☕ 245 – **65 hab** 4400/6200 – PA 2100.

SEGUR DE CALAFELL 43882 Tarragona 443 I 34 – ☎ 977 – Playa.

ℹ av. Barcelona 81 ✆ 16 15 11.

♦Madrid 577 – ♦Barcelona 62 – ♦Tarragona 33.

Victoria, av. Barcelona 98 ✆ 16 20 02, Fax 16 20 08, ☂, ⛱ climatizada, ⛱ – |‡| ▤ rest TV ⇔. E VISA. ✻ rest
Comida *(cerrado domingo noche y lunes)* 1800 – **32 hab** ☕ 7200/10100.

X **Mediterrani,** pl. Mediterrani ✆ 16 23 27 – ▤. AE E VISA. ✻
cerrado domingo noche y lunes (salvo festivos o vísperas) y 20 diciembre-10 enero – **Comida** carta 3300 a 4400.

SELLÉS o CELLERS 25631 Lérida 443 F 32 alt. 325 – ☎ 973.

♦Madrid 551 – ♦Lérida/Lleida 82.

Terradets, carret. C 147 ✆ 65 11 20, Fax 65 13 04, ≤, ⛱ – |‡| ▤ TV ☎ ⇔ P. VISA. ✻
Comida 1700 – ☕ 700 – **40 hab** 4400/6200.

La SÉNIA Tarragona – ver La Cenia.

SEO DE URGEL o La SEU D'URGELL 25700 Lérida 443 E 34 – 11 195 h. alt. 700 – ☎ 973.

Ver : Catedral de Santa María★★ (claustro★, museo diocesano★ : Beatus★★), retablo de la Abella de la Conca★ – ℹ av. Valira, ✆ 35 15 11, Fax 35 01 65.

♦Madrid 602 – ♦Andorra la Vieja 20 – ♦Barcelona 200 – ♦Lérida/Lleida 133.

Parador de Seo de Urgel, Santo Domingo 6 ✆ 35 20 00, Fax 35 23 09, ⛱ – |‡| ▤ TV ☎ ⇔ – ⚲ 25/60. AE ⓓ E VISA. ✻
Comida 3200 – ☕ 1100 – **77 hab** 12000, 1 suite – PA 6375.

Nice, av. Pau Claris 4 ✆ 35 21 00, Fax 35 12 21 – |‡| ▤ rest TV ☎ ⇔. AE ⓓ VISA. ✻ hab
Comida *(cerrado domingo y enero)* 1650 – ☕ 750 – **51 hab** 3975/6200, 5 suites – PA 3380.

Avenida sin rest, av. Pau Claris 24 ✆ 35 01 04, Fax 35 35 45 – |‡| TV ☎. AE ⓓ VISA. ✻
☕ 600 – **47 hab** 3800/6300.

Duc d'Urgell sin rest y sin ☕, Josep de Zulueta 43 ✆ 35 21 95 – |‡|. E VISA. ✻
36 hab 3500/5000.

X **Mesón Teo,** av. Pau Claris 38 ✆ 35 10 29 – ▤. AE ⓓ E VISA. ✻
cerrado del 1 al 20 de junio y Navidades – **Comida** carta 2700 a 4650.

en Castellciutat SO : 1 km – ✉ 25710 Castellciutat – ☎ 973 :

El Castell ⛰, carret. N 260, ✉ apartado 53 Seo de Urgel, ☎ 35 07 04, Fax 35 15 74, < valle, Seo de Urgel y montañas, « ⛱ rodeada de césped » – ▤ TV ☎ P – 🏔 25/75. AE ① E VISA. ✂ rest
cerrado 15 enero-15 febrero – **Comida** carta 4450 a 5600 – ☕ 1400 – **37 hab** 15000/25500, 1 suite
Espec. Salmonetes y terrina de tomate al mozarella y puré de olivas, Rissoto con cangrejos, foie, setas y trufas, Manitas de cerdo rellenas de ceps y trufas.

La Glorieta ⛰, Afueras ☎ 35 10 45, Fax 35 42 61, < valle y montañas, ⛱ – |‡| ☎ P. AE ① E VISA. ✂
Comida *(cerrado lunes)* 1600 – ☕ 700 – **27 hab** 3500/7000 – PA 3415.

SEPÚLVEDA **40300** Segovia 442 I 18 – 1 378 h. alt. 1 014 – ☎ 921.
Ver : Emplazamiento★.
♦Madrid 123 – Aranda de Duero 52 – ♦Segovia 59 – ♦Valladolid 107.

Cristóbal, Conde Sepúlveda 9 ☎ 54 01 00, Fax 54 01 00, Decoración castellana – ▤. AE ① E VISA. ✂
cerrado martes, del 1 al 15 de septiembre y del 15 al 30 de diciembre – **Comida** carta 2350 a 3800.

Casa Paulino, Calvo Sotelo 2 ☎ 54 00 16 – ▤. AE ① E VISA. ✂
cerrado lunes (salvo agosto), 20 junio-8 julio y del 10 al 30 de noviembre – **Comida** carta 2380 a 3100.

SERRADUY **22483** Huesca 443 F 31 alt. 917 – ☎ 974.
Alred. : Roda de Isábena (enclave★ montañoso, Catedral : sepulcro de San Ramón★).
♦Madrid 508 – Huesca 118 – ♦Lérida/Lleida 100.

Casa Peix ⛰, ☎ 54 07 38, ⛱ – P
temp – **26 hab.**

SES FIGUERETES (Playa de) Palma de Mallorca – ver Baleares (Ibiza) : Ibiza.

SETCASAS o **SETCASES** **17869** Gerona 443 E 36 – 150 h. – ☎ 972 – Deportes de invierno en Vallter ⛷5.
♦Madrid 710 – ♦Barcelona 138 – Gerona/Girona 91.

La Coma ⛰, ☎ 13 60 73, Fax 13 60 73, <, ⛱, 🌳 – ☎ P. VISA. ✂
Comida 1700 – ☕ 500 – **20 hab** 3000/6000.

SETENIL **11692** Cádiz 446 V 14 – 2 973 h. alt. 572 – ☎ 956.
♦Madrid 543 – Antequera 86 – Arcos de la Frontera 81 – Ronda 19.

El Almendral, S : 1 km ☎ 13 40 29, Fax 13 44 44, ⛱ – TV ☎ P. AE ① E VISA. ✂
Comida 1470 – ☕ 315 – **28 hab** 3255/5460 – PA 2605.

La SEU D'URGELL Lérida – ver Seo de Urgel.

SEVA **08553** Barcelona 443 G 36 – 1 758 h. alt. 663 – ☎ 93.
♦Madrid 665 – ♦Barcelona 60 – Manresa 48 – Vich/Vic 15.

al Sur : 5,5 km

El Montanyà ⛰, av. Montseny-urb. El Montanyà ☎ 884 06 06, Fax 884 05 58, < sierras del Montseny y del Cadí, Fö, ⛱, ⛱, 🎾, 🏌18 – |‡| ▤ TV ☎ P – 🏔 25/500. AE ① E VISA. ✂
Comida 2500 – ☕ 1000 – **52 hab** 11000/13000, 8 suites, 30 apartamentos – PA 6000.

Esta guía no indica todos los hoteles y restaurantes,
ni siquiera todos los buenos hoteles y restaurantes de España y Portugal.

Como intentamos prestar un servicio a todo tipo de turistas,
citamos establecimientos de todo tipo. Nuestra selección recoge
solamente algunos de cada categoría.

Sevilla

41000 P 446 T 11 y 12 - 704 857 h. alt. 12 - ☎ 95.

Ver : **La Giralda**★★★ (≤★★) BX - Catedral★★★ (retablo Capilla Mayor★★★, Capilla Real★★) BX - Reales Alcázares★★★ BXY (Cuarto del Almirante : retablo de la Virgen de los Mareantes★ ; Palacio de Pedro el Cruel★★★ : cúpula★★ del Salón de Embajadores ; Palacio de Carlos V : tapices★★ ; Jardines★) - Barrio de Santa Cruz★★ BCX (Hospital de los Venerables★) - Museo de Bellas Artes★★ AV - Casa de Pilatos★★ (azulejos★★, escalera★ : cúpula★) CX - Parque de María Luisa★★ FR (Museo Arqueológico M2 : Tesoro de Carambolo★) - Hospital de la Caridad★ BY - Convento de Santa Paula★ CV (portada★ iglesia) - Iglesia del Salvador★ BX (retablos barrocos★★) - Capilla de San José★ BX - Ayuntamiento (fachada oriental★) BX.

⛳9 e Hipódromo del Club Pineda FS ℘ 461 14 00 - ⛳9 Club Las Minas (Aznalcázar) SO : 25 km por ④ ℘ 575 04 14.

✈ de Sevilla-San Pablo por ① : 14 km ℘ 451 61 11 - Iberia : Almirante Lobo 2, ✉ 41001, ℘ 422 89 01 BX.

🚘 Santa Justa ℘ 453 86 86.

⛴ Cia. Trasmediterránea, av. Bonanza 2, ✉ 41012, ℘ 462 43 11.

ℹ av. de la Constitución 21 B ✉ 41004, ℘ 422 14 04 y paseo de Las Delicias, ✉ 41012, ℘ 423 44 65 - **R.A.C.E.** (R.A.C. de Andalucía) av. Eduardo Dato 22, ✉ 41002, ℘ 463 13 50.

♦Madrid 550 ① - ♦La Coruña/A Coruña 950 ⑤ - ♦Lisboa 417 ⑤ - ♦Málaga 217 ② - ♦Valencia 682 ①.

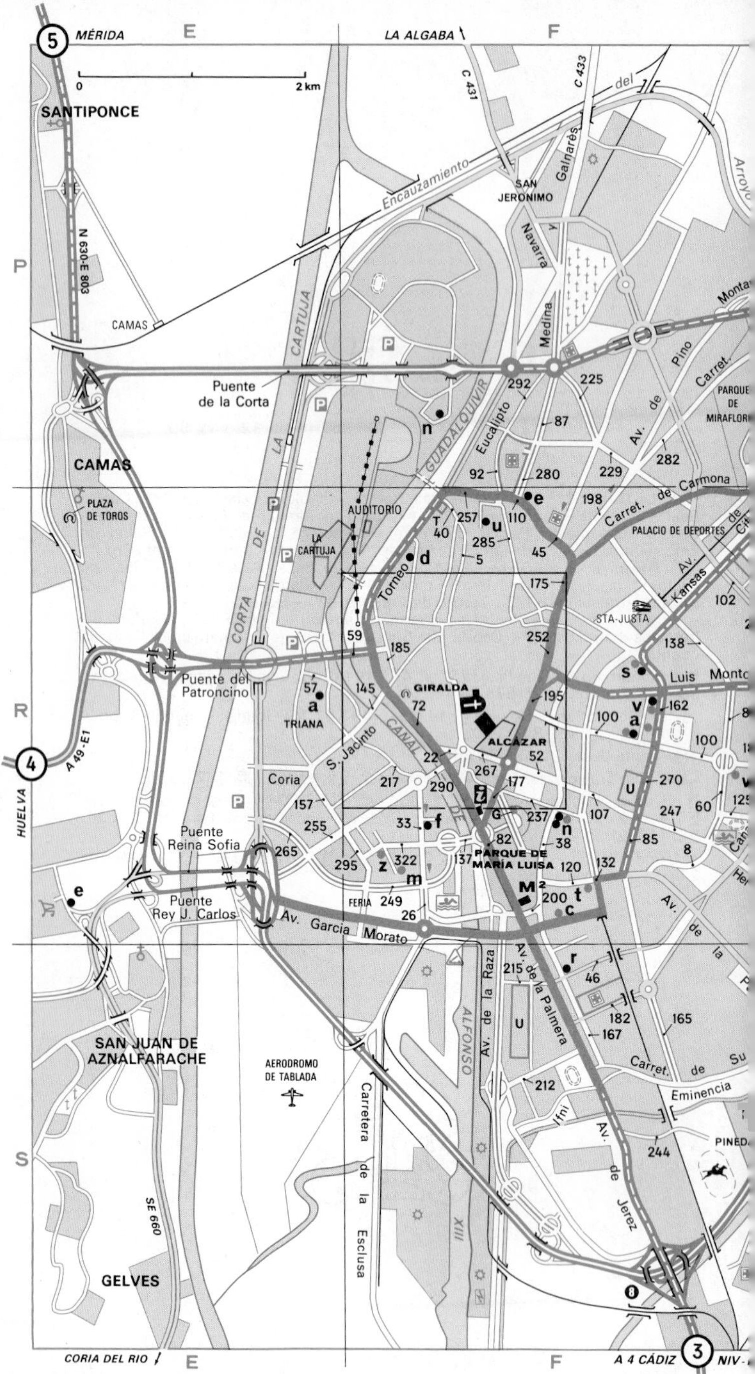
MÉRIDA
LA ALGABA
SANTIPONCE
0
2 km
C 431
C 433
del
Encauzamiento
Galnares
SAN JERONIMO
Navarra
Arroyo
N 630-E 803
CAMAS
CARTUJA
Medina
Pino
Carret.
Montaña
PARQUE DE MIRAFLORES
Puente de la Corta
292
225
87
Eucalipto
Av. de
282
GUADALQUIVIR
LA
n
CAMAS
92
280
229
Carret. de Carmona
PLAZA DE TOROS
AUDITORIO
e
198
257
110
LA CARTUJA
T 40
u
285
45
PALACIO DE DEPORTES
DE
d
5
Torneo
Av. Kansas
CORTA
175
102
STA-JUSTA
59
252
138
185
Puente del Patroncino
GIRALDA
s
Luis Montoto
57
a
145
72
195
v
162
TRIANA
a
100
CANAL
ALCAZAR
100
4
S. Jacinto
22
52
A 49-E1
Coria
217
290
267
177
270
HUELVA
157
G
237
107
247
60
125
33
f
n
Puente Reina Sofia
255
82
38
85
265
PARQUE DE MARIA LUISA
8
295
322
137
z
m
120
132
e
Puente Rey J. Carlos
FERIA
249
M²
200
t
Av.
26
c
Av. Garcia Morato
de
la
r
Av. de la Palmera
215
46
Av. de la Raza
182
165
ALFONSO
167
SAN JUAN DE AZNALFARACHE
AERODROMO DE TABLADA
Carret. de Su
Eminencia
Carretera de la Esclusa
212
Ifni
Av.
de
244
PINEDA
S
SE 660
Jerez
XIII
GELVES
8
3
CORIA DEL RIO
A 4 CÁDIZ
NIV
E
F
P
R
S

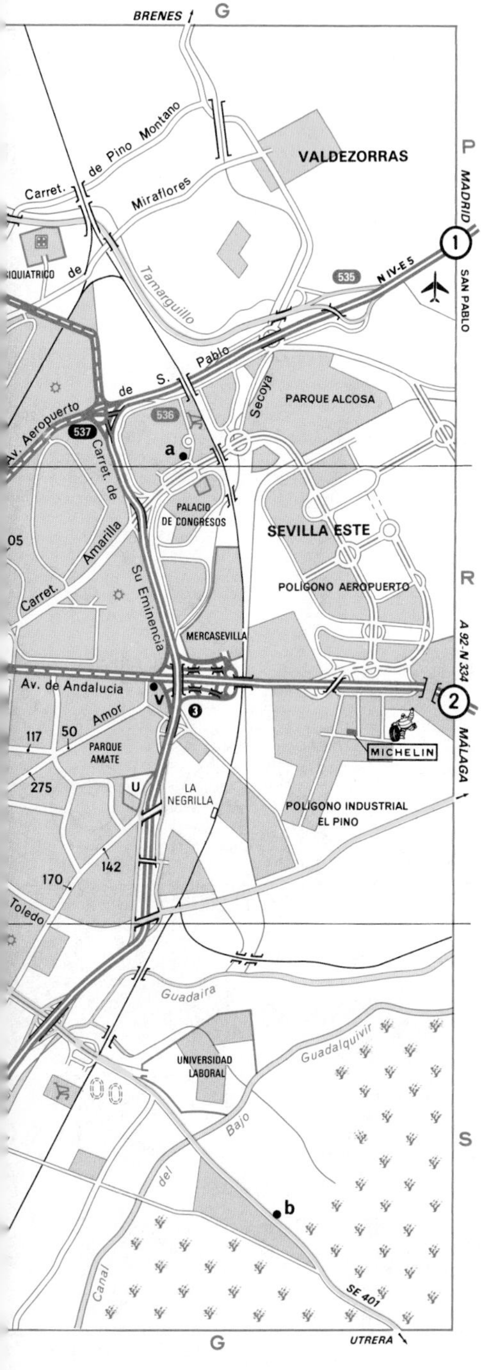

SEVILLA

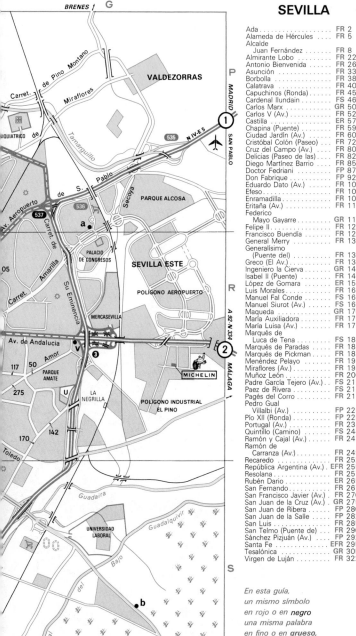

Ada . . . . FR 2
Alameda de Hércules . . . . FR 5
Alcalde
Juan Fernández . . . . FR 8
Almirante Lobo . . . . FR 22
Antonio Bienvenida . . . . . . FR 26
Asunción . . . . FR 33
Borbolla . . . . FR 38
Calatrava . . . . FR 40
Capuchinos (Ronda) . . . . . . FR 45
Cardenal Ilundain . . . . FS 46
Carlos Marx . . . . GR 50
Carlos V (Av.) . . . . FR 52
Castilla . . . . ER 57
Chapina (Puente) . . . . FR 59
Ciudad Jardín (Av.) . . . . . . FR 60
Cristóbal Colón (Paseo) . . . FR 72
Cruz del Campo (Av.) . . . . FR 80
Delicias (Paseo de las) . . . . FR 82
Diego Martínez Barrio . . . . FR 85
Doctor Fedriani . . . . FP 87
Don Fabrique . . . . FP 92
Eduardo Dato (Av.) . . . . . . FR 100
Efeso . . . . FR 102
Enramadilla . . . . FR 107
Eritaña (Av.) . . . . FR 110
Federico
Mayo Gayarre . . . . GR 117
Felipe II . . . . FR 120
Francisco Buendía . . . . FR 125
General Merry . . . . FR 132
Generalísimo
(Puente del) . . . . FR 137
Greco (El Av.) . . . . FR 138
Ingeniero la Cierva . . . . GR 142
Isabel II (Puente) . . . . FR 145
López de Gomara . . . . ER 157
Luis Morales . . . . FR 162
Manuel Fal Conde . . . . FS 165
Manuel Siurot (Av.) . . . . . . FS 167
Maqueda . . . . GR 170
María Auxiliadora . . . . FR 175
María Luisa (Av.) . . . . FR 177
Marqués de
Luca de Tena . . . . FS 182
Marqués de Paradas . . . . . FR 185
Marqués de Pickman . . . . . FR 187
Menéndez Pelayo . . . . FR 195
Miraflores (Av.) . . . . FR 198
Muñoz León . . . . FR 200
Padre García Tejero (Av.) . . FS 212
Paez de Rivera . . . . FS 215
Pagés del Corro . . . . FR 217
Pedro Gual
Villalbi (Av.) . . . . FP 225
Pío XII (Ronda) . . . . FP 229
Portugal (Av.) . . . . FR 237
Quintillo (Camino) . . . . . . FS 244
Ramón y Cajal (Av.) . . . . . . FR 247
Ramón de
Carranza (Av.) . . . . FR 249
Recaredo . . . . FR 252
República Argentina (Av.) . EFR 255
Resolana . . . . FR 257
Rubén Darío . . . . ER 265
San Fernando . . . . FR 267
San Francisco Javier (Av.) . FR 270
San Juan de la Cruz (Av.) . GR 275
San Juan de Ribera . . . . . . FP 280
San Juan de la Salle . . . . . FP 282
San Luis . . . . FP 285
San Telmo (Puente de) . . . FR 290
Sánchez Pizjuán (Av.) . . . . FP 292
Santa Fe . . . . EFR 295
Tesalónica . . . . GR 305
Virgen de Luján . . . . FR 322

En esta guía,
un mismo símbolo
en rojo o en ***negro***
una misma palabra
en fino o en ***grueso,***
no significan lo mismo.

Lea atentamente los detalles de la introducción.

SEVILLA

Francos . . . . BX
Sierpes . . . . BVX
Tetuán . . . . BX

Alemanes . . . . BX 12
Alfaro (Pl.) . . . . CXY 15
Almirante Apodaca . . . . CV 20
Almirante Lobo . . . . BY 22
Álvarez Quintero . . . . . . BX 23
Amparo . . . . BV 25
Aposentadores . . . . BV 28
Argote de Molina . . . . . . BX 30
Armas (Pl. de) . . . . AX 31
Banderas (Patio) . . . . . . BXY 35
Capitán Vigueras . . . . . . CY 42
Cardenal Spinola . . . . . . AV 47
Castelar . . . . AX 55
Chapina (Puente) . . . . . . AX 59
Cruces . . . . CX 75
Doña Elvira . . . . BX 95
Doña Guiomar . . . . AX 97
Escuelas Pías . . . . CV 112
Farmaceútico E.
Murillo Herrera . . . . . . AY 115
Feria . . . . BV 123
Francisco Carrión
Mejías . . . . CV 126
Fray Ceferino
González . . . . BX 127
García de Vinuesa . . . . . BX 130
General Polavieja . . . . . . BX 135
Jesús de la Vera Cruz . . AV 147
José María Martínez
Sánchez Arjona . . . . . AY 150
Julio César . . . . AX 152
Luis Montoto . . . . CX 160
Marcelino Champagnat . AY 172
Martín Villa . . . . BV 190
Mateos Gago . . . . BX 192
Murillo . . . . AV 202
Museo (Pl.) . . . . AV 205
Navarros . . . . CVX 207
O'Donnell . . . . BV 210
Pascual de Gayangos . . . AV 220
Pastor y Landero . . . . . . AX 222
Pedro del Toro . . . . AV 227
Ponce de León (Pl.) . . . . CV 234
Puente y Pellón . . . . BV 239
Puerta de Jerez . . . . BY 242
República Argentina
(Av.) . . . . AY 255
Reyes Católicos . . . . AX 260
San Gregorio . . . . BY 272
San Juan
de la Palma . . . . BV 277
San Pedro (Pl.) . . . . BV 286
San Sebastián (Pl.) . . . . . CY 287
Santa María
La Blanca . . . . CX 297
Santander . . . . BY 300
Saturno . . . . CV 302
Triunfo (Pl.) . . . . BX 307
Velázquez . . . . BV 310
Venerables (Pl.) . . . . BX 312
Viriato . . . . BV 329

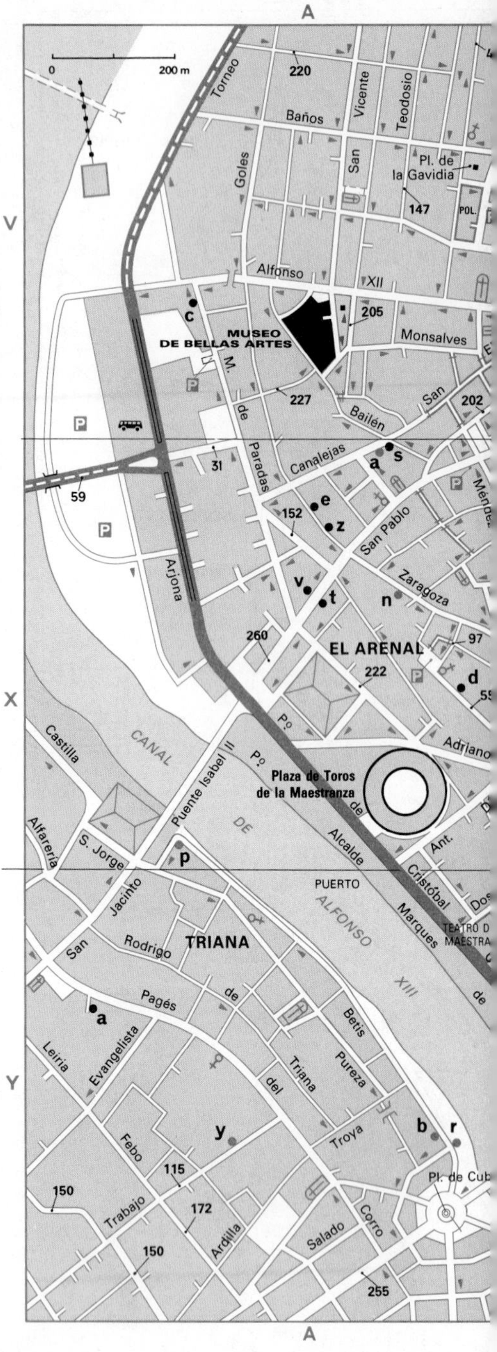

Nuestras guías de hoteles,
nuestras guías turísticas
y nuestros mapas
de carreteras
son complementarios.
Utilícelos conjuntamente.

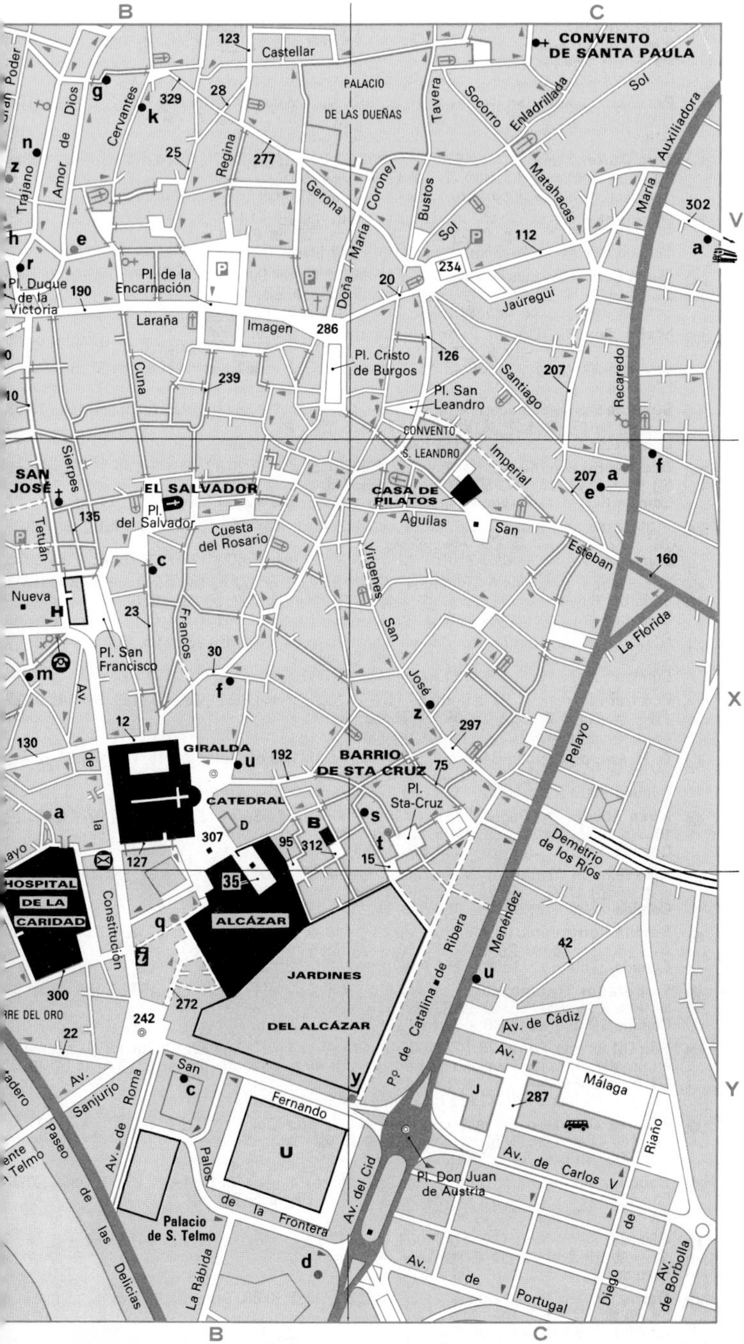
B
C
CONVENTO DE SANTA PAULA
PALACIO DE LAS DUEÑAS
Castellar
Cervantes
Amor de Dios
Trajano
Regina
Gerona
Doña María Coronel
Bustos Tavera
Socorro
Enladrillada
Sol
María Auxiliadora
Matahacas
Pl. de la Encarnación
Pl. Duque de la Victoria
Laraña
Imagen
Pl. Cristo de Burgos
Jaúregui
Pl. San Leandro
Santiago
Recaredo
Cuna
CONVENTO S. LEANDRO
Imperial
Sierpes
SAN JOSÉ
EL SALVADOR
Pl. del Salvador
CASA DE PILATOS
Aguílas
San Esteban
Tetuán
Cuesta del Rosario
Vírgenes
Nueva
Francos
San José
La Florida
Pl. San Francisco
Av. de la Constitución
GIRALDA
CATEDRAL
BARRIO DE STA CRUZ
Pl. Sta-Cruz
Pelayo
Demetrio de los Ríos
HOSPITAL DE LA CARIDAD
ALCÁZAR
JARDINES DEL ALCÁZAR
Pº de Catalina de Ribera
Menéndez
Av. de Cádiz
Málaga
Av. de Roma
San Fernando
Palos de la Frontera
Av. del Cid
Pl. Don Juan de Austria
Av. de Carlos V
Riaño
Av. Sanjurjo
Paseo de las Delicias
Palacio de S. Telmo
La Rábida
Av. de Portugal
Diego de Riaño
Av. de Borbolla
V
X
Y

Alfonso XIII, San Fernando 2, ✉ 41004, ℘ 422 28 50, Telex 72725, Fax 421 60 33, « Majestuoso edificio de estilo andaluz », - 25/500. AE ⓓ E VISA JCB. rest BY c
Comida 4700 - 2300 - **129 hab** 29000/39000, 19 suites.

Príncipe de Asturias Radisson H. Sevilla, Isla de La Cartuja, ✉ 41092, ℘ 446 22 22, Fax 446 04 28, - 25/900. AE ⓓ E VISA. FP n
Comida 3500 - **288 hab** 16800/21000, 7 suites.

Tryp Colón, Canalejas 1, ✉ 41001, ℘ 422 29 00, Telex 72726, Fax 422 09 38, - 25/240. AE ⓓ E VISA JCB. AX s
Comida (ver rest. *El Burladero*) 4100 - 1500 - **211 hab** 15500/19400, 7 suites - PA 7760

Occidental Porta Coeli, av. Eduardo Dato 49, ✉ 41018, ℘ 453 35 00, Telex 72913 Fax 453 23 42, - 25/600. AE ⓓ E VISA. FR a
Comida (ver rest. *Florencia*) - 1200 - **241 hab** 9500/16000, 3 suites.

Meliá Lebreros, Luis Morales 2, ✉ 41005, ℘ 457 94 00, Telex 72772, Fax 458 27 26, - 25/500. AE ⓓ VISA. FR v
Comida (ver rest. *La Dehesa*) - 1500 - **431 hab** 12250/16575, 6 suites.

Meliá Sevilla, Doctor Pedro de Castro 1, ✉ 41004, ℘ 442 15 11, Telex 73094 Fax 442 16 08, - 25/1000. AE ⓓ E VISA. FR r
cerrado julio y agosto - **Comida** 3500 - 1500 - **361 hab** 14500/18100, 5 suites - PA 7225.

Sol Macarena, San Juan de Ribera 2, ✉ 41009, ℘ 437 58 00, Telex 72815, Fax 438 18 03 - 25/700. AE ⓓ E VISA. FR e
Comida 3000 - 1500 - **317 hab** 14310/17280, 10 suites.

Occidental Sevilla, av. Kansas City, ✉ 41018, ℘ 458 20 00, Fax 458 46 15, - 25/320. AE ⓓ E VISA JCB. FR s
Comida (ver rest. *Florencia Pórtico*) - 1200 - **228 hab** 18600/22000, 14 suites.

Inglaterra, pl. Nueva 7, ✉ 41001, ℘ 422 49 70, Fax 456 13 36 - 25/200. AE ⓓ E VISA JCB. rest AX
Comida *(cerrado agosto)* 2500 - 1000 - **109 hab** 15600/19500, 4 suites - PA 5950

Los Seises, Segovias 6, ✉ 41004, ℘ 422 94 95, Fax 422 43 34, « Instalado en el terce patio del Palacio Arzobispal », - 25/100. AE ⓓ E VISA. BX
Comida *(cerrado agosto)* carta 3125 a 4475 - 1500 - **37 hab** 15000/20000, 6 suites

NH Ciudad de Sevilla, av. Manuel Siurot 25, ✉ 41013, ℘ 423 05 05, Fax 423 85 39, - 25/300. AE ⓓ E VISA. FS
Comida 3500 - 1400 - **90 hab** 25400/31800, 3 suites.

Pasarela sin rest, av. de la Borbolla 11, ✉ 41004, ℘ 441 55 11, Telex 72486, Fax 442 07 27 - 25. AE ⓓ E VISA. FR
1000 - **77 hab** 10500/16000, 5 suites.

G. H. Lar, pl. Carmen Benítez 3, ✉ 41003, ℘ 441 03 61, Telex 72816, Fax 441 04 52 - 25/300. AE ⓓ E VISA. CX
Comida 2600 - 1000 - **129 hab** 12500/18000, 8 suites - PA 4900.

Husa Sevilla, Pagés del Corro 90, ✉ 41010, ℘ 434 24 12, Fax 434 27 07 - 25/220. AE ⓓ E VISA JCB. AY
Comida 3250 - 1100 - **114 hab** 15500/21000, 14 suites - PA 6400.

NH Plaza de Armas, av. Marqués de Paradas, ✉ 41001, ℘ 490 19 92, Fax 490 12 32, - 25/250. AE ⓓ VISA. AV
Comida 2200 - 1200 - **260 hab** 11200/14000, 2 suites.

Sevilla Congresos, av. Montes Sierra, ✉ 41020, ℘ 425 90 00, Telex 73224, Fax 425 95 00 - 25/270. AE ⓓ E VISA. rest GP
Comida 2750 - 1600 - **202 hab** 10500/15000, 16 suites - PA 5680.

Emperador Trajano, José Laguillo 8, ✉ 41003, ℘ 441 11 11, Fax 453 57 02 - 25/150. AE ⓓ E VISA JCB. CV
Comida 2000 - 1000 - **77 hab** 13640.

San Gil sin rest, Parras 28, ✉ 41002, ℘ 490 68 11, Fax 490 69 39, « Instalado parcialment en un edificio típico sevillano de principios de siglo, patio ajardinado », - AE ⓓ E VISA JCB. FR
800 - **4 hab** 11200/12800, 5 suites, 30 apartamentos.

Álvarez Quintero sin rest, con cafetería, Álvarez Quintero 9, ✉ 41004, ℘ 422 12 98 Fax 456 41 41 - AE ⓓ E VISA. BX
700 - **40 hab** 9500/13000.

Bécquer sin rest, con cafetería, Reyes Católicos 4, ✉ 41001, ℘ 422 89 00, Telex 7288 Fax 421 44 00 - 25/45. AE ⓓ E VISA. AX
800 - **120 hab** 10000/15000.

Giralda, Sierra Nevada 3, ✉ 41003, ℘ 441 66 61, Telex 72417, Fax 441 93 52 - 25/250. AE ⓓ E VISA JCB. CX
Comida 2000 - 950 - **98 hab** 12650.

Derby sin rest, pl. del Duque 13, ✉ 41002, ℘ 456 10 88, Telex 72709, Fax 421 33 91 - AE ⓓ E VISA. BV
550 - **75 hab** 7000/9500.

Doña María sin rest, Don Remondo 19, ✉ 41004, ☏ 422 49 90, Fax 421 95 46, « Terraza con ⛱ y ≤ » - 25/40. AE ⓓ E VISA JCB. BX **u**
☕ 1300 - **59 hab** 10000/16000, 2 suites.

Monte Triana sin rest, Clara de Jesús Montero 24, ✉ 41010, ☏ 434 31 11, Fax 434 33 28 - 25/50. AE E VISA. ER **a**
☕ 700 - **117 hab** 8800/11000.

Alcázar sin rest, Menéndez Pelayo 10, ✉ 41004, ☏ 441 20 11, Telex 72360, Fax 442 16 59 - AE ⓓ E VISA. CY **u**
☕ 500 - **93 hab** 6000/9000.

América sin rest, con cafetería, Jesús del Gran Poder 2, ✉ 41002, ☏ 422 09 51, Telex 72709, Fax 421 06 26 - AE ⓓ E VISA. BV **h**
☕ 650 - **100 hab** 7000/9500.

Hispalis, av. de Andalucía 52, ✉ 41006, ☏ 452 94 33, Telex 73208, Fax 467 53 13 - 25/70. AE ⓓ E VISA JCB. GR **v**
Comida 2050 - ☕ 950 - **67 hab** 9790, 1 suite.

Fernando III, San José 21, ✉ 41004, ☏ 421 77 08, Telex 72491, Fax 422 02 46, - 25/250. AE ⓓ E VISA. rest CX **z**
Comida 2300 - ☕ 990 - **156 hab** 7800/10980, 1 suite.

Regina sin rest, San Vicente 97, ✉ 41002, ☏ 490 75 75, Fax 490 75 62 - AE ⓓ E VISA. FR **d**
☕ 750 - **68 hab** 11000/15000, 4 suites.

Monte Carmelo sin rest, Turia 7, ✉ 41011, ☏ 427 90 00, Fax 427 10 04 - AE E VISA FR **f**
☕ 700 - **68 hab** 7000/10000.

Cervantes sin rest., Cervantes 10, ✉ 41003, ☏ 490 05 52, Fax 490 05 36 - AE ⓓ E VISA. BV **k**
☕ 550 - **46 hab** 9200/11500.

Puerta de Triana sin rest, Reyes Católicos 5, ✉ 41001, ☏ 421 54 04, Fax 421 54 01 - AE ⓓ E VISA JCB. AX **t**
65 hab ☕ 6500/9000.

La Rábida, Castelar 24, ✉ 41001, ☏ 422 09 60, Telex 73062, Fax 422 43 75, - hab AE E VISA. rest AX **d**
Comida 1750 - ☕ 350 - **100 hab** 5000/8000 - PA 3250.

Corregidor sin rest, Morgado 17, ✉ 41003, ☏ 438 51 11, Fax 438 42 38 - AE ⓓ E VISA BV **g**
☕ 500 - **76 hab** 8000/14000, 1 suite.

Montecarlo (anexo), Gravina 51, ✉ 41001, ☏ 421 75 03, Telex 72729, Fax 421 68 25 - AE ⓓ E VISA. AX **e**
Comida 1800 - ☕ 550 - **47 hab** 7000/9000, 4 suites - PA 3280.

Venecia sin rest, Trajano 31, ✉ 41002, ☏ 438 11 61, Fax 490 19 55 - AE E VISA BV **n**
☕ 600 - **24 hab** 5500/10000.

Murillo sin rest, Lope de Rueda 7, ✉ 41004, ☏ 421 60 95, Fax 421 96 16 - AE ⓓ E VISA. CX **s**
☕ 400 - **57 hab** 4000/7000.

Reyes Católicos sin rest y sin ☕, Gravina 57, ✉ 41001, ☏ 421 12 00, Fax 421 63 12 - AE ⓓ E VISA. AX **z**
cerrado enero - **26 hab** 7000/9000.

Europa sin rest y sin ☕, Jimios 5, ✉ 41001, ☏ 421 43 05, Fax 421 00 16 - AE E VISA BX **m**
16 hab 7000/10000.

XXX ✿ **Egaña Oriza,** San Fernando 41, ✉ 41004, ☏ 422 72 11, Fax 421 04 29, « Jardín de invierno » - AE ⓓ E VISA. BY **y**
cerrado sábado mediodía, domingo y agosto - **Comida** carta 4700 a 6900
Espec. Almejas crudas a la vinagreta de tomate fresco, Hongos al horno al perfume de ajo y perejil (temp), Civet de liebre al vino de Rioja (temp).

XXX **Florencia,** av. Eduardo Dato 49, ✉ 41018, ☏ 453 35 00, Telex 72913, Fax 453 23 42, Decoración elegante - AE ⓓ E VISA. FR **a**
cerrado agosto - **Comida** carta 3000 a 4600.

XXX ✿ **Taberna del Alabardero** con hab, Zaragoza 20, ✉ 41001, ☏ 456 06 37, Fax 456 36 66, « Antigua casa palacio » - AE VISA. AX **n**
cerrado agosto - **Comida** carta aprox. 5000 - ☕ 500 - **7 hab** 18000/20000
Espec. Pastel de berenjenas con gambas, Urta al vino tinto sobre lecho de setas, Golosinas sueños de niño.

XXX **Florencia Pórtico,** av. Kansas City, ✉ 41018, ☏ 458 20 00, Fax 458 46 15 - AE ⓓ E VISA JCB. FR **s**
cerrado domingo y agosto - **Comida** carta 3800 a 6200.

XXX **El Burladero,** Canalejas 1, ✉ 41001, ☏ 422 29 00, Telex 72726, Fax 422 09 38, Decoración evocando la tauromaquia - AE ⓓ VISA. AX **a**
cerrado agosto - **Comida** carta 5200 a 7000.

XXX **La Dehesa,** Luis Morales 2, ✉ 41005, ☎ 457 94 00, Telex 72772, Fax 458 23 09, Decoración típica andaluza. Carnes a la brasa – ▤. AE ⓓ VISA. ✂ FR **v**
Comida carta 3300 a 4445.

XXX **Pello Roteta,** Farmacéutico Murillo Herrera 10, ✉ 41010, ☎ 427 84 17, Cocina vasca – ▤. AE ⓓ E VISA. ✂ AY **y**
cerrado domingo, Semana Santa y 15 agosto- 8 septiembre – **Comida** carta 2850 a 4200.

XXX **Rincón de Curro,** Virgen de Luján 45, ✉ 41011, ☎ 445 02 38, Fax 445 58 22 – ▤. AE ⓓ E VISA. ✂ FR **z**
cerrado domingo y agosto – **Comida** carta aprox. 3400.

XX **Al-Mutamid,** Alfonso XI 1, ✉ 41005, ☎ 492 55 04, Fax 492 25 02, 🏖 – ▤. AE ⓓ E VISA JCB. ✂ FR **w**
cerrado domingo en agosto – **Comida** carta 3650 a 4600.

XX **La Isla,** Arfe 25, ✉ 41001, ☎ 421 26 31, Fax 456 22 19 – ▤. AE ⓓ E VISA. ✂ BX **a**
cerrado lunes y 15 agosto-15 septiembre – **Comida** carta 4300 a 5100.

XX **Rincón de Casana,** Santo Domingo de la Calzada 13, ✉ 41018, ☎ 453 17 10, Fax 464 49 74, Decoración regional – ▤. AE ⓓ E VISA. ✂ FR **a**
cerrado domingo en junio, julio y agosto – **Comida** carta 3875 a 5300.

XX **Manolo García,** Virgen de las Montañas 25, ✉ 41011, ☎ 445 46 77 – ▤. AE ⓓ E VISA JCB. ✂ FR **m**
cerrado domingo – **Comida** carta 2600 a 4100.

XX **Ox's,** Betis 61, ✉ 41010, ☎ 427 95 85, Fax 427 84 65, Cocina vasca – ▤. AE ⓓ E VISA. ✂
cerrado domingo noche y agosto – **Comida** carta 3700 a 5100. AY **b**

XX **Río Grande,** Betis, ✉ 41010, ☎ 427 39 56, Fax 427 98 46, ≤, 🏖, « Amplia terraza a la orilla del río » – ▤. AE ⓓ E VISA JCB. ✂ – **Comida** carta 3000 a 4100. AY **r**

XX **La Albahaca,** pl. Santa Cruz 12, ✉ 41004, ☎ 422 07 14, Fax 456 12 04, 🏖, « Instalado en una antigua casa señorial » – ▤. AE ⓓ E VISA. ✂ CX **t**
cerrado domingo – **Comida** carta 4800 a 5300.

XX **Horacio,** Javier Lasso de la Vega 6, ✉ 41002, ☎ 490 61 04, Fax 490 61 36 – ▤. AE ⓓ E VISA. ✂ BV **e**
cerrado del 1 al 15 de agosto – **Comida** carta 2750 a 3500.

XX **El Mero,** Betis 1, ✉ 41010, ☎ 433 42 52, Fax 433 49 24, Pescados y mariscos – ▤. AE ⓓ E VISA. ✂ AX **p**
cerrado lunes y 15 días en febrero – **Comida** carta aprox. 3500.

X **El Espigón,** Bogotá 1, ✉ 41013, ☎ 462 68 51 – ▤. AE ⓓ E VISA. ✂ FR **c**
cerrado domingo – **Comida** carta 3050 a 4600.

X **El Espigón II,** Felipe II 28, ✉ 41013, ☎ 423 49 24 – ▤. AE ⓓ E VISA. ✂ FR **t**
cerrado lunes – **Comida** carta aprox. 4100.

X **El Cantábrico,** Jesús del Gran Poder 20, ✉ 41002, ☎ 438 73 03 – ▤. AE E VISA. ✂
cerrado domingo – **Comida** carta 2450 a 3600. BV **z**

X **Don José,** av. Dr. Pedro Castro - edificio Portugal, ✉ 41004, ☎ 441 44 02 – ▤. AE ⓓ E VISA. ✂ FR **n**
cerrado domingo y 2ª quincena de agosto – **Comida** carta 2600 a 3900.

X **Becerrita,** Recaredo 9, ✉ 41003, ☎ 441 20 57, Fax 422 70 93 – ▤. AE ⓓ E VISA. ✂
cerrado domingo noche y 15 días en agosto – **Comida** carta 3250 a 4650. CX **a**

X **Los Alcázares,** Miguel de Mañara 10, ✉ 41004, ☎ 421 31 03, Fax 456 18 29, 🏖, Decoración regional – ▤. AE E VISA. ✂ BY **q**
cerrado domingo – **Comida** carta 3225 a 4325.

en la carretera de Utrera - GS – ✉ 41089 Sevilla – ☎ 95 :

🏨 **Palmera Real,** ☎ 412 41 11, Fax 412 43 44, 🏖, 🏊, 🎾 – 🛗 ▤ 📺 ☎ 🚗 🅿 – 🏢 25/300. AE ⓓ VISA. ✂ rest GS **b**
Comida carta 2000 a 3350 – ☕ 800 – **128 hab** 9600/12000, 6 suites.

en San Juan de Aznalfarache - ER y ES – ✉ 41920 San Juan de Aznalfarache – ☎ 95

🏨 Alcora 🐚, carret. de Tomares ☎ 476 94 00, Fax 476 94 98, ≤, « Patio con plantas », 🏋, 🏊 – 🛗 ▤ 📺 ☎ ♿ 🚗 🅿 – 🏢 25/1200 ERS **e**
Comida Don Aníbal – **331 hab**, 68 suites.

en Bellavista por ③ – ✉ 41014 Sevilla – ☎ 95 :

🏨 **Bellavista Sevilla** sin rest, con cafetería, carret. N IV - 7 km ☎ 469 35 00, Fax 469 35 18 🏊 – 🛗 ▤ 📺 ☎ 🚗 🅿. AE ⓓ E VISA – ☕ 750 – **102 hab** 8000/12000, 2 suites.

🏨 **Doña Carmela,** av. de Jerez 14 - 5,5 km ☎ 469 29 03, Fax 469 34 37 – 🛗 ▤ 📺 ☎ 🚗 AE ⓓ E VISA. ✂ rest – **Comida** 1500 – **30 hab** ☕ 6000/8500.

Ver también : ***Castilleja de la Cuesta*** por ④ : 5 km
Benacazón por ④ : 23 km
Sanlúcar la Mayor por ④ : 27 km.

S.A.F.E. Neumáticos MICHELIN, Sucursal, Polígono Industrial El Pino - carretera de Málaga km 5,5, ✉ 41016, GR ☎ 451 08 44 y 452 22 22, Fax 451 84 88

SIERRA BLANCA Málaga - ver Ojén.

SIERRA DE CAZORLA Jaén - ver Cazorla.

SIERRA NEVADA **18196** Granada 446 U 19 alt. 2 080 - 958 - Deportes de invierno 1 17.
♦Madrid 461 - ♦Granada 32.

Meliá Sierra Nevada, pl. Pradollano 48 04 00, Telex 78507, Fax 48 04 58, ≤ - - 25/250. AE VISA.
diciembre-abril - **Comida** (sólo cena buffet) 2500 - 1200 - **219 hab** 12000/18000, 2 suites.

Kenia Nevada, pl. Pradollano 48 09 11, Fax 48 08 07, ≤, « Conjunto de estilo alpino », - AE VISA JCB.
Comida (sólo buffet) 2750 - 1000 - **66 hab** 8700/16000, 1 suite - PA 5525.

Meliá Sol y Nieve, pl. Pradollano 48 03 00, Telex 78507, Fax 48 08 54, ≤ - . AE VISA.
diciembre-abril - **Comida** (sólo cena buffet) 1950 - 1100 - **186 hab** 11000/16000.

El Lodge y Resid. Maribel, Balcón de Pradollano 48 06 00, Fax 48 05 06, ≤ -
temp - **43 hab.**

Nevasur, pl. Pradollano 48 03 50, Fax 48 03 65, ≤ Sierra Nevada y valle - . AE VISA.
Comida (sólo buffet) 2000 - **65 hab** 20500 - PA 5000.

Santa Helena, edificio Muley Hacen 48 07 12, Fax 48 09 32, ≤ Sierra Nevada y valle -
temp - **Comida** (sólo buffet) - **40 hab.**

Ruta del Veleta Sierra Nevada, edificio Bulgaria 48 12 01, Fax 48 62 93 - . AE VISA JCB
noviembre-abril - **Comida** carta 3550 a 5450.

en la carretera de Granada - 18196 Sierra Nevada - 958 :

Santa Cruz, NO : 10 km. y desvío a la derecha 0,5 km 48 48 00, Fax 48 48 06, ≤, , - - 25/250
66 hab.

Don José y Rest. Los Jamones, NO : 9 km 26 48 78, Fax (908) 15 94 58, ≤ - . AE VISA.
Comida carta 1800 a 3100 - **26 hab** 7500/9000.

Granada Ski sin rest, NO : 10 km 48 48 38, Fax 48 48 38, ≤ -
temp - **43 hab.**

SIETE AGUAS **46392** Valencia 445 N 27 - 993 h. - 96.
♦Madrid 298 - ♦Albacete 122 - Requena 19 - ♦Valencia 50.

en la antigua carretera N III SE : 5,5 km - 46360 Buñol - 96 :

Venta l'Home, 250 35 15, Decoración rústica, Carnes, Casa de Postas del siglo XVII, - . AE VISA.
Comida carta 2250 a 4250.

SIGÜENZA **19250** Guadalajara 444 I 22 - 5 426 h. alt. 1 070 - 949.
Ver : Catedral★★ (Interior : puerta capilla de la Anunciación★, conjunto escultórico del crucero★★, techo de la sacristía★ - cúpula de la capilla de las Reliquias★, púlpitos presbiterio★, crucifijo capilla girola★, capilla del Doncel : sepulcro del Doncel★★).
♦Madrid 129 - ♦Guadalajara 73 - Soria 96 - ♦Zaragoza 191.

Parador de Sigüenza, 39 01 00, Fax 39 13 64, « Instalado en un castillo medieval », - - 25/120. AE VISA.
Comida 3500 - 1200 - **78 hab** 13000, 2 suites - PA 6970.

El Doncel, paseo de la Alameda 3 39 00 01, Fax 39 00 80 - rest . VISA.
Comida 1400 - 600 - **20 hab** 3800/6000.

El Motor, av. Juan Carlos I-2 39 08 27, Fax 39 00 07 - rest . AE VISA.
Comida 1000 - 300 - **18 hab** 3000/6000 - PA 2300.

El Motor, Calvo Sotelo 12 39 03 43, Fax 39 00 07 - . AE VISA.
cerrado lunes y abril - **Comida** carta 2300 a 3200.

SILS **17410** Gerona 443 G 38 - 2 376 h. alt. 75 - 972.
♦Madrid 689 - ♦Barcelona 76 - Gerona/Girona 30.

Hostal de la Granota, carret. N II E : 1,5 km 85 30 44, Fax 85 31 85, , « Ambiente típico catalán-Antigua casa de postas » - . AE VISA.
cerrado miércoles y 10 julio-10 agosto - **Comida** carta 2450 a 3050.

S'ILLOT Palma de Mallorca - ver Baleares (Mallorca).

SIMANCAS 47130 Valladolid 442 H 15 - 2 031 h. alt. 725 - ☎ 983.
◆Madrid 197 - Ávila 117 - ◆Salamanca 103 - ◆Segovia 125 - ◆Valladolid 11 - Zamora 85.

en la carretera del pinar SE : 4 km - ✉ 47130 Simancas - ☎ 983 :

XXX **El Bohío,** ✆ 59 00 55, Fax 59 00 55, ☂, « Lindando con un pinar al borde del Duero », - ▤ P. AE ① E VISA. ✻
cerrado lunes y martes (en invierno), lunes noche y martes noche en verano - **Comida** carta 2850 a 3400.

SÍSAMO 15106 La Coruña 441 C 3 - ☎ 981.
◆ Madrid 640 - Carballo 3 - ◆ La Coruña/A Coruña 43 - Santiago de Compostela 46.

XX **Pazo do Souto** con hab, ✆ 75 60 65, Fax 70 21 14, « Antiguo pazo » - TV ☎ P. AE E VISA. ✻
Comida *(cerrado lunes y del 1 al 15 de noviembre)* carta 2300 a 3900 - **7 hab** 9000.

SISPONY - ver Andorra : La Massana.

SITGES 08870 Barcelona 443 I 35 - 13 096 h. - ☎ 93 - Playa.
Ver : Localidad veraniega★.
Club Terramar ✆ 894 05 80 AZ - passeig Vilafranca ✆ 894 93 57, Fax 894 43 05.
◆Madrid 597 ① - ◆Barcelona 43 ② - ◆Lérida/Lleida 135 ① - Tarragona 53 ③.

Plano página siguiente

Terramar, passeig Marítim 80 ✆ 894 00 50, Telex 53186, Fax 894 56 04, ←, ☂, ⛱, - |♦| ▤ TV ☎ - 🔑 25/300. AE ① E VISA. ✻ AZ a
mayo-octubre - **Comida** 2000 - ☕ 950 - **209 hab** 10000/15950.

San Sebastián Playa y Rest. La Concha, Port Alegre 53 ✆ 894 86 76, Fax 894 04 30, « Bonita decoración », - |♦| ▤ TV ☎ ⇔. AE ① E VISA. ✻ BY e
Comida 1750 - ☕ 1100 - **51 hab** 13500/17000 - PA 4100.

Calípolis, passeig Marítim ✆ 894 15 00, Fax 894 07 64, ← - |♦| ▤ TV ☎ - 🔑 25/150. AE ① E VISA. ✻ - **Comida** 1800 - ☕ 950 - **170 hab** 15500/16500. BZ a

Aparthotel Mediterráneo, av. Sofía 3 ✆ 894 51 34, Fax 894 51 34, ←, Ƒ₆, - |♦| ▤ TV ☎ ⇔ - 🔑 25/100 - **84 apartamentos.** BZ v

Antemare, Verge de Montserrat 48 ✆ 894 70 00, Telex 52962, Fax 894 63 01, ☂, Servicios de talasoterapia, Ƒ₆, - |♦| ▤ TV ☎ - 🔑 25/150 AY h
117 hab.

Subur Marítim, passeig Marítim ✆ 894 15 50, Fax 894 04 27, ←, « Césped con » - |♦| ▤ TV ☎ P. AE ① E VISA. ✻ rest AZ n
Comida 2500 - ☕ 990 - **46 hab** 12500/16000 - PA 5090.

Subur, passeig de la Ribera ✆ 894 00 66, Telex 52962, Fax 894 69 86, ☂ - |♦| ▤ hab TV ☎ ⇔. AE ① E VISA. ✻ rest BZ c
Comida *(cerrado noviembre-febrero)* carta aprox. 3050 - ☕ 850 - **96 hab** 5500/9900.

Galeón, San Francisco 44 ✆ 894 06 12, Fax 894 63 35, - |♦| ▤ TV ☎. E VISA. ✻
mayo-octubre - **Comida** 1400 - ☕ 660 - **47 hab** 5880/8610 - PA 2940. BZ u

La Santa María, passeig de la Ribera 52 ✆ 894 09 99, Fax 894 78 71, ☂ - |♦| ▤ TV ☎. AE ① E VISA. ✻ BZ f
cerrado diciembre-febrero - **Comida** 2600 - ☕ 1200 - **45 hab** 6200/9400.

Platjador, passeig de la Ribera 35 ✆ 894 50 54, Fax 894 63 35, - |♦| ▤ TV ☎. E VISA. ✻
abril-octubre - **Comida** 1400 - ☕ 660 - **59 hab** 5460/9660 - PA 2940. BZ m

Romàntic y la Renaixença sin rest, Sant Isidre 33 ✆ 894 83 75, Fax 894 81 67, « Patio-jardín con arbolado » - ☎. AE ① E VISA BZ b
15 marzo-15 octubre - ☕ 850 - **53 hab** 6100/8800.

XXX **El Greco,** passeig de la Ribera 70 ✆ 894 29 06, Fax 894 29 06, ☂ - AE ① E VISA. ✻
cerrado martes y tres semanas en noviembre - **Comida** carta 3200 a 4700. BZ s

XX **El Velero,** passeig de la Ribera 38 ✆ 894 20 51, Fax 894 73 31 - ▤. AE ① E VISA. ✻
cerrado domingo noche y lunes - **Comida** carta 2975 a 4775. BZ m

XX **Fragata,** passeig de la Ribera 1 ✆ 894 10 86, Fax 894 00 31, ☂ - ▤. AE ① E VISA
Comida carta 3145 a 3995. BZ p

XX **Maricel,** passeig de la Ribera 6 ✆ 894 20 54, Fax 894 38 96, ←, ☂ - ▤. AE ① E VISA
Comida carta aprox. 4650. BZ r

X **Mare Nostrum,** passeig de la Ribera 60 ✆ 894 33 93, ☂ - AE ① E VISA. ✻ BZ e
cerrado miércoles y 15 diciembre-enero - **Comida** carta 3340 a 4325.

X **La Masía,** passeig Vilanova 164 ✆ 894 10 76, Fax 894 61 60, ☂, Decoración rústica regional - P. AE ① E VISA JCB - **Comida** carta 2225 a 5050. AY v

X **Vivero,** passeig Balmins ✆ 894 21 49, ←, ☂, Pescados y mariscos - ▤ P. AE ① E VISA
cerrado martes de enero a mayo y 13 diciembre-15 enero - **Comida** carta 3000 a 4050. BY z

SITGES

Cap de la Vila (Pl.) . . . . BZ 12
Jesús . . . . BZ
Major . . . . BZ 22
Parellades . . . . BZ
Sant Francesc . . . . BZ 35

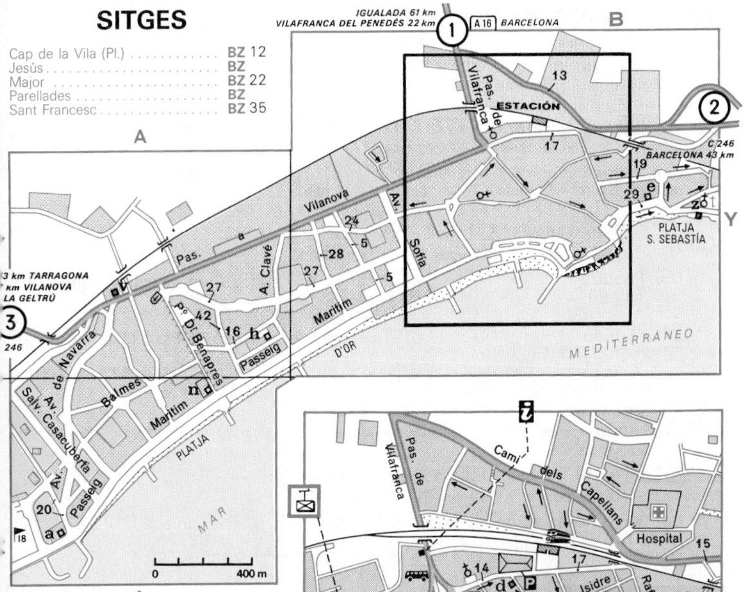

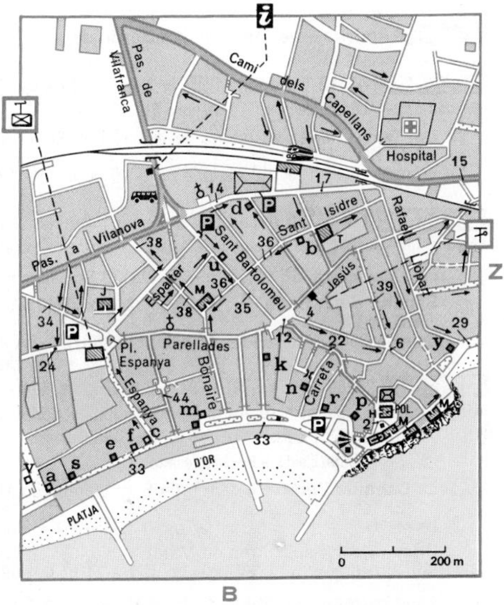

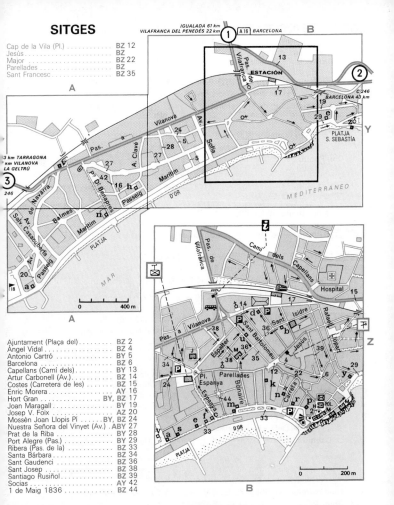

Ajuntament (Plaça del) . . . . BZ 2
Ángel Vidal . . . . BZ 4
Antonio Cartró . . . . BY 5
Barcelona . . . . BZ 6
Capellans (Camí dels) . . . . BY 13
Artur Carbonell (Av.) . . . . BZ 14
Costes (Carretera de les) . . . . . . BZ 15
Enric Morera . . . . AY 16
Hort Gran . . . . BY, BZ 17
Joan Maragall . . . . BY 19
Josep V. Foix . . . . AZ 20
Mossèn Joan Llopis Pí . . . . . . BY, BZ 24
Nuestra Señora del Vinyet (Av.) . ABY 27
Prat de la Riba . . . . BY 28
Port Alegre (Pas.) . . . . BY 29
Ribera (Pas. de la) . . . . BZ 33
Santa Bárbara . . . . BZ 34
Sant Gaudenci . . . . BZ 36
Sant Josep . . . . BZ 38
Santiago Rusiñol . . . . BZ 39
Socias . . . . AY 42
1 de Maig 1836 . . . . BZ 44

X **Oliver's,** Isla de Cuba 39 ✆ 894 35 16 – ▤. E VISA. ✂ — BZ **d**
cerrado lunes y 15 diciembre-15 enero – **Comida** (sólo cena) carta 1800 a 3550.

X **Rafecas "La Nansa",** Carreta 24 ✆ 894 19 27, Fax 894 73 31 – ▤. AE ◑ E VISA. ✂ — BZ **n**
cerrado miércoles (salvo festivos) y enero-3 febrero – **Comida** carta 2800 a 4200.

X **La Torreta,** Port Alegre 17 ✆ 894 52 53, Fax 894 73 31, ☂ – AE ◑ E VISA. ✂ — BZ **y**
cerrado martes y 24 diciembre-1 febrero – **Comida** carta 3450 a 4100.

X **Els 4 Gats,** Sant Pau 13 ✆ 894 19 15 – ▤. AE ◑ E VISA. ✂ — BZ **k**
cerrado miércoles y 15 octubre-15 abril – **Comida** carta 2200 a 3450.

en el puerto de Aiguadolç por ② : 1,5 km – ✉ 08870 Sitges – ✪ 93 :

Radisson H. Gran Sitges Barcelona ⛵, ✆ 811 08 11, Fax 894 90 34, ←, ☂, Teatro-auditorio, « Césped con ⛱ », Fб, ⛱ – |♦| ▤ TV ☎ ♿ 🚗 – 🏛 25/1400. AE ◑ E VISA. ✂
Comida 2500 – ☕ 1500 – **307 hab** 18500/22000.

Estela Barcelona y Rest Iris ⛵, av. Port d'Aiguadolç ✆ 894 79 18, Fax 811 04 89, ←, ☂, Frente al puerto deportivo, Fб, ⛱ – |♦| ▤ TV ☎ ♿ 🚗 Ⓟ – 🏛 25/350. AE ◑ E VISA. ✂ rest
Comida carta 2025 a 4600 – **57 hab** ☕ 9000/12500, 9 apartamentos.

SOBRADO DE LOS MONJES 15312 La Coruña 441 C 5 - 2 739 h. - ☎ 981.
♦Madrid 552 - ♦La Coruña/A Coruña 64 - Lugo 46 - Santiago de Compostela 61.

San Marcus, ✆ 78 75 27, - TV ☎. E VISA. ✻
cerrado enero - **Comida** 2200 - ☕ 400 - **12 hab** 3200/7000.

La SOLANA 13240 Ciudad Real 444 P 20 - 13 892 h. alt. 770 - ☎ 926.
♦Madrid 188 - Alcázar de San Juan 78 - Ciudad Real 67 - Manzanares 15.

San Jorge, carret. de Manzanares ✆ 63 34 02 - TV P. E VISA JCB. ✻
cerrado enero - **Comida** 1200 - ☕ 300 - **21 hab** 3500/6500.

SOLARES 39710 Cantabria 442 B 18 - 5 723 h. alt. 70 - ☎ 942.
♦ Madrid 387 - ♦ Bilbao/Bilbo 85 - ♦ Burgos 152 - ♦ Santander 16.

Don Pablo, General Mola 6 ✆ 52 21 20, Fax 52 05 26, « Casa señorial del siglo XVI » - ▤ hab TV ☎ P - 25/300. AE E VISA. ✻
Comida 1950 - ☕ 400 - **27 hab** 5000/8000 - PA 4300.

XX **Casa Enrique** con hab, paseo de la Estación 20 ✆ 52 00 73, Fax 52 00 73 - ▤ rest TV ☎ P. AE E VISA JCB. ✻
cerrado domingo noche y 2ª quincena de septiembre - **Comida** carta 2250 a 2950 - ☕ 300 - **16 hab** 4000/7000.

SOLDEU Andorra - ver Andorra (Principado de).

SOLIVELLA 43412 Tarragona 443 H 33 - 710 h. - ☎ 977.
♦Madrid 525 - ♦Lérida/Lleida 66 - Tarragona 51.

X **Cal Travé,** carret. d'Andorra 56 ✆ 89 21 65, Decoración típica. Carnes a la brasa - ▤. AE E VISA. ✻
cerrado miércoles y 25 septiembre-15 octubre - **Comida** carta 2550 a 3700.

SOLOSANCHO 05130 Ávila 444 K 15 - 1 156 h. alt. 1 119 - ☎ 920 :.
♦Madrid 136 - Arenas de San Pedro 52 - Ávila 23 - Béjar 91 - Peñaranda de Bracamonte 78.

en Villaviciosa SE : 2,5 km - ✉ 05130 Solosancho - ☎ 920 :

Sancho de Estrada, ✆ 29 10 82, Fax 29 10 82, « Castillo medieval » - TV ☎ P. AE E VISA
Comida 2500 - ☕ 650 - **12 hab** 5685/8620 - PA 4800.

SOLSONA 25280 Lérida 443 G 34 - 6 601 h. alt. 664 - ☎ 973.
Ver : Museo diocesano★ (pinturas★★ románicas y góticas) - Catedral (Virgen del Claustro★).
ℹ av. del Pont-edifici Piscis, ✆ 48 23 10, Fax 48 25 14.
♦Madrid 577 - ♦Lérida/Lleida 108 - Manresa 52.

XX **La Cabana d'en Geli,** carret. de Sant Llorenç de Morunys ✆ 48 29 57, - ▤ P. AE E VISA. ✻
cerrado martes noche, miércoles y del 6 al 30 de noviembre - **Comida** carta 2900 a 3800.

X **Crisami** con hab, carret. de Manresa ✆ 48 04 13, Fax 48 14 88 - E VISA. ✻ rest
Comida carta 1950 a 3000 - ☕ 500 - **21 hab** 3000/6000.

en la carretera de Manresa E : 1 km - ✉ 25280 Solsona - ☎ 973 :

XX **Gran Sol,** ✆ 48 10 00 - ▤ P. AE VISA
cerrado lunes y enero - **Comida** carta 2200 a 3700.

SÓLLER Palma de Mallorca - ver Baleares (Mallorca).

SOMIÓ Asturias - ver Gijón.

SON BOU Palma de Mallorca - ver Baleares (Menorca) : Alayor.

SON SERVERA Palma de Mallorca - ver Baleares (Mallorca).

SON VIDA Palma de Mallorca - ver Baleares (Mallorca) : Palma de Mallorca.

SOPELANA 48600 Vizcaya 442 B 21 - 8 164 h. - ☎ 94.
♦Madrid 439 - ♦Bilbao/Bilbo 20.

en Larrabasterra O : 1 km - ✉ 48600 Sopelana - ☎ 94 :

XX **Itxas-Alde,** carret. Arriatera 64 ✆ 676 00 15, ←, - ▤ P. VISA. ✻
cerrado Navidades - **Comida** carta aprox. 3600.

SORIA 42000 P 442 G 22 – 35 540 h. alt. 1 050 – ☎ 975.

Ver : Iglesia de Santo Domingo★ (portada★★) A – Catedral de San Pedro (claustro ★) B – San Juan de Duero (claustro ★) B.

Excurs. : Sierra de Urbión★★ : Laguna Negra de Urbión★★ (carretera★★) 56 km por ④, Laguna Negra de Neila★★ (carretera ★★) 86 km por ④.

pl. Ramón y Cajal, ✉ 42003, ☎ 21 20 52 – **R.A.C.E.** Fco. López de Gómara 2, ✉ 42001, ☎ 22 26 63.

♦Madrid 225 ③ – ♦Burgos 142 ④ – Calatayud 92 ② – Guadalajara 169 ③ – ♦Logroño 106 ① – ♦Pamplona/Iruñea 167 ②.

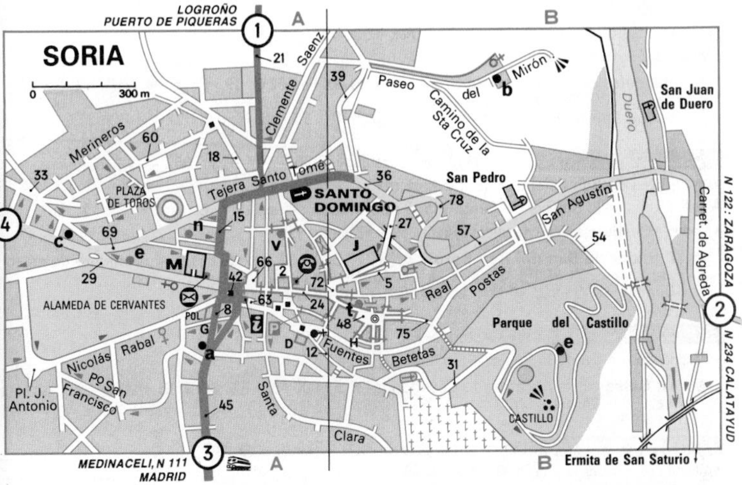

Collado	A 24	Caballeros	A 12	Mariano Vicén (Av.)	A 45
Mariano Granados (Pl.)	A 42	Campo	A 15	Mayor (Plaza)	B 48
Ramón y Cajal (Pl.)	A 63	Cardenal Frías	A 18	Nuestra Señora de Calatañazor	B 54
Ramón Benito Aceña (Pl.)	A 66	Casas	A 21	Obispo Agustín	B 57
San Blas y el Rosel (Pl.)	A 72	Condes de Gómara	B 27	Pedrizas	A 60
Aduana Vieja	A 2	Espolón (Paseo del)	A 29	San Benito	A 69
Aguirre	B 5	Fortún López	B 31	Sorovega	B 75
Alfonso VIII	A 8	García Solier	A 33	Tirso de Molina	B 78
		Hospicio	B 36		
		Logroño (Carret.)	B 39		

Parador de Soria, parque del Castillo, ✉ 42005, ☎ 21 34 45, Fax 21 28 49, ← valle del Duero y montañas – TV ☎ P – 25/140. AE ① E VISA. B **e**
Comida 3200 – 1100 – **34 hab** 12500 – PA 6375.

Alfonso VIII, Alfonso VIII - 10, ✉ 42003, ☎ 22 62 11, Fax 21 36 65 – rest TV ☎ – 25/150. AE ① E VISA. A **a**
Comida 1600 – 800 – **102 hab** 6200/8200 – PA 3400.

Mesón Leonor, paseo del Mirón, ✉ 42005, ☎ 22 02 50, Fax 22 99 53, ← – rest TV ☎ P. AE ① E VISA. rest B **b**
Comida 1900 – 500 – **32 hab** 5300/9000 – PA 3700.

Viena sin rest, García Solier 1, ✉ 42001, ☎ 22 21 09, Fax 22 21 09 – . E VISA A **c**
450 – **24 hab** 2050/5500.

Maroto, paseo del Espolón 20, ✉ 42001, ☎ 22 40 86 – . AE ① E VISA. A **e**
cerrado 15 días en febrero – **Comida** carta 3280 a 4200.

Santo Domingo II, Aduana Vieja 15, ✉ 42002, ☎ 21 17 17 – . AE ① E VISA JCB. A **v**
cerrado lunes salvo en verano – **Comida** carta 2700 a 4700.

Mesón Castellano, pl. Mayor 2, ✉ 42002, ☎ 21 30 45 – B **t**

Casa Garrido, Vicente Tutor 8, ✉ 42001, ☎ 22 20 68 – . AE ① E VISA JCB A **n**
cerrado miércoles noche – **Comida** carta 2500 a 3600.

en la carretera N 122 por ② : 6 km – ✉ 42004 Soria – ☎ 975 :

Cadosa, ☎ 21 31 43, Fax 21 31 43, – rest TV ☎ P – 25/275
64 hab.

EUROPA en una sola hoja Mapa Michelin nº 970.

SORPE 25587 Lérida 443 E 33 alt. 1 113 - ☎ 973.
♦Madrid 627 - ♦Lérida/Lleida 174 - Seo de Urgel/La Seu d'urgell 90.

en la carretera del puerto de la Bonaigua O : 4,5 km - ✉ 25587 Sorpe - ☎ 973 :

Els Avets, ✆ 62 63 55, Fax 62 63 38, ←, climatizada - TV ☎ P. E VISA.
cerrado 16 abril- 20 junio y octubre-noviembre - **Comida** 2200 - 950 - **28 hab** 5900/11800 - PA 4900.

SORT 25560 Lérida 443 E 33 - 1 511 h. alt. 720 - ☎ 973.
Alred. : NO : Valle de Llessui★★.
av. Comtes de Pallars 21, ✆ 63 10 02, Fax 62 00 10.
♦Madrid 593 - ♦Lérida/Lleida 136.

Pessets, carret. de Seo de Urgel ✆ 62 00 00, Fax 62 08 19, ←, - TV ☎ - 30/200. AE E VISA. rest
cerrado noviembre - **Comida** 1900 - 690 - **80 hab** 4850/7700.

SOS DEL REY CATÓLICO 50680 Zaragoza 443 E 26 - 974 h. alt. 652 - ☎ 948.
Ver : Iglesia de San Esteban★ (cripta★, coro★).
Alred. : Uncastillo (iglesia de Santa María : portada Sur★, sillería★, claustro★) SE : 22 km.
♦Madrid 423 - Huesca 109 - ♦Pamplona/Iruñea 59 - ♦Zaragoza 122.

Parador de Sos del Rey Católico, ✆ 88 80 11, Fax 88 81 00, ←, Conjunto de estilo aragonés - TV ☎ P - 25/45. AE E VISA.
Comida 3200 - 1100 - **65 hab** 9500 - PA 6375.

SOTO DE CANGAS 33559 Asturias 441 B 14 - 155 h. alt. 84 - ☎ 98.
♦ Madrid 439 - ♦ Oviedo 73 - ♦ Santander 134.

La Balsa sin rest, carret de Covadonga ✆ 594 00 56 - TV ☎. AE E VISA.
500 - **14 hab** 7000.

SOTO DEL BARCO 33126 Asturias 441 B 11 - 4 722 h. - ☎ 98.
♦Madrid 495 - Avilés 18 - Gijón 43 - ♦Oviedo 50.

El Figón, Puerta del Sol ✆ 558 86 50 - TV ☎
18 hab.

SOTO DEL REAL 28791 Madrid 444 J 18 - 2 697 h. alt. 921 - ☎ 91.
♦ Madrid 47 - El Escorial 47 - Guadalajara 92.

Suite H. Prado Real, El Prado (urb. Prado Real) ✆ 847 86 98, Fax 847 84 32, - TV ☎ P - 25/90
45 hab.

SOTOGRANDE 11310 Cádiz 446 X 14 - ☎ 956 - Playa.
18, 9 de Sotogrande ✆ 79 50 50 - 18 de Valderrama ✆ 79 27 75.
♦Madrid 666 - Algeciras 27 - ♦Cádiz 148 - ♦Málaga 111.

Bernardo con hab, carret. N 340 km 134 ✆ 79 41 32 -
8 hab.

en el puerto deportivo :

Club Marítimo sin rest, ✉ apartado 3, ✆ 79 02 00, Fax 79 03 77, ←, Patio con plantas, - TV ☎ - 25. AE E VISA
1000 - **37 hab** 18000/24000.

Cabo Mayor, ✆ 79 03 90, Fax 79 03 89, ←, - . AE E VISA.
cerrado domingo - **Comida** carta 4300 a 5000.

Vicente, local A-8 ✆ 79 02 12, - AE E VISA
cerrado lunes - **Comida** carta 3500 a 4500.

SOTOSALBOS 40170 Segovia 442 I 18 - 94 h. - ☎ 921.
♦Madrid 106 - Aranda de Duero 98 - ♦Segovia 19.

A. Manrique, carret. N 110 ✆ 40 30 66, Decoración castellana - P.

SOTOSERRANO 37657 Salamanca 441 K 11 - 673 h. alt. 522 - ☎ 923.
♦Madrid 311 - Béjar 36 - Ciudad Rodrigo 61 - ♦Salamanca 106.

Mirador, carret. de Coria ✆ 42 21 55, ← - P. AE E VISA.
Comida *(cerrado 17 abril-17 mayo)* 1600 - 300 - **14 hab** 2500/4500.

SUANCES **39340** Cantabria 442 B 17 - 5 842 h. - ☎ 942 - Playa.
◆Madrid 394 - ◆Bilbao/Bilbo 131 - ◆Oviedo 182 - ◆Santander 31.

Posada del Mar sin rest, Cuba de Arriba 2 ☎ 81 12 33, Fax 81 12 53 - TV ☎. VISA
☕ 300 - **11 hab** 4300/7000.

en la zona de la playa :

Suances sin rest, con cafetería, Ceballos 45 ☎ 84 42 22, Fax 84 42 11, ←, ⛱ - |♦| TV ☎ P. AE E VISA. ✻
☕ 300 - **32 hab** 8000/11000.

Vivero II, Ceballos 75 A ☎ 81 13 02, Fax 81 13 02 - ☎ P
temp - **29 hab.**

Sito, av. de la Marina Española 3 ☎ 81 04 16 - ▤. VISA. ✻
cerrado lunes salvo verano y enero - **Comida** carta 2450 a 3200.

en la zona del faro :

Albatros ⛰, Madrid 20 - carret. de Tagle ☎ 84 41 40, Fax 81 03 74, ←, 🌳, ⛱ - |♦| TV ☎ P. ◑ E VISA. ✻ rest
Comida 2500 - ☕ 600 - **40 hab** 9500/10500.

El Castillo ⛰ sin rest, av. Acacio Gutiérrez 142 ☎ 81 03 83, Fax 81 03 74, ←, Reproducción de un pequeño castillo - TV ☎. ◑ E VISA
☕ 550 - **11 hab** 8500/9000.

El Caserío ⛰ con hab, av. Acacio Gutiérrez 159 ☎ 81 05 75, Fax 81 05 76, 🌳 - ▤ rest TV ☎ P. AE ◑ E VISA. ✻
cerrado 15 diciembre-15 enero - **Comida** *(cerrado martes)* carta 3500 a 4000 - ☕ 500 - **9 hab** 6500/8500.

SURIA **08260** Barcelona 443 G 35 - 6 524 h. alt. 280 - ☎ 93.
◆Madrid 596 - ◆Barcelona 80 - ◆Lérida/Lleida 127 - Manresa 15.

Guilá "Can Pau" con hab, Salvador Vancell 19 ☎ 869 53 28, Fax 868 21 78 - ▤ rest. VISA
Comida carta 1500 a 2750 - ☕ 550 - **36 hab** 3250/4250.

TABARCA (Isla de) **03138** Alicante 445 R 28 - ☎ 96 - Playa.
⛴ Accesos desde : Alicante, Santa Pola y Torrevieja.

Casa del Gobernador ⛰ sin rest, Aznar 20 ☎ 511 42 60, Fax 511 42 60, ← - VISA. ✻
cerrado 15 enero-15 febrero - **14 hab** ☕ 6000/8000.

La Almadraba, Virgen del Carmen 3 ☎ 66 19 08, ←, 🌳 - AE E VISA. ✻
cerrado noviembre - **Comida** carta 2650 a 3000.

TAFALLA **31300** Navarra 442 E 24 - 10 249 h. alt. 426 - ☎ 948.
Alred. : Ujué★ E : 19 km.
◆Madrid 365 - ◆Logroño 86 - ◆Pamplona/Iruñea 38 - ◆Zaragoza 135.

Tubal, pl. de Navarra 4 1° ☎ 70 12 96, Fax 70 12 96 - |♦| ▤. AE ◑ E VISA. ✻
cerrado domingo noche, lunes y 23 agosto-7 septiembre - **Comida** carta 3450 a 5050.

en la carretera N 121 S : 3 km - ✉ 31300 Tafalla - ☎ 948 :

Tafalla, ☎ 70 03 00, Fax 70 30 52 - ▤ rest ☎ P. AE ◑ E VISA JCB. ✻
cerrado 18 diciembre-8 enero - **Comida** *(cerrado viernes)* 3700 - ☕ 700 - **28 hab** 4500/7000.

TAFIRA ALTA Las Palmas - ver Canarias (Gran Canaria).

TALAVERA DE LA REINA **45600** Toledo 444 M 15 - 69 136 h. alt. 371 - ☎ 925 - R.A.C.E. Portiña de San Miguel 47 ☎ 80 85 57.
◆Madrid 120 - Ávila 121 - ◆Cáceres 187 - ◆Córdoba 435 - Mérida 227.

Beatriz y Rest. Anticuario, av. de Madrid 1 ☎ 80 76 00, Telex 47941, Fax 81 58 08 - |♦| ▤ TV ☎ - 🏛 25/1000. AE ◑ E VISA. ✻
Comida *(cerrado domingo noche)* carta 2875 a 4150 - ☕ 600 - **161 hab** 6050/8580.

Perales sin rest, av. Pio XII - 3 ☎ 80 39 00, Fax 80 39 00 - |♦| ▤ TV ☎. E VISA. ✻
☕ 300 - **59 hab** 4225/6500.

Talavera, av. Gregorio Ruiz 1 ☎ 80 02 00, Fax 82 13 46 - |♦| ▤ 🚗. VISA. ✻ rest
Comida 1800 - ☕ 410 - **78 hab** 3810/6120.

Auto-Estación sin rest y sin ☕, av. de Toledo 1 ☎ 80 03 00, Fax 80 03 00 - ☎. AE ◑ VISA. ✻
40 hab 2500/4700.

El Torreón, Ronda del Cañillo 30 ☎ 82 42 87 - ▤. AE E VISA. ✻
Comida carta aprox. 3000.

en la antigua carretera N V O : 1,8 km - ✉ 45600 Talavera de la Reina - ☎ 925 :

Un Alto en el Camino, ☎ 80 41 07 - P.

TAMARITE DE LITERA 22550 Huesca 443 G 31 - 3 988 h. - ☎ 974.
♦Madrid 506 - Huesca 96 - ♦Lérida/Lleida 36.

XX **Casa Toro,** av. Florences Gili ✆ 42 03 52 - ▤ Ⓟ. AE E VISA
cerrado domingo noche, lunes y del 15 al 30 noviembre - **Comida** carta 2600 a 5750.

TAMARIU 17212 Gerona 443 G 39 - ☎ 972 - Playa.
♦ Madrid 731 - ♦ Gerona/Girona 47 - Palafrugell 10 - Palamós 21.

Hostalillo, Bellavista 22 ✆ 62 02 28, Fax 62 01 84, « Terrazas con ≤ cala » - |‡| ▤ rest ☎ ⇔. AE ⓓ E VISA. ✻
20 mayo-20 septiembre - **Comida** 2000 - ☕ 850 - **70 hab** 11000/14000 - PA 4000.

Tamariu, passeig del Mar 3 ✆ 62 00 31, ⛱ - ⇔. E VISA. ✻
15 mayo-septiembre - **Comida** *(abril-septiembre)* 1900 - ☕ 500 - **54 hab** 3700/7000.

TAPIA DE CASARIEGO 33740 Asturias 441 B 9 - 4 282 h. - ☎ 98 - Playa.
ℹ pl. Constitución ✆ 562 82 05, temp.
♦Madrid 578 - ♦La Coruña/A Coruña 184 - Lugo 99 - ♦Oviedo 143.

San Antón sin rest, pl. San Blas 2 ✆ 562 80 00, Fax 562 84 37 - AE ⓓ E VISA. ✻
Semana Santa y 15 junio-15 septiembre - ☕ 400 - **18 hab** 5000/7500.

XX **Palermo,** Bonifacio Amago 13 ✆ 562 83 70 - E VISA. ✻
cerrado domingo noche salvo agosto - **Comida** carta 2900 a 4500.

TARAMUNDI 33775 Asturias 441 B 8 - 1 015 h. - ☎ 98.
♦Madrid 571 - Lugo 65 - ♦Oviedo 195.

La Rectoral ⛰, La Villa ✆ 564 67 67, Fax 564 67 77, ≤ valle y montañas, ⛱, « Rústico regional del siglo XVII », ℐ₆ - ▤ TV ☎ Ⓟ - 🔊 25. AE ⓓ E VISA. ✻
Comida *(cerrado lunes)* 2000 - ☕ 900 - **18 hab** 11000/14000 - PA 4900.

TARANCÓN 16400 Cuenca 444 L 20 y 21 - 10 891 h. alt. 806 - ☎ 969.
♦Madrid 81 - Cuenca 82 - ♦Valencia 267.

X Mesón del Cantarero, antigua carret. N III ✆ 32 05 33, Fax 32 42 12, ⛱ - ▤ Ⓟ.

X Stop, antigua carret. N III ✆ 32 01 00, Fax 32 06 42 - ▤ Ⓟ.

X **Celia,** Juan Carlos I - 14 ✆ 32 00 84 - ▤. AE ⓓ E VISA. ✻
Comida carta aprox. 3200.

TARAZONA 50500 Zaragoza 443 G 24 - 10 638 h. alt. 480 - ☎ 976.
Ver : Catedral (capilla★).
Alred. : Monasterio de Veruela★★ (iglesia abacial★★, claustro★ : sala capitular★).
ℹ Iglesias 5 ✆ 64 00 74.
♦Madrid 294 - ♦Pamplona/Iruñea 107 - Soria 68 - ♦Zaragoza 88.

Ituri-Asso, Virgen del Rio 3 ✆ 64 31 96, Fax 64 04 66 - |‡| ▤ TV ☎ ⇔ - 🔊 25/300. AE ⓓ E VISA. ✻
Comida *(cerrado domingo noche salvo agosto)* 1100 - ☕ 600 - **17 hab** 6000/9000.

Brujas de Bécquer, carret. de Zaragoza, SE : 1 km ✆ 64 04 04, Fax 64 01 98 - |‡| ▤ rest ☎ ⇔ Ⓟ - 🔊 25/800. AE ⓓ E VISA. ✻ rest
Comida 1000 - ☕ 400 - **60 hab** 4200/5550 - PA 2400.

X **El Galeón,** av. La Paz 1 ✆ 64 29 65 - ▤. AE ⓓ E VISA. ✻
Comida carta 2200 a 3600.

TARIFA 11380 Cádiz 446 X 13 - 15 528 h. - 956 - Playa.

Ver : Castillo de Guzmán el Bueno ≤★.

. para Tánger : Cia Transtour - Tourâfrica, estación Marítima ☎ 68 47 51.

♦Madrid 715 - Algeciras 22 - ♦Cádiz 99.

en la carretera de Cádiz - ✉ 11380 Tarifa - 956 :

Balcón de España, La Peña 2, NO : 8 km, ✉ apartado 57, ☎ 68 43 26, Fax 68 04 72, - . AE E VISA. rest
abril-octubre - **Comida** 2750 - 650 - **38 hab** 8000/11000.

San José del Valle, cruce de Bolonia, NO : 15 km ☎ 68 70 92, Fax 68 71 22 - . E VISA.
Comida 1200 - 250 - **17 hab** 5000/8500.

La Codorniz, NO : 6,5 km ☎ 68 47 44, Fax 68 41 01, - rest . AE E VISA. rest
Comida 1490 - 435 - **33 hab** 6400/9500 - PA 2740.

en la carretera de Málaga NE : 11 km - ✉ 11380 Tarifa - 956 :

Mesón de Sancho, ✉ apartado 25, ☎ 68 49 00, Fax 68 47 21, ≤, - . AE E VISA. rest
Comida 1800 - 475 - **45 hab** 5500/7250.

TARRAGONA 43000 P 443 I 33 - 112 801 h. alt. 49 - 977 - Playa.

Ver : Tarragona romana★ : Passeig Arqueològic★ BZ, Museo Arqueológico (cabeza de Medusa★★) BZ M - Necrópolis Paleocristiana (sarcófago de los leones★) AY - Ciudad medieval : Catedral★ (retablo de Santa Tecla★★, claustro★) BZ.

Alred. : Acueducto de las Ferreres★ 4 km por ④ - Mausoleo de Centcelles★ (mosaicos★) NO : 5 km por av. Ramón i Cajal.

9 de la Costa Dorada E : 8 km ☎ 65 54 16 - Iberia : rambla Nova 116, ✉ 43001, ☎ 23 03 09 AZ.

Cía. Trasmediterránea, Nou de Sant Oleguer 16, ✉ 43004, ☎ 22 55 06, Telex 56613 BY.

Fortuny 4, ✉ 43001 ☎ 23 34 15, Fax 24 47 02 y Major 39, ✉ 43003 ☎ 24 55 07 rambla Nova 46, ✉ 43001, ☎ 23 22 08, Fax 23 76 59 - R.A.C.E. rambla Nova 114, ✉ 43001, ☎ 21 19 62.

♦Madrid 555 ④ - ♦Barcelona 109 ④ - Castellón de la Plana/Castelló de la Plana 184 ③ - ♦Lérida/Lleida 97 ④.

Plano página siguiente

Imperial Tarraco, passeig de les Palmeres, ✉ 43003, ☎ 23 30 40, Fax 21 65 66, ≤, - 25/500. AE E VISA. BZ **d**
Comida *(cerrado domingo)* 2700 - 900 - **155 hab** 11735/15000, 15 suites - PA 5355.

Urbis sin rest, con cafetería salvo domingo, Reding 20 bis, ✉ 43001, ☎ 24 01 16, Fax 24 36 54 - - 25. AE E VISA. AZ **x**
795 - **44 hab** 5300/8500.

Lauria sin rest, rambla Nova 20, ✉ 43004, ☎ 23 67 12, Fax 23 67 00, - - 25/40. AE E VISA BZ **e**
600 - **72 hab** 5000/9500.

Astari, vía Augusta 95, ✉ 43003, ☎ 23 69 00, Fax 23 69 11, ≤, - . AE E VISA. BY **t**
2 mayo-octubre - **Comida** (ver rest. **Roma**) - 550 - **83 hab** 5000/6500.

España sin rest, rambla Nova 49, ✉ 43003, ☎ 23 27 07 - . AE E VISA JCB AZ **a**
40 hab 3300/6000.

Roma, vía Augusta 95, ✉ 43003, ☎ 22 48 76, Fax 22 48 76, - . VISA.
cerrado domingo noche y lunes (21 noviembre-abril) y del 1 al 20 de noviembre - **Comida** carta 2800 a 3950. BY **t**

La Rambla, rambla Nova 10, ✉ 43002, ☎ 23 87 29, - . AE E VISA. BZ **s**
Comida carta 2225 a 3300.

Pá amb Tomaca, Lleida 8, ✉ 43001, ☎ 24 00 45 - . AE E VISA. AZ **n**
cerrado domingo, Navidades y una semana en agosto - **Comida** carta 2100 a 3600.

en la carretera de Barcelona por ① - ✉ 43007 Tarragona - 977 :

Nuria, vía Augusta 217 : 1,8 km ☎ 23 50 11, Fax 24 41 36, - . AE E VISA. rest
abril-noviembre - **Comida** 1450 - 500 - **61 hab** 4000/5900 - PA 2900.

Sant Jordi sin rest, 2 km ☎ 20 75 15, Fax 55 00 96, ≤ -
cerrado 22 diciembre-22 enero - 475 - **39 hab** 3850/6000.

Sol Ric, vía Augusta 227 : 1,9 km ☎ 23 20 32, , Decoración rústica catalana, « Terraza con arbolado » - . AE E VISA.
cerrado domingo noche, lunes y 16 diciembre-15 enero - **Comida** carta aprox. 3100.

Jaime I, 4 km ☎ 20 80 03, ≤ - . AE E VISA
Comida carta 1900 a 3400.

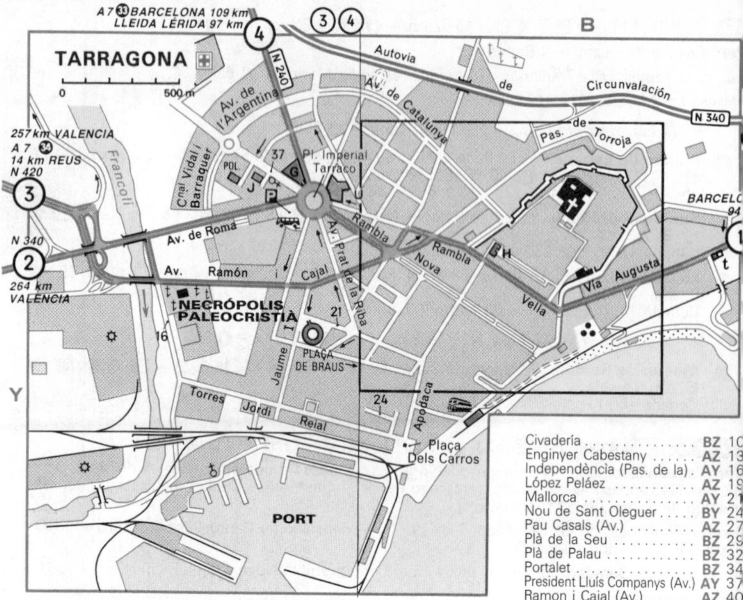

Civadería	BZ	10
Enginyer Cabestany	AZ	13
Independència (Pas. de la)	AY	16
López Peláez	AZ	19
Mallorca	AY	21
Nou de Sant Oleguer	BY	24
Pau Casals (Av.)	AZ	27
Plà de la Seu	BZ	29
Plà de Palau	BZ	32
Portalet	BZ	34
President Lluís Companys (Av.)	AY	37
Ramon i Cajal (Av.)	AZ	40
Roser (Portal del)	BZ	43
Sant Antoni (Portal de)	BZ	46
Sant Hermenegild	BZ	49
Sant Joan (Pl.)	BZ	52

Nova (Rambla)	ABZ	
Sant Agustí	BZ	
Unió	AZ	
Baixada de Misericòrdia	BZ	2
Baixada de Toro	BZ	5
Baixada Roser	BZ	8

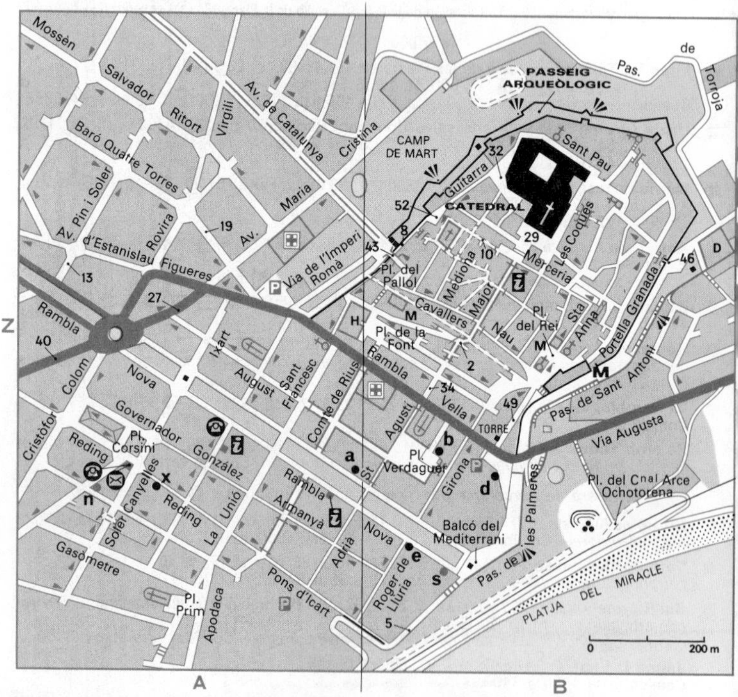

en la carretera N 240 por ④ : 2 km - ✉ 43007 Tarragona - ☎ 977 :

XX **Can Sala (Les Fonts),** ✆ 22 85 75, Fax 23 59 22, ☂, Decoración rústica catalana, « Terraza con arbolado » - Ⓟ. AE ⓓ E VISA JCB. ✂
Comida carta 2800 a 3900.

TARRASA o **TERRASSA** 08220 Barcelona 443 H 36 - 157 442 h. alt. 277 - ☎ 93.
Ver : Ciudad de Egara★★ : iglesia de Sant Miquel★, iglesia de Santa María (retablo de San Abdón y San Senen★★) - Museo Textil★.
ℹ Raval de Monserrat 14, ✉08221, ✆ 733 21, Fax 788 60 30.
♦Madrid 613 - ♦Barcelona 28 - ♦Lérida/Lleida 156 - Manresa 41.

Don Cándido, rambleta Pare Alegre 98, ✉ 08224, ✆ 733 33 00, Fax 733 08 49, ≤ - |‡| ▤ TV ☎ ♿ ⇔ - 🏟 25/250. AE ⓓ E VISA. ✂ rest
Comida carta 3300 a 4750 - ☕ 1500 - **126 hab** 13000/16200.

XX **Burrull-Hostal del Fum,** carret. de Moncada 19, ✉ 08221, ✆ 788 83 37, Fax 788 57 79 - ▤ Ⓟ. AE ⓓ E VISA. ✂
cerrado domingo noche, lunes y agosto - **Comida** carta 3350 a 4700.

X **Casa Toni,** carret. de Castellar 124, ✉ 08222, ✆ 786 47 08, Museo del vino - ▤. AE ⓓ E VISA. ✂
cerrado sábado, domingo noche, Semana Santa y dos semanas en agosto - **Comida** carta 2100 a 4575.

El TARTER - ver Andorra : Soldeu.

TEGUESTE Santa Cruz de Tenerife - ver Canarias (Tenerife).

TELDE Las Palmas - ver Canarias (Gran Canaria).

TEMBLEQUE 45780 Toledo 444 M 19 - 2 141 h. - ☎ 925.
Ver : Plaza Mayor★.
♦Madrid 92 - Aranjuez 46 - Ciudad Real 105 - Toledo 55.

TENERIFE Santa Cruz de Tenerife - ver Canarias.

TEROR Las Palmas - ver Canarias (Gran Canaria).

TERRASSA Barcelona - ver Tarrasa.

TERRENO Palma de Mallorca - ver Baleares (Mallorca) : Palma de Mallorca.

TERUEL 44000 P 443 K 26 - 31 068 h. alt. 916 - ☎ 978.
Ver : Emplazamiento★ - Museo Provincial★ Y, Torres mudéjares★ YZ - Catedral (techo artesonado★) Y.
ℹ Tomás Nougués 1, ✉ 44001, ✆ 60 22 79 - R.A.C.E. av. de Aragón 10, ✉ 44002, ✆ 60 34 95.
♦Madrid 301 ② - ♦Albacete 245 ② - Cuenca 152 ② - ♦Lérida/Lleida 334 ② - ♦Valencia 146 ② - ♦Zaragoza 184 ②.

Plano página siguiente

Reina Cristina, paseo del Óvalo 1, ✉ 44001, ✆ 60 68 60, Fax 60 53 63 - |‡| ▤ rest TV ☎ - 🏟 25/350. AE ⓓ E VISA. ✂ rest Z a
Comida 3025 - ☕ 675 - **82 hab** 8125/13700.

Civera, av. de Sagunto 37, ✉ 44002, ✆ 60 23 00, Fax 60 23 00 - |‡| - 🏟 25/150. AE ⓓ E VISA JCB por N 234
Comida 1500 - ☕ 500 - **73 hab** 6500/10700.

Oriente sin rest, av. de Sagunto 7, ✉ 44002, ✆ 60 15 50, Fax 60 10 64 - TV ☎. ⓓ VISA. ✂ por N 234
☕ 415 - **30 hab** 4235/4980.

X **La Menta,** Bartolomé Esteban 10, ✉ 44001, ✆ 60 75 32 - ▤. AE E VISA. ✂ Z e
cerrado domingo y 2ª quincena de septiembre - **Comida** carta 2500 a 4000.

en la carretera N 234 - ☎ 978 :

Parador de Teruel, NO : 2 km, ✉ 44080 apartado 67 Teruel, ✆ 60 18 00, Fax 60 86 12, ⛱, 🌳, ✂ - |‡| ▤ rest TV ☎ Ⓟ - 🏟 25/200. AE ⓓ E VISA. ✂
Comida 3200 - ☕ 1100 - **58 hab** 12000, 2 suites - PA 6375.

Alpino, E : 5,7 km, ✉ 44002 Teruel, ✆ 60 61 58 - ⇔ Ⓟ. AE VISA. ✂
cerrado del 10 al 20 de enero - **Comida** 2000 - **28 hab** ☕ 2500/4400.

TERUEL

Carlos Castel (Pl.) o Pl. del Torico	YZ 5
Ramón y Cajal	Z 22
Abadía	Z 2
Amantes	Y 3
Bretón (Pl.)	Z 4
Catedral (Plaza de la)	Y 6
Chantria	Y 7
Cristo Ray (Plaza de)	Y 8
Dámaso Torán (Ronda de)	Y 9
Fray Anselmo Polanco	Y 10
Miguel Ibáñez	Y 16
Óvalo (Paseo)	Z 18
Pérez Prado (Pl. de)	Y 19
Pizarro	Z 20
Poso	Z 21
Rubio	Y 23
Salvador	Z 24
San Francisco	Z 25
San Juan (Pl.)	Z 27
San Martín	Y 28
San Miguel	Y 29
Temprado	Y 30
Tozas	Y 32
Venerable F. de Aranda (Pl.)	Y 35
Yagüe de Salas	Y 37

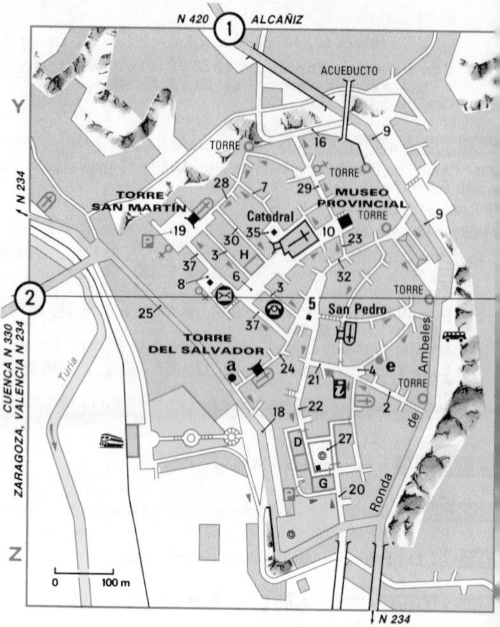

Para recorrer Europa emplee los Mapas Michelin « Principales Carreteras » escala 1/1 000 000.

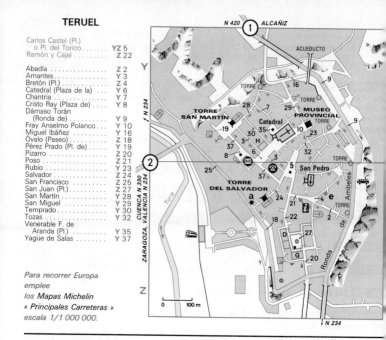

El TIEMBLO **05270** Ávila 442 K 16 – 3 795 h. alt. 680 – ☎ 91.
Alred. : Embalse de Burguillo★ NO : 7 km – Pantano de San Juan ≤★ E : 17 km.
♦Madrid 83 – Ávila 50.

- **Toros de Guisando,** av. de Madrid ☎ 862 71 32, Fax 862 70 82, ≤, piscina climatizada, – rest ☎ – P – 25/500. VISA.
Comida 3200 – ☐ 700 – **30 hab** 4500/7000.

TITULCIA **28359** Madrid 444 L 19 – 872 h. alt. 509 – ☎ 91.
♦ Madrid 31 – Aranjuez 21 – Ávila 159.

- **El Rincón de Luis,** Grande 31 ☎ 801 01 75 – . AE ① E VISA.
cerrado lunes y 2ª quincena de agosto – **Comida** (sólo almuerzo salvo sábado) carta 3100 a 4150.

La TOJA (Isla de) o **TOXA (Illa da)** **36991** Pontevedra 441 E 3 – ☎ 986 – Balneario – Playa.
Ver : Paraje★★ – Carretera★ de La Toja a Canelas.
La Toja ☎ 73 07 26.
♦Madrid 637 – Pontevedra 33 – Santiago de Compostela 73.

- **G. H. La Toja** , ☎ 73 00 25, Telex 88042, Fax 73 12 01, , « Suntuoso edificio en un singular paraje verde con ≤ ría de Arosa », , climatizada, , , – ☎ P – 25/500. AE ① E VISA.
Comida 5000 – ☐ 1600 – **173 hab** ☐ 20500/25500, 25 suites.
- **Louxo,** ☎ 73 02 00, Fax 73 27 91, « Magnífica situación en un singular paraje verde con ≤ ría de Arosa », , – ☎ P – 25/200. AE ① E VISA.
Comida 3300 – ☐ 1100 – **112 hab** 12700/15500, 3 suites.

Huit cartes Michelin régionales :

Espagne : Nord-Ouest 441, Nord 442, Nord-Est 443, Centre 444, Centre-Est 445, Sud 446, Iles Canaries 449.

Portugal 440.

Des soulignés rouges signalent sur ces cartes les localités citées dans ce Guide.

Pour l'ensemble de l'Espagne et du Portugal, procurez-vous la carte Michelin 990 à 1/1 000 000.

TOLEDO 45000 P 444 M 17 – 63 561 h. alt. 529 – ⊕ 925.

Ver : Emplazamiento★★★ - El Toledo Antiguo★★★ – Catedral★★★ BY : (Retablo de la Capilla Mayor★★, sillería del coro★★★, artesonado mudéjar de la sala capitular★, Sacristía : obras de El Greco★ –, Tesoro : custodia★★) - Iglesia de Santo Tomé : El Entierro del Conde de Orgaz★★★ AY - Casa y Museo de El Greco★ AY **M1** – Sinagoga del Tránsito★★ (decoración mudéjar★★) AYZ – Sinagoga de Santa María la Blanca★ : capiteles★ AY – Monasterio de San Juan de los Reyes★ (iglesia : decoración escultórica★) AY – Iglesia de San Román : museo de los concilios y de la cultura visigoda★ BY – Museo de Santa Cruz★★ (fachada★, colección de pintura de los s. XVI y XVII★, obras de El Greco★, obras de primitivos★ –, retablo de la Asunción de El Greco★, patio plateresco★, escalera de Covarrubias★) CXY Hospital de Tavera★ : palacio★, iglesia : El bautismo de Cristo de El Greco★ BX.

Puerta Bisagra, ✉ 45003, ☎ 22 08 43, Fax 25 26 48 – R.A.C.E. Agen 5, ☎ 21 16 37.

♦Madrid 70 ① – ♦Ávila 137 ⑥ – Ciudad Real 120 ③ – Talavera de la Reina 78 ⑥.

Planos páginas siguientes

Parador de Toledo ⑤, cerro del Emperador, ✉ 45002, ☎ 22 18 50, Telex 47998, Fax 22 51 66, ← Tajo y ciudad, ☂, « Edificio de estilo regional », ⛱ – |‡| ▤ TV ☎ P – ♙ 25/100. AE ⊕ E VISA. ✂ BZ **t**
Comida 3500 – ☕ 1200 – **74 hab** 16000, 2 suites – PA 6970.

María Cristina y Rest. El Ábside, Marqués de Mendigorría 1, ✉ 45003, ☎ 21 32 02, Telex 42827, Fax 21 26 50 – |‡| ▤ TV ☎ ⇔ – ♙ 25/200. AE ⊕ E VISA. ✂ BX **s**
Comida *(cerrado domingo)* carta 3750 a 5000 – ☕ 700 – **63 hab** 7700/11700.

Doménico ⑤, cerro del Emperador, ✉ 45002, ☎ 25 00 40, Fax 25 28 77, ←, ☂, ⛱ – |‡| ▤ TV P – ♙ 25/150. AE ⊕ E VISA. ✂ rest BZ **a**
Comida 3000 – ☕ 950 – **50 hab** 9600/12000 – PA 5620.

Alfonso VI, General Moscardó 2, ✉ 45001, ☎ 22 26 00, Fax 21 44 58 – |‡| ▤ TV ☎ – ♙ 25/300. AE ⊕ E VISA JCB. ✂ CY **u**
Comida carta 2355 a 4285 – **88 hab** ☕ 8265/12240.

Carlos V, Trastamara 1, ✉ 45001, ☎ 22 21 00, Fax 22 21 05 – |‡| ▤ TV ☎. AE ⊕ E VISA JCB. ✂ BY **a**
Comida carta 2350 a 4280 – **69 hab** ☕ 8265/12240.

Pintor El Greco sin rest, Alamillos del Tránsito 13, ✉ 45002, ☎ 21 42 50, Fax 21 58 19 – |‡| ▤ TV ☎. AE ⊕ E VISA JCB AY **a**
☕ 700 – **33 hab** 8000/10000.

Mayoral sin rest, Av. Castilla-La Mancha 3, ✉ 45003, ☎ 21 60 00, Fax 21 69 54 – |‡| ▤ TV ☎ – ♙ 25/130 CX **s**
110 hab.

Real sin rest, Real del Arrabal 4, ✉ 45003, ☎ 22 93 00, Fax 22 87 67 – |‡| ▤ TV ☎ ⇔. AE ⊕ E VISA. ✂ BX **n**
☕ 600 – **56 hab** 6600/10000.

Los Cigarrales, carret. de circunvalación 32, ✉ 45000, ☎ 22 00 53, Fax 21 55 46, ← – ▤ P. E VISA. ✂ rest AZ **x**
Comida *(cerrado enero-febrero y noviembre-diciembre)* 1750 – ☕ 450 – **36 hab** 3650/5775 – PA 3350.

Gavilanes II sin rest, Marqués de Mendigorría 14, ✉ 45003, ☎ 21 16 28, Fax 22 41 06 – ▤ TV ☎ ⇔. E VISA BX **b**
☕ 350 – **15 hab** 4560/5700.

Santa Isabel sin rest, Santa Isabel 24, ✉ 45002, ☎ 25 31 20, Fax 25 31 36 – |‡| ▤ TV ☎ ⇔. ⊕ E VISA. ✂ BY **e**
☕ 435 – **23 hab** 3895/6065.

Martín sin rest, Covachuelas 12, ✉ 45003, ☎ 22 17 33, Fax 22 17 33 – ▤ TV ☎. E VISA. ✂ BX **d**
☕ 350 – **17 hab** 4500/6500, 2 apartamentos.

Imperio sin rest, con cafetería, Cadenas 5, ✉ 45001, ☎ 22 76 50, Fax 25 31 83 – |‡| ▤ TV ☎. ⊕ E VISA BY **v**
☕ 425 – **21 hab** 3585/5330.

El Diamantista sin rest, pl. Retama 5, ✉ 45002, ☎ 25 14 27, Fax 21 05 86 – ▤ TV ☎ ⇔. ⊕ E VISA JCB BCZ **f**
☕ 350 – **16 hab** 3300/5300.

Hostal del Cardenal ⑤ con hab, paseo Recaredo 24, ✉ 45003, ☎ 22 49 00, Fax 22 29 91, ☂, « Instalado en la antigua residencia del cardenal Lorenzana ; Jardín con arbolado » – ▤ TV ☎. AE ⊕ E VISA. ✂ rest BX **e**
Comida carta 3500 a 4150 – ☕ 725 – **27 hab** 6300/10200.

Adolfo, La Granada 6, ✉ 45001, ☎ 22 73 21, Fax 21 62 63, « Artesonado siglo XIV-XV » – ▤. AE ⊕ E VISA JCB. ✂ BY **g**
cerrado domingo noche – **Comida** carta 4000 a 4800.

Marcial y Pablo, Nuñez de Arce 11, ✉ 45003, ☎ 22 07 00 – ▤. AE ⊕ E VISA JCB
cerrado domingo en julio, domingo noche resto del año y agosto – **Comida** carta 3400 a 4400. BX **c**

La Tarasca, callejón del Fraile, ✉ 45001, ☎ 25 00 57 – ▤. AE ⊕ E VISA JCB. ✂ BY **w**
Comida carta aprox. 4700.

TOLEDO

Comercio . . . . BY
Hombre de Palo . . . . . . BY 27
Reyes Católicos . . . . AY
Santo Tomé . . . . ABY

Alcántara (Puente de) . . CX
Alfileritos . . . . BY
Alfonso VI (Pl. de) . . . . . BX
Alfonso X El Sabio . . . . BY 2
Alfonso XII . . . . BY 3
América (Av. de) . . . . . . AX
Ángel . . . . AY
Ave María . . . . BZ
Ayuntamiento (Pl. del) . BY 4
Azarquiel (Puente de) . . CX
Cabestreros (Paseo de) . CZ
Cadenas . . . . BY 7
Campana (Travesía) . . . BY 8
Cardenal Lorenzana . . . BY 9
Cardenal Tavera . . . . . . BX
Carlos III (Av. de) . . . . . AX
Carlos V (Cuesta de) . . . BY 13
Carmelitas . . . . AY 14
Cervantes . . . . CY
Circo Romano
(Paseo del) . . . . AX
Colegio de Doncellas . . AY 17
Conde (Pl. del) . . . . AY 18
Consistorio (Pl. del) . . . . BY 19
Cordonerías . . . . BY 20
Cristo de la Vega
(Paseo del) . . . . AX
Cruz Verde
(Paseo de la) . . . . BZ
Duques de Lerma
(Av. de los) . . . . BX
El Salvador . . . . BY 22
Esteban Illán . . . . BY 24
Gerardo Lobo . . . . BX
Honda . . . . BX 28
Juanelo (Ronda de) . . . . CY
Mas del Ribero (Av. de) . AX
Matías Moreno . . . . AY
Merced . . . . BY
Nuncio Viejo . . . . BY 29
Núñez de Arce . . . . BX 32
Padilla (Pl. y Calle de) . ABY 33
Padre Mariana (Pl.) . . . . BY 34
Pascuales
(Cuesta de los) . . . . . CY 36
Plata . . . . BY
Pozo Amargo . . . . BZ
Real del Arrabal . . . . . . BX
Recaredo (Paseo de) . . . AX
Reconquista (Av. de la) ABX
Rosa (Paseo de la) CX
San Cristóbal (Paseo) . . BZ 38
San Juan de Dios . . . . . AY 40
San Justo (Cuesta) . . . . CY
San Justo (Pl.) . . . . BY 41
San Marcos . . . . BY 42
San Martín (Puente) . . . AY
San Román . . . . BY 44
San Sebastián
(Carreras de) . . . . BZ
San Torcuato . . . . BZ
San Vicente (Pl. de) . . . BY 45
Santa Leocadia
(Cuesta de) . . . . AY
Sillería . . . . BX
Sixto Ramón Parro . . . . BY 46
Sola . . . . BZ
Taller del Moro . . . . BY 48
Toledo de Ohio . . . . BY 49
Tornerías . . . . BY 50
Tránsito (Paseo del) . . AYZ 52
Trinidad . . . . BY
Venancio González . . . . CX 53
Zocodover (Pl. de) . . . . . CY

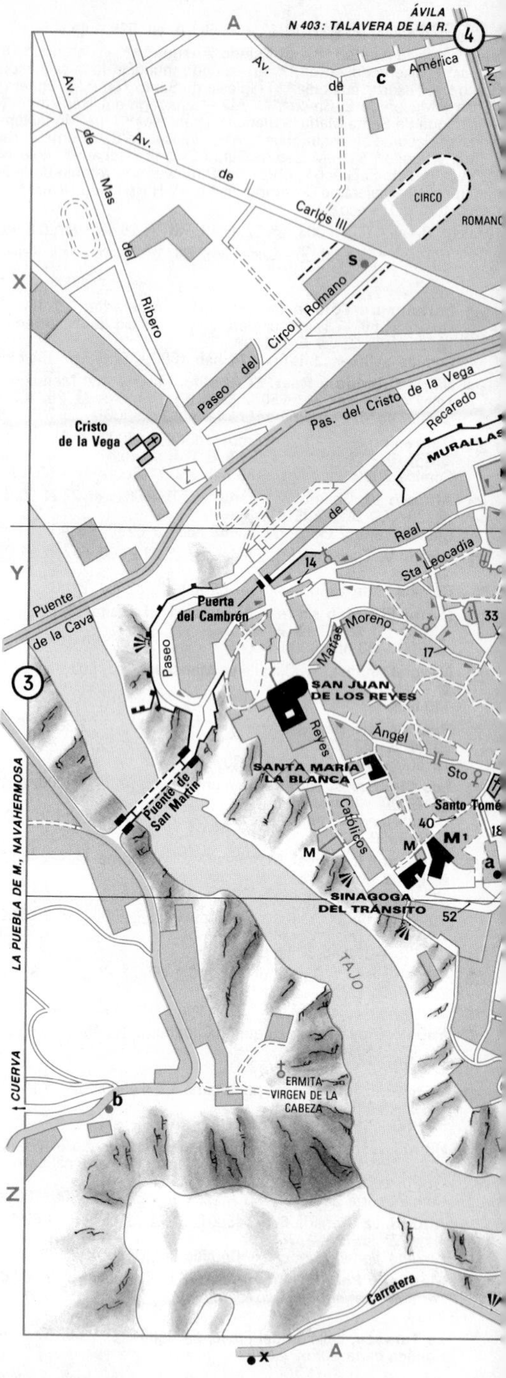

Si desea pernoctar
en un Parador
o en un hotel
muy tranquilo, aislado,
avise por teléfono,
sobre todo en temporada.

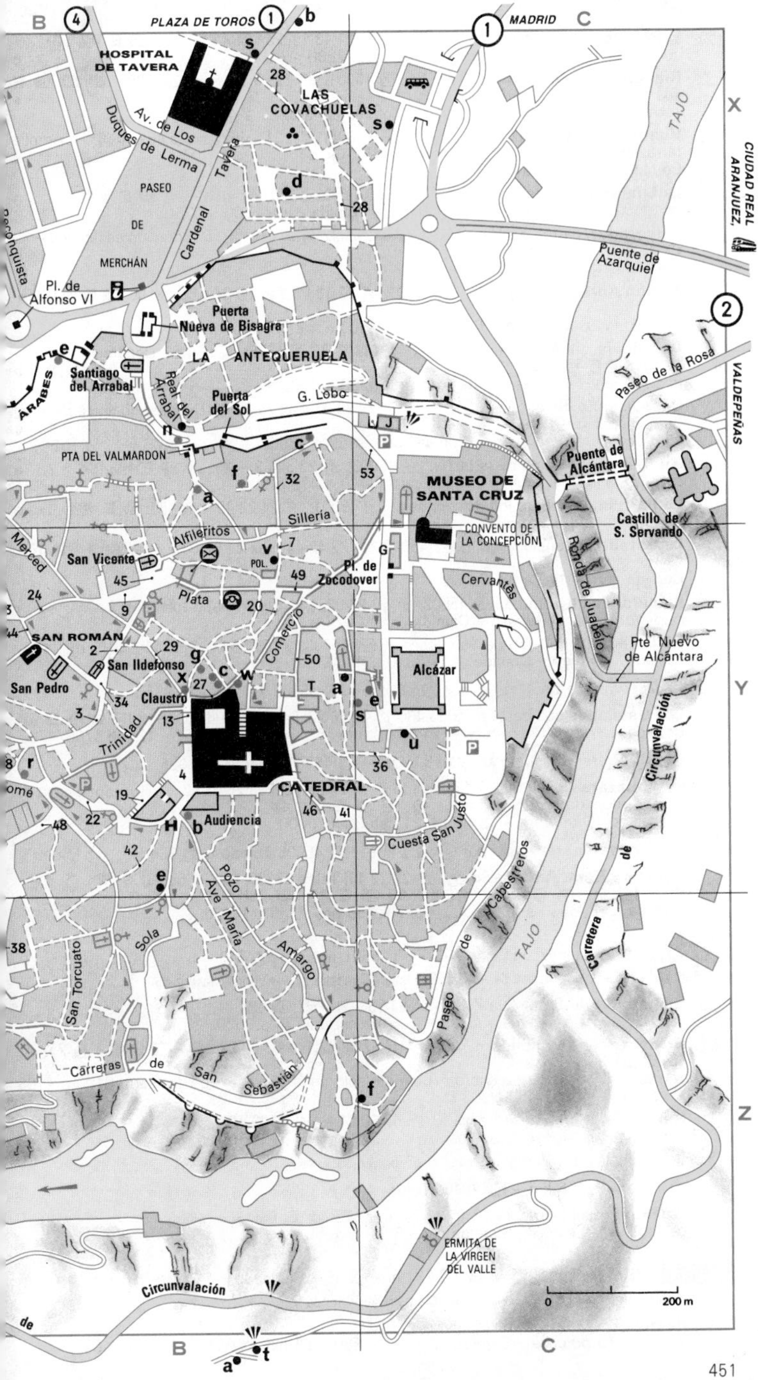
B
C
X
Y
Z
PLAZA DE TOROS
MADRID
CIUDAD REAL ARANJUEZ,
VALDEPEÑAS
HOSPITAL DE TAVERA
Av. de Los Duques de Lerma
Cardenal Tavera
PASEO DE MERCHÁN
LAS COVACHUELAS
TAJO
Puente de Azarquiel
Pl. de Alfonso VI
Puerta Nueva de Bisagra
LA ANTEQUERUELA
Santiago del Arrabal
ÁRABES
Real del Arrabal
Puerta del Sol
G. Lobo
Paseo de la Rosa
PTA DEL VALMARDON
Puente de Alcántara
MUSEO DE SANTA CRUZ
CONVENTO DE LA CONCEPCIÓN
Castillo de S. Servando
Sillería
Alfileritos
Merced
San Vicente
POL.
Pl. de Zocodover
Cervantes
Ronda de Juanelo
Plata
Comercio
SAN ROMÁN
San Ildefonso
San Pedro
Claustro
Alcázar
Pte Nuevo de Alcántara
Trinidad
CATEDRAL
Audiencia
Cuesta San Justo
Circunvalación
Pozo
Ave María
Paseo de Cabestreros
Carretera de
Sola
Amargo
San Torcuato
Carreras de San Sebastián
ERMITA DE LA VIRGEN DEL VALLE
Circunvalación
0
200 m

XX **El Pórtico,** av. de América 1, ✉ 45004, ☎ 21 43 15, Fax 21 43 15 – ▤. AE E VISA JCB. ✂
cerrado 20 julio-20 agosto – **Comida** carta 2800 a 4400. AX **c**

XX **Rincón de Eloy,** Juan Labrador 10, ✉ 45001, ☎ 22 93 99, Fax 22 93 99 – ▤. AE ◑ E VISA. ✂ BY **s**
cerrado domingo noche y agosto – **Comida** carta 3500 a 4600.

XX **Venta de Aires,** Circo Romano 35, ✉ 45004, ☎ 22 05 45, Fax 22 45 09, 佘, « Amplia terraza con arbolado » – ▤. AE ◑ E VISA JCB. ✂ AX **s**
Comida carta 3150 a 4100.

XX **La Lumbre,** Real del Arrabal 3, ✉ 45003, ☎ 22 03 73, Asados – ▤. AE E VISA. ✂ BX **n**
cerrado domingo y del 15 al 30 junio – **Comida** carta 2500 a 3350.

X **Emperador,** carret. del Valle 1, ✉ 45004, ☎ 22 46 91, ≤, 佘, Decoración castellana – ▤ Ⓟ. E VISA AZ **b**
Comida carta 1600 a 2900.

X **Mesón Aurelio,** Sinagoga 1, ✉ 45001, ☎ 22 13 92, Fax 25 34 61 – ▤. AE ◑ E VISA JCB. ✂ BY **c**
cerrado lunes y agosto – **Comida** carta 3300 a 4900.

X **Aurelio,** pl. del Ayuntamiento 8, ✉ 45001, ☎ 22 77 16, Fax 25 34 61, Decoración típica – ▤. AE ◑ E VISA JCB. ✂ BY **b**
cerrado lunes y agosto – **Comida** carta 3300 a 4900.

X **Casa Aurelio,** Sinagoga 6, ✉ 45001, ☎ 22 20 97, Fax 25 34 61, Decoración típica regional – ▤. AE ◑ E VISA JCB. ✂ BY **c**
cerrado miércoles y julio – **Comida** carta 3350 a 4650.

X **Hierbabuena,** Cristo de la Luz 9, ✉ 45003, ☎ 22 34 63 – ▤. AE ◑ E VISA. ✂ BX **a**
cerrado lunes y agosto – **Comida** carta 3440 a 4750.

X **La Parrilla,** Horno de los Bizcochos 8, ✉ 45001, ☎ 21 22 45 – ▤. AE ◑ E VISA CY **e**
Comida carta aprox. 2500.

X **La Catedral,** Nuncio Viejo 1, ✉ 45002, ☎ 22 42 44, Fax 21 62 63 – ▤. AE ◑ VISA JCB. ✂ BY **x**
Comida carta 2100 a 3525.

X **Plácido,** Santo Tomé 6, ✉ 45002, ☎ 22 26 03, 佘, Típico patio toledano – BY **r**
cerrado martes y febrero – **Comida** carta 2025 a 2625.

X **Hierbabuena,** callejón de San José 17, ✉ 45003, ☎ 22 39 24 – ▤. AE ◑ E VISA. ✂ BX **f**
cerrado domingo – **Comida** carta 3340 a 4480.

en la carretera de Madrid por ① : 5 km – ✉ 45003 Toledo – ☎ 925 :

X **Los Gavilanes** con hab, apartado 400 ☎ 22 46 22, Fax 22 41 06, 佘 – ▤ TV ☎ Ⓟ. E VISA
Comida *(cerrado 13 diciembre-17 enero)* carta 1600 a 2550 – ☕ 350 – **12 hab** 3760/4700.

en la carretera de Cuerva SO : 3,5 km – ✉ 45080 Toledo – ☎ 925 :

🏨 **La Almazara** 🐚 sin rest, ✉ apartado 6, ☎ 22 38 66, Fax 25 05 62, ≤, « Antigua casa de campo rodeada de una finca » – Ⓟ. AE ◑ E VISA. ✂
10 marzo-10 octubre – ☕ 400 – **21 hab** 3000/5700.

en la carretera de Ávila por ④ : 2,7 km – ✉ 45005 Toledo – ☎ 925 :

🏨 **Beatriz y Rest. Anticuario** 🐚, ☎ 22 22 11, Telex 27835, Fax 21 58 65, ≤, 佘, ⛱, 🎾 – ▤ ▤ TV ☎ 🚗 Ⓟ – 🏛 25/2000. AE ◑ E VISA JCB. ✂
Comida carta 3650 a 4550 – ☕ 1075 – **295 hab** 11600/14500.

TOLOSA 20400 Guipúzcoa 442 C 23 – 18 085 h. alt. 77 – ☎ 943.

♦Madrid 444 – ♦Pamplona/Iruñea 64 – ♦San Sebastián/Donostia 27 – ♦Vitoria/Gasteiz 89.

XX **Sausta,** Belate Pasalekua 7-8 ☎ 64 54 53 – ▤. AE ◑ VISA. ✂
cerrado domingo noche y lunes – **Comida** carta 2775 a 3500.

XX **Urrutitxo** con hab, Kondeko Aldapa 7 ☎ 67 38 22, Fax 67 34 28, 佘 – TV ☎ Ⓟ – 🏛 25/30. AE E VISA
cerrado 1ª quincena de enero – **Comida** (sólo cena jueves y agosto) carta 3100 a 4100 – ☕ 575 – **10 hab** 4500/8000.

X **Hernialde,** Martín José Iraola 10 ☎ 67 56 54 – ▤. AE E VISA. ✂
cerrado lunes, agosto y Navidades – **Comida** carta 3000 a 3200.

X Casa Nicolás, av. Zumalakarregi 6 ☎ 65 47 59 – ▤.

en Ibarra E : 1,5 km – ✉ 20400 Tolosa – ☎ 943 :

X **Eluska,** Euskal Herria 12 ☎ 67 13 74 – ▤. AE ◑ E VISA JCB. ✂
cerrado lunes y abril – **Comida** carta 3200 a 4650.

TOLOX 29109 Málaga 446 V 15 – 2 931 h. – ☎ 95 – Balneario.

♦Madrid 600 – Antequera 81 – ♦Málaga 54 – Marbella 46 – Ronda 53.

🏨 **Balneario** 🐚, ☎ 248 01 67, 🌳 – Ⓟ. ✂
15 junio-15 octubre – **Comida** 1200 – ☕ 350 – **53 hab** 2200/3200 – PA 2400.

TOMELLOSO 13700 Ciudad Real 444 O 20 - 27 936 h. alt. 662 - ☎ 926.
♦Madrid 179 - Alcázar de San Juan 31 - Ciudad Real 96 - Valdepeñas 67.

Ramomar, Concordia 17 ☎ 50 59 94, Fax 50 53 65, - 25/400.
AE VISA.
Comida 1000 - 550 - **42 hab** 6000/8000 - PA 2550.

TOMIÑO 36740 Pontevedra 441 G 3 - 10 130 h. - ☎ 986.
♦Madrid 616 - Orense/Ourense 117 - Pontevedra 60 - ♦Vigo 41.

en la carretera C 550 S : 2,5 km - ✉ 36740 Tomiño - ☎ 986 :

O'Miñoteiro, Vilar de Matos - Forcadela ☎ 62 24 33 - P.

TONA 08551 Barcelona 443 G 36 - 5 505 h. alt. 600 - ☎ 93.
Alred. : Sierra de Montseny★ : Carretera★ de Tona a San Celoni por Montseny.
♦Madrid 627 - ♦Barcelona 56 - Manresa 42.

Aloha, carret. de Manresa 6 ☎ 887 02 77, Fax 887 07 11 - rest P. AE VISA.
cerrado Navidades - **Comida** *(cerrado domingo noche)* 1400 - 600 - **31 hab** 3700/5400 - PA 3350.

4 Carreteras, carret. de Barcelona ☎ 887 04 00, Fax 887 04 00, - rest P. AE VISA JCB.
Comida carta aprox. 3200 - 600 - **21 hab** 3500/8000.

La Ferrería, carret. de Vich ☎ 887 00 92, Fax 772 16 64, « Decoración rústica » - P. VISA.
cerrado domingo noche y lunes - **Comida** carta 2900 a 4100.

TORÀ 25750 Lérida 443 G 34 - 1 130 h. alt. 448 - ☎ 973.
♦ Madrid 542 - ♦ Barcelona 110 - ♦ Lérida/Lleida 83 - Manresa 49.

Hostal Jaumet con hab, carret de Barcelona-Andorra ☎ 47 30 77, Fax 47 30 77 - rest P. VISA.
Comida *(cerrado domingo noche y lunes mediodía)* carta 2350 a 3450 - 500 - **19 hab** 4800.

TORDESILLAS 47100 Valladolid 442 H 14 y 15 - 7 637 h. alt. 702 - ☎ 983.
Ver : Convento de Santa Clara★ (artesonado★★, patio★).
♦Madrid 179 - Ávila 109 - ♦León 142 - ♦Salamanca 85 - ♦Segovia 118 - ♦Valladolid 30 - Zamora 67.

Los Toreros, av. de Valladolid 26 ☎ 77 19 00, Fax 77 19 54 - rest P - 25/60.
AE VISA. rest
Comida 1600 - 400 - **27 hab** 4000/6000 - PA 3500.

Juan Manuel, cruce antigua carret. N VI y N 620 ☎ 77 00 00, Fax 77 00 16 - P. VISA.
Comida 1300 - 400 - **24 hab** 2700/4500 - PA 2550.

Mesón Valderrey, antigua carret. N VI ☎ 77 11 72, Decoración castellana - . AE VISA.
Comida carta 2500 a 3900.

Los Duques, av. de Valladolid 34 ☎ 77 19 92 - . AE VISA.
cerrado lunes y 20 septiembre-4 octubre - **Comida** carta 2600 a 3450.

en la autovía N 620 - ☎ 983 :

Parador de Tordesillas, SO : 2 km, ✉ 47100 Tordesillas, ☎ 77 00 51, Fax 77 10 13, « En un pinar », - P - 25/100. AE VISA.
Comida 3200 - 1100 - **71 hab** 10500 - PA 6375.

El Montico, E : 5 km, ✉ 47080 apartado 12 Tordesillas, ☎ 79 50 00, Fax 79 50 08, « En un pinar », - P - 25/500. AE VISA. rest
Comida 2750 - 900 - **51 hab** 7500/11000, 4 suites - PA 5440.

TORLA 22376 Huesca 443 E 29 - 363 h. alt. 1 113 - ☎ 974.
Ver : Paisaje★★.
Alred. : Parque Nacional de Ordesa y Monte Perdido★★★ NE : 8 km.
♦Madrid 482 - Huesca 92 - Jaca 54.

Edelweiss, av. de Ordesa 1 ☎ 48 61 73, Fax 48 63 72, - P. AE VISA.
18 marzo-10 diciembre - **Comida** 1650 - 1000 - **57 hab** 3600/6500 - PA 3655.

Bujaruelo, av. de Ordesa ☎ 48 61 74, Fax 48 63 30, - P. AE VISA.
cerrado 7 enero- 14 marzo - **Comida** 1600 - 500 - **27 hab** 4000/6000 - PA 2800.

Bella Vista sin rest, av. de Ordesa 6 ☎ 48 61 53, - P.
abril-septiembre - 450 - **15 hab** 4000/6000.

en la carretera del Parque de Ordesa N : 1,5 km - ✉ 22376 Torla - ☎ 974 :

Ordesa, ☎ 48 61 25, alta montaña, - P
69 hab.

TORO 49800 Zamora 441 H 13 - 9 649 h. alt. 745 - ☎ 980.
Ver : Colegiata★ (portada occidental★★), interior : (cúpula★ ; cuadro de la Virgen de la Mosca★).
◆Madrid 210 - ◆Salamanca 66 - ◆Valladolid 63 - Zamora 33.

- **Juan II** 🐎, paseo del Espolón 1 ☎ 69 03 00, Fax 69 23 76, 🏊 - |‡| ▤ rest TV ☎. AE ⓓ E VISA. ✂
Comida 1250 - ☕ 425 - **41 hab** 4000/6500 - PA 2140.

TORÓ (Playa de) Asturias - ver Llanes.

TORQUEMADA 34230 Palencia 442 F 17 - 1 305 h. alt. 740 - ☎ 979.
◆ Madrid 253 - ◆ Burgos 63 - Palencia 26 - ◆ Valladolid 61.

en la carretera N 620 E : 6,5 km - ✉ 34230 Torquemada - ☎ 979 :

- **Las Lagunas,** ☎ 80 04 06, Fax 80 01 11 - |‡| ▤ TV ☎ 🚗 Ⓟ. AE E VISA. ✂
Comida 1300 - ☕ 375 - **40 hab** 3500/6000.

TORRE BARONA Barcelona - ver Castelldefels.

TORRECABALLEROS 40160 Segovia 442 J 17 - 296 h. alt. 1 152 - ☎ 921.
◆Madrid 97 - ◆Segovia 10.

- XX Posada de Javier, carret. N 110 ☎ 40 11 36, 🏕, « Decoración rústica ».
- X **El Rancho de la Aldegüela,** carret. N 110 ☎ 40 10 60, 🏕 - AE ⓓ VISA. ✂
Comida carta 2100 a 3200.

TORREDELCAMPO 23640 Jaén 446 S 18 - 11 144 h. - ☎ 953.
◆Madrid 343 - ◆Córdoba 99 - ◆Granada 106 - Jaén 10.

- **Torrezaf,** carret. de Córdoba 90 ☎ 56 71 00, Fax 41 00 86 - |‡| ▤ TV ☎ - 🏛 25/100. AE ⓓ E VISA. ✂
Comida 1050 - ☕ 345 - **52 hab** 3680/6210 - PA 2250.

TORRE DEL MAR 29740 Málaga 446 V 17 - ☎ 95 - Playa.
ℹ av. de Andalucía 92 ☎ 254 11 04.
◆Madrid 570 - ◆Almería 190 - ◆Granada 141 - ◆Málaga 31.

- **Las Yucas** sin rest, av. de Andalucía ☎ 254 09 01, Fax 254 22 72 - |‡| ▤ TV ☎ 🚗. E VISA. ✂
☕ 325 - **36 hab** 5000/8500.
- **Mediterráneo** sin rest y sin ☕, av. de Andalucía 65 ☎ 254 08 48 - ✂
cerrado 24 diciembre-6 enero - **18 hab** 3300/4700.
- X **Carmen,** av. de Andalucía 94 ☎ 254 04 35, 🏕, Cena espectáculo los sábados - ▤. VISA
Comida carta 1700 a 2700.
- X **El Jardín,** paseo Marítimo de Levante 5 ☎ 254 06 36, 🏕 - AE E VISA
cerrado martes y del 1 al 15 de noviembre - **Comida** carta 1800 a 2700.

TORREDEMBARRA 43830 Tarragona 443 I 34 - 6 218 h. - ☎ 977 - Playa.
ℹ av. Pompeu Fabra 3, ☎ 64 03 31, Fax 64 38 35.
◆Madrid 566 - ◆Barcelona 94 - ◆Lérida/Lleida 110 - Tarragona 12.

- XX **Le Brussels,** Antoni Roig 56 ☎ 64 05 10, 🏕 - AE ⓓ E VISA
Semana Santa-septiembre - **Comida** carta 3000 a 3550.
- X **La Cabaña,** Clará-carret. de La Pobla de Montornés N : 1 km ☎ 64 26 98, 🏕, Pescados y mariscos - Ⓟ. E VISA. ✂
cerrado lunes, diciembre y enero - **Comida** carta 3150 a 3700.

en Els Munts - ✉ 43830 Torredembarra - ☎ 977 :

- **Costa Fina,** av. Montserrat 33 ☎ 64 00 75, Fax 64 35 59 - |‡| ▤ rest ☎ 🚗. E VISA. ✂
abril-octubre - **Comida** 1600 - ☕ 700 - **48 hab** 4600/8000 - PA 3900.

en el barrio marítimo - ✉ 43830 Torredembarra - ☎ 977 :

- **Morros,** Pérez Galdós 15 ☎ 64 02 25, Fax 64 18 64 - |‡| TV ☎ 🚗. AE ⓓ E VISA
Comida (ver rest. **Morros**) - ☕ 750 - **79 hab** 5000/8000.
- XXX **Morros,** pl. Narcis Monturiol ☎ 64 00 61, Fax 64 18 64, ←, 🏕, « Terraza » - ▤ Ⓟ. AE ⓓ E VISA. ✂
cerrado domingo noche y lunes (salvo abril-septiembre) - **Comida** carta 3075 a 5000.
- X **Can Cues,** Tamarit 14 ☎ 64 05 73, Pescados y mariscos - ▤. AE E VISA. ✂
cerrado domingo noche (octubre-abril) - **Comida** carta 2500 a 4400.

TORREJÓN DE ARDOZ 28850 Madrid 444 K 19 - 82 807 h. alt. 585 - ✆ 91.

♦Madrid 22.

🏨 Aida sin rest, av. de la Constitución 167 ℘ 677 65 53, Fax 675 15 54 - |‡| ▤ [TV] ☎ 🚗
68 hab.

🏨 Torrejón y Grill Don José, av de la Constitución 173 ℘ 675 26 44, Telex 48301, Fax 676 72 13 - |‡| ▤ [TV] ⓟ - 🪑 25/350
70 hab.

🏨 **Henares,** av. de la Constitución 128 ℘ 677 59 95, Fax 677 59 95 - |‡| ▤ ☎ ⓟ. AE ⓘ E VISA. ✗
Comida (sólo almuerzo) 1300 - ☕ 450 - **32 hab** 5100/6200 - PA 2800.

XXX **La Casa Grande** con hab, Madrid 2 ℘ 675 39 00, Fax 675 06 91, ☂, « Instalado en una Casa de Labor del siglo XVI-Museo de Iconos, Lagar » - ▤ [TV] ⓟ - 🪑 25/100. AE ⓘ E VISA. ✗
cerrado agosto - **Comida** carta 3400 a 4600 - **8 hab** ☕ 16200/22500.

XX **Vaquerín,** ronda del Poniente 2 ℘ 675 66 20 - ▤. AE ⓘ VISA. ✗
cerrado sábado y domingo noche - **Comida** carta 4100 a 5400.

X **Colón,** Canto 1 ℘ 676 66 19 - ▤. ✗
cerrado domingo - **Comida** carta aprox. 3500.

TORRELAGUNA 28180 Madrid 444 J 19 - 2 575 h. alt. 744 - ✆ 91.

♦Madrid 58 - Guadalajara 47 - ♦Segovia 108.

X **Nuevo Pontón,** General Mola 1 ℘ 843 00 03 - ▤ ⓟ. VISA
cerrado lunes noche - **Comida** carta 2250 a 3100.

TORRELAVEGA 39300 Cantabria 442 B 17 - 59 520 h. alt. 23 - ✆ 942.

Alred. : Cueva prehistórica★★ de Altamira (techo★★★) NO : 11 km.

ℹ Ruiz Tagle 6 ℘ 89 01 62.

♦Madrid 384 - ♦Bilbao/Bilbo 121 - ♦Oviedo 178 - ♦Santander 27.

🏨 **Torrelavega,** av. Julio Hauzeur 12 ℘ 80 31 20, Telex 35675, Fax 80 27 00 - |‡| ▤ [TV] ☎ - 🪑 25/450. AE ⓘ E VISA JCB. ✗
Comida *(cerrado domingo salvo julio-septiembre)* 2000 - **116 hab** ☕ 11000/16000.

🏨 Marqués de Santillana sin rest, Marqués de Santillana 8 ℘ 89 29 34, Fax 89 29 34 - |‡| [TV] ☎ 🚗
32 hab.

🏨 **Saja** sin rest, Alcalde del Río 22 ℘ 89 27 50, Fax 89 24 51 - |‡| ☎ 🚗 - 🪑 25/200. ⓘ E VISA
☕ 375 - **45 hab** 6500/9500.

X **Villa de Santillana,** Julián Ceballos 11 ℘ 88 30 73 - ▤. AE ⓘ E VISA. ✗
cerrado lunes y 15 junio- 15 julio - **Comida** carta 2025 a 2850.

TORRELODONES 28250 Madrid 444 K 18 - 7 173 h. alt. 845 - ✆ 91.

♦Madrid 27 - El Escorial 22 - ♦Segovia 60.

en la Colonia NO : 2,5 km - ✉ 28250 Torrelodones - ✆ 91 :

XX **La Rosaleda,** paseo de Vergara 7 ℘ 859 11 25, ☂ - ▤. AE ⓘ E VISA. ✗
Comida carta aprox. 3500.

TORREMOLINOS 29620 Málaga 446 W 16 - 35 309 h. - ✆ 95 - Playa.

⛳18 Club de Campo de Málaga por ① : 5,5 km ℘ 238 11 20 - Iberia : edificio "La Nogalera" ℘ 238 24 00 AY.

ℹ La Nogalera local 517 ℘ 238 15 78 - R.A.C.E. pl. de la Costa del Sol (edificio Entreplantas Ofc. 194) ℘ 238 77 42.

♦Madrid 569 ① - Algeciras 124 ② - ♦Málaga 14 ①.

Plano página siguiente

🏨 **Meliá Costa del Sol,** paseo Marítimo 19 ℘ 238 66 77, Telex 77326, Fax 238 64 17, ≤, Servicios de talasoterapia, 🏊 - |‡| ▤ [TV] ☎ ⓟ - 🪑 25/250. AE ⓘ E VISA JCB. ✗
Comida 2550 - ☕ 950 - **540 hab** 8800/13500 - PA 4600. BY **b**

🏨 **Sol Don Pablo,** paseo Marítimo ℘ 238 38 88, Telex 77252, Fax 238 37 83, ≤, 🏊 climatizada, 🏊, 🎾 - |‡| ▤ [TV] ☎ ⓟ - 🪑 25/200. AE ⓘ E VISA. ✗ BY **s**
Comida (sólo buffet) 2300 - ☕ 1000 - **443 hab** 11500/14500 - PA 4750.

🏨 **Don Pedro,** av. del Lido ℘ 238 68 44, Telex 79265, Fax 238 69 35, 🏊, 🎾 - |‡| ▤ [TV] ☎ ⓟ - 🪑 25/40. AE ⓘ E VISA. ✗ BY **p**
Comida (sólo buffet) 1700 - ☕ 700 - **289 hab** 6500/10500 - PA 3450.

🏨 **Isabel** sin rest, paseo Marítimo 97 ℘ 238 17 44, Fax 238 11 98, ≤, 🏊 - |‡| ▤ [TV] ☎ ⓟ. E VISA. ✗ BY **n**
cerrado diciembre-febrero - **40 hab** ☕ 6500/8700.

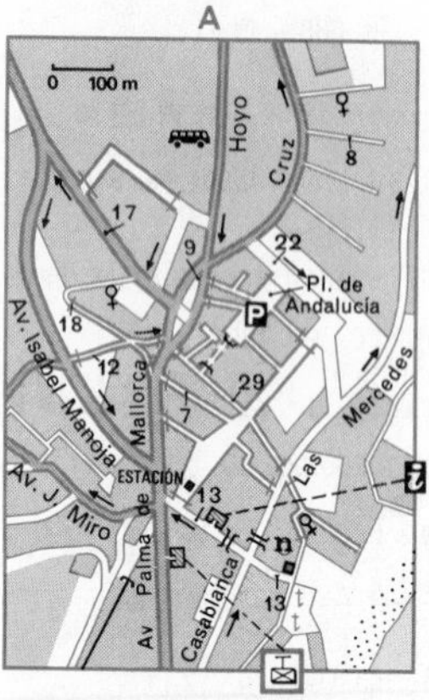

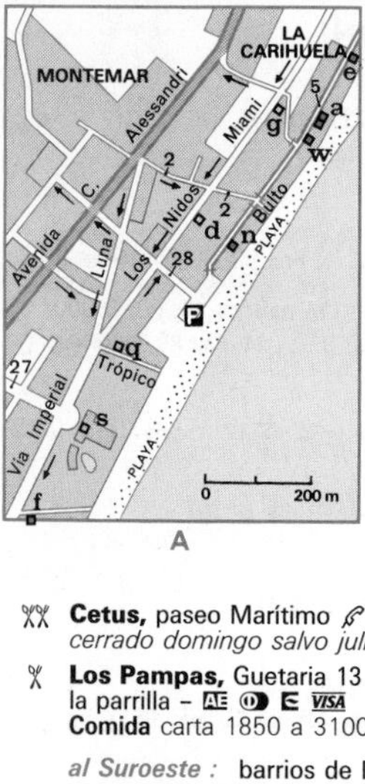

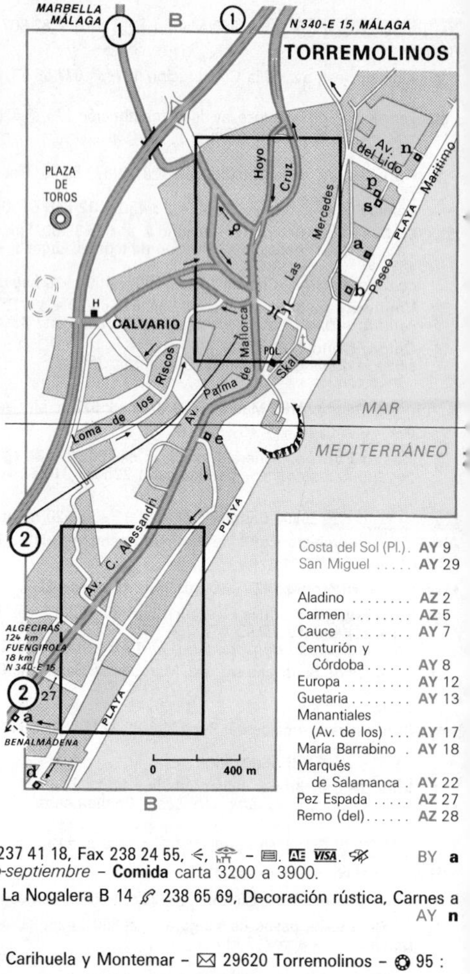

Costa del Sol (Pl.)	AY 9
San Miguel	AY 29
Aladino	AZ 2
Carmen	AZ 5
Cauce	AY 7
Centurión y Córdoba	AY 8
Europa	AY 12
Guetaria	AY 13
Manantiales (Av. de los)	AY 17
María Barrabino	AY 18
Marqués de Salamanca	AY 22
Pez Espada	AZ 27
Remo (del)	AZ 28

XX **Cetus,** paseo Marítimo ✆ 237 41 18, Fax 238 24 55, ←, 🍽 – ▤. AE VISA. ✂ BY **a**
cerrado domingo salvo julio-septiembre – **Comida** carta 3200 a 3900.

X **Los Pampas,** Guetaria 13 - La Nogalera B 14 ✆ 238 65 69, Decoración rústica, Carnes a la parrilla – AE ⓓ E VISA AY **n**
Comida carta 1850 a 3100.

al Suroeste : barrios de la Carihuela y Montemar – ✉ 29620 Torremolinos – ☎ 95 :

Meliá Torremolinos, av. Carlotta Alessandri 109 ✆ 238 05 00, Telex 77060, Fax 238 05 38, ←, « Jardín tropical », 🏊, 🎾 – 🛗 ▤ TV ☎ P – 🏛 25/400. AE ⓓ E VISA JCB. ✂ BZ **a**
abril-octubre – **Comida** (sólo buffet) 3100 – ☕ 950 – **279 hab** 9800/16000, 2 suites – PA 6120.

Pez Espada, Salvador Allende 11 ✆ 238 03 00, Fax 237 28 01, ←, 🏋, 🏊, 🏊, 🌳, 🎾 – 🛗 ▤ TV ☎ P – 🏛 25/250. AE ⓓ E VISA. ✂ AZ **s**
Comida (sólo buffet) 2850 – ☕ 1500 – **205 hab** 10500/14500 – PA 6100.

Sol Aloha Puerto, Salvador Allende 55 ✆ 238 70 66, Telex 77339, Fax 238 57 01, ←, 🏊 climatizada, 🎾 – 🛗 ▤ TV ☎ – 🏛 25/500. AE ⓓ E VISA. ✂ BZ **d**
Comida (sólo buffet) 2350 – **372 hab** 9650/13700.

Las Palomas, Carmen Montes 1 ✆ 238 50 00, Fax 238 64 66, 🏊 climatizada, 🌳, 🎾 – 🛗 ▤ rest ☎ P – 🏛 25/60. AE ⓓ E VISA. ✂ BZ **e**
Comida (sólo buffet) 2260 – ☕ 785 – **303 hab** 7295/10130, 46 apartamentos – PA 4160.

Sidi Lago Rojo, Miami 1 ✆ 238 76 66, Fax 238 08 91, 🏊 – 🛗 ▤ TV ☎. AE ⓓ E VISA. ✂ rest AZ **g**
Comida 2200 – ☕ 600 – **144 hab** 7500/10000 – PA 4000.

Tropicana, Trópico 6 ✆ 238 66 00, Fax 238 05 68, ←, 🏊, 🌳 – 🛗 ▤ TV ☎ – 🏛 25/35. AE ⓓ E VISA. ✂ AZ **q**
Comida carta aprox. 2300 – **85 hab** ☕ 12000/18000.

El Tiburón sin rest, Los Nidos 7 ☎ 238 13 11, Fax 238 13 20, - . VISA — AZ **d**
mayo-octubre - 400 - **40 hab** 4700/6000.

Prudencio, Carmen 43 ☎ 238 14 52, - AE E VISA. — AZ **w**
marzo-noviembre - **Comida** (ver rest. ***Casa Prudencio***) - **34 hab** 3500/5000.

Markina, Residencial Eurosol ☎ 238 95 25, - . AE VISA.
cerrado domingo y noviembre - **Comida** carta 2900 a 4050.

La Jábega, del Mar 17 ☎ 238 63 75, Fax 237 08 16, - . AE E VISA JCB.
Comida carta 2250 a 3150. — AZ **e**

El Roqueo, Carmen 35 ☎ 238 49 46, , Pescados y mariscos - AE E VISA. — AZ **a**
cerrado martes y noviembre - **Comida** carta 2400 a 3900.

Casa Prudencio, Carmen 43 ☎ 238 14 52, , Pescados y mariscos - AE E VISA.
cerrado lunes y 26 diciembre-12 febrero - **Comida** carta 1940 a 3450. — AZ **w**

La Langosta, Bulto 53 ☎ 238 43 81, Fax 237 04 98, - E VISA JCB — AZ **n**
Comida carta 2750 a 4400.

Casa Guaquín, Carmen 37 ☎ 238 45 30, , Pescados y mariscos - AE E VISA — AZ **a**
cerrado jueves y 15 diciembre-15 enero - **Comida** carta 2200 a 3700.

La Barca, Salvador Allende ☎ 238 47 65, Fax 237 08 16, - . AE E VISA JCB.
cerrado lunes y noviembre - **Comida** carta 2250 a 3250. — AZ **f**

en la carretera de Málaga por ① - ✉ 29620 Torremolinos - 95 :

Parador de Málaga del Golf, junto al golf : 5 km, ✉ 29080 apartado 324 Málaga, ☎ 238 12 55, Fax 238 21 41, , « Situado junto al campo de golf », , , 18 - - 25/70. AE E VISA.
Comida 3200 - 1100 - **56 hab** 14500, 4 suites - PA 6375.

Frutos, urb. Los Álamos : 3 km ☎ 238 14 50, Fax 237 13 77, - . AE E VISA.
cerrado domingo noche de octubre a junio - **Comida** carta 2600 a 3850.

Oito mapas pormenorizados Michelin :

Espanha : Noroeste 441*, Centro-Norte* 442*, Nordeste* 443*, Centro* 444*,*
Centro-Este 445*, Sul* 446*, Ilhas Canárias* 448*.*

Portugal 440*.*

Os sublinhados a vermelho assinalam nestes mapas as localidades mencionadas neste Guia.

Para o conjunto de Espanha e Portugal, queira consultar o mapa Michelin 990 *na escala de 1/1 000 000.*

TORRENT 17123 Gerona 443 G 39 - 219 h. - 972.
Madrid 744 - Barcelona 133 - Gerona/Girona 36 - Palafrugell 4.

Mas de Torrent , ☎ 30 32 92, Fax 30 32 93, , , « Masía del siglo XVIII », , , - - 25/40. AE E VISA JCB. rest
Comida carta 4500 a 5100 - 1750 - **30 hab** 22400/28000.

TORRENTE o **TORRENT** 46900 Valencia 445 N 28 - 56 191 h. - 96.
Madrid 345 - Alicante/Alacant 182 - Castellón de la Plana/Castelló de la Plana 86 - Valencia 11.

en El Vedat SO : 4,5 km - ✉ 46900 Torrente - 96 :

Lido , Juan Ramón Jiménez 5 ☎ 155 15 00, Telex 61730, Fax 155 12 02, , , - rest - 25/500. E VISA. rest
Comida 1800 - 695 - **60 hab** 7395/10710.

TORREVIEJA 03180 Alicante 445 S 27 - 25 891 h. - 96 - Playa.
18 Club Villamartín, SO : 7,5 km ☎ 532 03 50.
pl. Capdepon ☎ 571 59 36.
Madrid 435 - Alicante/Alacant 50 - Cartagena 60 - Murcia 45.

La Cibeles sin rest, av. Dr. Gregorio Marañón 26 ☎ 571 00 12 - VISA.
abril- 15 octubre - 350 - **40 hab** 3400/3625.

Cano sin rest, Zoa 53 ☎ 670 09 58 -
28 hab.

Miramar, paseo Vista Alegre ☎ 571 34 15, , - AE E VISA.
cerrado martes y del 2 al 24 de noviembre - **Comida** carta aprox. 4175.

Telmo, Torrevejenses Ausentes 5 ☎ 571 54 74 - .

Río Nalón, Clemente Gosálvez 22 ☎ 571 19 08 - . AE E VISA.
cerrado domingo noche y lunes (salvo verano) y febrero - **Comida** carta 2800 a 3800.

La Tortuga, María Parodi 3 ☎ 571 09 60, Decoración neo-rústica - . E VISA.
cerrado domingo y del 14 al 28 de diciembre - **Comida** carta 2495 a 3350.

en la carretera de Cartagena - al Suroeste - ☎ 96 :

La Zenia, urb. La Zenia 8,5 km, ✉ 03180 Torrevieja, ☎ 676 02 00, Fax 676 03 91, ≤, « Terraza frente al mar », - rest
temp - **Comida** (sólo buffet) - **220 hab.**

Montepiedra, Rosalia de Castro-Dehesa de Campoamor, 11 km, ✉ 03192 Dehesa de Campoamor, ☎ 532 03 00, Fax 532 06 34, « rodeada de césped y plantas », - rest . AE E VISA.
Comida 2200 - 640 - **64 hab** 9540/10865 - PA 4010.

Torrejoven y Rest. El Cantábrico, 4,7 km, ✉ 03180 Torrevieja, ☎ 571 40 52, Fax 571 53 15, ≤, - **110 hab.**

Motel Las Barcas sin rest, 4,5 km, ✉ 03180 Torrevieja, ☎ 571 00 81, Fax 571 00 81, ≤ - . E VISA
375 - **30 hab** 4900.

Cabo Roig, urb. Cabo Roig, 9 km, ✉ 03192 Dehesa de Campoamor, ☎ 676 02 90, ≤ mar, - . AE E VISA.
Comida carta 2400 a 4300.

Asturias, 5,5 km, ✉ 03180 Torrevieja, ☎ 676 00 44, - .

Las Villas, Dehesa de Campoamor, 11 km, ✉ 03192 Dehesa de Campoamor, ☎ 532 00 05, - . AE E VISA - *cerrado 8 enero-8 febrero* - **Comida** carta 2450 a 3500.

Don Sandy, 9,5 km, ✉ 03180 Torrevieja, ☎ 532 12 17, - .

TORRIJOS

45500 Toledo 444 M 17 - 9 522 h. alt. 529 - ☎ 925.
♦Madrid 87 - Ávila 113 - Toledo 29.

Castilla, carret. de Toledo ☎ 76 18 00, Fax 77 00 00, - - 25/250. AE E VISA.
Comida 1700 - 300 - **61 hab** 3900/5200 - PA 3700.

El Mesón, carret. de Toledo ☎ 76 04 00, Fax 76 08 56, - rest - 25/400. AE VISA. rest
Comida 1470 - 350 - **44 hab** 3500/6000 - PA 3190.

Tinín, carret. de Toledo 62 ☎ 76 11 65 - . AE E VISA.
cerrado miércoles y 14 agosto-1 septiembre - **Comida** carta 2275 a 3300.

TORROELLA DE MONTGRÍ

17257 Gerona 443 F 39 - 6 723 h. alt. 20 - ☎ 972.
18 Empordá Club Golf S : 1,5 km, ☎ 76 04 50.
av. Lluís Companys 51 ☎ 75 89 10, Fax 75 76 19.
♦Madrid 740 - ♦Barcelona 127 - Gerona/Girona 31.

Coll sin rest, carret. de Estartit ☎ 75 81 99, Fax 75 85 12, - . E VISA.
cerrado febrero - 350 - **24 hab** 8000.

Elías con hab, Major 24 ☎ 75 80 09
17 hab.

en la playa de La Gola SE : 7,5 km - ✉ 17257 Torroella de Montgrí - ☎ 972 :

Picasso, carret. de Pals y desvío a la izquierda ☎ 75 75 72, Fax 76 11 00, - rest . AE E VISA
marzo-octubre - **Comida** 1500 - 450 - **20 hab** 3500/6000 - PA 3200.

TORTOSA

43500 Tarragona 443 J 31 - 29 717 h. alt. 10 - ☎ 977.
Ver : Catedral★ (tríptico★, púlpitos★).
pl. del Bimil-lenari, ☎ 51 08 22.
♦Madrid 486 - Castellón de la Plana/Castelló de la Plana 123 - ♦Lérida/Lleida 129 - Tarragona 83 - ♦Zaragoza 204.

Parador de Tortosa, Castillo de la Zuda ☎ 44 44 50, Fax 44 44 58, ≤, - - 25/150. AE E VISA.
Comida 3200 - 1100 - **79 hab** 12000, 3 suites - PA 6375.

Tortosa Parc sin rest, con cafetería, Comte de Bañuelos 10 ☎ 44 61 12, Fax 44 61 12 - . AE E VISA
500 - **84 hab** 2500/4900.

El Parc, av. Generalitat ☎ 44 48 66, En un parque - . AE E VISA.
Comida carta 2470 a 4650.

Rosa, Marqués de Bellet 13 ☎ 44 20 01 - . AE E VISA.
cerrado lunes, martes mediodía, y del 12 al 30 de septiembre - **Comida** carta 1800 a 3400.

TOSAS (Puerto de) o TOSES (Port de)

17536 Gerona 443 E 36 - 148 h. alt. 1 800 - ☎ 972.
♦Madrid 679 - Gerona/Girona 131 - Puigcerdá 26.

La Collada, carret. N 152, alt. 1 800 ☎ 89 21 00, ≤ valle y montañas, climatizada - . VISA.
cerrado del 1 al 20 noviembre - **Comida** *(cerrado jueves)* 1600 - 500 - **30 hab** 4500/8500 - PA 3200.

TOSSA DE MAR 17320 Gerona 443 G 38 - 3 406 h. - ☎ 972 - Playa.

Ver : Localidad veraniega★.

Alred. : Recorrido en cornisa★★ de Tossa de Mar a San Feliu de Guíxols (calas★) 23 km por ② - Carretera en cornisa★★ de Tossa de Mar a Playa Canyelles 9 km por ③.

carret. de Lloret - edificio Terminal ✆ 34 01 08, Fax 34 07 12.

♦Madrid 707 ③ - ♦Barcelona 79 ③ - Gerona/Girona 39 ①.

TOSSA DE MAR

Costa Brava (Av. de la) .... AY 2
La Guàrdia .... AZ 6
Portal .... BZ 16
Pou de la Vila .... ABZ 17
Socors .... ABZ 24

Estolt .... AZ 4
Ferrán Agulló (Av.) .... AY 5
La Palma (Av. de) .... BY 10
Mar (Passeig del) .... BZ 12
María Auxiliadora .... AYZ 13
Pelegrí (Av. del) .... AZ 15
Puerto Rico (Av. de) .... AY 18
Sant Antoni .... AZ 19
Sant Josep .... AZ 20

Para el buen uso de los planos de ciudades, consulte los signos convencionales.

Pour un bon usage des plans de villes, voir les signes conventionnels.

For maximum information from town plans, consult the conventional signs key.

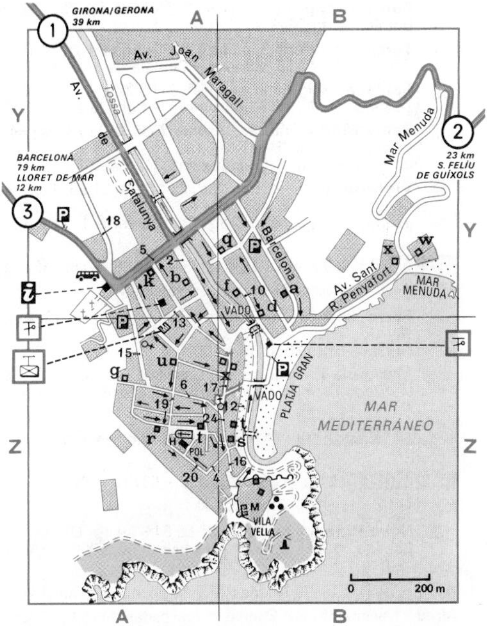

G. H. Reymar , platja de Mar Menuda ✆ 34 03 12, Telex 57094, Fax 34 15 04, ←, - . AE VISA JCB. rest — BY **x**
mayo-octubre - **Comida** 3650 - 1250 - **156 hab** 9300/20000.

Mar Menuda , platja de Mar Menuda ✆ 34 10 00, Fax 34 00 87, ←, « Terraza con arbolado », - Ⓟ. AE VISA. rest — BY **w**
cerrado 8 enero-febrero - **Comida** *(cerrado octubre- 7 abril)* 2700 - 1200 - **50 hab** 5900/10200.

Florida, av. de la Palma 12 ✆ 34 03 08, Fax 34 09 53 - Ⓟ. AE VISA. — BY **d**
abril-octubre - **Comida** 2000 - 700 - **51 hab** 6200/10350.

Neptuno , La Guardia 52 ✆ 34 01 43, Fax 34 19 33, - rest. VISA — AZ **g**
abril-octubre - **Comida** 850 - **126 hab** 3750/6800 - PA 1600.

Avenida, av. de la Palma 5 ✆ 34 07 56, Fax 34 22 70 - . AE VISA — BY **f**
12 abril-octubre - **Comida** 1800 - 500 - **50 hab** 7600 - PA 3250.

Corisco sin rest, Pou de la Vila 8 ✆ 34 01 74, Telex 56317, Fax 34 07 12, ← - . VISA — BZ **x**
mayo-septiembre - 720 - **28 hab** 4000/7600.

Simeón sin rest, Dr. Trueta 1 ✆ 34 00 79 - . VISA. — BZ **x**
mayo-septiembre - 500 - **50 hab** 3500/4500.

Mar Bella sin rest, av. Costa Brava 21 ✆ 34 13 63, Fax 34 13 63 - AE VISA — AY **b**
mayo-septiembre - 500 - **36 hab** 3350/6700.

Sant March sin rest, Nou 9 ✆ 34 00 78, - AE — AZ **u**
mayo-septiembre - **30 hab** 3300/6000.

Canaima sin rest, av. de la Palma 24 ✆ 34 09 95, Fax 34 10 21 — BY **q**
mayo-septiembre - 450 - **17 hab** 4775.

Horta Rosel sin rest, Pola 29 ✆ 34 04 32 - Ⓟ — AY **k**
junio-septiembre - 350 - **29 hab** 4200.

Es Molí, Tarull 5 ☏ 34 14 14, « Bajo los porches de un patio ajardinado » – Ⓟ. AE ① E VISA JCB AZ r
cerrado martes (15 septiembre- 15 junio) y febrero – **Comida** *(sólo fines de semana del 15 diciembre- 15 marzo)* carta 2775 a 4750.

Castell Vell, pl. Roig i Soler 2 ☏ 34 10 30, « Rest. de estilo regional en el recinto de la antigua ciudad amurallada » – AE ① E VISA. BZ v
14 abril- 15 octubre – **Comida** *(cerrado lunes salvo julio-septiembre)* carta 3700 a 5775.

Can Tonet, pl. de l'Esglèsia 2 ☏ 34 05 11, – ▤. AE ① E VISA AZ t
Comida carta 2325 a 3125.

Tursia, Barcelona 3, edificio Sa Carbonera ☏ 34 15 00, – AE ① E VISA BY a
Semana Santa-15 octubre – **Comida** carta 2500 a 3650.

Bahía, passeig del Mar 19 ☏ 34 03 22, – ▤. AE ① E VISA. BZ s
cerrado del 12 al 31 diciembre – **Comida** carta 2550 a 4225.

Santa Marta, Francesc Aromir 2 ☏ 34 04 72, Fax 34 27 57, Dentro del recinto amurallado – ▤. AE E VISA. BZ v
abril-septiembre – **Comida** carta 3475 a 4050.

Victoria, passeig del Mar 23 ☏ 34 01 66, Fax 34 13 63, – AE ① E VISA JCB. BZ t
15 marzo-15 septiembre – **Comida** carta 3150 a 3750.

TOTANA **30850** Murcia 445 S 25 – 20 288 h. alt. 232 – ☎ 968.
♦Madrid 440 – Cartagena 63 – Lorca 20 – ♦Murcia 45.

Plaza sin rest, pl. Constitución 5 ☏ 42 31 12, Fax 42 25 30 – ▤ TV ☎. AE VISA.
▭ 350 – **12 hab** 4300/6500.

Mariquita II, Cánovas del Castillo 12 ☏ 42 44 05 – ▤. AE ① VISA.
cerrado domingo noche, lunes y 20 días en agosto – **Comida** carta 2750 a 3350.

TOXA (Illa da) Pontevedra – ver La Toja (Isla de).

TRABADELO **24523** León 441 E 9 – 637 h. – ☎ 987.
♦ Madrid 416 – Lugo 91 – Ponferrada 30.

Nova Ruta, carret. N VI ☏ 56 64 31 – Ⓟ. AE VISA.
Comida 1100 – ▭ 375 – **13 hab** 3000/5000 – PA 2210.

TRAGACETE **16170** Cuenca 444 K 24 – 345 h. alt. 1 283 – ☎ 969.
Alred. : Nacimiento del Cuervo ★ (cascadas ★) NO : 12 km.
♦Madrid 235 – Cuenca 71 – Teruel 89.

Serranía, Fernando Royuela 2 ☏ 28 90 19
cerrado enero y febrero – **Comida** 1700 – ▭ 400 – **24 hab** 2000/5000 – PA 3300.

Júcar, Fernando Royuela 1 ☏ 28 91 47, Fax 28 90 18 – ▤ rest. E VISA.
abril-noviembre – **Comida** 1750 – ▭ 600 – **18 hab** 4000/6000.

TREDÓS Lérida – ver Salardú.

TREMP **25620** Lérida 443 F 32 – 6 514 h. alt. 432 – ☎ 973.
Alred. : NE : Desfiladero de Collegats★★.
🅘 plaça de Capdevila, ☏ 65 13 80, Fax 65 20 36.
♦Madrid 546 – Huesca 156 – ♦Lérida/Lleida 93.

Siglo XX, pl. de la Creu 8 ☏ 65 00 00, Fax 65 26 12, – ▤ TV ☎. ① E VISA
Comida 1500 – ▭ 450 – **50 hab** 3500/5500 – PA 3000.

Alegret sin ▭, pl. de la Creu 30 ☏ 65 01 00 – ▤ ☎. E VISA JCB
Comida 1350 – **25 hab** 2100/4000 – PA 2900.

TRES CANTOS 28760 Madrid 444 K 18 - 22 301 h. alt. 802 - ☎ 91.

♦Madrid 26.

X **Latores,** av de Viñuelas 17 (2ª fase) ☎ 803 95 73, Fax 804 08 45, - ▤. ⓓ E VISA. ✄
cerrado domingo y agosto - **Comida** carta 4050 a 4800.

TRINTXERPE Guipúzcoa - ver Pasajes de San Pedro.

TRUJILLO 10200 Cáceres 444 N 12 - 8 919 h. alt. 564 - ☎ 927.

Ver : Pueblo histórico★★ : Plaza Mayor★★ (palacio de los Duques de San Carlos★, palacio de los Marqueses de la Conquista : balcón de esquina★) - Iglesia de Santa María★ (retablo★).

ℹ pl. Mayor ☎ 32 26 77.

♦Madrid 254 - ♦Cáceres 47 - Mérida 89 - Plasencia 80.

Parador de Trujillo ⚘, pl. de Santa Beatriz de Silva 1 ☎ 32 13 50, Fax 32 13 66, « Instalado en el antiguo convento de Santa Clara », - ▤ TV ☎ P - 25/90. AE ⓓ VISA. ✄
Comida 3200 - ☕ 1100 - **46 hab** 13000 - PA 6375.

Las Cigüeñas, av. de Madrid ☎ 32 12 50, Fax 32 13 00, - ▤ TV ☎ P - 25/300.
78 hab.

X **Pizarro,** pl. Mayor 13 ☎ 32 02 55, Cocina regional - ▤. E VISA. ✄
Comida carta 2550 a 3900.

X **Mesón La Troya,** pl. Mayor 10 ☎ 32 13 64, Mesón típico - ▤. VISA. ✄
Comida carta aprox. 1800.

X **Mesón La Cadena** con hab, pl. Mayor 8 ☎ 32 14 63 - ▤. AE E VISA. ✄
Comida carta 1950 a 2150 - **8 hab** 5000.

en la antigua carretera N V SO : 6 km - ✉ 10200 Trujillo - ☎ 927 :

X **La Majada,** salida 259 autovía ☎ 32 03 49, - ▤ P. AE ⓓ E VISA. ✄
Comida carta 2800 a 4200.

TUDELA 31500 Navarra 442 F 25 - 26 163 h. alt. 275 - ☎ 948.

Ver : Catedral★ (claustro★★, portada del Juicio Final★, interior - capilla de Nuestra Señora de la Esperanza★).

ℹ Carrera Gaztambide 11, ☎ 82 15 39 (Semana Santa-octubre).

♦Madrid 316 - ♦Logroño 103 - ♦Pamplona/Iruñea 84 - Soria 90 - ♦Zaragoza 81.

Tudela, av. de Zaragoza 56 ☎ 41 08 02, Fax 41 09 72 - ▤ TV ☎ P - 25/80. AE ⓓ E VISA
Comida *(cerrado domingo noche)* carta aprox. 3100 - ☕ 450 - **51 hab** 5500/7500.

NH Delta sin rest, av. de Zaragoza 29 ☎ 82 14 00, Fax 82 14 00 - ▤ TV ☎ - 25/60. AE ⓓ E VISA
☕ 500 - **43 hab** 6300/8650.

Santamaría, San Marcial 14 ☎ 82 12 00, Fax 82 12 00 - ▤ TV ☎ - 25/300. AE ⓓ E VISA. ✄ rest
Comida 1500 - ☕ 600 - **52 hab** 5000/7500 - PA 3000.

Nueva Parrilla, Carlos III el Noble 6 ☎ 82 24 00, Fax 82 25 45 - ▤ rest TV ☎. E VISA JCB. ✄
Comida 1400 - ☕ 400 - **22 hab** 3500/6000 - PA 2300.

XX **Morase** con hab, paseo de Invierno 2 ☎ 82 17 00, Fax 82 17 04 - ▤ TV ☎. AE ⓓ E VISA JCB. ✄ rest
Comida *(cerrado domingo noche y lunes mediodía)* carta 3650 a 5200 - ☕ 750 - **7 hab** 6000/8000.

X **El Choko,** pl. de los Fueros 5 ☎ 82 10 19 - ▤. AE ⓓ E VISA. ✄
cerrado lunes - **Comida** carta 2950 a 4250.

X **Iruña,** Muro 11 ☎ 82 10 00 - ▤. AE ⓓ E VISA. ✄
cerrado jueves - **Comida** carta 2300 a 3500.

X Mesón Julián, Merced 9 ☎ 82 20 28 - ▤.

en la carretera N 232 SE : 3 km - ✉ 31512 Fontellas - ☎ 948 :

XX **Beethoven,** ☎ 82 52 60, Fax 82 52 60 - ▤ P. AE ⓓ E VISA. ✄
cerrado domingo y agosto - **Comida** carta 2810 a 4200.

TUDELA DE DUERO 47320 Valladolid 442 H 16 - 4 842 h. alt. 701 - ☎ 983.

♦Madrid 188 - Aranda de Duero 77 - ♦Segovia 107 - ♦Valladolid 16.

Jaramiel sin rest, carret. N 122 NO : 1 km ☎ 52 10 26, - TV ☎ P. E VISA. ✄
☕ 600 - **16 hab** 4000/6000.

TUY o TUI 36700 Pontevedra 441 F 4 – 15 346 h. alt. 44 – ☎ 986.
Ver : Emplazamiento★, Catedral★ (portada★).
Puente Tripes - av. de Portugal ℘ 60 17 89.
♦Madrid 604 – Orense/Ourense 105 – Pontevedra 48 – ♦Porto 124 – ♦Vigo 29.

Parador de Tuy, ℘ 60 03 09, Fax 60 21 63, ≤, « Reproducción de una casa señorial gallega », – AE VISA.
Comida 3200 – 1100 – **21 hab** 11500, 1 suite – PA 6375.

Colón Tuy, Colón 11 ℘ 60 02 23, Fax 60 03 27, ≤, – – 25/100. AE E VISA.
Comida *(cerrado domingo)* 1175 – 800 – **45 hab** 5200/8500.

O Cabalo Furado, pl. Generalísimo ℘ 60 12 15 – AE VISA
cerrado domingo noche y lunes de noviembre a mayo, domingo resto del año, del 15 al 30 de junio y 23 diciembre-7 enero – **Comida** carta 1550 a 2650.

ÚBEDA 23400 Jaén 446 R 19 – 31 962 h. alt. 757 – ☎ 953.
Ver : Barrio Antiguo★★ : plaza Vázquez de Molina★★ BZ, iglesia de El Salvador★★ (sacristía★★, interior★) BZ – Iglesia de Santa María (capilla★, rejas★) BZ – Iglesia de San Pablo (capillas★) BZ.
pl. de los Caídos ℘ 75 08 97.
♦Madrid 323 – ♦Albacete 209 – Almería 227 – ♦Granada 141 – Jaén 57 – Linares 27 – Lorca 277.

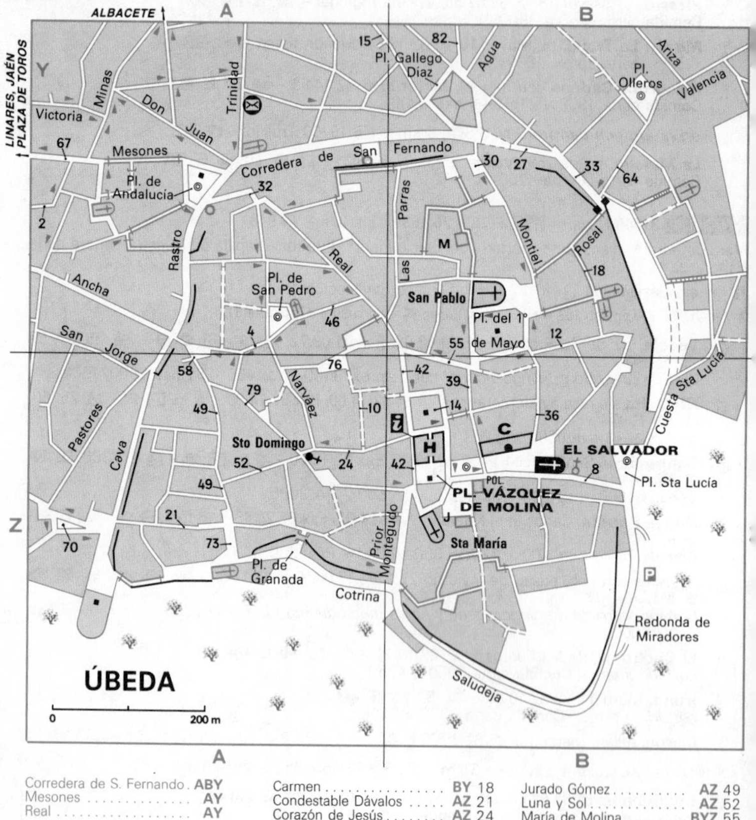

Corredera de S. Fernando	ABY	Carmen	BY 18	Jurado Gómez	AZ 49
Mesones	AY	Condestable Dávalos	AZ 21	Luna y Sol	AZ 52
Real	AY	Corazón de Jesús	AZ 24	María de Molina	BYZ 55
		Cruz de Hierro	BY 27	Marqués (Pl. del)	AZ 58
Alaminos	AY 2	Descalzas (Pl.)	BY 30	Merced (Cuesta de la)	BY 64
Antonio Medina	AY 4	Doctor Quesada	AY 32	Obispo Cobos	AY 67
Baja del Salvador	BZ 8	Fuente Seca	BY 33	San Francisco (Pl.)	AZ 70
Baja Marqués	AZ 10	Horno Contador	BZ 36	San Lorenzo (Pl.)	AZ 73
Beltrán de la Cueva	BY 12	Juan González	BZ 39	Santa Clara (Pl. de)	AZ 76
Caídos (Pl. de los)	BZ 14	Juan Montilla	BZ 42	Santo Domingo	AZ 79
Campanario	AY 15	Juan Pasquau	AY 46	Trillo	BY 82

Parador de Úbeda ⋟, pl. Vázquez Molina ☏ 75 03 45, Fax 75 12 59, « Instalado en un palacio del siglo XVI » – ▤ TV ☎ – 25/90. AE ⓞ E VISA. ⋘ BZ **C**
Comida 3500 – ☕ 1200 – **31 hab** 15000 – PA 6970.

Ciudad de Úbeda, antigua carret. de circunvalación ☏ 79 10 11, Fax 79 10 12 – |‡| ▤ TV ☎ ⛟ P – 25/450. AE VISA. ⋘ por Obispo Cobos AY
Comida 1750 – **62 hab** ☕ 6800/9500, 4 suites.

La Paz sin rest, Andalucía 1 ☏ 75 21 40, Fax 75 08 48 – |‡| ▤ TV ☎ ⛟. AE ⓞ E VISA JCB AY
☕ 450 – **46 hab** 4400/6700.

Dos Hermanas sin rest, La Libertad ☏ 75 21 24, Fax 79 13 15 – |‡| ▤ TV ☎ ⛟. VISA. ⋘ AY
☕ 450 – **30 hab** 2970/4750.

Los Cerros sin rest y sin ☕, Peñarroya 1 ☏ 75 16 21 – ⋘ AY
18 hab 1800/4500.

Victoria sin rest y sin ☕, Alaminos 5 ☏ 75 29 52 – ▤ TV. VISA por Alaminos AY
15 hab 2500/4000.

Cusco, parque de Vandevira 8 ☏ 75 34 13 – ▤. AE VISA. ⋘ por Victoria AY
cerrado domingo noche – **Comida** carta 2700 a 3400.

ULLASTRELL 08231 Barcelona 443 H 35 – 934 h. alt. 342 – ☏ 93.

◆Madrid 608 – ◆Barcelona 42 – Manresa 47 – Tarragona 42.

en la carretera C 243 E : 4 km – ✉ 08231 Ullastrell – ☏ 93 :

L'Hostal de la Glòria, urb. Ca'n Amat ☏ 780 00 61, ⛱ – ▤ P
cerrado lunes y agosto – **Comida** carta 2050 a 2900.

ULLASTRET 17133 Gerona 443 F 39 – 256 h. alt. 49 – ☏ 972.

◆Madrid 731 – Gerona/Girona 23 – Figueras/Figueres 40 – Palafrugell 16.

Iberic, Valls 5 ☏ 75 71 08.

ULLDECONA 43550 Tarragona 443 K 31 – 5 032 h. alt. 134 – ☏ 977.

◆Madrid 510 – Castellón de la Plana/Castelló de la Plana 88 – Tarragona 104 – Tortosa 30.

Bon Lloc con hab, carret. de Vinaroz ☏ 72 02 09, ⛱ – ▤ rest P. E VISA. ⋘
cerrado del 12 al 24 de septiembre – **Comida** *(cerrado lunes)* carta 1600 a 2600 – ☕ 400 – **8 hab** 2500/3500.

UÑA 16152 Cuenca 444 L 24 – 166 h. alt. 1 190 – ☏ 969.

◆Madrid 199 – Cuenca 35.

Agua-Riscas ⋟, Egido 23 ☏ 28 13 32, ⛱ – ☎. VISA. ⋘
Comida 1375 – ☕ 175 – **10 hab** 3900/5100 – PA 2725.

URBIÓN (Sierra de)★★ Soria 442 F y G 21 alt. 2 228 – ☏ 975.

Ver : Laguna Negra de Urbión★★ (carretera★★) – Laguna Negra de Neila★★ (carretera★★).

Hoteles y restaurantes ver : Soria.

URDAX o URDAZUBI 31711 Navarra 442 C 25 – 459 h. – ☏ 948.

◆Madrid 475 – ◆Bayonne 26 – ◆Pamplona/Iruñea 80.

La Koska, San Salvador 3 ☏ 59 90 42, Decoración rústica – P. AE ⓞ E VISA
cerrado domingo noche, lunes (salvo festivos), 2ª quincena de febrero y 2ª quincena de noviembre – **Comida** carta 2800 a 3400.

URQUIOLA (Puerto de) 48211 Vizcaya 442 C 22 alt. 700 - ☎ 94.

♦Madrid 386 - ♦Bilbao/Bilbo 40 - ♦San Sebastián/Donostia 79 - ♦Vitoria/Gasteiz 31.

X Bizkarra con hab, ✆ 681 20 26, Fax 681 20 26, 🏔 - Ⓟ
9 hab.

USATEGUIETA (Puerto de) Navarra - ver Leiza.

USURBIL 20170 Guipúzcoa 442 C 23 - ☎ 943.

♦Madrid 485 - ♦Bilbao/Bilbo 97 - ♦Pamplona/Iruñea 88 - ♦San Sebastián/Donostia 8.

X **Ugarte,** barrio Kale-Zar ✆ 36 26 73, Decoración rústica - Ⓟ. AE E VISA. ✱
cerrado domingo noche, lunes noche y 2ª quincena de diciembre - **Comida** (sólo cena) carta 1950 a 3500.

al suroeste : 3,5 km - ☎ 943 :

X Saltxipi, Txoko Alde ✆ 36 11 27, Fax 36 55 54, 🏔 - ▤ Ⓟ.

UTEBO 50180 Zaragoza 443 G 27 - 7 766 h. - ☎ 976.

♦Madrid 334 - ♦Pamplona/Iruñea 157 - ♦Zaragoza 13.

en la carretera N 232 - ✉ 50180 Utebo - ☎ 976 :

🏨 **Las Ventas,** SE : 2,5 km ✆ 77 04 82, Fax 77 04 82, 🏊, 🎾 - |\$| ▤ TV ☎ Ⓟ - 🏛 25/200. AE ⓓ E VISA. ✱
Comida 1500 - ☕ 500 - **58 hab** 3900/6200 - PA 2975.

🏨 **El Águila,** O : 2 km ✆ 77 03 14, Fax 77 11 05 - |\$| ▤ TV ☎ Ⓟ - 🏛 25/60. AE ⓓ E VISA JCB. ✱ rest
Comida *(cerrado domingo)* 1300 - ☕ 450 - **50 hab** 4350/6700 - PA 2600.

VADILLOS 16892 Cuenca 444 K 23 - ☎ 969.

♦Madrid 234 - Cuenca 70 - Teruel 164.

🏠 **Caserío de Vadillos,** av. San Martín de Porres ✆ 31 04 59, ← - Ⓟ. VISA. ✱
Comida 1500 - ☕ 300 - **12 hab** 3500/5000.

🏠 **El Batán** 🐎, carret. de Solán de Cabras SE : 1 km ✆ 31 01 42 - Ⓟ. ✱
15 junio-15 septiembre - **Comida** 1500 - ☕ 450 - **19 hab** 3900 - PA 2950.

VADOCONDES 09491 Burgos 442 H19 - 493 h. alt. 831 - ☎ 947.

♦Madrid 167 - Aranda de Duero 11 - ♦Burgos 94 - Soria 101 - ♦Valladolid 104.

🏠 **Dos Escudos,** carret. N 122 SO : 1 km ✆ 52 80 12 - ▤ rest TV ☎ Ⓟ. E VISA. ✱
cerrado del 1 al 15 enero - **Comida** *(cerrado sábado de octubre-febrero)* 1300 - ☕ 350 - **17 hab** 3200/5300 - PA 2850.

VALCARLOS 31660 Navarra 442 C 26 - 582 h. alt. 365 - ☎ 948.

♦Madrid 464 - ♦Pamplona/Iruñea 65 - St-Jean-Pied-de-Port 11.

X **Maitena** 🐎 con hab, Elizaldea ✆ 79 02 10, ←, 🏔 - ▤ rest. ✱ rest
Comida carta 1900 a 2500 - ☕ 350 - **6 hab** 5000.

VALDELAGRANA Cádiz - ver El Puerto de Santa María.

VALDEMORILLO 28210 Madrid 444 K 17 - 2 809 h. - ☎ 91.

♦Madrid 45 - El Escorial 14 - ♦Segovia 66 - Toledo 95.

X **Los Bravos,** pl. de la Constitución 2 ✆ 899 01 83, 🏔, « Decoración rústica » - ▤. AE E VISA
cerrado lunes y del 12 al 30 de septiembre - **Comida** carta 4600 a 6600.

VALDEMORO 28340 Madrid 444 L 118 - 17 954 h. - ☎ 91.

♦Madrid 27 - Aranjuez 21 - Toledo 53.

🏠 **Rus** sin rest y sin ☕, Estrella de Elola 8 ✆ 895 67 11, Fax 895 24 83 - ✱
16 hab 4000/6000.

XXX **Chirón,** Alarcón 27 ✆ 895 69 74, Fax 895 69 60 - ▤. AE ⓓ E VISA JCB. ✱
cerrado domingo noche y del 1 al 26 de agosto - **Comida** carta 3000 a 4100.

VALDEMOSA o **VALLDEMOSSA** Palma de Mallorca - ver Baleares (Mallorca).

VALDEPEÑAS **13300** Ciudad Real 444 P 19 - 25 067 h. alt. 720 - ☎ 926.

Alred. : San Carlos del Valle★ (plaza Mayor★) NE : 22 km.

♦Madrid 203 - ♦Albacete 168 - Alcázar de San Juan 87 - Aranjuez 156 - Ciudad Real 62 - ♦Córdoba 206 - Jaén 135 - Linares 96 - Toledo 153 - Úbeda 122.

Gala sin rest, Arpa 3 ☎ 32 38 57, Fax 32 50 13 - ▮ ▤ TV ☎ - 25/250. E VISA. ✻
▭ 500 - **30 hab** 3700/5700.

en la autovía N IV - ✉ 13300 Valdepeñas - ☎ 926 :

Meliá El Hidalgo, N : 7 km ☎ 32 32 50, Telex 48136, Fax 32 33 04, « ⛱ rodeada de césped », - ▤ TV ☎ P - 25/150. AE ⓓ E VISA JCB. ✻ rest
Comida 2585 - ▭ 850 - **54 hab** 8400/10500 - PA 5100.

Vista Alegre, N : 3 km ☎ 32 22 04, ⛱ - ▤ TV P. AE VISA. ✻ rest
Comida 1375 - ▭ 300 - **17 hab** 4500/5500.

La Aguzadera, N : 4 km ☎ 32 32 08, ⛱, ⛱ - ▤ P. AE ⓓ E VISA. ✻
cerrado domingo y lunes noche de octubre-abril - **Comida** carta 2050 a 3800.

VALDERROBRES **44580** Teruel 443 J 30 - 1 870 h. - ☎ 978.

♦Madrid 421 - ♦Lérida/Lleida 141 - Teruel 195 - Tortosa 56 - ♦Zaragoza 141.

Querol, av. Hispanidad 14 ☎ 85 01 92, Fax 85 01 92 - ▤ rest ☎. VISA. ✻
Comida *(cerrado domingo)* 1200 - ▭ 500 - **19 hab** 2750/4500 - PA 2465.

Valencia

46000 P 445 N 28 - 777 427 h. alt. 13 - ✆ 96.

Ver : **La Ciudad Vieja**★ : Catedral★ (El Miguelete★) EX, Palacio de la Generalidad★ (artesonado★ del Salón dorado) EX **D** ; Lonja★ (sala de la contratación★★, artesonado★ de la Sala del Consulado del Mar) DY.
Otras curiosidades : Museo de Cerámica★★ (Palacio del Marqués de Dos Aguas★) EY **M1** - Museo San Pío V★ (primitivos valencianos★★) FX - Colegio del Patriarca o del Corpus Christi★ EY **N** (tríptico de la Pasión★) EY - Torres de Serranos★ EX.

⛳9 de Manises por ④ : 12 km ✆ 379 08 50 - ⛳18 Club Escorpión NO : 19 km por carretera de Liria ✆ 160 12 11. ⛳18, Parador Luis Vives por ② : 15 km ✆ 161 11 86.

✈ de Valencia-Manises por ④ : 12,5 km ✆ 370 95 00 - Iberia : Paz 14, ✉ 46003, ✆ 351 97 37 EFY.

⛴ para Baleares : Cia. Trasmediterránea, av. Manuel Soto 15, ✉ 46024, ✆ 367 65 12, Fax 367 33 45 CV.

ℹ Pl. del Ayuntamiento 1, ✉ 46002, ✆ 351 04 17, av. Cataluña 1, ✉ 46010, ✆ 369 79 32 y Aeropuerto, ✆ 370 96 00 - **R.A.C.E.** (R.A.C. de Valencia) General Avilés 64, ✉ 46015, ✆ 348 66 66.

♦Madrid 351 ④ - ♦Albacete 183 ③ - ♦Alicante/Alacant (por la costa) 174 ③ - ♦Barcelona 361 ① - ♦Bilbao/Bilbo 606 ① - Castellón de la Plana/Castelló de la Plana 75 1 - ♦Málaga 651 ③ - ♦Sevilla 682 ④ - ♦Zaragoza 330 ①.

VALENCIA

Alcade Reig . . . . BV 3
Ángel Guimerá . . . . AU 4
Burjassot (Av. de) . . . . . . AU 6
Campanar (Av.) . . . . AU 7
Cataluña (Av. de) . . . . . . BU 9
Cavanilles . . . . BU 10
Constitución (Av. de la) . BU 12
Doctor Peset
Alexandre (Av.) . . . . . . BU 13
Fernando el Católico
(G. Vía) . . . . AU 15
Filipinas . . . . BV 16
Gaspar Aguilar (Av. de) . AV 18
General Avilés (Av.) . . . . AU 19
Giorgeta (Av.) . . . . AV 21
Guadalaviar . . . . BU 22
Ingeniero Manuel
Soto (Av.) . . . . CV 24
José Soto Mico . . . . AV 25
Liano de la Zaidia . . . . . BU 27
Maestro Rodrigo (Av.) . . AU 28
Manuel de Falla (Av.) . . . AU 30
Menéndez Pidal (Av.) . . . AU 31
Moreras (Camino) . . . . . . CV 33
Pérez Galdós (Av. de) . . . AU 34
Peris y Valero (Av. de) . . BV 36
Primado Reig (Av. del) . . BU 37
San José de Calasanz . . AU 39
San Vincente Mártir (Av.) . AV 40
Tirso de Molina (Av.) . . . AU 42
9 de Octubre . . . . AU 43

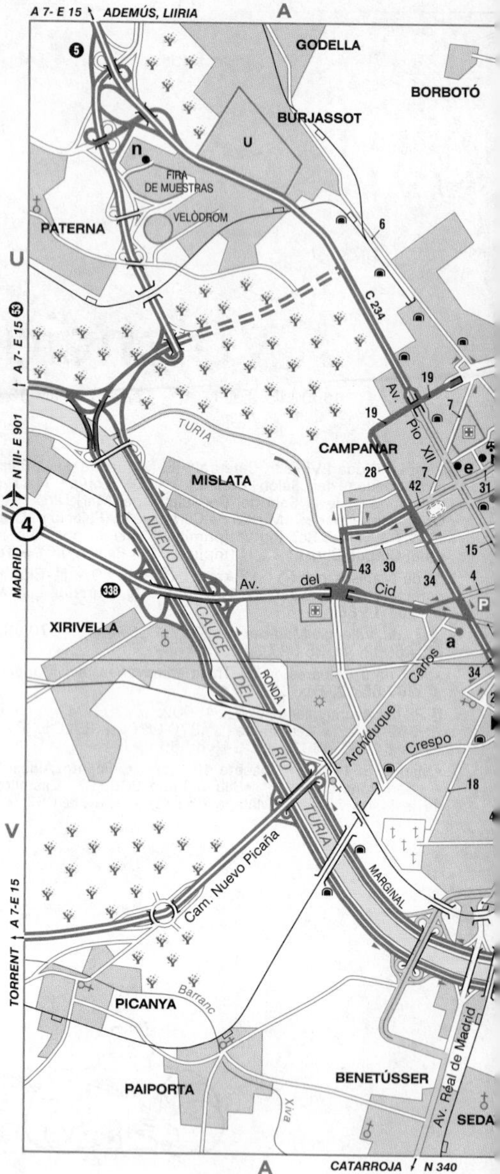

Un Consejo Michelin :

Para que sus viajes
sean un éxito,
prepárelos de antemano.
Los mapas
y las guías Michelin
le proporcionan todas
las indicaciones útiles sobre :
itinerarios,
visitas de curiosidades,
alojamiento, precios, etc...

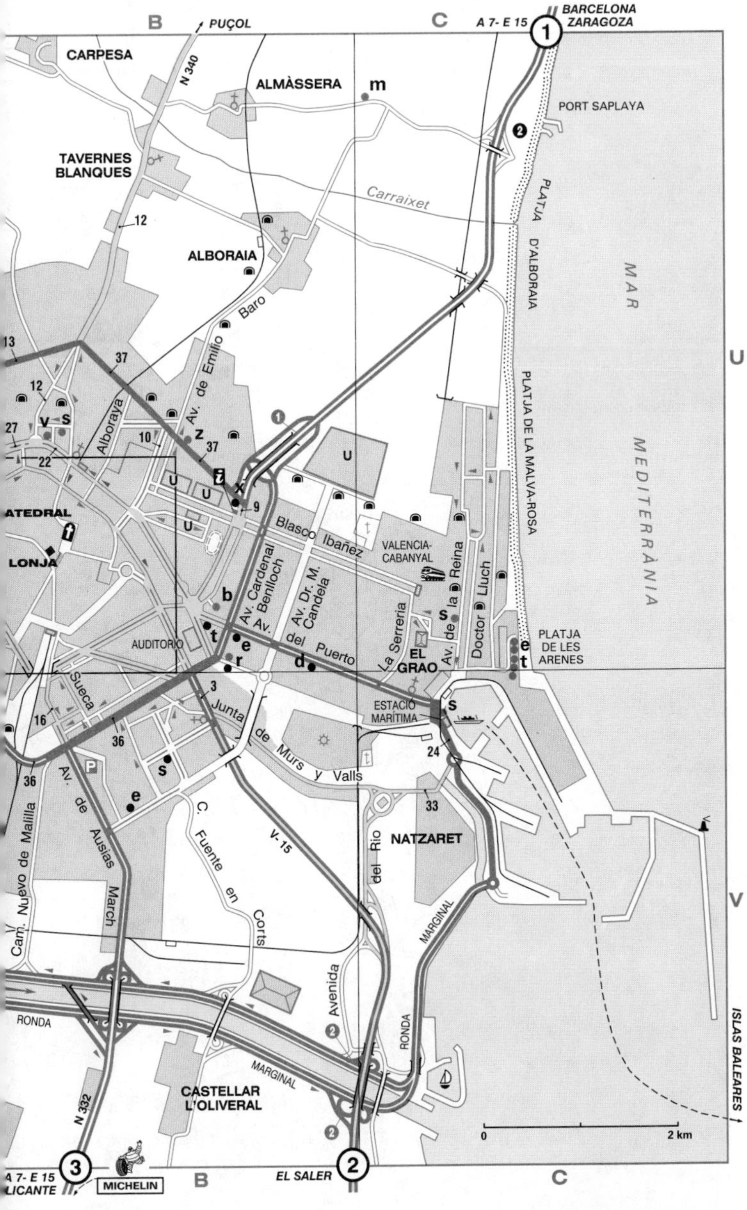

In this guide,
a symbol or a character,
printed in red or black, in **bold** or light type,
does not have the same meaning.
Please read the explanatory pages carefully.

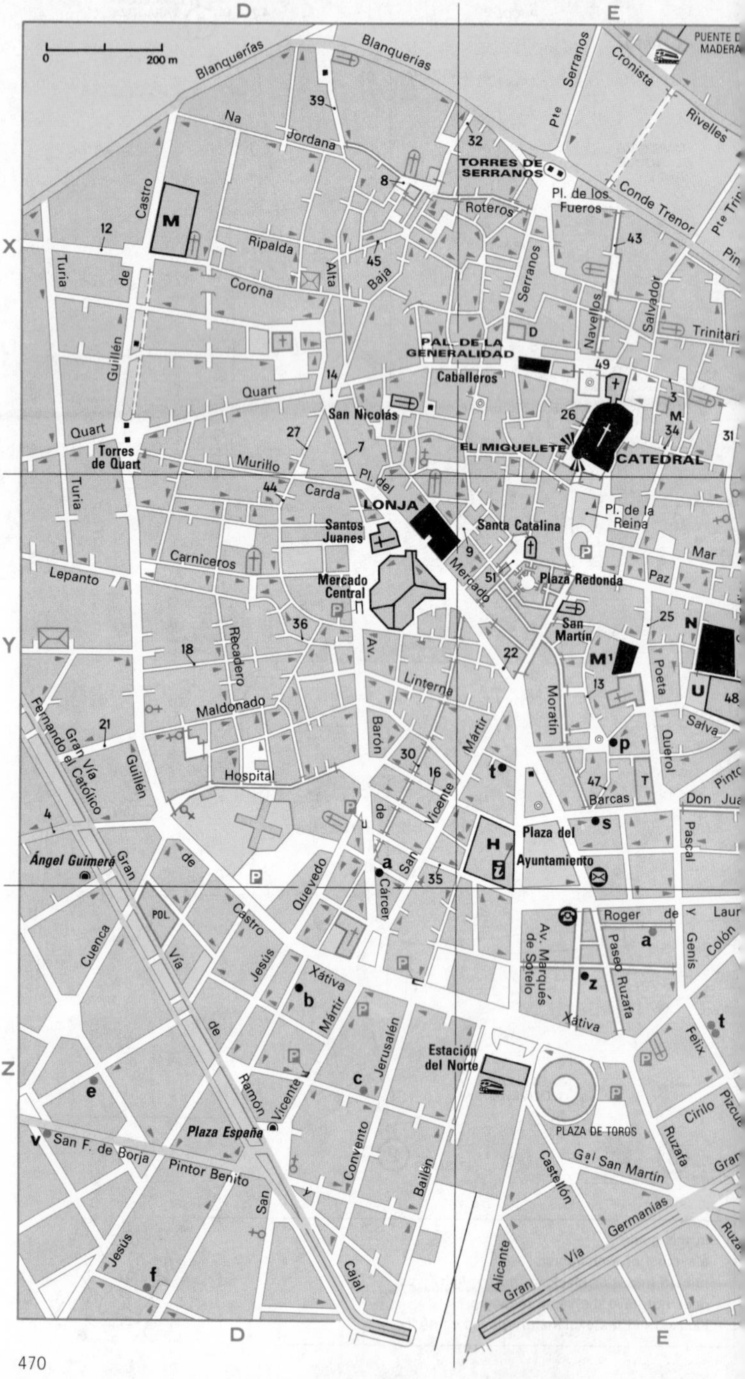
D
E
PUENTE DE MADERA
0
200 m
Blanquerías
Blanquerías
Serranos
Cronista
Rivelles
39
Na
Jordana
32
Pte
TORRES DE SERRANOS
Castro
M
8
Pl. de los Fueros
Conde Trenor
Roteros
Pte Trini
12
X
Ripalda
43
Turia
de
45
Alta
Baja
Corona
Serranos
Navellos
Salvador
Trinitari
Guillén
PAL. DE LA GENERALIDAD
D
49
14
Caballeros
Quart
3
San Nicolás
M
26
Quart
27
34
31
Torres de Quart
7
EL MIGUELETE
CATEDRAL
Murillo
Pl. del
Turia
44
Carda
LONJA
Pl. de la Reina
Santos Juanes
Santa Catalina
Mar
Carniceros
9
Lepanto
Mercado Central
51
Plaza Redonda
Paz
Mercado
36
San Martín
25
N
Y
Recadero
18
M1
22
Poeta
Av.
Linterna
13
U
48
Fernando el Católico
Gran Vía
Maldonado
Moratín
21
Barón
Mártir
Salva
p
Querol
Guillén
30
16
t
Pinto
Hospital
47
Barcas
T
Don Jua
4
de
Vicente
s
Plaza del
Pascual
H
Ángel Guimerá
Gran
a
Ayuntamiento
de
San
35
Quevedo
Cárcer
Castro
Roger de Laur
POL
y
Cuenca
a
Colón
Vía
Jesús
Av. Marqués de Sotelo
Paseo Ruzafa
Genís
Xátiva
z
b
Mártir
Xátiva
de
Feix
t
Jerusalén
Estación del Norte
Z
Ramón
Vicente
c
Cirilo
Pizcu
e
Plaza España
PLAZA DE TOROS
Ruzafa
V
San F. de Borja
Pintor Benito
Convento
Gal San Martín
Castellón
Gran
San
y
Bailén
Germanías
Ruza
Jesús
Cajal
Vía
Alicante
f
Gran
D
E

VALENCIA

Ayuntamiento (Pl. del)	EY	
Marqués de Sotelo (Av.)	EZ	
Pascual y Genís	EYZ	
Paz	EFY	
San Vicente Mártir	DY	
Almirante	EX	2
Almudín	EX	3
Ángel Guimerá	DY	4
Bolsería	DX	7
Carmen (Pl. del)	DX	8
Dr. Collado (Pl.)	EY	9
Dr. Sanchís Bergón	DX	12
Embajador Vich	EY	13
Esparto (Pl. del)	DX	14
Garrigues	DY	16
General Palanca	FY	17
Guillem Sorolla	DY	18
Maestres	FX	20
Maestro Palau	DY	21
María Cristina (Av.)	EY	22
Marqués de Dos Aguas	EY	25
Micalet	EX	26
Moro Zeit	DX	27
Músico Peydro	DY	30
Nápoles y Sicilia (Pl.)	EX	31
Padre Huérfanos	Ex	32
Palau	EX	34
Periodista Azzati	DY	35
Píe de la Cruz	DY	36
Poeta Quintana	FY	38
Salvador Giner	DX	39
San Vicente Ferrer (Pl.)	EY	40
Santa Ana (Muro)	EX	43
Santa Teresa	DY	44
Santo Tomás	DX	45
Transits	EY	47
Universidad	EY	48
Virgen (Pl. de la)	EX	49
Virgen de la Paz (Pl.)	EY	51

Para que sus viajes
sean un éxito,
prepárelos de antemano.
Los mapas y
las guías Michelin
le proporcionan todas las
indicaciones útiles sobre :
itinerarios,
visitas de curiosidades,
alojamiento, precios, etc...

Meliá Valencia Palace, paseo de la Alameda 32, ✉ 46023, ☎ 337 50 37, Fax 337 55 32, ≤, – 25/800. AE E VISA JCB. BU t
Comida 3700 – ☕ 1500 – **183 hab** 21200/26500 – PA 6500.

Meliá Rey Don Jaime, av. Baleares 2, ✉ 46023, ☎ 337 50 30, Telex 64252, Fax 337 15 72, – – 25/250. AE E VISA. BU r
Comida 3500 – ☕ 1400 – **312 hab** 16500/20950, 2 suites.

Astoria Palace y Rest Vinatea, pl. Rodrigo Botet 5, ✉ 46002, ☎ 352 67 37, Telex 62733, Fax 352 80 78 – – 25/500. AE E VISA JCB. EY p
Comida 3500 – ☕ 1400 – **200 hab** 16900/20800, 7 suites – PA 8400.

Turia, Profesor Beltrán Baguena 2, ✉ 46009, ☎ 347 00 00, Fax 347 32 44 – – 25/300. VISA. AU r
Comida 2000 – ☕ 550 – **160 hab** 9600/12000, 10 suites.

Conqueridor, Cervantes 9, ✉ 46007, ☎ 352 29 10, Fax 352 28 83 – . AE E VISA. DZ b
Comida 2700 – ☕ 1200 – **55 hab** 13250/20800, 4 suites – PA 5500.

Dimar sin rest, con cafetería, Gran Vía Marqués del Turia 80, ✉ 46005, ☎ 395 10 30, Fax 395 19 26 – – 25/60. AE E VISA JCB FZ q
107 hab 11400/18900, 1 suite.

Reina Victoria, Barcas 4, ✉ 46002, ☎ 352 04 87, Telex 64755, Fax 352 04 87 – – 25/50. AE E VISA. EY s
Comida 3500 – ☕ 1100 – **94 hab** 11350/18200, 3 suites – PA 6880.

NH Ciudad de Valencia, av. del Puerto 214, ✉ 46023, ☎ 330 75 00, Telex 63069, Fax 330 98 64 – – 30/80. AE E VISA. BU d
Comida 3000 – ☕ 1000 – **145 hab** 11350/15750, 2 suites – PA 5950.

NH Abashiri, av. Ausias March 59, ✉ 46013, ☎ 373 28 52, Telex 63017, Fax 373 49 66 – – 30/250 BV e
105 hab.

N.H. Villacarlos sin rest, av. del Puerto 60, ✉ 46023, ☎ 337 50 25, Fax 337 50 74 – . AE E VISA. BU e
☕ 1050 – **51 hab** 11880/16500.

Renasa sin rest, con cafetería, av. Cataluña 5, ✉ 46010, ☎ 369 24 50, Fax 393 18 24 – – 25/75. AE VISA BU x
☕ 600 – **69 hab** 6700/10500, 4 suites.

Expo H., av. Pío XII-4, ✉ 46009, ☎ 347 09 09, Telex 63212, Fax 348 31 81, – – 25/500. AE E VISA JCB. AU e
Comida 3000 – ☕ 900 – **400 hab** 11200/14000.

Serrano, General Urrutia 48, ✉ 46013, ☎ 334 78 00, Fax 334 78 01, – – 25/400. AE E VISA JCB. rest BV s
Comida 1975 – ☕ 975 – **104 hab** 9240/11550, 6 suites.

Oltra sin rest. con cafetería, pl. del Ayuntamiento 4, ✉ 46002, ☎ 352 06 12, Fax 352 63 63 – . AE E VISA. EY t
☕ 540 – **93 hab** 6860/10750.

Llar sin rest, Colón 46, ✉ 46004, ☎ 352 84 60, Fax 351 90 00 – – 25/30. AE E VISA FZ u
☕ 750 – **50 hab** 7900/10800.

Mediterráneo sin rest, Barón de Cárcer 45, ✉ 46001, ☎ 351 01 42, Fax 351 01 42 – . AE E VISA JCB. DY a
☕ 500 – **34 hab** 7000/10500.

Sorolla sin rest y sin ☕, Convento de Santa Clara 5, ✉ 46002, ☎ 352 33 92, Fax 352 14 65 – . AE E VISA. EZ z
50 hab 5800/10550.

XXX **Chambelán,** Chile 4, ✉ 46021, ☎ 393 37 74, Fax 393 37 72 – . AE E VISA. BU b
cerrado sábado mediodía, domingo, Semana Santa y agosto – **Comida** carta 3900 a 6000.

XXX **Eladio,** Chiva 40, ✉ 46018, ☎ 384 22 44, Fax 384 22 44 – . AE E VISA. AU a
cerrado domingo y agosto – **Comida** carta 3600 a 4250.

XXX ✿ **Oscar Torrijos,** Dr. Sumsi 4, ✉ 46005, ☎ 373 29 49 – . AE E VISA. FZ h
cerrado domingo y 15 agosto-15 septiembre – **Comida** carta 4200 a 5500
Espec. Arroz con rape y alcachofas, Bacalao a la crema de pimientos y ajo dulce, Hígado de pato con gengibre y naranja (octubre-abril).

XXX ✿ **Rías Gallegas,** Matemático Marzal 11, ✉ 46007, ☎ 357 20 07, Fax 351 99 10, Cocina gallega – . AE E VISA JCB. DZ c
cerrado domingo y agosto – **Comida** carta 4400 a 5950
Espec. Pulpo a la gallega, Rodaballo a la gallega, Lamprea estilo Arbo (enero-abril).

XXX **Versalles,** Dolores Alcayde 14, ✉ 46007, ☎ 342 37 38, Fax 342 18 04, , « Instalado en una villa » – . AE E VISA. AV b
cerrado 15 agosto-15 septiembre – **Comida** carta 3000 a 3500.

XXX **Albacar,** Sorní 35, ✉ 46004, ℘ 395 10 05 – ▤. AE ⓓ E VISA. ✻ FY **s**
cerrado Semana Santa y 7 agosto-7 septiembre – **Comida** carta 3050 a 4600.

XXX **Galbis,** Marvá 28, ✉ 46007, ℘ 380 94 73, Fax 380 06 54 – ▤. AE VISA. ✻ DZ **f**
cerrado sábado mediodía, domingo y agosto – **Comida** carta 3425 a 3850.

XX **El Ángel Azul,** Conde de Altea 33, ✉ 46005, ℘ 374 56 56 – ▤. VISA. ✻ FZ **e**
cerrado domingo y del 15 al 31 de agosto – **Comida** carta 2750 a 4025.

XX **Kailuze,** Gregorio Mayáns 5, ✉ 46005, ℘ 374 39 99, Cocina vasco-navarra – ▤. AE VISA. ✻
cerrado sábado mediodía, domingo, festivos, Semana Santa y agosto – **Comida** carta 3200 a 4850. FZ **d**

XX **El Gastrónomo,** av. Primado Reig 149, ✉ 46020, ℘ 369 70 36 – ▤. AE E VISA. ✻
cerrado domingo, Semana Santa y agosto – **Comida** carta aprox. 4100. BU **z**

XX **Joaquín Schmidt,** Visitación 7 ℘ 340 17 10, Fax 340 17 10, 🏡 – ▤. AE ⓓ E VISA. ✻
cerrado domingo, del 1 al 12 de enero y del 13 al 31 de agosto – **Comida** carta 3350 a 5000. BU **v**

XX **El Gourmet,** Taquígrafo Martí 3, ✉ 46005, ℘ 395 25 09 – ▤. AE E VISA. ✻ FZ **b**
cerrado domingo, Semana Santa y agosto – **Comida** carta 2550 a 3150.

XX **El Timonel,** Félix Pizcueta 13, ✉ 46004, ℘ 352 63 00, Fax 352 71 26 – ▤. AE ⓓ E VISA. ✻
cerrado lunes – **Comida** carta 3350 a 4300. EZ **t**

XX **Civera,** Lérida 11, ✉ 46009, ℘ 347 59 17, Fax 348 46 38, Pescados y mariscos – ▤. AE ⓓ E VISA. ✻ BU **s**
cerrado domingo noche, lunes y agosto – **Comida** carta 4300 a 5600.

XX **José Mari,** Estación Marítima 1°, ✉ 46024, ℘ 367 20 15, ≤, Cocina vasca – ▤. AE ⓓ E VISA. ✻ CV **s**
cerrado domingo y agosto – **Comida** carta 3100 a 5200.

XX **Rio Sil,** Mosén Femades 10, ✉ 46002, ℘ 352 97 64, 🏡, Cocina gallega – ▤. AE ⓓ E VISA
cerrado domingo y agosto – **Comida** carta 3100 a 5500. EZ **a**

XX **Mey Mey,** Historiador Diago 19, ✉ 46007, ℘ 384 07 47, Rest. chino – ▤. AE VISA. ✻ DZ **e**
cerrado Semana Santa y tres últimas semanas en agosto – **Comida** carta 1705 a 2550.

XX **El Asador de Aranda,** Félix Pizcueta 9, ✉ 46004, ℘ 352 97 91, Cordero asado – ▤. AE ⓓ E VISA JCB. ✻ EZ **t**
Comida carta 2875 a 3650.

X **Alghero,** Burriana 52, ✉ 46005, ℘ 333 35 79 – ▤. E VISA. ✻ FZ **m**
cerrado sábado mediodía, domingo, Semana Santa y agosto – **Comida** carta 3200 a 4400.

X **Montes,** pl. Obispo Amigó 5, ✉ 46007, ℘ 385 50 25 – ▤. AE E VISA. ✻ DZ **v**
cerrado domingo noche, lunes y agosto – **Comida** carta 2300 a 3875.

X **Panel,** Isabel la Católica 22, ✉ 46004, ℘ 351 34 85 – ▤. ⓓ E VISA. ✻ FZ **c**
cerrado domingo, Semana Santa y agosto – **Comida** carta 2650 a 3350.

X **El Plat II,** Císcar 3, ✉ 46005, ℘ 374 12 54 – ▤. AE ⓓ E VISA JCB FZ **w**
cerrado Semana Santa – **Comida** carta aprox. 2700.

X **Eguzki,** av. Baleares, 1, ✉ 46023, ℘ 337 50 33, Cocina vasca – ▤. E VISA. ✻ BU **r**
cerrado domingo y agosto – **Comida** carta 3275 a 4175.

X **Kayuko,** Periodista Badía 6, ✉ 46010, ℘ 362 88 88, Pescados y mariscos – ▤. AE ⓓ E VISA. ✻ FX **b**
cerrado domingo noche, lunes, Semana Santa y del 15 al 31 de agosto – **Comida** carta aprox. 3500.

X **La Petxina,** Dr. Sanchís Bergón 27, ✉ 46008, ℘ 392 33 14, Carnes – ▤. AE E VISA
cerrado domingo noche y agosto – **Comida** carta aprox. 2870. AU **f**

X **La Sal,** Conde de Altea 40, ✉ 46005, ℘ 395 20 11 – ▤. AE ⓓ VISA. ✻ FZ **r**
cerrado domingo, Semana Santa y del 1 al 15 de septiembre – **Comida** carta 2750 a 3450.

X **La Semeuse,** Joaquín Costa 61, ✉ 46005, ℘ 395 90 54, Cocina francesa – ▤. AE VISA. ✻ FZ **f**
cerrado sábado mediodía, domingo y Semana Santa – **Comida** carta 2700 a 3900.

X **Palace Fesol,** Hernán Cortés 7, ✉ 46004, ℘ 352 93 23, Fax 352 93 23, « Decoración regional » – ▤. AE ⓓ E VISA. ✻ FZ **s**
Comida carta 2500 a 3700.

X **Bazterretxe,** Maestro Gozalbo 25, ✉ 46005, ℘ 395 18 94, Cocina vasca – ▤. AE VISA. ✻ FZ **a**
cerrado domingo noche y 15 agosto-15 septiembre – **Comida** carta 1950 a 3150.

X **El Romeral,** Gran Vía Marqués del Turia 62, ✉ 46005, ℘ 395 15 17 – ▤. AE ⓓ E VISA. ✻ FZ **z**
cerrado lunes, Semana Santa y agosto – **Comida** carta 3100 a 4150.

X **Gure-Etxea,** Almirante Cadarso 6, ✉ 46005, ℘ 395 30 09, Cocina vasca – ▤. AE VISA. ✻
cerrado domingo, festivos y agosto – **Comida** carta aprox. 3500. FZ **k**

X **Olabarrieta,** Barraca 35, ✉ 46011, ℘ 367 07 79 – ▤. VISA. ✻ CU **s**
cerrado domingo y agosto – **Comida** carta 1525 a 2875.

X **Alameda,** paseo de la Alameda 5, ✉ 46010, ℘ 369 58 88, 🏡 – ▤. AE ⓓ E VISA. ✻ FX **t**
cerrado sábado mediodía, domingo, Semana Santa y agosto – **Comida** carta aprox. 3500.

en la playa de Levante CUV - ✉ 46011 Valencia - ☎ 96 :

✗ **La Marcelina,** av. de Neptuno 8 ✆ 371 20 25, Fax 371 26 69, ≤, 帘 - ▤. ◑ E VISA JCB CU t
cerrado domingo noche, lunes y 9 enero-2 febrero - **Comida** carta 2880 a 3860.

✗ **El Estimat,** av. de Neptuno 16 ✆ 371 10 18, Fax 372 73 85, ≤, 帘 - E VISA. ✻ CU t
cerrado domingo noche, lunes noche, martes y 15 agosto-15 septiembre - **Comida** carta 2900 a 3800.

✗ **La Pepica,** av. de Neptuno 6, ✉ 46011, ✆ 371 03 66, ≤, 帘 - AE ◑ E VISA. ✻ CU t
cerrado domingo noche y festivos noche (salvo julio-agosto) y del 15 al 30 de noviembre - **Comida** carta 2500 a 3600.

✗ **Chicote** con hab, av. de Neptuno 34 ✆ 371 61 51, ≤ - ▤. AE VISA. ✻ CU e
cerrado 15 noviembre-15 diciembre - **Comida** *(cerrado lunes)* carta 2025 a 3075 - ☕ 375 - **19 hab** 2750/4250.

✗ **La Rosa,** av. de Neptuno 70 ✆ 371 20 76, ≤ mar, 帘 - ▤. AE E VISA. ✻ CU e
cerrado 15 agosto-15 septiembre - **Comida** (sólo almuerzo salvo en verano) carta aprox. 5000.

en la Feria de Muestras - por carretera C 234 NO : 8,5 km - ✉ 46035 Valencia - ☎ 96 :

🏨 **Feria,** av. de las Ferias, 2 ✆ 364 44 11, Telex 61079, Fax 364 54 83 - |‡| ▤ TV ☎ 🚗 - 🏟 25/60. AE ◑ E VISA. ✻ rest por av. Pío XII AU n
Comida carta 3250 a 4100 - **136 suites** ☕ 25500.

por la salida ① : cruce carret. de Almàssera : 9 km - ✉ 46132 Almàssera - ☎ 96 :

✗✗ **Lluna de Valencia,** Camí del Mar 56 ✆ 185 10 86, Fax 185 10 06, Antigua alquería - ▤ Ⓟ. AE ◑ E VISA. ✻ CU m
cerrado sábado mediodía y domingo - **Comida** carta 2600 a 3500.

Ver también : ***Manises*** por ④ : 9,5 km
El Saler por ② : 8 km
Puzol por ① : 25 km

S.A.F.E. Neumáticos MICHELIN, Sucursal, carret. Valencia - Alicante km 5,4 - MASANASA por José Soto Mico, ✉ 46470 AV ✆ 125 06 51 y 125 01 16, Fax 125 08 66

VÀLENCIA DE ANEU o VALENCIA D'ÀNEU 25587 Lérida 443 E 33 alt. 1 075 - ☎ 973.

ℹ ctra. de Valencia d'Àneu, ✆ 62 60 38.

♦Madrid 626 - ♦Lérida/Lleida 170 - Seo de Urgel/La Seu d'Urgell 86.

🏨 **La Morera** ♨, ✆ 62 61 24, Fax 62 61 24, ≤ - |‡| TV ☎ Ⓟ. AE E VISA. ✻
abril-1 noviembre y 20 diciembre- 10 enero - **Comida** 1850 - ☕ 650 - **27 hab** 3850/6800 - PA 3450.

VALENCIA DE DON JUAN 24200 León 441 F 13 - 3 920 h. alt. 765 - ☎ 987.

♦Madrid 285 - ♦León 38 - Palencia 98 - Ponferrada 116 - ♦Valladolid 105.

🏠 **Villegas,** Palacio 10 ✆ 75 01 61, 帘, 🏊 - TV. ✻
cerrado diciembre y enero - **Comida** 1750 - ☕ 300 - **5 hab** 8000.

VALMASEDA o BALMASEDA 48800 Vizcaya 442 C 20 - 7 307 h. alt. 147 - ☎ 94.

♦Madrid 411 - ♦Bilbao/Bilbo 29 - ♦Santander 107.

✗ **Abellaneda,** La Cuesta 21 ✆ 680 16 74, Fax 680 16 74 - ▤. AE ◑ E VISA. ✻
Comida *(cerrado por la noche de domingo a jueves)* carta 2600 a 3700.

VALSAIN Segovia - ver La Granja.

VALTIERRA 31514 Navarra 442 F 25 - 2 377 h. alt. 265 - ☎ 948.

♦Madrid 335 - ♦Pamplona/Iruñea 80 - Soria 106 - ♦Zaragoza 100.

en la carretera N 121 NO : 3 km - ✉ 31514 Valtierra - ☎ 948 :

🏨 **Los Abetos,** ✆ 86 70 00, Fax 40 75 12, ≤ - ▤ TV ☎ Ⓟ - 🏟 25/50. E VISA. ✻ rest
Comida 1125 - ☕ 495 - **32 hab** 4200/6180.

VALVANERA (Monasterio de) 26323 La Rioja 442 F 21 - ☎ 941.

♦Madrid 359 - ♦Burgos 120 - ♦Logroño 63.

🏠 **Hospedería Nuestra Señora de Valvanera** ♨, ✆ 37 70 44, Fax 37 70 44, ≤ - Ⓟ. AE ◑ E VISA. ✻
Comida 1400 - ☕ 400 - **29 hab** 3100/4700 - PA 2500.

VALVERDE Tenerife - ver Hierro.

La VALL DE BIANYA **17858** Gerona 443 F 37 - 1 025 h. - ☎ 972.
♦Madrid 706 - Figueras/Figueres 48 - Gerona/Girona 74 - Vich/Vic 74.

en la carretera de Olot SE : 2,5 km - ✉ 17858 Vall de Bianya - ☎ 972 :

✕ Cala Násia, ☎ 29 02 00 - P.

VALL DE UXÓ o **La VALL D'UIXÓ** **12600** Castellón de la Plana 445 M 29 - 27 387 h. - ☎ 964.
♦Madrid 389 - Castellón de la Plana/Castelló de la Plana 26 - Teruel 118 - ♦Valencia 39.

Blanca sin rest y sin ☕, Joaquín París 3 ☎ 66 15 72
25 hab 1600/2700.

en las grutas de San José O : 2 km - ✉ 12600 Vall de Uxó - ☎ 964 :

✕ **La Gruta,** ☎ 66 00 08, Fax 66 08 61, En una gruta - AE O E VISA. ✱
cerrado lunes - **Comida** carta 2050 a 3500.

VALLADOLID **47000** P 442 H 15 - 345 891 h. alt. 694 - ☎ 983.
Ver : Valladolid isabelino★ : (Museo Nacional de Escultura Policromada★★★ en el colegio de San Gregorio, portada ★★, patio★★, capilla★) CX - Iglesia de San Pablo (fachada★★) CX - Otras curiosidades : Catedral ★ CY - Iglesia de las Angustias (Virgen de los siete cuchillos★) CY L.
✈ de Valladolid 14 km por ⑥ ☎ 25 92 12 - Iberia : Gamazo 17, ✉ 47004, ☎ 30 06 66 BYZ.
ℹ pl. de Zorrilla 3, ✉ 47001, ☎ 35 18 01 - R.A.C.E. Miguel Iscar 6, ✉ 47004, ☎ 39 20 99, Fax 39 68 95.
♦Madrid 188 ④ - ♦Burgos 125 ① - ♦León 139 ⑥ - ♦Salamanca 115 ⑤ - ♦Zaragoza 420 ①.

Planos páginas siguientes

Olid Meliá, pl. San Miguel 10, ✉ 47003, ☎ 35 72 00, Telex 26312, Fax 33 68 28 - |♦| ▤ TV ☎ 🚗 - 🏛 25/270. AE O E VISA. ✱ BX **a**
Comida 2755 - ☕ 1150 - **203 hab** 8100/13625, 7 suites - PA 5660.

Meliá Parque, Joaquín García Morato 17 bis, ✉ 47007, ☎ 22 00 00, Telex 26355, Fax 47 50 29 - |♦| ▤ TV ☎ ♿ 🚗 - 🏛 25/450. AE O E VISA. ✱ BZ **a**
Comida 2590 - ☕ 1050 - **293 hab** 7550/12200 - PA 4980.

Felipe IV, Gamazo 7, ✉ 47004, ☎ 30 70 00, Fax 30 86 87, Fō - |♦| ▤ TV ☎ 🚗 - 🏛 25/500. AE O E VISA. ✱ rest BZ **d**
Comida 1700 - ☕ 725 - **128 hab** 8575/13550, 2 suites - PA 4125.

NH Ciudad de Valladolid, av. Ramón Pradera 10, ✉ 47009, ☎ 35 11 11, Fax 33 50 50 - |♦| ▤ TV ☎ 🚗 - 🏛 25/500. AE O E VISA. ✱ AX **a**
Comida 2000 - ☕ 900 - **80 hab** 9000/12000 - PA 4900.

Lasa sin rest, Acera de Recoletos 21, ✉ 47004, ☎ 39 02 55, Fax 30 25 61 - |♦| ▤ TV ☎ - 🏛 25/60. AE E VISA. ✱ BZ **t**
☕ 400 - **62 hab** 6500/12500.

Mozart sin rest, con cafetería, Menéndez Pelayo 7, ✉ 47001, ☎ 29 77 77, Fax 29 21 90 - |♦| ▤ TV ☎ 🚗 - 🏛 25/50. AE E VISA. ✱ BY **q**
☕ 725 - **38 hab** 7500/12800.

Roma, Héroes del Alcázar de Toledo 8, ✉ 47001, ☎ 35 47 77, Fax 35 54 61 - |♦| ▤ TV ☎ 🚗. E VISA. ✱ BY **f**
Comida 1725 - ☕ 325 - **38 hab** 5400/8200 - PA 3450.

Imperial, Peso 4, ✉ 47001, ☎ 33 03 00, Telex 26304, Fax 33 08 13 - |♦| ▤ rest TV ☎. AE E VISA JCB BY **e**
Comida 1500 - ☕ 475 - **81 hab** 5900/7600 - PA 3350.

Feria y Rest. El Horno, av. Ramón Pradera (Feria de Muestras), ✉ 47009, ☎ 33 32 44, Fax 33 33 00, 🌳 - ▤ TV ☎ - 🏛 25/400. AE O VISA. ✱ AX
Comida carta 2200 a 3500 - ☕ 300 - **34 hab** 3900/6200.

El Nogal, Conde Ansurez 10, ✉ 47003, ☎ 34 02 33, Fax 35 49 65 - |♦| ▤ TV ☎. AE O E VISA. ✱ BY **s**
Comida *(cerrado domingo noche)* 1400 - ☕ 375 - **14 hab** 4600/7000 - PA 2975.

París sin rest, Especería 2, ✉ 47001, ☎ 37 06 25, Fax 35 83 01 - |♦| TV ☎. AE O E VISA BY **u**
☕ 300 - **36 hab** 5200/7550.

✕✕✕ **Mesón Cervantes,** Rastro 6, ✉ 47001, ☎ 30 61 38 - ▤. AE O E VISA JCB BY **r**
cerrado domingo y agosto - **Comida** carta 3450 a 4650.

✕✕✕ Machaquito, Caridad 2, ✉ 47001, ☎ 35 13 51 - ▤ BY **v**

✕✕ **Mesón La Fragua,** paseo de Zorrilla 10, ✉ 47006, ☎ 33 87 85, Fax 34 27 38, Decoración castellana - ▤. AE O E VISA. ✱ BY **y**
cerrado domingo noche, lunes y agosto - **Comida** carta 3500 a 3700.

✕✕ El Pórtico, Acera de Recoletos 16, ✉ 47004, ☎ 39 18 76 - ▤. BZ **e**

✕✕ **La Rosada,** Tres Amigos 1, ✉ 47006, ☎ 22 01 64 - ▤. AE O E VISA JCB. ✱ AZ **a**
Comida carta 2200 a 3850.

VALLADOLID

Duque de la Victoria .... BY 17
Fuente Dorada (Pl. de) ... BY 20
Miguel Iscar .... BY 29
Santiago .... BY 41
Teresa Gil .... BY

Arco de Ladrillo
(Paseo del) .... BZ 2
Arzobispo Gandásegui ... CY 3
Bailarín
Vicente Escudero ..... CY 5
Bajada de la Libertad ... BCY 6
Cadenas de
San Gregorio .... CX 8
Cánovas del Castillo .... BCY 9
Cardenal Mendoza ...... CY 10
Chancillería .... CX 13
Claudio Moyano .... BY 14
Doctrinos .... BY 16
España (Pl. de) .... BY 18
Gondomar .... CX 21
Industrias .... CY 24
Maldonado .... CY 25
Marqués del Duero .... CXY 26
Pasión .... BY 30
Portillo de Balboa .... CX 32
San Agustín .... BXY 35
San Ildefonso .... BY 36
San Pablo (Pl. de) .... BX 37
Santa Cruz (Pl. de) ...... CY 40
Santuario .... CY 42
Sanz y Forés .... CXY 45
Zorrilla (Paseo de) ...... ABZ 47

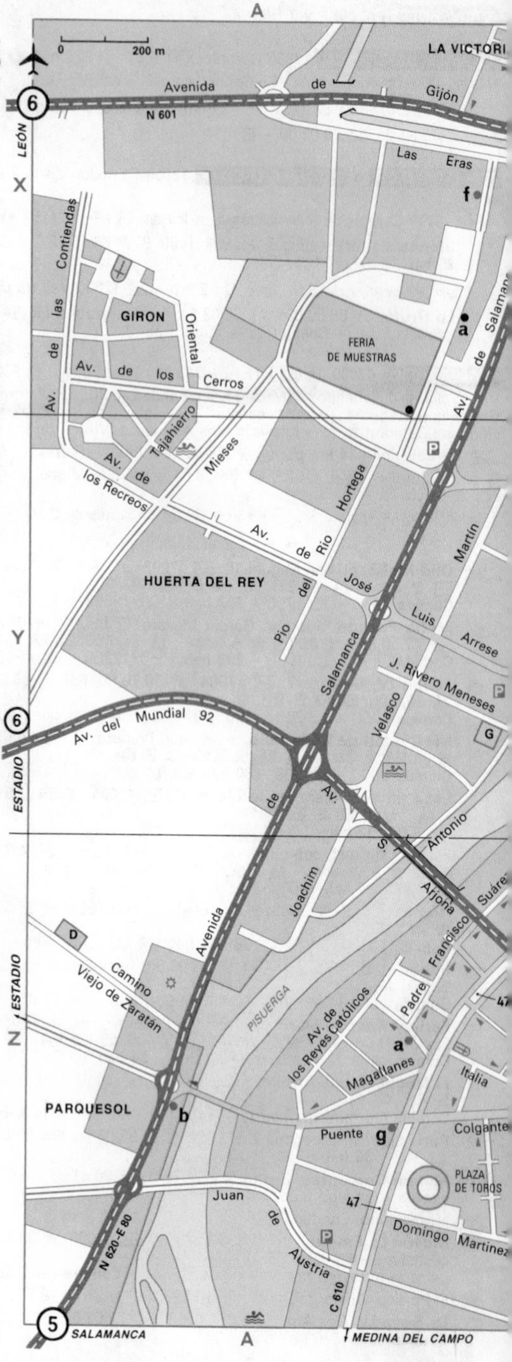

Para circular en ciudad,
utilice los planos
de la **Guía Michelin** :
vías de penetración
y circunvalación,
cruces y plazas
importantes,
nuevas calles,
aparcamientos,
calles peatonales...
un sinfín de
datos puestos
al día cada año.

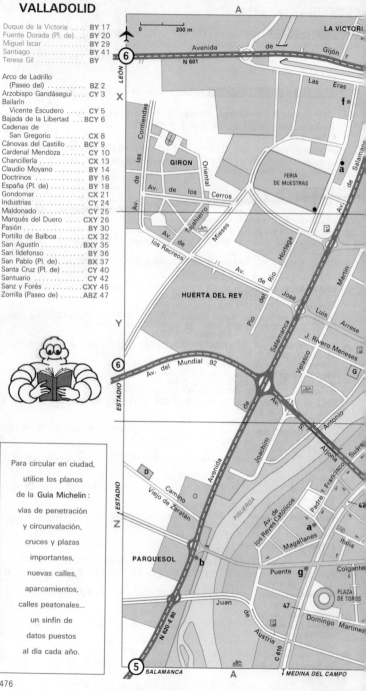

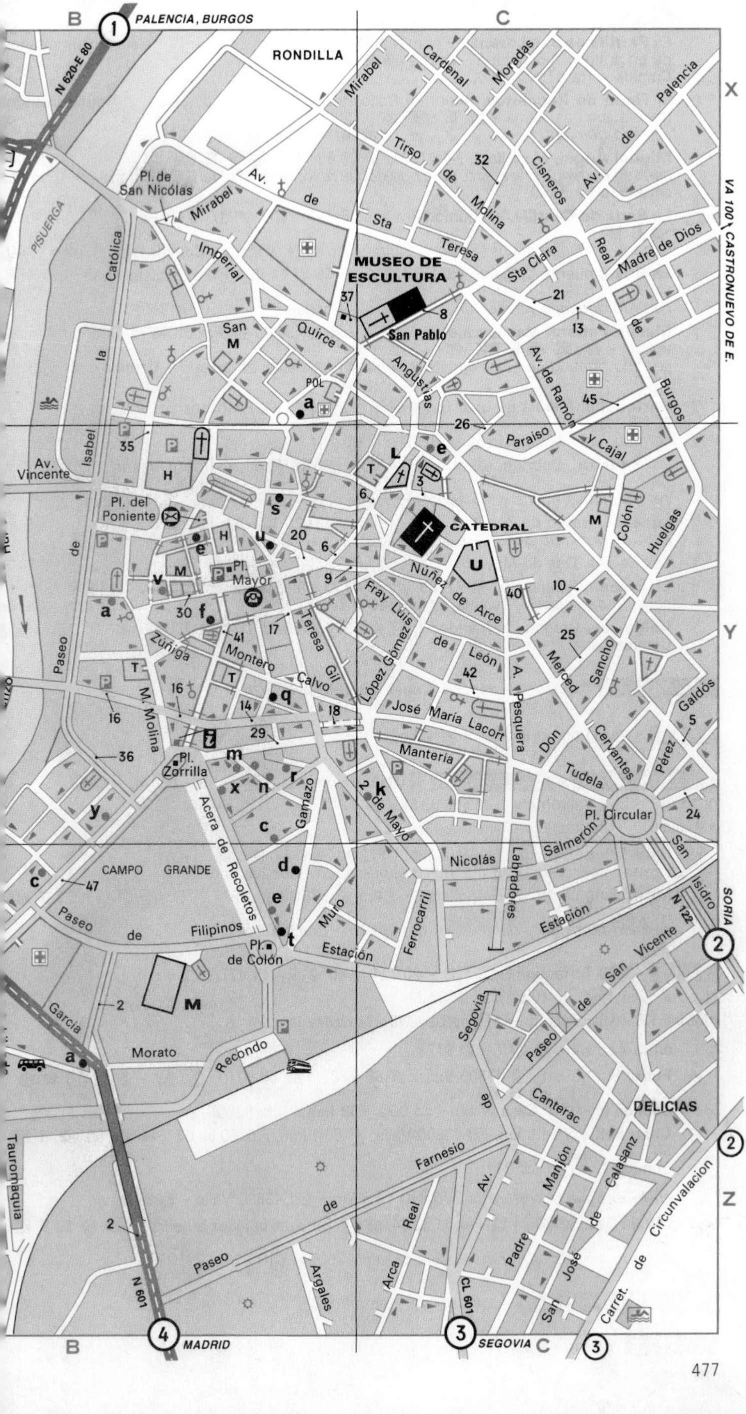
PALENCIA, BURGOS
N 620-E 80
RONDILLA
B
C
X
Y
Z
Mirabel
Cardenal
Moradas
Palencia
Tirso
de
Molina
32
Cisneros
Av.
VA 100
CASTRONUEVO DE E.
Pl. de San Nicólas
Av.
Mirabel
de
Sta
Teresa
Real
Madre de Dios
PISUERGA
Católica
Imperial
MUSEO DE ESCULTURA
Sta Clara
21
13
37
8
San Pablo
San
M
Quirce
Angustias
Av. de Ramón y Cajal
la
POL
a
45
Burgos
Isabel
35
P
H
26
Paraiso
Av. Vincente
L
e
T
3
Pl. del Poniente
s
6
CATEDRAL
M
Colón
Huelgas
de
e
H
u
20
6
U
M
Pl. Mayor
Núñez
de
Arce
v
9
40
10
a
30
f
Fray Luis
de
León
Paseo
41
17
Teresa
Gil
López Gómez
25
Merced
Sancho
Zúñiga
Montero
Calvo
42
T
T
A.
Pesquera
16
q
M. Molina
16
14
18
José María Lacort
Galdós
5
29
Don
Cervantes
Pérez
36
m
Mantería
Pl. Zorrilla
Tudela
x
n
r
2
k
de Mayo
Acera de Recoletos
Gamazo
Pl. Circular
24
y
c
Salmerón
San
Nicolás
Labradores
CAMPO GRANDE
d
c
47
e
Estación
Isidro
Paseo
de
Filipinos
Muro
Ferrocarril
N 122
SORIA
Pl. de Colón
t
Estación
San Vicente
2
Segovia
de
Paseo
M
García
2
Morato
a
Recondo
de
Canterac
DELICIAS
Farnesio
Av.
Manjón
Calasanz
2
Tauromaquia
de
Real
de
Circunvalacion
2
Padre
José
Paseo
Arca
Argales
CL 601
N 601
San
Carret.
de
4
MADRID
3
SEGOVIA
3

XX **La Parrilla de San Lorenzo,** Pedro Niño 1, ✉ 47001, ✆ 33 50 88, Instalado en los sótanos de un antiguo monasterio – ▤. AE ⓓ E VISA. ✂ BY a
Comida carta 3150 a 4400.

XX **El Figón de Recoletos,** Acera de Recoletos 3, ✉ 47004, ✆ 39 60 43, Cordero asado, Decoración castellana – ▤. E VISA. ✂ BY x
cerrado domingo noche y 23 julio-15 agosto – **Comida** carta 2975 a 4575.

XX **Miguel Ángel,** Mantilla 1, ✉ 47001, ✆ 39 85 04 – ▤. ⓓ E VISA. ✂ BY m
cerrado domingo en verano, domingo noche resto del año y del 15 al 31 agosto – **Comida** carta 3100 a 3900.

XX **La Perla de Castilla,** av. Ramón Pradera 15, ✉ 47009, ✆ 37 18 28, Fax 37 12 28 – ▤. AE ⓓ E VISA AX f
cerrado domingo noche, Semana Santa y 7 días en agosto – **Comida** carta 3500 a 4500.

X **La Goya,** puente Colgante 79, ✉ 47014, ✆ 35 57 24, 🏠, « Patio castellano » – Ⓟ. VISA. ✂ AZ b
cerrado domingo noche, lunes y agosto – **Comida** carta 2650 a 4350.

X **Mesón Panero,** Marina Escobar 1, ✉ 47001, ✆ 30 70 19, Fax 30 16 73, Decoración castellana – ▤. AE ⓓ E VISA. ✂ BY m
cerrado domingo en julio-agosto y domingo noche resto del año – **Comida** carta 2850 a 4450.

X **Portobello,** Marina Escobar 5, ✉ 47001, ✆ 30 95 31, Pescados y mariscos – ▤. AE ⓓ E VISA. ✂ BY n
cerrado lunes – **Comida** carta 3200 a 4600.

X **La Pedriza,** Colmenares 10, ✉ 47004, ✆ 39 79 51, Cordero asado – ▤. E VISA. ✂ BY c
cerrado lunes noche y 15 agosto-4 septiembre – **Comida** carta 2625 a 4200.

X **Lucense,** paseo de Zorrilla 86, ✉ 47006, ✆ 27 20 10 – ▤. AE ⓓ E VISA. ✂ AZ g
cerrado domingo noche – **Comida** carta 1975 a 3900.

X Los Cedros, Dos de Mayo 5, ✉ 47004, ✆ 30 32 70 – ▤ BCY k

X **La Solana,** Solanilla 9, ✉ 47003, ✆ 29 49 72, Decoración castellana – ▤. E VISA. ✂
cerrado miércoles – **Comida** carta 3700 a 5100. CY e

X **Valderrey,** Gregorio Fernández 1, ✉ 47006, ✆ 33 17 31 – ▤. E VISA. ✂ BZ c
Comida carta 2500 a 3700.

VALLDOREIX Barcelona – ver San Cugat del Vallés.

VALLE – ver el nombre propio del valle.

VALLROMANAS o **VALLROMANES** **08188** Barcelona 443 H 36 – 654 h. – ☎ 93.
⛳18 Club de Golf Vallromanes ✆ 568 03 62.
♦Madrid 643 – ♦Barcelona 22 – Tarragona 123.

XX **Sant Miquel,** pl. de l'Església 12 ✆ 572 90 29 – ▤. AE ⓓ E VISA
cerrado miércoles y 16 agosto- 6 septiembre – **Comida** carta 2800 a 4400.

X **Mont Bell,** carret. de Granollers O : 1 km ✆ 572 90 96, Fax 572 93 61 – ▤ Ⓟ. AE E VISA. ✂
cerrado domingo y del 1 al 15 de agosto – **Comida** carta 2350 a 3450.

VALLS **43800** Tarragona 443 I 33 – 20 124 h. alt. 215 – ☎ 977.
ℹ pl. del Blat 1, ✆ 60 10 50, Fax 61 32 11.
♦Madrid 535 – ♦Barcelona 100 – ♦Lérida/Lleida 78 – Tarragona 19.

en la carretera N 240 – ☎ 977 :

🏨 **Félix,** S : 1,5 km, ✉ 43800 Valls, ✆ 60 60 82, Fax 60 50 07, 🏊, 🎾 – |♦| ▤ TV ☎ Ⓟ – 🏛 25/100. AE ⓓ E VISA. ✂
Comida (ver rest. **Casa Félix**) – ☕ 900 – **53 hab** 4400/8250.

XX **Casa Félix,** S : 1,5 km, ✉ 43800 Valls, ✆ 60 13 50, Fax 60 50 07 – ▤ Ⓟ. AE ⓓ E VISA. ✂
Comida carta aprox. 3175.

en la antigua carretera N 240 NO : 1,8 km – ✉ 43800 Valls – ☎ 977 :

XX **Masía Bou,** ✆ 60 04 27, Fax 61 32 94, 🏠, « Terrazas bajo los árboles » – ▤ Ⓟ. AE E VISA. ✂
cerrado martes en verano – **Comida** carta 3500 a 4100.

VARADERO (Playa del) Alicante – ver Santa Pola.

El VEDAT Valencia – ver Torrente.

VEGA **39694** Cantabria 442 C 18 – ☎ 942.
♦Madrid 378 – ♦Bilbao/Bilbo 128 – ♦Burgos 143 – ♦Santander 42 – Torrelavega 28.

en la carretera S 561 N : 3,3 km – ✉ 39694 Vega – ☎ 942 :

XX **La Presa,** ✆ 59 34 53, 🌳, Decoración rústica – 🅿. AE E VISA
cerrado lunes y 2ª quincena de octubre – **Comida** carta 2775 a 3550.

VEGA DE ANZO **33892** Asturias 441 B 11 – ☎ 98.
♦ Madrid 468 – Avilés 47 – Luarca 82 – ♦ Oviedo 19.

X Loan, carret. N 634 ✆ 575 03 25, ≤ – 🅿.

VEGA DE SAN MATEO Las Palmas – ver Canarias (Gran Canaria).

VEGA DE VALCARCE **24520** León 441 E 9 – 1 141 h. – ☎ 987.
♦Madrid 422 – ♦León 143 – Lugo 85 – Ponferrada 36.

en Portela de Valcarce - carretera N VI SE : 3 km – ✉ 24524 Portela de Valcarce – ☎ 987 :

🏠 Valcarce, ✆ 56 13 08, Fax 54 31 00 – ▤ rest 🅿
42 hab.

VEGUELLINA DE ÓRBIGO **24350** León 441 E 12 – ☎ 987.
♦Madrid 314 – Benavente 57 – ♦León 32 – Ponferrada 79.

X **La Herrería** con hab, Pío de Cela 27 ✆ 37 63 35, Fax 37 64 27, 🌳, 🏊 de pago, 🎾 – ▤ TV ☎ 🅿. VISA. ✗
Comida carta 1900 a 2500 – ☕ 350 – **13 hab** 2500/6000.

VEJER DE LA FRONTERA **11150** Cádiz 446 X 12 – 12 773 h. alt. 193 – ☎ 956.
Ver : ≤★ del valle de Barbate.
♦Madrid 667 – Algeciras 82 – ♦Cádiz 50.

VELATE (Puerto de) Navarra 442 C 25 alt. 847 – ✉ 31797 Arraitz – ☎ 948.
♦Madrid 432 – ♦Bayonne 85 – ♦Pamplona/Iruñea 33.

en la carretera N 121 S : 2 km – ✉ 31797 Arraitz – ☎ 948 :

X **Venta de Ulzama** con hab, ✆ 30 51 38, Fax 30 51 38, ≤ – 🚗 🅿. AE ⓓ E VISA. ✗
cerrado del 3 al 29 noviembre – **Comida** carta 2200 a 3100 – ☕ 450 – **15 hab** 4000/5200.

VÉLEZ MÁLAGA **29700** Málaga 446 V 17 – 52 150 h. alt. 67 – ☎ 95.
♦Madrid 530 – ♦Almería 180 – ♦Granada 100 – ♦Málaga 36.

🏠 **Dila** sin rest y sin ☕, av. Vivar Téllez 3 ✆ 250 39 00, Fax 250 39 08 – |‡| ▤ TV ☎. E VISA. ✗
18 hab 5000/8000.

VÉLEZ RUBIO **04820** Almería 446 T 23 – 6 037 h. alt. 838 – ☎ 950.
♦Madrid 495 – ♦Almería 168 – ♦Granada 175 – Lorca 47 – ♦Murcia 109.

🏠 **Jardín Casa Pepa,** av. de Andalucía 6 ✆ 41 01 06, Fax 41 01 06 – |‡| ▤ rest ☎ 🚗 🅿. AE ⓓ E VISA. ✗
Comida 1200 – ☕ 300 – **42 hab** 2200/4000 – PA 2295.

La VELILLA **40173** Segovia 442 I 18 – ☎ 921.
♦Madrid 130 – Aranda de Duero 80 – ♦Segovia 50.

X **La Farola,** ✆ 50 98 23, 🌳 – ▤ 🅿. AE ⓓ E VISA. ✗
cerrado lunes y enero – **Comida** carta 2200 a 3800.

VELILLA (Playa de) Granada – ver Almuñécar.

VENDRELL o **El VENDRELL** **43700** Tarragona 443 I 34 – 15 456 h. – ☎ 977.
Alred. : Monasterio de Santa Creus★★ (gran claustro★★ : sala capitular★ ; iglesia★, : rosetón★). NO : 27 km.
ℹ Dr Robert 33, ✆ 66 02 92, Fax 66 59 24.
♦Madrid 570 – ♦Barcelona 75 – ♦Lérida/Lleida 113 – Tarragona 27.

X **Pí,** Rambla 2 ✆ 66 00 02, Estilo 1900 – ▤. E VISA. ✗
cerrado 2ª quincena de octubre y 1ª semana de noviembre – **Comida** carta 2220 a 3335.

X **El Molí de Cal Tof,** av. de Santa Oliva 2 ✆ 66 26 51, Decoración rústica – ▤ 🅿. AE ⓓ E VISA JCB. ✗
cerrado lunes en verano, domingo noche y lunes en invierno (salvo festivos y vísperas) – **Comida** carta 2040/3290.

en la playa de San Salvador S : 3,5 km – ✉ 43130 San Salvador – ☎ 977 :

Europe San Salvador ⑤, Llobregat 11 ℘ 68 06 11, Fax 68 01 89, ⌇, ✂ – |‡| ▤ rest ☎ Ⓟ. AE E VISA. ✗
mayo-octubre – **Comida** 2200 – ▭ 800 – **145 hab** 8000/12000 – PA 4100.

L'Ermita, carret. Sant Salvador ℘ 68 07 10, Fax 68 17 05, ⌇ – |‡| Ⓟ. AE VISA. ✗ rest
Semana Santa y 15 mayo-septiembre – **Comida** *(cerrado 30 septiembre-15 enero y festivos 15 enero-15 mayo)* 1300 – ▭ 350 – **52 hab** 3500/6500 – PA 2950.

en la carretera N 340 SO : 6,5 km – ✉ 43700 Vendrell – ☎ 977 :

XX **La Tenalla,** ℘ 68 34 34, ⛱ – ▤ Ⓟ. AE E VISA. ✗
cerrado lunes noche, martes y noviembre – **Comida** carta aprox. 3350.

VENTAS DE ARRAIZ o VENTAS DE ARRAITZ 31797 Navarra 442 C 25 alt. 588 – ☎ 948.

◆Madrid 427 – ◆Bayonne 90 – ◆Pamplona/Iruñea 28.

X **Juan Simón** con hab, carret. N 121 ℘ 30 50 52, ⛱ – Ⓟ. E VISA. ✗ rest
cerrado 15 septiembre-12 octubre – **Comida** *(cerrado jueves en verano, domingo noche y festivos noche en invierno)* carta 2750 a 3900 – ▭ 350 – **9 hab** 3000/4500.

VERA 04620 Almería 446 U 24 – 5 931 h. alt. 102 – ☎ 950.

ℹ carret. Almería-Murcia, km 208,6, ℘ 39 15 12.

◆Madrid 512 – ◆Almería 95 – ◆Murcia 126.

Terraza Carmona, Manuel Giménez 1 ℘ 39 07 60, Fax 39 13 14 – ▤ TV ☎ Ⓟ. AE ⓓ E VISA. ✗
Comida *(cerrado lunes y del 1 al 15 de septiembre)* 1800 – ▭ 350 – **38 hab** 5900/8600 – PA 3690.

en la carretera de Garrucha SE : 2 km – ✉ 04620 Vera – ☎ 950 :

Vera H., ℘ 39 03 82, Fax 39 03 61, ⛱ – ▤ TV ☎ Ⓟ. AE ⓓ E VISA. ✗
Comida 950 – **20 hab** ▭ 4000/6500.

VERA DE BIDASOA o BERA 31780 Navarra 442 C 24 – 3 471 h. – ☎ 948.

ℹ paseo Eztegara 11, ℘ 63 12 22.

◆Madrid 470 – ◆Pamplona/Iruñea 75 – ◆San Sebastián/Donostia 35.

XXX Ansonea, pl. de Los Fueros 1 ℘ 63 00 72 – ▤ Ⓟ.

X **Euskalduna,** Eztegara 2 ℘ 63 03 92 – Ⓟ. E VISA. ✗
cerrado miércoles y octubre – **Comida** carta 1800 a 3550.

VERGARA o BERGARA 20570 Guipúzcoa 442 C 22 – 15 121 h. alt. 155 – ☎ 943.

◆Madrid 399 – ◆Bilbao/Bilbo 54 – ◆San Sebastián/Donostia 62 – ◆Vitoria/Gasteiz 44.

Ariznoa sin rest, Telesforo de Aranzadi 3 ℘ 76 18 46 – |‡| TV ☎. ⓓ E VISA
▭ 450 – **26 hab** 3300/6500.

XXX ✿ **Lasa,** Zubiaurre 35 ℘ 76 20 29, Fax 76 20 29, ⛱, « Antiguo palacete señorial » – |‡| ▤ Ⓟ. AE VISA. ✗
cerrado domingo noche – **Comida** carta 4100 a 5700
Espec. Surtido de ahumados caseros, Merluza Lasa, Repostería de la casa.

XX **Zumelaga,** San Antonio 5 ℘ 76 20 21 – ▤. AE E VISA. ✗
cerrado domingo noche, lunes noche, martes noche, Semana Santa y agosto – **Comida** carta 3500 a 6000.

VERÍN 32600 Orense 441 G 7 – 11 018 h. alt. 612 – ☎ 988 – Balneario.

Alred. : Castillo de Monterrey (✻★, iglesia : portada★) O : 6 km.

◆Madrid 430 – Orense/Ourense 69 – Vila Real 90.

Villa de Verín sin rest. con cafetería, Monte Mayor 14 ℘ 41 19 81, Fax 41 17 70 – |‡| TV ☎ ⇔. AE E VISA. ✗
▭ 275 – **25 hab** 4000/7500.

San Luis, av. de Castilla ℘ 41 09 00 – TV. AE ⓓ E VISA. ✗ rest
cerrado diciembre – **Comida** *(cerrado sábado)* 1200 – ▭ 300 – **13 hab** 3500 – PA 2300.

junto al castillo NO : 4 km – ✉ 32600 Verín – ☎ 988 :

Parador de Verín ⑤, ℘ 41 00 75, Fax 41 20 17, ≤ castillo y valle, « Edificio de estilo regional », ⌇, ⛱ – TV ☎ ⇔ Ⓟ. AE ⓓ E VISA. ✗
Comida 3000 – ▭ 1000 – **23 hab** 10500 – PA 5950.

en la carretera N 525 NO : 4,5 km – ✉ 32611 Albarellos de Monterrei – ☎ 988 :

Gallego, ✉ 32680 apartado 82 Verín, ℘ 41 82 02, Fax 41 82 02, ≤, ⌇ – |‡| ▤ rest TV ☎ ⇔ Ⓟ. AE ⓓ E VISA
Comida 2400 – ▭ 700 – **35 hab** 5700/9675 – PA 4125.

VIANA 31230 Navarra 442 E 22 - 3 276 h. alt. 470 - ☎ 948.
◆Madrid 341 - ◆Logroño 10 - ◆Pamplona/Iruñea 82.

XX ✿ **Borgia,** Serapio Urra ✆ 64 57 81 - AE ⓓ E VISA. ✂
cerrado domingo y agosto - **Comida** carta 3600 a 5200
Espec. Ensalada de alcachofas sobre lecho de berros (temp), Mollejas braseadas con salsa de salsifis, Pastel templado de fresas sobre coulis de ciruela (temp).

*Nuestras **guías de hoteles**, nuestras **guías turísticas** y nuestros **mapas de carreteras** son complementarios.*

Utilícelos conjuntamente.

VICH o **VIC** 08500 Barcelona 443 G 36 - 29 113 h. alt. 494 - ☎ 93.
Ver : Museo episcopal★★ - Catedral (pinturas★, retablo★★).
ℹ pl. Major 1, ✆ 886 20 91.
◆Madrid 637 - ◆Barcelona 66 - Gerona/Girona 79 - Manresa 52.

NH Ciutat de Vic, Jaume I el Conqueridor ✆ 889 25 51, Fax 889 14 47 - |‡| ▤ TV - 25/120. AE ⓓ E VISA. ✂
Comida 1850 - ☕ 900 - **36 hab** 8550/11850 - PA 4600.

Can Pamplona sin rest, carret. N 152 - 20 ✆ 883 31 12, Fax 885 20 92 - |‡| ▤ TV ☎ 🚗 P - 25. AE ⓓ E VISA. ✂
☕ 750 - **33 hab** 4500/6000.

Ausa sin rest, pl. Major 3 ✆ 885 53 11 - |‡| TV. E VISA
☕ 700 - **26 hab** 5000/7000.

XX **Mamma Meva,** rambla del Passeig 61 ✆ 886 39 98, Fax 889 03 25, Cocina italiana - ▤. AE ⓓ E VISA. ✂
cerrado miércoles, 20 febrero-3 marzo y 17 octubre-3 noviembre - **Comida** carta 1875 a 3325.

X **La Taula,** pl. de Don Miquel de Clariana 4 ✆ 886 32 29 - AE E VISA
cerrado lunes, domingo de junio a septiembre, domingo noche resto del año, 21 días en febrero y 7 días en agosto - **Comida** carta 2950 a 4050.

X **Basset,** Sant Sadurní 4 ✆ 889 02 12, Fax 889 28 70 - ▤. AE ⓓ E VISA. ✂
cerrado domingo y festivos - **Comida** carta 1500 a 4000.

por la carretera de Roda de Ter NE : 15 km - ☎ 93 :

Parador de Vic ⊗, ✉ 08500 apartado oficial de Vich, ✆ 812 23 23, Fax 812 23 68, ≤ pantano de Sau y montañas, ⛱, ✂ - |‡| ▤ TV ☎ 🚗 P - 25/100. AE ⓓ E VISA. ✂
Comida 3200 - ☕ 1100 - **36 hab** 12000 - PA 6375.

Ver también : ***Santa Eugenia de Berga*** SE : 4 km.

VIDRERAS o **VIDRERES** 17411 Gerona 443 G 38 - 3 780 h. alt. 93 - ☎ 972.
◆Madrid 687 - ◆Barcelona 74 - Gerona/Girona 24.

X **Can Pou** con hab, Pau Casals 15 ✆ 85 00 14, Fax 85 00 14, 🌳 - ▤ rest P. AE ⓓ E VISA
Comida carta 2500 a 4750 - ☕ 475 - **14 hab** 2450/4100.

X **La Font del Plá,** Marinada 28 ✆ 85 04 91 - ▤. AE ⓓ E VISA. ✂
cerrado noches en invierno salvo fines de semana - **Comida** carta 1825 a 3325.

al Suroeste : 2 km - ✉ 17411 Vidreras - ☎ 972 :

X **Can Castells,** entrada por carret. N II, ✉ apartado 77 Santa Coloma de Farnés, ✆ 85 03 69, Decoración rústica - Carnes - ▤ P. E VISA
cerrado lunes noche y martes - **Comida** carta 1800 a 3000.

en la carretera de Llagostera NE : 5 km - ✉ 17455 Caldes de Malavella - ☎ 972 :

X **El Molí de la Selva,** ✆ 47 03 00, Instalado en un antiguo molino. Decoración rústica - ▤ P. AE ⓓ E VISA
Comida carta 2650 a 3650.

VIELLA 33429 Asturias 441 B 12 - ☎ 98.
◆ Madrid 459 - Avilés 29 - Gijón 25 - ◆ Oviedo 10.

Los Fresnos, carret AS-17 ✆ 526 59 26, Fax 526 49 79, ✂ - ▤ rest TV ☎ P - 25/100. AE ⓓ E VISA. ✂
Comida 1300 - ☕ 650 - **68 hab** 8400/11000.

La Cabaña, carret. AS-17 ✆ 526 53 36, Fax 526 41 57 - |‡| ▤ rest TV ☎ P - 25/300. AE ⓓ VISA. ✂
Comida 1500 - ☕ 500 - **22 hab** 7300/9600.

Maruja Nozana sin rest, carret AS-17 ✆ 526 55 21, Fax 526 54 84 - TV ☎ 🚗 P
16 hab.

VIELLA o **VIELHA** 25530 Lérida 443 D 32 – 3 220 h. alt. 971 – ☎ 973 – Deportes de invierno.

Ver : Iglesia (Cristo de Mig Arán★).

Alred. : N : Valle de Arán★★ – Vilamós ≤★ NO : 13 km.

Sarriulera 6 ☎ 64 01 10, Fax 64 01 10.

♦Madrid 595 – ♦Lérida/Lleida 163 – St-Gaudens 70.

- **Fonfreda** sin rest, passeig de la Llibertat 14 ☎ 64 04 86, Fax 64 24 42 – AE E VISA.
 26 hab 6800/10500.
- **Eth Solan** sin rest, av. Baile Calbetó Barra 14 ☎ 64 02 04, Fax 64 01 36, ≤ – AE E VISA.
 cerrado mayo y noviembre – **39 hab** 7000/13000.
- **Urogallo,** av. Castiero 7 ☎ 64 00 00, Fax 64 07 54 – E VISA.
 cerrado 2 noviembre-21 diciembre – **Comida** 1675 – 500 – **37 hab** 5600/9200 – PA 2775.
- Viella, carret de Gausach ☎ 64 02 75, Fax 64 09 34 –
 108 hab.
- **Arán,** av. Castiero 5 ☎ 64 00 50, Fax 64 00 53 – AE E VISA. rest
 Comida 1500 – 500 – **44 hab** 6000/10000 – PA 2900.
- **Apart. Serrano,** San Nicolás 2 ☎ 64 01 50, Fax 64 01 52 – AE E VISA.
 cerrado 12 octubre-2 diciembre y del 2 al 25 de mayo – **Comida** *(cerrado 12 octubre-1 enero)* 1300 – 400 – **9 apartamentos** 15000 – PA 2700.
- **Delavall,** Pas d'Arró 40 ☎ 64 02 00, Fax 64 00 13, ≤, – AE E VISA. rest
 cerrado mayo – **Comida** *(cerrado domingo y lunes en octubre, noviembre y junio)* 1500 – 550 – **28 hab** 3500/7000 – PA 2950.
- **Resid. d'Arán** sin rest, carret. del Túnel ☎ 64 00 75, Fax 64 22 95, ≤ Viella, valle y montañas – AE E VISA JCB.
 500 – **36 hab** 5000/7500.
- **Ribaeta** sin rest. con cafetería, Sarriulera 5 ☎ 64 20 36, Fax 64 01 21 – E VISA.
 27 hab 7850.
- **D'Òc** sin rest, Castèth 9 ☎ 64 15 97 – E VISA
 350 – **15 hab** 3000/5600.
- **Baricauba y Riu Nere,** Mayor 4 ☎ 64 01 50, Fax 64 01 52 – AE E VISA.
 cerrado 12 octubre-2 diciembre y del 2 al 25 de mayo – **Comida** (en el **Apart. Serrano**) – 400 – **48 hab** 4750/8500.
- **La Bonaigua** sin rest, Castèth 5 bis ☎ 64 01 44 –
 cerrado 2 noviembre-5 diciembre – 550 – **20 hab** 3700/6000.
- XX **Antonio,** carret del Túnel ☎ 64 08 87 – AE E VISA.
 cerrado lunes y 20 noviembre-20 diciembre – **Comida** carta 2400 a 4000.
- X **Era Lucana,** av. Alcalde Calbetó ☎ 64 17 98 – E VISA JCB
 cerrado lunes salvo temp. y del 1 al 7 de julio – **Comida** carta 2800 a 3800.
- X Neguri, Pas d'Arró 14 ☎ 64 02 11.
- X **Gustavo-María José (Era Mola),** Marrec 8 ☎ 64 24 19, Decoración rústica – E VISA
 diciembre-1 mayo y 19 julio-11 septiembre – **Comida** (sólo cena en invierno salvo sábado, domingo, Semana Santa y Navidades) carta 2850 a 3650.
- X **Nicolás,** Castèth 10 ☎ 64 18 20, – VISA.
 cerrado miércoles y 15 días en julio – **Comida** carta aprox. 3800.
- X **Deth Gorman,** Met Día 8 ☎ 64 04 45 – E VISA.
 cerrado martes y 2ª quincena de junio – **Comida** carta 2050 a 3150.

en Betrén-por la carretera de Salardú E : 1 km – ✉ 25539 Betrén – ☎ 973 :

- **Tuca** , ☎ 64 07 00, Fax 64 07 54, ≤, climatizada – – 25/160 AE E VISA.
 cerrado 15 octubre-15 diciembre – **Comida** 2350 – **117 hab** 10300/18600, 1 suite – PA 4675.
- X **La Borda de Betrén,** Mayor ☎ 64 00 32, Decoración rústica – AE E VISA
 Comida carta 2650 a 3800.

en Escunhau - por la carretera de Salardú E : 3 km – ✉ 25539 Escunhau – ☎ 973 :

- **Es Pletieus,** carret. C 142 ☎ 64 07 90, Fax 64 10 04, ≤ – AE E VISA.
 Comida (ver rest. **Es Pletieus**) – **18 hab** 4000/7500.
- **Casa Estampa** , Sortaus 9 ☎ 64 00 48, ≤ –
 Comida 1800 – 600 – **26 hab** 4095/6250.
- XX **Es Pletieus,** carret. C 142 ☎ 64 04 85, Fax 64 10 04, ≤ – AE E VISA.
 cerrado Semana Santa-mayo y octubre-noviembre – **Comida** *(en invierno sólo cena y cerrado domingo)* carta 2900 a 3700.
- X **Casa Turnay,** San Sebastián ☎ 64 02 92, Decoración rústica – AE
 16 julio-16 septiembre y fines de semana resto del año – **Comida** carta 2500 a 2800.

en la carretera N 230 S : 2,5 km – ✉ 25530 Viella – ☎ 973 :

Parador de Viella ⛰, ☎ 64 01 00, Fax 64 11 00, ≤ valle y montañas, 🏊 – 🛗 📺 ☎ 🚗 🅿 – 🏢 25/50. AE ⓓ E VISA. ✂
Comida 3200 – ☕ 1000 – **135 hab** 10000 – PA 6290.

en Garós - por la carretera de Salardú E : 5 km – ✉ 25539 Garós – ☎ 973 :

✗ Et Restillé, pl. Carrera 2 ☎ 64 15 39, Decoración rústica
temp – **Comida** (sólo cena en invierno).

✗ Plaça Garós con hab, de la Torre 10 ☎ 64 17 74 – 📺
4 hab.

en Pont d'Arrós NO : 6 km – ✉ 25537 Pont d'Arrós – ☎ 973 :

Peña, carret. N 230 ☎ 64 08 86, Fax 64 23 29, ≤ – 📺 ☎ 🅿. E VISA. ✂ hab
Comida 1500 – ☕ 500 – **24 hab** 4800/7250 – PA 3200.

✗ **Cal Manel,** carret. N 230 ☎ 64 11 68 – 🅿. AE E VISA. ✂
cerrado lunes (salvo verano), 23 junio-10 julio y del 2 al 18 de noviembre – **Comida** carta 2800 a 3600.

VIGO 36200 Pontevedra 441 F 3 – 278 050 h. alt. 31 – ☎ 986.

Ver : Emplazamiento★ – El Castro ≤★★ AZ.

Alred. : Ría de Vigo★★ – Mirador de la Madroa★★ ≤★★ por carret. del aeropuerto : 6 km BZ.

⛳ Aero Club de Vigo por ② : 11 km ☎ 22 11 60.

✈ de Vigo por N 550 : 9 km BZ ☎ 48 74 12 – Iberia : Marqués de Valladares 13 ☎ 22 70 04 AY – Aviaco : aeropuerto ☎ 48 76 25.

🚆 ☎ 22 35 97.

⛴ Cia. Trasmediterránea, Luis Taboada, 6, ✉ 36201, ☎ 43 03 11, Fax 43 14 30.

ℹ Jardines de las Avenidas, ✉ 36202, ☎ 43 05 77.

♦Madrid 600 ② – ♦La Coruña/A Coruña 156 ① – Orense/Ourense 101 ② – Pontevedra 27 ① – ♦Porto 157 ②.

Plano página siguiente

Ciudad de Vigo, Concepción Arenal 5, ✉ 36201, ☎ 22 78 20, Telex 83307, Fax 43 98 71 – 🛗 ▤ 📺 ☎ 🚗 – 🏢 25/200. AE ⓓ E VISA. ✂ BY z
Comida carta 2600 a 3450 – ☕ 975 – **99 hab** 13400/14000, 2 suites.

Bahía de Vigo, av. Cánovas del Castillo 24, ✉ 36202, ☎ 22 67 00, Telex 83014, Fax 43 74 87, ≤ – 🛗 ▤ rest 📺 ☎ 🚗 – 🏢 25/150. AE ⓓ E VISA JCB. ✂ AY n
Comida 3500 – ☕ 1000 – **108 hab** 8000/14000, 2 suites.

Los Galeones, av. de Madrid 21, ✉ 36214, ☎ 48 04 05, Fax 48 06 66 – 🛗 ▤ 📺 ☎ 🚗 – 🏢 25/270. AE ⓓ E VISA. ✂ BZ a
Comida 2500 – ☕ 1000 – **76 hab** 10800/14000, 4 suites – PA 5270.

Coia, Sanxenxo 1, ✉ 36209, ☎ 20 18 20, Telex 83462, Fax 20 95 06 – 🛗 ▤ 📺 ☎ 🚗 🅿 – 🏢 25/600. AE ⓓ E VISA. ✂ por ③
Comida 2000 – ☕ 900 – **111 hab** 9500/12950, 15 suites – PA 4900.

Tres Luces, Cuba 19, ✉ 36204, ☎ 48 02 50, Fax 48 33 27 – 🛗 ▤ 📺 ☎ 🚗 – 🏢 25/150. AE ⓓ E VISA. ✂ BZ e
Comida 2300 – ☕ 750 – **70 hab** 7350/10400, 2 suites – PA 4550.

Lisboa, Gran Vía 1, ✉ 36204, ☎ 41 72 55, Telex 83736, Fax 48 26 48 – 🛗 📺 ☎ – 🏢 25/50. AE ⓓ E VISA. ✂ BZ m
Comida 1950 – ☕ 650 – **96 hab** 6800/11250, 3 suites – PA 3870.

México sin rest, con cafetería, Vía del Norte 10, ✉ 36204, ☎ 43 16 66, Fax 43 55 53 – 🛗 📺 ☎ 🚗 – 🏢 25/60. AE ⓓ E VISA. ✂ BZ f
☕ 600 – **112 hab** 6900/11000.

Ipanema sin rest, con cafetería, Vázquez Varela 31, ✉ 36204, ☎ 47 13 44, Telex 83671, Fax 48 20 80 – 🛗 📺 ☎ 🚗 – 🏢 25/60. AE ⓓ E VISA. ✂ BZ n
☕ 700 – **54 hab** 8240/10300, 6 suites.

Compostela sin rest, con cafetería, García Olloqui 5, ✉ 36201, ☎ 22 82 27, Fax 22 59 04 – 🛗 📺 ☎ 🚗. AE ⓓ E VISA. ✂ AY e
☕ 600 – **30 hab** 6500/8900.

Ensenada, Alfonso XIII - 7, ✉ 36201, ☎ 22 61 00, Telex 83561, Fax 43 89 72, Ⅎδ – 🛗 📺 ☎ 🚗. AE ⓓ E VISA. ✂ BZ b
Comida 3000 – ☕ 600 – **109 hab** 7300/10300.

América sin rest, Pablo Morillo 6, ✉ 36201, ☎ 43 89 22, Fax 43 70 56 – 🛗 ▤ 📺 ☎
45 hab. AY r

Galicia sin rest, con cafetería, Colón 11, ✉ 36201, ☎ 43 40 22, Fax 22 32 28 – 🛗 📺 ☎. AE ⓓ E VISA. ✂ BY a
☕ 600 – **53 hab** 6200/9000.

Canaima sin rest, con cafetería, García Barbón 42, ✉ 36201, ☎ 43 09 34, Fax 22 13 85 – 🛗 📺 ☎. AE ⓓ E VISA. ✂ BYZ c
☕ 500 – **54 hab** 4000/7000.

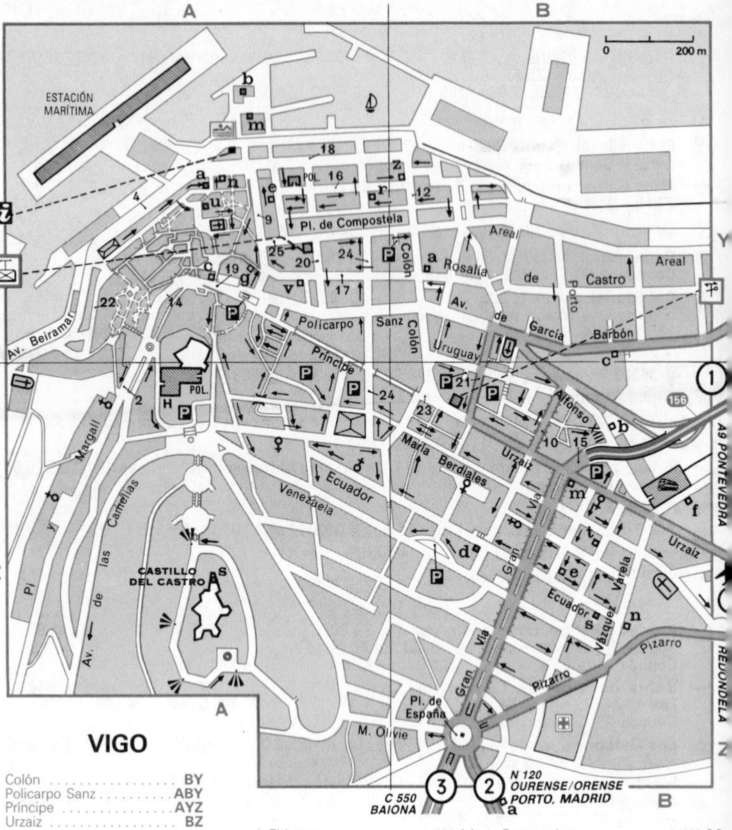

VIGO

Colón . . . . BY
Policarpo Sanz . . . . ABY
Príncipe . . . . AYZ
Urzaiz . . . . BZ

Alfonso XII (Paseo de) . . . . AZ 2
Cánovas del Castillo . . . . . . AY 4
Carral . . . . AY 9
Cervantes . . . . BZ 10
Concepción Arenal . . . . BY 12
J. Elduayen . . . . AY 14
Lepanto . . . . BZ 15
Luis Taboada . . . . AY 16
Marqués de Valladares . . . AY 17
Montero Ríos . . . . AY 18
Porta do Sol . . . . AY 19
Reconquista . . . . AY 20
República Argentina . . . . . . BZ 21
Ribeira . . . . AY 22
Urzaiz (Pl.) . . . . BZ 23
Velázquez Moreno . . . . . . AYZ 24
Victoria . . . . AY 25

Puerta del Sol sin rest, Porta do Sol 14, ✉ 36202, ✆ 22 71 53, Fax 22 23 64 – |\$| TV ☎. AE ◑ E VISA. ✂ — AY **c**
☕ 500 – **16 hab** 5000/7200.

Nilo sin rest, Marqués de Valladares 8, ✉ 36201, ✆ 43 28 99, Fax 43 44 74 – |\$| TV ☎. AE ◑ E VISA. ✂ — AY **v**
☕ 575 – **52 hab** 5500/8450.

Celta sin rest, México 22, ✉ 36204, ✆ 41 46 99, Fax 48 06 56 – |\$| TV P. AE E VISA. ✂ — BZ **t**
☕ 600 – **45 hab** 5700/7300.

Princesa sin rest y sin ☕, Fermín Penzol 14, ✉ 36201, ✆ 43 37 00 – |\$| TV ☎ — AY **g**
19 hab.

XXX **El Castillo,** paseo de Rosalía de Castro, ✉ 36203, ✆ 42 11 11, Fax 42 12 99, ⩽ ría de Vigo y ciudad, « En un parque » – |\$| ▤ P. AE ◑ E VISA — AZ **s**
cerrado domingo noche, lunes y Semana Santa – **Comida** carta aprox. 4100.

XX **Puesto Piloto Alcabre,** av. Atlántida 98, ✉ 36208, ✆ 24 15 24, Fax 24 03 85, ⩽ – ▤ P. AE ◑ E VISA JCB. ✂ — por av. Beiramar : 5 km AY
cerrado domingo noche y 15 días en noviembre – **Comida** carta 2850 a 4400.

XX **Ancoradoiro,** As Avenidas, ✉ 36202, ✆ 22 26 34, Fax 22 26 34, ⩽ – ▤. AE ◑ E VISA. ✂ — AY **m**
cerrado domingo – **Comida** carta aprox. 3650.

XX **Las Bridas,** Ecuador 56, ✉ 36203, ✆ 43 00 37, Fax 43 13 91 – ▤. AE ◑ E VISA. ✂ — BZ **d**
cerrado domingo y Semana Santa – **Comida** carta 2950 a 3850.

XX ⊛ **Síbaris,** García Barbón 122, ✉ 36201, ✆ 22 15 26 – ▤. AE ⊙ E VISA. ✻ BY
cerrado domingo – **Comida** carta 3000 a 4500
Espec. Ensalada marinada de lubina, Mero al vapor con aceite virgen y verduritas, Hígado de pato salteado con manzana.

XX La Oca, Purificación Saavedra 8 (Teis), ✉ 36207, ✆ 37 12 55 – por av. de García Barbón BY

X **La Espuela,** Teófilo Llorente 2, ✉ 36202, ✆ 43 73 07 – ▤. AE E VISA. ✻ AY **a**
cerrado 22 diciembre-7 enero – **Comida** carta aprox. 4100.

X **Maremagnum,** As Avenidas, ✉ 36201, ✆ 22 51 02, ≤, ⛱ – ▤. AE E VISA. ✻ AY **b**
Comida carta 2700 a 3400.

X **José Luis,** av. de la Florida 34, ✉ 36210, ✆ 29 95 22 – ▤. AE ⊙ E VISA JCB. ✻
cerrado domingo noche, lunes noche y martes noche – **Comida** carta 3100 a 4400. por ③

X **El Mosquito,** pl. da Pedra 4, ✉ 36202, ✆ 43 35 70, Pescados y mariscos – ▤. AE ⊙ E VISA. ✻ AY **u**
cerrado domingo y 5 agosto-5 septiembre – **Comida** carta 3000 a 4100.

X Laxeiro, Ecuador 80, ✉ 36204, ✆ 42 52 04 – ▤ BZ **s**

en la playa de Samil por av. Beiramar : 6,5 km AY – ✉ 36208 Vigo – ☎ 986 :

G. H. Samil, ✉ apartado 472, ✆ 24 00 00, Telex 83263, Fax 24 19 00, ≤, Fб, ⛆, ✾ – 🛗 TV ☎ ⇔ Ⓟ – 🏂 25/600. AE ⊙ E VISA. ✻
Comida 3100 – **135 hab** ☐ 12000/16000, 2 suites – PA 5700.

en la playa de La Barca por av. Beiramar : 7,5 km AY – ✉ 36330 Corujo – ☎ 986 :

X Timón Playa, ✆ 49 08 15, Fax 49 11 26, ≤, Pescados y mariscos – Ⓟ.

Ver también : ***Chapela*** por av. de García Barbón : 7 km BY
Canido por av. Beiramar : 9 km AY.

VILABOA **36141** Pontevedra 441 E 4 – 5 785 h. alt. 50 – ☎ 986.
♦Madrid 618 – Pontevedra 9 – ♦Vigo 27.

El Edén sin rest, con cafetería, carret N 550 ✆ 70 83 22, Fax 70 88 77, ≤, ⛆, ✾ – 🛗 ▤ TV ☎ ♿ ⇔ Ⓟ. E VISA. ✻
73 hab ☐ 7400/10200.

en Paredes SE : 2 km – ✉ 36141 Vilaboa – ☎ 986 :

Las Islas sin rest, ✆ 70 88 92, Fax 70 84 84, ≤, ⛆, ✾ – TV ☎ ⇔ Ⓟ. VISA. ✻
☐ 400 – **26 hab** 2500/4800.

San Luis sin rest, ✆ 70 83 11 – Ⓟ
☐ 225 – **20 hab** 1200/3300.

VILADRAU **08553** Gerona 443 G 37 – 883 h. alt. 821 – ☎ 93.
♦Madrid 647 – ♦Barcelona 76 – Gerona/Girona 61.

De la Gloria ⛰, Torreventosa 12 ✆ 884 90 34, Fax 884 94 65, ⛆ – TV ☎ ⇔ – 🏂 25/200. E VISA. ✻
cerrado 24 diciembre-7 enero – **Comida** 1800 – ☐ 800 – **26 hab** 4000/7000.

VILAFRANCA DEL PENEDÉS Barcelona – ver Villafranca del Panadés.

VILAGRASA o **VILAGRASSA** **25330** Lérida 443 H 33 – 392 h. – ☎ 973.
♦Madrid 510 – ♦Barcelona 119 – ♦Lérida/Lleida 41 – Tarragona 78.

Del Carme, antigua carret. N II ✆ 31 10 00, Fax 31 07 77, ⛆, 🌳, ✾ – 🛗 ▤ rest TV ☎ Ⓟ – 🏂 25/300. E VISA. ✻ rest
Comida *(cerrado domingo noche)* 2650 – ☐ 500 – **40 hab** 3800/7000 – PA 3500.

X **Cataluña,** Mayor 2 ✆ 31 14 65, Carnes a la brasa – ▤. AE E VISA. ✻
cerrado domingo noche y lunes salvo festivos – **Comida** carta 2200 a 3050.

La VILA JOIOSA Alicante – ver Villajoyosa.

VILAJUIGA **17493** Gerona 443 F 39 – 598 h. – ☎ 972.
♦Madrid 758 – Figueras/Figueres 12 – Gerona/Girona 51.

X **Can Maricanes,** Figueras 15 ✆ 53 00 37 – ▤ Ⓟ. AE ⊙ E VISA. ✻
cerrado domingo noche, martes (salvo en verano) y del 2 al 28 de octubre – **Comida** carta 1950 a 3250.

VILALONGA Pontevedra – ver Villalonga.

VILANOVA DE AROUSA Pontevedra – ver Villanueva de Arosa.

VILANOVA I LA GELTRÚ Barcelona – ver Villanueva y Geltrú.

VILA SACRA 17485 Gerona 443 F 39 – 414 h. – ۞ 972.
◆Madrid 746 – Gerona/Girona 30 – ◆Perpignan 62.

XX **Hermes,** carret. de Rosas ₰ 50 98 07 – 🗐 ℗. ⊑ 𝘝𝘐𝘚𝘈
cerrado martes y del 1 al 15 de enero – **Comida** carta 2050 a 3400.

VILAVELLA Orense – ver Villavieja.

VILAXOÁN Pontevedra – ver Villagarcía de Arosa.

VILLABONA 20150 Guipúzcoa 442 C 23 – 5 295 h. alt. 61 – ۞ 943.
◆Madrid 451 – ◆Pamplona/Iruñea 71 – ◆San Sebastián/Donostia 20 – ◆Vitoria/Gasteiz 96.

en·Amasa E : 1 km – ⊠ 20150 Villabona – ۞ 943 :

X **Arantzabi,** ₰ 69 12 55, ≼, 🍽, « Típico caserío vasco » – ℗. 𝘈𝘌 ⊑ 𝘝𝘐𝘚𝘈. 🍴
cerrado domingo noche, lunes y 15 diciembre-15 enero – **Comida** carta 2800 a 4200.

VILLACAÑAS 45860 Toledo 444 N 19 – 8 711 h. alt. 668 – ۞ 925.
◆Madrid 109 – Alcázar de San Juan 35 – Aranjuez 48 – Toledo 72.

🏠 **Quico,** av. de la Mancha 34 ₰ 16 04 50 – 🚙
Comida 1300 – ☷ 350 – **23 hab** 1750/2800 – PA 2565.

VILLACARRILLO 23300 Jaén 446 R 20 – 10 925 h. alt. 785 – ۞ 953.
◆Madrid 349 – ◆Albacete 172 – Úbeda 32.

🏠 **Las Villas,** carret. N 322 ₰ 44 01 25 – 🛗 🗐 📺 🚙 ℗. 𝘝𝘐𝘚𝘈. 🍴
Comida 900 – ☷ 350 – **37 hab** 3150/5300 – PA 2150.

VILLACASTÍN 40150 Segovia 442 J 16 – 1 600 h. alt. 1 100 – ۞ 921.
◆Madrid 79 – ◆Ávila 29 – ◆Segovia 36 – ◆Valladolid 105.

🏠 **Hostería el Pilar,** carret. N VI ₰ 10 70 50, 🍽 – ℗. ⊑ 𝘝𝘐𝘚𝘈
Comida 1200 – ☷ 450 – **21 hab** 3500/5500 – PA 2600.

en la autopista A 6 SE : 4,5 km – ⊠ 40150 Villacastín – ۞ 921 :

XX **Las Chimeneas,** ⊠ apartado 11, ₰ 10 76 40, Fax 10 71 69 – 🗐 ℗. 𝘈𝘌 ⓞ ⊑ 𝘝𝘐𝘚𝘈. 🍴
Comida carta 2550 a 3945.

VILLADANGOS DEL PÁRAMO 24392 León 441 E 12 – 1 019 h. – ۞ 987.
◆Madrid 331 – ◆León 18 – Ponferrada 87.

X **Avenida II** con hab, carret. de León NE : 1,5 km ₰ 39 00 81, Fax 39 03 11, 🍴 – 🚙 ℗.
𝘈𝘌 ⓞ ⊑ 𝘝𝘐𝘚𝘈. 🍴
Comida carta 2900 a 4200 – ☷ 300 – **10 hab** 2500/5000.

VILLA DEL PRADO 28630 Madrid 444 L 17 – 3 290 h. alt. 510 – ۞ 91.
◆Madrid 61 – Ávila 80 – Toledo 78.

🔆 El Extremeño 🦐, av. del Generalísimo 18 ₰ 862 24 28, 🍽 – 🗐 rest ℗
16 hab.

VILLADIEGO 09120 Burgos 442 E 17 – 2 125 h. alt. 842 – ۞ 947.
◆Madrid 282 – ◆Burgos 39 – Palencia 84 – ◆Santander 150.

🏠 **El Condestable,** av. Reyes Católicos 2 ₰ 36 17 32 – ℗. 𝘝𝘐𝘚𝘈. 🍴
cerrado del 15 al 30 de septiembre – **Comida** 1900 – ☷ 525 – **24 hab** 4320/5400.

VILLAFRANCA DEL BIERZO 24500 León 441 E 9 – 4 136 h. alt. 511 – ۞ 987.
◆Madrid 403 – ◆León 130 – Lugo 101 – Ponferrada 21.

🏛 **Parador de Villafranca del Bierzo,** av. de Calvo Sotelo ₰ 54 01 75, Fax 54 00 10 – 📺
🕾 ℗. 𝘈𝘌 ⓞ ⊑ 𝘝𝘐𝘚𝘈. 🍴
Comida 3000 – ☷ 1000 – **40 hab** 10500 – PA 5950.

🏠 **San Francisco** sin rest, pl. Mayor 6 ₰ 54 04 65 – 📺. 🍴
☷ 390 – **20 hab** 4200/5950.

X **Casa Méndez** con hab, pl. de la Concepción ₰ 54 24 08 – 🗐 rest. 𝘈𝘌 𝘝𝘐𝘚𝘈. 🍴
Comida carta 1400 a 2100 – ☷ 300 – **12 hab** 2400/4000.

VILLAFRANCA DEL PANADÉS o **VILAFRANCA DEL PENEDÈS** **08720** Barcelona 443 H 35 – 28 018 h. alt. 218 – ☎ 93 – Cort 14, ☎ 892 03 58.
◆Madrid 572 – ◆Barcelona 54 – Tarragona 54.

Domo, Francesc Macià 2 ☎ 817 24 26, Fax 817 08 53 – 25/200. AE VISA JCB. rest
Comida *(cerrado domingo)* 1500 – 800 – **44 hab** 10500/13800 – PA 3800.

Pedro III el Grande, pl. del Penedés 2 ☎ 890 31 00, Fax 890 39 21 – AE E VISA. rest
Comida 1550 – 750 – **52 hab** 4200/7800 – PA 3080.

Airolo, rambla de Nostra Senyora 10 ☎ 892 17 98 – AE E VISA
cerrado domingo noche, lunes y del 1 al 15 de agosto – **Comida** carta 3400 a 4200.

Casa Juan, pl. de l'Estació 8 ☎ 890 31 71 – AE E VISA.
cerrado domingo, Semana Santa, última semana de agosto, 1ª semana de septiembre y Navidades – **Comida** (sólo almuerzo) carta aprox. 3500.

por la carretera N 340 SO : 2,5 km – ✉ 08720 Villafranca del Panadés – ☎ 93 :

Alfa Penedès y Rest. Gran Mercat, ☎ 817 20 26, Fax 817 22 45 – 25/200. AE E VISA. rest
Comida carta aprox. 3000 – 900 – **59 hab** 9200/11500.

VILLAGARCÍA DE AROSA o **VILAGARCÍA DE AROUSA** **36600** Pontevedra 441 E 3 – 31 760 h. – ☎ 986 – Playa.
Alred. : Mirador de Lobeira★ S : 4 km.
Juan Carlos I 37, ☎ 51 01 44.
◆Madrid 632 – Orense/Ourense 133 – Pontevedra 25 – Santiago de Compostela 42.

El Balneario, av. Rosalía de Castro 81 ☎ 51 26 91, Fax 50 76 36, ← – AE E VISA.
Comida carta 2400 a 3600 – **14 hab** 5000/8000.

San Luis sin rest y sin , av. de la Marina 16 ☎ 50 73 18 –
27 hab.

León XIII sin rest, av. de la Marina 7 ☎ 50 63 83
12 hab.

en Vilaxoán – ✉ 36611 Vilaxoán – ☎ 986 :

Chocolate con hab, av. Cambados 151 ☎ 50 11 99, Fax 50 67 62 – rest AE E VISA.
Comida *(cerrado domingo noche)* carta aprox. 5500 – 500 – **18 hab** 5000/6500.

VILLAJOYOSA o **La VILA JOIOSA** **03570** Alicante 445 Q 29 – 23 160 h. – ☎ 96.
Costera de Mar ☎ 685 13 71, Fax 589 13 01.
◆Madrid 450 – ◆Alicante/Alacant 32 – Gandía 79.

El Brasero, av. del Puerto 32 ☎ 589 03 33, – AE E VISA
cerrado martes y 28 noviembre-25 enero – **Comida** carta 2550 a 4750.

por la carretera de Alicante SO : 3 km – ✉ 03570 Villajoyosa – ☎ 96 :

Montíboli , ☎ 589 02 50, Fax 589 38 57, ←, – 25/65. AE E VISA. rest
Emperador* : Comida** carta 4800 a 6450 - ***Minarete *(cerrado lunes y octubre-Semana Santa)* **Comida** carta 2700 a 4000 – **49 hab** 13500/22550, 4 suites.

Eurotennis, ☎ 589 12 50, Telex 66454, Fax 589 11 94, ←, – rest – 50/200. AE E VISA. rest
Comida 2100 – 1100 – **98 hab** 7700/11800 – PA 4420.

VILLALBA **27800** Lugo 441 C 6 – 15 643 h. alt. 492 – ☎ 982.
◆Madrid 540 – ◆La Coruña/A Coruña 87 – Lugo 36.

Parador de Villalba, Valeriano Valdesuso ☎ 51 00 11, Fax 51 00 90, « Instalado en la torre de un castillo medieval » – AE E VISA.
Comida 3200 – 1100 – **6 hab** 13000 – PA 6375.

en la carretera de Meira E : 1 km – ✉ 27800 Villalba – ☎ 982 :

Villamartín, av. Tierra Llana ☎ 51 12 15, Fax 51 11 35, – rest – 25/200. AE E VISA.
Comida 1700 – 500 – **60 hab** 6000/7000 – PA 3315.

VILLALBA DE LA SIERRA **16140** Cuenca 444 L 23 – 535 h. alt. 950 – ☎ 969.
Alred. : E : Ventano del Diablo (← garganta del Júcar★).
◆Madrid 183 – Cuenca 21.

Mesón Nelia, carret. de Cuenca ☎ 28 10 21, Fax 28 10 78 – AE E VISA.
cerrado miércoles y 9 enero-11 febrero – **Comida** carta 1900 a 2900.

VILLALONGA o **VILALONGA** 36990 Pontevedra 441 E 3 - ☎ 986.

♦Madrid 629 - Pontevedra 23 - Santiago de Compostela 66.

- **Pazo El Revel** sin rest, camino de la Iglesia ✆ 74 30 00, Fax 74 33 90, « Pazo del siglo XVII con jardín », 🏊, 🎾 - ☎ P. E VISA. ✻
  junio-septiembre - **22 hab** ☕ 7250/11600.

VILLALONGA 46720 Valencia 445 P 29 - 3 564 h. - ☎ 96.

♦Madrid 427 - ♦Alicante/Alacant 112 - Gandía 11 - ♦Valencia 79.

- **Tarsan,** Partida Reprimala O : 2 km ✆ 280 50 79, ≤, 🏡 - ▤ P. AE ⊙ E VISA. ✻
  Comida (sólo almuerzo salvo en verano) carta 2025 a 3250.

VILLAMAYOR DEL RÍO 09259 Burgos 442 E 20 - ☎ 947.

♦Madrid 294 - ♦Burgos 51 - ♦Logroño 63 - ♦Vitoria/Gasteiz 80.

- **León,** carret. N 120 ✆ 58 02 37, Fax 58 02 37 - ▤ P. AE ⊙ E VISA. ✻
  cerrado domingo noche, lunes y del 1 al 15 de julio - **Comida** carta 2850 a 3875.

VILLANÚA 22870 Huesca 443 D 28 - 268 h. alt. 953 - ☎ 974.

♦Madrid 496 - Huesca 106 - Jaca 15.

- **Faus Hütte** sin rest, carret. N 330 ✆ 37 81 36, Fax 37 81 98, ≤ - TV 🚗. AE ⊙ E VISA
  10 hab ☕ 5800/9500.
- **Reno,** carret. N 330 ✆ 37 80 66 - ☎ P. AE ⊙ E VISA. ✻
  cerrado del 15 al 30 de junio y noviembre - **Comida** *(cerrado domingo noche y lunes salvo temporada)* 1500 - ☕ 500 - **15 hab** 4500/5500 - PA 3500.

VILLANUEVA DE ARGAÑO 09132 Burgos 442 E 18 - 124 h. - ☎ 947.

♦Madrid 264 - ♦Burgos 21 - Palencia 78 - ♦Valladolid 115.

- **Las Postas de Argaño** con hab, av. Rodríguez de Valcarce ✆ 45 01 56, Fax 45 01 56 - ▤ ☎ 🚗 P. AE E VISA. ✻
  cerrado 10 enero-10 febrero - **Comida** *(cerrado domingo noche)* carta 3050 a 3500 - ☕ 650 - **11 hab** 4000/5000.

VILLANUEVA DE AROSA o **VILANOVA DE AROUSA** 36620 Pontevedra 441 E 3 - 14 816 h. - ☎ 986 - Playa.

♦Madrid 642 - Pontevedra 35 - Santiago de Compostela 52.

- **O'Paspallás,** La Cerca 46 - NE : 1,5 km ✆ 55 52 21 - P. AE E VISA. ✻
  cerrado domingo y lunes noche (salvo junio-septiembre) y del 1 al 10 de octubre - **Comida** carta 3000 a 3450.

VILLANUEVA DE CÓRDOBA 14440 Córdoba 446 R 16 - 9 534 h. alt. 724 - ☎ 957.

♦Madrid 340 - Ciudad Real 143 - ♦Córdoba 67.

- **Demetrius** sin rest y sin ☕, av. de Cardeña ✆ 12 02 94 - ✻
  23 hab 1750/3300.

VILLANUEVA DE GÁLLEGO 50830 Zaragoza 443 G 27 - 2 460 h. alt. 243 - ☎ 976.

♦Madrid 333 - Huesca 57 - ♦Lérida/Lleida 156 - ♦Pamplona/Iruñea 179 - ♦Zaragoza 14.

- **La Casa del Ventero,** paseo 18 de Julio 24 ✆ 18 51 87 - ▤. AE E VISA
  cerrado domingo noche, lunes y agosto - **Comida** carta 2600 a 3600.

VILLANUEVA Y GELTRÚ o **VILANOVA I LA GELTRÚ** 08800 Barcelona 443 I 35 - 45 883 h. - ☎ 93 - Playa.

Ver : Casa Papiol★.

ℹ passeig de Ribes Roges ✆ 815 45 17.

♦Madrid 589 - ♦Barcelona 50 - ♦Lérida/Lleida 132 - Tarragona 46.

en la zona de la playa :

- **César y Rest. La Fitorra,** Isaac Peral 4 ✆ 815 11 25, Telex 52075, Fax 815 67 19, 🏡, Terraza con arbolado - |‡| ▤ hab TV ☎ - 🏛 25/120. AE ⊙ E VISA. ✻ rest
  Comida *(cerrado domingo noche, lunes y 7 enero-12 febrero)* carta 3600 a 4700 - ☕ 900 - **30 hab** 11000/11450 - PA 3700.
- **Ceferino,** passeig Ribes Roges 2 ✆ 815 17 19, Fax 815 89 31, 🏊 - |‡| ▤ TV ☎ 🚗. AE E VISA. ✻
  Comida 1800 - ☕ 600 - **30 hab** 7500/9000 - PA 3550.
- **Solvi 70,** passeig Ribes Roges 1 ✆ 815 12 45, Fax 815 70 02, ≤ - |‡| ▤ TV. ✻
  cerrado 10 octubre-15 noviembre - **Comida** 1400 - ☕ 500 - **30 hab** 4000/8000 - PA 2800.
- Ricard, passeig Marítim 88 ✆ 815 71 00, Fax 815 81 59 - |‡| TV
  Comida (ver rest. Cossetania) - **12 hab.**

XX Peixerot, passeig Marítim 56 ✆ 815 06 25, Fax 815 04 50, terraza, Pescados y mariscos – ▤.

X Cossetania, passeig Maritim 92 ✆ 815 55 59, Fax 815 81 59, terraza, Pescados y mariscos – ▤.

X **Marítim,** passeig del Carme 40 ✆ 815 54 79, Pescados y mariscos – ▤. E VISA. ✻
cerrado martes salvo verano y del 15 al 30 de noviembre – **Comida** carta 4500 a 6500.

X **Pere Peral,** Isaac Peral 15 ✆ 815 29 96, terraza, Terraza bajo los pinos – E VISA. ✻
cerrado lunes y 15 octubre-15 noviembre – **Comida** carta 3200 a 4550.

X La Botiga, passeig Marítim 75 ✆ 815 60 78, Telex 52095, terraza, Pescados y mariscos – ▤.

X **Chez Bernard et Marguerite,** Ramón Llull 4 ✆ 815 56 04, terraza, Cocina francesa – AE VISA. ✻
Comida carta 2350 a 3525.

X **Avi Pep,** Llibertat 128 ✆ 815 17 36 – E VISA. ✻
cerrrado martes y 15 octubre- 15 noviembre – **Comida** carta 2050 a 2800.

en Racó de Santa Llúcia O : 2,5 km – ✉ 08800 Villanueva y Geltrú – ☎ 93 :

XX **La Cucanya,** ✆ 815 19 34, Fax 815 43 54, ≤, Cocina italiana, terraza – ▤ P. ✻
Comida carta aprox. 3625.

VILLARCAYO 09550 Burgos 442 D 19 – 4 121 h. alt. 615 – ☎ 947.
Santa Marina 10, ✆ 13 0 4 42.
♦Madrid 321 – ♦Bilbao/Bilbo 81 – ♦Burgos 78 – ♦Santander 100.

Plati, Nuño Rasura 20 ✆ 10 00 15, terraza – P
27 hab.

Mini-Hostal sin rest con ☕ sólo en verano, Dr. Albiñana 70 ✆ 10 05 40 – TV P. ✻
☕ 300 – **17 hab** 3000/5000.

La Rubia, av. de Alemania 3 ✆ 10 00 00, terraza – ▤ rest. AE E VISA. ✻
cerrado 20 diciembre-20 enero – **Comida** *(cerrado domingo noche salvo en verano)* 2000 – ☕ 350 – **16 hab** 2750/5500.

en Horna S : 1 km – ✉ 09554 Horna – ☎ 947 :

Doña Jimena, ✆ 13 05 63, Fax 13 05 70 – ascensor TV ☎ garaje P. E VISA. ✻
Comida (ver rest ***Mesón El Cid***) – ☕ 750 – **21 hab** 6000/10000, 1 suite.

XX **Mesón El Cid,** ✆ 10 01 71, Fax 13 05 70 – P. ✻
cerrado 3 noviembre-15 diciembre – **Comida** carta 2700 a 5925.

VILLARLUENGO 44559 Teruel 443 K 28 – 245 h. – ☎ 978.
♦Madrid 370 – Teruel 94.

en la carretera de Ejulve NO : 7 km – ✉ 44559 Villarluengo – ☎ 974 :

La Trucha ⑤, Las Fábricas ✆ 77 30 08, Telex 62614, Fax 77 30 08, piscina, tenis – garaje P. AE ⓓ E VISA
Comida 3025 – ☕ 675 – **54 hab** 7200/9000.

VILLARREAL DE ÁLAVA o **LEGUTIANO** 01170 Álava 442 D 22 – 1 214 h. alt. 975 – ☎ 945.
♦Madrid 370 – ♦Bilbao/Bilbo 51 – ♦Vitoria/Gasteiz 15.

XX **Astola,** San Roque 1 ✆ 45 50 04, ≤ – ▤. AE ⓓ E VISA. ✻
Comida carta 1750 a 2650.

X **El Crucero,** Kurutxalde (carret. N 240) ✆ 45 50 33 – ▤. VISA. ✻
Comida carta aprox. 2300.

VILLARROBLEDO 02600 Albacete 444 O 22 – 20 396 h. alt. 724 – ☎ 967.
♦Madrid 183 – ♦Albacete 84 – Alcázar de San Juan 82.

Castillo sin rest, av. Reyes Católicos 20 ✆ 14 33 11, Fax 14 33 11 – ▤ TV ☎ P. VISA. ✻
☕ 300 – **28 hab** 3500/6000.

en la carretera N 310 SO : 6 km – ✉ 02600 Villarrobledo – ☎ 967 :

Gran Sol, ✆ 14 02 45, Fax 14 02 94 – ▤ TV ☎ P. E VISA. ✻
Comida carta aprox. 3800 – ☕ 250 – **33 hab** 3500/7000.

VILLARRODIS La Coruña – ver Arteijo.

VILLASANA DE MENA 09580 Burgos 442 C 20 alt. 312 – ☎ 947.
♦Madrid 358 – ♦Bilbao/Bilbo 44 – ♦Burgos 115 – ♦Santander 101.

Cadagua ⑤, Ángel Nuño 26 ✆ 12 61 25, Fax 12 61 26, ≤, piscina, terraza – P. VISA. ✻
cerrado 20 diciembre-5 enero – **Comida** (sólo almuerzo en invierno) 2000 – ☕ 550 – **27 hab** 5000/7000 – PA 3910.

VILLATOBAS **45310** Toledo 444 M 20 – 2 451 h. alt. 723 – ☎ 925.
♦Madrid 80 – ♦Albacete 169 – Cuenca 129 – Toledo 71.

XX Seller con hab, carret. N 301-NO : 1,7 km ☎ 15 20 67, Fax 15 24 30 – ▤ TV ☎ P
17 hab.

VILLAVERDE DE PONTONES **39793** Cantabria 442 B 18 – ☎ 942.
♦ Madrid 387 – ♦ Bilbao/Bilbo 86 – ♦ Burgos 153 – ♦ Santander 14.

X ✿ **Cenador de Amós,** ☎ 50 82 43 – P. VISA. ✂
cerrado domingo noche y lunes en invierno, lunes mediodía en verano (salvo festivos) y del 10 al 31 de enero – **Comida** carta 2900 a 3450
Espec. Degustación de bacalaos, Timbal de morros de ternera en salsa agridulce, Espuma de chocolate blanco con cacao amargo.

VILLAVICIOSA Ávila – ver Solosancho.

VILLAVICIOSA **33300** Asturias 441 B 13 – 15 093 h. alt. 4 – ☎ 98.
♦ Madrid 493 – Gijón 30 – ♦ Oviedo 41.

Carlos I sin rest, pl. Carlos I-4 ☎ 589 01 21 – TV ☎. E VISA. ✂
375 – **11 hab** 8500.

Avenida sin rest, Carmen 10 ☎ 589 15 09, Fax 589 15 09 – TV ☎. AE ⓓ E VISA. ✂
400 – **9 hab** 6000/8000.

Ver también : ***Amandi*** S : 1,5 km.

VILLAVICIOSA DE ODÓN **28670** Madrid 444 K 18 – 13 143 h. alt. 672 – ☎ 91.
♦Madrid 21 – Toledo 69 – El Escorial 38.

XX **Asador Luxia,** Bispo, centro Puzzle, carret. de San Martín de Valdeiglesias ☎ 616 58 74, – ▤. AE E VISA
Comida (sólo almuerzo salvo fines de semana y vísperas de festivos) carta 4450 a 4950.

VILLAVIEJA o **VILAVELLA** **32590** Orense 441 F 8 – ☎ 988.
♦Madrid 377 – Benavente 120 – Orense/Ourense 122 – Ponferrada 129.

Porta Galega, carret. N 525 ☎ 42 55 93, Fax 42 56 08 – P. VISA. ✂
Comida 1500 – 225 – **38 hab** 2400/4000.

VILLOLDO **34131** Palencia 442 F 16 – 558 h. – ☎ 979.
Alred. : Villalcázar de Sirga (iglesia de Santa María la Blanca : portada Sur★, Sepulcros★) NE : 10 km – Carrión de los Condes : Monasterio de San Zoilo (claustro★).
♦Madrid 253 – ♦Burgos 96 – Palencia 27.

Estrella del Bajo Carrión , antigua carret. C 615 ☎ 82 70 05, Fax 82 72 69 – ☎ P. AE E VISA. ✂
Comida *(cerrado lunes en invierno salvo festivos)* 1700 – 450 – **20 hab** 3500/6000 – PA 3200.

VINAROZ o **VINARÒS** **12500** Castellón de la Plana 445 K 31 – 19 902 h. – ☎ 964 – Playa.
i pl. Jovellar ☎ 64 91 16, Fax 64 91 16.
♦Madrid 498 – Castellón de la Plana/Castelló de la Plana 76 – Tarragona 109 – Tortosa 48.

Teruel, av. de Madrid 32 ☎ 40 04 24 – ▤ TV ☎. E VISA. ✂
Comida 1100 – 250 – **20 hab** 3800/5500.

Miramar, paseo Marítimo 12 ☎ 45 14 00, ← – |‡|. VISA. ✂
Comida 1600 – 500 – **17 hab** 3600/5500.

El Pino sin rest y sin , San Pascual 47 ☎ 45 05 53 – ✂
7 hab 2000/3250.

X **El Langostino de Oro,** San Francisco 31 ☎ 45 12 04, Fax 45 17 93, Pescados y mariscos – ▤. AE E VISA. ✂
cerrado lunes y 15 febrero-2 marzo – **Comida** carta 3000 a 4100.

X **La Cuina,** paseo Blasco Ibáñez 12 ☎ 45 47 36 – AE ⓓ E VISA. ✂
Comida carta 2550 a 3860.

X **La Isla,** San Pedro 5 ☎ 45 23 58, ← – ▤. AE ⓓ E VISA. ✂
cerrado lunes y del 9 al 23 de enero – **Comida** carta 2350 a 3500.

X **Voramar,** av. Colón 34 ☎ 45 00 37 – ▤. ⓓ E VISA. ✂
cerrado noviembre – **Comida** carta 1900 a 3200.

en la carretera N 340 S : 2 km – ✉ 12500 Vinaroz – ☎ 964 :

Roca, ☎ 40 13 12, Fax 40 08 16, , – ▤ rest TV P. ⓓ E VISA. ✂ rest
Comida 1200 – 450 – **36 hab** 3500/5000 – PA 2600.

VIRGEN DE LA VEGA Teruel - ver Alcalá de la Selva.

VIRGEN DEL CAMINO **24198** León 441 E 13 - ☎ 987.
♦Madrid 333 - ♦Burgos 198 - ♦León 6 - Palencia 134.

XX **Las Redes,** ☎ 30 01 64, Pescados y mariscos - ▤. AE E VISA. ✗
cerrado domingo noche, lunes y 15 días en julio - **Comida** carta 2800 a 3650.

EL VISO DEL ALCOR **41520** Sevilla 446 T 12 - 15 107 h. alt. 143 - ☎ 95.
♦Madrid 524 - ♦Córdoba 117 - ♦Granada 252 - ♦Sevilla 31.

Picasso, av. del Trabajo 11 ☎ 574 09 00, Fax 594 63 67 - ▤ TV ☎ P
44 hab.

VITORIA o **GASTEIZ** **01000** P Álava 442 D 21 y 22 - 209 704 h. alt. 524 - ☎ 945.
Ver : Museo de Arqueología (estela del jinete★) BY **M1** - Museo del Naipe "Fournier"★ BY **M4**
Museo de Armeria★ AZ **M3.**
Alred. : Gaceo★ (iglesia : frescos góticos★) 21 km por ②.
✈ de Vitoria por ④ : 8 km ☎ 16 35 00 - Iberia : av. Gasteiz 84, ✉ 01012, ☎ 901 33 31 11 AY.
i parque de la Florida, ✉ 01008, ☎ 13 13 21, Fax 130293 - R.A.C.V.N. pl. San Martín 4, ✉ 01009, ☎ 22 86 00.
♦Madrid 352 ③ - ♦Bilbao/Bilbo 64 ④ - ♦Burgos 111 ③ - ♦Logroño 93 ③ - ♦Pamplona/Iruñea 93 ② - ♦San Sebastián/Donostia 115 ② - Zaragoza 260 ③.

Plano página siguiente

Gasteiz, av. Gasteiz 45, ✉ 01009, ☎ 22 81 00, Telex 35451, Fax 22 62 58 - ▤ TV ☎ - 25/250. AE ⓓ E VISA. ✗ AY **e**
Comida *(cerrado domingo y 10 agosto-5 septiembre)* 1750 - ☐ 1200 - **146 hab** 10080/14700, 4 suites.

Ciudad de Vitoria, Portal de Castilla 8, ✉ 01007, ☎ 14 11 00, Fax 14 36 16, - ▤ TV ☎ ♿ - 25/450. AE ⓓ E VISA. ✗ AZ **c**
Comida 1800 - ☐ 950 - **149 hab** 11500/13500.

NH Canciller Ayala, Ramón y Cajal 5, ✉ 01007, ☎ 13 00 00, Fax 13 35 05 - ▤ TV ☎ - 25/220. AE ⓓ E VISA. ✗ AZ **n**
Comida 1950 - ☐ 1200 - **175 hab** 12500/15600, 9 suites.

General Álava sin rest, con cafetería, av. Gasteiz 79, ✉ 01009, ☎ 22 22 00, Telex 35468, Fax 24 83 95 - TV ☎ - 25/50. AE ⓓ E VISA. ✗ AY **c**
☐ 800 - **113 hab** 7000/11900, 1 suite.

Páramo sin rest, General Álava 11 (pasaje), ✉ 01005, ☎ 14 02 40, Fax 14 04 92 - TV ☎. AE ⓓ E VISA BZ **n**
cerrado del 24 al 31 de diciembre - ☐ 350 - **40 hab** ☐ 3870/5945.

Achuri sin rest, Rioja 11, ✉ 01005, ☎ 25 58 00, Fax 26 40 74 - TV ☎. ⓓ E VISA. ✗
☐ 400 - **40 hab** 3750/6000. BZ **x**

Desiderio sin rest, Colegio de San Prudencio 2, ✉ 01001, ☎ 25 17 00, Fax 25 17 22 - TV ☎. AE ⓓ VISA. ✗ BY **m**
cerrado 23 diciembre-2 enero - ☐ 400 - **21 hab** 3750/6000.

Dato 28 sin rest y sin ☐, Dato 28, ✉ 01005, ☎ 14 72 30, Fax 23 23 20 - TV ☎. AE ⓓ VISA BZ **a**
14 hab 3725/4660.

XXXX **Ikea,** Castilla 27, ✉ 01007, ☎ 14 47 47, Fax 23 35 07 - ▤ P. AE ⓓ E VISA. ✗ AZ **f**
cerrado domingo, lunes noche, Semana Santa y 10 agosto- 6 septiembre - **Comida** carta 4350 a 5600.

XXX **El Portalón,** Correría 151, ✉ 01007, ☎ 14 27 55, Fax 14 42 01, « Posada del siglo XV » - ▤. AE ⓓ E VISA. ✗ BY **u**
cerrado domingo, del 10 al 30 de agosto y 24 diciembre-3 enero - **Comida** carta 4350 a 5300.

XXX **Dos Hermanas,** Madre Vedruna 10, ✉ 01008, ☎ 13 29 34, Fax 13 16 43 - ▤. AE ⓓ E VISA AZ **e**
cerrado domingo y miércoles noche - **Comida** carta 3850 a 5850.

XXX **Andere,** Gorbea 8, ✉ 01008, ☎ 24 54 05, Fax 22 88 44 - ▤. AE ⓓ E VISA. ✗ AY **b**
cerrado domingo noche y lunes - **Comida** carta 3150 a 4300.

XXX **Zaldiarán,** av. Gasteiz 21, ✉ 01008, ☎ 13 48 22, Fax 13 45 95 - ▤. AE ⓓ E VISA. ✗
cerrado domingo y martes noche - **Comida** carta 3325 a 4445. AZ **a**

XXX **Teide,** av. Gasteiz 61, ✉ 01008, ☎ 22 10 23, Fax 24 21 49 - ▤. AE ⓓ E VISA. ✗
cerrado martes y del 10 al 30 de agosto - **Comida** carta 3100 a 4550. AY **t**

XX Conde de Álava, Cruz Blanca 8, ✉ 01012, ☎ 22 50 40, Fax 22 71 76 - ▤ AY **n**

XX **Olárizu,** Beato Tomás de Zumárraga 54, ✉ 01009, ☎ 24 77 52, Fax 22 88 46 - ▤. AE ⓓ E VISA. ✗ AY **k**
cerrado domingo noche, lunes, Semana Santa y del 10 al 25 de agosto - **Comida** carta 3050 a 4325.

GASTEIZ VITORIA

Dato . . . . BZ
Gasteiz (Av. de) . . . . AYZ
Independencia . . . . BZ 27
Postas . . . . BZ

Angulema . . . . BZ 2
Becerro de Bengoa . . . . . . AZ 5
Cadena y Eleta . . . . AZ 8
Diputación . . . . AZ 12
Escuelas . . . . BY 15
España (Pl. de) . . . . BZ 18
Herrería . . . . AY 24
Machete (Pl. del) . . . . BZ 30
Madre Vedruna . . . . AZ 33

Ortiz de Zárate . . . . BZ 36
Pascual de Andagoya (Pl. de) . . . . AY 39
Portal del Rey . . . . BZ 42
Prado . . . . AZ 45
San Francisco . . . . BZ 48
Santa María (Cantón de) . . . . BY 51
Virgen Blanca (Pl. de la) . . . BZ 55

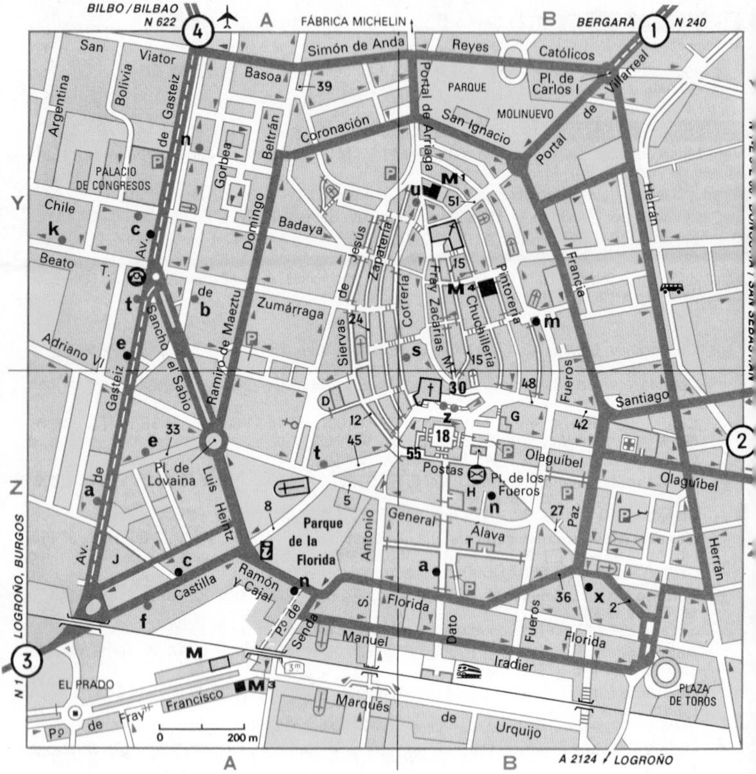

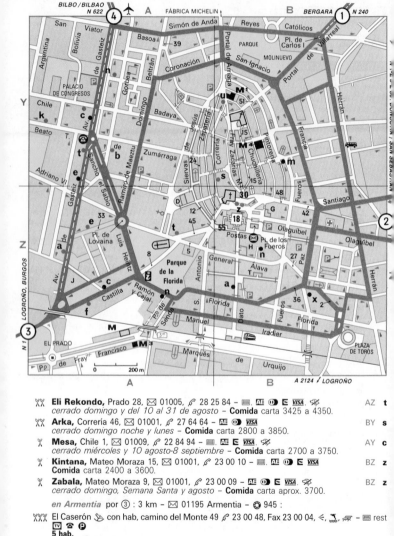

XX **Eli Rekondo,** Prado 28, ✉ 01005, ☎ 28 25 84 – ▤. AE ⓓ E VISA. ✂ — AZ **t**
cerrado domingo y del 10 al 31 de agosto – **Comida** carta 3425 a 4350.

XX **Arka,** Correría 46, ✉ 01001, ☎ 27 64 64 – AE ⓓ VISA — BY **s**
cerrado domingo noche y lunes – **Comida** carta 2800 a 3850.

X **Mesa,** Chile 1, ✉ 01009, ☎ 22 84 94 – ▤. AE E VISA. ✂ — AY **c**
cerrado miércoles y 10 agosto-8 septiembre – **Comida** carta 2700 a 3750.

X **Kintana,** Mateo Moraza 15, ✉ 01001, ☎ 23 00 10 – ▤. AE ⓓ E VISA — BZ **z**
Comida carta 2400 a 3600.

X **Zabala,** Mateo Moraza 9, ✉ 01001, ☎ 23 00 09 – AE ⓓ E VISA. ✂ — BZ **z**
cerrado domingo, Semana Santa y agosto – **Comida** carta aprox. 3700.

en Armentia por ③ : 3 km – ✉ 01195 Armentia – ☎ 945 :

XXX El Caserón 🐎 con hab, camino del Monte 49 ☎ 23 00 48, Fax 23 00 04, ≤, 🏊, 🌳 – ▤ rest TV ☎ P
5 hab.

por la salida ② : 13 km – ✉ 01192 Argómaniz – ☎ 945 :

🏰 **Parador de Argómaniz** 🐎, ☎ 29 32 00, Fax 29 32 87, ≤ – 🛗 TV ☎ P – 👥 25/65. AE ⓓ E VISA. ✂
Comida 3200 – ☕ 1100 – **53 hab** 11500 – PA 6375.

ES VIVÉ Palma de Mallorca – ver Baleares (Ibiza) : Ibiza.

VIVERO o **VIVEIRO** 27850 Lugo 441 B 7 - 14 877 h. - 982.

Puerta de Carlos V ✆ 56 04 86.

♦Madrid 602 - ♦La Coruña/A Coruña 119 - Ferrol 88 - Lugo 98.

- **Orfeo** sin rest, J. García Navia Castrillón 2 ✆ 56 21 01, Fax 56 04 53, ← - TV ☎. AE E VISA. ✻
  ☕ 450 - **32 hab** 4500/7000.
- **Tebar** sin rest, av. Nicolás Cora Montenegro 70 ✆ 56 01 00, Fax 55 04 08 - TV. AE E VISA JCB. ✻
  ☕ 350 - **27 hab** 4300/7000.

en la playa de Area-por la carretera C 642 N : 4 km - ✉ 27850 Vivero - 982 :

- **Ego** sin rest, ✆ 56 09 87, Fax 56 17 62, ← - TV ☎ P. AE E VISA. ✻
  ☕ 600 - **29 hab** 8000/12000.
- XX **Nito,** ✆ 56 09 87, Fax 56 17 62, ← ría y playa - P. AE E VISA. ✻
  Comida carta 3300 a 4900.

XÁTIVA Valencia - ver Játiva.

XÀBIA Alicante - ver Jávea.

XUBIA La Coruña - ver Jubia.

YAIZA Las Palmas - ver Canarias (Lanzarote).

Los YÉBENES 45470 Toledo 444 N 18 - 6 720 h. - 925.

♦Madrid 113 - ♦Toledo 43.

- Montes de Toledo, carret. N 401 NE : 1,6 km ✆ 32 10 99, Fax 34 81 83, ← olivares y sierra de las Alberquillas - rest TV P
  39 hab.

YÉQUEDA 22193 Huesca 443 F 28 - 974.

♦Madrid 398 - Huesca 6 - Sabiñánigo 48.

- **Fetra,** carret. N 330 ✆ 27 11 08, Fax 27 12 23, ← - TV ☎ P. E VISA. ✻ rest
  Comida 1200 - ☕ 750 - **22 hab** 3000/5500 - PA 2675.

YESA 31410 Navarra 442 E 26 - 296 h. alt. 292 - 948.

Alred. : Monasterio de Leyre★★ : carretera de acceso ✻★★, iglesia★★ (cripta★★, interior★, portada oeste★) NO : 4 km - Hoz de Arbayún★ ←★★ N : 27 km - Hoz de Lumbier★.

carret. N 240 ✆ 88 40 40.

♦Madrid 419 - Jaca 64 - ♦Pamplona/Iruñea 47.

- **El Jabalí,** carret. de Jaca ✆ 88 40 42, Fax 88 40 86, ←, - P. E VISA
  marzo-noviembre y fines de semana resto del año - **Comida** 1400 - ☕ 400 - **21 hab** 3000/5000 - PA 3000.
- X Arangoiti, Don Rene Petit ✆ 88 41 22 - .

YURRE o **IGORRE** 48140 Vizcaya 442 C 21 - 3 872 h. alt. 90 - 94.

♦Madrid 390 - ♦Bilbao/Bilbo 23 - ♦Vitoria/Gasteiz 44.

- Arantza, carret. Bilbao-Vitoria km 22 ✆ 673 63 28, Fax 631 90 85 - TV ☎ P
  34 hab.

ZAFRA 06300 Badajoz 444 Q 10 - 14 065 h. alt. 509 - 924.

Ver : Las Plazas★.

pl. de España ✆ 55 10 36.

♦Madrid 401 - ♦Badajoz 76 - Mérida 58 - ♦Sevilla 147.

- **Parador de Zafra,** pl. Corazón de María 7 ✆ 55 45 40, Fax 55 10 18, « Instalado en un castillo del siglo XV, patio de estilo renacentista », - TV ☎. AE E VISA. ✻
  Comida 3200 - ☕ 1100 - **45 hab** 13000 - PA 6375.
- **Huerta Honda y Rest. Barbacana,** López Asme 32 ✆ 55 41 00, Fax 55 25 04, Cocina vasca, - TV ☎ - 25/200. AE E VISA. ✻
  Comida *(cerrado domingo noche y lunes)* carta aprox. 4650 - ☕ 500 - **46 hab** 5800/12500.
- X **Josefina,** López Asme 1 ✆ 55 17 01 - . E VISA. ✻
  cerrado domingo noche - **Comida** carta 2250 a 3500.

ZAHARA DE LA SIERRA **11688** Cádiz 446 V 13 – 956.
◆Madrid 548 – ◆Cádiz 116 – Ronda 34.

Marqués de Zahara, San Juan 3 12 30 61, Fax 12 31 14 – AE E VISA.
cerrado julio – **Comida** 1500 – 350 – **10 hab** 3250/5000 – PA 3100.

ZAHARA DE LOS ATUNES **11393** Cádiz 446 X 12 – 1 591 h. – 956 – Playa.
◆Madrid 687 – Algeciras 62 – ◆Cádiz 70 – ◆Sevilla 179.

Pozo del Duque, carret. Atlanterra 32 43 90 97, Fax 43 94 00, ≤, – . AE E VISA.
Comida 1800 – **23 hab** 7000/11000 – PA 3600.

Gran Sol, Dr. Sánchez Rodríguez 43 93 01, Fax 43 91 97, ≤, – . AE E VISA. rest
Comida 1700 – 525 – **28 hab** 7000/8500 – PA 3850.

en la carretera de Atlanterra – 956 :

Sol Atlanterra, SE : 4 km, 11380 Tarifa, 43 90 00, Fax 43 90 51, , , , – – 25/280. AE E VISA. rest
mayo-3 octubre – **Comida** (sólo buffet) 2100 – **281 hab** 12100/18900.

Antonio, SE : 1 km, 11393 Zahara de los Atunes, 43 91 41, Fax 43 91 35, ≤, , – . AE E VISA JCB.
cerrado noviembre – **Comida** 2000 – **30 hab** 8000/10000.

ZALDIVIA o **ZALDIBIA** **20247** Guipúzcoa 442 C 23 – 1 518 h. alt. 164 – 943.
◆Madrid 428 – ◆Pamplona/Iruñea 73 – ◆San Sebastián/Donostia 45 – ◆Vitoria/Gasteiz 71.

Arrese, pl. Iztueta 88 17 14, .

ZALLA **48860** Vizcaya 442 C 20 – 7 253 h. – 94.
◆Madrid 380 – ◆Bilbao/Bilbo 23 – ◆Burgos 132 – ◆Santander 92.

Asador Zalla, Juan F. Estefanía y Prieto 5 667 06 15 – . AE E VISA.
cerrado domingo noche, lunes noche y agosto – **Comida** carta 3200 a 4700.

ZAMORA **49000** P 441 H 12 – 68 202 h. alt. 650 – 980.
Ver : Catedral★ (cimborrio★, sillería★★) A – Museo Catedralicio (tapices flamencos★★) – Iglesias románicas★ (La Magdalena, Santa María la Nueva, San Juan, Santa María de la Orta, Santo Tomé, Santiago del Burgo) AB.
Alred. : Arcenillas (Iglesia : Tablas de Fernando Gallego★) SE : 7 km - Iglesia visigoda de San Pedro de la Nave★ NO : 19 km por ④.
Santa Clara 20, 49002, 53 18 45, Fax 53 38 13 – R.A.C.E. av. Requejo 34, 49003, 51 59 72.
◆Madrid 246 ③ – Benavente 66 ① – Orense/Ourense 266 ① – ◆Salamanca 62 ③ – Tordesillas 67 ②.

Plano página siguiente

Parador de Zamora, pl. de Viriato 5, 49001, 51 44 97, Fax 53 00 63, , « Instalado en un palacio renacentista », – rest – 25/80. AE E VISA. B **a**
Comida 3200 – 1100 – **25 hab** 13000, 2 suites – PA 6375.

Il Infantas sin rest, Cortinas de San Miguel 3, 49015, 53 28 75, Fax 53 35 48 – – 25/50. AE E VISA B **b**
550 – **68 hab** 6500/9500.

Hostería Real de Zamora y Rest. Pizarro, Cuesta de Pizarro 7, 49027, 53 45 45, Fax 53 45 45, , « Conjunto castellano en un edificio del siglo XV - Patio » – . AE E VISA. rest B **e**
Comida carta 2300 a 3200 – 495 – **16 hab** 5980/7475.

Sayagués, pl. Puentica 2, 49005, 52 55 11, Fax 51 34 51 – rest A **k**
56 hab.

Luz y Sol sin rest y sin , Benavente 2-3º, 49014, 53 31 52, Fax 53 31 52 – . VISA. B **z**
29 hab 2800/3950.

Chiqui sin rest y sin , Benavente 2-2º, 49014, 53 14 80 – . B **z**
10 hab 2700/4000.

París, av. de Portugal 14, 49015, 51 43 25 – . AE E VISA B **s**
Comida carta 2900 a 4100.

Serafín, pl. Maestro Haedo 10, 49003, 53 14 22, Fax 52 49 56 – . AE E VISA. B **m**
Comida carta 2950 a 4200.

Rey Don Sancho 2, parque de la Marina Española, 49003, 52 60 54, , Decoración moderna – . AE E VISA. B **n**
Comida carta aprox. 3450.

El Figón, av. de Portugal 28, 49026, 53 31 59, Fax 52 41 40 – B **u**

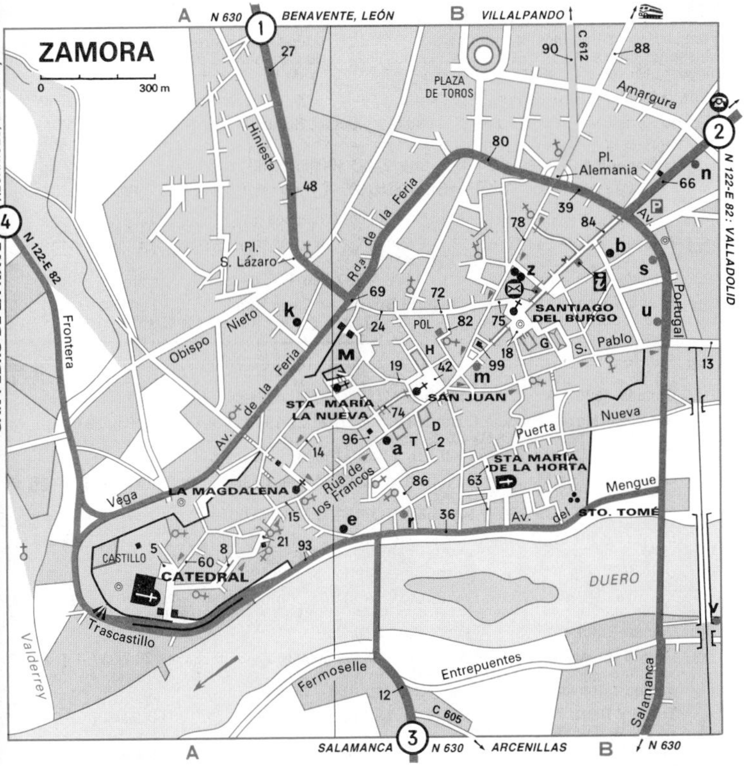

Feria . . . . B 24
Mayor (Pl.) . . . . B 42
Riego . . . . B 72
Santiago . . . . B 75
San Torcuato . . . . B 78
Santa Clara . . . . B 84

Alfonso XII . . . . B 2
Antonio del Aguita (Pl.) . . . . A 5
Arias Gonzalo . . . . A 8
Cabañales . . . . B 12
Candelaria
Ruiz del Árbol . . . . B 13

Carniceros . . . . A 14
Ciento (Pl. de los) . . . . . . A 15
Constitución . . . . B 18
Damas . . . . B 19
Fray Diego de Deza
(Pl.) . . . . A 21
Galicia (Av. de) . . . . A 27
Ignacio Gazapo . . . . B 36
José Antonio
Primo de Rivera . . . . B 39
Morana (Cuesta de la) . . . . . A 48
Notarios . . . . A 60
Plata . . . . B 63

Príncipe de Asturias (Av.) . . B 66
Puebla (Pl. de la) . . . . . . B 69
Sacramento . . . . B 74
San Torcuato
(Ronda de) . . . . B 80
San Vicente . . . . B 82
Santa Lucía (Pl.) . . . . B 86
Tres Cruces
(Av. de las) . . . . B 88
Víctor Gallego . . . . B 90
Vigo (Av. de) . . . . A 93
Viriato (Pl. de) . . . . B 96
Zorrilla (Pl. de) . . . . B 99

X **El Cordón,** pl. Santa Lucía 4, ✉ 49002, ☎ 53 42 20, Decoración castellana – ▤. AE E VISA. ✗ B r
cerrado domingo – **Comida** carta 1600 a 2850.

X **Las Aceñas,** Aceñas de Pinilla, ✉ 49028, ☎ 53 38 78, ⛱, Antiguo molino – ▤ Ⓟ. AE E VISA B v
Comida carta 2050 a 3050.

en la carretera N 630 por ①: 2,5 km – ✉ 49024 Zamora – ✆ 980 :

🏨 **Rey Don Sancho,** ☎ 52 34 00, Fax 51 97 60 – |♦| ▤ rest TV ☎ Ⓟ – 🏃 25/350. AE ⓓ E VISA. ✗
Comida 1300 – ☕ 435 – **84 hab** 3860/6565, 2 suites.

Pleasant hotels or restaurants are shown in the Guide by a red sign.

Please send us the names of any where you have enjoyed your stay.

Your Michelin Guide will be even better.

🏨🏨🏨 ... 🏨

XXXXX ... X

ZARAGOZA 50000 P 443 H 27 – 622 371 h. alt. 200 – ☎ 976.

Ver : La Seo★★ (retablo del altar mayor★, cúpula★ mudéjar de la parroquieta, Museo capitular★, Museo de tapices★★ Y – La Lonja★ Y – Basílica de Nuestra Señora del Pilar★ (retablo del altar mayor★, Museo pilarista★ Y – Aljafería★ : artesonado de la sala del trono★ AU.

9 Aero Club de Zaragoza por ⑤ : 12 km ✆ 21 43 78 – 18 La Peñaza por ⑤ : 15 km ✆ 34 28 00.

✈ de Zaragoza por ⑥ : 9 km ✆ 34 90 50 – Iberia : Bilbao 11, ✉ 50004, ✆ 21 34 18 Z.

ℹ Torreón de la Zuda-Glorieta Pío XII, ✉ 50003 ✆ 39 35 37 y pl. del Pilar, ✉ 50003, ✆ 20 12 91 Fax 20 06 35 – R.A.C.E. San Juan de la Cruz 2, ✉ 50006, ✆ 35 79 72.

♦Madrid 322 ⑤ – ♦Barcelona 307 ② – ♦Bilbao/Bilbo 305 ⑥ – ♦Lérida/Lleida 150 ② – ♦Valencia 330 ④.

Planos páginas siguientes

Boston, av. de Las Torres 28, ✉ 50008, ✆ 59 91 92, Fax 59 04 46, – – 25/700. AE E VISA. BV **e**
Comida carta 3300 a 5000 – 1100 – **297 hab** 14000/18000, 16 suites.

Meliá Zaragoza Corona y Rest. El Bearn, av. César Augusto 13, ✉ 50004, ✆ 43 01 00, Telex 58828, Fax 44 07 34, – – 25/300. AE E VISA. Z **z**
Comida carta 3300 a 3800 – 1300 – **239 hab** 12500/16000, 9 suites.

Palafox, Casa Jiménez, ✉ 50004, ✆ 23 77 00, Telex 58680, Fax 23 47 05, – – 25/600. AE E VISA. Z **k**
Comida 3500 – 1200 – **180 hab** 12000/15000, 4 suites – PA 6900.

NH Gran Hotel, Joaquín Costa 5, ✉ 50001, ✆ 22 19 01, Telex 58010, Fax 23 67 13 – – 25/450. AE E VISA. BU **d**
Comida 2200 – 1200 – **140 hab** 11000/16000 – PA 5545.

Goya, Cinco de Marzo 5, ✉ 50004, ✆ 22 93 31, Telex 58680, Fax 23 21 54 – – 25/200. AE E VISA. Z **a**
Comida 3000 – 900 – **148 hab** 8900/13000 – PA 5800.

Don Yo y Rest. Doña Taberna, Juan Bruil 4 y 6, ✉ 50001, ✆ 22 67 41, Telex 58768, Fax 21 99 56 – – 25/150. AE E VISA JCB. rest BU **n**
Comida carta aprox. 3150 – 850 – **179 hab** 8000/9900, 4 suites.

Zaragoza Royal y Rest. Ascot, Arzobispo Doménech 4, ✉ 50006, ✆ 21 46 00, Telex 57800, Fax 22 03 59 – – 25/200. AE E VISA. BV **b**
Comida carta aprox. 3200 – 800 – **92 hab** 8000/12500.

Conde de Aranda, Conde de Aranda 48, ✉ 50003, ✆ 43 93 23, Fax 28 27 17 – – 25/200. AE E VISA. BU **e**
Borsao : **Comida** carta 2475 a 3300 – 750 – **86 hab** 9500/11900.

Tibur y Rest. Foro Romano, pl. de La Seo 2, ✉ 50001, ✆ 20 20 00, Fax 20 20 02 – . AE E VISA. Y **d**
Comida carta 2700 a 5000 – 775 – **50 hab** 8500/11500.

NH Sport, Moncayo 5, ✉ 50010, ✆ 31 11 14, Fax 33 06 89 – – 25/110. AE E VISA. rest AU **c**
Comida 1500 – 850 – **64 hab** 7750/11000 – PA 3250.

Ramiro I, Coso 123, ✉ 50001, ✆ 29 82 00, Fax 39 89 52 – – 25/100. AE E VISA JCB. Z **m**
Comida 2100 – 700 – **104 hab** 7550/10700 – PA 4165.

Romareda, Asín y Palacios 11, ✉ 50009, ✆ 35 11 00, Telex 58067, Fax 35 19 50 – – 25/250. AE E VISA. rest AV **a**
Comida 1650 – 800 – **90 suites** 10000/13500.

Rey Alfonso I, Coso 17, ✉ 50003, ✆ 39 48 50, Telex 58226, Fax 39 96 40 – – 25/75. AE E VISA JCB. rest Z **v**
Comida 2500 – 800 – **113 hab** 9100/11600, 4 suites.

Vía Romana, Don Jaime I-54, ✉ 50001, ✆ 39 82 15, Fax 29 05 11 – . AE E VISA JCB. Y **r**
Comida 1700 – 700 – **66 hab** 8400/12500 – PA 3485.

Conquistador sin rest, Hernán Cortés 21, ✉ 50005, ✆ 21 49 88, Fax 23 80 21 – . AE E VISA JCB. BU **y**
550 – **44 hab** 6000/10000.

Cesaraugusta sin rest, av. Anselmo Clavé 45, ✉ 50004, ✆ 28 27 27, Fax 28 28 28 – . AE E VISA JCB. AU **n**
500 – **46 hab** 5500/8000, 12 apartamentos.

París, Pedro María Ric 14, ✉ 50008, ✆ 23 65 37, Fax 22 53 97 – – 25/150. AE E VISA. rest BV **r**
Comida 1700 – 700 – **62 hab** 8400/12500 – PA 3300.

Gran Vía sin rest, Gran Vía 38, ✉ 50005, ✆ 22 92 13, Fax 22 07 07 – . AE E VISA JCB. BV **f**
500 – **43 hab** 5000/7000, 1 suite.

Las Torres sin rest y sin , pl. del Pilar 11, ✉ 50003, ✆ 39 42 50, Fax 39 42 54 – Y **v**
40 hab.

ZARAGOZA

Alfonso I	YZ
Alonso V	Z 6
Conde de Aranda	YZ
Coso	Z
Don Jaime I	YZ
Independencia (Av.)	Z
San Vicente de Paul	YZ
Candalija	Z 10
Capitán Portolés	Z 13
César Augusto (Av.)	Y 15
Cinco de Marzo	Z 18
Magdalena	Z 42
Manifestación	Y 43
Sancho y Gil	Z 58
San Pedro Nolasco (Pl. de)	Z 63
Teniente Coronel Valenzuela	Z 67

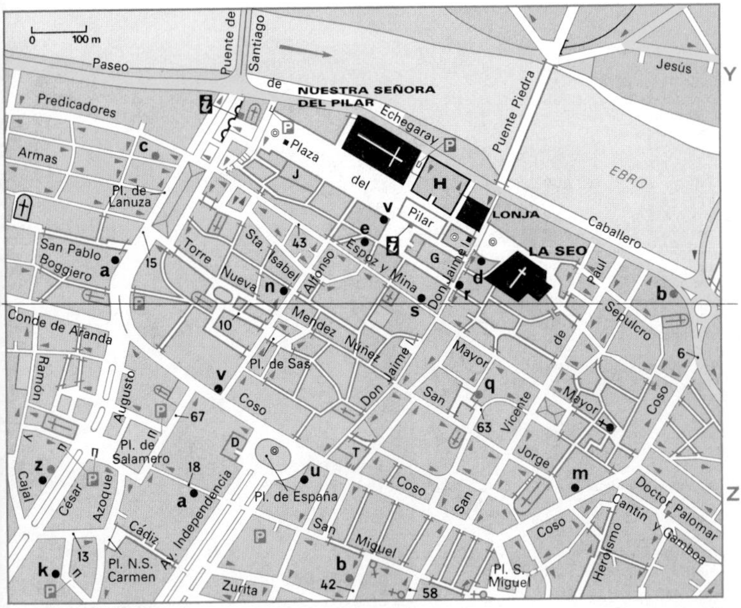

🏨 **Sauce** sin rest, Espoz y Mina 33, ✉ 50003, ✆ 39 01 00, Fax 39 85 97 – |♦| ▤ TV ☎ 🚗. AE E VISA. ✂ — YZ **s**
☕ 550 – **20 hab** 5000/7500.

🏨 **Conde Blanco** sin rest, con cafetería, Predicadores 84, ✉ 50003, ✆ 44 14 11, Fax 28 03 39 – |♦| ▤ TV ☎ 🚗. AE E VISA. ✂ — BU **h**
☕ 440 – **87 hab** 4800/6400.

🏨 **Avenida** sin rest, av. César Augusto 55, ✉ 50003, ✆ 43 93 00, Fax 43 93 64 – |♦| ▤ TV ☎. AE ⓓ E VISA — Y **a**
☕ 350 – **85 hab** 4200/6500.

🏨 Río Arga sin rest, Contamina 20, ✉ 50003, ✆ 39 90 65, Fax 39 90 92 – |♦| ▤ TV ☎ — Y **n**
24 hab.

🏨 **El Príncipe** sin rest, Santiago 12, ✉ 50003, ✆ 29 41 01, Fax 29 90 47 – |♦| ▤ TV ☎ – 🏋 25/50. AE E VISA — Y **e**
☕ 400 – **45 hab** 7000/9000.

🏨 **Maza** sin rest, pl. de España 7, ✉ 50001, ✆ 22 93 55, Fax 21 39 01 – |♦| TV ☎. AE ⓓ VISA — Z **u**
☕ 400 – **55 hab** 4800/6000.

🏨 **Paraíso** sin rest y sin ☕, paseo Pamplona 23 - 3º, ✉ 50004, ✆ 21 76 08, Fax 21 76 07 – |♦| ▤ TV ☎. E VISA. ✂ — BU **a**
29 hab 3995/4995.

XXX **La Mar,** pl. Aragón 12, ✉ 50004, ✆ 21 22 64, Fax 21 86 36, « Decoración clásica elegante » – ▤. AE VISA — BU **x**
cerrado domingo y agosto – **Comida** carta aprox. 4500.

XXX **Risko-Mar,** Francisco Vitoria 16, ✉ 50008, ✆ 22 50 53 – ▤. AE ⓓ E VISA. ✂ — BV **h**
cerrado domingo y agosto – **Comida** carta 3250 a 4150.

XXX Gurrea, San Ignacio de Loyola 14, ✉ 50008, ✆ 23 31 61, Fax 23 71 44 – ▤ — BU **t**

XXX **Goyesco,** Manuel Lasala 44, ✉ 50006, ✆ 35 68 70, Fax 35 68 70 – ▤. AE ⓓ E VISA. ✂ — AV **e**
cerrado domingo en verano y del 7 al 23 de agosto – **Comida** carta 3450 a 4150.

ZARAGOZA

Alcalde Gómez Laguna (Av.) . . . . **AV** 2
América (Av. de) . . . . . **BV** 5
Alonso V . . . . **BU** 6
Aragón (Pl.) . . . . **BU** 7
Autonomía (Av.) . . . . . . **AT** 8
Batalla de Lepanto . . . . **BV** 9
Capitán Oroquieta . . . . **BV** 12
Clavé (Av. de) . . . . **AU** 16
Colón (Paseo de) . . . . . **BV** 19
Constitución (Pas. de la) **BU** 22
Damas (Paseo de las) . **BV** 24
Fernando el Católico (Paseo de) . . . . **AV** 26
Francia (Av. de) . . . . . . **AT** 27
Franco y López . . . . . **AUV** 28
Jaime Ferrán . . . . **BT** 30
José Galiay . . . . **BV** 31
José García Sánchez . **AUV** 32
Juan Pablo Bonet . . . . . **BV** 36
Lapuyade . . . . **BV** 37
Luis Aula . . . . **BV** 39
Mariano Barbasán . . . . **AV** 46
Marqués de la Cadena . **BT** 47
Mina (Paseo de la) . . . . **BU** 50
Paraíso (Pl.) . . . . **BUV** 51
Pintor Marín Bagüés . . **BV** 52
Privilegio de la Unión . . **BV** 53
Puente del Pilar (Av. de) . . . . **BU** 56
Rodrigo Rebolledo . . . . **BV** 57
San Fernando (Vía de) . **BV** 60
San Juan Bosco (Av.) . . **AV** 61
San Juan de la Cruz . . **AV** 62
Silvestre Pérez . . . . **BU** 64
Sobrarbe . . . . **BT** 66
Tomás Higuera . . . . **BV** 68
Vado (Camino del) . . . . **BU** 69
Yolanda de Bar . . . . **BV** 70

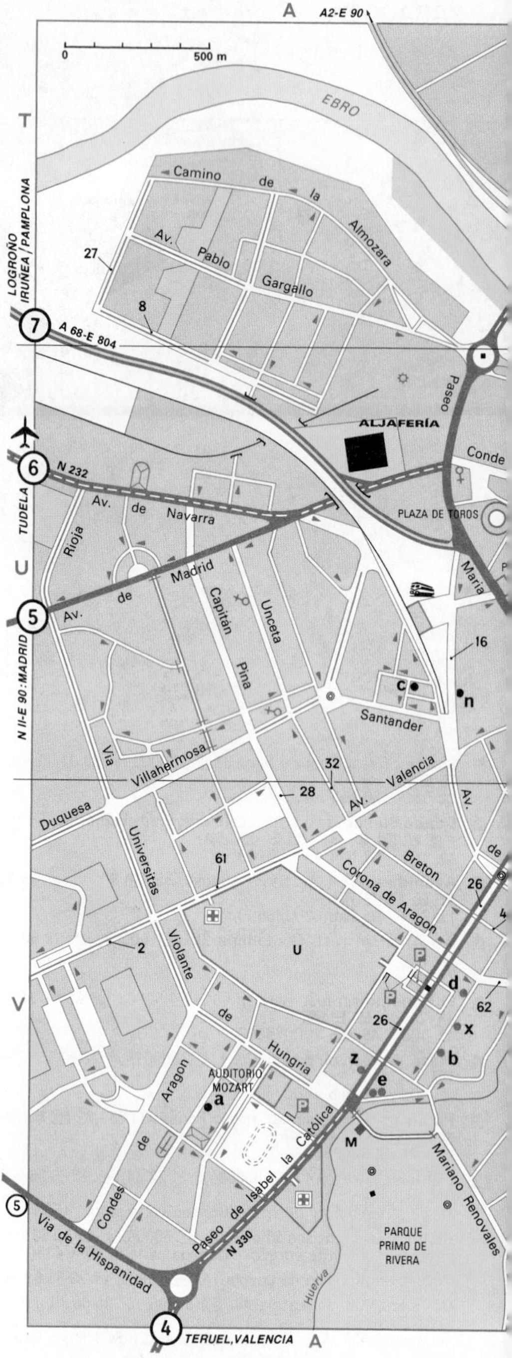

Para viajar más rápido, utilice los mapas Michelin "principales carreteras":

920 Europa
980 Grecia
984 Alemania
985 Escandinavia-Finlandia
986 Gran-Bretaña-Irlanda
987 Alemania-Austria-Benelux
988 Italia
989 Francia
990 España-Portugal
991 Yugoslavia.

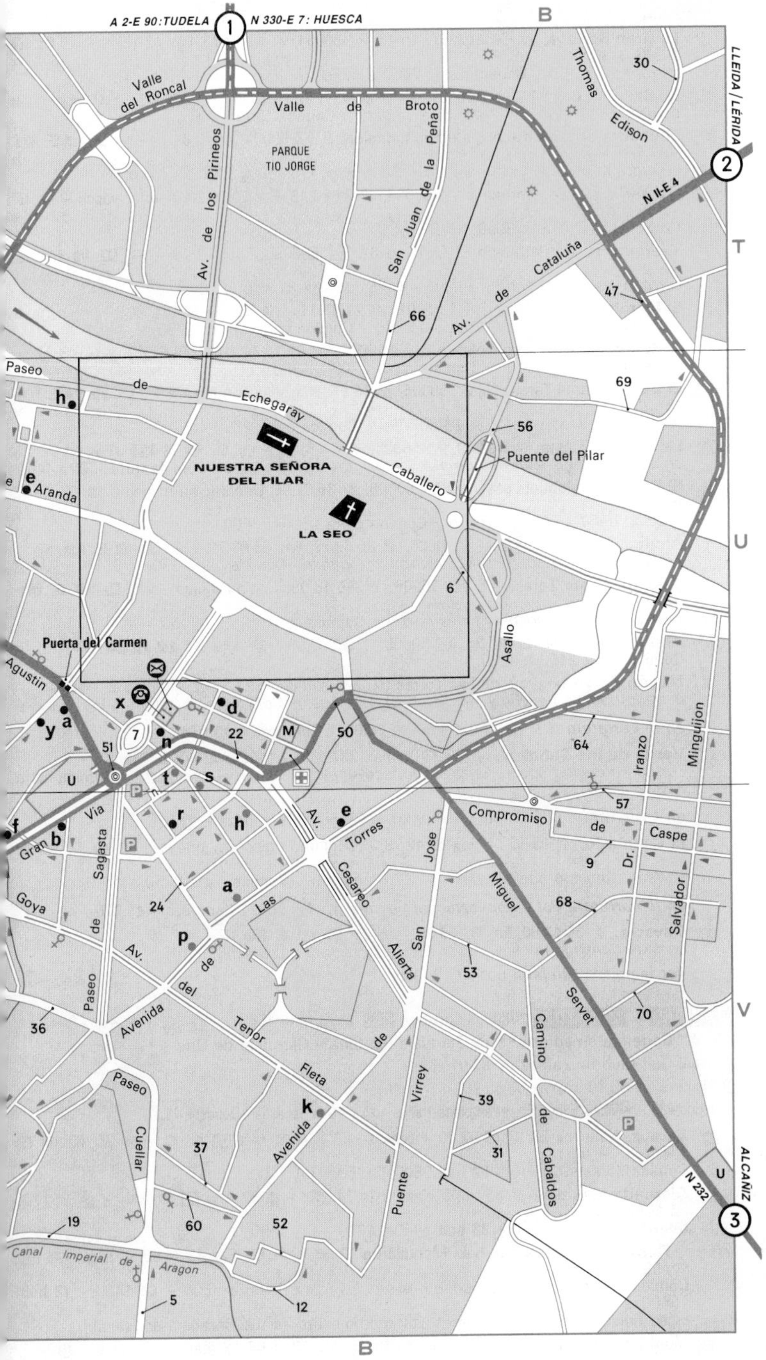
A 2-E 90: TUDELA
1
N 330-E 7: HUESCA
B
LLEIDA / LÉRIDA
2
N II-E 4
T
U
V
ALCAÑIZ
3
N 232
Valle del Roncal
Valle de Broto
PARQUE TIO JORGE
Av. de los Pirineos
San Juan de la Peña
Thomas Edison
Av. de Cataluña
Paseo de Echegaray Caballero
NUESTRA SEÑORA DEL PILAR
LA SEO
Puente del Pilar
Aranda
Asallo
Puerta del Carmen
Agustin
Gran Via
Sagasta
Goya
Paseo de Sagasta
Av. de Las Torres
Av. Cesareo Alierta
San Jose
Miguel Servet
Compromiso de Caspe
Dr. Iranzo
Minguijon
Salvador
Camino de Cabaldos
Avenida del Tenor Fleta
Avenida de San Jose
Virrey
Puente
Paseo Cuellar
Canal Imperial de Aragon
M
U
7
30
47
66
69
56
6
64
57
9
68
53
70
39
31
50
51
22
24
36
37
60
19
52
12
5
h
e
x
d
a
y
n
t
s
f
b
r
h
e
a
p
k

XX **La Gran Bodega,** av. César Augusto 13, ✉ 50004, ☎ 43 13 73, Fax 43 13 69 – ▤. AE ⓓ E VISA JCB. ✻ Z z
cerrado domingo – **Comida** carta 2650 a 3350.

XX **La Bastilla,** Coso 177, ✉ 50001, ☎ 29 84 49, Fax 29 10 81 – ▤ Ⓟ. AE ⓓ E VISA Y b
cerrado domingo y del 1 al 15 de agosto – **Comida** carta 3550 a 4100.

XX **El Asador de Aranda,** Arquitecto Magdalena 6, ✉ 50001, ☎ 22 64 17 – ▤. AE ⓓ E VISA. ✻ Z b
cerrado domingo noche y agosto – **Comida** carta 2550 a 3000.

XX **Guetaria,** Madre Vedruna 9, ✉ 50008, ☎ 21 53 16, Fax 23 70 28, Asador vasco – ▤. AE ⓓ E VISA. ✻ BUV s
Comida carta 3200 a 3650.

XX **Txalupa,** paseo Fernando el Católico 62, ✉ 50009, ☎ 56 61 70 – ▤. AE ⓓ E VISA. ✻ AV z
cerrado domingo noche y agosto – **Comida** carta 3150 a 5000.

XX **El Flambé,** José Pellicer 7, ✉ 50007, ☎ 27 87 31 – ▤. AE ⓓ E VISA. ✻ BV k
cerrado domingo noche, lunes y agosto – **Comida** carta aprox. 3250.

XX **Antonio,** pl. San Pedro Nolasco 5, ✉ 50001, ☎ 39 74 74 – ▤. AE E VISA JCB. ✻ Z q
cerrado domingo noche – **Comida** carta 3200 a 4200.

XX **El Chalet,** Santa Teresa 25, ✉ 50006, ☎ 56 91 04, « Villa con terraza » – ▤. AE ⓓ E VISA. ✻ AV x
cerrado domingo y del 3 al 13 de abril – **Comida** carta 2800 a 3750.

XX **La Matilde,** Casta Álvarez 10, ✉ 50003, ☎ 44 10 08 – ▤. AE ⓓ E VISA JCB. ✻ Y c
cerrado domingo, festivos, Semana Santa, agosto y Navidades – **Comida** carta 3300 a 4450.

X **El Serrablo,** Manuel Lasala 44, ✉ 50006, ☎ 35 62 06, Decoración rústica – ▤. AE ⓓ E VISA AV e
cerrado del 1 al 15 de agosto – **Comida** carta 2500 a 3800.

X **Aldaba,** Santa Teresa 26, ✉ 50006, ☎ 35 63 79, Fax 35 63 79 – ▤. AE ⓓ E VISA. ✻
cerrado domingo noche salvo festivos y vísperas – **Comida** carta 3300 a 3850. AV d

X **Josean,** Santa Teresa 41, ✉ 50006, ☎ 56 48 09, Cocina vasca – ▤. AE ⓓ E VISA. ✻ AV b
cerrado domingo noche y lunes noche – **Comida** carta 2900 a 4150.

X **Alberto,** Pedro María Ric 35, ✉ 50008, ☎ 23 65 03 – ▤ 🚗. AE ⓓ E VISA. ✻ BV a
Comida carta 2400 a 3950.

X **Mesón de Tomás,** av. de Las Torres 92, ✉ 50008, ☎ 23 13 02 – ▤. AE E VISA. ✻
cerrado domingo noche y del 15 al 30 de agosto – **Comida** carta 2500 a 4050. BV p

en la carretera N II por ⑤ : 8 km – ✉ 50012 Zaragoza – ✆ 976 :

XX **Venta de los Caballos,** ☎ 33 23 00, Fax 33 23 00 – ▤ Ⓟ. AE ⓓ E VISA. ✻
cerrado domingo noche, lunes (salvo festivos) y del 15 al 30 de agosto – **Comida** carta 3100 a 4200.

en la carretera N 232 por ⑥ : 4,5 km – ✉ 50011 Zaragoza – ✆ 976 :

XX **El Cachirulo,** ☎ 33 16 74, Fax 53 42 78, « Conjunto típico aragonés » – ▤ Ⓟ. AE ⓓ E VISA
cerrado domingo noche y del 1 al 21 de agosto – **Comida** carta 3250 a 4500.

en la carretera del aeropuerto por ⑥ : 8 km – ✉ 50011 Zaragoza – ✆ 976 :

XXX **Gayarre,** ☎ 34 43 86, Fax 31 16 86 – ▤ Ⓟ. AE ⓓ E VISA JCB. ✻
cerrado domingo noche y lunes – **Comida** carta 3300 a 4050.

Ver también : ***Alfajarín*** por ② : 23 km.

ZARAUZ o ZARAUTZ 20800 Guipúzcoa 442 C 23 – 18 154 h. – ✆ 943 – Playa.

Alred. : Carretera en cornisa★★ de Zarauz a Guetaria – Carretera de Orio ≤★.

⛳9 Real Golf Club de Zarauz ☎ 83 01 45.

🅘 Navarra ☎ 83 09 90, Fax 83 56 28.

♦Madrid 482 – ♦Bilbao/Bilbo 85 – ♦Pamplona/Iruñea 103 – ♦San Sebastián/Donostia 22.

🏨 **Zarauz,** Nafarroa 26 ☎ 83 02 00, Fax 83 01 93 – |♦| ▤ rest 📺 ☎ Ⓟ – 🔬 25. AE ⓓ E VISA JCB. ✻ rest
Comida 2300 – ☕ 775 – **82 hab** 9500/11950 – PA 4400.

🏨 **Alameda,** Gipuzkoa ☎ 83 01 43, Fax 13 24 74, 🌳 – |♦| ▤ rest 📺 ☎ 🚗 – 🔬 25/70. AE E VISA. ✻
Comida 1925 – ☕ 660 – **38 hab** 7850/11220 – PA 3890.

XXX ✿ **Karlos Arguiñano** con hab, Mendilauta 13 ☎ 13 00 00, Fax 13 34 50, ≤ mar – ▤ 📺 ☎. AE ⓓ E VISA. ✻
Comida *(cerrado domingo noche y miércoles)* carta 5400 a 6800 – ☕ 1400 – **12 hab** 19500/26000
Espec. Sopa de pescado y mariscos, Lomo de merluza Zarauz, Becada asada (temp).

XXX Aiten Etxe, carret. de Guetaria 3 ☎ 83 18 25, Fax 13 15 68, ≤ mar y población – Ⓟ.

XX Otzarreta, Santa Klara 5 ☏ 13 12 43, 余 - ▤ Ⓟ.

X ✿ **Miguel Ángel,** Bizkaia 9 ☏ 13 27 00 - ▤. AE E VISA. ✗
cerrado domingo noche, miércoles, del 15 al 30 de octubre y del 15 al 30 de enero - **Comida** carta 4050 a 4950
Espec. Merluza en salsa verde, Txangurro gratinado o en charlota de calabacín, Solomillo de pato en salsa de Oporto.

X **Kirkilla,** Santa Marina 12 ☏ 13 19 82 - ▤. AE E VISA. ✗
cerrado domingo noche, lunes y octubre - **Comida** carta 2150 a 3700.

en el Alto de Meagas O : 4 km - ✉ 20800 Zarauz - ☎ 943 :

X **Azkue** ⛰ con hab, ☏ 83 05 54, Fax 13 05 00, ≤, 余, 🌳 - Ⓟ. AE VISA
cerrado diciembre - **Comida** *(cerrado martes)* carta 2450 a 2900 - ☕ 500 - **16 hab** 4300.

ZARZALEJO 28293 Madrid 444 K 17 - 864 h. alt. 1 104 - ☎ 91.

♦Madrid 58 - ♦Ávila 59 - ♦Segovia 69.

al Este : 2,7 km - ✉ 28293 - ☎ 91 :

X **Duque,** av. de la Estación 65 ☏ 899 23 60, 余 - ▤ Ⓟ. VISA. ✗
cerrado miércoles y del 15 al 30 de septiembre - **Comida** carta 2700 a 3575.

ZESTOA Guipúzcoa - ver Cestona.

ZIORDIA Navarra - ver Ciordia.

ZORNOTZA Vizcaya - ver Amorebieta.

ZUERA 50800 Zaragoza 443 G 27 - 5 206 h. alt. 279 - ☎ 976.

♦Madrid 349 - Huesca 46 - ♦Zaragoza 26.

🏨 **Las Galias,** carret. N 330 E : 1 km ☏ 68 02 24, Fax 68 00 26, 🏊, 🎾 - ▤ TV ☎ Ⓟ - 🏛 25/60. AE ⓓ E VISA. ✗ rest
Comida 1900 - ☕ 400 - **26 hab** 6000/7500 - PA 3360.

ZUMÁRRAGA 20700 Guipúzcoa 442 C 23 - 10 899 h. alt. 354 - ☎ 943.

♦Madrid 410 - ♦Bilbao/Bilbo 65 - ♦San Sebastián/Donostia 57 - ♦Vitoria/Gasteiz 55.

🏨 **Etxe-Berri** ⛰, carret. de Azpeitia N : 1 km ☏ 72 02 68, Fax 72 44 94, « Decoración elegante » - TV ☎ 🚗 Ⓟ. AE E VISA JCB
Comida *(cerrado domingo noche)* 2500 - ☕ 600 - **27 hab** 5750/7550.

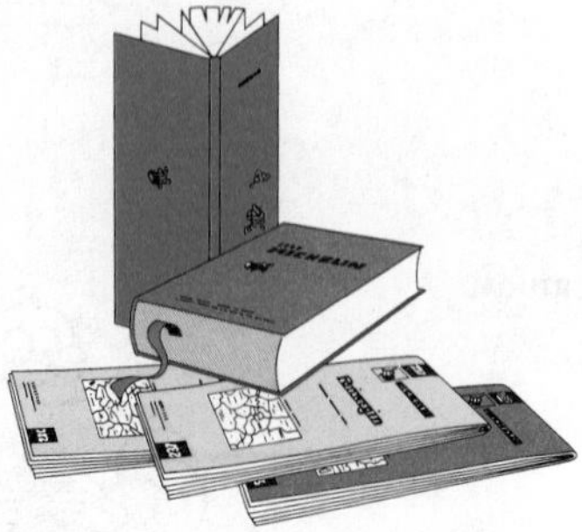

Portugal

MICHELIN

AS ESTRELAS LAS ESTRELLAS
LES ÉTOILES LE STELLE
DIE STERNE THE STARS

Refeição (R)

REFEIÇÕES CUIDADAS A PREÇOS MODERADOS
BUENAS COMIDAS A PRECIOS MODERADOS
REPAS SOIGNÉS A PRIX MODÉRÉS
PASTI ACCURATI A PREZZI CONTENUTI
SORGFÄLTIG ZUBEREITETE, PREISWERTE MAHLZEITEN
GOOD FOOD AT MODERATE PRICES

ATRACTIVOS
ATRACTIVO Y TRANQUILIDAD
L'AGRÉMENT
AMENITÀ E TRANQUILLITÀ
ANNEHMLICHKEIT
PEACEFUL ATMOSPHERE AND SETTING

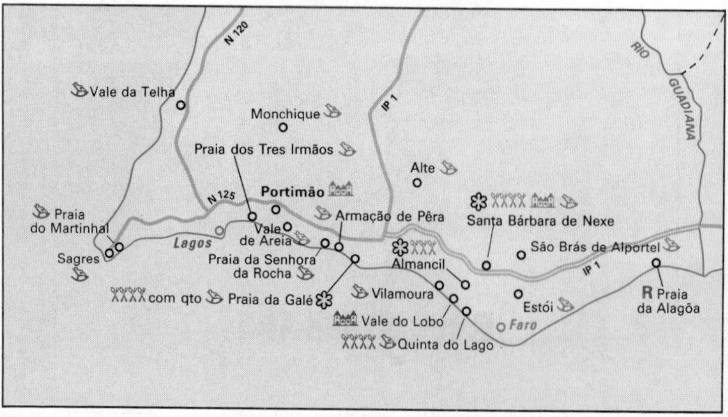

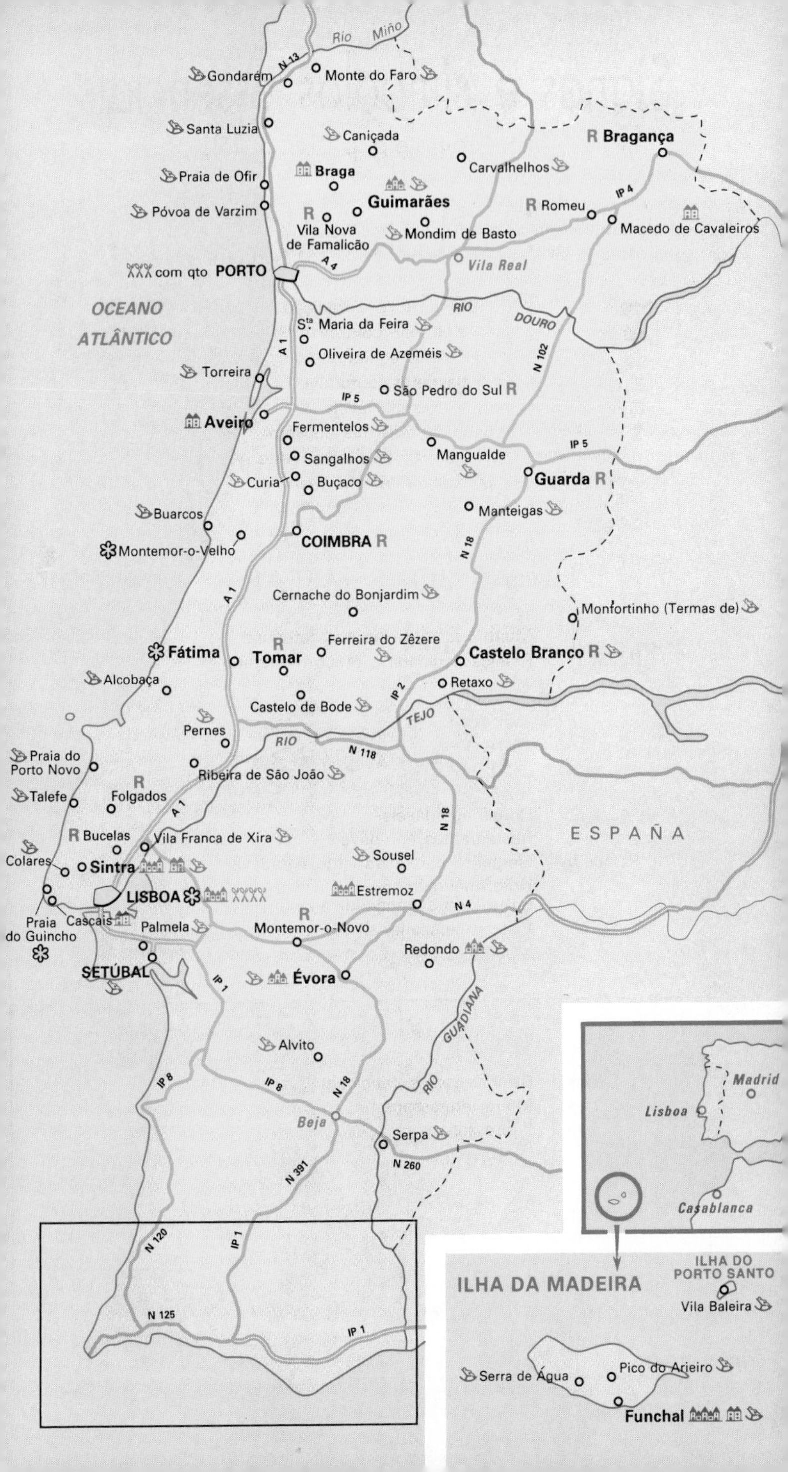

Río Miño
N 13
Gondarém
Monte do Faro
Santa Luzia
Caniçada
R Bragança
Braga
Carvalhelhos
Praia de Ofir
Guimarães
IP 4
Póvoa de Varzim
R
R Romeu
Vila Nova de Famalicão
Mondim de Basto
Macedo de Cavaleiros
A 4
Vila Real
com qto PORTO
OCEANO ATLÂNTICO
RIO DOURO
Sta. Maria da Feira
A 1
Oliveira de Azeméis
N 102
Torreira
IP 5
São Pedro do Sul R
Aveiro
Fermentelos
Mangualde
IP 5
Sangalhos
Guarda R
Curia
Buçaco
Manteigas
Buarcos
COIMBRA R
Montemor-o-Velho
N 18
A 1
Cernache do Bonjardim
Monfortinho (Termas de)
R
Ferreira do Zêzere
Fátima
Tomar
Castelo Branco R
Alcobaça
Retaxo
IP 2
Castelo de Bode
TEJO
Pernes
RIO
N 118
Praia do Porto Novo
Ribeira de São João
R
Talefe
Folgados
A 1
N 18
R Bucelas
Vila Franca de Xira
ESPAÑA
Colares
Sousel
Sintra
LISBOA
Estremoz
N 4
R
Praia do Guincho
Cascais
Palmela
Montemor-o-Novo
Redondo
SETÚBAL
IP 1
Évora
GUADIANA
Alvito
RIO
IP 8
IP 8
N 18
Madrid
Lisboa
Beja
Serpa
N 260
N 391
Casablanca
N 120
IP 1
ILHA DO PORTO SANTO
ILHA DA MADEIRA
Vila Baleira
N 125
IP 1
Serra de Água
Pico do Arieiro
Funchal

Signos e símbolos essenciais

(lista completa p. 12 a 19)

O CONFORTO

	Grande luxo e tradição	XXXXX
	Grande conforto	XXXX
	Muito confortável	XXX
	Bastante confortável	XX
	Confortável	X
	Simples, mas que convém	
sem rest	O hotel não tem restaurante	
	O restaurante tem quartos	com qto

AS BOAS MESAS

✿	Muito boa mesa na sua categoria
Refeição	Refeição cuidada a preço moderado

OS ATRACTIVOS

...	Hotéis agradáveis
XXXXX ... X	Restaurantes agradáveis
« Parque »	Elemento particularmente agradável
	Hotel muito tranquilo ou isolado e tranquilo
< mar	Vista excepcional

AS CURIOSIDADES

★★★	De interesse excepcional
★★	Muito interessante
★	Interessante

LÉXICO	LÉXICO	LEXIQUE	LESSICO	LEXIKON	LEXICON
NA ESTRADA	EN LA CARRETERA	SUR LA ROUTE	LUNGO LA STRADA	AUF DER STRASSE	ON THE ROAD
acender as luzes	encender las luces	allumer les lanternes	accendere le luci	Licht einschalten	put on lights
à direita	a la derecha	à droite	a destra	nach rechts	to the right
à esquerda	a la izquierda	à gauche	a sinistra	nach links	to the left
atenção ! perigo !	¡ atención, peligro !	attention ! danger !	attenzione ! pericolo !	Achtung ! Gefahr !	caution ! danger !
auto-estrada	autopista	autoroute	autostrada	Autobahn	motorway
bifurcação	bifurcación	bifurcation	bivio	Gabelung	road fork
cruzamento perigoso	cruce peligroso	croisement dangereux	incrocio pericoloso	gefährliche Kreuzung	dangerous crossing
curva perigosa	curva peligrosa	virage dangereux	curva pericolosa	gefährliche Kurve	dangerous bend
dê passagem	ceda el paso	cédez le passage	cedete il passo	Vorfahrt achten	yield right of way
descida perigosa	bajada peligrosa	descente dangereuse	discesa pericolosa	gefährliches Gefälle	dangerous descent
esperem	esperen	attendez	attendete	warten	wait, halt
estacionamento proibido	prohibido aparcar	stationnement interdit	divieto di sosta	Parkverbot	no parking
estrada	carretera	route	strada	Straße	road
estrada escarpada	carretera en cornisa	route en corniche	strada panoramica	Höhenstraße	corniche road
estrada interrompida	carretera cortada	route coupée	strada interrotta	gesperrte Straße	road closed
estrada em mau estado	carretera en mal estado	route en mauvais état	strada in cattivo stato	Straße in schlechtem Zustand	road in bad condition
estrada nacional	carretera nacional	route nationale	strada statale	Staatsstraße	State road
gelo	hielo	verglas	ghiaccio	Glatteis	ice (on roads)
lentamente	despacio	lentement	adagio	langsam	slowly
neve	nieve	neige	neve	Schnee	snow
nevoeiro	niebla	brouillard	nebbia	Nebel	fog
obras	obras	travaux (routiers)	lavori in corso	Straßenbauarbeiten	road works

paragem obrigatória	parada obligatoria	arrêt obligatoire	fermata obbligatoria	Halt !	compulsory stop
passagem de gado	paso de ganado	passage de troupeaux	passaggio di mandrie	Viehtrieb	cattle crossing
passagem de nível sem guarda	paso a nivel sin barreras	passage à niveau non gardé	passaggio a livello incustodito	unbewachter Bahnübergang	unattended level crossing
pavimento escorregadio	calzada resbaladiza	chaussée glissante	fondo sdrucciolevole	Rutschgefahr	slippery road
peões	peatones	piétons	pedoni	Fußgänger	pedestrians
perigo !	¡ peligro !	danger !	pericolo !	Gefahr !	danger !
perigoso atravessar	travesía peligrosa	traversée dangereuse	attraversamento pericoloso	gefährliche Durchfahrt	dangerous crossing
ponte estreita	puente estrecho	pont étroit	ponte stretto	enge Brücke	narrow bridge
portagem	peaje	péage	pedaggio	Gebühr	toll
proibido	prohibido	interdit	vietato	verboten	prohibited
prohibido ultrapassar	prohibido el adelantamiento	défense de doubler	divieto di sorpasso	Überholverbot	no overtaking
pronto socorro	puesto de socorro	poste de secours	pronto soccorso	Unfall-Hilfsposten	first aid station
prudência	precaución	prudence	prudenza	Vorsicht	caution
queda de pedras	desprendimientos	chute de pierres	caduta sassi	Steinschlag	falling rocks
rebanhos	cañada	troupeaux	greggi	Viehherde	cattle
saída de camiões	salida de camiones	sortie de camions	uscita di autocarri	LKW-Ausfahrt	lorry exit
sentido proibido	dirección prohibida	sens interdit	senso vietato	Einfahrt verboten	no entry
sentido único	dirección única	sens unique	senso unico	Einbahnstraße	one way

PALAVRAS DE USO CORRENTE	PALABRAS DE USO CORRIENTE	MOTS USUELS	PAROLE D'USO CORRENTE	ALLGEMEINER WORTSCHATZ	COMMON WORDS
abadia	abadía	abbaye	abbazia	Abtei	abbey
aberto	abierto	ouvert	aperto	offen	open
abismo	abismo	gouffre	abisso	Abgrund, Tiefe	gulf, abyss
abóbada	bóveda	voûte	volta	Gewölbe, Wölbung	vault, arch
Abril	abril	avril	aprile	April	April
adega	bodega	chais, cave	cantina	Keller	cellar

agência de viagens	agencia de viajes	bureau de voyages	ufficio viaggi	Reisebüro	travel bureau
Agosto	agosto	août	agosto	August	August
água potável	agua potable	eau potable	acqua potabile	Trinkwasser	drinking water
albergue	albergue	auberge	albergo	Gasthof	inn
aldeia	pueblo	village	villaggio	Dorf	village
alfândega	aduana	douane	dogana	Zoll	customs
almoço	almuerzo	déjeuner	colazione	Mittagessen	lunch
andar	piso	étage	piano (di casa)	Stock, Etage	floor
antigo	antiguo	ancien	antico	alt	ancient
aqueduto	acueducto	aqueduc	acquedotto	Aquädukt	aqueduct
arquitectura	arquitectura	architecture	architettura	Baukunst	architecture
arredores	alrededores	environs	dintorni	Umgebung	surroundings
artificial	artificial	artificiel	artificiale	Kunstlicht	artificial
árvore	árbol	arbre	albero	Baum	tree
avenida	avenida	avenue	viale, corso	Boulevard, breite Straße	avenue
bagagem	equipaje	bagages	bagagli	Gepäck	luggage
baía	bahía	baie	baia	Bucht	bay
bairro	barrio	quartier	quartiere	Stadtteil	quarter, district
baixo-relevo	bajorrelieve	bas-relief	bassorilievo	Flachrelief	low relief
balaustrada	balaustrada	balustrade	balaustrata	Balustrade, Geländer	balustrade
barco	barco	bateau	battello	Schiff	boat
barragem	embalse	barrage	sbarramento	Talsperre	dam
beco	callejón sin salida	impasse	vicolo cieco	Sackgasse	no through road
beira-mar	orilla del mar	bord de mer	riva, litorale	Ufer, Küste	shore, strand
biblioteca	biblioteca	bibliothèque	biblioteca	Bibliothek	library
bilhete postal	tarjeta postal	carte postale	cartolina	Postkarte	postcard
bosque	bosque	bois	bosco, boschi	Wäldchen	wood
botânica	botánico	botanique	botanico	botanish	botanical
cabeleireiro	peluquería	coiffeur	parrucchiere	Friseur	hairdresser, barber
caça	caza	chasse	caccia	Jagd	hunting, shooting
cadeiras de coro	sillería del coro	stalles	stalli	Chorgestühl	choir stalls
caixa	caja	caisse	cassa	Kasse	cash-desk
cama	cama	lit	letto	Bett	bed

campanário	campanario	clocher	campanile	Glockenturm	belfry, steeple
campo	campo	campagne	campagna	Land	country, countryside
capela	capilla	chapelle	capella	Kapelle	chapel
capitel	capitel	chapiteau	capitello	Kapitell	capital (of column)
casa	casa	maison	casa	Haus	house
casa de jantar	comedor	salle à manger	sala da pranzo	Speisesaal	dining room
cascata	cascada	cascade	cascata	Wasserfall	waterfall
castelo	castillo	château	castello	Schloß	castle
casula	casulla	chasuble	pianeta	Meßgewand	chasuble
catedral	catedral	cathédrale	duomo	Dom. Münster	cathedral
centro urbano	centro urbano	centre ville	centro città	Stadtzentrum	town centre
chave	llave	clé	chiave	Schlüssel	key
cidade	ciudad	ville	città	Stadt	town
cinzeiro	cenicero	cendrier	portacenere	Aschenbecher	ash-tray
claustro	claustro	cloître	chiostro	Kreuzgang	cloisters
climatizada (piscina)	climatizada (piscina)	chauffée (piscine)	riscaldata (piscina)	geheizt (Freibad)	heated (swimming pool)
climatizado	climatizado	climatisé	con aria condizionata	mit Kimaanlage	air conditioned
colecção	colección	collection	collezione	Sammlung	collection
colher	cuchara	cuillère	cucchiaio	Löffel	spoon
colina	colina	colline	colle, collina	Hügel	hill
confluência	confluencia	confluent	confluente	Zusammenfluß	confluence
conforto	confort	confort	confort	Komfort	comfort
conta	cuenta	note	conto	Rechnung	bill
convento	convento	couvent	convento	Kloster	convent
copo	vaso	verre	bicchiere	Glas	glass
correios	correos	bureau de poste	ufficio postale	Postamt	post offlce
cozinha	cocina	cuisine	cucina	Kochkunst	kitchen
criado, empregado	camarero	garçon, serveur	cameriere	Ober, Kellner	waiter
crucifixo, cruz	crucifijo, cruz	crucifix, croix	crocifisso, croce	Kruzifix, Kreuz	crucifix, cross
cúpulo	cúpula	coupole, dôme	cupola	Kuppel	dome, cupola
curiosidade	curiosidad	curiosité	curiosità	Sehenswürdigkeit	sight
decoração	decoración	décoration	ornamento	Schmuck, Ausstattung	decoration

dentista	dentista	dentiste	dentista	Zahnarzt	dentist
descida	bajada, descenso	descente	discesa	Gefälle	downward slope
desporto	deporte	sport	sport	Sport	sport
Dezembro	diciembre	décembre	dicembre	Dezember	December
Domingo	domingo	dimanche	domenica	Sonntag	Sunday
edifício	edificio	édifice	edificio	Bauwerk	building
encosta	ladera	versant	versante	Abhang	hillside
engomagem	planchado	repassage	stiratura	Büglerei	pressing, ironing
envelopes	sobres	enveloppes	buste	Briefumschläge	envelopes
episcopal	episcopal	épiscopal	vescovile	bischöflich	episcopal
equestre	ecuestre	équestre	equestre	Reit-, zu Pferd	equestrian
escada	escalera	escalier	scala	Treppe	stairs
escultura	escultura	sculpture	scultura	Schnitzwerk	carving
esquadra de polícia	comisaría	commissariat de police	commissariato di polizia	Polizeistation	police headquarters
estação	estación	gare	stazione	Bahnhof	station
estância balnear	estación balnearia	station balnéaire	stazione balneare	Seebad	seaside resort
estátua	estatua	statue	statua	Standbild	statue
estilo	estilo	style	stile	Stil	style
estuário	estuario	estuaire	estuario	Mündung	estuary
faca	cuchillo	couteau	coltello	Messer	knife
fachada	fachada	façade	facciata	Vorderseite	façade
faiança	loza	faïence	maiolica	Fayence	china
falésia	acantilado	falaise	scogliera	Klippe, Steilküste	cliff, c'face
farmácia	farmacia	pharmacie	farmacia	Apotheke	chemist
fechado	cerrado	fermé	chiuso	geschlossen	closed
2ª feira	lunes	lundi	lunedí	Montag	Monday
3ª feira	martes	mardi	martedí	Dienstag	Tuesday
4ª feira	miércoles	mercredi	mercoledí	Mittwoch	Wednesday
5ª feira	jueves	jeudi	giovedí	Donnerstag	Thursday
6ª feira	viernes	vendredi	venerdí	Freitag	Friday

ferro forjado	hierro forjado	fer forgé	ferro battuto	Schmiedeeisen	wrought iron
Fevereiro	febrero	février	febbraio	Februar	February
floresta	bosque	forêt	foresta	Wald	forest
florido	florido	fleuri	fiorito	mit Blumen	in bloom
folclore	folklore	folklore	folklore	Volkskunde	folklore
fonte, nascente	fuente	source	sorgente	Quelle	source, stream
fortificação	fortificación	fortification	fortificazione	Befestigung	fortification
fortaleza	fortaleza	forteresse, château fort	fortezza	Festung, Burg	fortress, fortified castle
fósforos	cerillas	allumettes	fiammiferi	Zündhölzer	matches
foz	desembocadura	embouchure	foce	Mündung	mouth
fronteira	frontera	frontière	frontiera	Grenze	frontier
garagem	garaje	garage	garage	Garage	garage
garfo	tenedor	fourchette	forchetta	Gabel	fork
garganta	garganta	gorge	gola	Schlucht	gorge
gasolina	gasolina	essence	benzina	Benzin	petrol
gorjeta	propina	pourboire	mancia	Trinkgeld	tip
gracioso	encantador	charmant	delizioso	reizend	charming
igreja	iglesia	église	chiesa	Kirche	church
ilha	isla	île	isola, isolotto	Insel	island
imagem	imagen	image	immagine	Bild	picture
informações	informaciones	renseignements	informazioni	Auskünfte	information
instalação	instalación	installation	installazione	Einrichtung	arrangement
interior	interior	intérieur	interno	Inneres	interior
Inverno	invierno	hiver	inverno	Winter	winter
Janeiro	enero	janvier	gennaio	Januar	January
janela	ventana	fenêtre	finestra	Fenster	window
jantar	cena	dîner	pranzo	Abendessen	dinner
jardim	jardín	jardin	giardino	Garten	garden
jornal	diario	journal	giornale	Zeitung	newspaper
Julho	julio	juillet	luglio	Juli	July
Junho	junio	juin	giugno	Juni	June

lago, lagoa	lago, laguna	lac, lagune	lago, laguna	See, Lagune	lake, lagoon
lavagem de roupa	lavado	blanchissage	lavatura	Wäsche, Lauge	laundry
local	paraje	site	posizione	Lage	site
localidade	localidad	localité	località	Ortschaft	locality
loiça de barro	alfarería	poterie	stoviglie	Tongeschirr	pottery
luxuoso	lujoso	luxueux	sfarzoso	prachtvoll	luxurious
Maio	mayo	mai	maggio	Mai	May
mansão	mansión	manoir	maniero	Gutshaus	manor
mar	mar	mer	mare	Meer	sea
Março	marzo	mars	marzo	März	March
marfim	marfil	ivoire	avorio	Elfenbein	ivory
margem	ribera	rive, bord	riva, banchina	Ufer	shore (of lake), bank (of river)
mármore	mármol	marbre	marmo	Marmor	marble
médico	médico	médecin	medico	Arzt	doctor
medieval	medieval	médiéval	medioevale	mittelalterlich	mediaeval
miradouro	mirador	belvédère	belvedere	Aussichtspunkt	belvedere
mobiliário	mobiliario	ameublement	arredamento	Einrichtung	furniture
moinho	molino	moulin	mulino	Mühle	mill
montanha	montaña	montagne	monte	Berg	mountain
mosteiro	monasterio	monastère	monastero	Kloster	monastery
muralha	muralla	muraille	muraglia	Mauer	walls
museu	museo	musée	museo	Museum	museum
Natal	Navidad	Noël	Natale	Weihnachten	Christmas
nave	nave	nef	navata	Kirchenschiff	nave
Novembro	noviembre	novembre	novembre	November	November
obra de arte	obra de arte	œuvre d'art	opera d'arte	Kunstwerk	work of art
oceano	océano	océan	oceano	Ozean	ocean
oliveira	olivo	olivier	ulivo	Olivenbaum	olive-tree
órgão	órgano	orgue	organo	Orgel	organ
orla	linde	lisière	orlo	Waldrand	forest skirt
ourivesaria	orfebrería	orfèvrerie	oreficeria	Goldschmiedekunst	goldsmith's work
Outono	otoño	automne	autunno	Herbst	autumn

Outubro	octubre	octobre	ottobre	Oktober	October
ovelha	oveja	brebis	pecora	Schaf	ewe
pagar	pagar	payer	pagare	bezahlen	to pay
paisagem	paisaje	paysage	paesaggio	Landschaft	landscape
palácio, paço	palacio	palais	palazzo	Palast	palace
palmar	palmeral	palmeraie	palmeto	Palmenhain	palm grove
papel de carta	papel de carta	papier à lettre	carta da lettere	Briefpapier	writing paper
paragem	parada	arrêt	fermata	Haltestelle	stopping place
parque	parque	parc	parco	Park	park
parque de estacionamento	aparcamiento	parc à voitures	parcheggio	Parkplatz	car park
partida	salida	départ	partenza	Abfahrt	departure
Páscoa	Pascua	Pâques	Pasqua	Ostern	Easter
passageiros	pasajeros	passagers	passeggeri	Fahrgäste	passengers
passeio	paseo	promenade	passeggiata	Spaziergang, Promenade	walk, promenade
pelourinho	picote	pilori	gogna	Pranger	pillory
percurso	recorrido	parcours	percorso	Strecke	course
perspectiva	perspectiva	perspective	prospettiva	Perspektive	perspective
pesca, pescador	pesca, pescador	pêche, pêcheur	pesca, pescatore	Fischfang, Fischer	fisher, fishing
pia baptismal	pila de bautismo	fonts baptismaux	fonte battismale	Taufbecken	font
pinhal	pinar, pineda	pinède	pineta	Pinienhain	pine wood
pinheiro	pino	pin	pino	Kiefer	pine-tree
planície	llanura	plaine	pianura	Ebene	plain
poço	pozo	puits	pozzo	Brunnen	well
polícia	policía	gendarme	gendarme	Polizist	policeman
ponte	puente	pont	ponte	Brücke	bridge
porcelana	porcelana	porcelaine	porcellana	Porzellan	porcelain
portal	portal	portail	portale	Tor	doorway
porteiro	conserje	concierge	portiere, portinaio	Portier	porter
porto	puerto	port	porto	Hafen	harbour, port
povoação	burgo	bourg	borgo	kleiner Ort, Flecken	market town
praça de touros	plaza de toros	arènes	arena	Stierkampfarena	bull ring
praia	playa	plage	spiaggia	Strand	beach

prato	plato	assiette	piatto	Teller	plate
Primavera	primavera	printemps	primavera	Frühling	spring (season)
proibido fumar	prohibido fumar	défense de fumer	vietato fumare	Rauchen verboten	no smoking
promontório	promontorio	promontoire	promontorio	Vorgebirge	promontory
púlpito	púlpito	chaire	pulpito	Kanzel	pulpit
quadro, pintura	cuadro, pintura	tableau, peinture	quadro, pittura	Gemälde, Malerei	painting
quarto	habitación	chambre	camera	Zimmer	room
quinzena	quincena	quinzaine	quindicina	etwa fünfzehn	fortnight
recepção	recepción	réception	ricevimento	Empfang	reception
recife	arrecife	récif	scoglio	Klippe	reef
registado	certificado	recommandé (objet)	raccomandato	Einschreiben	registered
relógio	reloj	horloge	orologio	Uhr	clock
relvado	césped	pelouse	prato	Rasen	lawn
renda	encaje	dentelle	trina	Spitze	lace
retábulo	retablo	retable	postergale	Altaraufsatz	altarpiece, retable
retrato	retrato	portrait	ritratto	Bildnis	portrait
rio	río	fleuve	fiume	Fluß	river
rochoso	rocoso	rocheux	roccioso	felsig	rocky
rua	calle	rue	via	Straße	street
ruinas	ruinas	ruines	ruderi	Ruinen	ruins
rústico	rústico	rustique	rustico	ländlich	rustic, rural
Sábado	sábado	samedi	sabato	Samstag	Saturday
sacristia	sacristía	sacristie	sagrestia	Sakristei	sacristy
saída de socorro	salida de socorro	sortie de secours	uscita di sicurezza	Notausgang	emergency exit
sala capitular	sala capitular	salle capitulaire	sala capitolare	Kapitelsaal	chapterhouse
salão, sala	salón	salon	salone	Salon	drawing room, sitting room
santuário	santuario	sanctuaire	santuario	Heiligtum	shrine
século	siglo	siècle	secolo	Jahrhundert	century
selo	sello	timbre-poste	francobollo	Briefmarke	stamp
sepúlcro, túmulo	sepulcro, tumba	sépulcre, tombeau	tomba	Grabmal	tomb
serviço incluido	servicio incluido	service compris	servizio compreso	Bedienung inbegriffen	service included
serra	sierra	chaîne de montagnes	giogaia	Gebirgskette	mountain range

Português	Español	Français	Italiano	Deutsch	English
Setembro	septiembre	septembre	settembre	September	September
sob pena de multa	bajo pena de multa	sous peine d'amende	passibile di contravvenzione	bei Geldstrafe	under penalty of fine
solar	casa solariega	manoir	maniero	Gutshaus	manor
tabacaria	estanco	bureau de tabac	tabaccaio	Tabakladen	tobacconist
talha	tallas en madera	bois sculpté	sculture lignee	Holzschnitzerei	wood carving
tapeçarias	tapices	tapisseries	tappezzerie, arazzi	Wandteppiche	tapestries
tecto	techo	plafond	soffitto	Zimmerdecke	ceiling
telhado	tejado	toit	tetto	Dach	roof
termas	balneario	établissement thermal	terme	Kurhaus	health resort
terraço	terraza	terrasse	terrazza	Terrasse	terrace
tesouro	tesoro	trésor	tesoro	Schatz	treasure, treasury
toilette, casa de banho	servicios	toilettes	gabinetti	Toiletten	toilets
tríptico	tríptico	triptyque	trittico	Triptychon	triptych
túmulo	tumba	tombe	tomba	Grab	tomb
vale	valle	val, vallée	val, valle, vallata	Tal	valley
ver	ver	voir	vedere	sehen	see
Verão	verano	été	estate	Sommer	summer
vila	pueblo	village	villagio	Dorf	village
vinhedos, vinhas	viñedos	vignes, vignoble	vigne, vigneto	Reben, Weinberg	vines, vineyard
vista	vista	vue	vista	Aussicht	view
vitral	vidriera	verrière, vitrail	vetrata	Kirchenfenster	stained glass windows
vivenda	morada	demeure	dimora	Wohnsitz	residence

COMIDAS E BEBIDAS / COMIDA Y BEBIDAS / NOURRITURE ET BOISSONS / CIBI E BEVANDE / SPEISEN UND GETRÄNKE / FOOD AND DRINK

açúcar	azúcar	sucre	zucchero	Zucker	sugar
água gaseificada	agua con gas	eau gazeuse	acqua gasata, gasosa	Sprudel	soda water
água mineral	agua mineral	eau minérale	acqua minerale	Mineralwasser	mineral water
alcachofra	alcachofa	artichaut	carciofo	Artischocke	artichoke
alho	ajo	ail	aglio	Knoblauch	garlic

ameixas	ciruelas	prunes	prugne	Pflaumen	plums
amêndoas	almendras	amandes	mandorle	Mandeln	almonds
anchovas	anchoas	anchois	acciughe	Anschovis	anchovies
arroz	arroz	riz	riso	Reis	rice
assado	asado	rôti	arrosto	gebraten	roast
atum	atún	thon	tonno	Thunfish	tunny
aves, criação	ave	volaille	pollame	Geflügel	poultry
azeite	aceite de oliva	huile d'olive	olio d'oliva	Olivenöl	olive oil
azeitonas	aceitunas	olives	olive	Oliven	olives
bacalhau fresco	bacalao	morue fraîche, cabillaud	merluzzo	Kabeljau, Dorsch	cod
bacalhau salgado	bacalao en salazón	morue salée	baccalà, stoccafisso	Laberdan	dried cod
banana	plátano	banane	banana	Banane	banana
bebidas	bebidas	boissons	bevande	Getränke	drinks
beringela	berenjena	aubergine	melanzana	Aubergine	egg-plant
besugo, dourada	besugo, dorada	daurade	orata	Goldbrassen	dory
batatas	patatas	pommes de terre	patate	Kartoffeln	potatoes
bolachas	galletas	gâteaux secs	biscotti secchi	Gebäck	biscuits
bolos	pasteles	pâtisseries	dolci	Süßigkeiten	pastries
cabrito	cabrito	chevreau	capretto	Zicklein	kid
café com leite	café con leche	café au lait	caffè-latte	Milchkaffee	coffee with milk
café simples	café solo	café nature	caffè nero	schwarzer Kaffee	black coffee
caldo	caldo	bouillon	brodo	Fleischbrühe	clear soup
camarões	gambas	crevettes roses	gamberetti	Granat	shrimps
camarões grandes	gambas	crevettes (bouquets)	gamberetti	Garnelen	prawns
carne	carne	viande	carne	Fleisch	meat
carne de vitela	ternera	veau	vitello	Kalbfleisch	veal
carneiro	cordero	mouton	montone	Hammelfleisch	mutton
carnes frias	fiambres	viandes froides	carni fredde	kaltes Fleisch	cold meat
castanhas	castañas	châtaignes	castagne	Kastanien	chestnuts
cebola	cebolla	oignon	cipolla	Zwiebel	onion
cerejas	cerezas	cerises	ciliege	Kirschen	cherries
cerveja	cerveza	bière	birra	Bier	beer
charcutaria	charcutería, fiambres	charcuterie	salumi	Aufschnitt	pork-butchers' meat

cherne	mero	mérou	cernia	Rautenscholle	brill
chouriço	chorizo	saucisses au piment	salsicce piccanti	Pfefferwurst	spiced sausages
cidra	sidra	cidre	sidro	Apfelwein	cider
cogumelos	setas	champignons	funghi	Pilze	mushrooms
cordeiro	cordero lechal	agneau de lait	agnello	Lammfleisch	lamb
costeleta	costilla, chuleta	côtelette	costoletta	Kotelett	chop, cutlet
couve	col	chou	cavolo	Kohl, Kraut	cabbage
enguia	anguila	anguille	anguilla	Aal	eel
entrada	entremeses	hors-d'œuvre	antipasti	Vorspeise	hors d'œuvre
espargos	espárragos	asperges	asparagi	Spargel	asparagus
espinafres	espinacas	épinards	spinaci	Spinat	spinach
ervilhas	guisantes	petits pois	piselli	junge Erbsen	garden peas
faisão	faisán	faisan	fagiano	Fasan	pheasant
feijão verde	judías verdes	haricots verts	fagiolini	grüne Bohnen	French beans
figado	hígado	foie	fegato	Leber	liver
figos	higos	figues	fichi	Feigen	figs
frango	pollo	poulet	pollo	Hähnchen	chicken
fricassé	pepitoria	fricassée	fricassea	Frikassee	fricassée
fruta	frutas	fruits	frutta	Früchte	fruit
fruta em calda	frutas en almíbar	fruits au sirop	frutta sciroppata	Früchte in Sirup	fruit in syrup
gamba	gamba	crevette géante	gamberone	große Garnele	prawns
gelado	helado	glace	gelato	Speiseeis	ice cream
grão	garbanzos	pois chiches	ceci	Kichererbsen	chick peas
grelhado	a la parrilla	à la broche, grillé	allo spiedo	am Spieß	grilled
lagosta	langosta	langouste	aragosta	Languste	craw fish
lagostins	cigalas	langoustines	scampi	Meerkrebse, Langustinen	crayfish
lavagante	bogavante	homard	gambero di mare	Hummer	lobster
legumes	legumbres	légumes	verdura	Gemüse	vegetables
laranja	naranja	orange	arancia	Orange	orange
leitão assado	cochinillo, tostón	cochon de lait grillé	maialino grigliato, porchetta	Spanferkelbraten	roast suckling pig

lentilhas	lentejas	lentilles	lenticchie	Linsen	lentils
limão	limón	citron	limone	Zitrone	lemon
língua	lengua	langue	lingua	Zunge	tongue
linguado	lenguado	sole	sogliola	Seezunge	sole
lombo de porco	lomo	échine	lombata, lombo	Rückenstück	spine, chine
lombo de vaca	filete, solomillo	filet	filetto	Filetsteak	fillet
lota	rape	lotte	rana pescatrice, pesce rospo	Aalrutte, Quappe	eel-pout angler fish
lulas, chocos	calamares	calmars	calamari	Tintenfische	squids
maçã	manzana	pomme	mela	Apfel	apple
manteiga	mantequilla	beurre	burro	Butter	butter
mariscos	mariscos	fruits de mer	frutti di mare	"Früchte des Meeres"	sea food
mel	miel	miel	miele	Honig	honey
melancia	sandía	pastèque	cocomero	Wassermelone	water melon
mexilhões	mejillones	moules	cozze	Muscheln	mussels
miolos, mioleira	sesos	cervelle	cervello	Hirn	brains
molho	salsa	sauce	sugo	Sauce	sauce
morangos	fresas	fraises	fragole	Erdbeeren	strawberries
nata	nata	crème fraîche	panna	Sahne	cream
omelete	tortilla	omelette	frittata	Omelett	omelette
ostras	ostras	huîtres	ostriche	Austern	oysters
ovo cozido	huevo duro	œuf dur	uovo sodo	hartes Ei	hard boiled egg
ovo quente	huevo pasado por agua	œuf à la coque	uovo al guscio	weiches Ei	soft boiled egg
ovos estrelados	huevos al plato	œufs au plat	uova fritte	Spiegeleier	fried eggs
pão	pan	pain	pane	Brot	bread
pato	pato	canard	anitra	Ente	duck
peixe	pescado	poisson	pesce	Fisch	fish
pepino	pepino, pepinillo	concombre, cornichon	cetriolo, cetriolino	Gurke, kleine Essiggurke	cucumber, gherkin
pêra	pera	poire	pera	Birne	pear
perú	pavo	dindon	tacchino	Truthahn	turkey

pescada	merluza	colin, merlan	merluzzo	Kohlfisch, Weißling	hake
pêssego	melocotón	pêche	pesca	Pfirsich	peach
pimenta	pimienta	poivre	pepe	Pfeffer	pepper
pimento	pimiento	poivron	peperone	Pfefferschote	pimento
pombo, borracho	paloma, pichón	palombe, pigeon	palomba, piccione	Taube	pigeon
porco	cerdo	porc	maiale	Schweinefleisch	pork
pregado, rodovalho	rodaballo	turbot	rombo	Steinbutt	turbot
presunto, fiambre	jamón (serrano, cocido)	jambon (cru ou cuit)	prosciutto (crudo o cotto)	Schinken (roh, gekocht)	ham (raw or cooked)
queijo	queso	fromage	formaggio	Käse	cheese
raia	raya	raie	razza	Rochen	skate
rins	riñones	rognons	rognoni	Nieren	kidneys
robalo	lubina	bar	ombrina	Barsch	bass
sal	sal	sel	sale	Salz	salt
salada	ensalada	salade	insalata	Salat	green salad
salmão	salmón	saumon	salmone	Lachs	salmon
salpicão	salchichón	saucisson	salame	Wurst	salami, sausage
salsichas	salchichas	saucisses	salsicce	Würstchen	sausages
sopa	potaje, sopa	potage, soupe	minestra, zuppa	Suppe mit Einlage	soup
sobremesa	postre	dessert	dessert	Nachspeise	dessert
sumo de frutas	zumo de frutas	jus de fruits	succo di frutta	Fruchtsaft	fruit juice
torta, tarte	tarta	tarte, grand gâteau	torta	Torte, Kuchen	tart, pie
truta	trucha	truite	trota	Forelle	trout
uva	uva	raisin	uva	Traube	grapes
vaca	vaca	bœuf	manzo	Rindfleisch	beef
vinagre	vinagre	vinaigre	aceto	Essig	vinegar
vinho branco doce	vino blanco dulce	vin blanc doux	vino bianco amabile	süßer Weißwein	sweet white wine
vinho branco seco	vino blanco seco	vin blanc sec	vino bianco secco	herber Weißwein	dry white wine
vinho « rosé »	vino rosado	vin rosé	vino rosato	« Rosé »	« rosé » wine
vinho de marca	vino de marca	grand vin	vino pregiato	Prädikatswein	famous wine
vinho tinto	vino tinto	vin rouge	vino rosso	Rotwein	red wine

CIDADES
POBLACIONES
VILLES - CITTÀ
STÄDTE - TOWNS

ABRANTES **2200** Santarém 440 N 5 - 5 435 h. alt. 188 - 041.
Ver : Sítio★.
Arred. : Castelo de Almourol★★ (sítio★★, ★) O : 18 km.
Largo da Feira 225 55.
♦Lisboa 142 - Santarém 61.

De Turismo, Largo de Santo António 212 61, Telex 43626, Fax 252 18, ≤ Abrantes e vale do Tejo, - 25/30.
Refeição 3200 - **41 qto** 10500/13000 - PA 6400.

O Pelicano, Rua Nossa Senhora da Conceição 1 223 17 - .

AGUADA DE CIMA Aveiro - ver Águeda.

ÁGUEDA **3750** Aveiro 440 K 4 - 43 216 h. - 034.
Largo Dr. João Elisio Sucena 60 14 12.
♦Lisboa 250 - Aveiro 22 - ♦Coimbra 42 - ♦Porto 85.

em Borralha-pela estrada N 1 SE : 2 km - 3750 Águeda - 034 :

Palacio Águeda, Quinta da Borralha 60 19 77, Fax 60 19 76, « Instalado no antigo palácio do Conde da Borralha - Jardins », - 25/85
42 qto, 6 suites.

em Aguada de Cima SE : 9,5 km - 3750 Águeda - 034 :

Adega do Fidalgo, Almas da Areosa 66 62 26, Fax 66 72 26, Rest. típico-Grelhados -
Refeição lista 2700 a 4900.

ALBERGARIA-A-VELHA **3850** Aveiro 440 J 4 - 21 326 h. alt. 126 - 034.
♦Lisboa 259 - Aveiro 19 - ♦Coimbra 57.

na estrada N 1 S : 4 Km. - 3750 Serém-Águeda - 034 :

Pousada de Santo António, 52 32 30, Telex 37150, Fax 52 31 92, ≤ vale do Vouga e montanha, .
Refeição lista 2650 a 4850 - **13 qto** 17000/19000.

ALBUFEIRA **8200** Faro 440 U 5 - 17 218 h. - 089 - Praia.
Ver : Sítio★.
Rua 5 de Outubro 51 21 44.
♦Lisboa 326 - Faro 38 - Lagos 52.

Alísios, av. Infante Dom Henrique 58 92 84, Telex 56410, Fax 58 92 88, ≤,
Refeição (só jantar) - **100 qto.**

Cerro Alagoa, cerro da Alagoa 58 82 61, Telex 58290, Fax 58 82 62, - 50/150
242 qto, 15 suites, 53 apartamentos.

Brisa Sol, cerro da Alagoa 58 94 18, Telex 58283, Fax 58 82 54, - 25/260
Refeição (só jantar) - **94 qto**, 71 apartamentos.

em Areias de São João E : 2,5 km - 8200 Albufeira - 089 :

Ondamar, 58 67 74, Telex 58931, Fax 58 86 16, - 25/50
16 qto, 76 apartamentos.

Três Palmeiras, 51 54 23, Fax 51 54 23 - .

em Montechoro NE : 3,5 km - 8200 Albufeira - 089 :

Montechoro, 58 94 23, Telex 56288, Fax 58 99 47, ≤, - 25/1200.
Refeição 3000 - ***Grill das Amendoeiras*** *(só jantar)* **Refeição** lista aprox. 3500 - **322 qto** 18000/21000, 40 suites - PA 6000.

na Praia da Galé O : 6,5 km - 8200 Albufeira - 089 :

Vila Galé Praia, 59 10 50, Fax 59 14 36,
40 qto.

Vila Joya com qto, 59 17 95, Fax 59 12 01, ≤ mar, « Belo jardim com árvores e climatizada » - .
fechado 15 novembro-20 dezembro e 10 janeiro-15 fevereiro - **Refeição** lista 4450 a 6600 - **16 qto** 50000/66000
Espec. Gambas com couve-flor e manjericão, Robalo ao forno em molho de vinho tinto e creme de espinafres, Tarta de kiwi com gelado de champagne e sabayon.

na Praia da Falésia E : 10 km – ✉ 8200 Albufeira – ☎ 089 :

Sheraton Algarve ⛬, ☎ 50 19 99, Telex 58524, Fax 50 19 50, ≤ mar e campo de golfe, No alto de uma falésia rodeado de zonas verdes, ⅟₆, ⛱, ⛱, ⛱, ⛱, ⛱ – |‡| ▤ ▣ ☎ ♿ Ⓟ – 25/230. AE ⓓ E VISA JCB. ⚡
Além-Mar : **Refeiçao** lista aprox. 5000 - ***Portulano*** *(só jantar, fechado 2ª e 3ª feira)* **Refeição** lista 4500 a 7900 – **203 qto** ☐ 45000/50000, 12 suites.

Falésia H. ⛬, Pinhal, ✉ apartado 785, ☎ 50 12 37, Telex 58204, Fax 50 12 70, – |‡| ▤ ▣ ☎ Ⓟ – 25/300. AE E VISA.
Refeição 2900 – **169 qto** ☐ 16350/21400.

ALCABIDECHE Lisboa 440 P 1 – 25 178 h. – ✉ 2765 Estoril – ☎ 01.
♦Lisboa 36 – Cascais 4 – Sintra 12.

Pingo, Rua Conde Barão 1016 ☎ 469 01 37 – ▤. AE ⓓ E VISA.
fechado 3ª feira – **Refeição** lista 2200 a 4200.

em Alcoitão E : 1,3 km – ✉ 2765 Estoril – ☎ 01 :

Recta de Alcoitão, Estrada N 9 ☎ 469 03 98 – ▤. AE ⓓ VISA
fechado 3ª feira – **Refeição** lista 3950 a 6100.

na estrada de Sintra NE : 2 km – ✉ 2765 Estoril – ☎ 01 :

Atlantis Sintra-Estoril, junto ao autódromo ☎ 469 07 20, Telex 16891, Fax 469 07 40, ≤, – |‡| ▤ ▣ ☎ Ⓟ – 25/200 – **187 qto.**

ALCOBAÇA **2460** Leiria 440 N 3 – 5 383 h. alt. 42 – ☎ 062.
Ver : Mosteiro de Santa Maria★★ : igreja★★, (túmulo de D. Inês de Castro★★, túmulo de D. Pedro★★), edificios da abadia★★.
🅸 Praça 25 de Abril ☎ 423 77.
♦Lisboa 110 – Leiria 32 – Santarém 60.

Santa Maria sem rest, Rua Dr. Francisco Zagalo ☎ 59 73 95, Telex 40143, Fax 59 67 15 – |‡| ▣. E VISA.
30 qto ☐ 6000/8500.

pela estrada da Nazaré NO : 3,5 km – ✉ 2460 Alcobaça – ☎ 062 :

Termas da Piedade ⛬, ☎ 420 65, Fax 59 69 71 – |‡| ▣ ☎ Ⓟ. AE ⓓ E VISA.
Refeição 2500 – **63 qto** ☐ 6500/12000.

em Aljubarrota E : 6,5 km – ✉ 2460 Alcobaça – ☎ 062 :

Casa da Padeira sem rest, Estrada N 8 ☎ 50 82 72, Fax 50 82 72, Situado no campo com ≤, – Ⓟ. AE E VISA
12 qto ☐ 10000/13000.

ALCOITÃO Lisboa – ver Alcabideche.

ALFERRAREDE **2200** Santarém 440 275 – ☎ 041.
♦Lisboa 145 – Abrantes 2 – Santarém 79.

Cascata, Rua D ☎ 210 11 – ▤. E VISA.
fechado 2ª feira – **Refeição** lista 2200 a 3000.

ALIJÓ **5070** Vila Real 440 I 7 – 2 829 h. – ☎ 059.
♦Lisboa 411 – Bragança 58 – Vila Real 44 – Viseu 117.

Pousada do Barão de Forrester, ☎ 95 92 15, Telex 26364, Fax 95 93 04, – Ⓟ. AE ⓓ E VISA.
fechado temporalmente para obras – **Refeição** lista aprox. 4100 – **11 qto** ☐ 11500/13500.

ALJEZUR **8670** Faro 440 U 3 – 5 059 h. – ☎ 082.
♦Lisboa 249 – Faro 110.

no Vale da Telha SO : 7,5 km – ✉ 8670 Aljezur – ☎ 082 :

Vale da Telha ⛬ sem rest, ☎ 981 80, Telex 57466, Fax 981 76, – Ⓟ
26 qto.

ALJUBARROTA Leiria – ver Alcobaça.

ALMAÇA Viseu 440 K 5 alt. 100 – ✉ 3450 Mortágua – ☎ 031.
♦Lisboa 235 – ♦Coimbra 35 – Viseu 55.

na estrada N 2 NE : 2 km – ✉ 3450 Mortágua – ☎ 031 :

Vila Nancy, ☎ 92 01 13, – Ⓟ
38 qto.

ALMANCIL 8135 Faro 440 U 5 – 5 945 h. – 089.

Ver : Igreja de S. Lourenço★ (azulejos★★).

18, 9 Club Golf do Vale do Lobo SO : 6 km 941 45 – 18, 9 Campo de Golf da Quinta do Lago 943 29.

♦Lisboa 306 – Faro 12 – Huelva 115 – Lagos 68.

XX **O Tradicional,** Estrada da Fonte Santa, apartado 267, 39 90 93, Fax 59 15 86 – . AE E VISA.
fechado domingo e 19 novembro- 28 dezembro – **Refeição** (sò jantar) lista aprox. 4500.

XX **Les Lauriers,** Estrada N 125 NO : 1,5 km 39 72 11, Fax 39 76 98, – . AE E VISA
fechado 2ª feira e janeiro – **Refeição** (só jantar) lista 3600 a 4100.

XX **Pequeno Mundo,** Pereiras O : 1,5 km 39 98 66, Fax 39 98 67, , « Antiga quinta » – . AE E VISA.
fechado 2ª feira e 13 novembro-17 dezembro – **Refeição** (só jantar) lista aprox. 7500.

XX Golfer's Inn, Rua 25 de Abril 35 39 57 25, Fax 30 27 55, – .
Refeição (só jantar).

X **Dom Gonçalves,** Rua Duarte Pacheco 39 53 41, – . AE E VISA
fechado domingo e do 1 ao 15 de janeiro – **Refeição** lista 1900 a 3300.

pela estrada de Vale do Lobo – 8135 Almancil – 089 :

XXX **Ermitage,** SO : 3 km 39 43 29, Fax 39 43 29, , Bela decoração-Terraço – . AE E VISA.
fechado 2ª feira, do 1 ao 22 de dezembro e 27 junho-6 julho – **Refeição** (só jantar) lista 4100 a 6000.

XXX ✿ **São Gabriel,** SO : 3,5 km 39 45 21, Fax 39 45 21, , « Vila com terraço » – . AE E VISA.
fechado 2ª feira e 9 janeiro-15 fevereiro – **Refeição** (só jantar) lista 4500 a 6000
Espec. Tartare de peixe, Lombinhos de vaca com molho de mostarda, Tartaleta de apricotes com sorvete de frutas.

em Vale do Lobo SO : 6 km – 8135 Almancil – 089 :

Dona Filipa , 39 41 41, Telex 56848, Fax 39 42 88, pinhal, campo de golfe e mar, , climatizada, , , – – 25/110. AE E VISA JCB.
Primavera (só almoço) **Refeição** lista aprox. 5500 - ***Dom Duarte*** *(só jantar)* **Refeição** lista aprox. 7000 - ***Grill San Lorenzo*** *(só jantar, fechado domingo)* **Refeição** lista aprox. 6600 – **141 qto** 31500/43000, 6 suites.

XX **Bistro da Praça,** 39 44 44, Fax 39 46 53 – . AE E VISA.
fechado 15 novembro-20 dezembro – **Refeição** (só jantar) lista aprox. 5950.

X **O Favo,** 39 44 44, Fax 39 46 53, – . AE E VISA.
Refeição lista 2830 a 5300.

na Quinta do Lago S : 8,5 km – 8135 Almancil – 089 :

Quinta do Lago , 39 66 66, Telex 57118, Fax 39 63 93, o Atlântico e ria Formosa, , , climatizada, , , – – 25/200. AE E VISA.
Ca d'Oro *(Cozinha italiana, só jantar, fechado 3ª feira)* **Refeição** lista 4150 a 6450 - ***Navegadores :*** **Refeição** lista 4150 a 6300 – **132 qto** 43000/54500, 9 suites.

XXXX **Casa Velha,** 39 49 83, Fax 59 15 86, , Antiga quinta com bela explanada- Cozinha francesa – . AE E VISA JCB.
fechado domingo e 28 novembro-28 dezembro – **Refeição** (só jantar) lista 5200 a 6400.

ALMEIDA 6350 Guarda 440 J 9 – 071.

♦Lisboa 410 – Ciudad Rodrigo 43 – Guarda 49.

Pousada Senhora das Neves , 542 90, Telex 52713, Fax 543 20, – . AE E VISA.
Refeição 3950 – **21 qto** 14000/16000 – PA 6000.

ALMEIRIM 2080 Santarém 440 O 4 – 043.

♦Lisboa 88 – Santarém 7 – Setúbal 116.

X Aquárius, Rua António Sérgio 4 C 51 444 – .

ALMOUROL (Castelo de) Santarém 440 N 4.

Ver : Castelo★★ (sítio★★, ★).

Hotéis e restaurantes ver : Abrantes E : 18 km.

ALTE Faro 440 U 5 – 8100 Loulé – 089.

♦Lisboa 314 – Albufeira 27 – Faro 46 – Lagos 63.

Alte H. , Montinho NE : 1 km 685 23, Fax 686 46, , , – – 25/150. AE E VISA. rest
Refeição 1800 – **24 qto** 6000/10000, 2 suites – PA 3600.

ALTO DO BEXIGA Santarém – ver Santarém.

ALTURA Faro 𝟦𝟦𝟢 U 7 – ⊠ 8950 Castro Marim – 𝟪 081 – Praia.
◆Lisboa 352 – Ayamonte 6,5 – Faro 47.

  🏠 Azul Praia sem rest, Sítio da Alagôa S : 1 km 𝒫 95 68 71, Fax 95 68 87 – |≋| ▦ ☎ 𝐏
    27 qto.

  ✗ **A Chaminé,** Sítio da Alagôa S : 1 km 𝒫 95 65 61, 🏤 – ▦. 𝐀𝐄 𝐄 𝘝𝘐𝘚𝘈. ✀
    fechado 3ª feira – Refeição lista aprox. 3350.

ALVITO 7920 Beja 𝟦𝟦𝟢 R 6 – 1 403 h. – 𝟪 084.
◆ Lisboa 161 – Beja 39 – Grândola 73.

  🏯 **Pousada Castelo de Alvito** ⟋, Largo do Castelo 𝒫 483 43, Fax 483 83, « Antigo castelo.
    Belo jardim con ⟍ » – |≋| ▦ 📺 ☎. 𝐀𝐄 𝟘 𝐄 𝘝𝘐𝘚𝘈. ✀
    Refeição lista 3700 a 4800 – **20 qto** ⌑ 24000/27000.

AMARANTE 4600 Porto 𝟦𝟦𝟢 I 5 – 4 757 h. alt. 100 – 𝟪 055.
Ver : Local★, Igreja do convento de S. Gonçalo (órgão★) – Igreja de S. Pedro (tecto★).
Arred. : Travanca : Igreja (capitéis★) NO : 18 km por N 15, Estrada★ de Amarante a Vila Real ≼★,
Picão de Marão★★.
🄴 Rua Cândido dos Reis 𝒫 42 29 80.
◆Lisboa 372 – ◆Porto 64 – Vila Real 49.

  🏨 **Navarras** sem rest, Rua António Carneiro 𝒫 43 10 36, Telex 28270, Fax 43 29 91, ⬛ – |≋|
    📺 – 🄰 25/150. 𝐀𝐄 𝟘 𝐄 𝘝𝘐𝘚𝘈. ✀
    61 qto ⌑ 9000/11000.

  🏨 **Amaranto,** Madalena - Estrada N 15 𝒫 42 21 06, Telex 29938, Fax 42 59 49, ≼, 🏤 – |≋|
    ▦ 📺 𝐏. 𝐀𝐄 𝟘 𝐄 𝘝𝘐𝘚𝘈 𝐉𝐂𝐁
    Refeição lista aprox. 2680 – **35 qto** ⌑ 7500/8700.

  ✗✗✗ **Zé da Calçada** com qto, Rua 31 de Janeiro 𝒫 42 20 23, ≼, 🏤, « Decoração rústica e
    agradavel terraço » – 📺. ✀
    Refeição lista aprox. 3800 – **7 qto** ⌑ 7500.

    na estrada N 15 SE : 19,5 km – ⊠ 4600 Amarante – 𝟪 055 :

  ✗✗ **Pousada de S. Gonçalo** com qto, Serra do Marão, alt. 885 𝒫 46 11 23, Telex 26321,
    Fax 46 13 53, ≼ Serra do Marão – ▦ rest 𝐏. 𝐀𝐄 𝟘 𝐄 𝘝𝘐𝘚𝘈. ✀
    Refeição lista aprox. 3500 – **15 qto** ⌑ 11500/13500.

APÚLIA Braga – ver Fão.

ARCOS DE VALDEVEZ 4970 Viana do Castelo 𝟦𝟦𝟢 G 4 – 𝟪 058.
🄴 Av. Marginal 𝒫 660 01.
◆Lisboa 416 – Braga 36 – Viana do Castelo 45.

  🏠 Tavares sem rest, Rua M. J. Cunha Brito, 1° 𝒫 662 53 – **16 qto.**

AREIAS DE PORCHES Faro – ver Armação de Pêra.

AREIAS DE SÃO JOÃO Faro – ver Albufeira.

ARGANIL 3300 Coimbra 𝟦𝟦𝟢 L 5 alt. 115 – 𝟪 035.
🄴 Praça Simões Dias 𝒫 228 59.
◆Lisboa 260 – ◆Coimbra 60 – Viseu 80.

  🏨 **De Arganil** sem rest, Av. das Forças Armadas 𝒫 259 59, Fax 251 23 – |≋| 📺 ☎ – 🄰 25/150.
    𝐀𝐄 𝟘 𝐄 𝘝𝘐𝘚𝘈. ✀
    34 qto ⌑ 7500/10000.

ARMAÇÃO DE PÊRA 8365 Faro 𝟦𝟦𝟢 U 4 – 2 894 h. – 𝟪 082 – Praia.
Ver : passeio de barco★★ : grutas marinhas★★.
🄴 Av. Marginal 𝒫 31 21 45.
◆Lisboa 315 – Faro 47 – Lagos 41.

  🏨 Garbe, Av. Marginal 𝒫 31 51 87, Telex 58590, Fax 31 50 87, ≼, 🏤, ⟍ climatizada – |≋| ▦
    📺 ☎ 𝐏
    152 qto.

  🏨 Algar sem rest., Av. Beira Mar 𝒫 31 47 32, Telex 58715, Fax 31 47 33, ≼ – |≋| ▦ 📺 ☎ 🚐.
    𝐀𝐄 𝐄 𝘝𝘐𝘚𝘈. ✀
    ⌑ 1000 – **47 apartamentos.**

  ✗ **Santola,** Largo da Fortaleza 𝒫 31 23 32, Fax 31 36 51, ≼, 🏤 – 𝐄 𝘝𝘐𝘚𝘈 𝐉𝐂𝐁. ✀
    Refeição lista aprox. 4600.

ao Oeste :

Vila Vita Parc, Alporchinhos, 2 km ☎ 31 53 10, Fax 31 53 33, ←, Serviços de terapéutica, « Conjunto em bela harmonia rodeado de jardims junto ao mar », ... - 25/500. AE ① E VISA.
Refeição 7500 - ***Aladin Grill** (só jantar)* **Refeição** lista 6650 a 8750 - **91 qto** 41000/52000, 67 suites - PA 12000.

XXX Vilalara, Praia das Gaivotas, 2,5 km ☎ 31 49 10, Telex 57460, Fax 31 49 56, ←, « Situado num complexo de luxo rodeado de magníficos jardims floridos » - ⓟ.

na Praia da Senhora da Rocha O : 3 km - ✉ 8365 Armação de Pêra - ☎ 082 :

Viking, ☎ 31 48 76, Telex 57492, Fax 31 48 52, ←, ... - 25/120. AE ① E VISA.
Refeição 3900 - **184 qto** 18000/28800.

em Areias de Porches NO : 4 km - ✉ 8400 Lagoa - ☎ 082 :

Albergaria D. Manuel, ☎ 31 38 03, Fax 31 32 66, - ☎ ⓟ. AE ① E VISA.
Refeição *(fechado 3ª feira e novembro-janeiro)* 1900 - **43 qto** 7400/11500.

Per i grandi viaggi d'affari o di turismo,
Guida MICHELIN rossa : main cities EUROPE.

AVEIRO 3800 P 440 K 4 - 29 646 h. - ☎ 034.

Ver : Bairro dos canais★ (canal Central, canal de São Roque) Y - Antigo Convento de Jesus★ : igreja★ (capela-mor★★, túmulo da princesa Santa Joana★), Museu★ (retrato da princesa Santa Joana★) Z.

Arred. : Ria de Aveiro★ (passeios de barco★).

☎ 244 85.

Rua João Mendonça 8 ☎ 236 80 - A.C.P. Av. Dr Lourenço Peixinho 89 - D ☎ 225 71, Fax 252 20.

♦Lisboa 252 ③ - ♦Coimbra 56 ③ - ♦Porto 70 ② - Vila Real 170 ② - Viseu 96 ②.

Plano página seguinte

Imperial, Rua Dr Nascimento Leitão ☎ 221 41, Telex 37594, Fax 241 48 - ☎ - 25/250. AE ① E VISA JCB. rest — Z u
Refeição 2150 - **103 qto** 9500/12200, 4 suites - PA 4300.

Afonso V, Rua Dr Manuel das Neves 65 ☎ 251 91, Telex 37434, Fax 38 11 11 - ☎ - 25/450. E VISA — Z b
Refeição (ver rest. ***A Cozinha do Rei***) - **76 qto** 10450/13500, 4 suites.

Paloma Blanca sem rest, Rua Luís Gomes de Carvalho 23 ☎ 38 19 92, Telex 37353, Fax 38 18 44 - ☎ ⓟ. AE ① E VISA. — X d
49 qto 9300/12500, 1 suite.

Jardim Afonso V, Praceta D. Afonso V ☎ 265 42, Telex 37904, Fax 241 33 - ☎ - 25/40. E VISA — Z b
Refeição (ver rest. ***A Cozinha do Rei***) - **24 qto** 10100/13500, 16 apartamentos.

Arcada sem rest, Rua Viana do Castelo 4 ☎ 230 01, Fax 218 86 - ☎. AE ① E VISA JCB — Y e
43 qto 7500/9500, 6 suites.

Do Alboi sem rest, Rua da Arrochela 6 ☎ 251 21, Fax 220 63 - ☎. E VISA — Z s
22 qto 6800/10000.

XX **A Cozinha do Rei,** Rua Dr. Manuel das Neves 66 ☎ 268 02, Fax 288 20 - . AE VISA. — Z b
Refeição lista aprox. 3500.

XX **Salpoente,** Rua Canal São Roque 83 ☎ 38 26 74, Antigo armazem de sal - . E VISA. — X b
fechado domingo e 1ª semana de novembro - **Refeição** lista 1850 a 3500.

X **Centenário,** Praça do Mercado 9 ☎ 227 98, - . E VISA — Y r
fechado 3ª feira e fevereiro - **Refeição** lista 2350 a 3100.

X Alexandre 2, Rua Cais do Alboi 14 ☎ 204 94, Grelhados - — Z a

X **Alho Porro,** Rua da Arrochea 23 ☎ 202 85 - ① E VISA. — Z a
fechado domingo - **Refeição** lista 2250 a 4100.

X **O Moliceiro,** Largo do Rossio 6 ☎ 208 58 - E VISA. — Y s
fechado 5ª feira e outubro - **Refeição** lista 1780 a 3330.

em Cacia por ① : 7 km - ✉ 3800 Aveiro - ☎ 034 :

João Padeiro, Rua da República ☎ 91 13 26, Fax 91 27 51, « Elegante decoração » - ☎ ⓟ. AE ① E VISA JCB. rest
Refeição lista aprox. 3000 - **27 qto** 5100/8100.

na Praia da Barra por N 109-7 : 8km - ✉ Gafanha da Encarnação 3830 Ilhavo - ☎ 034 :

Barra, Av. Fernandes Lavrador 18 ☎ 36 91 56, Fax 36 00 07, - rest ☎. AE ① E VISA JCB.
Refeição 2500 - **64 qto** 11000/13500 - PA 5000.

AVEIRO

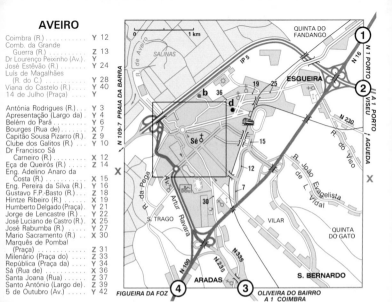

Coimbra (R.)	Y	12
Comb. da Grande Guerra (R.)	Z	13
Dr Lourenço Peixinho (Av.)	Y	
José Estêvão (R.)	Y	24
Luís de Magalhães (R. do C.)	Y	28
Viana do Castelo (R.)	Y	40
14 de Julho (Praça)	Y	
Antónia Rodrigues (R.)	Y	3
Apresentação (Largo da)	Y	4
Belém do Pará	Y	6
Bourges (Rua de)	X	7
Capitão Sousa Pizarro (R.)	Z	9
Clube dos Galitos (R.)	Y	10
Dr Francisco Sá Carneiro (R.)	X	12
Eça de Queirós (R.)	Z	14
Eng. Adelino Anaro da Costa (R.)	X	15
Eng. Pereira da Silva (R.)	Y	16
Gustavo F.P.-Basto (R.)	Z	18
Hintze Ribeiro (R.)	X	19
Humberto Delgado (Praça)	Y	21
Jorge de Lencastre (R.)	Y	22
José Luciano de Castro (R.)	X	25
José Rabumba (R.)	Y	27
Mario Sacramento (R.)	X	30
Marquês de Pombal (Praça)	Z	31
Milenário (Praça do)	Z	33
República (Praça da)	Y	34
Sá (Rua de)	X	36
Santa Joana (Rua)	Z	37
Santo António (Largo de)	Z	39
5 de Outubro (Av.)	Y	42

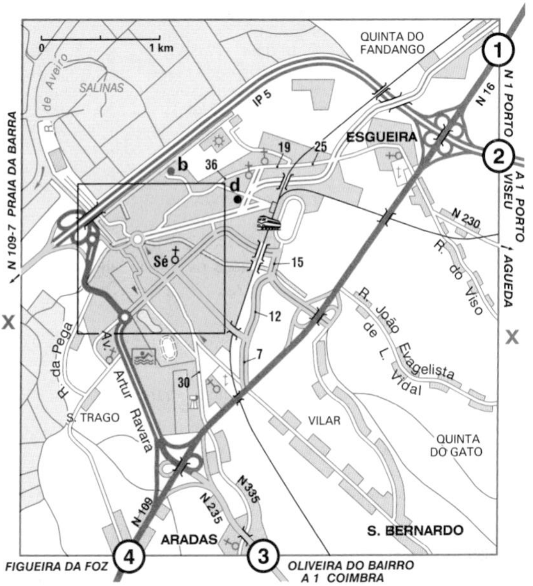

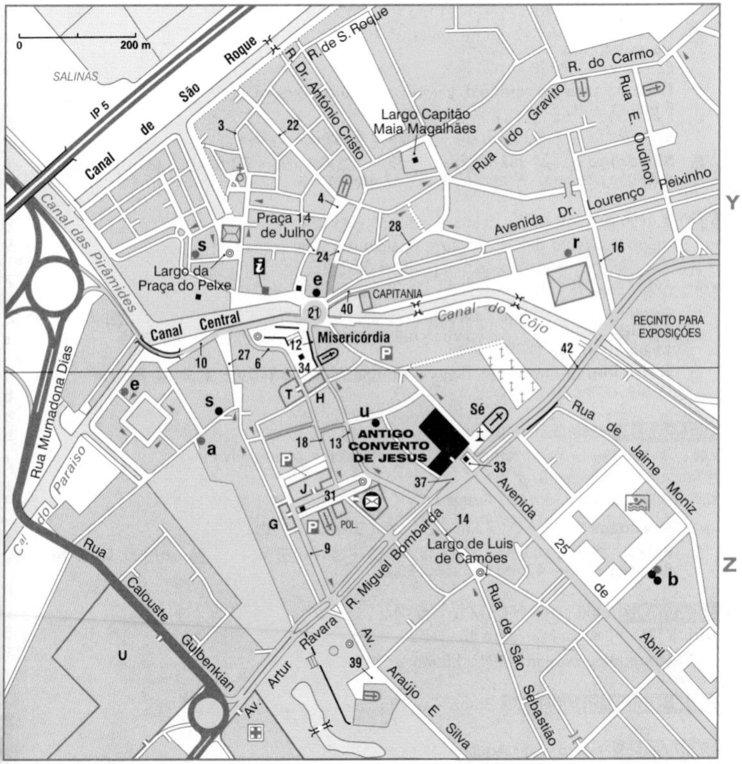

pela estrada de Cantanhede N 335 por ③ : 8 km - ✉ 3800 Aveiro - ☎ 034 :

João Capela , Quinta do Picado (saída pela Rua Dr. Mario Sacramento) ☎ 94 14 50, Fax 94 15 97, ⛱, ✗ - TV ☎ P. ✗
Refeição lista 1950 a 2800 - **30 qto** ☐ 4000/5000.

AZOIA Lisboa - ver Colares.

AZURARA Porto - ver Vila do Conde.

BARCELOS **4750** Braga 440 H 4 - 4 031 h. alt. 39 - ☎ 053.
Ver : Interior★ da Igreja Matriz, Igreja de Nossa Senhora do Terço★, (azulejos★).
ℹ Largo da Porta Nova ☎ 81 18 82.
♦Lisboa 366 - Braga 18 - ♦Porto 48.

Albergaria Condes de Barcelos sem rest, Av. Alcaides de Faria ☎ 81 10 61, Telex 32532 - |☰| -
30 qto.

Dom Nuno sem rest, Av. D. Nuno Álvares Pereira ☎ 81 50 84 - |☰|
27 qto.

BATALHA **2440** Leiria 440 N 3 - 7 683 h. alt. 71 - ☎ 044.
Ver : Mosteiro★★★ : Claustro Real★★★, igreja★★ (vitrais★, capela do Fundador★), Sala do Capítulo★★ (abóbada★★★, vitral★), Capelas imperfeitas★★ (portal★★) - Lavabo dos Monges★, Claustro de D. Afonso V★.
ℹ Largo Paulo VI ☎ 961 80.
♦Lisboa 120 - ♦Coimbra 82 - Leiria 11.

Pousada do Mestre Afonso Domingues, ☎ 962 60, Fax 962 47 - ▤ TV ☎ P. AE ⓓ E VISA. ✗ rest
Refeição lista aprox. 3150 - **21 qto** ☐ 17000/19000.

Batalha sem rest, Largo da Igreja ☎ 76 75 00, Fax 76 74 67 - ▤ TV ☎ P - 25. AE ⓓ E VISA JCB
22 qto ☐ 7000/9000.

Casa do Outeiro sem rest, Largo Carvalho do Outeiro 4 ☎ 968 06, ←, ⛱ - TV P
6 qto ☐ 7000.

na estrada N 1 SO : 1,7 km - ✉ 2440 Batalha - ☎ 044 :

São Jorge , ☎ 962 10, Fax 963 13, ←, ⛱, , ✗ - TV ☎ P - 25/90. E VISA. ✗
Refeição *(fechado 3ª feira)* 2000 - **47 qto** ☐ 6500/8000, 10 apartamentos - PA 3800.

BEJA **7800** P 440 R 6 - 19 968 h. alt. 277 - ☎ 084.
Ver : Antigo Convento da Conceição★, Castelo (torre de menagem★).
ℹ Rua Capitão João Francisco de Sousa 25 ☎ 236 93.
♦Lisboa 194 - Évora 78 - Faro 186 - Huelva 177 - Santarém 182 - Setúbal 143 - ♦Sevilla 223.

Cristina sem rest, Rua da Mértola 71 ☎ 32 30 35, Fax 32 98 74 - |☰| ▤ TV ☎. AE ⓓ E VISA JCB. ✗
☐ 450 - **31 qto** 6500/8250.

Santa Bárbara sem rest, Rua da Mértola 56 ☎ 32 20 28 - |☰| ☎. E VISA. ✗
26 qto ☐ 5000/7000.

BELMONTE **6250** Castelo Branco 440 K 7 - ☎ 075.
Ver : Castelo (※★)- Torre romana de Centum Cellas★ 4 km ao Norte.
ℹ Praça da República 18, ☎ 91 14 88.
♦Lisboa 338 - Castelo Branco 82 - Guarda 20.

na estrada N 18 NO : 3 km - ✉ 6250 Belmonte - ☎ 075 :

Belsol, ☎ 91 22 06, Fax 91 23 15, ←, ⛱ - |☰| ▤ TV ☎ P - 25/300. AE E VISA. ✗
Refeição 2000 - **43 qto** ☐ 5500/8000.

BOAVISTA **2400** Leiria 440 M 3 - ☎ 044.
♦Lisboa 136 - ♦Coimbra 64 - Fátima 52 - Leiria 7.

Morgatões, Estrada N I N : 1,5 km ☎ 911 02 - P.

BOM JESUS DO MONTE Braga - ver Braga.

BORRALHA Aveiro - ver Águeda.

BOTICAS 5460 Vila Real 440 G 7 – 852 h. alt. 490 – ☎ 076 – Termas.
♦Lisboa 471 – Vila Real 62.

em Carvalhelhos O : 9 km – ✉ 5460 Boticas – ☎ 076 :

Estal. de Carvalhelhos, ☎ 421 16, Telex 20527, Num quadro de verdura, – TV P
20 qto.

BRAGA 4700 P 440 H 4 – 64 113 h. alt. 190 – ☎ 053.

Ver : Sé Catedral★ : estátua da Senhora do Leite★, interior★, (abóbada★, altar flamejante★, caixas de órgãos★) – Tesouro★, capela da Glória (túmulo★) - Capela dos Coimbras (esculturais★) **B.**

Arred. : Santuário de Bom Jesus do Monte★★ (perpectiva★) 6 km por ① – Capela de São Fructuoso de Montélios★ 3,5 km por ⑥ -Monte Sameiro★ (✳★★) 9 km por ①.

Excurs. : NE : Cávado (Vale superior do)★ 171 km por ①.

Av. da Liberdade 1 ☎ 225 50 – **A.C.P.** Av. Conde D. Henrique 72, ☎ 270 51, Fax 61 10 26.

♦Lisboa 368 ③ – Bragança 223 ⑤ – Pontevedra 122 ① – ♦Porto 54 304 – ♦Vigo 103 ⑤.

BRAGA

Capelistas (R. dos) . . . . A 7	Abade Loureira (Rua) . . . . . A 3	Dom Gonç. Pereira (Rua) . . B 18
Dom Diogo de Sousa (Rua) . . . . AB 16	Biscainhos (Rua dos) . . . . . A 4	Dom Paio Mendes (Rua) . . B 19
Franc. Sanches (Rua) . . . . . B 22	Caetano Brandão (Rua) . . . B 6	Dr Gonçalo Sampaio (Rua). B 21
São Marcos (Rua). . . . . AB 28	Carmo (Rua do) . . . . A 9	General Norton de Matos (Av.). A 24
Souto (Rua do) . . . . AB 33	Central (Avenida) . . . . A 10	Nespereira (Avenida) . . . . . A 25
	Chãos (Rua dos) . . . . A 12	São João do Souto (Praça). B 27
	Conde de Agrolongo (Praça). A 13	São Martinho (Rua de). . . . A 30
	Dom Afonso Henriques (Rua). B 15	São Tiago (Largo de) . . . . . B 31

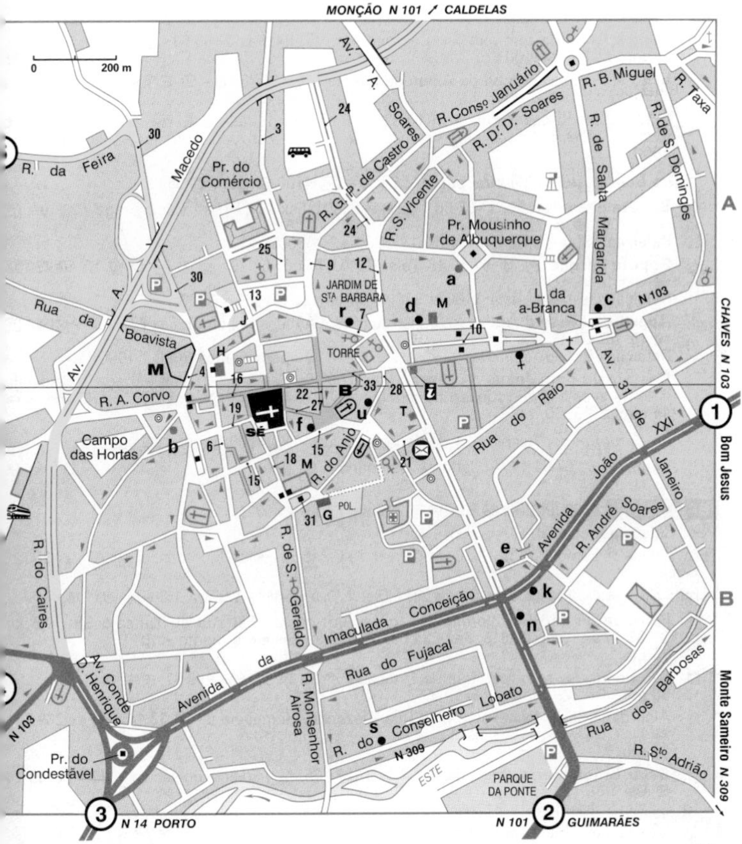

Turismo, Praceta João XXI 61 22 00, Telex 32136, Fax 61 22 11, - 25/300. AE VISA. B e
Refeição 3400 - **132 qto** 8900/11100 - PA 6800.

Albergaria Senhora-a-Branca sem rest, Largo da Senhora-a-Branca 58 299 38, Fax 299 37 - AE VISA. A c
20 qto 7000/9000.

Resthotel Braga, Rua Cidade do Porto 67 38 65, Fax 67 38 72 - 25/50 AE VISA por ④
Refeição 2230 - **72 qto** 8250/9250 - PA 4400.

D. Sofia sem rest, Largo S. João do Souto 131 231 60, Fax 61 12 45 - VISA B
34 qto 9000/13000.

Dom Vilas sem rest, Rua Conselheiro Lobato 434 61 68 18, Fax 61 68 19 - AE VISA. B s
32 qto 6950/8900.

Carandá sem rest, Av. da Liberdade 96 61 45 00, Telex 32293, Fax 61 45 50 - AE VISA. B n
100 qto 6500/9500.

João XXI, Av. João XXI - 849 61 66 30, Telex 20309, Fax 61 66 31 - AE VISA JCB B k
Refeição 2850 - **28 qto** 8500/10000.

São Marcos sem rest, Rua de São Marcos 80 771 77, Fax 771 77 - VISA B u
13 qto 8800.

Dos Terceiros sem rest, Rua dos Capelistas 85 704 66, Telex 33228, Fax 757 67 - AE VISA. A
21 qto 7500/8500.

Centro Avenida sem rest, Av. Central 27 757 34, Fax 61 63 63 - AE VISA.
20 qto 7500/8500. A c

Brito's, Praça Mouzinho de Alburquerque 49 A 61 75 76 - AE VISA. A a
fechado 4ª feira e do 1 ao 15 de setembro - **Refeição** lista 2350 a 2950.

Inácio, Campo das Hortas 4 61 32 25, Rest. típico - AE VISA. B b
fechado 3ª feira, 15 dias em Semana Santa e 15 dias em setembro - **Refeição** lista aprox. 4500.

no Bom Jesus do Monte por ② : 6 km - 4700 Braga - 053 :

Sopete Elevador, 67 66 11, Telex 33401, Fax 67 66 79, vale e Braga - rest AE VISA.
Refeição 2500 - **24 qto** 10500/12500 - PA 5000.

Sopete Parque, 67 65 48, Telex 33401, Fax 67 66 79 - AE VISA
Refeição (só jantar) lista 3100 a 3400 - **45 qto** 11500/13500.

Aparthotel Mãe d'Água, Lugar da Mãe d'Água 67 65 81, Fax 67 67 64 - AE VISA.
Refeição *(fechado 2ª feira)* 1750 - 750 - **30 apartamentos** 8000/11000.

Castelo do Bom Jesus sem rest, 67 65 66, Fax 67 76 91, vale e Braga, « Belo palacete do século XVIII rodeado de jardims », - 25/120. VISA.
13 qto 13000/14000.

no Sameiro por Avenida 31 de Janeiro : 9 km - 4700 Braga - 053 :

Sameiro, 67 51 14, Ao lado do Santuário - .

BRAGANÇA 5300 P 440 G 9 - 14 662 h. alt. 660 - 073.

Ver : Cidadela medieval*.

Av. Cidade de Zamora 38 12 73 - A.C.P. Av. Sá Carneiro, edifício Montezinho, loja A-K, 250 70 Fax 250 71.

Lisboa 521 - Ciudad Rodrigo 221 - Guarda 206 - Orense/Ourense 189 - Vila Real 140 - Zamora 114.

Pousada de São Bartolomeu (obras em curso), Estrada de Turismo SE : 0,5 km 33 14 93, Telex 22613, Fax 234 53, cidade, castelo e monte -
16 qto.

São Roque sem rest, Rua da Estacada 38 14 81, Fax 269 37, -
36 qto.

Albergaria Santa Isabel sem rest, Rua Alexandre Herculano 67 33 14 27, Fax 269 37
14 qto.

Solar Bragançano, Praça da Sé 34-1º 238 75, , Edifício do século XVIII - . AE VISA JCB.
Refeição lista 1740 a 3120.

Lá em Casa, Marquês de Pombal 7 221 11 - .

na estrada de Chaves N 103 O : 1,7 km – ✉ 5300 Bragança – ☏ 073 :

⌂ Nordeste Shalom sem rest, Av. Abade de Baçal ℘ 33 16 67, Fax 33 16 28 – |♦| [TV] ☎ 🚗
30 qto.

BUARCOS Coimbra – ver Figueira da Foz.

BUÇACO Aveiro 440 K 4 alt. 545 – ✉ 3050 Mealhada – ☏ 031.
Ver : Mata★★ : Cruz Alta ✻★★, Via Sacra★, Obelisco ≤★.
🅘 Posto de Turismo Luso ℘ 931 33.
♦Lisboa 233 – Aveiro 47 – ♦Coimbra 31 – ♦Porto 109.

⌂⌂⌂⌂⌂ **Palace H. do Buçaco** 🐦, Floresta do Buçaco, alt. 380 ℘ 93 01 01, Telex 53049, Fax 93 05 09, ≤, 🌳, « Luxuosas instalações num imponente palácio de estilo manuelino no centro de una magnífica floresta », 🌳, 🎾 – |♦| [TV] ☎ 🚗 P. [AE] ⓞ E VISA. ✗ rest
Refeição 6000 – **62 qto** ☐ 28000/32000 – PA 11000.

BUCELAS Lisboa 440 P 2 – 5 097 h. alt. 100 – ✉ 2670 Loures – ☏ 01.
♦Lisboa 24 – Santarém 62 – Sintra 40.

✗ **Barrete Saloio,** Rua Luís de Camões 28 ℘ 969 40 04, Decoração regional – E VISA. ✗
fechado 3ª feira (salvo feriados) e agosto – **Refeição** lista 2650 a 4450.

BUDENS 8650 Faro 440 U 3 – 1 709 h. – ☏ 082.

na Praia da Salema S : 4 km – ✉ 8650 Vila do Bispo – ☏ 082 :

⌂⌂ **Salema** sem rest, Rua 28 de Janeiro ℘ 653 28, Fax 653 29, ≤ – |♦| ▤ ☎. [AE] E VISA. ✗
março-outubro – **32 qto** ☐ 10000/11000.

⌂ **Estal. Infante do Mar** 🐦, ℘ 651 37, Telex 57451, Fax 650 57, ≤ mar, 🏊 – P. ⓞ E VISA. ✗ rest
março-outubro – **Refeição** 1600 – **30 qto** ☐ 10300/11000 – PA 3200.

CACIA Aveiro – ver Aveiro.

CALDAS DA FELGUEIRA Viseu 440 K 6 – 2 204 h. alt. 200 – ✉ 3525 Canas de Senhorim – ☏ 032 – Termas.
🅘 Em Nelas : Largo Dr. Veiga Simão ℘ 943 48.
♦Lisboa 284 – ♦Coimbra 82 – Viseu 40.

⌂⌂⌂ Gran Hotel 🐦, ℘ 94 90 99, Telex 52677, Fax 94 94 87, 🏊, 🌳 – |♦| [TV] ☎ P
86 qto.

CALDAS DA RAINHA 2500 Leiria 440 N 2 – 19 128 h. alt. 50 – ☏ 062 – Termas.
Ver : Grande Parque das Termas★, Igreja de N. S. do Pópulo (tríptico★).
🅘 Praça da República ℘ 345 11.
♦Lisboa 92 – Leiria 59 – Nazaré 29.

⌂⌂⌂ **Caldas Internacional H.,** Rua Dr. Figueirõa Rego 45 ℘ 83 23 07, Fax 84 44 82, 🏊 – |♦| ▤ [TV] ☎ ♿ P – 🧑‍🏫 25/180. [AE] ⓞ E VISA JCB. ✗
Refeição 2200 – **83 qto** ☐ 7200/10400 – PA 4400.

⌂⌂⌂ **Malhoa,** Rua António Sérgio 31 ℘ 84 21 80, Telex 44258, Fax 84 26 21, 🏊 – |♦| ▤ [TV] ☎ 🚗 – 🧑‍🏫 25/500. [AE] VISA. ✗
Refeição *(fechado domingo)* 2000 – **113 qto** ☐ 7500/10000.

⌂⌂ **Dona Leonor** sem rest, Hemiciclo João Paulo II 6 ℘ 84 21 71, Fax 84 21 72 – |♦| [TV] ☎ P – 🧑‍🏫 25/50. [AE] ⓞ E VISA JCB. ✗
30 qto ☐ 5000/7000.

⌂ **Europeia** sem rest, Centro Comercial Rua das Montras ℘ 347 92, Fax 83 15 09 – |♦| [TV] ☎. [AE] ⓞ E VISA. ✗
52 qto ☐ 5000/7500.

⌂ **Berquó** sem rest, Rua do Funchal 17 ℘ 343 03 – [AE] ⓞ E VISA
21 qto ☐ 2500/5000.

CALDAS DE MONCHIQUE Faro – ver Monchique.

CALDAS DE VIZELA 4815 Braga 440 H 5 – 2 234 h. alt. 150 – ☏ 053 – Termas.
🅘 Rua Dr Alfredo Pinto ℘ 482 68.
♦Lisboa 358 – Braga 33 – ♦Porto 40.

⌂⌂ **Sul Americano,** Rua Dr. Abílio Torres ℘ 48 12 37, Fax 48 27 73 – |♦| [TV] P. E VISA. ✗
Refeição 2000 – **64 qto** ☐ 7000/9000.

CALDELAS Braga 440 G 4 - 1 120 h. alt. 150 - ✉ 4720 Amares - ☎ 053 - Termas.
Av. Afonso Manuel ✆ 361 24 - ♦Lisboa 385 - Braga 17 - ♦Porto 67.

Grande H. da Bela Vista ⛰, ✆ 36 15 02, Fax 36 11 36, « Amplo terraço com árvores e < », ⛱, 🌳, 🎾 - |‡| 🚗 P. AE ⓞ E VISA. ✂
maio-15 outubro - **Refeição** 3000 - **70 qto** ☕ 9500/19000.

De Paços ⛰, Av. Afonso Manuel ✆ 36 11 01 - P. VISA. ✂
15 maio-outubro - **Refeição** 2500 - **50 qto** ☕ 4000/6000 - PA 5000.

Universal ⛰, Av. Afonso Manuel ✆ 36 12 36, Fax 36 12 45 - ☎. AE ⓞ E VISA. ✂
Refeição 2500 - **22 qto** ☕ 5800/8500 - PA 5000.

Corredoura ⛰, Av. Afonso Manuel ✆ 36 14 10 - ☎ P
temp - **30 qto.**

Nascimento ⛰, Lugar do Pereiro ✆ 36 11 27 - P. ✂ rest
15 maio-septembro - **Refeição** 2000 - **28 qto** ☕ 4000/6000 - PA 4000.

CAMINHA 4910 Viana do Castelo 440 G 3 - 1 870 h. - ☎ 058.
Ver : Igreja Matriz (tecto★) - Rua Ricardo Joaquim de Sousa ✆ 92 19 52.
♦Lisboa 411 - ♦Porto 93 - ♦Vigo 60.

Galo d'Ouro sem rest, Rua da Corredoura 15 - 1º ✆ 92 11 60 - **12 qto.**

XX **O Barão,** Rua Barão de São Roque 33 ✆ 72 11 30 - ▤. ⓞ VISA. ✂
fechado 2ª feira noite, 3ª feira e 15 dezembro-15 janeiro - **Refeição** lista 2100 a 3050.

em Seixas NE : 2,5 km - ✉ 4910 Viana de Castelo - ☎ 058 :

São Pedro ⛰, ✆ 92 14 75, Telex 33337, Fax 92 14 75, ⛱, 🌳 - P. E VISA. ✂
Refeição *(julho-setembro)* 1500 - **34 qto** ☕ 6000/8500.

CAMPO MAIOR 7370 Portalegre 440 O 8 - 6 940 h. - ☎ 068.
♦Lisboa 244 - ♦Badajoz 16 - Évora 105 - Portalegre 50.

Albergaria Progresso, Av. Combatentes da Grande Guerra ✆ 68 89 33, Fax 68 81 09 - |‡| ▤ TV ☎ P. AE ⓞ E VISA. ✂
Refeição *(fechado 2ª feira)* 1950 - **24 qto** ☕ 5500/6000 - PA 3900.

CANIÇADA Braga - ver Vieira do Minho.

CANIÇO Madeira - ver Madeira (Arquipélago da).

CANTANHEDE 3060 Coimbra 440 K 4 - 748 h. - ☎ 031.
Arred. : Varziela : retábulo★ NE : 4 km.
♦ Lisboa 222 - Aveiro 42 - ♦ Coimbra 23 - ♦ Porto 112.

XX **Marquês de Marialva,** Largo do Romal ✆ 42 00 10, Fax 42 91 83 - AE ⓞ E VISA. ✂
Refeição lista 2700 a 3400.

CARAMULO 3475 Viseu 440 K 5 - 1 546 h. alt. 800 - ☎ 032.
Ver : Museu de Caramulo★ (Exposição de automóveis★).
Arred. : Caramulinho★★ (miradouro) SO : 4 km - Pinoucas★ : ✳ NO : 3 km.
Estrada Principal do Caramulo ✆ 86 14 37.
♦Lisboa 280 - ♦Coimbra 78 - Viseu 38.

na estrada N 230 E : 1,5 km - ✉ 3475 Caramulo - ☎ 032 :

XX Pousada de São Jerónimo ⛰ com qto (fechado temporalmente para obras), ✆ 86 12 91, Telex 53512, Fax 86 16 40, < vale e Serra da Estrela, « Jardim », ⛱ - ▤ rest P.

CARCAVELOS Lisboa 440 P 1 - 12 717 h. - ✉ 2775 Parede - ☎ 01 - Praia.
♦Lisboa 21 - Sintra 15.

na praia :

Praia-Mar, Rua do Gurué 16 A ✆ 457 31 31, Telex 42283, Fax 457 31 30, < mar, ⛱ - |‡| ▤ rest TV ☎ P - 🎪 25/170 - **153 qto**, 5 suites.

XX **A Pastorinha,** Avenida Marginal ✆ 457 18 92, Fax 458 05 32, <, 🏖, Peixes e mariscos - ▤ P. AE E VISA JCB. ✂
fechado 3ª feira - **Refeição** lista 3350 a 4800.

CARVALHAL Viseu 440 J 6 - ✉ 3600 Castro Daire - ☎ 032 - Termas.
♦Lisboa 331 - Aveiro 114 - Viseu 30 - Vila Real 76.

Montemuro ⛰, nas Termas ✆ 311 54, Fax 311 12, < - |‡| ▤ TV ☎ P - 🎪 25/300. AE ⓞ VISA. ✂
Refeição 1500 - **78 qto** ☕ 6000/8000, 2 suites - PA 3000.

CARVALHELHOS Vila Real - ver Boticas.

CARVALHOS **4415** Porto 440 I 4 – ✆ 02.

◆Lisboa 310 – Amarante 72 – Braga 62 – ◆Porto 8.

XX Mario Luso, Largo França Borges 308 ✆ 782 21 11 – ▤.

CASCAIS **2750** Lisboa 440 P 1 – 29 882 h. – ✆ 01 – Praia.

Arred. : SO : Boca do Inferno★ (precipício★) AY – Praia do Guincho★ por ③ : 9 km.

18 da Quinta da Marinha O : 3 km ✆ 486 98 81.

Alameda Combatentes da Grande Guerra 25 ✆ 486 82 04.

◆Lisboa 30 ② – Setúbal 72 ② – Sintra 16 ④.

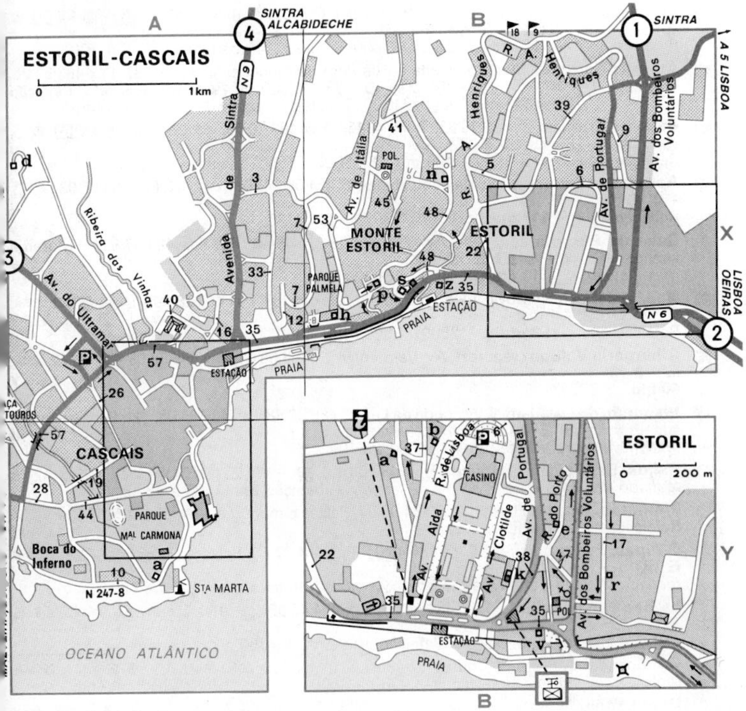

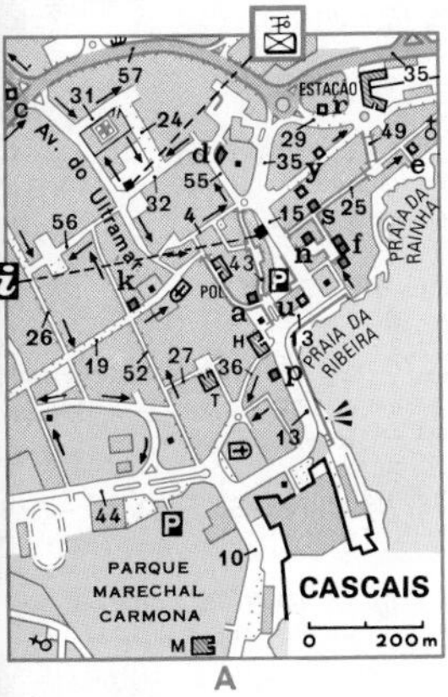

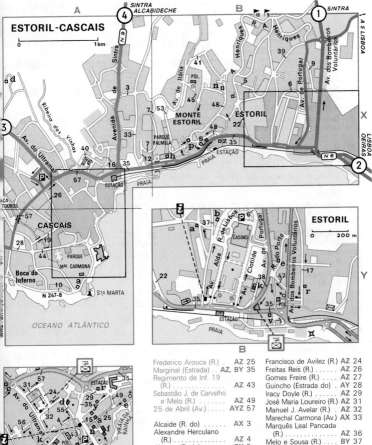

Frederico Arouca (R.) . AZ 25
Marginal (Estrada) . . AZ, BY 35
Regimento de Inf. 19 (R.) . . . . AZ 43
Sebastião J. de Carvalho e Melo (R.) . . . . AZ 49
25 de Abril (Av.) . . . . . AYZ 57

Alcaide (R. do) . . . . . . AX 3
Alexandre Herculano (R.) . . . . AZ 4
Algarve (R. do) . . . . . . BX 5
Almeida Garrett (Pr.) . . BY 6
Argentina (Av. de) . . . . ABX 7
Beira Litoral (R. da) . . . BX 9
Boca do Inferno (Est. da) . . . . AYZ 10
Brasil (Av. do) . . . . AX 12
Carlos (Av. D.) . . . . AZ 13
Combatentes G. Guerra (Alameda) . . . . AZ 15
Costa Pinto (Av.) . . . . . AX 16
Dr António Martins (R.) . . . . BY 17
Emídio Navarro (Av.) . . AZ 19
Fausto Figueiredo (Av.) BY 22
Francisco de Avilez (R.) AZ 24
Freitas Reis (R.) . . . . . . AZ 26
Gomes Freire (R.) . . . . AZ 27
Guincho (Estrada do) . AY 28
Iracy Doyle (R.) . . . . . . AZ 29
José Maria Loureiro (R.) AZ 31
Manuel J. Avelar (R.) . AZ 32
Marechal Carmona (Av.) AX 33
Marquês Leal Pancada (R.) . . . . AZ 36
Melo e Sousa (R.) . . . . BY 37
Nice (Av. de) . . . . BY 38
Nuno Álvares Pereira (Av. D) . . . . BX 39
Padre Moisés da Silva (R.) . . . . AX 40
Piemonte (Av.) . . . . BX 41
República (Av. da) . . . . AZ 44
S. Pedro (Av. de) . . . . . BX 45
S. Remo (Av.) . . . . BY 47
Sabóia (Av.) . . . . BX 48
Vasco da Gama (Av.) . AZ 52
Venezuela (Av. da) . . . BX 53
Visconde da Luz (R.) . . AZ 55
Vista Alegre (R. da) . . . AZ 56

Estoril Sol, Parque Palmela ✆ 483 28 31, Telex 15102, Fax 483 22 80, ≤ baía e Cascais, - ☎ & 🅟 - 25/800. AE ⊙ E VISA JCB. BX **h**
Refeição 4500 - ***Grill* :** **Refeição** lista 4300 a 7800 - **298 qto** 24000/27000, 17 suites - PA 8500.

Albatroz, Rua Frederico Arouca 100 ✆ 483 28 21, Telex 16052, Fax 484 48 27, ≤ baía e Cascais, - ☎ - 25. AE ⊙ E VISA. rest AZ **e**
Refeição lista 4000 a 5100 - 1500 - **38 qto** 34000/39000, 2 suites.

Village Cascais, Rua Frei Nicolau de Oliveira-Parque da Gandarinha ✆ 483 70 44, Telex 60712, Fax 483 73 19, ≤, - ☎ 🅟 - 25/80. AE ⊙ E VISA JCB. AY **a**
Refeição 3500 - **163 qto** 21700/24900, 70 suites.

Cidadela, Av. 25 de Abril ✆ 483 29 21, Telex 66895, Fax 486 72 26, ≤, - ☎ 🅟 - 25/100. AE ⊙ E VISA JCB. AZ **c**
Refeição 3500 - **106 qto** 20000/23000, 8 suites, 14 apartamentos - PA 7000.

Atlantic Gardens, Rua Projectada a Rua Pero de Alenquer ✆ 483 37 37, Fax 483 52 26, ≤, - ☎ & 🅟 - 15/300. AE ⊙ E VISA JCB. - **Refeição** 3000 - 1200 - **142 qto** 19000/21200, 7 suites. perto da Praça de Touros AY

Baia, av. Marginal ✆ 483 10 33, Telex 43468, Fax 483 10 95, ≤, - ☎ & 🅟 - 25/180. AE ⊙ E VISA JCB. AZ **u**
Refeição lista 2750 a 3900 - **105 qto** 15000/17500, 8 suites.

Aparthotel Equador, Alto da Pampilheira ✆ 484 05 24, Telex 42144, Fax 484 07 03, ≤, - 🅟. AE ⊙ E VISA. AX **d**
Refeição 1950 - **117 qto** 11770/15520 - PA 3780.

Casa da Pérgola sem rest, Av. Valbom 13 ✆ 484 00 40, Fax 483 47 91, « Moradía senhorial », - . ⊙ E VISA. AZ **y**
maio-novembro - **10 qto** 13000/16000.

Nau, Rua Dra. Iracy Doyle 14 ✆ 483 28 61, Telex 42289, Fax 483 28 66 - ☎. AE ⊙ E VISA. rest AZ **r**
Refeição 2000 - **59 qto** 12500/13500 - PA 4000.

Albergaria Valbom sem rest, Av. Valbom 14 ✆ 486 58 01, Fax 486 58 05 - ☎. AE ⊙. AZ **y**
40 qto 8500/11500.

XX **Visconde da Luz,** Jardim Visconde da Luz ✆ 486 68 48, Fax 486 85 08, , Peixes e mariscos - . AE ⊙ E VISA JCB. AZ **d**
fechado 3ª feira - **Refeição** lista 4980 a 6700.

XX **Reijos,** Rua Frederico Arouca 35 ✆ 483 03 11, - . AE ⊙ E VISA JCB. AZ **s**
fechado domingo e do 2 ao 31 de janeiro - **Refeição** lista 2400 a 4600.

XX **Pimentão,** Rua das Flores 16 ✆ 484 09 94, Peixes e mariscos - . AE ⊙ E VISA JCB.
Refeição lista aprox. 5500. AZ **f**

XX **O Pipas,** Rua das Flores 18 ✆ 486 45 01, Fax 484 07 80, Peixes e mariscos - . AE ⊙ E VISA JCB. AZ **f**
fechado 2ª feira e do 15 ao 30 de novembro - **Refeição** lista 3900 a 5600.

X **Le Bec Fin,** Beco Torto 1 ✆ 484 42 96, Fax 484 42 96, , Rest. francês - . AE ⊙ E VISA AZ **a**
fechado janeiro-15 fevereiro - **Refeição** lista 2100 a 4350.

X **Os Morgados,** Praça de Touros ✆ 486 87 51, Fax 486 87 51 - . AE ⊙ E VISA.
fechado novembro - **Refeição** lista 2350 a 4900. por AY

X **Dom Leitão,** Av. Vasco da Gama 36 ✆ 486 54 87, Fax 484 21 09 - . AE ⊙ E VISA JCB. AZ **k**
fechado 4ª feira - **Refeição** lista 2850 a 3650.

X **Sol e Mar,** Av. D. Carlos I - 48 ✆ 484 02 58, ≤, - AE ⊙ E VISA. AZ **p**
fechado 2ª feira e dezembro - **Refeição** lista 3200 a 4400.

X **Beira Mar,** Rua das Flores 6 ✆ 483 01 52, Fax 483 52 73 - . AE ⊙ E VISA. AZ **f**
fechado 3ª feira e do 6 ao 26 de dezembro - **Refeição** lista 4900 a 6700.

X **O Batel,** Travessa das Flores 4 ✆ 483 02 15 - . AE ⊙ E VISA JCB AZ **n**
fechado 4ª feira - **Refeição** lista 2850 a 4500.

X **Sagres,** Rua das Flores 10-A ✆ 483 08 30 - . AE ⊙ E VISA JCB. AZ **f**
fechado 4ª feira - **Refeição** lista 2700 a 4200.

na estrada do Guincho por Av. 25 de Abril AYZ - ✉ 2750 Cascais - ☎ 01 :

Estal. Sra. da Guia, 3,5 km ✆ 486 92 39, Telex 42111, Fax 486 92 27, ≤, , « Bonita decoração », - qto ☎ 🅟 - 25/30. AE ⊙ E VISA JCB.
Refeição lista 3500 a 4600 - **39 qto** 18000/22000, 4 suites.

XX **Le Café Fernando,** edifício Cascais Atrium, 2,5 km ✆ 483 00 11, Fax 483 52 70, - . E VISA.
Refeição lista 3100 a 3900.

XX **Monte-Mar,** 5 km ✆ 486 92 70, Fax 486 93 56, ≤, - 🅟. AE ⊙ E VISA JCB.
fechado 2ª feira e do 10 ao 25 de outubro - **Refeição** lista 4400 a 6600.

X Portal da Guia, 2 km ✆ 484 32 58, ≤, - 🅟.

na Praia do Guincho por Av. 25 de Abril : 9 km AYZ – ✉ 2750 Cascais – ☎ 01 :

Do Guincho ⛰, ✆ 487 04 91, Telex 43138, Fax 487 04 31, ≤, « Antiga fortaleza num promontório rochoso » – |♦| ▤ TV ☎ P – 🏛 25/200. AE ⓓ E VISA JCB. ✻
Refeição 4500 – **31 qto** ▭ 26000/28000 – PA 8000.

✕✕ ❀ **Porto de Santa Maria,** ✆ 487 02 40, Fax 485 09 49, ≤, Peixes e mariscos – ▤ P. AE ⓓ E VISA JCB
fechado 2ª feira – **Refeição** lista 8850 a 12000
Espec. Peixe assado em sal e no pão, Misto de mariscos ao natural ou grelhado, Arroz de marisco.

✕ **Panorama,** ✆ 487 00 62, Fax 485 09 49, ≤, 🏖, Peixes e mariscos – ▤ P. AE ⓓ E VISA JCB
fechado 3ª feira – **Refeição** lista 5400 a 8100.

✕ **O Faroleiro,** ✆ 487 02 25, Fax 487 02 25, ≤ – ▤ P. AE ⓓ E VISA JCB. ✻
Refeição lista 3900 a 5850.

✕ **Mestre Zé,** ✆ 487 02 75, ≤, 🏖 – ▤ P. AE ⓓ E VISA JCB. ✻
Refeição lista 4100 a 6300.

CASTELO BRANCO 6000 P 440 M 7 – 24 287 h. alt. 375 – ☎ 072.

Ver : Jardim do Antigo Paço Episcopal★.

🚗 ✆ 222 83.

ℹ Alameda da Liberdade ✆ 210 02.

♦Lisboa 256 ③ – ♦Cáceres 137 ② – ♦Coimbra 155 ① – Portalegre 82 ③ – Santarém 176 ③.

CASTELO BRANCO

João C. Abrunho 16
Liberdade (Alameda da) 18
Rei D. Dinis 28
Sidónio Pais 43
1° de Maio (Avenida) 46

Arco (Rua do) 3
Arressário (Rua do) 4
Bairreiro (Largo do) 6
Bairreiro (Rua do) 7
Camilo Castelo Branco (Rua de) 9
Espírito Santo (Largo do) 10
Espírito Santo (Rua do) 12
Ferreiros (Rua dos) 13
Frei Bartolomeu da Costa (Rua de) 15
Luís de Camões (Praça) 19
Mercado (Rua do) 21
Olarias (Rua das) 22
Pátria (Campo da) 24
Prazeres (Rua dos) 25
Quinta Nova (Rua da) 27
Relógio (Rua do) 30
Santa Maria (Rua de) 31
São João (Largo de) 33
São João de Deus (Rua) 34
São Marcos (Largo de) 36
São Sebastião (Rua) 37
Sé (Rua da) 40
Senhora da Piedade (Rua da) 42
Vaz Preto (Rua de) 45

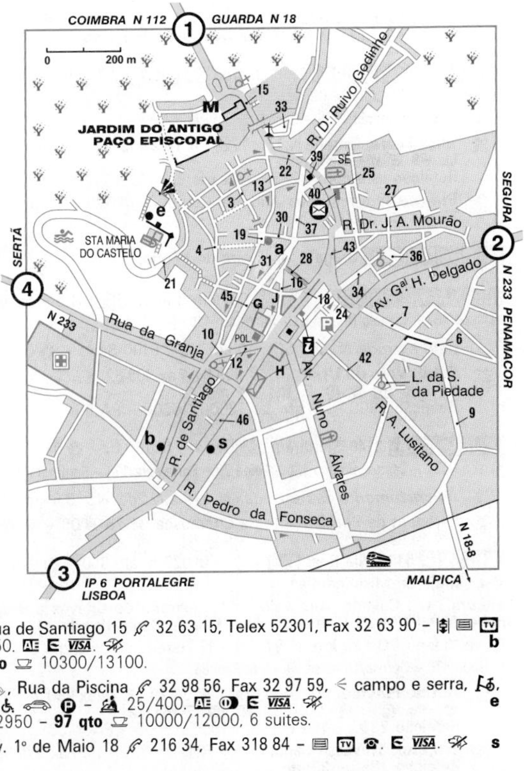

Rainha D. Amélia, Rua de Santiago 15 ✆ 32 63 15, Telex 52301, Fax 32 63 90 – |♦| ▤ TV ☎ ♿ 🚗 – 🏛 25/350. AE E VISA. ✻ **b**
Refeição 2000 – **64 qto** ▭ 10300/13100.

Colina do Castelo ⛰, Rua da Piscina ✆ 32 98 56, Fax 32 97 59, ≤ campo e serra, 🏊, 🏊, 🎾 – |♦| ▤ TV ☎ ♿ 🚗 P – 🏛 25/400. AE ⓓ E VISA. ✻ **e**
Refeição lista 1950 a 2950 – **97 qto** ▭ 10000/12000, 6 suites.

Arraiana sem rest, Av. 1° de Maio 18 ✆ 216 34, Fax 318 84 – ▤ TV ☎. E VISA. ✻ **s**
31 qto ▭ 4500/8000.

✕✕ **Praça Velha,** Largo Luís de Camões 17 ✆ 32 86 40, Fax 32 86 20, Decoração rústica – ▤ P. AE ⓓ E VISA. ✻ **a**
fechado sábado – **Refeição** lista 2050 a 3400.

Ver também : ***Retaxo por*** ③ : 10 km.

CASTELO DA MAIA 4470 Porto 440 I 4 - 02.
♦Lisboa 330 - Amarante 59 - Braga 35 - ♦Porto 16.

Don Nuno I, Monte de Santo Ovídio 981 27 19.

CASTELO DE VIDE 7320 Portalegre 440 N 7 - 2 558 h. alt. 575 - 045 - Termas.
Ver : Castelo ≤★ - Judiaria★.
Arred. : Capela de Na. Sra. de Penha ≤★ S : 5 km - Estrada★ escarpada de Castelo de Vide a Portalegre por Carreiras S : 17 km - Rua Bartolomeu Álvares da Santa 81 913 61.
♦Lisboa 213 - ♦Cáceres 126 - Portalegre 22.

Garcia d'Orta, Estrada de São Vicente 911 00, Fax 912 00, ≤, - 25/80. VISA
Refeição (ver rest. *A Castanha*) - **52 qto** 11800/14200, 1 suite.

Sol e Serra, Estrada de São Vicente 913 01, Telex 43332, Fax 913 37, - 25/120. VISA.
Refeição 2150 - **50 qto** 9000/13500 - PA 4300.

Casa do Parque, Av. da Aramenha 37 912 50, Fax 912 28 - VISA.
Refeição *(fechado 3ª feira)* 1750 - **28 qto** 5500/7500.

Isabelinha sem rest, Paço Novo 918 96 -
11 qto 6500/7500.

A Castanha, Estrada de São Vicente 911 00, Fax 912 00, ≤ - VISA.
Refeição lista aprox. 5100.

CAXIAS Lisboa 440 P 2 - 4 907 h. - 2780 Oeiras - 01 - Praia.
♦ Lisboa 13 - Cascais 17.

Mónaco, Rua Direita 9 (Estrada Marginal) 443 23 39, Fax 443 12 17, ≤, Música ao jantar - VISA JCB. - **Refeição** lista 3600 a 6400.

CELORICO DA BEIRA 6360 Guarda 440 K 7 - 2 750 h. - 071.
Estrada N 17 721 09.
♦Lisboa 337 - ♦Coimbra 138 - Guarda 27 - Viseu 54.

Mira Serra, Estrada N 17 726 04, Telex 53192, Fax 74 13 82, ≤ - 25/100. VISA. rest
Refeição lista aprox. 2350 - **42 qto** 8000/11000.

Parque sem rest, Rua Andrade Corvo 48 721 97, Fax 737 98 - VISA
27 qto 3900/5000.

CERDEIRINHAS Braga - ver Vieira do Minho.

CERNACHE DO BONJARDIM Castelo Branco 440 M 5 - 6100 Sertá - 074.
♦Lisboa 187 - Castelo Branco 81 - Santarém 110.

pela estrada N 238 SO : 10 km - 6100 Sertá - 074 :

Estal. Vale da Ursa, 909 81, Fax 909 82, ≤, « Na margem do rio Zêzere », - VISA. rest
Refeição 2800 - **17 qto** 12000/16500 - PA 5000.

CHAMUSCA 2140 Santarém 440 N 4 - 13 151 h. - 049.
♦Lisboa 121 - Castelo Branco 136 - Leiria 79 - Portalegre 118 - Santarém 31.

no cruzamento das estradas N 118 e N 243 NE : 3,5 km - 2140 Chamusca - 049 :

Paragem da Ponte, Ponte da Chamusca 76 04 06 -

CHAVES 5400 Vila Real 440 G 7 - 13 027 h. alt. 350 - 076 - Termas.
Ver : Igreja da Misericórdia★.
Excurs. : O : Cávado (Alto vale do)★ : estrada de Chaves a Braga pelas barragens do Alto Rabagão★ (≤★), da Paradela★ (local★) e da Caniçada★ (≤★).
de Vidago SO : 20 km 971 06 - Terreiro de Cavalaría 210 29.
♦Lisboa 475 - Orense/Ourense 99 - Vila Real 66.

Aquae Flaviae, Praça do Brasil 33 29 11, Telex 25078, Fax 33 29 10, ≤, - 25/1000. VISA.
Refeição 2350 - **166 qto** 11000/13000 - PA 4400.

Trajano, Travessa Cândido dos Reis 33 24 15, Fax 270 02 - VISA.
Refeição 1850 - **39 qto** 5000/6000.

Estal. Santiago, Rua do Olival 225 45, ≤ -
Refeição 2000 - **32 qto** 6000/6900 - PA 4000.

Brites sem rest, Av. Duarte Pacheco-Estrada de Espanha 33 27 77, Fax 33 22 21, ≤ - VISA. - **28 qto** 6000/8000.

São Neutel sem rest, Estrada de Outeiro Seco-junto ao Estadio Municipal ☎ 33 36 32, Fax 33 36 20, ← – TV ☎ P. E VISA
31 qto 4500/7000.

Jardim das Caldas e Rest. Chave d'Ouro 2, Alameda do Tabolado 5 ☎ 33 11 89 – TV ☎. AE E VISA.
Refeição lista 1400 a 3200 – **13 qto** 4000/6500.

4 Estações sem rest, Av. Duarte Pacheco-Estrada de Espanha ☎ 33 39 86, Fax 33 39 86 – TV P. AE E VISA
250 – **20 qto** 4000/5000.

Pica Pedra sem rest, Rua Cândido Sotto Mayor - 1° ☎ 241 58 – TV
7 qto.

COIMBRA 3000 P 440 L 4 – 79 799 h. alt. 75 – 039.

Ver: Sítio★ – Sé Velha★★ (retábulo★, Capela do Sacramento★) Z – Museu Nacional Machado de Castro★★, (cavaleiro medieval★) Z **M1** – Velha Universidade★★ : capela★ (caixa de órgão★★), biblioteca★★ Z – Mosteiro de Santa Cruz★ : igreja★ (púlpito★), claustro do Silêncio★, coro (cadeiral★) Y **L** – Mosteiro de Celas (púlpito★) V – Mosteiro de Santa Clara a Nova (túmulo★) X.

Arred.: Miradouro do Vale do Inferno★ 4 km por ③ – Ruinas de Conimbriga★ (Casa de Cantaber★, casa dos Repuxos★★ : mosaicos★★) 17 km por ③.

☎ 349 98.

Largo da Portagem ☎ 238 86 – **A.C.P.** Rua da Sofia 173 e 175, ☎ 268 13, Fax 350 03.

♦Lisboa 200 ③ – ♦Cáceres 292 ② – ♦Porto 118 ① – ♦Salamanca 324 ②.

COIMBRA

Antero de Quental (R.)	V 4
António Augusto Gonçalves (Rua)	X 6
Augusta (Rua)	V 7
Aveiro (Rua de)	V 9
Combatentes da Gde Guerra (Rua)	X 12
Dom Afonso Henriques (Avenida)	V 13
Dr Augusto Rocha (Rua)	V 15
Dr B. de Albuquerque (Rua)	V 16
Dr Júlio Henriques (Alameda)	X 21
Dr L. de Almeida Azevedo (Rua)	V 22
Dr Marnoco e Sousa (Avenida)	X 24
Figueira da Foz (Rua)	V 28
Guerra Junqueiro (Rua)	V 30
Jardim (Arcos do)	X 33
João das Regras (Avenida)	X 34
República (Praça da)	V 39
Santa Teresa (Rua de)	X 40

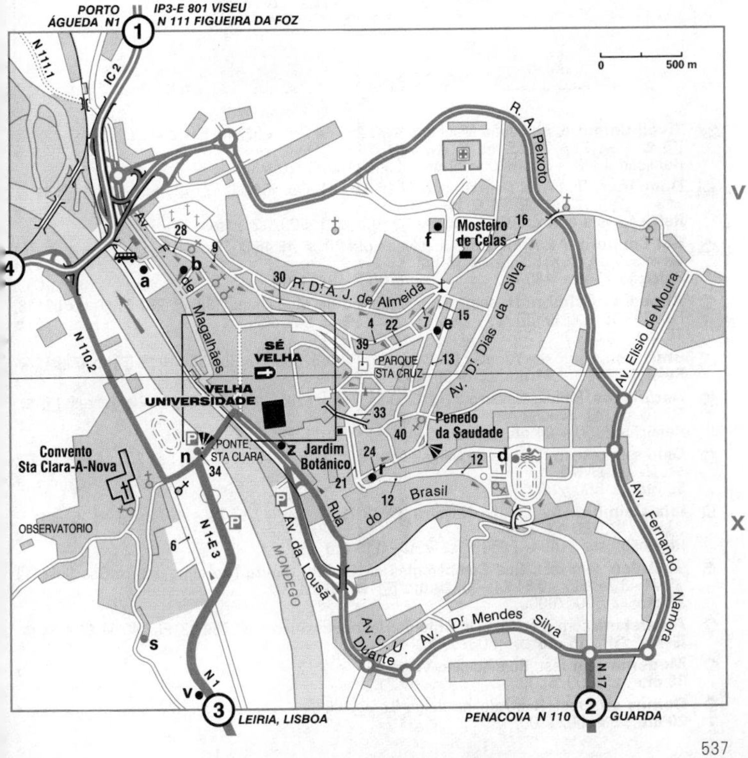

COIMBRA

Comércio (Praça do) . . . . . . Z
Fernao de Magalhães (Avenida) Y
Ferreira Borges (Rua) . . . . . . Z 27
Sofia (Rua da) . . . . Y
Visconde da Luz (Rua) . . . . Y 43
Ameias (Largo das) . . . . Z 3
Antero de Quental (Rua) . . . Y 4
Borges Carmeiro (Rua de) . . . . Z 10
Dr João Jacinto (Rua do) . . . . Y 18
Dr José Falcão (Rua) . . . . . . Z 19
Fernandes Tomás (Rua de) . Z 25
Guilherme Moreira (Rua) . . . Z 31
Portagem (Largo da) . . . . . . Z 36
Quebra-Costas (Escadas de) . . . . Z 31
Sobre-Ripas (Rua de) . . . . . . Z 42
8 de Maio (Praça) . . . . Y 45

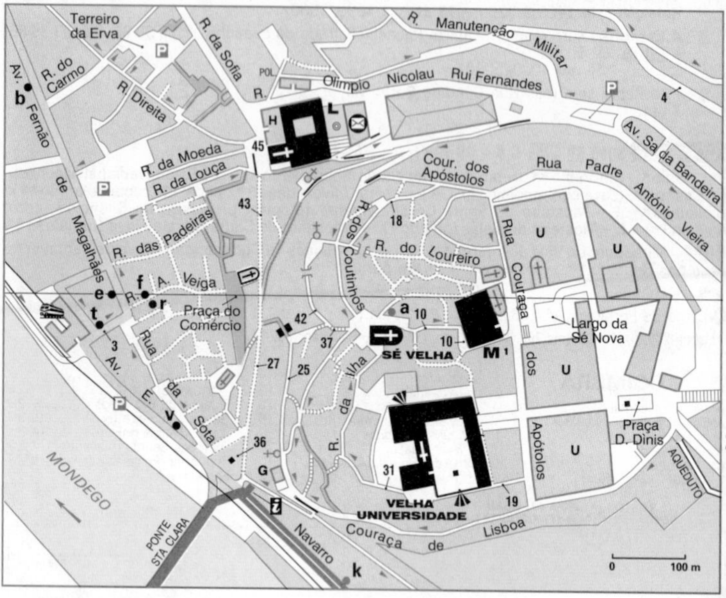

Tivoli Coimbra, Rua João Machado 4 ☎ 269 34, Telex 52240, Fax 268 27, – TV ☎ – 25/120. AE ⓓ E VISA JCB.
Refeição 4000 – 1000 – **90 qto** 15500/18000, 10 suites. V **b**

Dona Inés, Rua Abel Dias Urbano 12 ☎ 257 91, Fax 256 11, – TV ☎ – 25/300. AE ⓓ E VISA.
Refeição lista aprox. 3300 – **72 qto** 10400/11900, 12 suites. X **a**

Sol Coimbra, Av. Armando Gonçalves Lote 20 ☎ 48 45 00, Fax 48 43 00, – TV ☎ – 25/150. AE ⓓ E VISA.
Refeição 2600 – **140 qto** 15000/17000 – PA 4600. V **f**

Almedina Coimbra H. sem rest, av. Fernão de Magalhães 199 ☎ 291 61, Telex 52118, Fax 299 06 – TV ☎ – 25/70. AE ⓓ E VISA.
75 qto 8200/9300. Y **b**

Bragança, Largo das Ameias 10 ☎ 221 71, Telex 52609, Fax 361 35 – TV ☎. E VISA.
Refeição 1500 – **81 qto** 8400/10500, 2 suites. Z **t**

Astória, Av. Emídio Navarro 21 ☎ 220 55, Telex 42859, Fax 220 57, – rest TV ☎. AE ⓓ E VISA JCB. rest
Refeição 2750 – **64 qto** 13000/16000 – PA 5500. Z **v**

Oslo sem rest, av. Fernão de Magalhães 25 ☎ 290 71, Telex 52126, Fax 206 14 – TV ☎. AE ⓓ E VISA.
33 qto 6500/8000. YZ **e**

Ibis Coimbra, Av. Emídio Navarro ☎ 49 15 59, Fax 49 17 73 – TV ☎ – 25/130. AE ⓓ E VISA
Refeição lista 2150 a 2850 – 750 – **110 qto** 7500. X **z**

Botánico sem rest, Rua Combatentes da Grande Guerra (Ao cimo)-Bairro São José 11 ☎ 71 48 24, Fax 40 51 24 – qto TV ☎. E VISA.
24 qto 6000/8000. X **r**

Alentejana sem rest, Rua Dr. António Henriques Seco 1 ☎ 259 03, Fax 40 51 24 – ☎. E VISA. – **15 qto** 4500/6000. V **e**

Moderna sem rest, Rua Adelino Veiga 49 - 2° ☎ 254 13 – TV.
18 qto 5000/6500. Z **r**

Domus sem rest, Rua Adelino Veiga 62 ☎ 285 84 –
20 qto 4500/7100. YZ **f**

XX **Piscinas,** Rua D. Manuel 2º ☎ 71 70 13, Telex 52425, Fax 71 41 64 - ▤. AE ⓓ E VISA
fechado 2ª feira - **Refeição** lista 2080 a 3300. X **d**

XX **Dom Pedro,** Av. Emídio Navarro 58 ☎ 291 08, Fax 246 11 - ▤. AE ⓓ E VISA JCB. ✂
Refeição lista aprox. 3500. Z **k**

X **Trovador,** Largo da Sé Velha 17 ☎ 254 75 - E VISA. ✂ Z **a**
fechado domingo - **Refeição** lista 2650 a 4000.

X **O Alfredo,** Av. João das Regras 32 ☎ 44 15 22, Fax 44 15 00 - ▤. E VISA. ✂ X **n**
Refeição lista 1950 a 3750.

na Estrada N I por ③ : 2,5 km - ✉ 3000 Coimbra - ☎ 039 :

D. Luís, Santa Clara ☎ 44 25 10, Telex 52426, Fax 44 51 96, ≤ cidade e rio Mondego - |♦|
▤ TV ☎ P - 🏛 25/200. AE ⓓ E VISA. ✂ X **v**
Refeição lista 2300 a 4100 - **98 qto** ▭ 11300/12700, 2 suites.

na antiga Estrada de Lisboa pela Av. João das Regras : 2 km - ✉ 3000 Coimbra - ☎ 039 :

X **Real das Canas,** Vila Méndes 7 ☎ 81 48 77, Fax 524 25, ≤ - ▤. AE ⓓ E VISA X **s**
fechado 4ª feira e do 1 ao 15 de agosto - **Refeição** lista 1800 a 2780.

COLARES Lisboa 440 P 1 - 6 921 h. alt. 50 - ✉ 2710 Sintra - ☎ 01.

Arred. : Azenhas do Mar★ (sítio★) NO : 7 km.

ℹ Alameda Coronel Linhares de Lima (Várzea de Colares) ☎ 929 26 38.

♦Lisboa 36 - Sintra 8.

Quinta do Conde ⛰ sem rest, Quinta do Conde ☎ 929 16 52, Fax 929 16 02, ≤ - ☎. ✂
15 fevereiro-outubro - **11 qto** ▭ 10000.

en Azoia-Estrada do Cabo da Roca SO : 10 km - ✉ 2710 Sintra - ☎ 01 :

Aldeia da Roca ⛰, ☎ 928 00 01, Fax 928 01 63, 🏊, 🎾 - ▤ TV ☎ P - 🏛 25/45. AE
ⓓ E VISA. ✂
Refeição (ver rest. *Da Aldeia*) - **7 qto** ▭ 11000/13500, 7 suites.

XX **Da Aldeia,** ☎ 928 00 01, Fax 928 01 63, 🍴 - ▤. AE ⓓ E VISA. ✂
Refeição lista aprox. 4650.

X **Refúgio da Roca,** ☎ 929 08 98, Fax 929 17 52, Decoração rústica. Rest. típico - ▤. AE ⓓ
E VISA JCB. ✂
fechado 3ª feira e do 8 ao 23 novembro - **Refeição** lista 3400 a 5450.

CONDEIXA-A-NOVA 3150 Coimbra 440 L 4 - 2 759 h. - ☎ 039.

♦Lisboa 192 - ♦Coimbra 15 - Figueira da Foz 34 - Leiria 62.

Pousada de Santa Cristina ⛰, ☎ 94 40 25, Fax 94 30 97, ≤, « Relvado con 🏊 », 🎾
- |♦| ▤ TV ☎ P - 🏛 25/50. AE ⓓ E VISA. ✂
Refeição 3000 - **45 qto** ▭ 17000/19000.

CONSTÂNCIA 2250 Santarém 440 N 4 - 4 160 h. alt. 74 - ☎ 049.

♦ Lisboa 131 - Castelo Branco 124 - Leiria 70.

Casa João Chagas ⛰ sem rest, Rua João Chagas ☎ 994 03, Fax 993 78 - ▤ TV ☎. E
VISA. ✂
7 qto ▭ 7000/8000.

COSTA DA CAPARICA Setúbal 440 Q 2 - 9 796 h. - ✉ 2825 Monte da Caparica - ☎ 01 - Praia.

ℹ Praça da Liberdade ☎ 290 00 71.

♦Lisboa 21 - Setúbal 51.

Costa da Caparica, av. General Humberto Delgado 47 ☎ 291 03 10, Fax 291 06 87, ≤, 🏊
- |♦| ▤ TV ☎ ♿ 🚗 P - 🏛 25/400. AE ⓓ E VISA. ✂
Refeição 2750 - **340 qto** ▭ 14000/17000, 13 suites.

Praia do Sol sem rest, Rua dos Pescadores 12 ☎ 290 00 12, Telex 639 84, Fax 290 25 41
- |♦| TV ☎. AE ⓓ E VISA. ✂
53 qto ▭ 6750/8500.

X **Maniés,** Av. General Humberto Delgado 7 E ☎ 290 33 98, 🍴 - AE ⓓ E VISA. ✂
fechado 2ª feira no inverno - **Refeição** lista aprox. 3000.

em São João da Caparica N : 2,5 km - ✉ 2825 Monte da Caparica - ☎ 01 :

XX **Centyonze,** Estrada N 10-1111 ☎ 290 39 68, 🍴 - ▤. E VISA. ✂
fechado domingo noite, 2ª feira e do 5 ao 20 de setembro - **Refeição** lista 2400 a 4100.

na Praia da Rainha S : 4 km - ✉ 2825 Costa da Caparica - ☎ 01 :

XX Praia da Rainha, ☎ 290 10 99, ≤ - ▤ P.

COVA DA IRIA Santarém - ver Fátima.

COVILHÃ 6200 Castelo Branco 440 L 7 – 21 689 h. alt. 675 – ☎ 075 – Desportos de inverno na Serra da Estrela : ⛷3.

Arred. : Estrada★★ da Covilhã a Seia (≤★, Torre ✳★★, estrada ≤★★) 49 km – Estrada★★ da Covilhã a Gouveia (vale glaciário de Zêzere★★ (≤★), Poço do Inferno★ : cascata★, (≤★) por Manteigas : 65 km – Unhais da Serra (sítio★) SO : 21 km – Belmonte : castelo ≤★ NE : 20 km – Torre romana de Centum Cellas★ NE : 24 km.

Praça do Município ☎ 32 21 70.

♦Lisboa 301 – Castelo Branco 62 – Guarda 45.

ao Suleste :

Turismo da Covilhã, Acesso à Estrada N 18 : 3,5 km ☎ 32 45 45, Fax 32 46 30, ≤ – |‡| ▤ TV ☎ ♿ P – 25/60. AE ① E VISA. ✻ rest
Refeição 1500 – **55 qto** ☐ 10000/15000, 5 suites – PA 3000.

Santa Eufêmia sem rest, Sítio da Palmatória, 2 km ☎ 31 33 08, Fax 31 41 84, ≤ – |‡| ▤ TV P
77 qto ☐ 5000/7500.

CURIA Aveiro 440 K 4 – 2 704 h. alt. 40 – ✉ 3780 Anadia – ☎ 031 – Termas.

Largo da Rotunda ☎ 522 48.

♦Lisboa 229 – ♦Coimbra 27 – ♦Porto 93.

Das Termas ⛰, ☎ 51 21 85, Fax 51 58 38, « Num parque com árvores », ⛱ – |‡| ▤ TV ☎ 🚗 P – 25/100. AE ① E VISA. ✻
Refeição 2000 – **56 qto** ☐ 12500/17500.

Grande H. da Curia ⛰, ☎ 51 57 20, Telex 52053, Fax 51 53 17, « Instalado num singular edifício de fins do século XIX », ⛹, ⛱, 🌳 – |‡| ▤ TV ☎ P – 25/200. AE ① E VISA. ✻
Refeição 3000 – **84 qto** ☐ 11500/14000 – PA 6000.

Do Parque ⛰ sem rest, ☎ 51 20 31 – P. AE ① E VISA
maio-setembro – **22 qto** ☐ 3000/5000.

Lourenço ⛰, Curia ☎ 51 22 14 – ▤ rest. ✻
Refeição *(fechado outubro-maio)* 2500 – **38 qto** ☐ 4500/6500.

DOMINGUISO Castelo Branco 440 L 7 – ✉ 6205 Tortosendo – ☎ 075.

♦ Lisboa 304 – Castelo Branco 65 – Covilhã 10 – Guarda 55.

Fonte Nova sem rest, Rua Pinhos Mansos ☎ 95 97 77, Fax 95 97 78 – TV ☎ – **16 qto.**

ELVAS 7350 Portalegre 440 P 8 – 13 507 h. alt. 300 – ☎ 068.

Ver : Muralhas★★ – Aqueduto da Amoreira★ – Largo de Santa Clara★ (pelourinho★) – Igreja de N. S. da Consolação★ (azulejos★).

Praça da República ☎ 62 22 36 – A.C.P. Estrada N 4-Caia ☎ 641 27.

♦Lisboa 222 – Portalegre 55.

Pousada de Santa Luzia, Av. de Badajoz-Estrada N 4 ☎ 62 21 94, Fax 62 21 27, 🌳, ⛱, 🎾 – ▤ TV ☎ P. AE ① VISA. ✻
Refeição 3000 – **25 qto** ☐ 17000/19000.

D. Luís, Av. de Badajoz-Estrada N 4 ☎ 62 27 56, Telex 42473, Fax 62 07 33 – |‡| ▤ TV ☎ – 25/50. AE ① E VISA. ✻
Refeição lista aprox. 3500 – **90 qto** ☐ 10000/12500.

Estal. D. Sancho II, Praça da República 20 ☎ 62 26 86, Fax 62 47 17 – |‡| ☎. AE ① E VISA. ✻ rest
Refeição 2000 – **26 qto** ☐ 6500/9000.

Flor do Jardim, Jardim Municipal-Estrada N 4 ☎ 62 31 74, 🌳 – ▤.

O Pescador, Rua Padre Zeperino ☎ 62 16 73, Fax 62 16 74 – ▤.

na estrada de Portalegre N : 2 km – ✉ 7350 Elvas – ☎ 068 :

Luso-Espanhola sem rest, Rui de Melo ☎ 62 30 92 – ▤ TV ☎. ✻
14 qto ☐ 6000/7000.

na estrada N 4 – ✉ 7350 Elvas – ☎ 068 :

Varchotel, Varche O : 5,5 km ☎ 62 16 21, Fax 62 15 96 – |‡| ▤ TV ☎ ♿ – **43 qto.**

Albergaria Elxadai Parque, Varche, O : 5 km ☎ 62 13 97, Fax 62 19 21, ≤ Elvas, Badajoz e Olivença, ⛱ – |‡| ▤ TV ☎ P. AE ① E VISA JCB. ✻
Refeição (ver rest. Guadicaia) – **28 qto** ☐ 8000/10000.

Albergaria Jardim com qto, Sítio das Pias, E : 3 km ☎ 62 10 50, Fax 62 10 51, 🌳 – ▤ TV ☎ P. AE ① E VISA. ✻
Refeição lista aprox. 3200 – **11 qto** ☐ 6500/8500.

Guadicaia, Varche, O : 5 km ☎ 62 13 76, Fax 62 19 21, ≤, 🌳, ⛱ – ▤ P.

Dom Quixote, O : 3 km ☎ 62 20 14, 🌳 – ▤ P. AE ① E VISA. ✻
Refeição lista 3100 a 5100.

ENTRE-OS-RIOS **4575** Porto 440 I 5 alt. 50 – 055 – Termas.

♦Lisboa 331 – ♦Porto 49 – Vila Real 96.

Miradouro, Estrada N 108 ☏ 624 22, Fax 61 42 14, ←, , Lampreia – E VISA.
fechado 2ª feira e do 15 ao 31 de dezembro – **Refeição** lista aprox. 3000.

ENTRONCAMENTO **2330** Santarém 440 N 4 – 11 976 h. – 049.

Praça da República, ☏ 69229.

♦Lisboa 127 – Castelo Branco 132 – Leiria 55 – Portalegre 114 – Santarém 45.

Gameiro sem rest, Rua Abílio César Afonso (frente à Estação dos Caminhos de Ferro) ☏ 668 34, Fax 71 87 08 –
34 qto.

ERICEIRA **2655** Lisboa 440 P 1 – 4 604 h. – 061 – Praia.

Ver : Pitoresco porto piscatório★.

Rua Mendes Leal ☏ 631 22.

♦Lisboa 51 – Sintra 24.

Morais sem rest, Rua Dr. Miguel Bombarda 3 ☏ 86 42 00, Fax 86 43 08, , – . AE E VISA
fechado novembro – **40 qto** 7500/12500.

Vilazul e Rest. O Poço, Calçada da Baleia 10 ☏ 86 41 01, Fax 629 27 – . AE E VISA.
Refeição lista 2250 a 3270 – **21 qto** 8500.

Pedro o Pescador sem rest, Rua Dr. Eduardo Burnay 22 ☏ 86 40 32, Fax 623 21 – . AE E VISA
25 qto 8000/10000.

O Barco, Capitão João Lopes ☏ 627 59, ← – . E VISA
fechado 5ª feira e novembro-dezembro – **Refeição** lista 3100 a 4100.

na Estrada N 247 N : 2 km – ✉ 2655 Ericeira – 061 :

Cesar, ☏ 629 26, Fax 621 33, ←, Mariscos. Viveiro proprio – . AE E VISA.
fechado 3ª feira, 15 dias em maio e 15 dias em novembro – **Refeição** lista 3100 a 4400.

ESPINHO **4500** Aveiro 440 I 4 – 12 865 h. – 02 – Praia.

Oporto Golf Club ☏ 72 20 08.

Ângulo das Ruas 6 e 23 ☏ 72 09 11.

♦Lisboa 308 – Aveiro 54 – ♦Porto 16.

Praiagolfe, Rua 6 ☏ 72 06 30, Telex 23727, Fax 72 08 88, ←, , – – 25/300. AE E VISA.
Refeição 2600 – **133 qto** 16500/20500, 6 suites – PA 5200.

Aparthotel Solverde sem rest, Rua 21-77 ☏ 72 28 19, Telex 27920, Fax 72 33 46, ← – . AE E VISA.
900 – **83 apartamentos** 13900.

Néry sem rest, Av. 8-826 ☏ 72 73 64, Fax 72 85 96, ← – . AE E VISA.
43 qto 8000/10000.

A Cabana com snack-bar, Av. 8 Rotunda da Praia da Seca ☏ 72 19 66, ←, – .

Aquário, Praceta Dr. Francisco Sá Carneiro ☏ 72 03 77, Fax 72 87 62, – . AE E VISA.
Refeição lista 2500 a 4550.

Avenida, Avenida 8 ☏ 72 01 11, – .

ESPOSENDE **4740** Braga 440 H 3 – 2 185 h. – 053 – Praia.

Rua 1º de Dezembro ☏ 96 13 54.

♦Lisboa 367 – Braga 33 – ♦Porto 49 – Viana do Castelo 21.

Suave Mar , Av. Eng. Arantes e Oliveira ☏ 96 54 45, Telex 32362, Fax 96 52 49, ←, , – rest . AE E VISA.
Refeição 2000 – **70 qto** 10000/12000 – PA 4000.

Nélia, Av. Valentin Ribeiro ☏ 96 55 28, Telex 32855, Fax 96 48 20, – rest . AE E VISA JCB.
Refeição 2500 – **42 qto** 8000/10000.

Estal. Zende e Rest. Martins, Estrada N 13 ☏ 96 18 55, Fax 96 50 18, Música ao jantar – – . AE E VISA. rest
Refeição lista 2300 a 3450 – **25 qto** 8000/10000.

Acropole sem rest, Praça D. Sebastião ☏ 96 19 41, Fax 96 42 38 – . E VISA.
30 qto 5500/8000.

ESTEFÂNIA Lisboa – ver Sintra.

ESTÓI Faro – ver Faro.

ESTORIL 2765 Lisboa 440 P 1 – 25 230 h. – ☎ 01 – Praia.

Ver : Estância balnear★.

18 9 Club de Golf do Estoril ☎ 468 01 76 BX.

Arcadas do Parque ☎ 468 01 13.

♦Lisboa 28 ② – Sintra 13 ①.

Ver plano de Cascais

Palácio, Rua do Parque ☎ 468 04 00, Telex 12757, Fax 468 48 67, ≤, 🏊, – |‡| ▤ TV ☎ P – 25/400. AE ⊙ E VISA. BY k
Refeição (ver também rest. ***Four Seasons***) lista 3600 a 5500 – **131 qto** ☐ 27000/30000 31 suites.

Estal. Lennox Country Club, Rua Eng. Álvaro Pedro de Sousa 5 ☎ 468 04 24, Telex 13190 Fax 467 08 59, « Terraços floridos », 🏊 climatizada – ☎ P BY a
30 qto, 2 suites, 2 apartamentos.

Inglaterra, Rua do Porto 1 ☎ 468 44 61, Fax 468 21 08, ≤, 🏊 – |‡| ▤ TV ☎ – 25/80. AE E VISA. BY e
Refeição 2500 – **50 qto** ☐ 10000/20000, 2 suites.

Alvorada sem rest, Rua de Lisboa 3 ☎ 468 00 70, Fax 468 72 50 – |‡| ▤ TV ☎ P. AE ⊙ E VISA. BY b
54 qto ☐ 8000/13500.

Estal. Belvedere, Rua Dr. António Martins 8 ☎ 466 02 08, Fax 467 14 33, 🏊 – |‡| TV ☎. E VISA. BY r
fechado janeiro – **Refeição** *(fechado 5ª feira)* 2800 – **24 qto** ☐ 9900/15200.

São Mamede sem rest, Av. Marginal ☎ 467 10 74, Fax 467 14 18 – |‡| ▤ TV ☎. AE ⊙ E VISA JCB. BY v
41 qto ☐ 6500/8500, 2 suites.

XXXX **Four Seasons,** Rua do Parque ☎ 468 04 00, Telex 12757, Fax 468 48 67 – ▤ P. AE ⊙ E VISA JCB. BY k
Refeição (só jantar) lista 3600 a 6500.

no Monte Estoril – BX – ✉ 2765 Estoril – ☎ 01 :

Atlântico, Estrada Marginal ☎ 468 02 70, Telex 18125, Fax 468 36 19, ≤, 🏊 – |‡| ▤ qto TV ☎ P – 25/180. AE ⊙ E VISA. BX z
Refeição 4000 – **175 qto** ☐ 20000/30000 – PA 8000.

Aparthotel Clube Mimosa, Av. do Lago 4 ☎ 467 00 37, Telex 44308, Fax 467 03 74, 🏊, 🏊, – |‡| ▤ TV ☎ – 25/100. AE ⊙ E VISA. BX n
Refeição 2500 – **58 apartamentos** ☐ 18000/19500.

Aparthotel Estoril Eden, Av. Sabóia 209 ☎ 467 05 73, Telex 42093, Fax 467 08 48, ≤, 🏊, 🏊 – |‡| ▤ TV ☎ – 25/180. AE ⊙ E VISA. BX s
Refeição 3000 – ☐ 1200 – **162 apartamentos** 19000/21500 – PA 6000.

Zenith, Rua Belmonte 1 ☎ 468 11 22, Telex 44870, Fax 468 11 17, ≤, 🏊 – |‡| – 25/40. AE ⊙ E VISA. BX p
Refeição lista aprox. 2200 – **48 qto** ☐ 8000/12000.

XXX **English-Bar,** Estrada Marginal ☎ 468 04 13, Fax 468 12 54, ≤, « Decoração inglesa » – ▤ P. AE ⊙ E VISA BX s
fechado domingo – **Refeição** lista 4650 a 6250.

em São João do Estoril por ② : 2 km – ✉ 2765 Estoril – ☎ 01 :

XXX **A Choupana,** Estrada Marginal ☎ 468 30 99, Fax 467 43 44, ≤ – ▤ P. AE ⊙ VISA.
fechado 2ª feira – **Refeição** lista 5100 a 7000.

ESTRELA (Serra da) Castelo Branco 440 K y L 7.

Ver : ★ (Torre★★, ✻★★).

Hotéis e restaurantes ver : Covilhã

ESTREMOZ 7100 Évora 440 P 7 - 7 869 h. alt. 425 - ☎ 068.

Ver : A Vila Velha★.

Arred. : Évoramonte : Sítio★, castelo★ (✻★) SO : 18 km.

Largo da República 26 ☎ 22 538.

♦Lisboa 179 - ♦Badajoz 62 - Évora 46.

Pousada da Rainha Santa Isabel, Largo D. Diniz - Castelo de Estremoz ☎ 33 20 75, Fax 33 20 79, ←, « Luxuosa pousada instalada num belo castelo medieval » - AE E VISA.
Refeição lista 3500 a 5000 - **33 qto** 24000/27000.

D. Dinis sem rest, Rua 31 de Janeiro 46 ☎ 33 27 17, Fax 226 10 - TV. E VISA
1500 - **8 qto** 12500/15000.

Águias d'Ouro, Rossio Marquês de Pombal 27 ☎ 221 96 - AE VISA.
Refeição lista aprox. 3000.

ÉVORA 7000 P 440 Q 6 - 35 117 h. alt. 301 - ☎ 066.

Ver : Sé★★ BY : interior★ (cúpula★, cadeiral★,) Museu de Arte sacra★ (Virgem do Paraíso★★), Claustro★ - Museu de Évora BY **M1** (Baixo-relevo★, Anunciação★) - Templo romano★ BY - Convento dos Lóios BY : Igreja★, Edifícios conventuais (portal★) - Largo da Porta de Moura (fonte★) BCZ - Igreja de São Francisco (capela dos Ossos★) BZ - Fortificações★ - Antigua universidade dos Jesuítas (claustro★) CY.

Arred. : Convento de São Bento de Castris (claustro★) 3 km por N 114-4.

Praça do Giraldo 71 ☎ 226 71 e Av. de São Sebastião, Estrada N 114 por ⑤, ☎ 312 96 BZ - A.C.P. Rua Alcarcova de Baixo 7 e 9, ☎ 275 33, Fax 296 96.

♦Lisboa 153 ⑤ - Badajoz 102 ② - Portalegre 105 ② - Setúbal 102 ⑤.

Planos páginas seguintes

Pousada dos Lóios, Largo Conde de Vila Flor ☎ 240 51, Fax 272 48, « Instalada num convento do século XVI », - AE E VISA. BY **a**
Refeição lista 3300 a 5500 - **32 qto** 25000/28000.

Dom Fernando, Av. Dr. Barahona 2 ☎ 74 17 17, Fax 74 17 16, - TV - 25/200 BZ **e**
102 qto, 2 suites.

Albergaria Vitória, Rua Diana de Lis 5 ☎ 271 74, Fax 209 74, ← - TV - 25/55. AE E VISA. AZ **y**
Refeição 2500 - **48 qto** 8000/10000 - PA 4400.

Planície sem rest, Rua Miguel Bombarda 40 ☎ 240 26, Telex 13500, Fax 298 80 - TV - 25/100. AE E VISA. BZ **z**
33 qto 11000/13500.

Riviera sem rest, Rua 5 de Outubro 49 ☎ 233 04, Fax 204 67 - TV. AE E VISA BZ **r**
22 qto 7500/14100.

Ibis Évora, Quinta da Tapada-Urb. Da Muralha ☎ 74 46 20, Fax 74 46 32 - TV - 25. AE E VISA AZ **a**
Refeição lista 3050 a 3850 - 750 - **87 qto** 7500.

Santa Clara, Travessa da Milheira 19 ☎ 241 41, Telex 43768, Fax 265 44 - TV. AE E VISA. rest AZ **p**
Refeição 2300 - **43 qto** 7600/9700 - PA 4600.

Cozinha de Sto. Humberto, Rua da Moeda 39 ☎ 242 51, Fax 74 23 67, Decoração original com motivos regionais - AE E VISA. AZ **b**
fechado 5ª feira e novembro - **Refeição** lista 2500 a 3500.

Fialho, Travessa das Mascarenhas 14 ☎ 230 79, Fax 74 48 73, Decoração regional - AE E VISA JCB AY **h**
fechado 2ª feira, do 1 ao 22 de setembro e 24 dezembro-3 janeiro - **Refeição** lista 4060 a 6340.

Guião, Rua da República 81 ☎ 230 71, Decoração regional - AE E VISA JCB. BZ **s**
fechado 2ª feira e dezembro - **Refeição** lista aprox. 3000.

Cozinha Alentejana, Rua 5 de Outubro 51 ☎ 227 72 - AE E VISA JCB BZ **r**
fechado 4ª feira e novembro - **Refeição** lista 2190 a 3685.

pela estrada de Alcáçovas por ④ e desvío particular : 6 km - ✉ 7000 Évora - ☎ 066 :

Estal. Monte das Flores, Monte das Flores ☎ 254 90, Fax 275 64, « Conjunto de estilo alentejano em pleno campo », - AE E VISA.
Refeição 3300 - **17 qto** 13300/14900 - PA 6600.

na estrada N 114 por ⑤ - ✉ 7000 Evora - ☎ 066 :

Évorahotel, Quinta do Cruzeiro 2,5 km ☎ 73 48 00, Telex 44279, Fax 73 48 06, ← - TV - 25/100
114 qto.

Estal. Poker, Quinta do Vale de Vazios 3,5 km ☎ 73 46 96, Fax 337 10, ←, - TV - 25/70
15 qto.

ÉVORA

Giraldo (Praça do) . . . . BZ
João de Deus (Rua) . . . . AY 16
República (Rua da) . . . . BZ
5 de Outubro (Rua) . . . . BYZ

Álvaro Velho (Largo) . . . . BZ 3
Aviz (Rua de) . . . . BY 4
Bombeiros Voluntários
de Évora (Av.) . . . . CZ 6
Caraça (Trav. da) . . . . BZ 7
Cenáculo (Rua do) . . . . BY 9
Combatentes
da Grande Guerra (Av. dos) . . BZ 10
Conde de Vila-Flor
(Largo) . . . . BY 12
Diogo Cão (Rua) . . . . BZ 13
Freiria de Baixo (Rua da) . . . . . BY 15
José Elias Garcia (Rua) . . . . AY 18
Lagar dos Dizimos
(Rua do) . . . . BZ 19
Luís de Camões (Largo) . . . . AY 21
Marquês de Marialva
(Largo) . . . . BY 22
Menino Jesus (R. do) . . . . BY 24
Misericórdia (Largo) . . . . BZ 25
Penedos (Largo dos) . . . . AY 28
Santa Clara (R. de) . . . . AZ 30
São Manços (Rua de) . . . . BZ 31
Senhor da Pobreza (Largo) . . . . CZ 33
Torta (Trav.) . . . . AZ 34
Vasco da Gama (Rua) . . . . BY 36
1º de Maio (Praça) . . . . BZ 37

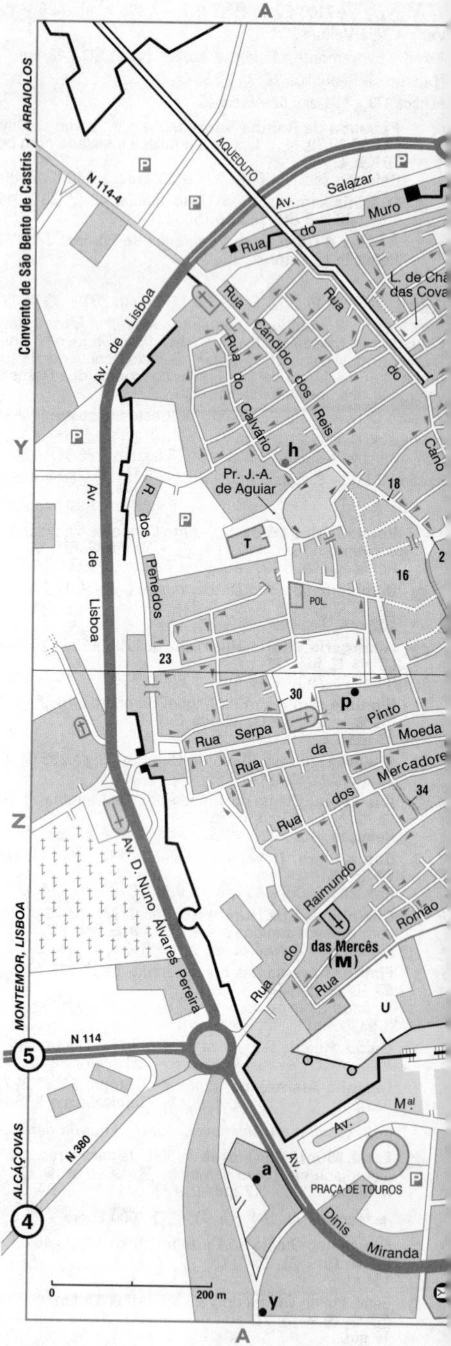

Este guia não é uma lista
de todos os hotéis e restaurantes,
nem sequer de todos
os bons hotéis e restaurantes
de Espanha e Portugal.

Como procuramos servir
todos os turistas,
vemo-nos obrigados a indicar
estabelecimentos
de todas as categorias
e a citar apenas alguns
de cada uma delas.

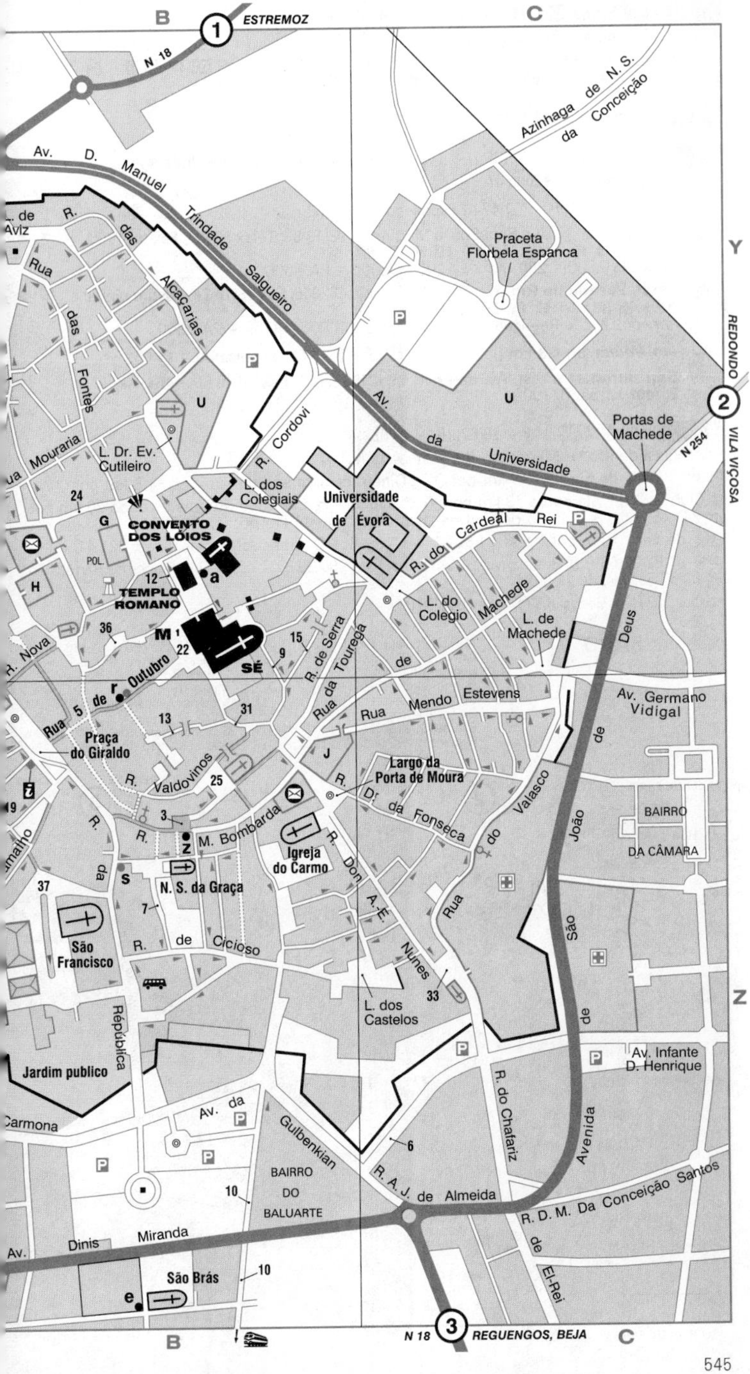
B
C
ESTREMOZ
N 18
Av. D. Manuel Trindade Salgueiro
Azinhaga de N. S. da Conceição
Praceta Florbela Espanca
Y
REDONDO
VILA VIÇOSA
N 254
Portas de Machede
Av. da Universidade
R. Cordovi
L. de Aviz
R. das Alcaçarias
Rua das Fontes
Mouraria
L. Dr. Ev. Cutileiro
L. dos Colegiais
Universidade de Évora
R. do Cardeal Rei
CONVENTO DOS LÓIOS
POL.
TEMPLO ROMANO
L. do Colegio
R. de Machede
L. de Machede
R. Nova
R. 5 de Outubro
SÉ
R. de Serra
Rua da Tourega
Rua Mendo Estevens
Av. Germano Vidigal
Praça do Giraldo
R. Valdovinos
Largo da Porta de Moura
R. D. da Fonseca
Rua do Valasco
Rua de João de Deus
BAIRRO DA CÂMARA
R. M. Bombarda
Igreja do Carmo
R. Don A. E. Nunes
N. S. da Graça
R. da República
São Francisco
R. de Cicioso
L. dos Castelos
São João de Deus
Z
Av. Infante D. Henrique
Jardim publico
Carmona
Av. da
Gulbenkian
R. do Chafariz
Avenida
BAIRRO DO BALUARTE
R. A. J. de Almeida
R. D. M. Da Conceição Santos
R. de El-Rei
Av. Dinis Miranda
São Brás
N 18
REGUENGOS, BEJA
1
2
3
24
12
36
22
15
9
13
31
25
3
7
37
19
33
6
10
10
G
H
U
U
J
M
a
r
s
e
n
P

FAFE 4820 Braga 440 H 5 – 11 713 h. – ☎ 053.
♦Lisboa 375 – Amarante 37 – Guimarães 14 – ♦Porto 67 – Vila Real 72.

🏨 **Resthotel Fafe,** Av. do Brasil ✆ 59 52 22, Fax 59 52 29 – ▤ TV ☎ ♿ P – 25/70. AE ◑ E VISA – **Refeição** 2100 – **60 qto** ☕ 6250/7250 – PA 4400.

FAIAL Madeira – ver Madeira (Arquipélago da).

FÃO Braga 440 H 3 – 2 185 h. – ✉ 4740 Esposende – ☎ 053 – Praia.
♦Lisboa 365 – Braga 35 – ♦Porto 47.

na Praia de Ofir – ✉ 4740 Esposende – ☎ 053 :

🏨 **Sopete Ofir** ♘, Av. Raul Sousa Martins ✆ 98 13 83, Telex 32492, Fax 98 18 71, ≤, ⛱, ✗ – |‡| TV ☎ P – 25/600. AE ◑ E VISA. ✗
Refeição 2500 – **200 qto** ☕ 12000/15000 – PA 5000.

🏨 **Estal. Parque do Rio** ♘, ✆ 98 15 21, Telex 32066, Fax 98 15 24, « Num pinhal », ⛱, ✗ – |‡| ▤ rest ☎ P. AE ◑ E VISA. ✗
abril-outubro – **Refeição** 2650 – **36 qto** ☕ 10000/14850 – PA 5300.

em Apúlia S : 6,3 km pela estrada N 13 – ✉ 4740 Esposende – ☎ 053 :

🏨 **San Remo** sem rest, Av. da Praia 45 ✆ 98 15 85, Fax 98 15 86 – VISA. ✗
29 qto ☕ 5500/7000.

FARO 8000 P 440 U 6 – 28 622 h. – ☎ 089 – Praia.
Ver : Vila-a-dentro★ - Miradouro de Santo António ✳★ B.
Arred. : Praia de Faro ≤★ 9 km por ① – Olhão (campanário da igreja ✳★) 8 km por ③.
⛳18 Club Golf de Vilamoura 23 km por ① ✆ 336 52 – ⛳18 Club Golf do Vale do Lobo 20 km por ① ✆ 941 45 – ⛳18, ⛳9 Campo de Golf da Quinta do Lago 16 km por ① ✆ 945 29.
✈ de Faro 7 km por ① ✆ 81 82 81 – T.A.P., Rua D. Francisco Gomes 8 ✆ 221 41.
🚗 ✆ 82 27 69 – 🅘 Rua da Misericórdia 8 a 12 ✆ 80 36 04 – A.C.P. Rua Francisco Barreto 26 A, ✆ 80 57 53, Fax 80 21 32.
♦Lisboa 309 ② – Huelva 105 ③ – Setúbal 258 ②.

FARO

Conselheiro Bivar (Rua)	A	9
D. F. Gomes (Pr. e Rua)	A	12
Ivens (Rua)	A	20
Santo António (Rua de)	A	27
1º de Maio (Rua)	A	31
Alex. Herculano (Praça)	A	3
Ataide de Oliveira (Rua)	B	4
Bocage (Rua do)	A	6
Carmo (Largo de)	A	7
Cruz das Mestras (Rua)	A	10
Dr Teixeira Guedes (Rua)	B	13
Eça de Queirós	B	15
Ferreira de Almeida (Praça)	A	16
Filipe Alistão (Rua)	A	18
Francisco Barreto (R.)	A	19
Lethes (Rua)	A	21
Moagem (R. da)	A	22
Mouras Velhas (Largo das)	A	23
Pé da Cruz (Largo do)	B	24
S. Pedro (Largo de)	A	25
São Sebastião (Largo de)	A	28

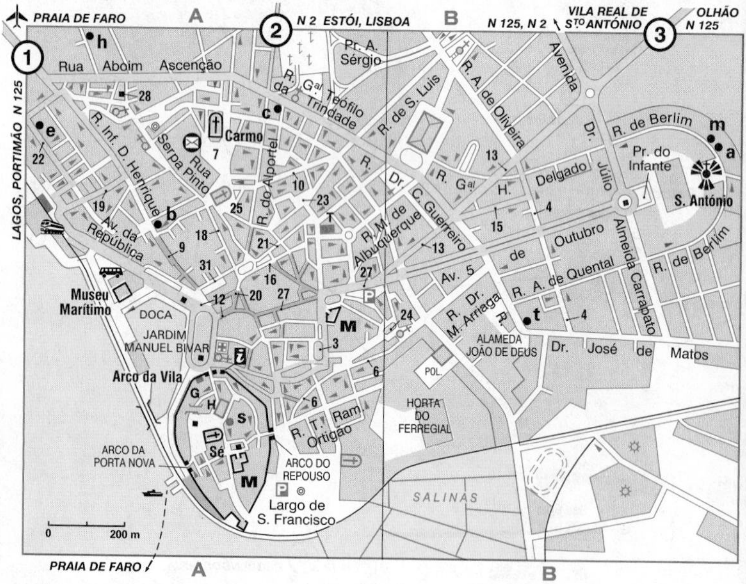

🏨 **Dom Bernardo** sem rest, Rua General Teófilo da Trindade 20 🖉 80 68 06, Fax 80 68 00 – 📳 🗐 📼 ☎. 🖭 𝓥𝓘𝓢𝓐. 🦐   A c
43 qto 🖵 10000/12000.

🏨 **Alnacir** sem rest, Estrada da Senhora da Saúde 24 🖉 80 36 78, Fax 80 35 48 – 📳 📺 ☎ – 🔬 25/70. 🖭 ⓞ 🖾 𝓥𝓘𝓢𝓐. 🦐   A h
53 qto 🖵 7500/9000.

🏠 **Afonso III** sem rest, Rua Miguel Bombarda 64 🖉 80 35 42, Fax 80 51 85 – 📳 🗐 📺 ☎
40 qto.   A e

🏠 **Solar do Alto** 🦐 sem rest, Rua de Berlim 55 🖉 80 58 75, ≤ – 🗐 📺. 🖭 ⓞ 🖾 𝓥𝓘𝓢𝓐   B a
20 qto 🖵 6000/8000.

🏠 **O Faraó** sem rest, Largo da Madalena 4 🖉 82 33 56, Fax 80 49 97 – 🖭   A b
fechado dezembro – 🖵 500 – **30 qto** 8000/10000.

🏠 **York** 🦐 sem rest, Rua de Berlim 39 🖉 82 39 73, ≤ – 📺 ☎   B m
21 qto.

🏠 **Alameda** sem rest, Rua Dr. José de Matos 31 🖉 80 19 62 – ☎. 🦐   B t
14 qto 🖵 6500/8500.

XX **Cidade Velha,** Rua Domingos Guieiro 19 🖉 271 45 – 🗐. 🖭 🖾 𝓥𝓘𝓢𝓐. 🦐   A s
fechado domingo – **Refeição** lista 2320 a 3920.

na Estrada N 125 por ① *: 2,5 km –* ☒ *8000 Faro –* ☻ *089 :*

🏠 **Ibis Faro,** Pontes de Marchil 🖉 80 67 71, Telex 56168, Fax 80 69 30, 😮, 🏊, – 📳 🗐 📺 ☎ ㋩ ❷ – 🔬 25/75. 🖭 ⓞ 🖾 𝓥𝓘𝓢𝓐
Refeição 2000 – 🖵 750 – **81 qto** 8950.

na Estrada do aeroporto por ① *: 4 km –* ☒ *8000 Faro –* ☻ *089 :*

🏨 **Mónaco** sem rest, 🖉 81 81 06, Fax 81 89 23 – 📳 🗐 📺 ☎ ❷ – 🔬 25/150. 🖭 ⓞ 🖾 𝓥𝓘𝓢𝓐. 🦐
61 qto 🖵 9950/12600, 3 suites.

na Praia de Faro por ① *: 9 km –* ☒ *8000 Faro –* ☻ *089 :*

XX **Camané,** Av. Nascente 🖉 81 75 39, Fax 81 72 36, ≤, 😮, Peixes e mariscos – 🗐. 🖾 𝓥𝓘𝓢𝓐. 🦐
fechado 2ª feira – **Refeição** lista 5350 a 8250.

em Santa Bárbara de Nexe por ① *: 12 km –* ☒ *8000 Faro –* ☻ *089 :*

🏯 **La Réserve** 🦐, Estrada de Esteval 🖉 904 74, Telex 56790, Fax 904 02, ≤, « Extenso e belo jardim com 🏊 », 🦐 – 🗐 📺 ☎ ❷. 🦐
Refeição (ver a continuação rest. *La Réserve*) – **20 apartamentos** 🖵 30000/40000.

XXX ✿ **La Réserve,** Estrada de Esteval 🖉 902 34, Telex 56790, Fax 904 02, 😮 – 🗐 ❷. 🦐
fechado 3ª feira – **Refeição** (só jantar) lista 5400 a 7300
Espec. Filetes de Peixe-Galo com molho champagne, Pato assado Vendôme, Codornizes com trufa Don Quijote.

em Estói por ② *: 11 km –* ☒ *8000 Faro –* ☻ *089 :*

🏨 **Monte do Casal** 🦐, Estrada de Moncarapacho SE *: 3 km* 🖉 915 03, Fax 913 41, ≤, 😮, « Antiga casa de campo », 🏊 climatizada, 🐎 – 🗐 hab ☎ ❷. 🖭 🖾 𝓥𝓘𝓢𝓐. 🦐
fechado 9 dezembro-12 fevereiro – **Refeição** *(fechado 2ª feira)* lista 4350 a 5550 – **9 qto**
🖵 25500, 5 suites.

FÁTIMA 2495 Santarém 𝟜𝟜𝟘 N 4 – 7 298 h. alt. 346 – ☻ 049.

Arred.: Parque natural das serras de Aire e de Candeeiros★ : SO Grutas de Mira de Aire★ o dos Moinhos Velhos.

🖪 Av. D. José Alves Correia da Silva 🖉 53 11 39.

◆Lisboa 135 – Leiria 26 – Santarém 64.

XX ✿ **Tia Alice,** Rua do Adro 🖉 53 17 37, Fax 53 17 37 – 🗐. 🖾 𝓥𝓘𝓢𝓐. 🦐
fechado domingo noite, 2ª feira e julho – **Refeição** lista 3000 a 3900
Espec. Açorda de camarão, Arroz de pato, Bacalhau Tia Alice.

na Cova da Iria NO : 2 km – ☒ *2495 Fátima –* ☻ *049 :*

🏨 **De Fátima,** João Paulo II 🖉 53 33 51, Telex 43750, Fax 53 26 91 – 📳 🗐 📺 ☎ 🚗 ❷ – 🔬 25/500. 🖭 ⓞ 🖾 𝓥𝓘𝓢𝓐. 🦐 rest
Refeição 3300 – **133 qto** 🖵 11000/13500 – PA 6600.

🏨 **Santa Maria,** Rua de Santo António 🖉 53 30 15, Telex 43108, Fax 53 21 97 – 📳 🗐 📺 ☎ ❷. 🖭 🖾 𝓥𝓘𝓢𝓐. 🦐
Refeição 2500 – **60 qto** 🖵 7500/9000 – PA 5100.

🏠 **Três Pastorinhos,** Rua João Paulo II 🖉 53 34 29, Telex 61550, Fax 53 24 49 – 📳 🗐 📺 ☎ ❷. 🖭 ⓞ 🖾 𝓥𝓘𝓢𝓐. 🦐 rest
Refeição 2450 – **92 qto** 🖵 8200/10000.

🏠 **Dom Gonçalo,** Rua Jacinta Marto 100 🖉 53 30 62, Fax 53 20 88 – 📳 🗐 📺 ☎ ❷ – 🔬 25/220. 🖭 ⓞ 🖾 𝓥𝓘𝓢𝓐. 🦐 rest
Refeição lista 2850 a 4300 – **41 qto** 🖵 7500/9600.

São José, Av. D. José Alves Correia da Silva ☎ 53 22 15, Fax 53 21 97 - |‡| ▤ TV ☎ P. AE E VISA. ✕
Refeição 2500 - **63 qto** ☐ 7500/9000 - PA 5100.

Regina, Rua Dr. Cónego Manuel Formigão ☎ 53 23 03, Telex 17118, Fax 53 26 63 - |‡| ▤ rest ☎
90 qto.

Cinquentenário, Rua Francisco Marto 175 ☎ 53 34 65, Telex 44288, Fax 53 29 92 - |‡| ▤ TV ☎ P - 25/80. AE O E VISA. ✕ rest
Refeição 2400 - **132 qto** ☐ 7950/10900 - PA 5000.

Católica, Rua de Santa Isabel ☎ 53 23 55, Telex 63216 - |‡| ▤ rest
55 qto.

Casa Beato Nuno, Av. Beato Nuno 51 ☎ 53 30 69, Telex 43273, Fax 53 27 57 - |‡| ▤ rest ☎ P - 25/200. AE O E VISA. ✕
Refeição 1800 - **135 qto** ☐ 4600/5600 - PA 3600.

Alecrim, Rua Francisco Marto 84 ☎ 53 13 76, Telex 61230, Fax 53 28 17 - |‡| ☎. AE E VISA. ✕ rest
Refeição lista aprox. 3150 - **52 qto** ☐ 5000/9000.

Casa das Irmãs Dominicanas, Rua Francisco Marto 50 ☎ 53 33 17, Fax 53 26 88 - |‡| P - 25/60. ✕
Refeição 1700 - **101 qto** ☐ 4500/6500 - PA 3300.

Cruz Alta sem rest, Rua Dr. Cónego Manuel Formigão ☎ 53 14 81, Fax 53 21 60 - |‡| TV ☎ P. AE O E VISA. ✕
22 qto ☐ 8000/9000.

Floresta, Estrada da Batalha ☎ 53 14 66, Fax 53 31 38 - |‡| ▤ rest P. AE O VISA. ✕
Refeição lista 2150 a 3100 - **31 qto** ☐ 6500/9500.

São Paulo sem rest, Rua de São Paulo ☎ 53 15 72, Fax 53 32 57 - |‡| P
55 qto.

Estrela de Fátima, Rua Dr Cónego Manuel Formigão ☎ 53 11 50, Fax 53 21 60 - ☎ P. AE O E VISA. ✕
Refeição 1950 - **57 qto** ☐ 8000/9000.

O Recinto, Av. D. José Alves Correia da Silva (Galerias do Parque) ☎ 53 30 55, Fax 53 30 28 - ▤ P. O E VISA. ✕
Refeição lista aprox. 2700.

FELGUEIRAS 4610 Porto 440 H 5 - 165 h. - ☎ 055.

♦Lisboa 379 - Braga 38 - ♦Porto 65 - Vila Real 57.

Horus sem rest, Av. Dr. Leonardo Coimbra ☎ 31 24 00, Fax 31 23 22, ⛶, ⛶ - |‡| ▤ TV ☎ ♿ ⛶ - 25/100. AE O E VISA JCB. ✕
46 qto ☐ 7500/10500, 12 apartamentos.

FERMENTELOS Aveiro 440 K 4 - 2 183 h. - ✉ 3770 Oliveira do Bairro - ☎ 034.

♦Lisboa 244 - Aveiro 20 - ♦Coimbra 42.

na margem do lago NE : 1 km - ✉ 3770 Oliveira do Bairro - ☎ 034 :

Estal. da Pateira ⛶, ☎ 72 12 19, Fax 72 21 81, ≤ - |‡| ▤ TV P. O E VISA. ✕
Refeição 2500 - **55 qto** ☐ 8000/11000.

FERNÃO FERRO Setúbal 440 Q 2 - ✉ 2840 Seixal - ☎ 01.

♦Lisboa 26 - Sesimbra 16 - Setúbal 34.

Orión, Estrada N 378 ☎ 212 18 34, Fax 212 20 13, ⛶, ⛶ - |‡| ▤ TV ☎ P - 25/80. ✕ rest
Refeição lista aprox. 3500 - **34 qto** ☐ 9000/10500.

FERRAGUDO 8400 Faro 440 U 4 - 1 911 h. - ☎ 082 - Praia.

em Vale de Areia S : 2 km - ✉ 8400 Lagoa - ☎ 082 :

Casabela H. ⛶, Praia Grande ☎ 46 15 80, Telex 57100, Fax 46 15 81, ≤ Praia da Rocha e mar, ⛶, ⛶, ⛶, ⛶ - |‡| ▤ TV ☎ P - 25. ✕ rest
Refeição (só jantar) 4000 - **63 qto** ☐ 25000/27500.

FERREIRA DO ZÊZERE 2240 Santarém 440 M 5 - 1 974 h. - ☎ 049.

♦Lisboa 166 - Castelo Branco 107 - ♦Coimbra 61 - Leiria 66.

na margem do rio Zêzere pela N 348 SE : 8 km - ✉ 2240 Ferreira do Zêzere - ☎ 049 :

Estal. Lago Azul ⛶, ☎ 36 14 45, ≤, « Na margem do rio Zêzere », ⛶, ⛶ - |‡| ▤ TV P - 25/90
20 qto.

FIGUEIRA DA FOZ 3080 Coimbra 440 L 3 - 13 397 h. - 033 - Praia.

Ver : Localidade★.

Arred. : Montemor-o-Velho : castelo★ (★) 17 km por ②.

276 83.

Av. 25 de Abril 226 10 - **A.C.P.** Av. Saraiva de Carvalho 140, 241 08, Fax 293 18.

♦Lisboa 181 ② - ♦Coimbra 44 ②.

FIGUEIRA DA FOZ

Alfândega (Cais da)	B 2
Cândido dos Reis (R.)	A 6
Eng. Silva (R.)	A 8
Infante D. Henrique (P.)	A 11
Luís de Camões (Largo)	B 14
República (R. da)	B
5 de Outubro (R.)	AB 16
8 de Maio (Praça)	B 17
Bernardo Lopes (R.)	A 3
Bombeiros Voluntários (R.)	B 4
Brasil (Av. do)	A 5
C. da Grande Guerra (R.)	B 7
Fernandes Tomás (R.)	B 9
Fonte (R. da)	A 10
Liberdade (R. da)	A 12
Luís Carriço (R.)	A 13
Viso (R. do)	A 15

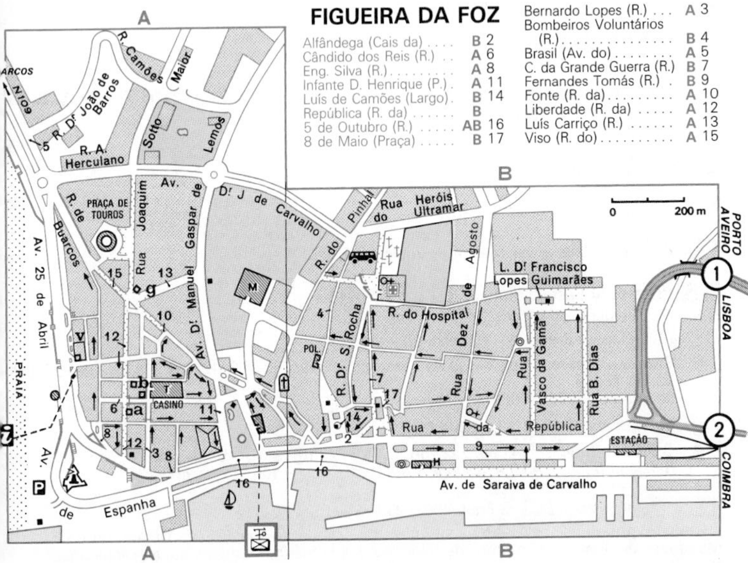

🏨 **G. H. da Figueira,** Av. 25 de Abril 221 46, Telex 53086, Fax 224 20, ← - rest AE VISA JCB. A **v**
Refeição 2800 - **91 qto** 15000/17500 - PA 5600.

Wellington sem rest, Rua Dr Calado 25 267 67, Fax 275 93 - AE VISA A **b**
34 qto 8000/9000.

Internacional sem rest, Rua da Liberdade 20 220 51, Telex 53086, Fax 224 20 - 25/100. AE VISA JCB. A **a**
50 qto 8500/11000.

Nicola sem rest, Rua Bernardo Lopes 83 223 59, Fax 223 59 - AE VISA. A **b**
400 - **24 qto** 7500/8200.

Bela Vista sem rest, Rua Joaquim Sotto Maior 6 224 64 - VISA A **g**
18 qto 6250.

em Buarcos A - 3080 Figueira da Foz - 033 :

Clube de Vale de Leão, Estrada do Cabo Mondego NO : 6 km 330 57, Telex 53011, Fax 325 71, ←, « Em moradias independentes », - 25/60. AE VISA.
Refeição 2000 - 950 - **18 apartamentos** 14500.

Atlântida, Estrada do Cabo Mondego NO : 4,5 km 219 97, Telex 52958, Fax 210 67, ←, - 25/400. AE VISA.
Refeição lista aprox. 2500 - **146 qto** 10000/11500.

Tamargueira sem rest, Estrada do Cabo Mondego NO : 3 km 325 14, ← - AE VISA.
86 qto 10000/11500.

Teimoso com qto, Estrada do Cabo Mondego NO : 5 km 327 85, Fax 210 17, ← - rest AE VISA.
Refeição lista aprox. 2800 - **14 qto** 7000.

em Santa Luzia de Lavos - ao Sul por ① : 11 km - 3080 Figueira da Foz - 033 :

O Solar de Lavos, 94 67 87, - VISA
fechado do 14 ao 26 de fevereiro - **Refeição** lista 2200 a 3100.

FIGUEIRÓ DOS VINHOS 3260 Leiria 𝟦𝟦𝟢 M 5 – 4 662 h. alt. 450 – ✪ 036.
Arred. : Percurso★ de Figueiró dos Vinhos a Pontão 16 km.
🛈 Av. Padre Diogo de Vasconcelos ℘ 521 78.
◆Lisboa 205 – ◆Coimbra 59 – Leiria 74.

%　**Panorama,** Rua Major Neutel de Abreu 24 ℘ 521 15, Fax 528 87 – 🍽. ⒶⒺ 🇪 𝘝𝘐𝘚𝘈
　　fechado do 1 ao 15 de setembro – **Refeição** lista 2250 a 2650.

FOLGADOS Lisboa – ver Sobral de Monte Agraço.

FOZ DO ARELHO 2500 Leiria 𝟦𝟦𝟢 N 2 – ✪ 062.
◆Lisboa 101 – Leiria 62 – Nazaré 27.

🏠　**Penedo Furado** sem rest, Rua dos Camarções 3 ℘ 97 96 10, Fax 97 98 32 – 📺 Ⓟ. 🇪 𝘝𝘐𝘚𝘈.
　　🌿
　　28 qto ⋤ 7000/8500.

FOZ DO DOURO Porto – ver Porto.

FRANQUEADA Faro – ver Loulé.

FUNCHAL Madeira – ver Madeira (Arquipélago da).

FUNDÃO 6230 Castelo Branco 𝟦𝟦𝟢 L 7 – 6 004 h. – ✪ 075.
🛈 Av. da Liberdade ℘ 527 70.
◆Lisboa 303 – Castelo Branco 44 – ◆Coimbra 151 – Guarda 63.

🏨　**Samasa** sem rest, Rua Vasco da Gama ℘ 712 99, Telex 53112, Fax 718 09 – 🛗 🍽 📺 ☎.
　　ⒶⒺ Ⓞ 🇪 𝘝𝘐𝘚𝘈
　　50 qto ⋤ 8000/11000.

　　na estrada N 18 N : 2,5 km – ✉ 6230 Fundão – ✪ 075 :

🏠　**O Alambique,** ℘ 741 69, Fax 740 21, ⅃ – 🍽 📺 ☎ Ⓟ. ⒶⒺ 𝘝𝘐𝘚𝘈. 🌿
　　Refeição (fechado 15 setembro-8 outubro) 2500 – **100 qto** ⋤ 5500/8500.

GERÊS 4845 Braga 𝟦𝟦𝟢 G 5 alt. 400 – ✪ 053 – Termas.
Excurs. : Parque nacional da Peneda-Gerês★★ : estrada de subida para Campo de Gerês★★ – Miradouro de Junceda★, represa de Vilarinho das Furnas★, Vestígios da via romana★.
🛈 Av. Manuel Ferreira da Costa ℘ 651 33.
◆Lisboa 412 – Braga 44.

GONDARÉM Viana do Castelo – ver Vila Nova de Cerveira.

GOUVEIA 6290 Guarda 𝟦𝟦𝟢 K 7 – 603 h. alt. 650 – ✪ 038.
Arred. : Estrada★★ de Gouveia a Covilhã (≼★, Poço do Inferno★ : cascata★, vale glaciário do Zêzere★★, ≼★) por Manteigas : 65 km.
🛈 Av. dos Bombeiros Voluntarios ℘ 421 85.
◆Lisboa 310 – ◆Coimbra 111 – Guarda 59.

🏨　**De Gouveia e Rest. O Foral,** Av. 1º de Maio ℘ 49 10 10, Fax 413 70, ≼ – 🛗 🍽 rest 📺
　　Ⓟ – 🔺 25. ⒶⒺ Ⓞ 🇪 𝘝𝘐𝘚𝘈 🌿
　　Refeição lista 1750 a 2350 – **31 qto** ⋤ 7000/10000.

GOUVEIA Lisboa 𝟦𝟦𝟢 P 1 – ✉ 2710 Sintra – ✪ 01.
◆Lisboa 29 – Sintra 6.

%　**A Lanterna,** Estrada N 375 ℘ 929 21 17 – 🍽 Ⓟ. 🇪 𝘝𝘐𝘚𝘈 🌿
　　fechado 2ª feira e novembro – **Refeição** lista aprox. 4400.

GRÁNDOLA 7570 Sétubal 𝟦𝟦𝟢 R 4 – 10 461 h. – ✪ 069.
🛈 Jardín do Dr. J. Jacinto Nunes ℘ 420 51 - ext. 138.
◆Lisboa 121 – Beja 69 – Setúbal 75.

🏠　Vila Morena sem rest, Av. Jorge Nunes ℘ 420 95 – 🛗 ⇦
　　23 qto.

GRANJA Porto 𝟦𝟦𝟢 I 4 – ✉ 4405 Valadares – ✪ 02 – Praia.
◆Lisboa 317 – Amarante 79 – Braga 69 – ◆Porto 17.

🏩　**Solverde,** Estrada N 109 ℘ 72 66 66, Telex 25982, Fax 72 62 36, ≼, 🖪, ⅃, 🏊, 🎾 – 🛗
　　🍽 📺 ☎ ⇦ Ⓟ – 🔺 25/500. ⒶⒺ Ⓞ 🇪 𝘝𝘐𝘚𝘈 🌿
　　Refeição 3600 – **174 qto** ⋤ 22000/26000 – PA 7200.

GUARDA 6300 P 440 K 8 - 14 803 h. alt. 1 000 - ☎ 071.

Ver : Sé★.

✆ 21 15 65.

i Praça Luís de Camões, Edifício da Câmara Municipal ✆ 22 22 51.

♦Lisboa 361 - Castelo Branco 107 - Ciudad Rodrigo 74 - ♦Coimbra 161 - Viseu 85.

- **De Turismo,** Praça do Município ✆ 22 33 66, Telex 53760, Fax 22 33 99, ←, - rest TV ☎ - 25/300. AE O E VISA.
  Refeição 3500 - 900 - **103 qto** 11500/14100, 2 suites - PA 7000.
- **O Telheiro,** Estrada N 16, E : 1,5 km ✆ 21 13 56, Fax 22 17 27, ←, - P. AE E VISA.
  Refeição lista 2500 a 3500.
- D'Oliveira, Rua do Encontro 1-1° ✆ 21 44 46 - .

na estrada N 16 NE : 7 km - ✉ 6300 Guarda - ☎ 071 :

- Pombeira, ✆ 23 96 95, Fax 23 95 18 - P.

GUARDEIRAS Porto 440 I 4 - ✉ 4470 Maia - ☎ 02.

♦Lisboa 326 - Amarante 76 - Braga 43 - ♦Porto 12.

- Estal. Lidador com qto, Estrada N 13 ✆ 948 11 09 - rest P
  7 qto.

GUIMARÃES 4800 Braga 440 H 5 - 22 092 h. alt. 175 - ☎ 053.

Ver : Castelo★ - Paço dos Duques★ (tectos★, tapeçarias★) - Museu Alberto Sampaio★ (estátua jacente★, ourivesaria★, tríptico★, cruz processional★) - Praça de San Tiago★ - Igreja de Sâo Francisco (azulejos★, sacristia★).

Arred. : Penha ※★ SE : 8 km.

i Av. da Resistência ao Fascismo 83 ✆ 412 450.

♦Lisboa 364 - Braga 22 - ♦Porto 49 - Viana do Castelo 70.

- De Guimarães, Rua Eduardo de Almeida ✆ 51 58 88, Telex 33836, Fax 51 62 34, ←, - TV ☎ P - 25/250
  72 qto.
- **Pousada de Nossa Senhora da Oliveira,** Rua de Santa Maria ✆ 51 41 57, Fax 51 42 04 - rest TV ☎ P. AE O E VISA.
  Refeição lista aprox. 3150 - **16 qto** 15500/17500.
- **Fundador Dom Pedro** sem rest, Av. Afonso Henriques 740 ✆ 51 37 81, Telex 32866, Fax 51 37 86, ← - TV ☎ . AE O E VISA
  63 qto 10500/12600.
- Toural sem rest, Largo do Toural ✆ 51 71 84, Fax 51 71 49 - TV ☎ P - 25/40
  30 qto.
- **Albergaria Palmeiras** sem rest, Rua Gil Vicente (Centro Comercial das Palmeiras) ✆ 41 03 24, Fax 41 72 61 - TV ☎ . AE O E VISA.
  22 qto 7000/8000.

na Estrada da Penha E : 2,5 km - ✉ 4800 Guimarães - ☎ 053 :

- **Pousada de Santa Marinha** , ✆ 51 44 53, Telex 32686, Fax 51 44 59, ← Guimarães, « Instalado num antigo convento », - ☎ P. AE O E VISA. rest
  Refeição lista 3500 a 5200 - **48 qto** 19000/22000, 2 suites.

LAGOA 8400 Faro 440 U 4 - 6 353 h. - ☎ 082 - Praia.

Arred. : Silves (Castelo★, Sé★) N : 6,5 km - Carvoeiro : Algar Seco : sítio marinho★★ S : 6 km.

i Largo da Praia, Praia do Carvoeiro ✆ 35 77 28.

♦Lisboa 300 - Faro 54 - Lagos 26.

na Estrada N 125 SE : 1,5 km - ✉ 8400 Lagoa - ☎ 082 :

- Motel Parque Algarvío, ✆ 522 65, Fax 522 78, , , - ☎ P
  42 qto.

na Praia do Carvoeiro S : 5 km - ✉ 8400 Lagoa - ☎ 082 :

- **Almansor,** Estrada do Farol ✆ 35 80 26, Telex 57194, Fax 35 87 70, ←, , « Relvado com e belos socalcos ajardinados » - TV ☎ P - 350/700. AE O E VISA. rest
  Refeição 3200 - *A Varanda (só jantar)* **Refeição** lista aprox. 3860 - **290 qto** 23100/26200 - PA 6400.
- **Aparthotel Cristal** , Vale Centianes ✆ 35 86 01, Telex 58705, Fax 35 86 48, ←, , , , , - TV ☎ P. AE O E VISA JCB.
  Refeição 2500 - **117 apartamentos** 20000/25500.

XX **Centianes,** Vale Centianes ✆ 35 87 24, Fax 35 81 00, ☂ - ▤. AE ⓓ E VISA JCB
fechado domingo e 15 janeiro-15 fevereiro - **Refeição** (só jantar) lista 2830 a 7810.

XX **O Castelo,** Rua do Casino ✆ 35 72 18, ≤, ☂ - AE ⓓ E VISA. ✂
fechado 2ª feira e 16 janeiro-21 fevereiro - **Refeição** (só jantar) lista 2380 a 4480.

X **O Pátio,** Largo da Praia 6 ✆ 35 62 46, Fax 35 62 47, ☂, Decoração rústica - ▤. AE E VISA. ✂
março-outubro - **Refeição** lista 2650 a 4450.

X **A Rede,** Estrada do Farol ✆ 35 85 13, Fax 31 36 51, ☂ - ▤. E VISA JCB. ✂
Refeição lista aprox. 4200.

X **Togi,** Rua das Flores 12-Algar Sêco ✆ 35 85 17, Decoração regional - ✂
março-15 novembro - **Refeição** (só jantar) lista 3175 a 3875.

Ocho mapas detallados Michelin :

España : Norte-Oeste 441, Centro-Norte 442, Norte-Este 443, Centro 444, Centro-Este 445, Sur 446, Islas Canarias 448

Portugal 440

Las localidades subrayadas en rojo en estos mapas aparecen citadas en esta Guía.

Para el conjunto de España y Portugal, adquiera el mapa Michelin 990 a 1/1 000 000.

LAGOS 8600 Faro 440 U 3 - 10 054 h. - ☎ 082 - Praia.

Ver : Sítio ≤★ - Igreja de Santo António★ (decoração barroca★) Z B.

Arred. : Ponta da Piedade★★ (sítio★★ ≤★), Praia de Dona Ana★ S : 3 km - Barragem da Bravura★ 15 km por ②.

⛳18 Campo de Palmares Meia Praia por ②, ✆ 76 29 53.

ℹ Largo Marquês de Pombal ✆ 76 30 31.

♦Lisboa 290 ① - Beja 167 ① - Faro 82 ② - Setúbal 239 ①.

Plano página seguinte

De Lagos, Rua Nova da Aldeia ✆ 76 99 67, Telex 57477, Fax 76 99 20, ☂, Fö, ⛱ climatizada, ⛱, 🎾 - |♦| ▤ TV ☎ 🚗 - 🏛 25/150 — Y e
317 qto.

Marina Rio sem rest, av. dos Descobrimentos ✆ 76 98 59, Telex 58760, Fax 76 99 60, ≤, ⛱ climatizada - |♦| ▤ TV ☎. E VISA. ✂ — Y a
fechado 26 novembro-26 dezembro - **36 qto** ☕ 14600/15000.

Montemar sem rest., Rua da Torraltinha Lote 33 ✆ 76 20 85, Telex 57454, Fax 76 20 88 - |♦| ▤ TV ☎ 🚗. AE ⓓ E VISA. ✂ — Z a
65 qto ☕ 9500/13500.

Lagosmar sem rest, Rua Dr. Faria e Silva 13 ✆ 76 37 22, Fax 76 73 24 - TV ☎. E VISA. ✂ — Y c
45 qto ☕ 7500/11000.

Cidade Velha sem rest, Rua Dr. Joaquim Tello 7 ✆ 76 20 41 - |♦| — Z k
17 qto.

Marazul sem rest, Rua 25 de Abril 13 ✆ 76 91 43, Telex 58760, Fax 76 99 60 - ☎. AE ⓓ E VISA. ✂ — Y u
fechado 26 novembro-26 dezembro - **18 qto** ☕ 7500/8500.

XX **O Castelo,** Rua 25 de Abril 47 ✆ 76 09 57 - ▤. AE ⓓ E VISA JCB. ✂ — Y f
Refeição lista 1790 a 2970.

X **Dom Sebastião,** Rua 25 de Abril 20 ✆ 76 27 95, Telex 58760, Fax 76 99 60, ☂, Decoração rústica - ▤. AE ⓓ E VISA. ✂ — Y r
fechado 23 novembro-26 dezembro - **Refeição** lista 1850 a 2850.

X **O Galeão,** Rua da Laranjeira 1 ✆ 76 39 09 - ▤. AE ⓓ E VISA. ✂ — Z x
fechado domingo e 25 novembro-28 dezembro - **Refeição** lista 3030 a 3830.

X **A Lagosteira,** Rua 1° de Maio 20 ✆ 76 24 86 - ▤. AE ⓓ E VISA — YZ n
fechado sábado meio-dia, domingo meio-dia e 10 janeiro-10 fevereiro - **Refeição** lista 2030 a 3930.

na Praia de Dona Ana S : 2 km - ✉ 8600 Lagos - ☎ 082 :

Golfinho, ✆ 76 99 00, Telex 57497, Fax 76 99 99, ≤, ⛱, ⛱ - |♦| ▤ TV ☎ 🚗 Ⓟ - 🏛 25/400. AE ⓓ E VISA JCB. ✂
Refeição 2800 - **262 qto** ☕ 20400/24300.

na Estrada da Meia Praia - ✉ 8600 Lagos - ☎ 082 :

Meia Praia 🐎, NE : 3,8 km ✆ 76 20 01, Telex 57489, ≤, « Jardim com árvores », ⛱, 🎾 - |♦| Ⓟ
temp. - **66 qto.**

Marina São Roque, NE : 1,5 km ✆ 76 37 61, Telex 58754, Fax 76 39 76, ⛱ - |♦| ▤ TV ☎. AE ⓓ E VISA. ✂
Refeição lista aprox. 3250 - ☕ 500 - **21 qto** ☕ 11000/15000.

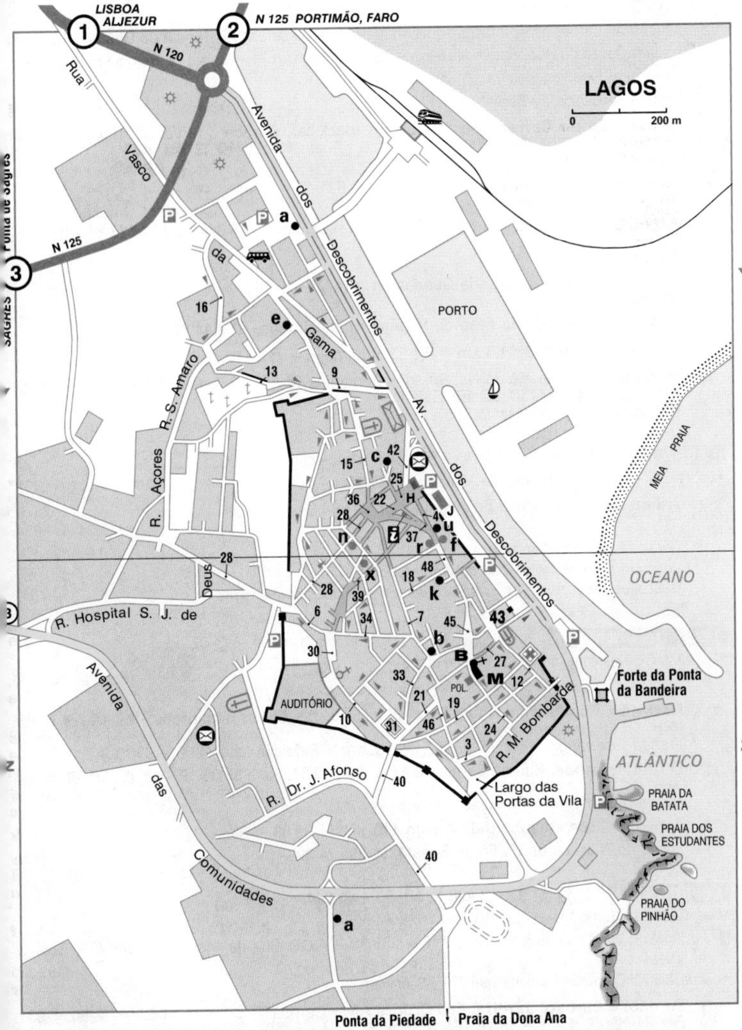

Afonso de Almeida (Rua)	Y 4
Cândido dos Reis (Rua)	Z 7
Garrett (Rua)	Y 22
Gil Eanes (Praça)	Y 25
Marquês de Pombal (Rua)	Y 37
Porta de Portugal (Rua da)	Y 42
Adro (Rua do)	Z 3
Atalaia (Rua da)	Z 6
Capelinha (Rua da)	Y 9
Cardeal Netto (Rua)	Z 10
Castelo dos Governadores	Z 12
Cemitério (Rua do)	Y 13
Conselheiro J. Machado (Rua)	Y 15
Conv. da Sra da Glória (Rua)	Y 16
Dr Joaquim Tello (Rua)	Z 18
Dr Mendonça (Rua)	Z 19
Forno (Travessa do)	Z 21
Gen. Alberto Silveira (Rua)	Z 24
Henrique C. da Silva (Rua)	Z 27
Infante de Sagres (Rua)	YZ 28
João Bonança (Rua)	Z 30
João de Deus (Praça)	Z 31
Lançarote de Freitas (Rua)	Z 33
Luís de Azevedo (Rua)	Z 34
Luís de Camões (Praça)	Y 36
Marreiros Netto (Rua)	YZ 39
Ponta da Piedade (Estr. da)	Z 40
República (Praça da)	Z 43
Silva Lopes (Rua da)	Z 45
5 de Outubro (Rua)	Z 46
25 de Abril (Rua)	Z 48

*Um conselho da **Michelin**:*

para ser bem sucedido nas suas viagens, prepare-as com antecedência.

*Os **mapas** e **guias Michelin** dão-lhe todas as indicações úteis sobre : itinerários, visitas aos pontos com interesse, alojamento, preços, etc...*

LAMEGO 5100 Viseu 440 I 6 - 9 942 h. alt. 500 - ☎ 054.
Ver : Museu de Lamego★ (pinturas sobre madeira★, tapeçarias★) - Capela do Desterro (tecto★).
Arred. : Miradouro da Boa Vista★ N : 5 km - São João de Tarouca : Igreja (S. Pedro★) SE : 15,5 km.
Av. Visconde Guedes Teixeira ☎ 620 05.
♦Lisboa 369 - Viseu 70 - Vila Real 40.

- **Albergaria do Cerrado** sem rest, com snack-bar, Estrada do Peso da Régua-Lugar do cerrado ☎ 631 64, Fax 654 64, ≤ - TV ☎. AE E VISA.
  30 qto 13200/15400.
- **São Paulo** sem rest, Av. 5 de Outubro ☎ 631 14 - .
  34 qto 4000/6000.
- Solar do Espírito Santo sem rest, Alexandro Herculano 1 ☎ 644 70, Fax 628 86 - TV ☎
  28 qto.
- Solar sem rest, av. Visconde Guedes Teixeira ☎ 620 60
  30 qto.
- O Marquês, Estrada do peso da Régua-Urb. da Ortigosa ☎ 644 88, .

pela Estrada N 2 S : 1,5 km - ✉ 5100 Lamego - ☎ 054 :

- **Parque** , Santuário de Na. Sra. dos Remédios ☎ 621 05, Telex 27723, Fax 652 03, - TV P - 25/130. AE E VISA. rest
  Refeição 4000 - **36 qto** 7300/9000.

LAVRA Porto 440 I 3 - 9 183 h. - ✉ 4450 Matosinhos - ☎ 02.
♦Lisboa 321 - Braga 53 - ♦Porto 12 - Viana do Castelo 62.

- Asi me Gusta, Av. Praia de Angeiras ☎ 927 04 80, - .

Si busca un hotel tranquilo,
consulte primero los mapas de la introducción
o localice en el texto los establecimientos señalados con el signo o .

LEÇA DA PALMEIRA Porto 440 I 3 - ✉ 4450 Matosinhos - ☎ 02.
♦Lisboa 322 - Amarante 76 - Braga 55 - ♦Porto 8.

ver plano de Porto aglomeração

- XXX **Garrafão,** Rua António Nobre 53 ☎ 995 16 60, , Peixes e mariscos - . AE E VISA JCB. AU u
  fechado domingo e do 15 ao 31 de agosto - **Refeição** lista 4200 a 8900.
- XXX **O Chanquinhas,** Rua de Santana 243 ☎ 995 18 84, Fax 996 06 19 - P. AE E VISA JCB. AU s
  fechado domingo - **Refeição** lista aprox. 4700.
- XX Conde de Leça, Rua Pinto de Araújo 110 ☎ 995 89 63 - AU r
- X Fonte do Mar, Largo da Fonte Seca 4 ☎ 995 24 39 - AU b

LEIRIA 2400 P 440 M 3 - 12 428 h. alt. 50 - ☎ 044.
Ver : Castelo★ (sítio★).
Jardim Luís de Camões ☎ 82 37 73, Fax 335 33 - A.C.P. Rua do Município, Lote B/1, Loja C, ☎ 82 36 32, Fax 81 22 22.
♦Lisboa 129 - ♦Coimbra 71 - Portalegre 176 - Santarém 83.

- **Eurosol e Eurosol Jardim,** Rua D. José Alves Correia da Silva ☎ 81 22 01, Telex 42031, Fax 81 12 05, ≤, - TV ☎ P - 25/400. AE E VISA JCB.
  Refeição 3250 - 850 - **135 qto** 7200/11000 - PA 6500.
- **Dom João III,** Av. D. João III ☎ 81 25 00, Fax 81 22 35, ≤ - TV ☎ - 25/350. AE E VISA.
  Refeição 2500 - **64 qto** 8500/10500 - PA 5000.
- **Albergaria do Terreiro** sem rest, Largo Cândido dos Reis 17 ☎ 81 35 80, Fax 351 90 - TV ☎ P - 25. AE E VISA.
  31 qto 7100/9200.
- **S. Luís** sem rest, Rua Henrique Sommer ☎ 81 31 97, Telex 44051, Fax 81 38 97 - TV ☎. AE E VISA.
  47 qto 7000/8500.
- **S. Francisco** sem rest, Rua São Francisco 26 - 9° ☎ 82 31 10, Fax 81 26 77, ≤ - TV ☎. AE E VISA
  18 qto 6000/8000.
- **Ramalhete** sem rest, Rua Dr. Correia Mateus 30 - 2° ☎ 81 28 02, Telex 16084, Fax 81 50 99 - TV ☎. AE E VISA JCB
  28 qto 6000/7500.

X **Reis,** Rua Wenceslau de Morais 17 ✆ 248 34 - AE E VISA
fechado domingo - **Refeição** lista 1600 a 2350.

X **Aquário,** Rua Capitão Mouzinho de Albuquerque 17 ✆ 247 20 - AE ⓓ E VISA. ✂
fechado 5ª feira e do 1 ao 15 de outubro - **Refeição** lista 1420 a 2170.

em Marrazes na Estrada N 109 N : 1 km - ✉ 2400 Leiria - ✆ 044 :

X **Tromba Rija,** Rua Professores Portelas ✆ 85 50 72, Fax 81 54 02, Rest típico - ▤. AE ⓓ E VISA. ✂
fechado domingo, 2ª feira ao meio-dia, feriados e do 15 ao 30 de agosto - **Refeição** lista 4000 a 5850.

pela Estrada N I SO : 4,5 km - ✉ 2400 Leiria - ✆ 044 :

XX **O Casarão,** Cruzamento de Azóia ✆ 87 10 80, Fax 87 21 55 - Ⓟ. AE ⓓ E VISA. ✂
fechado 2ª feira e do 1 ao 15 de outubro - **Refeição** lista 3500 a 4550.

Lisboa

1100 Ⓟ 440 P 2 - 826 140 h. alt. 111 - ✪ 01.

Ver : Vista sobre a cidade : ★ de Ponte 25 de Abril, ★★ do Cristo-Rei por ②.

CENTRO

A Baixa pombalina★

Ver : Rossio (Praça)★ KX - Praça do Comércio★★ KZ - Elevador de Santa Justa (≤ ★) KY Chiado e Bairro Alto★.

Ver : Igreja do Carmo (museu arqueológico)★) KY **M1** - Rua Garrett★ KY - Igreja de São Roque★ (Capela de São João Baptista★★) JX : Museu de Arte sacra de São Roque★ (ornamentos sacerdotais★) **M2** - Miradouro de S. Pedro de Alcântara JX **A**★.

A Lisboa medieval★★

Ver : Sé★★ (túmulos góticos★, tesouro★) LY - Miradouro de Santa Luzia ≤ ★ LY **C** - Museu de artes decorativas★ (Fundação Ricardo do Espírito Santo Silva) LY **M3** - Castelo de São Jorge★★ (≤ ★★) LX - Alfama★ LY

A Lisboa moderna

Avenida da Liberdade★ JV - Parque Eduardo VII★ (Estufa fria★) FS.

BELÉM

Ver : Mosteiro dos Jerónimos★★ AQ : Igreja de Santa Maria★★★ (abóbada★★), Claustro★★★ - Torre de Belém★★ AQ - Padrão dos Descobrimentos★ AQ.

MUSEUS

Ver : Museu Nacional de Arte Antiga★★★ (políptico da Adoração de S. Vicente★★★, Anunciação★, Tentação de Santo Antão★★★, Biombos japoneses★★) EU **M7** - Museu Calouste Gulbenkian★★★ (Colecções de arte) FR - Centro de Arte Moderna★ FR **M4** - Museu da Marinha★★ AQ **M5** - Museu Nacional dos Coches★★ AQ **M6** - Museu do Azulejo★★ DP **M9** - Museu da Agua da EPAL★ HT **M8** - Museu Nacional do Traje★ BN **M14**.

OUTRAS CURIOSIDADES

Ver : Igreja da Madre de Deus★★ (sala do capítulo★) DP - Palácio dos Marqueses de Fronteira★★ (azulejos★★) ER - Jardím zoológico★★ ER - Igreja São Vicente de Fora (azulejos★) MX - Aqueduto das Águas Livres★ ES - Jardím botânico★ JV - Igreja de Nossa Senhora de Fátima (vitrais★) FR **K** - Basilica da Estrela (cúpula★) EU **L** - Igreja da Conceição Velha (fachada Sul★) LZ **V** - Parque florestal de Monsanto★ AP **Q** - Campo de Santa Clara★ MX.

18 Lisbon Sports Club 20 km por ⑤ ✆ 431 00 77 - 18 Club de Campo de Lisboa 15 km por ② 297 13 14 Aroeira, Monte da Caprica.

✈ de Lisboa, N : 8 km ✆ 848 11 01 (CDU) - T.A.P., Praça Marquês de Pombal 3, ✉ 1200, ✆ 54 40 80 e no aeroporto ✆ 848 91 81.

🚗 ✆ 887 75 09.

⛴ para a Madeira : E.N.M., Rua de São Julião 5-1°, ✉ 1100, ✆ 87 01 21 e Cais Rocha Conde de óbidos, ✉ 1300 ✆ 396 25 47.

ℹ Palácio Foz, Praça dos Restauradores ✆ 346 63 07, e no aeroporto ✆ 89 42 48 - A.C.P., Rua Rosa Araújo 24, ✉ 1200, ✆ 356 39 31, Telex 12581, Fax 57 47 32.

♦Madrid 658 ① - ♦Bilbao/Bilbo 907 ① - ♦Paris 1820 ① - ♦Porto 314 ① - ♦Sevilla 417 ②.

Planos de Lisboa

Aglomeração .... p. 2 e 3
General .... p. 4 e 5
Centro .... p. 6 e 7
Repertório das Ruas dos planos .... p. 8 e 9
Lista alfabética de hotéis e restaurantes .... p. 10
Hotéis e restaurantes .... p. 11 a 15

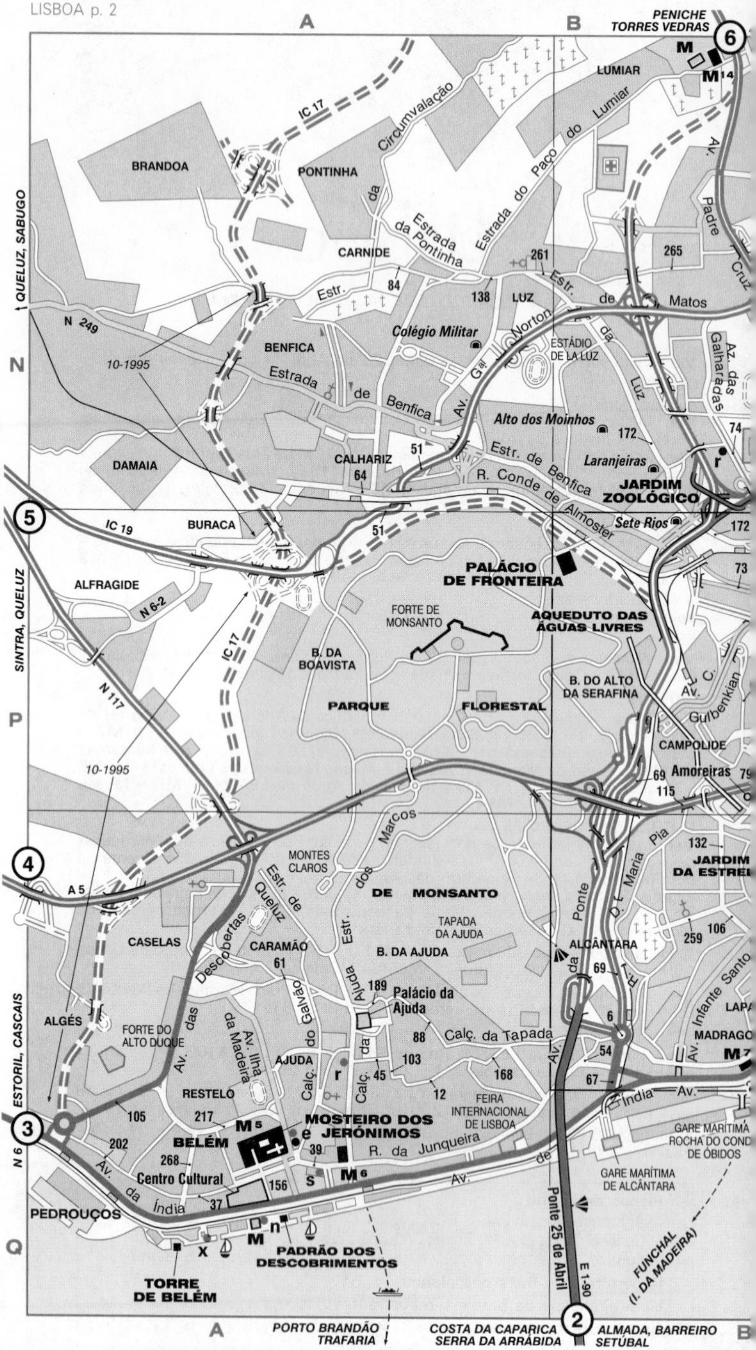
A
B
PENICHE
TORRES VEDRAS
6
LUMIAR
IC 17
Circumvalação
Estrada do Paço do Lumiar
BRANDOA
PONTINHA
Estrada da Pontinha
CARNIDE
261
265
138
LUZ
Estr. de Matos
84
Estr.
QUELUZ, SABUGO
N 249
BENFICA
Colégio Militar
ESTÁDIO DE LA LUZ
Av. Gal Norton
10-1995
N
Estrada de Benfica
Alto dos Moinhos
172
Padre Cruz
Az. das Galhardas
74
DAMAIA
CALHARIZ
64
51
Estr. de Benfica
Laranjeiras
R. Conde de Almoster
JARDIM ZOOLÓGICO
5
IC 19
BURACA
Sete Rios
172
ALFRAGIDE
PALÁCIO DE FRONTEIRA
73
N 6-2
FORTE DE MONSANTO
AQUEDUTO DAS ÁGUAS LIVRES
SINTRA, QUELUZ
B. DA BOAVISTA
N 117
B. DO ALTO DA SERAFINA
Av. C. Gulbenkian
P
PARQUE FLORESTAL
CAMPOLIDE
10-1995
69
Amoreiras
115
Marcos
132
4
MONTES CLAROS
JARDIM DA ESTRELA
A 5
Estr. de Queluz
DE MONSANTO
Ponte
D. Maria Pia
TAPADA DA AJUDA
CASELAS
CARAMÃO
B. DA AJUDA
ALCÂNTARA
259
106
61
Estr.
ALGÉS
Descobertas
189
Palácio da Ajuda
Infante Santo
LAPA
FORTE DO ALTO DUQUE
Av. das
Av. Ilha da Madeira
88
Calç. da Tapada
MADRAGOA
ESTORIL, CASCAIS
AJUDA
Calç. do Galvão
Calç. da Ajuda
103
45
168
54
67
RESTELO
12
Av. Índia
3
105
217
M5
MOSTEIRO DOS JERÓNIMOS
FEIRA INTERNACIONAL DE LISBOA
GARE MARÍTIMA ROCHA DO CONDE DE ÓBIDOS
N 6
202
BELÉM
39
R. da Junqueira
268
Av. da Índia
Centro Cultural
156
M6
GARE MARÍTIMA DE ALCÂNTARA
PEDROUÇOS
37
Ponte 25 de Abril
Q
PADRÃO DOS DESCOBRIMENTOS
FUNCHAL (I. DA MADEIRA)
TORRE DE BELÉM
E 1-90
2
A
PORTO BRANDÃO
TRAFARIA
COSTA DA CAPARICA
SERRA DA ARRÁBIDA
ALMADA, BARREIRO
SETÚBAL
B

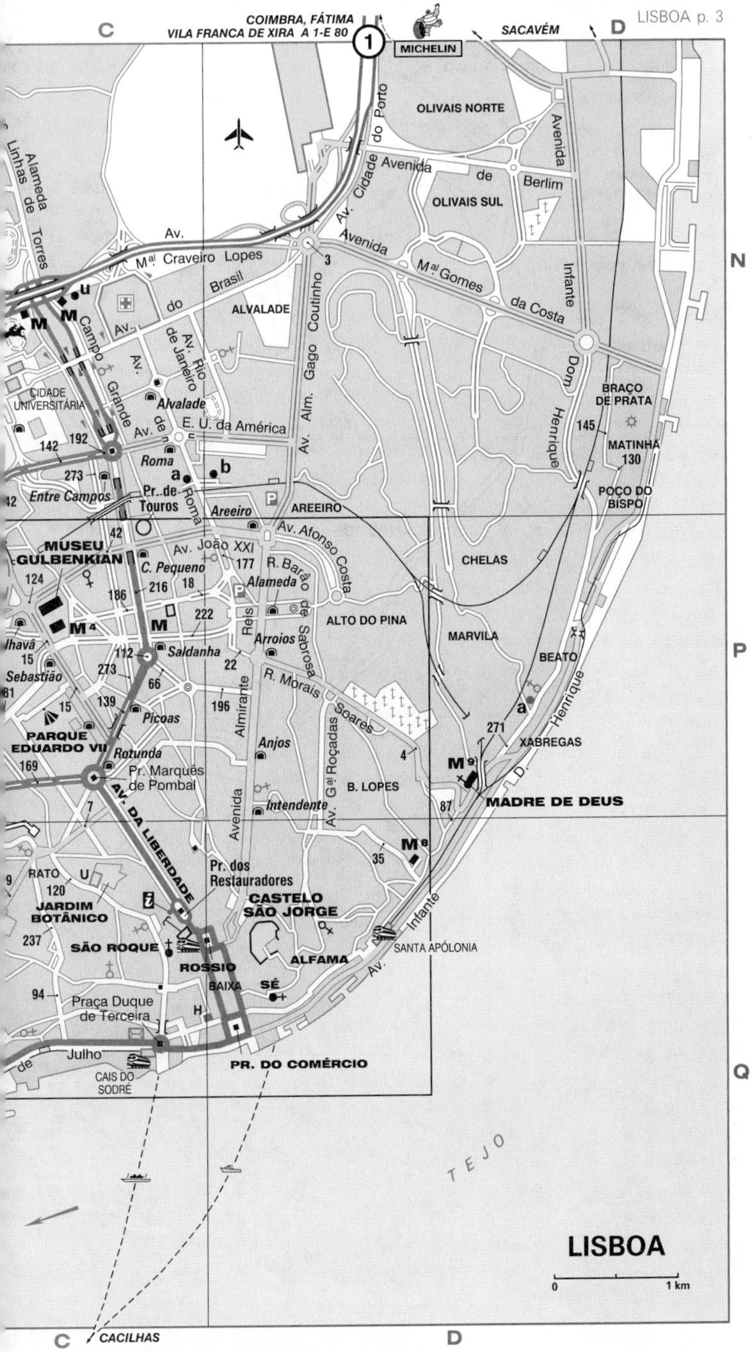
COIMBRA, FÁTIMA
VILA FRANCA DE XIRA A 1-E 80
1
MICHELIN
SACAVÉM
C
D
N
P
Q
OLIVAIS NORTE
Avenida
de
Berlim
OLIVAIS SUL
Av. Cidade do Porto
Alameda Linhas de Torres
Av. Mal. Craveiro Lopes
Avenida Mal. Gomes da Costa
Av. do Brasil
ALVALADE
Av. Alm. Gago Coutinho
Infante Dom Henrique
Campo Grande
Av. Rio de Janeiro
Av. de Roma
Av. E. U. da América
CIDADE UNIVERSITÁRIA
Alvalade
Roma
Entre Campos
Pr. de Touros
Areeiro
AREEIRO
BRAÇO DE PRATA
MATINHA
POÇO DO BISPO
145
130
192
142
273
42
MUSEU GULBENKIAN
Av. João XXI
Av. Afonso Costa
C. Pequeno
R. Barão de Sabrosa
Alameda
CHELAS
124
186
216
18
177
222
M⁴
M
Reis
ALTO DO PINA
MARVILA
Arroios
Saldanha
Ilhavã
15
Sebastião
112
273
66
22
BEATO
R. Morais Soares
196
139
Picoas
PARQUE EDUARDO VII
Rotunda
Pr. Marquês de Pombal
Avenida Almirante
Anjos
Av. Gal. Roçadas
B. LOPES
Intendente
271
XABREGAS
M⁹
MADRE DE DEUS
D. Henrique
169
7
AV. DA LIBERDADE
87
35
M⁸
RATO
120
JARDIM BOTÂNICO
237
SÃO ROQUE
Pr. dos Restauradores
CASTELO SÃO JORGE
ALFAMA
SANTA APÓLONIA
Av. Infante
ROSSIO
BAIXA
SÉ
94
Praça Duque de Terceira
H
Julho
de
CAIS DO SODRÉ
PR. DO COMÉRCIO
TEJO
LISBOA
0
1 km
CACILHAS

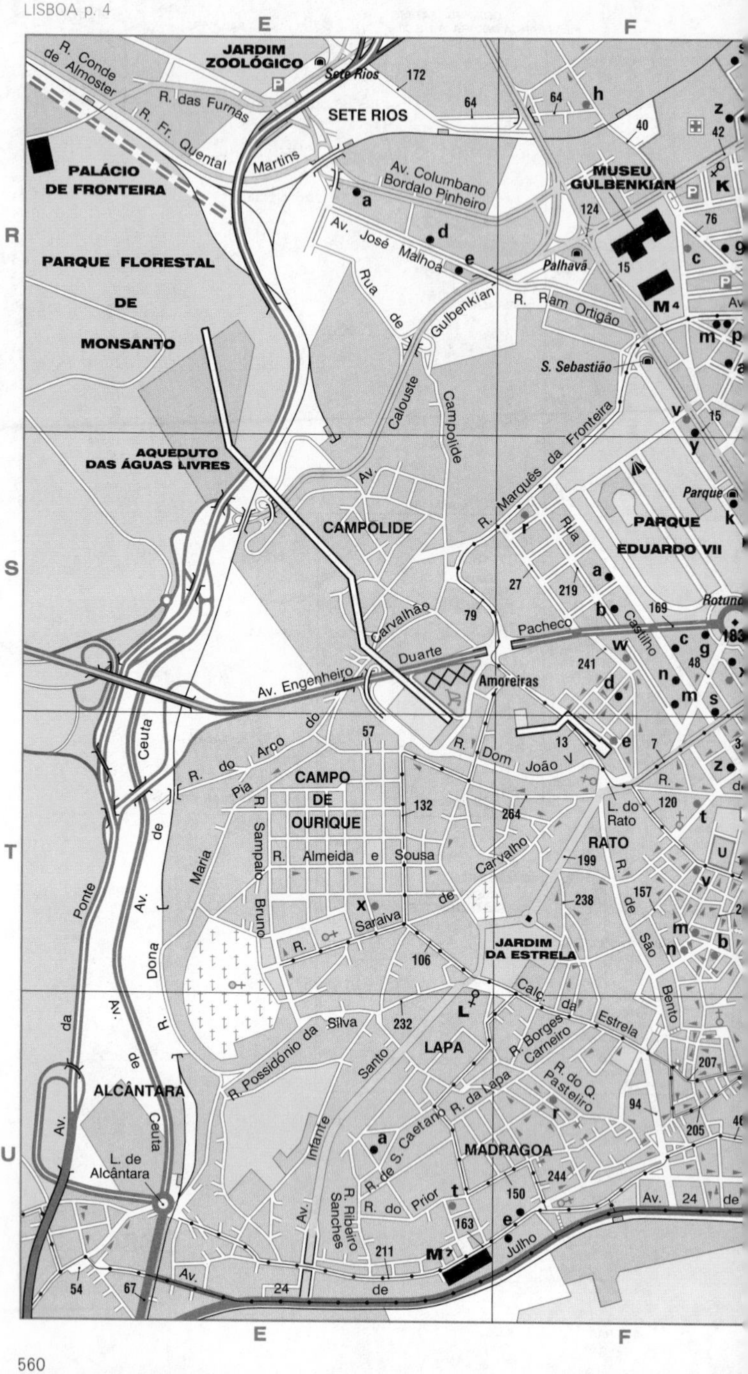
E
F
R
S
T
U
JARDIM ZOOLÓGICO
Sete Rios
SETE RIOS
R. Conde de Almoster
R. das Furnas
R. Fr. Quental
Martins
PALÁCIO DE FRONTEIRA
PARQUE FLORESTAL DE MONSANTO
Av. Columbano Bordalo Pinheiro
Av. José Malhoa
Rua de
Gulbenkian
Calouste
Campolide
R. Ram Ortigão
MUSEU GULBENKIAN
Palhavã
S. Sebastião
R. Marquês da Fronteira
AQUEDUTO DAS ÁGUAS LIVRES
CAMPOLIDE
PARQUE EDUARDO VII
Parque
Rua Castilho
Rotunda
Carvalhão
Av. Engenheiro Duarte Pacheco
Amoreiras
R. Dom João V
L. do Rato
RATO
R. do Arco do Pia
CAMPO DE OURIQUE
R. Sampaio Bruno
R. Almeida e Sousa
R. Saraiva de Carvalho
R. de São Bento
Av. Ponte
Ceuta
Av. de Maria
Dona
JARDIM DA ESTRELA
Calç. da Estrela
R. Possidónio da Silva
Santo
LAPA
R. Borges Carneiro
R. do Q. Pasteleiro
ALCÂNTARA
R. da Lapa
R. de S. Caetano
Infante
MADRAGOA
L. de Alcântara
R. do Prior
R. Ribeiro Sanches
Av. 24 de Julho
Av. da Ponte
Av. de Ceuta

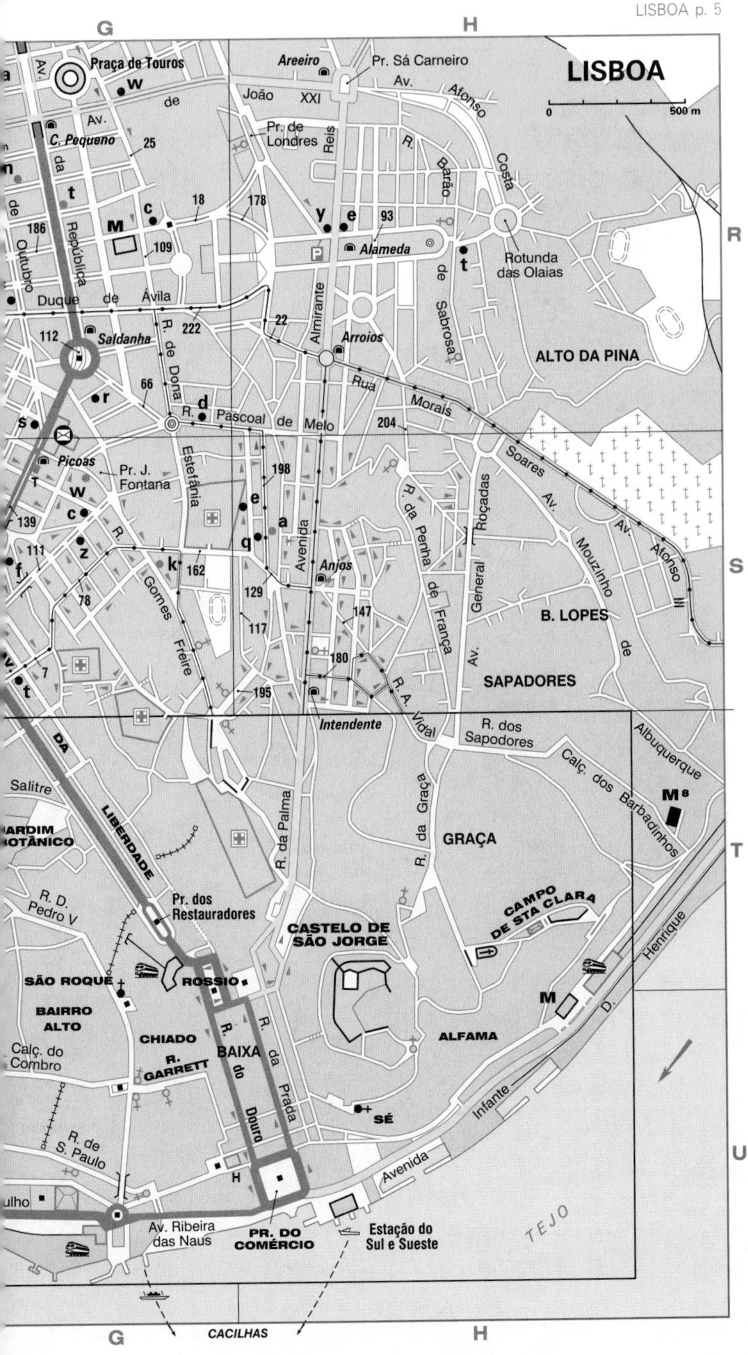
LISBOA
0
500 m
G
H
R
S
T
U
Praça de Touros
Areeiro
Pr. Sá Carneiro
Av. João XXI
Av. Afonso Costa
Pr. de Londres
Reis
R. Barão
C. Pequeno
Av. da República
Av. de Outubro
25
18
178
93
186
109
M
Alameda
Rotunda das Olaias
R. de Sabrosa
Duque de Ávila
Saldanha
222
22
Almirante
Arroios
112
ALTO DA PINA
R. de Dona Estefânia
Rua Morais
66
R. Pascoal de Melo
204
Soares
Av. Afonso
Picoas
Pr. J. Fontana
198
Avenida
R. da Penha de França
Roçadas
General
Av. Mouzinho de
139
111
162
Anjos
78
R. Gomes Freire
129
117
147
B. LOPES
7
180
R. A. Vidal
SAPADORES
195
Intendente
R. dos Sapadores
Albuquerque
Calç. dos Barbadinhos
DA LIBERDADE
Salitre
M8
R. da Graça
GRAÇA
R. da Palma
R. D. Pedro V
Pr. dos Restauradores
CAMPO DE STA CLARA
CASTELO DE SÃO JORGE
D. Henrique
SÃO ROQUE
ROSSIO
BAIRRO ALTO
CHIADO
R. GARRETT
BAIXA
R. do Douro
R. da Prada
ALFAMA
Calç. do Combro
SÉ
Infante
R. de S. Paulo
Avenida
H
Av. Ribeira das Naus
PR. DO COMÉRCIO
Estação do Sul e Sueste
TEJO
CACILHAS

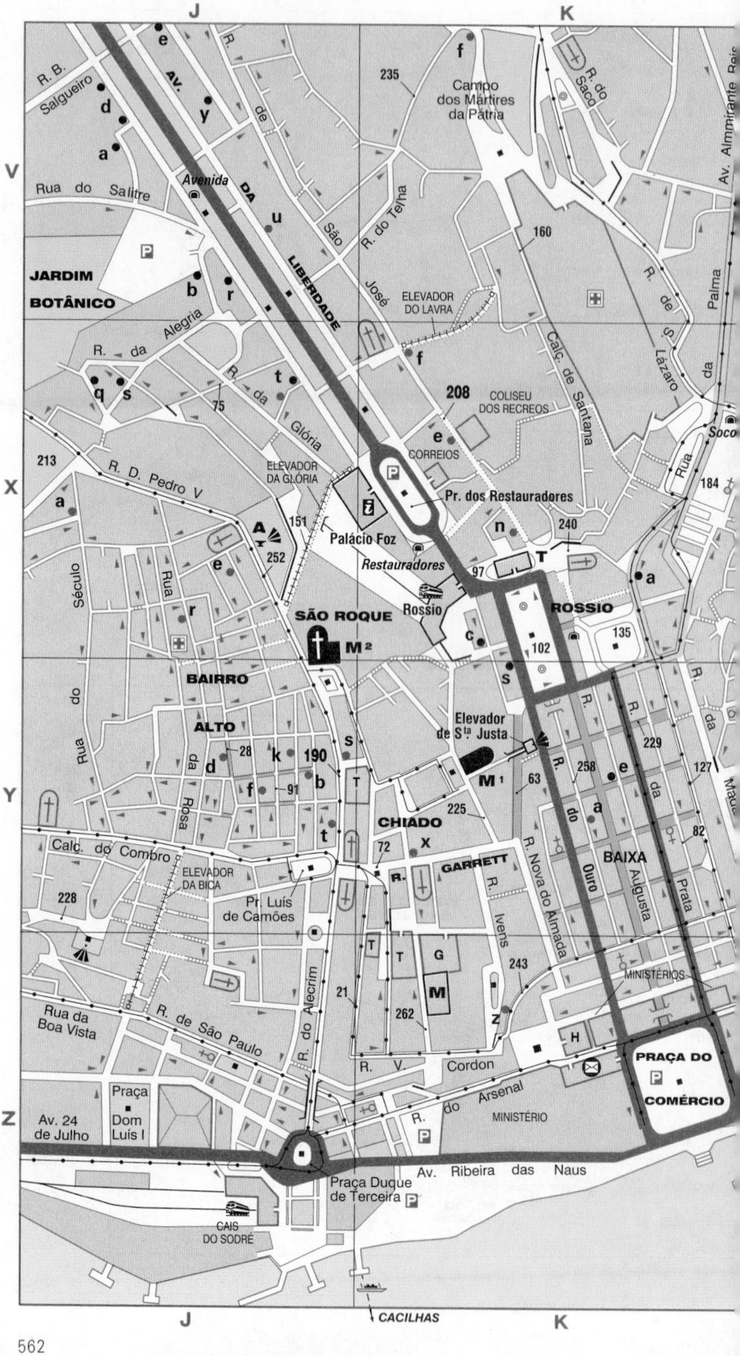
J
K
V
X
Y
Z
R. B. Salgueiro
Rua do Salitre
Avenida DA LIBERDADE
R. de São José
R. do Telha
Campo dos Mártires da Pátria
R. do Saco
Av. Almirante Reis
235
160
JARDIM BOTÂNICO
R. da Alegria
ELEVADOR DO LAVRA
Calç. de Santana
R. de S. Lázaro
R. da Palma
R. da Glória
75
208
COLISEU DOS RECREIOS
CORREIOS
213
R. D. Pedro V
ELEVADOR DA GLÓRIA
151
Palácio Foz
Pr. dos Restauradores
Restauradores
Rossio
240
184
Rua do Século
Rua
252
97
ROSSIO
SÃO ROQUE
M2
102
135
BAIRRO ALTO
Rua do
28
190
91
Elevador de Sta Justa
M1
R. da Rosa
R. do Ouro
258
229
R. da Prata
127
63
225
CHIADO
R. Augusta
82
Calç. do Combro
ELEVADOR DA BICA
72
R. GARRETT
R. Nova do Almada
BAIXA
228
Pr. Luís de Camões
R. Ivens
243
MINISTÉRIOS
21
262
Rua da Boa Vista
R. de São Paulo
R. do Alecrim
R. V. Cordon
PRAÇA DO COMÉRCIO
R. do Arsenal
MINISTÉRIO
Praça Dom Luís I
Av. 24 de Julho
Praça Duque de Terceira
Av. Ribeira das Naus
CAIS DO SODRÉ
CACILHAS

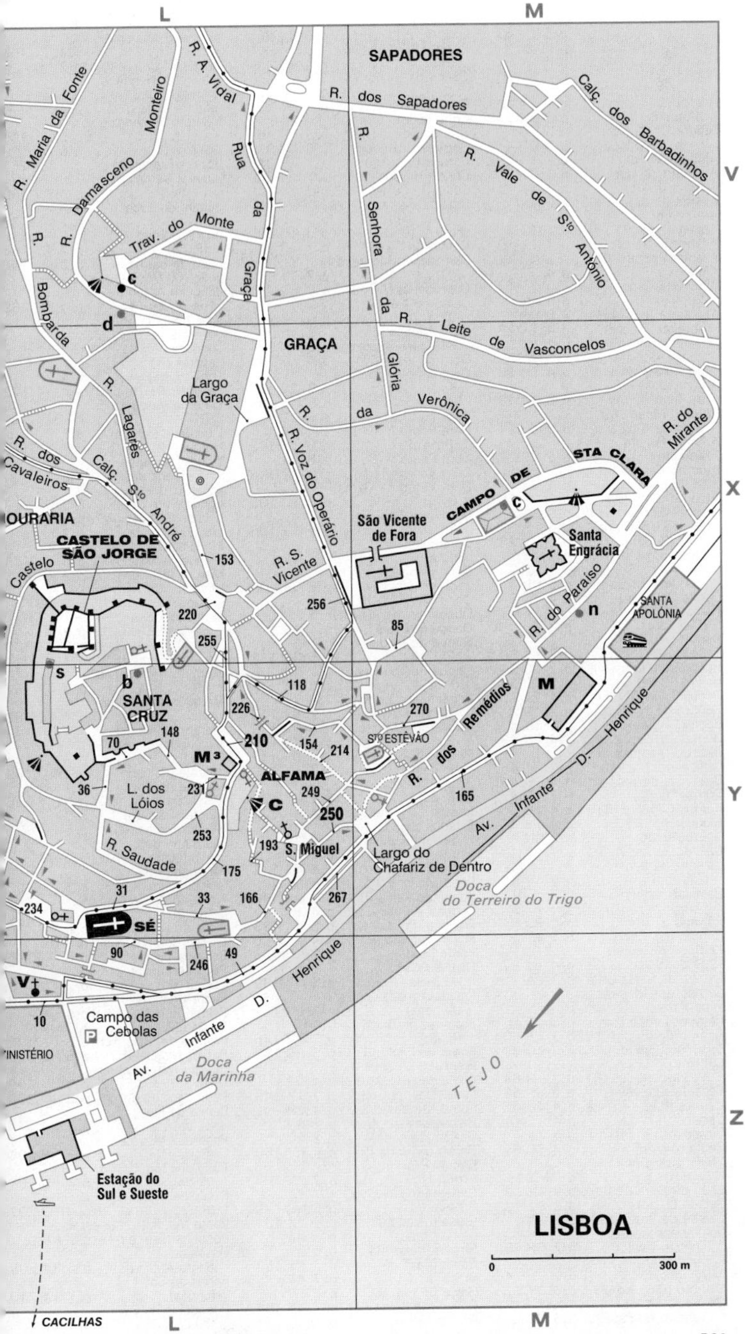
L
M
SAPADORES
R. dos Sapadores
Calç. dos Barbadinhos
R. Vale de Sto António
R. Senhora da Glória
R. A. Vidal
Rua da Graça
R. Maria da Fonte
Monteiro
R. Damasceno
Trav. do Monte
R. Bombarda
R. Leite de Vasconcelos
GRAÇA
Largo da Graça
R. da Verônica
R. Voz do Operário
R. Lagares
R. dos Cavaleiros
Calç. Sto André
R. do Mirante
CAMPO DE STA CLARA
São Vicente de Fora
Santa Engrácia
R. S. Vicente
R. do Paraíso
SANTA APOLÓNIA
OURARIA
CASTELO DE SÃO JORGE
Castelo
SANTA CRUZ
ALFAMA
STO ESTÊVÃO
R. dos Remédios
L. dos Lóios
R. Saudade
S. Miguel
Largo do Chafariz de Dentro
Av. Infante D. Henrique
Doca do Terreiro do Trigo
SÉ
Campo das Cebolas
Doca da Marinha
TEJO
Estação do Sul e Sueste
CACILHAS
INISTÉRIO
LISBOA
0
300 m
V
X
Y
Z
153
220
255
256
85
118
226
210
154
214
270
148
70
M³
231
249
250
36
253
193
165
175
267
31
33
166
234
90
246
49
10

Augusta (R.) p. 6 KY
Carmo (R. do) p. 6 KY 63
Garrett (R.) (Chiado) p. 6 KY
Ouro (R. do) p. 6 KY
Prata (R. da) p. 6 KY

Aeroporto (Rotunda do) p. 3 DN 3
Afonso Costa (Av.) p. 5 HR
Afonso III (Av.) p. 3 DP 4
Ajuda (Calç. da) p. 2 AQ
Alcântara (L. de) p. 2 BQ 6
Alecrim (R. do) p. 6 JZ
Alegria (R. da) p. 6 JX
Alexandre Herculano (R.) p. 4 FT 7
Alfândega (R. da) p. 7 LZ 10
Aliança Operária (R.) p. 2 AQ 12
Almeida e Sousa (R.) p. 4 ET
Almirante Gago Coutinho (Av.) p. 3 DN
Almirante Reis (Av.) p. 5 HR
Amoreiras (R. das) p. 4 FT 13
Angelina Vidal (R.) p. 7 LV
António Augusto de Aguiar (Av.) p. 4 FR 15
António José de Almeida (Av.) p. 5 GR 18
António Maria Cardoso (R.) p. 6 JZ 21
António Pereira Carrilho (R.) p. 5 HR 22
Arco do Carvalhão (R. do) p. 4 ET
Arco do Cego (R.) p. 5 GR 25
Arsenal (R. do) p. 6 KZ
Artilharia Um (R. da) p. 4 FS 27
Atalaia (R. da) p. 6 JY 28
Augusto Rosa (R.) p. 7 LY 31
Barão (R.) p. 7 LY 33
Barão de Sabrosa (R.) p. 5 HR
Barata Salgueiro (R.) p. 4 FT 34
Barbadinhos (Calç. dos) p. 7 MV
Bartolomeu de Gusmão (R.) p. 7 LY 36
Bartolomeu Dias (R.) p. 2 AQ 37
Belém (R. de) p. 2 AQ 39
Beneficência (R. da) p. 4 FR 40
Benfica (Estr. de) p. 2 AN
Berlim (Av. de) p. 3 DN
Berna (Av. de) p. 4 FR 42
Bica do Marquês (R. da) p. 2 AQ 45
Boa Vista (R. da) p. 4 FU 46
Bombarda (R.) p. 7 LV
Borges Carneiro (R.) p. 4 FU
Braancamp (R.) p. 4 FS 48
Brasil (Av. do) p. 3 DN
Cais de Santarém (R.) p. 7 LZ 49
Calhariz de Benfica (Estr. do) p. 2 AN 51
Calouste Gulbenkian (Av.) p. 4 ER
Calvário (L. do) p. 4 EU 54
Campo das Cebolas p. 7 LZ
Campo de Ourique (R. do) p. 4 ET 57
Campo de Santa Clara p. 7 MX
Campo dos Mártires da Pátra p. 6 KV
Campo Grande p. 3 CN
Campolide (R. de) p. 2 BP 60
Caramão (Estr. do) p. 2 AQ 61
Carolina M. Vasconcelos (R.) p. 2 AN 64
Casal Ribeiro (Av.) p. 5 GR 66
Cascais (R.) p. 4 EU 67
Castilho (R.) p. 4 FS
Cavaleiros (R. dos) p. 7 LX
Ceuta (Av. de) p. 2 BQ 69
Chafariz de Dentro (L. do) p. 7 MY
Chão da Feira (R. do) p. 7 LY 70
Chiado (L. do) p. 6 KY 72
Cidade do Porto (Av.) p. 3 DN
Columbano Bordalo Pinheiro (Av.) p. 2 BP 73
Combattentes (Av. dos) p. 2 BN 74
Combro (Calç. do) p. 6 JY
Comércio (Pr. do) (Terreiro do Paço) p. 6 KZ
Conceição da Glória (R.) p. 6 JX 75
Conde de Almoster (R.) p. 4 ER
Conde de Valbom (Av.) p. 4 FR 76
Conde Redondo (R.) p. 5 GS 78
Conselheiro F. de Sousa (Av.) p. 4 ES 79
Correeiros (R. dos) p. 6 KY 82
Correia (Estr. da) p. 2 AN 84
Corvos (R. dos) p. 7 MX 85
Costa do Castelo p. 7 LX
Cruz da Pedra (Calç. da) p. 3 DP 87
Cruzeiro (R. do) p. 2 AQ 88
Cruzes da Sé (R.) p. 7 LZ 90
Damasceno Monteiro (R.) p. 7 LV
Descobertas (Av. das) p. 2 AQ
Diário de Notícias (R. do) p. 6 JY 91
Dom Alfonso Henriques (Alameda) p. 5 HR 93
Dom Carlos I (Av.) p. 4 FU 94
Dom João da Câmara (Pr.) p. 6 KX 97
Dom João V (R.) p. 3 CQ 99
Dom Luís I (R.) p. 6 JZ
Dom Pedro IV (Pr.) (Rossio) p. 6 KX 102
Dom Pedro V (R.) p. 6 JX
Dom Vasco (R. de) p. 2 AQ 103
Dom Vasco da Gama (Av.) p. 2 AQ 105
Domingos Sequeira (R.) p. 4 ET 106
Dona Estefânia (R. de) p. 5 GS
Dona Filipa de Vilhena (Av.) p. 5 GR 109
Dona Maria Pia (R.) p. 4 ET
Duque de Ávila (Av.) p. 5 GR
Duque de Loulé (Av.) p. 4 GS 111
Duque de Saldanha (Pr.) p. 5 GR 112
Duque de Terceira (Pr.) p. 6 JZ
Engenheiro Duarte Pacheco (Av.) p. 2 BP 115
Escola do Exército (R.) p. 5 HS 117
Escolas Gerais (R. das) p. 7 LY 118
Escola Politécnica (R. da) p. 4 FT 120
Espanha (Pr. de) p. 4 FR 124
Estados Unidos da América (Av.) p. 3 DN
Estrela (Calç. da) p. 4 FU
Fanqueiros (R. dos) p. 6 KY 127
Febo Moniz (R.) p. 5 HS 129
Fernando Palha (R.) p. 3 DN 130
Ferreira Borges (R.) p. 4 ET 132
Figueira (Pr. da) p. 6 KX 135
Filipe da Mata (R.) p. 4 FR 136
Fonte (R. da) p. 2 AN 138
Fontes Pereira de Melo (Av.) p. 5 GS 139
Forças Armadas (Av. das) p. 3 CN 142
Formoso de Baixo (R. do) p. 3 DN 145
Forno do Tijolo (R.) p. 5 HS 147
Francisco Quental Martins (R.) p. 4 ER
Funil (Trav. do) p. 7 LY 148
Furnas (R. das) p. 4 ER
Galharadas (Az. das) p. 2 BN
Galvão (Calç. do) p. 2 AQ
Garcia da Horta (R.) p. 4 FU 150
General Norton de Matos (Av.) p. 2 BN
General Roçadas (Av.) p. 5 HS
Glória (Calç. da) p. 6 JX 151
Glória (R. da) p. 6 JX
Gomes Freire (R.) p. 5 GS
Graça (Calç. da) p. 7 LX 153
Graça (L. da) p. 7 LX
Graça (R. da) p. 7 LV
Guilherme Braga (R.) p. 7 LY 154
Ilha da Madeira (Av.) p. 2 AQ
Império (Pr. do) p. 2 AQ 156
Imprensa Nacional (R.) p. 4 FT 157
Índia (Av. da) p. 2 AQ
Infante D. Henrique (Av.) p. 7 MY
Infante Santo (Av.) p. 4 EU
Instituto Bacteriológico (R.) p. 6 KV 160
Ivens (R.) p. 6 KY
Jacinta Marto (R.) p. 5 GS 162
Janelas Verdes (R. das) p. 4 EU 163
Jardim do Tabaco (R. do) p. 7 MY 165
João da Praça (R. de) p. 7 LY 166
João de Barros (R.) p. 2 AQ 168
João XXI (Av. de) p. 5 HR
Joaquim António de Aguiar (R.) p. 4 FS 169
José Fontana (Pr.) p. 5 GS
José Malhoa (Av.) p. 4 ER
Junqueira (R. da) p. 2 AQ
Lagares (R.) p. 7 LX
Lapa (R. da) p. 4 EU
Laranjeiras (Estr. das) p. 4 ER 172
Liete de Vasconcelos (R.) p. 7 MX
Liberdade (Av. da) p. 6 JV
Limoeiro (L. do) p. 7 LY 175
Linhas de Torres (Alameda das) p. 3 CN
Lóios (L. dos) p. 7 LY
Londres (Pr. de) p. 3 DP 177
Luís de Camões (Pr.) p. 6 JY
Luz (Estrada da) p. 2 BN
Madalena (R. da) p. 6 KY
Manuel da Maia (Av.) p. 5 HR 178
Marcos (Estr. dos) p. 2 AQ
Marechal Craveiro Lopes (Av.) p. 3 CN
Marechal Gomes da Costa (Av.) p. 3 DN
Maria Andrade (R.) p. 5 HS 180
Maria da Fonte (R.) p. 7 LV
Marquês da Fronteira (R.) p. 3 CP 181
Marquês de Pombal (Pr.) p. 4 FS 183
Martim Moniz (L.) p. 6 KX 184
Miguel Bombarda (Av.) p. 5 GR 186
Mirante (Calç. do) p. 2 AQ 189
Mirante (R. do) p. 7 MX
Misericórdia (R. da) p. 6 JY 190
Monte (Trav. do) p. 7 LV
Morais Soares (R.) p. 5 HR
Mouzinho de Albuquerque (Av.) p. 5 HS
Mouzinho de Albuquerque (Pr.) p. 3 CN 192
Norberto de Araújo (R.) p. 7 LY 193
Nova do Almada (R.) p. 6 KY
Olaias (Rotunda das) p. 5 HR
Paço da Rainha p. 5 HS 195
Paço do Lumiar (Estr. do) p. 2 AN
Padre Cruz (Av.) p. 2 BN
Palma (R. da) p. 6 KV
Paraíso (R. do) p. 7 MX
Pascoal de Melo (R.) p. 3 DP 196
Passos Manuel (R.) p. 5 HS 198
Pedro Álvares Cabral (Av.) p. 4 FT 199
Pedrouços (R. de) p. 2 AQ 202
Penha de França (R. da) p. 5 HS
Poço dos Mouros (Calç. do) p. 5 HR 204
Poço dos Negros (R. do) p. 4 FU 205
Poiais de S. Bento (R.) p. 4 FU 207
Ponte (Av. da) p. 4 ET
Pontinha (Estr. da) p. 2 AN
Portas de Santo Antão (R.) p. 6 KX 208
Portas do Sol (L. das) p. 7 LY 210
Possidónio da Silva (R.) p. 4 EU

Presidente Arriaga (R.) . . . . p. 4 EU 211
Príncipe Real (Pr. do) . . . . p. 6 JX 213
Prior (R. do) . . . . p. 4 EU
Quelhas Pasteleiro (R. do) . . . . p. 4 FU
Queluz (Estr. de) . . . . p. 2 AQ
Ramalho Ortigão (R.) . p. 4 FR
Rato (L. do) . . . . p. 4 FT
Regueira (R. da) . . . . p. 7 LY 214
Remédios (R. dos) . . . p. 7 MY
República (Av. da) . . p. 3 CP 216
Restauradores (Pr. dos) . . . . p. 6 KX
Restelo (Av. do) . . . . p. 2 AQ 217
Ribeira das Naus (Av.) . . . . p. 6 KZ
Ribeiro Sanches (R.) . . . . p. 4 EU
Rio de Janeiro (Av.) . p. 3 CN
Rodrigo da Fonseca (R.) . . . . p. 4 FS 219
Rodrigues de Freitas (L.) . . . . p. 7 LX 220
Roma (Av. de) . . . . . . p. 3 CN
Rosa (R. da) . . . . p. 6 JY
Rovisco Pais (Av.) . . . p. 5 GR 222
Sá Carneiro (Pr.) . . . . p. 5 HR
Saco (R. do) . . . . p. 6 KV
Sacramento (Calç. do) . . . . p. 6 KY 225
Salitre (R. do) . . . . . . p. 6 JV
Salvador (R. do) . . . . p. 7 LY 226
Sampaio Bruno (R.) . p. 4 ET
Santa Catarina (R. de) . . . . p. 6 JY 228
Santa Justa (R. de) . . p. 6 KY 229
Santa Luzia (Trav. de) . . . . p. 7 LY 231
Santana (Calç. de) . . p. 6 KX
Santo André (Calç. de) . . . . p. 7 LX
Santo António (R. de) . p. 4 EU 232
Santo António da Sé (L.) . . . . p. 7 LY 234
Santo António dos Capuchos (R.) . . . . p. 6 KV 235
S. Bento (R. de) . . . . p. 3 CQ 237
S. Bernardo (R. de) . . p. 4 FT 238
S. Caetano (R. de) . . p. 4 EU
S. Domingos (L. de) . p. 6 KX 240
S. Filipe de Nery (R.) . p. 4 FS 241
S. Francisco (Calç. de) . . . . p. 6 KZ 243
S. João da Mata (R.) . p. 4 FU 244
S. João da Praça (R.) . . . . p. 7 LZ 246
S. José (R. de) . . . . . p. 6 JV
S. Lázaro (R. de) . . . . p. 6 KX
S. Marçal (R. de) . . . . p. 4 FT 247
S. Miguel (R. de) . . . . p. 7 LY 249
S. Paulo (R. de) . . . . . p. 6 JZ
S. Pedro (R. de) . . . . p. 7 LY 250
S. Pedro de Alcântara (R. de) . . . . p. 6 JX 252
S. Tiago (R. de) . . . . . p. 7 LY 253
S. Tomé (R. de) . . . . . p. 7 LX 255
S. Vicente (Calç. de) . p. 7 LX 256
S. Vicente (R.) . . . . . . p. 7 LX
Sapadores (R. dos) . . p. 7 MV
Sapateiros (R. dos) . . p. 6 KY 258
Saraiva de Carvalho (R.) . . . . p. 2 BQ 259
Saudade (R.) . . . . p. 7 LY
Século (R. do) . . . . . . p. 6 JX
Seminário (R. do) . . . p. 2 AN 261
Senhora da Glória (R.) . . . . p. 7 MV
Serpa Pinto (R.) . . . . . p. 6 KZ 262
Sol ao Rato . . . . p. 4 FT 264
Tapada (Calç. da) . . . p. 2 AQ
Telha (R. do) . . . . p. 6 KV
Telheiras (Estr. de) . . p. 2 BN 265
Terreiro do Trigo (R. do) . . . . p. 7 LY 267
Torre de Belém (Av.) . p. 2 AQ 268
Vale de Sto António (R.) . . . . p. 7 MV
Verónica (R. da) . . . . p. 7 MX
Victor Cordon (R.) . . . p. 6 KZ
Vigário (R. do) . . . . . . p. 7 MY 270
Voz do Operário (R.) . p. 7 LX
Xabregas (R. de) . . . . p. 3 DP 271
5 de Outubro (Av.) . . p. 3 CN 273
24 de Julho (Av.) . . . p. 4 FU

LISTA ALFABÉTICA DE HOTÉIS E RESTAURANTES

Página

A

Adega Machado 15
Adega Tia Matilde 14
Afonso Henriques (D.) 13
Albergaria Pax 13
Albergaria Senhora do Monte . 13
Alfa Lisboa 11
Alicante 13
Altis 11
Amazónia H. 12
Americano 13
António 15
António Clara-Clube de Empresários 13
Arcadas do Faia 15
A.S. Lisboa 12
Avis (D') 15
Aviz 14

B

Bachus 14
Barcelona 12
Berna 13
Botánico 12
Britania 12

C

Campo de Ourique 15
Capitol 13
Casa da Comida 13
Casa do Leão 14
Caseiro 15
Celta 15
Chester 14
Clara 13
Comida do Santo 15
Continental 11
Conventual 14

D – E

Delfim 15
Diplomático 11
Dom João 13
Dom Manuel I 12
Dom Rodrigo Suite H.. 12
Eduardo VII 13
Escorial 14
Espelho d'Água 14

F

Faz Figura (O) 14
Fenix e Rest. Bodegón 11

Página

Flamingo 13
Flórida 12
Fonte Luminosa 13
Forcado (O) 15
Frei Papinhas 15
Funil (O) 15

G – H

Gambrinus 14
Holiday Inn Crowne Plaza 11
Holiday Inn Lisboa 11

I – J

Ibis Lisboa-Centro 13
Imperador 13
Insulana 13
Janelas Verdes (As) .. 12
Jardim Tropical 14

L

Lapa (Da) 11
Lisboa 12
Lisboa Alif H. 12
Lisboa Carlton 12
Lisboa Penta 11
Lisboa Plaza 11
Lutécia 11

M

Mercado de Santa Clara 15
Meridien Lisboa (Le).. 11
Metropole 12
Miraparque 12
Monique's 15
Mundial 12

N

Nacional 12
Nazareth 13
Nobre (O) 14
Novotel Lisboa 11

P

Pabe 14
Pap'Açorda 15

Página

Paris 15
Patchuka 15
Polícia (O) 14
Porta Branca 15
Presidente 12
Príncipe 13
Príncipe Real 12

Q – R

Quinta dos Frades 14
Real Parque e Rest. Cozinha do Real 11
Residência Roma 13
Ritz Inter-Continental . 11
Roma 12

S

Saddle Room 14
Sancho 14
Santa Cruz-Michel 14
São Jerónimo 14
Saraiva's 14
Severa (A) 15
Sheraton Lisboa H. ... 11
Sofitel Lisboa 11
Sol Lisboa 12
Sr. Vinho 15
Sua Excelencia 15

T

Tágide 13
Tavares 14
Tívoli Jardim 11
Tívoli Lisboa 11
Torre (Da) 13

V

Vasku's Grill 15
Vela Latina 14
Veneza 12
Verdemar 14
Via Graça 14
Vip 13

X – Y – Z

Xele Bananas 15
York House 12
Zurique 11

Ritz Inter-Continental, Rua Rodrigo da Fonseca 88, ⊠ 1093, ℰ 69 20 20, Telex 12589, Fax 69 17 83, ←, 🏛 - |‡| ▤ TV ☎ ♿ 🚗 Ⓟ - 🔺 25/600. AE ⓞ E VISA JCB. ✂ rest FS **b**
Varanda : **Refeição** lista aprox. 5500 - ☕ 2500 - **265 qto** 40000/46000, 20 suites.

Sheraton Lisboa H., Rua Latino Coelho 1, ⊠ 1097, ℰ 57 57 57, Telex 12774, Fax 54 71 64, ←, Fō, 🏊 climatizada - |‡| ▤ TV ☎ ♿ 🚗 - 🔺 25/550. AE ⓞ E VISA JCB. ✂ GR **s**
Alfama Grill (fechado sábado, domingo e agosto) **Refeição** lista aprox. 7200 - ***Caravela :*** **Refeição** lista 1150 a 5850 - **377 qto** ☕ 32000/38000, 7 suites.

Da Lapa 🔇, Rua do Pau de Bandeira 4, ⊠ 1200, ℰ 395 00 05, Fax 395 06 65, ←, 🏛, « Belo jardim entre árvores com cascata e 🏊 » - |‡| ▤ TV ☎ ♿ 🚗 Ⓟ - 🔺 25/225. AE ⓞ E VISA. ✂ EU **a**
Refeição lista aprox. 6400 - ☕ 1800 - **76 qto** 34000/36000, 8 suites.

Tivoli Lisboa, Av. da Liberdade 185, ⊠ 1200, ℰ 353 01 81, Telex 12588, Fax 57 94 61, 🏛, « Terraço com ← cidade », 🏊 climatizada, 🎾 - |‡| ▤ TV ☎ 🚗 - 🔺 40/200. AE ⓞ E VISA. ✂ JV **d**
Refeição 4800 - ***Grill Terraço :*** **Refeição** lista 5800 a 7600 - ***Zodíaco :*** **Refeição** lista 4300 a 6350 - ☕ 2200 - **298 qto** ☕ 30000/34000, 29 suites.

Le Meridien Lisboa, Rua Castilho 149, ⊠ 1000, ℰ 69 09 00, Telex 64315, Fax 69 32 31, ← - |‡| ▤ TV ☎ 🚗 - 🔺 25/550. AE ⓞ E VISA. ✂ FS **a**
Brasserie des Amis : **Refeição** lista aprox. 5400 - ☕ 2200 - **313 qto** 38500/42500, 17 suites.

Alfa Lisboa, Av. Columbano Bordalo Pinheiro, ⊠ 1000, ℰ 726 21 21, Telex 18477, Fax 726 30 31, ←, Fō, 🏊 - |‡| ▤ TV ☎ 🚗 - 🔺 25/600. AE ⓞ E VISA. ✂ ER **a**
A Aldeia : **Refeição** lista 3850 a 4150 - ***Grill Pombalino*** *(fechado domingo e agosto)* **Refeição** lista 5100 a 5300 - **355 qto** ☕ 25000/30000.

Altis, Rua Castilho 11, ⊠ 1200, ℰ 52 24 96, Telex 13314, Fax 54 86 96, Fō, 🏊 - |‡| ▤ TV ☎ 🚗 - 🔺 25/700 FT **z**
Refeição - *Girasol (só almoço, buffet)* - *Grill Dom Fernando* - **290 qto**, 13 suites.

Holiday Inn Crowne Plaza, Av. Marechal Craveiro Lopes 390, ⊠ 1700, ℰ 759 96 39, Telex 61170, Fax 758 66 05, Fō - |‡| ▤ TV ☎ ♿ 🚗 - 🔺 25/200. AE ⓞ E VISA JCB. ✂
Refeição lista 5100 a 8350 - ☕ 1500 - **205 qto** 21450/22950, 16 suites. CN **u**

Sofitel Lisboa, Av. da Liberdade 125, ⊠ 1200, ℰ 342 92 02, Telex 42557, Fax 342 92 22 - |‡| ▤ TV ☎ ♿ 🚗 - 🔺 25/300. AE ⓞ E VISA. ✂ rest FX **r**
Refeição 3500 - ☕ 1500 - **166 qto** 35000, 4 suites - PA 7000.

Holiday Inn Lisboa, Av. António José de Almeida 28 A, ⊠ 1000, ℰ 793 52 22, Telex 60330, Fax 793 66 72, Fō - |‡| ▤ TV ☎ ♿ 🚗 - 🔺 25/250. AE ⓞ E VISA JCB. ✂ GR **c**
Refeição 4600 - **161 qto** ☕ 29000/34000, 8 suites - PA 9200.

Novotel Lisboa, Av. José Malhoa 1642, ⊠ 1000, ℰ 726 60 22, Telex 40114, Fax 726 64 96, ←, 🏊 - |‡| ▤ TV ☎ ♿ 🚗 - 🔺 25/300. AE ⓞ E VISA ER **e**
Refeição lista 2650 a 4100 - ☕ 1100 - **246 qto** 14500/15500.

Lisboa Plaza, Travessa do Salitre 7, ⊠ 1200, ℰ 346 39 22, Telex 16402, Fax 347 16 30 - |‡| ▤ TV ☎ - 🔺 25/140. AE ⓞ E VISA JCB. ✂ JV **b**
Refeição 3500 - **94 qto** ☕ 24000/29500, 12 suites.

Continental, Rua Laura Alves 9, ⊠ 1000, ℰ 793 50 05, Telex 65632, Fax 797 36 69 - |‡| ▤ TV ☎ 🚗 - 🔺 25/180. AE ⓞ E VISA JCB. ✂ FR **q**
D. Miguel (fechado sábado e domingo) **Refeição** lista aprox 5700 - ***Coffee Shop Continental :*** **Refeição** lista aprox. 4300 - **210 qto** ☕ 19500/22500, 10 suites.

Real Parque e Rest. Cozinha do Real, Av. Luís Bívar 67, ⊠ 1000, ℰ 57 01 01, Fax 57 07 50 - |‡| ▤ TV ☎ ♿ 🚗 - 🔺 25/100. AE ⓞ E VISA JCB. ✂ FR **a**
Refeição lista 2500 a 5200 - **147 qto** ☕ 23000/25000, 6 suites.

Lisboa Penta, Av. dos Combatentes, ⊠ 1600, ℰ 726 40 54, Telex 18437, Fax 726 42 81, ←, Fō, 🏊 - |‡| ▤ TV ☎ 🚗 Ⓟ - 🔺 25/600. AE ⓞ E VISA JCB. ✂ rest BN **r**
Grill Passarola : **Refeição** lista aprox. 7210 - ***Verde Pino :*** **Refeição** lista aprox. 3500 - **584 qto** ☕ 19400/23600, 4 suites.

Fénix e Rest. Bodegón, Praça Marquês de Pombal 8, ⊠ 1200, ℰ 386 21 21, Telex 12170, Fax 386 01 31 - |‡| ▤ TV ☎ ♿ - 🔺 25/100. AE ⓞ E VISA JCB. ✂ FS **g**
Refeição lista 3500 a 4700 - **119 qto** ☕ 17500/19500, 4 suites.

Zurique, Rua Ivone Silva 18, ⊠ 1000, ℰ 793 71 11, Telex 65349, Fax 793 72 90, 🏊 - |‡| ▤ TV ☎ 🚗 - 🔺 25/150. AE ⓞ E VISA. ✂ FR **q**
Refeição 3000 - **248 qto** ☕ 13000/15000, 4 suites - PA 6000.

Lutécia, Av. Frei Miguel Contreiras 52, ⊠ 1700, ℰ 80 31 21, Telex 12457, Fax 80 78 18, ← - |‡| ▤ TV ☎ - 🔺 25/100. AE ⓞ E VISA JCB. ✂ DN **b**
Refeição lista aprox. 4000 - **142 qto** ☕ 16000/18000, 8 suites.

Tivoli Jardim, Rua Julio Cesar Machado 7, ⊠ 1200, ℰ 353 99 71, Telex 12172, Fax 355 65 66, 🏊 climatizada, 🎾 - |‡| ▤ TV ☎ Ⓟ. AE ⓞ E VISA. ✂ JV **a**
Refeição 4000 - ☕ 2000 - **119 qto** 23000/28000.

Diplomático, Rua Castilho 74, ⊠ 1200, ℰ 386 20 41, Telex 13713, Fax 386 21 55 - |‡| ▤ TV ☎ - 🔺 25/60. AE ⓞ E VISA. ✂ rest FS **c**
Refeição lista 2500 a 3500 - **73 qto** ☕ 15000/17500, 17 suites.

Flórida sem rest, Rua Duque de Palmela 32, ✉ 1200, ☎ 57 61 45, Telex 12256, Fax 54 35 84 - |♦| ▤ TV ☎ - 🎤 25/100. AE ⊙ E VISA JCB. ✻ FS x
108 qto ☐ 15000/18000.

Mundial, Rua D. Duarte 4, ✉ 1100, ☎ 886 31 01, Telex 12308, Fax 887 91 29, ≤ - |♦| ▤ TV ☎ Ⓟ - 🎤 25/120. AE ⊙ E VISA JCB. ✻ KX a
Refeição 3850 - **141 qto** ☐ 13600/15750, 6 suites - PA 7700.

Barcelona sem rest, Rua Laura Alves 10, ✉ 1000, ☎ 795 42 73, Fax 795 42 81, Fō - |♦| ▤ TV ☎ ♿ 🚗 - 🎤 25/230. AE ⊙ E VISA JCB. ✻ FR q
120 qto ☐ 14500/17500, 5 suites.

Lisboa Alif H. sem rest, Campo Pequeno 51, ✉ 1000, ☎ 795 24 64, Telex 64460, Fax 795 41 16 - |♦| ▤ TV ☎ ♿ 🚗 - 🎤 25/40. AE ⊙ E VISA. ✻ GR w
107 qto ☐ 12900/14500, 8 suites.

Sol Lisboa, Av. Duque de Loulé 41, ✉ 1000, ☎ 353 21 08, Telex 65522, Fax 353 18 65, 🏊 - |♦| ▤ TV ☎ ♿ 🚗. AE ⊙ E VISA JCB. ✻ GS z
Refeição 3500 - **80 qto** ☐ 17600/18800, 4 suites - PA 6400.

Lisboa sem rest, com snack-bar, Rua Barata Salgueiro 5, ✉ 1100, ☎ 355 41 31, Telex 60228, Fax 355 41 39 - |♦| ▤ TV ☎ 🚗. AE ⊙ E VISA JCB. ✻ JV e
55 qto ☐ 15750/18750, 6 suites.

Lisboa Carlton sem rest, Av. Conde Valbom 56, ✉ 1000, ☎ 795 11 57, Telex 65618, Fax 795 11 66 - |♦| ▤ TV ☎ 🚗. AE ⊙ E VISA. ✻ FR g
72 qto ☐ 18000/22000.

Amazónia H. sem rest, com snack-bar, Travessa Fábrica dos Pentes 12, ✉ 1200, ☎ 387 70 06, Telex 66361, Fax 387 90 90, 🏊 climatizada - |♦| ▤ TV ☎ 🚗 - 🎤 25/200. AE ⊙ E VISA JCB. ✻ FS d
192 qto ☐ 9900/11400.

Dom Manuel I sem rest, Av. Duque d'Ávila 189, ✉ 1000, ☎ 57 61 60, Telex 43558, Fax 57 69 85, « Bela decoração » - |♦| ▤ TV ☎. AE ⊙ E VISA. ✻ FR p
64 qto ☐ 11500/13000.

Dom Rodrigo Suite H. sem rest, com snack-bar, Rua Rodrigo da Fonseca 44, ✉ 1200, ☎ 386 38 00, Fax 386 30 00, 🏊 - |♦| ▤ TV ☎ 🚗. AE ⊙ E VISA. ✻ FS m
☐ 800 - **57 apartamentos** 19000/23000.

A. S. Lisboa sem rest, Av. Almirante Reis 188, ✉ 1000, ☎ 847 30 25, Telex 44257, Fax 847 30 34 - |♦| ▤ TV ☎ - 🎤 25/80. AE ⊙ E VISA. ✻ HR e
75 qto ☐ 7900/9900.

Presidente sem rest, com snack-bar, Rua Alexandre Herculano 13, ✉ 1100, ☎ 353 95 01, Fax 352 02 72 - |♦| ▤ TV ☎ - 🎤 25/40. AE ⊙ E VISA. ✻ GS t
59 qto ☐ 11000/15000.

Nacional sem rest, Rua Castilho 34, ✉ 1200, ☎ 355 44 33, Fax 356 11 22 - |♦| ▤ TV ☎ 🚗. AE ⊙ E VISA. ✻ FST s
59 qto ☐ 13200/14400, 2 suites.

York House, Rua das Janelas Verdes 32, ✉ 1200, ☎ 396 25 44, Telex 16791, Fax 397 27 93, 🍽, « Instalado num convento do século XVI decorado num estilo português » - TV ☎. AE ⊙ E VISA JCB. ✻ FU e
Refeição lista 3700 a 5400 - **32 qto** ☐ 21800/24000, 2 suites.

Roma, Av. de Roma 33, ✉ 1700, ☎ 796 77 61, Telex 16586, Fax 793 29 81, ≤, 🏊 - |♦| ▤ TV ☎ - 🎤 25/230. AE ⊙ E VISA JCB. ✻ CU a
Refeição 3000 - **263 qto** ☐ 11500/13500 - PA 5000.

Miraparque, Av. Sidónio Pais 12, ✉ 1000, ☎ 352 42 86, Telex 16745, Fax 57 89 20 - |♦| ▤ TV ☎. AE ⊙ VISA. ✻ FS k
Refeição 3000 - **101 qto** ☐ 10250/11500.

Veneza sem rest, Av. da Liberdade 189, ✉ 1200, ☎ 352 26 18, Fax 352 66 78, « Instalado num antigo palacete » - |♦| ▤ TV ☎ Ⓟ. AE ⊙ E VISA JCB. ✻ JV d
36 qto ☐ 13000/16000.

Príncipe Real, Rua da Alegria 53, ✉ 1200, ☎ 346 01 16, Telex 44571, Fax 342 21 04 - |♦| ▤ TV ☎. AE ⊙ E VISA JCB. ✻ rest JX q
Refeição lista aprox. 3100 - **24 qto** ☐ 16000/19000.

As Janelas Verdes sem rest, Rua das Janelas Verdes 47, ✉ 1200, ☎ 396 81 43, Fax 396 81 44 - ▤ TV ☎. AE ⊙ E VISA JCB. ✻ FU e
17 qto ☐ 25000/27000.

Britânia sem rest, Rua Rodrigues Sampaio 17, ✉ 1100, ☎ 315 50 16, Telex 13733, Fax 315 50 21 - |♦| ▤ TV ☎. AE ⊙ E VISA. ✻ JV y
30 qto ☐ 12900/14900.

Metropole sem rest, Praça do Rossio 30, ✉ 1100, ☎ 346 91 64, Fax 346 91 66 - |♦| ▤ TV ☎. AE ⊙ E VISA KY s
36 qto ☐ 16500/18500.

Botânico sem rest, Rua Mãe de Água 16, ✉ 1200, ☎ 342 03 92, Fax 342 01 25 - |♦| ▤ TV ☎. AE ⊙ E VISA. ✻ JX s
30 qto ☐ 9500/12000.

Da Torre, Rua dos Jerónimos 8, ✉ 1400, ✆ 363 62 62, Fax 364 59 95 - |♦| ▤ TV ☎ - 🏫 25/50. AE ⓞ E VISA JCB. ✂ AQ **e**
Refeição (ver rest. ***São Jerónimo***) - **50 qto** ☕ 11850/14700.

Flamingo, Rua Castilho 41, ✉ 1200, ✆ 386 21 91, Fax 386 12 16 - |♦| ▤ TV ☎. AE ⓞ E VISA. ✂ FS **n**
Refeição 3000 - **39 qto** ☕ 13500/16500 - PA 6000.

Berna sem rest, Av. António Serpa 13, ✉ 1000, ✆ 793 67 67, Telex 62516, Fax 793 62 78 - |♦| ▤ TV ☎ 🚗 - 🏫 25/140. AE ⓞ E VISA. ✂ GR **a**
240 qto ☕ 11000/12000.

Albergaria Senhora do Monte sem rest, Calçada do Monte 39, ✉ 1100, ✆ 886 60 02, Fax 887 77 83, ← Castelo de São Jorge, cidade e o rio Tejo - |♦| ▤ TV ☎. AE ⓞ E VISA. ✂
28 qto ☕ 13000/16000. LV **c**

Vip sem rest, Rua Fernão Lopes 25, ✉ 1000, ✆ 352 19 23, Telex 14194, Fax 315 87 73 - |♦| ▤ TV ☎. AE ⓞ E VISA. ✂ GR **r**
52 qto ☕ 8000/9000, 2 suites.

Capitol sem rest, Rua Eça de Queiroz 24, ✉ 1000, ✆ 353 68 11, Telex 13701, Fax 352 61 65 - |♦| ▤ TV ☎. AE ⓞ E VISA GS **f**
52 qto ☕ 16000/19000, 5 suites.

Príncipe, Av. Duque de Ávila 201, ✉ 1000, ✆ 353 61 51, Telex 43565, Fax 353 43 14 - |♦| ▤ TV ☎ P. AE ⓞ E VISA JCB. ✂ FR **m**
Refeição lista aprox. 2650 - **67 qto** ☕ 11000/13000.

Eduardo VII, Av. Fontes Pereira de Melo 5, ✉ 1000, ✆ 353 01 41, Telex 18340, Fax 353 38 79, ← - |♦| ▤ TV ☎ - 🏫 25/60. AE ⓞ E VISA. ✂ FS **p**
Refeição 3600 - **119 qto** ☕ 12500/14700, 2 suites - PA 7200.

Ibis Lisboa-Centro, av. José Malhoa, ✉ 1000, ✆ 727 31 81, Telex 61013, Fax 727 32 87 - |♦| ▤ TV ☎ ♿ 🚗 - 🏫 25/120. AE ⓞ E VISA ER **d**
Refeição lista aprox. 2700 - ☕ 750 - **211 qto** 8200.

Fonte Luminosa sem rest., Alameda D. Afonso Enriques 70-6°, ✉ 1000, ✆ 80 81 69, Fax 80 90 03 - |♦| ▤ TV ☎. E VISA. ✂ HR **y**
37 qto ☕ 5500/7000.

D. Afonso Henriques sem rest, Rua Cristóvão Falcão 8, ✉ 1900, ✆ 814 65 74, Telex 64952, Fax 812 33 75 - |♦| ▤ TV ☎ 🚗 - 🏫 25/80. AE ⓞ E VISA JCB HR **t**
39 qto ☕ 9000/10500.

Nazareth sem rest, Av. António Augusto de Aguiar 25 - 4°, ✉ 1000, ✆ 54 20 16, Fax 356 08 36 - |♦| ▤ TV ☎. AE ⓞ E VISA. ✂ FS **y**
32 qto ☕ 6500/7950.

Insulana sem rest, Rua da Assunção 52, ✉ 1100, ✆ 342 76 25 - |♦| ▤ TV ☎. AE ⓞ E VISA. ✂ KY **e**
32 qto ☕ 8000/9000.

Dom João sem rest, Rua José Estêvão 43, ✉ 1100, ✆ 52 41 71, Fax 352 45 69 - |♦| ▤ TV ☎. AE ⓞ E VISA. ✂ HS **e**
18 qto ☕ 7500/8500.

Alicante sem rest, Av. Duque de Loulé 20, ✉ 1000, ✆ 353 05 14, Fax 352 02 50 - |♦| TV ☎. AE ⓞ E VISA. ✂ GS **c**
42 qto ☕ 6900/8400.

Imperador sem rest, Av. 5 de Outubro 55, ✉ 1000, ✆ 352 48 84, Fax 352 65 37 - |♦| ▤ TV ☎. AE ⓞ E VISA. ✂ GR **f**
43 qto ☕ 7500/8500.

Residencia Roma sem rest, Travessa da Glória 22 A, ✉ 1200, ✆ 346 05 57, Fax 346 05 57 - TV ☎. E VISA. ✂ JX **t**
24 qto ☕ 7000/9500.

Albergaria Pax sem rest, Rua José Estêvão 20, ✉ 1100, ✆ 356 18 61, Fax 315 57 55 - |♦| ▤ ☎. AE ⓞ E VISA. ✂ HS **q**
34 qto ☕ 5500/7500.

Americano sem rest, Rua 1° de Dezembro 73, ✉ 1200, ✆ 347 49 76 - |♦| ▤ ☎. E VISA
49 qto ☕ 8000/10000. KX **c**

XXXX **Antonio Clara - Clube de Empresários,** Av. da República 38, ✉ 1000, ✆ 796 63 80, Telex 62506, Fax 797 41 44, « Instalado num antigo palacete » - ▤ P. AE ⓞ E VISA JCB. ✂ GR **t**
fechado domingo e do 15 ao 31 de agosto - **Refeição** lista 4200 a 6800.

XXXX ✿ **Casa da Comida,** Travessa das Amoreiras 1, ✉ 1200, ✆ 388 53 76, Fax 387 51 32, « Patio com plantas » - ▤. AE ⓞ E VISA. ✂ FT **e**
fechado sábado meio-dia e domingo - **Refeição** lista 6000 a 10900
Espec. Sopa de amêijoas, Caçarola de marisco, Perdiz ou faisão à Convento de Alcântara.

XXXX **Tágide,** Largo da Academia Nacional de Belas Artes 18, ✉ 1200, ✆ 342 07 20, Fax 347 18 80, ← - ▤. AE ⓞ E VISA JCB. ✂ KZ **z**
fechado sábado e domingo - **Refeição** lista 6100 a 8200.

XXXX **Clara,** Campo dos Mártires da Pátria 49, ✉ 1100, ✆ 885 30 53, Fax 885 20 82, 🏠 - ▤. AE ⓞ E VISA. ✂ KY **f**
fechado sábado meio-dia, domingo e do 1 ao 15 de agosto - **Refeição** lista aprox. 6300.

XXXX **Aviz,** Rua Serpa Pinto 12-B, ⊠ 1200, ℘ 342 83 91, Fax 342 53 72 – ▤. AE ⓓ E VISA JCB. ✄ KY **x**
fechado domingo – **Refeição** lista 5700 a 7900.

XXXX **Tavares,** Rua da Misericórdia 37, ⊠ 1200, ℘ 342 11 12, Fax 347 81 25, Estilo fim do século XIX – ▤. AE ⓓ E VISA. ✄ JY **t**
fechado sábado e domingo ao meio-dia – **Refeição** lista 7100 a 8400.

XXX **Gambrinus,** Rua das Portas de Santo Antão 25, ⊠ 1100, ℘ 342 14 66, Fax 346 50 32 – ▤. AE VISA. ✄ KX **n**
Refeição lista 10000 a 13000.

XXX **Escorial,** Rua das Portas de Santo Antão 47, ⊠ 1100, ℘ 346 44 29, Fax 346 37 58 – ▤. AE ⓓ E VISA JCB KX **e**
Refeição lista aprox. 6040.

XXX **Pabe,** Rua Duque de Palmela 27-A, ⊠ 1200, ℘ 353 74 84, Fax 353 64 37, Pub inglês – ▤. AE ⓓ E VISA. ✄ FS **x**
Refeição lista 3800 a 7500.

XXX **Chester,** Rua Rodrigo da Fonseca 87-D, ⊠ 1200, ℘ 65 73 47, Fax 388 78 11, Carnes – ▤. AE ⓓ E VISA JCB. ✄ FS **w**
fechado domingo – **Refeição** lista 5050 a 6980.

XXX **Saraiva's,** Rua Eng. Canto Resende 3, ⊠ 1000, ℘ 54 06 09, Fax 353 19 87, Decoração moderna – ▤. AE ⓓ E VISA JCB. ✄ FR **v**
fechado sábado – **Refeição** lista 3850 a 5800.

XXX **Bachus,** Largo da Trindade 9, ⊠ 1200, ℘ 342 28 28, Fax 342 12 60 – ▤. AE ⓓ E VISA JCB. ✄ JY **s**
fechado domingo – **Refeição** lista 4500 a 6800.

XXX ✿ **Conventual,** Praça das Flores 45, ⊠ 1200, ℘ 60 91 96 – ▤. AE ⓓ E VISA. ✄ FT **m**
fechado sábado meio-dia e domingo – **Refeição** lista 3200 a 5800
Espec. Concha de mariscos gratinada, Lombo de linguado com molho de marisco, Migas de miolos com entrecosto.

XXX **O Faz Figura,** Rua do Paraíso 15 B, ⊠ 1100, ℘ 886 89 81, ≤, ☂ – ▤. AE ⓓ E VISA. ✄
fechado domingo – **Refeição** lista aprox. 6000. MX **n**

XXX **Jardim Tropical** com self-service, Av. Da Liberdade 144, ⊠ 1200, ℘ 342 20 70, Fax 342 31 24, « Jardim interior de inspiração tropical » – ▤ ⓟ. AE ⓓ E VISA JCB. ✄
fechado domingo – **Refeição** lista 4250 a 4850. JV **u**

XX **Via Graça,** Rua Damasceno Monteiro 9 B, ⊠ 1100, ℘ 887 08 30, Fax 887 03 05, ≤ Castelo de São Jorge, cidade e rio Tejo – ▤. AE ⓓ E VISA JCB. ✄ MX **d**
fechado sábado meio-dia e domingo – **Refeição** lista 2760 a 4750.

XX **Casa do Leão,** Castelo de São Jorge, ⊠ 1100, ℘ 87 59 62, Fax 87 63 29, ≤ – ▤. AE ⓓ E VISA. ✄ LXY **s**
Refeição lista 3950 a 6450.

XX **Santa Cruz - Michel,** Largo de Santa Cruz do Castelo 5, ⊠ 1100, ℘ 886 43 38 – ▤. AE ⓓ E VISA JCB LY **b**
fechado sábado meio-dia, domingo, feriados e agosto – **Refeição** lista 3550 a 4300.

XX **São Jerónimo,** Rua dos Jerónimos 12, ⊠ 1400, ℘ 364 87 96, Fax 363 26 92 – ▤. AE ⓓ E VISA JCB. ✄ AQ **e**
fechado domingo – **Refeição** lista 3600 a 5800.

XX **Espelho d'Água,** Av. de Brasilia, ⊠ 1400, ℘ 301 73 73, Fax 363 26 92, ≤, ☂, Situado num pequeno lago artificial. Decoração moderna – ▤. AE ⓓ E VISA JCB. ✄ AQ **n**
fechado domingo – **Refeição** lista 4000 a 6250.

XX **Vela Latina,** Doca do Bom Sucesso, ⊠ 1400, ℘ 301 71 18, Fax 301 93 11, « Agradável terraço » – ▤. ✄ AQ **x**
Refeição lista aprox. 6400.

XX **Saddle Room,** Praça José Fontana 17C, ⊠ 1000, ℘ 352 31 57, Fax 54 09 61, Música ao jantar, Decoração rústica-inglesa – ▤. AE ⓓ E VISA. ✄ GS **w**
fechado sábado meio-dia e domingo – **Refeição** lista 2520 a 4300.

XX **O Polícia,** Rua Marquês Sá da Bandeira 112, ⊠ 1000, ℘ 796 35 05, Fax 796 02 19 – ▤. E VISA. ✄ FR **c**
fechado sábado noite e domingo – **Refeição** lista 3500 a 4850.

XX **Verdemar,** Rua das Portas de Santo Antão 142, ⊠ 1100, ℘ 346 44 01 – ▤. AE ⓓ E VISA. ✄ KX **f**
fechado sábado – **Refeição** lista 3100 a 4400.

XX **Adega Tía Matilde,** Rua da Beneficência 77, ⊠ 1600, ℘ 797 21 72 – ▤. AE ⓓ E VISA. ✄
fechado sábado noite e domingo – **Refeição** lista 3500 a 5400. FR **h**

XX **O Nobre,** Rua das Mercês 71, ⊠ 1300, ℘ 363 38 27 – ▤. AE E VISA AQ **r**
fechado sábado meio-dia e domingo – **Refeição** lista 4320 a 5640.

XX **Quinta dos Frades,** Rua Luís Freitas Branco 5 D, ⊠ 1600, ℘ 759 89 80, Fax 758 67 18 – ▤ ⓟ. AE ⓓ E VISA. ✄ CN **r**
fechado sábado noite, domingo e agosto – **Refeição** lista 2450 a 3350.

XX **Sancho,** Travessa da Glória 14, ⊠ 1200, ℘ 346 97 80 – ▤. AE E VISA. ✄ JX **t**
fechado domingo – **Refeição** lista 2500 a 4280.

X **Frei Papinhas,** Rua D. Francisco Manuel de Melo 32, ✉ 1000, ☎ 385 87 57, Fax 69 14 59 – ▤. AE ⓓ E VISA JCB. ✂ FS **r**
Refeição lista 2700 a 5150.

X **O Funil,** Av. Elias Garcia 82 A, ✉ 1000, ☎ 796 60 07 – ▤. E VISA. ✂ GR **n**
fechado domingo noite e 2ª feira – **Refeição** lista 2700 a 4700.

X **Xêlê Bananas,** Praça das Flores 29, ✉ 1200, ☎ 395 25 15, Inspiração decorativa tropical – ▤. AE ⓓ E VISA FT **n**
fechado sábado meio-dia e domingo – **Refeição** lista 3050 a 5250.

X **Sua Excelencia,** Rua do Conde 42, ✉ 1200, ☎ 60 36 14 – ▤. AE ⓓ E VISA EU **t**
fechado sábado meio-dia, domingo meio-dia, 4ª feira e setembro – **Refeição** lista 4150 a 5900.

X **Monique's,** Rua de São Marçal 94, ✉ 1200, ☎ 347 59 22, Fax 452 50 63 – ▤. E VISA. ✂
fechado sábado meio-dia e domingo – **Refeição** lista 1800 a 3100. FT **b**

X **Pap'Açorda,** Rua da Atalaia 57, ✉ 1200, ☎ 346 48 11, Fax 342 97 05 – ▤. AE ⓓ E VISA. ✂
fechado domingo, 2ª feira meio-dia, 20 dias en julho e 10 dias en novembro – **Refeição** lista aprox. 7000. JY **d**

X **Campo de Ourique,** Rua Tomás da Anunciação 52-A, ✉ 1300, ☎ 397 17 94, Fax 395 56 09 – ▤. AE E VISA. ✂ BV **x**
fechado domingo – **Refeição** lista 2100 a 3100.

X **António,** Rua Tomás Ribeiro 63, ✉ 1000, ☎ 353 87 80, Fax 54 91 76 – ▤. E VISA. ✂
Refeição lista aprox. 4500. FR **e**

X **Celta,** Rua Gomes Freire 148-C e D, ✉ 1100, ☎ 57 30 69 – ▤. AE E VISA. ✂ GS **k**
fechado domingo – **Refeição** lista 2360 a 4060.

X **Porta Branca,** Rua do Teixeira 35, ✉ 1200, ☎ 32 10 24 – ▤. AE ⓓ E VISA. ✂ JX **e**
fechado sábado ao meio-dia, domingo e julho – **Refeição** lista 4000 a 4800.

X **Vasku's Grill,** Rua Passos Manuel 30, ✉ 1100, ☎ 54 22 93, Fax 315 54 32, Grelhados – ▤. AE ⓓ E VISA. ✂ HS **a**
fechado sábado meio-dia, domingo e agosto – **Refeição** lista aprox. 5000.

X **D'Avis,** Rua do Grilo 98, ✉ 1900, ☎ 868 13 54, Fax 868 13 54 – ▤. ⓓ E VISA. ✂
fechado domingo e agosto – **Refeição** lista aprox. 3100. DP **a**

X **Comida de Santo,** Calçada do Eng. Miguel Pais 39, ✉ 1200, ☎ 396 33 39, Cozinha brasileira – ▤. AE ⓓ E VISA FT **v**
Refeição lista 3340 a 4500.

X **Patchuka,** Rua do Século 149 A, ✉ 1200, ☎ 346 45 78 – ▤. AE ⓓ E VISA. ✂ JX **a**
fechado sábado meio-dia e domingo – **Refeição** lista 3000 a 4650.

X **Mercado de Santa Clara,** Campo de Santa Clara (no mercado), ✉ 1100, ☎ 887 39 86, ⩤ – ▤. AE ⓓ E VISA. ✂ MX **c**
fechado 8 agosto-8 setembro – **Refeição** lista aprox. 4400.

X **Paris,** Rua dos Sapateiros 126, ✉ 1100, ☎ 346 97 97 – ▤. AE ⓓ E VISA. ✂ KY **a**
Refeição lista 2700 a 4950.

X **Delfim,** Rua Nova de São Mamede 25, ✉ 1200, ☎ 69 05 32 – ▤. AE ⓓ E VISA. ✂
fechado sábado – **Refeição** lista aprox. 3800. FT **t**

X **Caseiro,** Rua de Belém 35, ✉ 1300, ☎ 363 88 03, Decoração rústica – ▤. AE ⓓ E VISA JCB. ✂ AQ **s**
fechado domingo e agosto – **Refeição** lista 2340 a 4660.

RESTAURANTES TÍPICOS

XX **Arcadas do Faia,** Rua da Barroca 56, ✉ 1200, ☎ 342 67 42, Telex 13649, Fax 342 19 23, Fados – ▤. AE ⓓ VISA. ✂ JY **f**
fechado domingo – **Refeição** (só jantar) lista aprox. 7750.

XX **Sr. Vinho,** Rua do Meio -à- Lapa 18, ✉ 1200, ☎ 397 74 56, Fax 395 20 72, Fados – ▤. AE ⓓ E VISA JCB. ✂ FU **r**
fechado domingo – **Refeição** (só jantar) lista aprox. 9500.

XX **A Severa,** Rua das Gáveas 51, ✉ 1200, ☎ 342 83 14, Fax 346 40 06, Fados ao jantar – ▤. AE ⓓ E VISA JCB. ✂ JY **b**
fechado 5ª feira – **Refeição** lista 5100 a 8300.

X **Adega Machado,** Rua do Norte 91, ✉ 1200, ☎ 342 87 13, Fax 346 75 07, Fados – ▤. AE ⓓ E VISA JCB. ✂ JY **k**
fechado 2ª feira – **Refeição** (só jantar) lista 5000 a 7500.

X **O Forcado,** Rua da Rosa 221, ✉ 1200, ☎ 346 85 79, Fax 347 48 87, Fados – ▤. AE ⓓ E VISA. ✂ JX **r**
fechado 4ª feira – **Refeição** lista aprox. 6250.

Ver também : ***Cascais*** por ④ : 30 km
Estoril por ④ : 28 km
Queluz por ⑤ : 12 km
Sintra por ⑤ : 28 km.

MICHELIN, Companhia Luso-Pneu, Lda Edifício Michelin, Quinta do Marchante/Prior-Velho, SACAVÉM por ①, ✉ 2685 ☎ 941 13 09, Fax 941 12 90

LOMBO DE BAIXO Madeira - ver Madeira (Arquipélago da) : Faial.

LOULÉ 8100 Faro 440 U 5 - 8 595 h. - ☎ 089.

Edifício do Castello ✆ 639 00.

♦Lisboa 299 - Faro 16.

- **Loulé Jardim H.** sem rest, Praça Manuel de Arriaga ✆ 41 30 94, Fax 631 77, – ☎ – 25/100. AE ⓓ E VISA
  52 qto 8800/11000.
- **Ibérica** sem rest, Av. Marçal Pacheco 157 ✆ 41 41 00 – ☎ ⓟ. E VISA.
  54 qto 4000/7000.
- **O Avenida,** av. José da Costa Mealha 13 ✆ 621 06 – . AE ⓓ E VISA.
  fechado domingo e novembro – **Refeição** lista 2150 a 3150.
- **Bica Velha,** Rua Martin Moniz 17 ✆ 633 76, Decoração rústica – AE ⓓ E VISA.
  fechado domingo e do 1 ao 15 de novembro – **Refeição** lista 2750 a 3670.
- **Aux Bons Enfants,** Rua Engenheiro Duarte Pacheco 116 ✆ 620 96, Cozinha francêsa – .
  fechado domingo, do 13 ao 19 de novembro e do 18 ao 26 de dezembro – **Refeição** (só jantar) lista 3300 a 4400.

en Franqueada SO : 4,5 km – ✉ 8100 Loulé – ☎ 089 :

- **O Carcavai,** Estrada N 396 ✆ 635 65, , Cozinha belga e francesa – ⓟ. AE ⓓ E VISA JCB.
  fechado sábado, domingo e novembro-fevereiro – **Refeição** (só jantar) lista 2600 a 5400.

Per spostarvi più rapidamente utilizzate le carte Michelin "Grandi Strade" :
n° 970 Europa, *n°* 980 Grecia, *n°* 984 Germania, *n°* 985 Scandinavia-Finlanda,
n° 986 Gran Bretagna-Irlanda, *n°* 987 Germania-Austria-Benelux, *n°* 988 Italia,
n° 989 Francia, *n°* 990 Spagna-Portogallo, *n°* 991 Jugoslavia.

LOURINHÃ 2530 Lisboa 440 O 2 - 8 253 h. - ☎ 061 - Praia.

♦Lisboa 74 - Leiria 94 - Santarém 81.

- **Estal. Bela Vista**, Rua D. Sancho I-Santo André ✆ 41 41 61, Fax 41 41 38, – ☎ ⓟ. rest
  Refeição lista 3300 a 5000 – **31 qto** 8500/11000.
- **Figueiredo** sem rest, Largo Mestre Anacleto Marcos da Silva ✆ 42 25 37 –
  18 qto 5000/6000.

LOUSÃ 3200 Coimbra 440 L 5 alt. 200 - ☎ 039.

♦Lisboa 212 - ♦Coimbra 36 - Leiria 83.

- **Martinho** sem rest, Rua Movimento das Forças Armadas ✆ 99 13 97 – ☎ ⓟ.
  13 qto 2900/4900.

LUSO Aveiro 440 K 4 - 2 726 h. alt. 200 - ✉ 3050 Mealhada - ☎ 031 - Termas.

Arred. : Mata do Buçaco★★.

Rua Emídio Navarro ✆ 93 91 33.

♦Lisboa 230 - Aveiro 44 - ♦ Coimbra 28 - Viseu 69.

- **G.H. das Termas do Luso**, ✆ 93 04 50, Telex 53342, Fax 93 03 50, – rest ⓟ – 25/205. AE ⓓ E VISA.
  Refeição 2800 – **171 qto** 11300/14200 – PA 5400.
- **Eden,** Rua Emídio Navarro ✆ 93 01 91, Fax 93 01 93 – rest ⓟ – . AE E VISA. rest
  Refeição lista aprox. 2050 – **58 qto** 7200/10500.

MACEDO DE CAVALEIROS 5340 Bragança 440 H 9 - 4 353 h. alt. 580 - ☎ 078.

♦Lisboa 510 - Bragança 42 - Vila Real 101.

- **Estal. do Caçador,** Largo Manuel Pinto de Azevedo ✆ 42 63 54, Fax 42 63 81, – . AE ⓓ E VISA. rest
  Refeição 3500 – 1000 – **25 qto** 11500/15200.
- Muchacho, Pereira Charula ✆ 42 16 40 – ☎
  20 qto.

na Estrada de Mirandela NO : 1,7 km – ✉ 5340 Macedo de Cavaleiros – ☎ 078 :

- **Costa do Sol,** ✆ 42 63 75, Fax 42 63 75 – ☎ ⓟ. VISA.
  Refeição *(fechado 2ª feira)* 1800 – **30 qto** 4000/6000 – PA 3200.

MACHICO Madeira - ver Madeira (Arquipélago da).

MADEIRA (Arquipélago da) 440 - 254 880 h. - 091

MADEIRA

Caniço - 7 249 h. - 9125 Caniço - 091.

Funchal 8.

XX A Lareira com qto, Sítio da Vargem 93 44 94 - - **17 qto.**

em Caniço de Baixo S : 2,5 Km. - 9125 Caniço - 091 :

Ondamar, 93 45 66, Telex 72397, Fax 93 45 55, <, climatizada - . AE E VISA.
Refeição (só jantar) 2500 - **53 qto** 9500/13500.

Roca Mar, 93 43 34, Telex 72391, Fax 93 40 44, <, - . AE E VISA.
Refeição 2500 - **100 qto** 12000/16000 - PA 5000.

Galomar e Rest. O Galo, 93 44 10, Telex 72397, <, - . AE E VISA.
Refeição *(fechado 2ª feira)* lista aprox. 3550 - **45 qto** 7500/9500.

Faial - 2 622 h. - 9225 Porto da Cruz - 091.

Arred. : Santana★ (estrada <★) NO : 8 km - Estrada do Porto da Cruz (<★) SE : 8 km.

Funchal 54.

em Lombo de Baixo-na Estrada do Funchal S : 2,5 km - 9225 Porto da Cruz - 091 :

X Casa de Chá do Faial, Estrada do Funchal 57 22 23, < vale e montanha, - .

Funchal - 48 239 h. - 9000 - 091.

Ver : <★ de ponta da angra BZ **V** - **Sé★** (tecto★) BZ - Museu de Arte Sacra (colecçaõ de quadros★) BY **M1** - Museu das Freitas★ BY - Quinta das Cruzes★★ AY - Largo do Campo Santo★ DZ - Jardim Botánico★ <★ Y.

Arred. : Miradouro do Pináculo★★ 4 km por ② - Pico dos Barcelos★★ (★★) 3 km por ③ - Monte (localidade★) 5 km por ① - Quinta do Palheiro Ferreiro★★ 5 km por ② pela estrada de Camacha- Terreiro da Luta <★ 7 km por ① - Câmara de Lobos (local ★, estrada <★) 9 km X - Eira do Serrado ★★★ (estrada <★★, <★) NO : 13 km pela Rua Dr. Pita - Curral das Freiras (local★, <★) NO : 17 km pela Rua Dr. Pita.

Excurs. : Pico Ruivo★★★ (★★★) 21 km por ① e 3 h a pé.

9 do Santo da Serra 25 km por ② 22 51 61.

do Funchal 23 km por ② - T.A.P. Av. do Mar 8 52 49 41.

para Lisboa : E.N.M Rua da Praia 45 301 95 e 301 96, Telex 72184.

Av. Arriaga 18 22 90 57 e 22 56 58 - A.C.P. Rua Dr. Antonio José de Almeida 17, 22 36 59, Fax 22 05 52.

Planos páginas seguintes

Reid's H., Estrada Monumental 139 76 30 01, Telex 72139, Fax 76 44 99, < baía do Funchal, « Magnífico jardim semi-tropical sob um promontório rochoso », climatizada, - . AE E VISA JCB. rest X **z**
Refeição 8100 - ***Garden*** *(só almoço)* **Refeição** lista aprox. 5750 - ***Villa Cliff*** : **Refeição** lista aprox. 3850 - ***Les Faunes*** *(só jantar)* **Refeição** lista aprox. 11300 - **148 qto** 40500/55000, 21 suites.

Savoy, Av. do Infante 22 20 31, Telex 72153, Fax 22 31 03, <, , « Terraço com climatizada à beira-mar », , , - - 25/300. AE E VISA.
Grill Fleur de Lys : **Refeição** lista 3820 a 5550 - ***Bellevue*** : **Refeição** lista 3800 a 5050 - **350 qto** 36300/60500. X **n**

Madeira Carlton H., Largo António Nobre 23 10 31, Telex 72122, Fax 22 33 77, <, , , climatizada, - - 25/450. AE E VISA. rest X **s**
Refeição lista aprox. 4900 Taverna Grill *(só jantar)* Os Arcos *(só jantar)* Buffet Garden Pool *(só almoço)* - **374 qto** 23000/36000.

Casino Park H., Av. do Infante 23 31 11, Telex 72118, Fax 23 31 53, < montanha, cidade e mar, « Jardim florido », , climatizada, - - 25/650. AE E VISA. rest AZ **y**
Chez Oscar *(só jantar)* **Refeição** lista 3750 a 4550 - ***Panorámico*** *(só jantar)* **Refeição** lista aprox. 4200 - ***Coffee Shop*** *(só almoço)* **Refeição** lista aprox. 2700 - **374 qto** 21000/32000.

Quinta do Sol, Rua Dr Pita 6 76 41 51, Telex 72182, Fax 76 62 87, <, climatizada - . AE E VISA. X **x**
Refeição 3500 - **151 qto** 14500/21000 - PA 7000.

Do Carmo, Travessa do Rego 10 22 90 01, Telex 72447, Fax 22 39 19, - rest . AE E VISA. CY **f**
Refeição 3000 - **80 qto** 14000/18000 - PA 6000.

FUNCHAL

Alfândega (R. da) . . . . BZ 3
Aljube (R. do) . . . . BZ 4
Bettencourt (R. do) . . . . CY 9
Chafariz (Largo do) . . . . CZ 19
Dr Fernão de Ornelas (R.) . CZ 28
João Tavira (R.) . . . . BZ 39
Phelps (Largo do) . . . . CY 58
Pretas (R. das) . . . . BY 61
Aranhas (R. dos) . . . . ABZ 6
Autonomia (Pr. da) . . . . CZ 7
Brigadeiro Oudinot (R.) . . . CY 10
Carne Azeda (R. da) . . . . . BY 12
Carvalho Araújo (R.) . . . . . . AZ 15
Conceição (R. da) . . . . CY 22
Conselheiro Aires Ornelas (R.) . . . . . . CY 24
Conselheiro José Silvestre Ribeiro (R.) . BZ 25
Encarnação (Calç. da) . . . . BY 30
Hospital Velho (R. do) . . . .CYZ 34

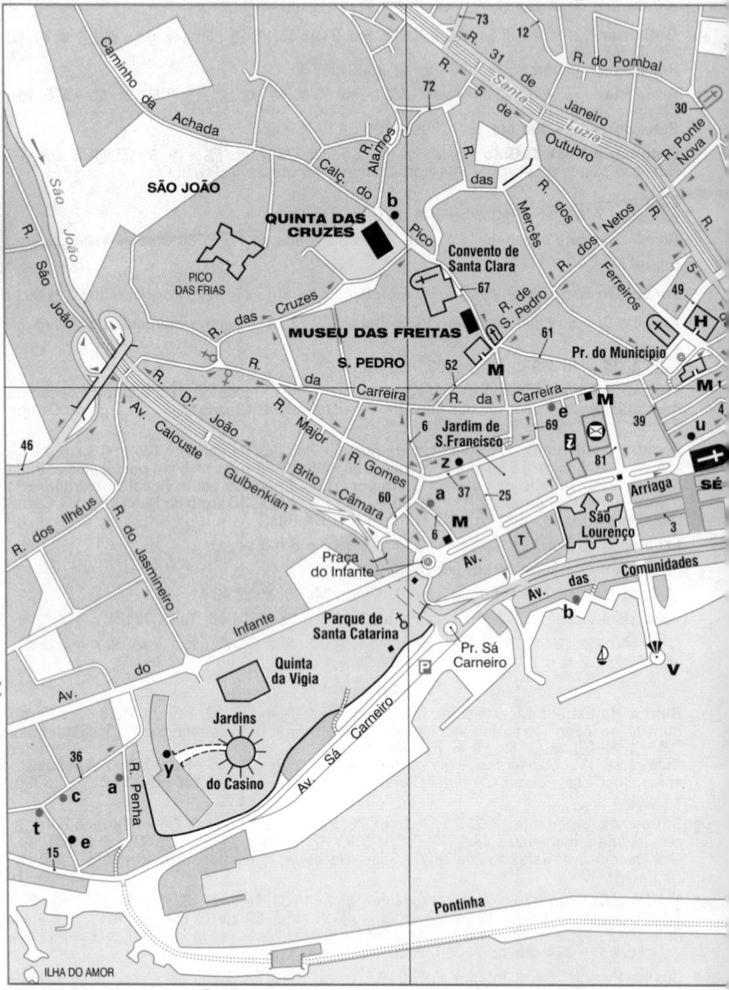

🏨 **Windsor** sem rest, com snack-bar, Rua das Hortas 4-C ✆ 233 081, Telex 72 551, Fax 233 080, 🏊 - |♿| TV ☎ P. ✻ — CY **r**
67 qto ☐ 8500/9600.

🏨 **Madeira** sem rest, Rua Ivens 21 ✆ 23 00 71, Telex 72242, Fax 22 90 71, 🏊 - |♿| TV ☎. AE ⓓ E VISA. ✻ - **53 qto** ☐ 7950/8950. — BZ **z**

🏨 **Quinta da Penha de França** 🐚 sem rest, com snack-bar, Rua da Penha de França 2 ✆ 290 87, Fax 292 61, « Jardim », 🏊 - ☎ P. AE ⓓ VISA. ✻ — AZ **e**
41 qto ☐ 18200.

Imperatriz D. Amélia (R. da) . . . AZ 36
Ivens (R.) . . . BZ 37
Latino Coelho (R.) . . . CZ 40
Lazarêto (Caminho do) . . . DZ 42
Maravilhas (R. das) . . . AZ 46
Marquês do Funchal (R.) . . BY 49
Miguel Carvalho (R.) . . . CY 51
Mouraria (R.) . . . BY 52
Ponte de S. Lázaro (R.) . . . AZ 60
Ribeirinho (R.) . . . CY 63
Sabão (R. do) . . . CZ 66
Santa Clara (Calç) . . . BY 67
São Francisco (R. de) . . . BZ 69
Saúde (Calç.) . . . BY 72
Til (R. do) . . . BY 73
Visconde do Anadía (R.) . . CYZ 78
Zirco (Av.) . . . BZ 81

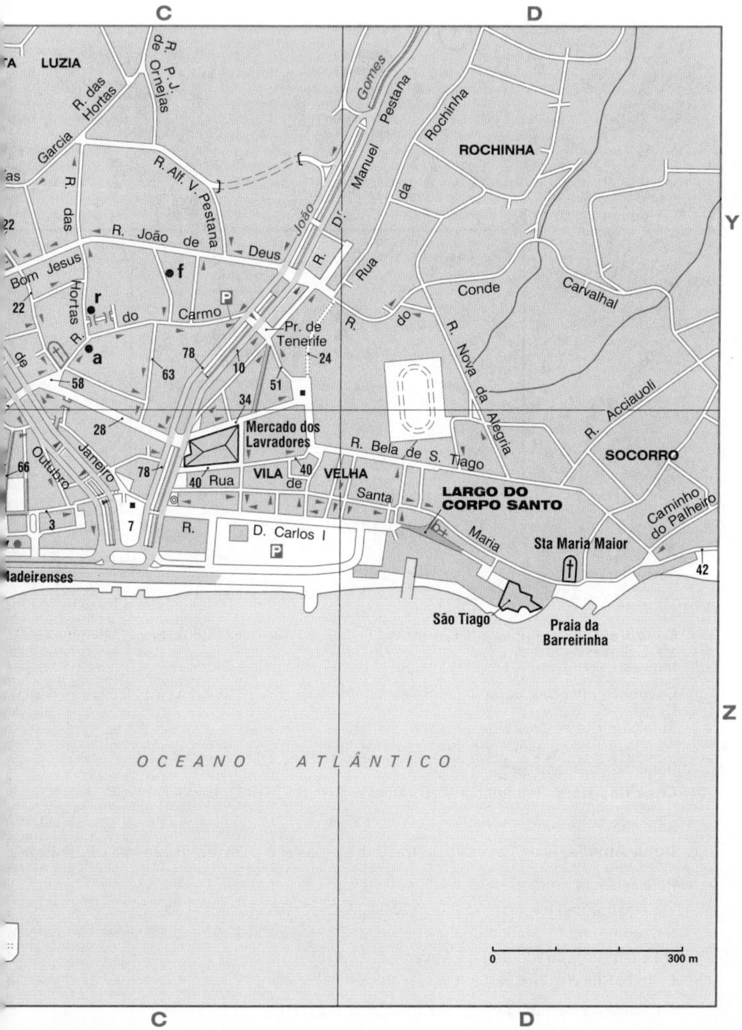

🏨 Albergaria Catedral sem rest, Rua do Aljube 13 ✆ 23 00 91, Fax 351 80 – |‡| ☎ BZ **u**
25 qto.

🏨 **Santa Clara** 🐚 sem rest, Calçada do Pico 16-B ✆ 74 21 94, Fax 74 32 80, ≤, 🏊, 🌳 – |‡| ☎. ✈ AY **b**
15 qto ☕ 5000/7500.

🏨 **Greco** sem rest, com snack-bar, Rua do Carmo 16 ✆ 230 081, Telex 72551, Fax 233 080 – |‡|. ✈ CY **a**
28 qto ☕ 5600/6600.

FUNCHAL

Carne Azeda (R. da) . . . . . . V 12
Carvalho Araújo (R.) . . . . X 15
Casa Branca
(Caminho da) . . . . X 18
Comboio (R. do) . . . . V 21
Dom João
Abel de Freitas (Estr.) . . . V 27
Favila (R.) . . . . X 31
Gorgulho (R.) . . . . X 33
Lazarêto (Caminho do) . . . . X 42
Levada dos Barreiros (R.) . . X 43
Luís de Camões (Av.) . . . . . X 45
Maravilhas (R. das) . . . . X 46
Nova (Estr.) . . . . V 54
Palheiro (Caminho do) . . . . X 55
Pedro José Ornelas (R.) . . . V 57
Rochinha (R. da) . . . . V 64
São Roque (Caminho de) . . V 70
V. Cacongo (Estr.) . . . . V 75
Velho da Ajuda (Caminho) . X 76
Voltas (Caminho das) . . . . . V 79

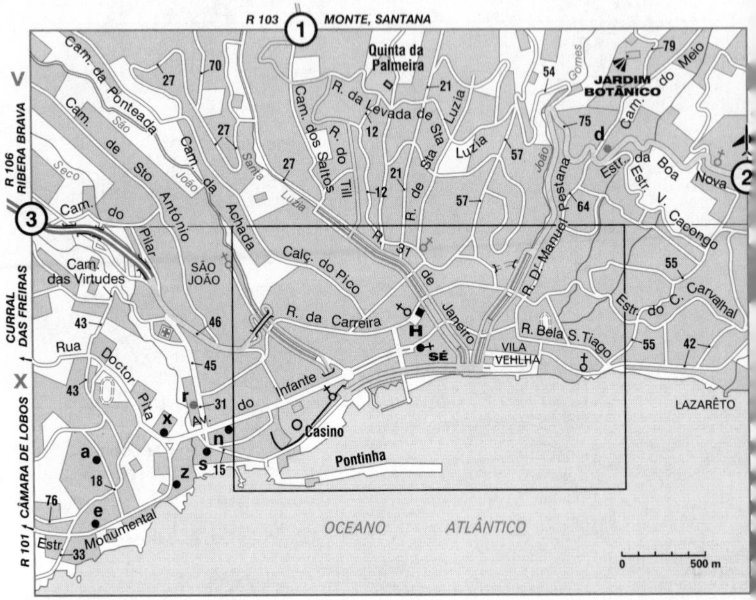

XXX **Casa Velha,** Rua Imperatriz D. Amélia 69 ☎ 22 57 49, Telex 72601, Fax 22 46 29 – ▤. AE ① E VISA. ✻ AZ **a**
Refeição lista aprox. 3550.

XX **Caravela,** Rua das Comunidades Madeirenses 15 ☎ 22 84 64, Fax 22 20 57, ≤ – AE ① E VISA. ✻ CZ **v**
Refeição lista aprox 2790.

XX O Solar do F, Av. Luís de Camões 19 ☎ 22 02 12, Fax 74 32 95, 余 X **r**
Refeição (só jantar).

XX **Casa dos Reis,** Rua Imperatriz D. Amélia, 101 ☎ 22 51 82, Fax 388 18, 余 – ▤. AE ① E VISA. ✻ AZ **t**
Refeição lista aprox. 4100.

XX **Dona Amélia,** Rua Imperatriz D. Amélia 83 ☎ 22 57 84, Fax 22 46 29 – ▤. AE ① E VISA. ✻ AZ **c**
Refeição lista aprox. 3800.

X O Celeiro, Rua Dos Aranhas 22 ☎ 23 06 22, Decoração rústica – ▤ BZ **a**

X Solar da Santola, Marina do Funchal ☎ 22 72 91, Fax 74 32 95, ≤, 余 – ▤ BZ **b**

X O Espadarte, Estrada da Boa Nova 5 ☎ 22 80 65 – ▤ V **d**

X O Arco, Rua da Carreira 63-A ☎ 22 01 34 – ▤ BZ **e**

ao Suloeste da cidade – ✉ 9000 Funchal – ✪ 091 :

Madeira Palácio, Estrada Monumental, 4,5 km ☎ 76 44 76, Telex 72156, Fax 76 44 77, ≤, climatizada, ⛱, ✂ – |‡| ▤ TV ☎ P – 🏃 25/220
Vice Rei - Cristovão Colombo - Coffee Shop Le Terrace – **253 qto.**

Vila Ramos ✂, Azinhaga da Casa Branca 7, 3 km ☎ 76 41 81, Telex 72168, Fax 76 41 56, ≤, climatizada, ✂ – |‡| ▤ TV ☎ P. AE ① E VISA X **a**
Refeição 3000 – **116 qto** ☕ 9000/12000 – PA 6000.

Eden Mar, Rua do Gorgulho 2, 2,7 Km. ☎ 76 22 21, Telex 72672, Fax 76 19 66, ≤, 余, Fб, climatizada, ▣ – |‡| ▤ TV ☎ P – 🏃 25/120. AE ① E VISA. ✻
Refeição 3200 – ☕ 1600 – **140 apartamentos** 18000/20000 – PA 6400.

Monumental Lido, Estrada Monumental 284, 2,7 km ✆ 76 64 66, Fax 76 63 45, ≤, climatizada - rest. AE E VISA.
Refeição 3500 - **201 qto** 13000/14000.

Baia Azul, Estrada Monumental, 3,5 km ✆ 76 62 60, Telex 72675, Fax 76 42 45, ≤, climatizada - - 25/400. AE E VISA.
Refeição 3500 - **215 qto** 24500/27000.

Alto Lido, Estrada Monumental 316, 3,3 km ✆ 76 51 97, Telex 72453, Fax 76 59 50, ≤, climatizada - rest
115 apartamentos.

Girassol, Estrada Monumental 256, 2,5 km ✆ 76 40 51, Telex 72176, Fax 76 54 41, ≤, climatizada - rest. AE E VISA. X e
Refeição 3000 - **132 qto** 12000/15000.

Atlantic Gardens sem rest, com snack-bar, Praia Formosa, 5,8 km ✆ 76 21 11, Telex 72223, Fax 76 67 33, -
51 apartamentos.

Do Mar sem rest, Estrada Monumental, 3,5 km - Quinta Calaça ✆ 76 10 01, Telex 72255, Fax 76 21 92, ≤ mar, climatizada - . AE E VISA
125 apartamentos 8300/12800.

Sol e Mar com snack-bar, Estrada Monumental 314 B, 3,2 km ✆ 76 20 30, Fax 76 13 83, - . AE E VISA JCB.
Refeição lista 2150 a 4390.

Solar da Ajuda, Caminho Velho da Ajuda, 2,7 km ✆ 623 18, Fax 74 32 95 - .

em São Gonçalo E : 5 km - ✉ 9000 Funchal - 091 :

Estal. da Montanha, ✆ 79 35 00, Fax 79 36 79, ≤ mar e Funchal, -
10 qto. por Rua do Conde Carvalhal X

Machico - 12 129 h. - ✉ 9200 Machico - 091.

Arred. : Miradouro Francisco Álvares da Nóbrega★ SO : 2 km - Santa Cruz (Igreja de S. Salvador★) S : 6 km.

Rua do Ribeirinho - Edifício Paz ✆ 96 27 12.

Funchal 29.

Dom Pedro Baía, ✆ 96 57 51, Telex 72135, Fax 96 68 89, ≤ mar e montanha, climatizada, - rest - 25/80. AE E VISA.
Refeição 2600 - **218 qto** 10400/14400.

Pico do Arieiro - ✉ 9006 Funchal - 091.

Ver : Mirador★★.

Excurs. : Pico Ruivo★★★, (★★★) 3 h. a pé.

Funchal 23.

Pousada do Pico do Arieiro, alt. 1 818 ✆ 23 01 10, Fax 22 86 11, ≤ montanhas e mar -
21 qto.

Poiso alt. 1 412 - 091.

Funchal 15.

Casa de Abrigo do Poiso, Estrada Conde de Carvalhal 237, ✉ 9000 apartado 2522 São Gonçalo, ✆ 78 22 69 - .

Porto Moniz - 3 920 h. - ✉ 9270 Porto Moniz - 091.

Ver : Localidade★, escolhos★.

Arred. : Estrada de Santa ≤★ SO : 6 km - Seixal (local★) SE : 10 km - Estrada escarpada★★ (≤★) de Porto Moniz a São Vicente SE : 18 km.

Funchal 106.

Calhau sem rest, ✆ 85 21 04, ≤
15 qto.

Cachalote, ✆ 85 21 80, Fax 85 27 25, ≤
Refeição (só almoço).

Orca com qto, ✆ 85 23 59, ≤
12 qto.

Ribeira Brava 6 084 h. - ✉ 9350 Ribeira Brava - 091.

Funchal 30.

Bravamar, Rua Gago Coutinho ✆ 95 22 20, Telex 72258, Fax 95 11 22, ≤ -
70 qto.

São Vicente - 4 374 h. - ✉ 9240 São Vicente - ☎ 091.

Funchal 55.

Estal. Do Mar, Estrada da Ponte Delgada ☎ 84 26 15, Fax 84 27 65, ←, ⛱, 🎾 - TV ☎ P - 25/150. E VISA.
Refeição 2300 - **45 qto** 7000/10000.

Quebra-Mar, Sítio do Calhão ☎ 84 23 38, Fax 84 21 14, ← - P. AE O E VISA
Refeição lista 2200 a 2950.

Calamar, Estrada da Ponte Delgada ☎ 84 22 18, ← - P.

Serra de Água - 1 426 h. - ✉ 9350 Ribeira Brava - ☎ 091.

Ver: Sítio★.

Funchal 9.

na Estrada de São Vicente N : 2,2 km - ✉ 9350 Ribeira Brava - ☎ 091 :

Pousada dos Vinháticos, ☎ 95 23 44, Fax 95 25 40, ← montanhas, - P
15 qto.

PORTO SANTO

Vila Baleira - ✉ 9400 Porto Santo - ☎ 091 - Praia.

✈ do Porto Santo, ☎ 98 23 54.

Av. Vieira de Castro ☎ 98 23 62 (ext. 203).

Praia Dourada, Rua D. Estêvão (d'Alencastre) ☎ 98 23 15, Telex 72389, Fax 98 24 87, ⛱ - rest ☎
110 qto.

ao suloeste : 2 km - ✉ 9400 Porto Santo - ☎ 091 :

Porto Santo, ☎ 98 23 81, Fax 98 26 11, ←, ⛱, 🎾 - rest ☎ P. AE O E VISA.
Refeição 3500 - **97 qto** 11500/17600 - PA 7000.

MAFRA 2640 Lisboa 440 P 1 - 10 153 h. alt. 250 - ☎ 061.

Ver: Convento de Mafra★★ : basílica★★ (zimbório★), palácio e convento (biblioteca★).

Av. 25 de Abril ☎ 81 20 23.

♦Lisboa 40 - Sintra 23.

Castelão, Av. 25 de Abril ☎ 81 20 50, Telex 43488, Fax 516 98 - rest TV ☎ - 25/300. AE O E VISA.
Refeição lista aprox. 3900 - **35 qto** 9000/11000.

MAIA 4470 Porto 440 I 4 - 6 734 h. - ☎ 02.

♦Lisboa 326 - Amarante 56 - Braga 39 - ♦Porto 12.

Don Nuno II, Parque Nossa Senhora do Bom Despacho ☎ 948 67 00.

MALVEIRA DA SERRA Lisboa 440 P 1 - ✉ 2750 Cascais - ☎ 01.

♦Lisboa 37 - Sintra 13.

Adega do Zé Manel, Estrada de Alcabideche ☎ 487 06 38, Decoração rústica.

Quinta do Farta Pão, Estrada de Cascais N 9-1 S : 1,7 km ☎ 487 05 68, Rest. típico, Decoração rústica - P.

O Camponés, ☎ 487 01 16, Rest. típico, Decoração rústica.

MANGUALDE 3530 Viseu 440 K 6 - 8 055 h. alt. 545 - ☎ 032.

☎ 62 32 22.

♦Lisboa 317 - Guarda 67 - Viseu 18.

Estal. Casa d'Azurara, Rua Nova 78 ☎ 61 20 10, Fax 62 25 75, Antiga casa solarenga, - TV ☎ P. E VISA.
Refeição 3000 - **15 qto** 17000/17500 - PA 5000.

pela Estrada N 16 E : 2,8 km - ✉ 3530 Mangualde - ☎ 032 :

Senhora do Castelo, Monte da Senhora do Castelo ☎ 61 16 08, Telex 53563, Fax 62 38 77, ← Serras da Estrela e Caramulo, ⛱, - ☎ P - 25/150. AE O E VISA.
Refeição 2500 - **85 qto** 8500/10500 - PA 5000.

MANTEIGAS **6260** Guarda 440 K 7 - 3 026 h. alt. 775 - ☎ 075 - Termas - Desportos de Inverno na Serra da Estrela : 3.

Arred. : Poço do Inferno★ (cascata★) S : 9 km - S : Vale glaciário do Zêzere★★, ≤★.

Rua Dr. Esteves de Carvalho ✆ 98 11 29.

♦Lisboa 355 - Guarda 49.

pela Estrada das Caldas S : 2 km e desvío a esquerda 1,5 km - ✉ 6260 Manteigas - ☎ 075

Albergaria Berne, Santo António ✆ 98 13 51, Fax 98 21 14, ≤, - rest ☎ P. E VISA
Refeição 1700 - **17 qto** 5000/7000 - PA 3400.

na Estrada de Gouveia N : 13 km - ✉ 6260 Manteigas - ☎ 075 :

Pousada de São Lourenço, ✆ 98 24 50, Fax 98 24 53, ≤ vale e montanha - ☎ P. AE ① E VISA.
Refeição 3200 - **20 qto** 17000/19000.

MARCO DE CANAVESES **4630** Porto 440 I 5 - 46 131 h. - ☎ 055.

♦Lisboa 383 - Braga 72 - ♦Porto 53 - Vila Real 83.

Marco sem rest, Rua Dr. Sá Carneiro 684 ✆ 52 20 93 -
20 qto.

MARINHAIS **2125** Santarém 440 O 3 - ☎ 063.

♦Lisboa 72 - Caldas da Rainha 84 - Coruche 20 - Santarém 31 - Vila Franca de Xira 37.

na Estrada N 118 NO : 2,7 km - ✉ 2125 Marinhais - ☎ 063 :

A Grelha, ✆ 555 55, Grelhados - P.

MARINHA GRANDE **2430** Leiria 440 M 3 - 25 429 h. alt. 70 - ☎ 044 - Praia em São Pedro de Moel.

Av. José Henriques Vareda ✆ 591 52.

♦Lisboa 143 - Leiria 12 - ♦Porto 199.

Cristal, Estrada de Leiria (Embra) ✆ 56 01 00, Fax 56 00 65 - ☎ P - 25/40. AE ① E VISA.
Refeição lista 1900 a 3100 - **60 qto** 7500/10600.

Paris sem rest, Av. do Vidreiro 13 ✆ 56 98 21, Fax 56 94 52 - ☎
27 qto.

MARRAZES Leiria - ver Leiria.

MARVÃO **7330** Portalegre 440 N 7 - 309 h. alt. 865 - ☎ 045.

Ver : Sítio★★ - A Vila★ (balaustradas★) - Castelo★ (≤★★).

Rua Dr. Matos Magalhães ✆ 932 26.

♦Lisboa 226 - ♦Cáceres 127 - Portalegre 22.

Pousada de Santa Maria, ✆ 932 01, Fax 934 40, ≤, Decoração regional - ☎. AE ① E VISA.
Refeição lista 3000 a 4550 - **28 qto** 18500/21500, 1 suite.

Dom Dinis, Rua Dr. Matos Magalhães ✆ 932 36, - . AE ① E VISA.
Refeição 2100 - **7 qto** 7600/8000.

MATOSINHOS Porto - ver Porto.

MEALHADA **3050** Aveiro 440 K 4 - 3 097 h. alt. 60 - ☎ 031.

♦Lisboa 221 - Aveiro 35 - ♦Coimbra 19.

na Estrada N 1 N : 1,5 km - ✉ 3050 Mealhada - ☎ 031 :

Quinta dos 3 Pinheiros, ✆ 223 91, Fax 234 17, - rest ☎ P - 25/250. AE ① E VISA.
Refeição lista aprox. 3450 - **54 qto** 9800/11800.

Pedro dos Leitões, ✆ 220 62, Leitão assado - P.

MESÃO FRIO **5040** Vila Real 440 I 6 - ☎ 054.

♦Lisboa 391 - ♦Porto 90 - Vila Real 36 - Viseu 97.

Panorama, Av. Conselheiro Alpoim 525 ✆ 995 85, Telex 25916, Fax 43 29 91, ≤, - - 25/200. AE ① E VISA JCB
Refeição *(fechado 2ª feira)* 1350 - **31 qto** 7000/8000.

MIRA 3070 Coimbra 440 K 3 - 13 023 h. - ☎ 031 - Praia.

Arred. : Varziela : Capela (retábulo★) SE : 11 km.

♦Lisboa 221 - ♦Coimbra 38 - Leiria 90.

- **Canhota,** Rua Dr. Antonio José Almeida 104 ☎ 45 14 48, Fax 45 12 86, ☎ - ☎ P. E VISA. ✧
Refeição lista aprox. 2450 - **16 qto** ☕ 6000/7000.

na praia NO : 7 km - ✉ 3070 Mira - ☎ 031 :

- **Do Mar** sem rest, Av. do Mar ☎ 47 11 44, Fax 47 11 44, ≤ - AE ⓓ E
14 qto ☕ 7000/8500.

MIRANDA DO DOURO 5210 Bragança 440 H 11 - 1 841 h. alt. 675 - ☎ 073.

Ver : Sé (retábulos★).

Arred. : Barragem de Miranda do Douro★ E : 3 km - Barragem de Picote★ SO : 27 km.

♦Lisboa 524 - Bragança 85.

- **Pousada de Santa Catarina** ⟡, ☎ 412 55, Fax 426 65, ≤ - ☎ P. AE ⓓ E VISA. ✧ rest
Refeição lista 3350 a 4950 - **12 qto** ☕ 17000/19000.

MIRANDELA 5370 Bragança 440 H 8 - 8 192 h. - ☎ 078.

♦Lisboa 475 - Bragança 67 - Vila Real 71.

- **Miratua** sem rest, Rua da República 42 ☎ 224 03, Fax 226 49 - |‡|. AE ⓓ E VISA
33 qto ☕ 5200/7500.
- **Globo,** Rua Cidade de Ortez 35 ☎ 282 10, Fax 288 71 - |‡| ▤ rest P. E VISA. ✧
Refeição *(fechado domingo e setembro)* lista aprox. 3050 - **40 qto** ☕ 3500/6500.

na Estrada N 15 NE : 1,3 km - ✉ 5370 Mirandela - ☎ 078 :

- Jorge V sem rest, ☎ 258 26, Fax 241 27 - TV ⇔ P
32 qto.

MOGADOURO 5200 Bragança 440 H 9 - 2 720 h. - ☎ 079.

♦Lisboa 471 - Bragança 94 - Guarda 145 - Vila Real 153 - Zamora 97.

- X **A Lareira** com qto, av. Nossa Senhora do Caminho 58 ☎ 323 63
fechado janeiro - **Refeição** *(fechado 2ª feira)* lista aprox. 3150 - **10 qto** ☕ 3000/6000.

MOIMENTA DA BEIRA 3620 Viseu 440 J 7 - 1 987 h. - ☎ 054.

♦Lisboa 352 - Guarda 83 - Vila Real 74 - Viseu 58.

- Novo Horizonte sem rest e sem ☕, Rua Dr. Sá Carneiro - Estrada N 226 ☎ 524 32 - P
9 qto.

MONÇÃO 4950 Viana do Castelo 440 F 4 - 2 687 h. - ☎ 051 - Termas.

ℹ Largo do Loreto ☎ 65 27 57.

♦Lisboa 451 - Braga 71 - Viana do Castelo 69 - ♦ Vigo 48.

- **Albergaria Atlântico** sem rest, Rua General Pimenta de Castro 13 ☎ 65 23 55, Fax 65 23 76 - |‡| ▤ TV ☎. AE ⓓ E VISA. ✧
24 qto ☕ 6500/9500.
- **Mané** sem rest, Rua General Pimenta de Castro 5 ☎ 65 24 90, Fax 65 23 76 - ☎. AE ⓓ E VISA. ✧
8 qto ☕ 5000/7000.
- Esteves sem rest, Rua General Pimenta de Castro ☎ 65 23 86
22 qto.

MONCHIQUE 8550 Faro 440 U 4 - 6 765 h. alt. 458 - ☎ 082 - Termas.

Arred. : Estrada★ de Monchique à Fóia ≤★.

♦Lisboa 260 - Faro 86 - Lagos 42.

na Estrada da Fóia SO : 2 km - ✉ 8550 Monchique - ☎ 082 :

- XX **Estal. Abrigo da Montanha** ⟡ com qto, ☎ 921 31, Fax 936 60, ≤ vale, montanha e mar ☎, « Terraços floridos », ⛱ - ☎. AE ⓓ E VISA. ✧
Refeição lista 3000 a 4500 - **5 qto** ☕ 13000, 5 suites.

nas Caldas de Monchique S : 6,5 km - ✉ 8550 Monchique - ☎ 082 :

- **Albergaria do Lageado** ⟡, ☎ 926 16, ☎, ⛱ - ✧
maio-outubro - **Refeição** 2000 - **20 qto** ☕ 5500/8000.

MONDIM DE BASTO 4880 Vila Real 440 H 6 - 3 165 h. - ☎ 055.
♦Lisboa 404 - Amarante 35 - Braga 66 - ♦Porto 96 - Vila Real 45.

pela Estrada de Vila Real S : 2,5 km

Quinta do Fundo ⛰, Vilar de Viando ✆ 38 12 91, Fax 38 20 17, ⛱, Quinta agrícola com adegas próprias, 🏊, 🎾 - 🅟. VISA. ✗ rest
Refeição 2500 - **5 qto** ☕ 6500/7500, 2 suites - PA 4000.

MONFORTINHO (Termas de) 6075 Castelo Branco 440 L 9 - 879 h. alt. 473 - ☎ 077 - Termas.
Arred. : Monsanto : Aldeia★, Castelo ✳★★ NO : 23 km.
i Termas ✆ 442 23.
♦Lisboa 310 - Castelo Branco 70 - Santarém 229.

Astória ⛰, ✆ 442 05, Fax 443 30, ⛱, 🏊, 🏊, 🐎, 🎾 - |‡| ▤ 📺 ☎ 🅟 - 🏛 25/150. AE ⓓ VISA. ✗
Refeição 2700 - **83 qto** ☕ 10000/13000 - PA 5200.

Fonte Santa ⛰, ✆ 441 04, Telex 53812, Fax 442 44, « Num parque », 🏊, 🎾 - ▤ 📺 ☎ 🅟. AE ⓓ VISA. ✗
Refeição 2700 - **47 qto** ☕ 10000/13000 - PA 5200.

Portuguesa ⛰, ✆ 442 21, 🏊
temp - **63 qto.**

MONSANTO Castelo Branco 440 L 8 alt. 758 - ✉ 6085 Medelim - ☎ 077.
Ver : Aldeia★, Castelo : ✳★★.
♦ Madrid 328 - Castelo Branco 73 - Ciudad Rodrigo 132 - Guarda 90.

Pousada de Monsanto ⛰, Rua da Capela 1 ✆ 344 71, Fax 344 81, ≤ - |‡| ▤ 📺 ☎ 🅟. AE ⓓ E VISA. ✗
Refeição lista aprox. 3100 - **10 qto** ☕ 10900/12700.

MONTARGIL 7425 Portalegre 440 O 5 - 4 587 h. - ☎ 042.
♦ Lisboa 131 - Portalegre 104 - Santarém 72.

Barragem e Rest. A Panela ⛰, Estrada N 2 ✆ 941 75, Fax 942 55, ≤ barragem, ⛱, 🏊, 🎾 - ▤ 📺 ☎ 🅟 - 🏛 25/180. AE ⓓ E VISA. ✗
Refeição lista 2450 a 3450 - ☕ 450 - **21 qto** 10500/12500.

MONTECHORO Faro - ver Albufeira.

MONTE DO FARO Viana do Castelo - ver Valença do Minho.

MONTE ESTORIL Lisboa - ver Estoril.

MONTE GORDO Faro - ver Vila Real de Santo António.

MONTEMOR-O-NOVO 7050 Évora 440 Q 5 - 6 458 h. alt. 240 - ☎ 066.
♦Lisboa 112 - ♦Badajoz 129 - Évora 30.

Sampaio, Av. Gago Coutinho 12 ✆ 822 37 - ▤ ☎. AE ⓓ E VISA. ✗
Refeição (ver rest. ***Sampaio***) - ☕ 300 - **7 qto** 4000/5500.

Bar Alentejano, Av. Sacadura Cabral 25 ✆ 82224 - ▤. E VISA. ✗
fechado 2ª feira - **Refeição** lista 2200 a 2900.

Sampaio, Rua Leopoldo Nunes 2 ✆ 822 37, Decoração rústica regional - ▤. AE ⓓ E VISA. ✗
fechado 2ª feira noite e 3ª feira - **Refeição** lista aprox. 3300.

O Bacalhau, Av. Gago Coutinho 17 ✆ 806 03 - ▤. AE ⓓ E VISA. ✗
fechado 4ª feira - **Refeição** lista 2300 a 3900.

Com este guia, utilize os Mapas Michelin :
nº 990 ESPANHA-PORTUGAL Estradas Principais a 1/1 000 000,
nºs 441, 442, 443, 444, 445 e 446 ESPANHA (mapas pormenorizados) a 1/400 000,
nº 448 Ilhas CANÁRIAS (mapas/guía) a 1/200 000,
nº 440 PORTUGAL a 1/400 000.

MONTEMOR- O -VELHO 3140 Coimbra 440 L 3 – 2 355 h. – 039.
Ver : Castelo★ (※★).
◆Lisboa 206 – Aveiro 61 – ◆Coimbra 29 – Figueira da Foz 16 – Leiria 77.

Abade João sem rest, Rua dos Combatentes da Grande Guerra 15 ☎ 68 94 58, ← – |♦| TV P. E VISA. ※
400 – **14 qto** 5000/7000.

✕ ⚘ **Ramalhão,** Rua Tenente Valadim 24 ☎ 68 94 35, « Decoracão rústica » – ※
fechado domingo noite, 2ª feira e outubro – **Refeição** lista 3250 a 4450
Espec. Arroz de lampreia (15 janeiro-maio), Bacalhau com migas de broa (maio-setembro), Doces caseiros.

MONTE REAL 2425 Leiria 440 M 3 – 2 549 h. alt. 50 – 044 – Termas.
Parque Municipal ☎ 61 21 67.
◆Lisboa 147 – Leiria 16 – Santarém 97.

D. Afonso, Estrada de Vieira ☎ 61 12 38, Fax 61 13 22, ※ – |♦| ▤ rest TV ☎ – 25/600
74 qto.

Flora, Rua Duarte Pacheco ☎ 61 21 21, Telex 16084, Fax 81 50 99 – |♦| TV ☎ P. AE ⓓ E VISA
abril-outubro – **Refeição** 2000 – **35 qto** 6000/8000 – PA 4000.

Santa Rita, Rua de Leiria ☎ 61 21 72, Fax 61 21 72, – P. ※
15 abril-outubro – **Refeição** 2000 – **42 qto** 7000/8000 – PA 4000.

Colmeia sem rest, Estrada da Base Aérea 5 ☎ 61 25 33 – ☎ P
temp – **30 qto.**

em Ortigosa-na Estrada N 109 SE : 4 km – ✉ 2425 Monte Real – 044 :

✕✕ **Saloon,** ☎ 61 34 38, Fax 61 34 38, , Rest. típico, Decoração rústica – P. AE ⓓ E VISA. ※
Refeição lista 2400 a 3150.

MONTE-SÃO PEDRO DA TORRE Viana do Castelo – ver Valença do Minho.

MONTIJO 2870 Setúbal 440 P 3 – 01.
◆Lisboa 54 – Setúbal 24 – Vendas Novas 45.

Montijo Parque H. , Av. João XXIII-193 ☎ 231 33 74, Fax 231 52 61 – |♦| ▤ TV ☎ ♿ – 25/150. AE ⓓ E VISA. ※ rest
Refeição 2200 – **84 qto** 10000/12000 – PA 4000.

MURTOSA 3870 Aveiro 440 J 4 – 3 233 h. – 034 – Praia.
Arred. : Bico : porto★ SO : 2 km.
◆Lisboa 283 – Aveiro 30.

NAZARÉ 2450 Leiria 440 N 2 – 10 265 h. – 062 – Praia.
Ver : Sítio★★ - O Sítio ←★ B – Farol : sítio marinho★★ – av. da República ☎ 56 11 94.
◆Lisboa 123 ② – ◆Coimbra 103 ① – Leiria 32 ①.

Plano página seguinte

Praia, Av. Vieira Guimarães 39 ☎ 56 14 23, Telex 16329, Fax 56 14 36 – |♦| ▤ TV ☎ . AE ⓓ E VISA JCB — A f
Refeição 2000 – 700 – **40 qto** 13900/14600 – PA 4000.

Da Nazaré, Largo Afonso Zuquete ☎ 56 13 11, Telex 16116, Fax 56 12 38, ← – |♦| ▤ TV ☎. AE ⓓ E VISA JCB. ※ rest — A z
Refeição 2300 – **52 qto** 12620/13130 – PA 4600.

Maré, Rua Mouzinho de Albuquerque 8 ☎ 56 12 26, Telex 15245, Fax 56 17 50 – |♦| TV. AE ⓓ E VISA JCB. ※ — A r
Refeição 1700 – **36 qto** 10000/13000.

Dom Fuas, Av. Manuel Remigio ☎ 56 13 51, Fax 56 15 00, ← – |♦| TV ☎ P. AE ⓓ E VISA JCB. ※ — B b
Refeição (só jantar) 2300 – **32 qto** 9000/15000.

Ribamar, Rua Gomes Freire 9 ☎ 55 11 58, Telex 43383, ←, Decoração regional – AE ⓓ E VISA JCB. ※ — A b
Refeição 2400 – **23 qto** 7000/11500.

A Cubata sem rest, Av. da República 6 ☎ 56 17 06 – AE ⓓ E VISA. ※ — A n
21 qto 7500/10000.

✕✕ **Mar Bravo** com qto, Praça Sousa Oliveira 67 - A ☎ 55 11 80, Fax 55 39 79, ←, , Peixes e mariscos – |♦| ▤ TV ☎. AE ⓓ E VISA JCB — A s
Refeição lista 2350 a 4100 – 700 – **16 qto** 9000/12000.

✕ **Beira Mar** com qto, Av. da República 40 ☎ 56 13 58 – AE ⓓ E VISA JCB — A h
março-novembro – **Refeição** lista 1580 a 2750 – **15 qto** 8000/12000.

NAZARÉ

República (Avenida da) .... A
Sousa Oliveira (Praça) ..... A 18
Sub-Vila (Rua) .... A
Vieira Guimarães (Avenida) .... A

Abel da Silva (Rua) .... B 3
Açougue (Trav. do) .... A 4
Adrião Batalha (Rua) ...... A 6
Azevedo e Sousa (Rua) B 7
Carvalho Laranjo (Rua) .... A 9
Dom F. Roupinho (Rua) B 10
Dr Rui Rosa (Rua) .... A 12
Gil Vicente (Rua) .... A 13
M. de Albuquerque (Rua) .. A 15
M. de Arriaga (Praça) ..... A 16
28 de Maio (Rua) .... B 19

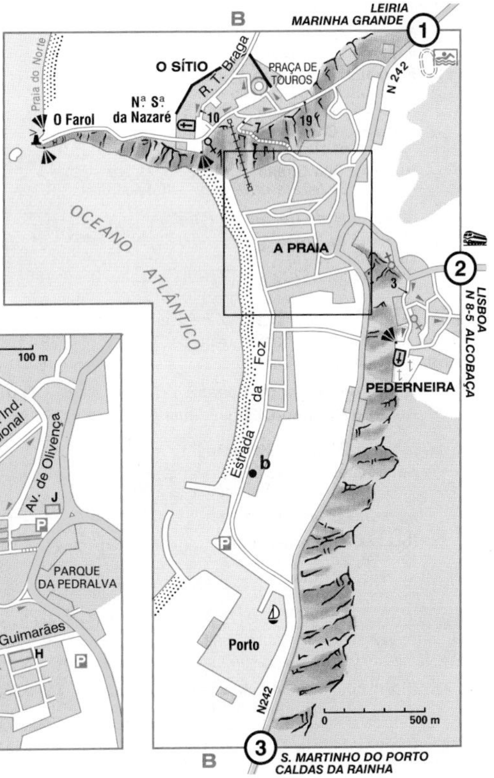

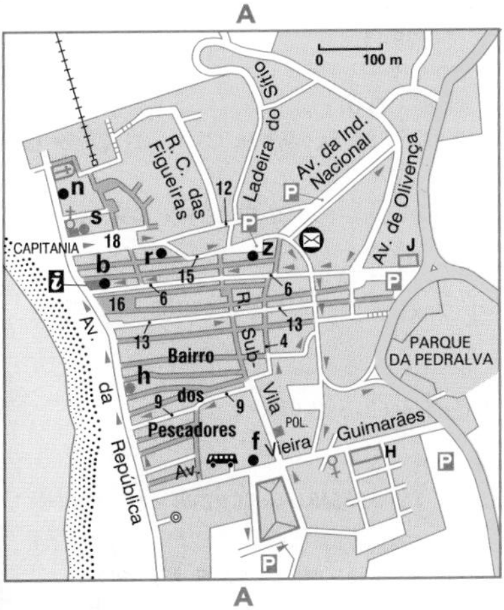

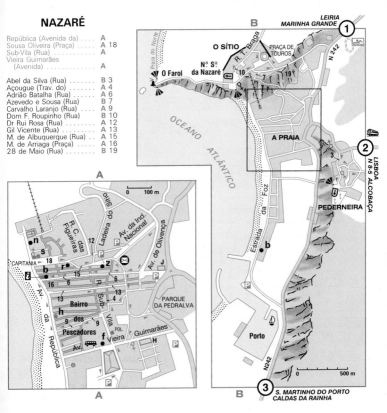

Unsere Hotel-, Reiseführer und Straßenkarten ergänzen sich. Benutzen Sie sie zusammen.

NELAS **3520** Viseu 440 K 6 – 3 339 h. alt. 441 – ☎ 032.
Largo Dr. Veiga Simão ✆ 943 18.
♦Lisboa 289 – Guarda 80 – Viseu 22.

pela Estrada N 234 NE : 1,5 km – ✉ 3520 Nelas – ☎ 032 :

- **São Pedro** ⛰, Rua 4-Bairro das Toicas ✆ 94 95 85, Fax 94 02 00 – |‡| ▤ rest Ⓟ – 🏛 25/100. E VISA. ✗ rest
  Refeição lista aprox. 1700 – **69 qto** ☐ 6300/8400.

ÓBIDOS **2510** Leiria 440 N 2 – 825 h. alt. 75 – ☎ 062.
Ver : A Cidadela medieval★★ (Rua Direita★, Praça de Santa Maria★) - Murallas★★ (≤★) – Igreja de Sta Maria (túmulo★).
Arred. : Laguna de Óbidos ≤★ N : 21 km.
Rua Direita ✆ 95 92 31.
♦Lisboa 92 – Leiria 66 – Santarém 56.

- **Estal. do Convento** ⛰, Rua Dom João d'Ornelas ✆ 95 92 16, Telex 44906, Fax 95 91 59, « Decoração estilo antigo » – ☎. AE E VISA JCB. ✗ rest
  Refeição (só jantar) 2500 – **31 qto** ☐ 12500/14500 – PA 5000.
- **Albergaria Josefa d'Óbidos,** Rua D. João d'Ornelas ✆ 95 92 28, Fax 95 95 33 – ▤ TV ☎. AE ⓓ E VISA JCB. ✗
  Refeição *(fechado 3ª feira e novembro)* 2300 – **36 qto** ☐ 8000/10000 – PA 4600.
- **Albergaria Rainha Santa Isabel** ⛰ sem rest, Rua Direita ✆ 95 93 23, Telex 14069, Fax 95 91 15 – |‡| TV ☎ – 🏛 25/60. AE ⓓ E VISA JCB. ✗
  20 qto ☐ 10250/11750.

Martim de Freitas sem rest, Estrada Nacional 8 ℘ 95 91 85 -
6 qto 7000/8000.

Pousada do Castelo com qto, Paço Real ℘ 95 91 05, Fax 95 91 48, « Belas instalações nas muralhas do castelo - Mobiliário de estilo » -
Refeição lista 3750 a 5500 - **9 qto** 24000/27000.

A Ilustre Casa de Ramiro, Rua Porta do Vale ℘ 95 91 94 -
fechado 5ª feira e janeiro - **Refeição** lista 3650 a 5100.

Alcaide, Rua Direita ℘ 95 92 20, ←, -
fechado 2ª feira e novembro - **Refeição** lista 2350 a 3500.

na Estrada de Caldas da Rainha N : 2,5 km - ✉ 2510 Óbidos - 062 :

Mansão da Torre, ℘ 95 97 47, Fax 95 90 51, - 25/40. rest
Refeição lista 3200 a 4000 - **41 qto** 10500/13500.

OEIRAS 2780 Lisboa 440 P 2 - 40 149 h. - 01 - Praia.
Jardim Municipal de Santo Amaro de Oeiras ℘ 442 39 46.
♦ Lisboa 16 - Cascais 8 - Sintra 16.

em Santo Amaro de Oeiras - ✉ 2780 Oeiras - 01 :

Rota do Colombo, Jardim Municipal 1° ℘ 442 77 93, Fax 441 78 33, ← -
fechado 2ª feira - **Refeição** lista aprox. 5400.

Saisa, praia ℘ 443 06 34, ←, , Peixes e mariscos -
fechado 2ª feira - **Refeição** lista 2100 a 3650.

na Autoestrada A 5 NE : 4 km - ✉ 2780 Oeiras - 01

Ibis Lisboa-Oeiras sem rest, Área de Serviço ℘ 421 62 15, Fax 421 70 39 - - 25.
810 - **61 qto** 7500.

OLIVEIRA DE AZEMÉIS 3720 Aveiro 440 J 4 - 8 609 h. - 056.
Praça José da Costa ℘ 67 44 63.
♦Lisboa 275 - Aveiro 38 - ♦Coimbra 76 - ♦Porto 40 - Viseu 98.

Dighton, Rua Dr. Albino dos Reis ℘ 68 21 91, Telex 23343, Fax 68 22 48 - - 25/200.
Refeição lista 2300 a 4000 - **100 qto** 10000/12000.

Diplomata, Rua Dr. Simões dos Reis 125 ℘ 68 25 90 -
fechado domingo noite e do 15 ao 31 de agosto - **Refeição** lista 3950 a 4400.

O Camponês com snack-bar, Rua Dr. Albino dos Reis ℘ 68 21 55.

pela Estrada de Carregosa NE : 2 km - ✉ 3720 Oliveira de Azeméis - 056 :

Estal. S. Miguel, Parque de la Salette ℘ 68 10 49, Telex 27969, Fax 68 51 41, ← vila, vale e montanha, , « Num parque » -
Refeição 1900 - **14 qto** 9400/12800.

pela antiga Estrada N 1 N : 2 km e desvío a direita 1 km - ✉ 3720 Oliveira de Azeméis - 056 :

Albergaria do Campo sem rest, Rua de S. Miguel - Outeiro ℘ 68 27 45, Fax 68 23 85 -
14 qto 7500/9000.

OLIVEIRA DO BAIRRO 3770 Aveiro 440 K 4 - 4 351 h. - 034.
♦Lisboa 233 - Aveiro 23 - ♦Coimbra 40 - ♦Porto 88.

Paraiso sem rest, Estrada N 235 ℘ 74 83 36, Fax 74 73 56, ← -
30 qto 5500/7000.

na Estrada N 235 NO : 1,5 km - ✉ 3770 Oliveira do Bairro - 034 :

A Estância, ℘ 74 71 15, Telex 37177, Fax 74 83 62 -
Refeição 1350 - **15 qto** 3500/5000 - PA 2750.

OLIVEIRA DO HOSPITAL 3400 Coimbra 440 K 6 - 3 074 h. alt. 500 - 038.
Ver : Igreja Matriz★ (estátua★, retábulo★).
Edifício da Câmara ℘ 595 22.
♦Lisboa 284 - ♦Coimbra 82 - Guarda 88.

São Paulo, Rua Dr. Antunes Varela 3 ℘ 590 00, Telex 53640, Fax 590 01, ← - - 25/80. rest
Refeição 1750 - **43 qto** 7000/9000.

na Póvoa das Quartas - na Estrada N 17 E : 7 km – ✉ 3400 Oliveira do Hospital – ☎ 038 :

Pousada de Santa Bárbara ⌂, ☎ 596 52, Telex 53794, Fax 596 45, ≤ vale e Serra da Estrela, ⛱, ⚘ – TV ☎ ⇐ P. AE ⊙ E VISA JCB. ⌘
Refeição lista aprox. 2900 – **16 qto** ☐ 16500/18600.

ORTIGOSA Leiria – ver Monte Real.

OURÉM 2490 Santarém 440 N 4 – 4 466 h. – ☎ 049.
ℹ Praça do Município ☎ 421 94.
♦Lisboa 140 – Leiria 25 – Santarém 63.

em Pinhel O : 3 km – ✉ 2490 Ourém – ☎ 049 :

Cruzamento, ☎ 54 45 88 – P. AE ⊙ E VISA. ⌘
fechado 2ª feira e 15 setembro-15 outubro – **Refeição** lista 1750 a 2450.

OVAR 3880 Aveiro 440 J 4 – 16 004 h. – ☎ 056 – Praia.
ℹ Rua Elias Garcia, ☎ 57 22 15.
♦ Lisboa 294 – Aveiro 36 – ♦ Porto 40.

Meia-lua ⌂ sem rest, Quinta das Luzes ☎ 57 50 31, Fax 57 52 32, ≤, ⛱ – |♦| ▤ TV ☎ ⇐ – 🏛 25
54 qto.

Albergaria São Cristóvão, Rua Aquilino Ribeiro 1 ☎ 57 51 05, Fax 57 51 07 – |♦| ▤ rest TV ☎ ⇐ – 🏛 25/150. AE ⊙ E VISA. ⌘ rest
Refeição *(fechado 2ª feira)* (só jantar) 1400 – **57 qto** ☐ 6000/8000 – PA 2400.

PAÇO DE ARCOS Lisboa 440 P 2 – ✉ 2780 Oeiras – ☎ 01 – Praia.
♦Lisboa 18.

Sol Palmeiras, Av. Marginal ☎ 441 66 21, Telex 607 03, Fax 443 07 68, ≤, ⛱ – |♦| ▤ TV ☎ P. AE ⊙ E VISA
Refeição (ver rest. ***La Cocagne***) – **35 suites** ☐ 17000/19000.

La Cocagne, Av. Marginal ☎ 441 42 31, Fax 441 42 55, ≤, ⛱, Antiga mansão senhorial – ▤ P. AE VISA. ⌘
Refeição lista 4700 a 6700.

Os Arcos, Rua Costa Pinto 47 ☎ 443 33 74, Fax 441 08 77, Peixes e mariscos – ▤. AE ⊙ E VISA. ⌘
fechado 2ª feira – **Refeição** lista aprox. 5500.

PALMELA 2950 Setúbal 440 Q 3 – 14 444 h. – ☎ 01.
Ver : Castelo★ (⁂★), Igreja de São Pedro (azulejos★).
ℹ Largo do Chafariz ☎ 235 00 89.
♦Lisboa 43 – Setúbal 8.

Pousada de Palmela ⌂, Castelo de Palmela ☎ 235 12 26, Fax 233 04 40, ≤, « Num convento do século XV, nas muralhas dum antigo castelo » – |♦| TV ☎ P – 🏛 25/35. AE ⊙ E VISA. ⌘
Refeição lista aprox. 4300 – **28 qto** ☐ 24000/27000.

PARADELA Vila Real 440 G 6 – 214 h. – ✉ 5470 Montalegre – ☎ 076.
Ver : Represa★ : sítio★.
♦Lisboa 437 – Braga 70 – ♦Porto 120 – Vila Real 136.

Pousadinha Paradela ⌂, ☎ 561 65 – P. ⌘
Refeição 1300 – **7 qto** ☐ 5500.

PARCHAL Faro – ver Portimão.

PAREDE 2775 Lisboa 440 P 1 – 19 960 h. – ☎ 01 – Praia.
♦Lisboa 22 – Cascais 7 – Sintra 15.

Dom Pepe, Rua Sampaio Bruno 2-1° ☎ 457 06 36, Fax 457 06 36, ≤ – ▤. AE ⊙ E VISA. ⌘
Refeição lista 3840 a 6000.

PAREDES DE COURA 4940 Viana do Castelo 440 G 4 – ☎ 051.
ℹ Largo Visconde de Moselos ☎ 78 35 92.
♦Lisboa 427 – Braga 59 – Viana do Castelo 49.

O Conselheiro, Largo Visconde de Moselos ☎ 78 26 10.

em Resende S : 1 km – ✉ 4940 Paredes de Coura – ☎ 051 :

A Lareira ⛰, Estrada de Ponte de Lima N 306 ☎ 78 23 54, Fax 78 23 54, ← – E VISA. ✂ rest
Refeição 1000 – **16 qto** ☐ 2500/4000.

PAUL Lisboa – ver Torres Vedras.

PEGO Santarém 440 N 5 – ✉ 2201 Abrantes – ☎ 041.
♦ Lisboa 152 – Castelo Branco 102 – Leiria 91.

na Estrada N 118 E : 2,5 km – ✉ 2201 Abrantes – ☎ 041 :

Abrantur ⛰, ☎ 934 64, Fax 932 87, ←, 🏊, 🎾 – |‡| ☰ TV ☎ P – 🔔 25/200. AE ① E VISA. ✂
Refeição lista aprox. 5300 – **54 qto** ☐ 7300/11000.

PENAFIEL **4560** Porto 440 I 5 – 7 105 h. alt. 323 – ☎ 055.
♦Lisboa 352 – ♦Porto 38 – Vila Real 69.

Pena H. sem rest, Parque do Sameiro ☎ 71 14 20, Fax 71 14 25, 🏊, 🎾 – |‡| ☰ TV ☎ P – 🔔 25/150. AE ① E VISA. ✂
50 qto ☐ 6000/8000.

PENHAS DA SAÚDE Castelo Branco 440 L 7 – ✉ 6200 Covilhã – ☎ 075 – Desportos de inverno na Serra da Estrela ⛷ 3.
♦Lisboa 311 – Castelo Branco 72 – Covilhã 10 – Guarda 55.

Serra da Estrela ⛰, alt. 1550, ✉ apartado 314, ☎ 31 38 09, Telex 53829, Fax 32 37 89, ←, ⛹, 🎾 – ☰ rest TV ☎ P – 🔔 25/300. AE ① E VISA. ✂
Refeição 2700 – **40 qto** ☐ 12300/16000 – PA 4500.

PENICHE **2520** Leiria 440 N 1 – 15 267 h. – ☎ 062 – Praia.
Ver : O Porto : regresso da pesca★.
Arred. : Cabo Carvoeiro★ – Papoa (✳★) – Remédios (Nossa Senhora dos Remédios : azulejos★).
Excurs. : Ilha Berlenga★★ : passeio em barco★★★, passeio a pé★★ (local★, ←★) 1 h. de barco.
⛴. para a Ilha da Berlenga : Viamar, no porto de Peniche, Praça Jacob Rodriguez Pereira.
ℹ Rua Alexandre Herculano ☎ 795 71.
♦Lisboa 92 – Leiria 89 – Santarém 79.

PERNES **2035** Santarém 440 N 4 – ☎ 043.
♦ Lisboa 106 – Abrantes 54 – Caldas da Rainha 72 – Fátima 35.

na Auto-estrada A 1 N : 9 km – ✉ 2035 Pernes – ☎ 043

Do Prado ⛰, Área de Serviço ☎ 44 03 02, Fax 44 03 40, 🏊 – ☰ TV ☎ ♿ P – 🔔 25/40. AE ① E VISA. ✂
Refeição 2500 – **30 qto** ☐ 8500/8900.

PESO DA RÉGUA **5050** Vila Real 440 I 6 – 5 685 h. – ☎ 054.
ℹ Largo da Estação ☎ 228 46.
♦Lisboa 379 – Braga 93 – ♦Porto 102 – Vila Real 25 – Viseu 85.

Império sem rest, Rua Vasques Osório 8 ☎ 32 23 99, ← – TV 🚗
35 qto.

XX **Rosmaninho,** Av. de Ovar - Lote 3 ☎ 223 10 – ☰. AE ① E VISA. ✂
fechado 2ª feira e 15 janeiro-15 fevereiro – **Refeição** lista 2100 a 4300.

na Estrada N 108 O : 1 km – ✉ 5050 Peso da Régua – ☎ 054 :

Columbano sem rest, Av. Sacadura Cabral ☎ 32 37 04, Fax 249 45, ←, 🏊 – ☰ TV ☎ P. ① E VISA. ✂
70 qto ☐ 5000/6500.

PICO DO ARIEIRO Madeira – ver Madeira (Arquipélago da).

PINHANÇOS Guarda 440 K 6 – ✉ 6270 Seia – ☎ 038.
♦Lisboa 302 – ♦Coimbra 102 – Guarda 63.

Sra. da Lomba sem rest, Estrada 17 ☎ 48 10 51, Fax 48 10 90 – ☰ TV ☎ P. AE ① E VISA JCB. ✂
20 qto ☐ 8000.

PINHÃO **5085** Vila Real 440 I 7 - 831 h. alt. 120 - ✆ 054.

Arred. : N : Estrada de Sabrosa★★ ≤★.

♦Lisboa 399 - Vila Real 30 - Viseu 100.

- **Douro,** Largo da Estação ✆ 724 04 - E
  fechado 20 dezembro-1 janeiro - **Refeição** *(fechado domingo)* 1500 - ☕ 500 - **14 qto** 2500/4000.

PINHEL **6400** Guarda 440 J 8 - 3 237 h. - ✆ 071.

♦Lisboa 382 - ♦Coimbra 186 - Guarda 37 - Viseu 105.

- **Falcão,** Av. Presidente Carneiro de Gusmão ✆ 430 04, Fax 422 17 - ▦ rest TV 🅿. ✻
  Refeição 1500 - **32 qto** ☕ 5000/6000.

PINHEL Santarém - ver Ourém.

POISO Madeira - ver Madeira (Arquipélago da).

> Los precios — Para cualquier aclaración sobre los precios indicados en esta guía, consultar la introducción.

POMBAL **3100** Leiria 440 M 4 - 12 469 h. - ✆ 036.

ℹ Largo do Cardal ✆ 232 30.

♦Lisboa 153 - ♦Coimbra 43 - Leiria 28.

- **Do Cardal** sem rest, Largo do Cardal ✆ 281 36, Telex 53238, Fax 281 36 - |‡| ▦ TV ☎ 🚗. AE ⓓ E VISA
  25 qto ☕ 4500/7000.
- **Sra. de Belém** ⛰ sem rest, Av. Heróis do Ultramar - Urb. Sra. de Belem ✆ 281 85, Fax 255 33 - |‡| TV ☎. E VISA. ✻
  26 qto ☕ 4500/6500.

na Estrada N 1 - ✉ 3100 Pombal - ✆ 036 :

- ✕✕ **O Manjar do Marquês** com snack-bar, NO : 2 km ✆ 281 94, Telex 288 18 - 🅿. AE ⓓ E VISA. ✻
  Refeição lista aprox. 3150.
- ✕ **São Sebastião** com snack-bar, SO : 3 km ✆ 287 45 - ▦ 🅿. E VISA. ✻
  Refeição lista 1730 a 3100.

PONTE DA BARCA **4980** Viana do Castelo 440 G 4 - ✆ 058.

♦Lisboa 412 - Braga 32 - Viana do Castelo 40.

- **San Fernando** sem rest, Rua de Santo António ✆ 425 80, Fax 437 66 - 🅿. AE ⓓ E VISA. ✻
  24 qto ☕ 4750/4850.

PONTE DE LIMA **4990** Viana do Castelo 440 G 4 - 2 438 h. alt. 22 - ✆ 058.

Ver : Igreja-Museu dos Terceiros (talhas★).

ℹ Praça da República ✆ 94 23 35, Fax 94 23 35.

♦ Lisboa 392 - Braga 33 - ♦ Porto 85 - Vigo 70.

- Império do Minho, Av. dos Plátanos ✆ 74 15 10, Fax 94 25 67, ⛱ - |‡| ▦ TV ☎ 🅿 - 🎤 25
  50 qto.

PORTALEGRE **7300** P 440 O 7 - 15 876 h. alt. 477 - ✆ 045.

Arred. : Pico São Mamede ☼★ - Estrada★ escarpada de Portalegre a Castelo de Vide por Carreiras N : 17 km - Mosteiro de Flor da Rosa★ : (igreja★) O : 23 km.

ℹ Estrada de Santana 25 ✆ 218 15, Telex 61442 Fax 240 53.

♦Lisboa 238 - ♦Badajoz 74 - ♦Cáceres 134 - Mérida 138 - Setúbal 199.

- ✕ A Quadra, Av. Pio XII - Lote 7 ✆ 33 11 23, ⛱ - ▦.

PORTIMÃO **8500** Faro 440 U 4 - 26 172 h. - ✆ 082 - Praia.

Ver : ≤★ da ponte sobre o rio Arade X.

Arred. : Praia da Rocha★★ (miradouro★ Z **A**).

⛳18, ⛳9 Golf Club Penina por ③ : 5 km ✆ 220 51.

ℹ Largo 1º de Dezembro ✆ 236 95 e Av. Tomás Cabreira (Praia da Rocha) ✆ 222 90.

♦Lisboa 290 ③ - Faro 62 ② - Lagos 18 ③.

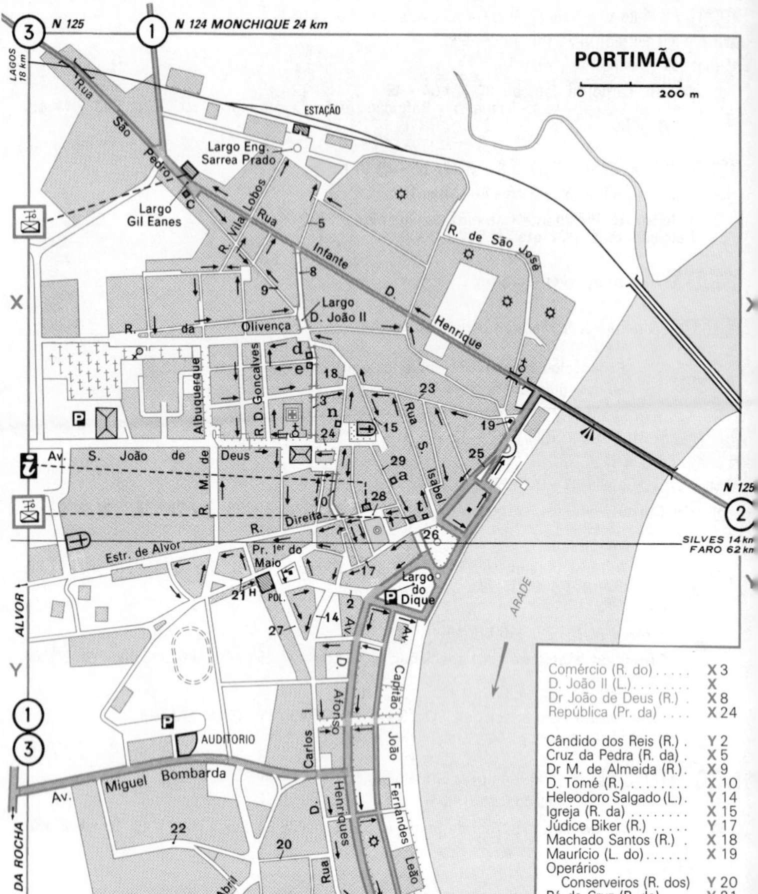

Comércio (R. do)	X 3
D. João II (L.)	X
Dr João de Deus (R.)	X 8
República (Pr. da)	X 24
Cândido dos Reis (R.)	Y 2
Cruz da Pedra (R. da)	X 5
Dr M. de Almeida (R.)	X 9
D. Tomé (R.)	X 10
Heleodoro Salgado (L.)	Y 14
Igreja (R. da)	X 15
Júdice Biker (R.)	Y 17
Machado Santos (R.)	X 18
Maurício (L. do)	X 19
Operários Conserveiros (R. dos)	Y 20
Pé da Cruz (R. do)	Y 21
Poeta António Aleixo (R.)	Y 22
Professor J. Buíssel (R.)	X 23
Serpa Pinto (R.)	X 25
Teixeira Gomes (Pr.)	X 26
Teófilo Braga	Y 27
1º de Dezembro (L.)	X 28
5 de Outubro (R.)	X 29

Globo sem rest, Rua 5 de Outubro 26 ☎ 41 63 50, Telex 57306, Fax 831 42, ← - |‡| - 25/80. AE ⓓ VISA. ✻ - **71 qto** ☐ 15000/20000. X a

Nelinanda sem rest, Rua Vicente Vaz das Vacas 22 ☎ 41 78 39, Fax 41 78 43 - |‡| TV. AE VISA. ✻ - **32 qto** ☐ 6000/13500. X d

Mira Foia sem rest, Rua Vicente Vaz das Vacas 33 ☎ 41 78 52, Fax 41 78 54 - |‡| TV ☎ **26 qto.** X e

Miradoiro sem rest, Rua Machado Santos 13 ☎ 230 11, Fax 41 50 30 - **32 qto.** X n

Arabi sem rest, Praça Manuel Teixeira Gomes 13 ☎ 260 06 - ✻ **17 qto** ☐ 6000/7500. X t

O Bicho, Largo Gil Eanes 12 ☎ 229 77, Peixes e mariscos - AE ⓓ E VISA JCB. ✻ X c
fechado domingo meio-dia e do 1 ao 15 de janeiro - **Refeição** lista 2550 a 3950.

em Parchal por ② : 2 km - ✉ 8500 Portimão - ☎ 082 :

O Buque, Estrada N 125 ☎ 246 78 - ▤.

A Lanterna, Estrada N 125 - cruzamento de Ferragudo ☎ 239 48 - ▤. E VISA. ✻
fechado domingo e 26 novembro-26 dezembro - **Refeição** (só jantar) lista 3290 a 4110.

na Praia da Rocha S : 2,3 km - ✉ 8500 Portimão - ☎ 082 :

Algarve, Av. Tomás Cabreira ☎ 41 50 01, Telex 57347, Fax 41 59 99, ← praia, climatizada, - |‡| ▤ TV ☎ P - 25/120. AE ⓓ E VISA. ✻ rest Z y
Das Amendoeiras (só jantar) **Refeição** lista 3200 a 4000 *Grill Azul (fechado domingo, só jantar)* **Refeição** lista 6060 a 7460 - **220 qto** ☐ 28000/36000.

Aparthotel Oriental, Av. Tomás Cabreira ☎ 41 30 00, Telex 58788, Fax 41 34 13, ← praia, - |‡| ▤ TV ☎ - 25/100. AE ⓓ E VISA. ✻ Z c
Refeição 3800 - **85 apartamentos** ☐ 23000/28000 - PA 7600.

Júpiter, Av. Tomás Cabreira ☎ 41 50 41, Telex 57346, Fax 41 53 19, ←, - |‡| ▤ TV ☎ - 25/450. AE ⓓ E VISA. ✻ Z f
Refeição lista 2450 a 4100 - **180 qto** ☐ 14000/18500.

Bela Vista sem rest, Av. Tomás Cabreira ☎ 240 55, Telex 57386, Fax 41 53 69, ← rochedos e mar, « Instalado numa antiga casa senhorial » - |‡| TV ☎ P. AE ⓓ E VISA. ✻ Z u
14 qto ☐ 22000/23000.

Avenida Praia sem rest, Av. Tomás Cabreira ☎ 41 77 40, Telex 56448, Fax 41 77 42, ← - |‡| TV ☎. AE E VISA. ✻ Z s
março-15 novembro - **61 qto** ☐ 13000/13900.

Albergaria Vila Lido sem rest, Av. Tomás Cabreira ☎ 241 27, Fax 242 46, ← - ▤ TV ☎. E VISA. ✻ Z w
fechado 15 dezembro-15 janeiro - **10 qto** ☐ 12500/14500.

Albergaria 3 Castelos sem rest, Estrada da Praia do Vau ☎ 240 87 - P Z b
temp - **10 qto.**

Toca sem rest, Rua Engenheiro Francisco Bivar ☎ 240 35 - P. ✻ Z d
abril-outubro - **14 qto** ☐ 8200/8500.

Titanic, Rua Engenheiro Francisco Bivar ☎ 223 71 - ▤ Z n
Refeição (só jantar).

Falésia, Av. Tomás Cabreira ☎ 235 24, Fax 235 24, ←, - ▤. AE ⓓ E VISA. ✻ Z a
fechado janeiro - **Refeição** lista aprox. 4300.

na Estrada de Alvor - Y - ✉ 8500 Portimão - ☎ 082 :

O Gato, Urb. da Quintinha-Lote 10-R-C - O : 1 km ☎ 276 74 - ▤. AE ⓓ E VISA
Refeição (só jantar) lista 2500 a 3350.

Por-do-Sol, O : 4 km ☎ 45 95 05, - P. AE ⓓ E VISA. ✻
fechado 27 novembro-26 dezembro - **Refeição** lista 2000 a 3540.

na Praia do Vau SO : 3 km - ✉ 8500 Portimão - ☎ 082 :

Vau'Hotel, Encosta do Vau ☎ 41 15 92, Telex 58775, Fax 41 15 94, - |‡| TV ☎
74 apartamentos.

Rochavau sem rest, ☎ 261 11, Telex 57415, Fax 261 13, - |‡| ▤ P
56 qto.

D. António, Encosta do Vau ☎ 41 31 94, Fax 40 10 43, - ▤. AE ⓓ E VISA JCB. ✻
fechado domingo, janeiro e fevereiro - **Refeição** lista 2000 a 2800.

na Praia dos Três Irmãos SO : 4,5 km - ✉ 8500 Portimão - ☎ 082 :

Alvor Praia (obras em curso), ☎ 45 89 00, Telex 57611, Fax 45 89 99, ← praia e baía de Lagos, climatizada, - |‡| ▤ TV ☎ P - 25/400
Grill Maisonette (só jantar) - **217 qto.**

Delfim , ☎ 45 89 01, Telex 57620, Fax 45 89 70, ← praia e baía de Lagos, - |‡| ▤ TV ☎ P - **312 qto.**

O Búzio, Aldeamento da Prainha ☎ 45 85 61, Telex 57314, Fax 45 95 69, ←, - AE ⓓ E VISA. ✻
fechado novembro-dezembro - **Refeição** (só jantar) lista 2850 a 3850.

na Praia de Alvor SE : 5 km – ✉ 8501 Portimão – ☏ 082 :

D. João II, ✆ 45 91 35, Telex 57321, Fax 45 93 63, ≤ praia e baía de Lagos, climatizada, – – 25/100
Grill Pavilhão do Rei – **220 qto.**

na Estrada N 125 por ③ : 5 km – ✉ 8502 Portimão – ☏ 082 :

Penina, ✆ 41 54 15, Telex 57307, Fax 41 50 00, ≤ golfe e campo, 18 – – 25/350. AE VISA.
Sagres (só jantar) **Refeição** lista aprox. 4700 - ***Grill*** : **Refeição** lista 3850 a 5500 – **192 qto** 24750/37000.

PORTO 4000 P 440 I 3 – 335 916 h. alt. 90 – ☏ 02.

Ver : Sítio★★ – Vista de Nossa Senhora da Serra do Pilar★ EZ – As Pontes (ponte Maria Pia★ FZ, ponte D. Luis I★★ EZ) – As Caves do vinho do Porto★ (Vila Nova de Gaia) DEZ – Sé (altar★) Claustro★ (azulejos★) EZ – Casa da Misericórdia (quadro Fons Vitae★) EYZ **B** – Palácio da Bolsa (Salão árabe★) EZ – Igreja de São Francisco★★ (decoração barroca★★, árvore de Jessé★) EZ – Cais da Ribeira★ EZ – Torre dos Clérigos★ EY – Museu Soares dos Reis (estátua O Desterrado★) DY.

Museu António da Almeida (colecção de moedas de ouro★) BU **M4** – Igrejade Santa Clara★ (talhas douradas★) EZ **E** Fundação de Serralves★ (Museu Nacional de Arte Moderna), jardim AU **M6.**

Arred. : Leça do Balio (Igreja do Mosteiro★ : pia baptismal★) 8 km por ②.

18 Oporto Golf Club por ⑥ : 17 km Espinho ✆ 72 00 08 – 9 Club Golf Miramar por ⑥ : 9 km Miramar ✆ 762 20 67.

do Porto-Pedras Rubras, 17 km por ①, ✆ 948 21 41 – T.A.P., Praça Mouzinho de Albuquerque 105 - Rotunda da Boavista, ✉ 4100, ✆ 69 60 41 e 69 98 41.

✆ 56 56 70.

Rua do Clube Fenianos 25, ✉ 4000, ✆ 31 27 40 Praça D. João I-43, ✉ 4000, ✆ 31 75 14 – A.C.P. Rua Gonçalo Cristóvão 2, ✉ 4000, ✆ 31 68 57, Fax 31 66 98.

♦Lisboa 314 ⑤ – ♦La Coruña/A Coruña 305 ① – ♦Madrid 591 ⑤.

Planos páginas seguintes

Ipanema Park H., Rua Serralves 124, ✉ 4100, ✆ 610 41 74, Fax 610 28 09, ≤, – – 25/300. AE VISA JCB. rest AUV **b**
Refeição lista 4800 a 6100 – **270 qto** 21000/23000.

Le Meridien Porto, Av. da Boavista 1466, ✉ 4100, ✆ 600 19 13, Telex 27301, Fax 600 20 31, – – 25/650. AE VISA JCB. rest BU **a**
Refeição 4500 – 2050 – **227 qto** 25000/28000, 6 suites.

Sheraton Porto H., Av. da Boavista 1269, ✉ 4100, ✆ 606 88 22, Telex 22723, Fax 609 14 67, ≤, – – 25/300. AE VISA. BU **e**
Refeição 3500 – **234 qto** 25000/28000, 17 suites.

Infante de Sagres, Praça D. Filipa de Lencastre 62, ✉ 4000, ✆ 201 90 31, Telex 26880, Fax 31 49 37, « Bela decoração interior » – . AE VISA JCB. EY **b**
Refeição lista 4500 a 7900 – **68 qto** 25000/27000, 6 suites.

G.H. da Batalha, Praça da Batalha 116, ✉ 4000, ✆ 200 05 71, Telex 25131, Fax 200 24 68, ≤ – – 25/40. AE VISA JCB. FY **f**
Refeição 3100 – **140 qto** 14500/18000, 9 suites – PA 5800.

Tivoli Porto sem rest., Rua Afonso Lopes Vieira 66, ✉ 4100, ✆ 69 49 41, Telex 23159, Fax 606 74 52, – – 25/100. AE VISA JCB. AU **z**
58 qto 27500/32000.

Dom Henrique, Rua Guedes de Azevedo 179, ✉ 4000, ✆ 200 57 55, Telex 22554, Fax 201 94 51, ≤ – – 25/80. AE VISA JCB. FXY **b**
Coffee-Shop Tábula : **Refeição** lista 1510 a 2460 - ***Grill Navegador*** *(fechado domingo e agosto)* **Refeição** lista 2800 a 3950 – **92 qto** 21700/24400, 20 suites.

Ipanema Porto H., Rua Campo Alegre 156, ✉ 4100, ✆ 606 80 61, Telex 27212, Fax 606 33 39 – – 25/350. AE VISA JCB. BV **s**
Refeição lista 2900 a 4800 – **140 qto** 12900/14900, 10 suites.

Beta-Porto, Rua do Amial 601, ✉ 4200, ✆ 82 50 45, Telex 27108, Fax 82 52 20, – – 25/100. AE VISA JCB. BU **b**
Refeição 2500 – **120 qto** 15000/19000, 6 suites – PA 4600.

Inca, Praça Coronel Pacheco 52, ✉ 4000, ✆ 208 41 51, Telex 23816, Fax 31 47 56 – – 25/35. AE VISA. EY **r**
Refeição lista aprox. 2300 – **62 qto** 14000/15200.

Castor, Rua das Doze Casas 17, ✉ 4000, ✆ 57 00 14, Telex 22793, Fax 56 60 76, Mobiliário antigo – – 25/80 FX **g**
63 qto.

G. H. do Porto, Rua de Santa Catarina 197, ✉ 4000, ✆ 200 81 76, Telex 22553, Fax 31 10 61 – – 25/150 FY **q**
100 qto.

Albergaria São José sem rest, Rua da Alegria 172, ✉ 4000, ℘ 208 02 61, Fax 32 04 46 – |♦| ▤ TV ☎ ⇔. AE ⓓ E VISA. ✗ — FY **a**
43 qto ☕ 9000/11500.

Albergaria Miradouro, Rua da Alegria 598, ✉ 4000, ℘ 57 07 17, Fax 57 02 06, ≤ cidade e arredores – |♦| ▤ TV ☎ Ⓟ. AE ⓓ E VISA JCB. ✗ — FX **d**
Refeição (ver rest. ***Portucale***) – **30 qto** ☕ 10600/13000.

Internacional, Rua do Almada 131, ✉ 4000, ℘ 200 50 32, Telex 21076, Fax 200 90 63 – |♦| ▤ TV ☎ – 🏛 25/42 — EY **a**
35 qto.

Menfis sem rest., Rua da Firmeza 13, ✉ 4000, ℘ 58 00 03, Fax 208 38 82 – |♦| ▤ TV ☎ ⇔ — FY **k**
26 qto.

São João sem rest, Rua do Bonjardim 120 - 4°, ✉ 4000, ℘ 200 16 62, Fax 31 61 14 – |♦| TV. AE ⓓ E VISA. ✗ — EY **r**
14 qto ☕ 13000/14000.

Do Vice-Rei sem rest, Rua Júlio Dinis 779 - 4°, ✉ 4000, ℘ 69 53 71, Fax 609 26 97 – |♦| ▤ TV ☎. AE ⓓ E VISA. ✗ — BV **c**
45 qto ☕ 8200/10000.

Nave, Av. Fernão de Magalhães 247, ✉ 4300, ℘ 57 61 31, Telex 22188, Fax 56 12 16 – |♦| ▤ TV ☎ ⇔. AE ⓓ E VISA. ✗ — FXY **m**
Refeição 2200 – **81 qto** ☕ 6600/8600.

Antas, Rua Padre Manuel da Nóbrega 111, ✉ 4300, ℘ 48 50 00, Telex 29036, Fax 410 05 03 – |♦| ▤ rest TV ☎ ⇔. AE ⓓ VISA. ✗ — CU **n**
Refeição 2500 – **30 qto** ☕ 10800/12000 – PA 5000.

Malaposta sem rest, Rua da Conceição 80, ✉ 4000, ℘ 200 62 78, Telex 20898, Fax 200 62 95 – |♦| ▤ TV ☎ — EY **e**
37 qto.

Solar São Gabriel sem rest, Rua da Alegria 98, ✉ 4000, ℘ 200 54 99, Fax 32 39 57 – |♦| ▤ TV ☎ ⇔ — FY **s**
28 qto.

Universal sem rest, Av. dos Aliados 38, ✉ 4000, ℘ 200 67 58, Fax 200 10 55 – |♦| TV ☎. AE ⓓ VISA — EY **u**
46 qto ☕ 6000/7500.

Rex sem rest, Praça da República 117 ℘ 200 45 48, Telex 20899, Fax 208 38 82, Antiga moradía particular conservando os bonitos tectos originais – |♦| TV ☎ Ⓟ — EX **u**
21 qto.

Escondidinho sem rest, Rua de Passos Manuel 135, ✉ 4000, ℘ 200 40 79 – |♦| TV. AE ⓓ E VISA — FY **w**
23 qto ☕ 6500/8000.

Churrascão do Mar, Rua João Grave 134, ✉ 4100, ℘ 69 63 82, Fax 600 43 37, Peixes e mariscos-Cozinha brasileira, « Antiga moradía senhorial » – ▤ Ⓟ. AE ⓓ E VISA. ✗ — BU **d**
fechado domingo e agosto – **Refeição** lista aprox. 5360.

Casa do Marechal com qto, Av. da Boavista 2652, ✉ 4100, ℘ 610 47 02, Fax 610 32 41, ☂, « Instalado num palacete », ⛹, 🌳 – ▤ TV ☎ Ⓟ – 🏛 25/30. AE ⓓ E VISA. ✗ — AU **n**
fechado agosto – **Refeição** *(fechado domingo)* lista 3500 a 3950 – **5 qto** ☕ 21000/23000.

Portucale, Rua da Alegria 598, ✉ 4000, ℘ 57 07 17, Fax 57 02 06, ≤ cidade e arredores – ▤ Ⓟ. AE ⓓ E VISA JCB. ✗ — FX **d**
Refeição lista 6400 a 8600.

Lima 5, Ângulo das Ruas Alegria e Constituição, ✉ 4200, ℘ 59 23 60 – ▤. E VISA. ✗ — CV **d**
fechado domingo – **Refeição** lista aprox. 3500.

O Escondidinho, Rua Passos Manuel 144, ✉ 4000, ℘ 200 10 79, Decoração regional – ▤ — FY **n**

Churrascão Gaúcho, Av. da Boavista 313, ✉ 4000, ℘ 609 17 38, Fax 600 43 37 – ▤. AE ⓓ E VISA JCB. ✗ — BU **t**
fechado domingo e agosto – **Refeição** lista aprox. 4750.

D. Tonho, Cais da Ribeira 13, ✉ 4000, ℘ 200 43 07, Fax 208 57 91 – ▤. AE ⓓ E VISA. ✗ — BZ **e**
Refeição lista aprox. 4500.

Lider, Alameda Eça de Queiroz 126, ✉ 4200, ℘ 52 00 89 – ▤. AE ⓓ E VISA. ✗ — CU **r**
Refeição lista 2600 a 4700.

King Long, Largo Dr Tito Fontes 115, ✉ 4000, ℘ 31 39 88, Fax 606 64 44, Rest. chinês – ▤. AE ⓓ E VISA JCB. ✗ — EX **p**
Refeição lista 1660 a 3330.

Mesa Antiga, Rua de Santo Ildefonso 208, ✉ 4000, ℘ 200 64 32 – ▤. ⓓ E VISA — FY **x**
fechado sábado – **Refeição** lista 2750 a 4650.

Chez Albert, Rua da Constituição 1365 ℘ 59 23 18 – ▤. E VISA — BV **e**
fechado domingo – **Refeição** lista 3300 a 5200.

Orfeu com snack-bar, Rua de Júlio Dinis 928, ✉ 4000, ℘ 606 43 22 – ▤. AE ⓓ E VISA — BUV **t**
Refeição lista 2780 a 4100.

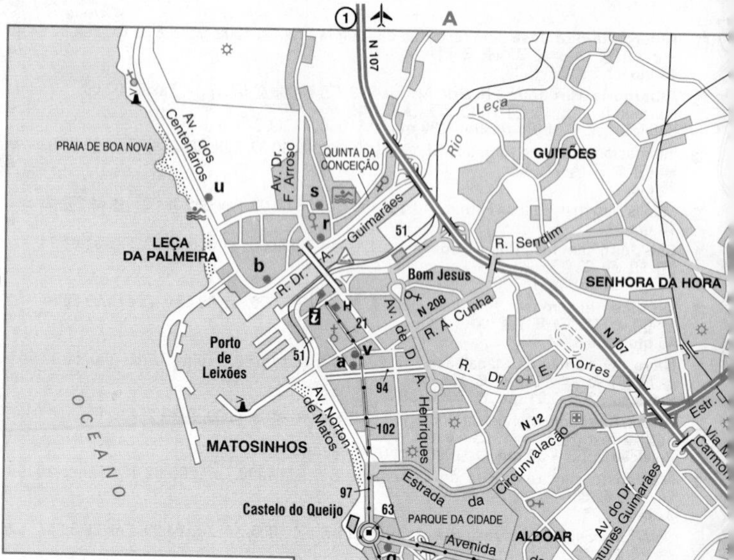

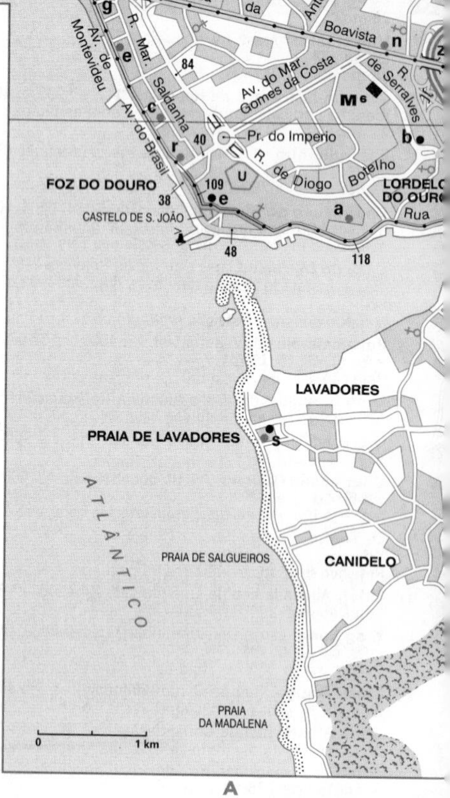

PORTO

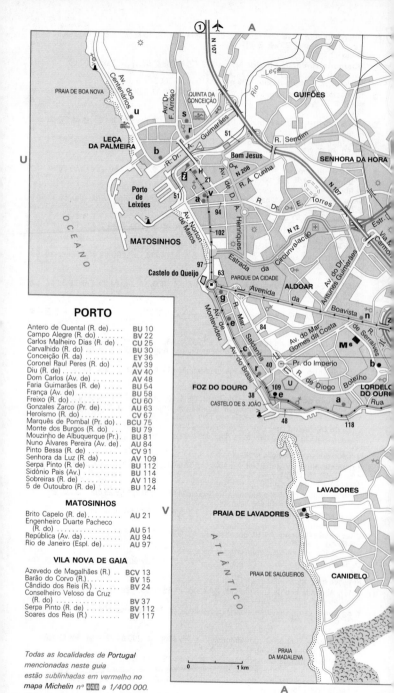

Antero de Quental (R. de) .... BU 10
Campo Alegre (R. do) .... BV 22
Carlos Malheiro Dias (R. de) .. CU 25
Carvalhido (R. do) .... BU 30
Conceição (R. da) .... EY 36
Coronel Raul Peres (R. do) ... AV 39
Diu (R. de) .... AV 40
Dom Carlos (Av. de) .... AV 48
Faria Guimarães (R. de) ..... BU 54
França (Av. de) .... BU 58
Freixo (R. do) .... CU 60
Gonzales Zarco (Pr. de) ..... AU 63
Heroísmo (R. do) .... CV 67
Marquês de Pombal (Pr. do) .. BCU 75
Monte dos Burgos (R. do) ... BU 79
Mouzinho de Albuquerque (Pr.). BU 81
Nuno Álvares Pereira (Av. de). AU 84
Pinto Bessa (R. de) .... CV 91
Senhora da Luz (R. da) ...... AV 109
Serpa Pinto (R. de) .... BU 112
Sidónio Pais (Av.) .... BU 114
Sobreiras (R. de) .... AV 118
5 de Outoubro (R. de) ...... BU 124

MATOSINHOS

Brito Capelo (R. de) .... AU 21
Engenheiro Duarte Pacheco (R. do) .... AU 51
República (Av. da) .... AU 94
Rio de Janeiro (Espl. de) ..... AU 97

VILA NOVA DE GAIA

Azevedo de Magalhães (R.) .. BCV 13
Barão do Corvo (R.) .... BV 15
Cândido dos Reis (R.) .... BV 24
Conselheiro Veloso da Cruz (R. do) .... BV 37
Serpa Pinto (R. de) .... BV 112
Soares dos Reis (R.) .... BV 117

Todas as localidades de Portugal mencionadas neste guia estão sublinhadas em vermelho no mapa Michelin nº 440 a 1/400 000.

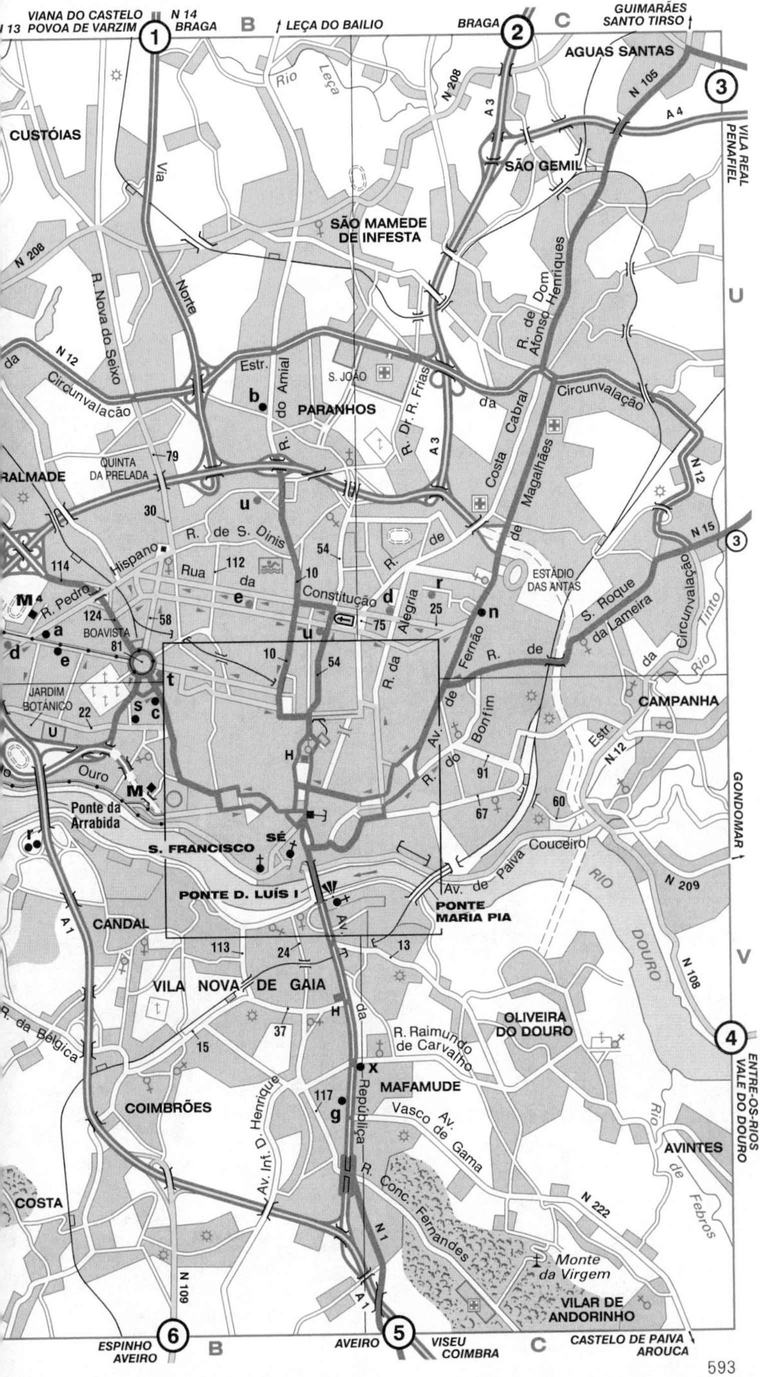
VIANA DO CASTELO
N 13 POVOA DE VARZIM
N 14
BRAGA
B
LEÇA DO BAILIO
BRAGA
C
GUIMARÃES
SANTO TIRSO
AGUAS SANTAS
N 105
A 4
VILA REAL
PENAFIEL
Rio Leça
N 208
A 3
CUSTÓIAS
SÃO GEMIL
SÃO MAMEDE
DE INFESTA
N 208
Via Norte
R. Nova do Seixo
R. de Dom Afonso Henriques
U
N 12
Circunvalação
Estr. da Circunvalação
R. do Amial
S. JOÃO
PARANHOS
R. Dr. R. Frias
Costa Cabral
QUINTA
DA PRELADA
79
RALMADE
30
R. de S. Dinis
Hispano
Rua da Constitução
54
112
114
10
R. de Fernão de Magalhães
ESTÁDIO
DAS ANTAS
N 15
R. Pedro
124
BOAVISTA
81
58
75
25
R. da Alegria
S. Roque da Lameira
Circunvalação
Rio Tinto
JARDIM
BOTÁNICO
22
R. de
Av. de Fernão
CAMPANHA
R. do Bonfim
Estr. N 12
Ouro
Ponte da
Arrábida
H
91
67
60
GONDOMAR
S. FRANCISCO
SÉ
Av. de Paiva Couceiro
RIO DOURO
N 209
PONTE D. LUÍS I
PONTE
MARIA PIA
CANDAL
A 1
113
24
13
N 108
V
VILA NOVA DE GAIA
R. da Bélgica
15
37
H
R. Raimundo
de Carvalho
OLIVEIRA
DO DOURO
Av. da República
MAFAMUDE
117
COIMBRÕES
Av. Inf. D. Henrique
Av. Vasco de Gama
ENTRE-OS-RIOS
VALE DO DOURO
AVINTES
Rio de Febros
COSTA
R. Conc. Fernandes
N 222
N 1
Monte
da Virgem
N 109
VILAR DE
ANDORINHO
ESPINHO
AVEIRO
B
AVEIRO
VISEU
COIMBRA
C
CASTELO DE PAIVA
AROUCA

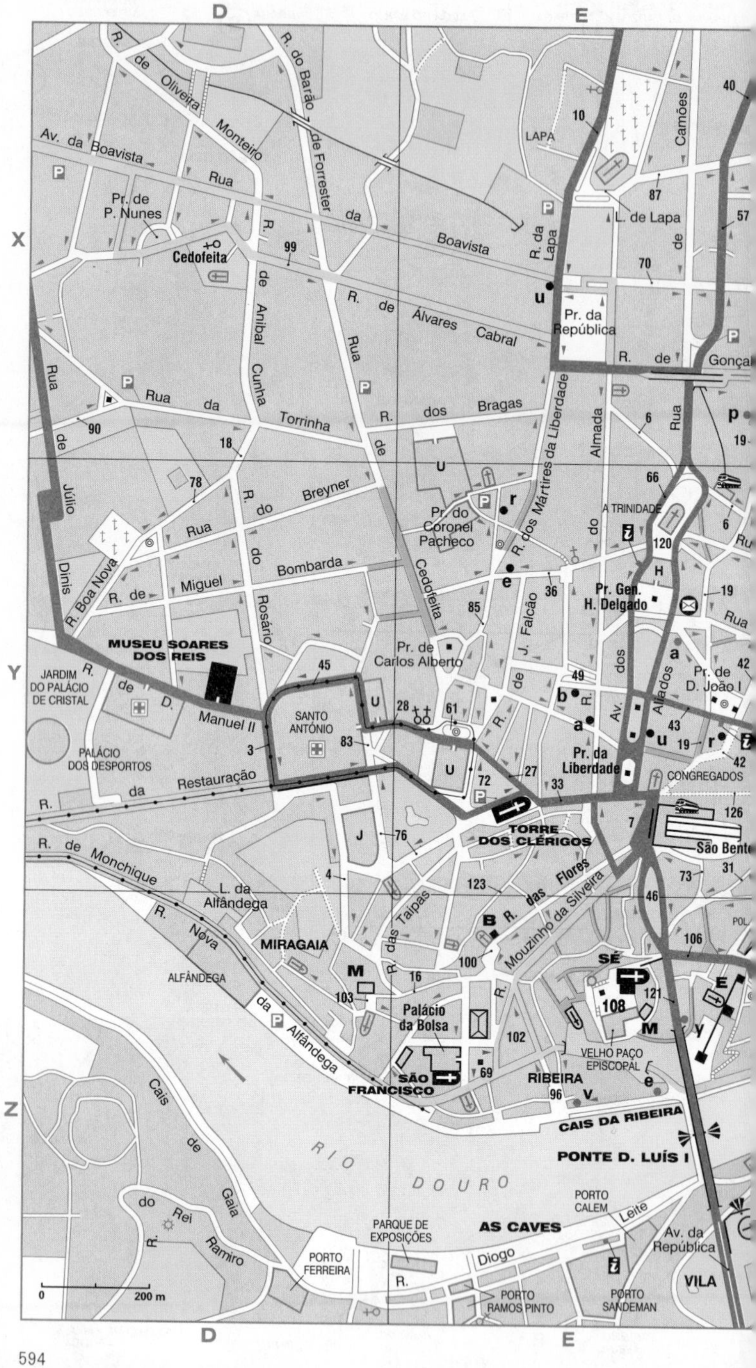
D
E
X
Y
Z
R. de Oliveira Monteiro
R. do Barão de Forrester
Av. da Boavista
Rua da Boavista
Pr. de P. Nunes
Cedofeita
R. de Aníbal Cunha
R. de Álvares Cabral
Rua de Cedofeita
R. da Lapa
LAPA
L. de Lapa
Camões
Pr. da República
R. de Gonçal
Rua da Torrinha
R. dos Bragas
Rua de Júlio Dinis
R. do Breyner
Rua da Bombarda
R. de Miguel Bombarda
R. do Rosário
R. Boa Nova
Pr. do Coronel Pacheco
R. dos Mártires da Liberdade
Almada
Rua do Almada
A TRINIDADE
J. Falcão
Pr. Gen. H. Delgado
Av. dos Aliados
Pr. de D. João I
MUSEU SOARES DOS REIS
JARDIM DO PALÁCIO DE CRISTAL
R. de D. Manuel II
SANTO ANTÓNIO
Pr. de Carlos Alberto
Pr. da Liberdade
CONGREGADOS
PALÁCIO DOS DESPORTOS
R. da Restauração
TORRE DOS CLÉRIGOS
São Bento
R. de Monchique
L. da Alfândega
R. das Taipas
R. das Flores
Mouzinho da Silveira
R. Nova da Alfândega
MIRAGAIA
ALFÂNDEGA
SÉ
Palácio da Bolsa
VELHO PAÇO EPISCOPAL
SÃO FRANCISCO
RIBEIRA
CAIS DA RIBEIRA
PONTE D. LUÍS I
Cais de Gaia
RIO DOURO
R. do Rei Ramiro
PORTO CALEM
AS CAVES
PARQUE DE EXPOSIÇÕES
R. Diogo Leite
Av. da República
PORTO FERREIRA
PORTO RAMOS PINTO
PORTO SANDEMAN
VILA
0
200 m

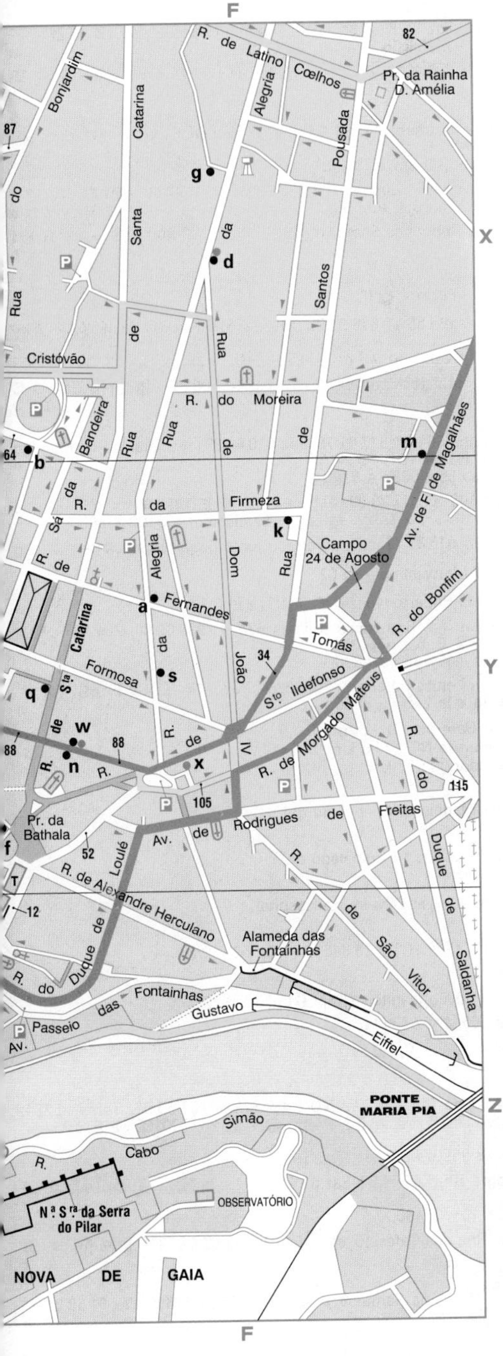

PORTO

Almada (R. do) . . . . EXY
Carmelitas (R. das) . . . . . EY 27
Clérigos (R. dos) . . . . EY 33
Dr António Emilio de Magalhães (R. do) . EY 42
Dr Magalhães Lemos (R. do) . . . . EY 43
Fernandes Tomás (R. de) . EFY
Flores (R. das) . . . . EYZ
Formosa (R.) . . . . EFY
Passos Manuel (R. de) . . FY 88
Sá da Bandeira (R. de) . . FXY
Santa Catarina (R. de) . . FY
31 de Janeiro (R. de) . . . EY 126

Alberto Aires Gouveia (R. de) . . . . DY 3
Albuquerque (R. Af. de) . DYZ 4
Alferes Malheiro (R. do) . EXY 6
Almeida Garrett (Pr. de) . EY 7
Antero de Quental (R. de) . EX 10
Augusto Rosa (R. de) . . . FZ 12
Belomonte (R. de) . . . . . . EZ 16
Boa Hora (R. da) . . . . DXY 18
Bonjardim (R. do) . . . . . . EXY 19
Carmo (R. do) . . . . DEY 28
Cimo da Vila (R. de) . . . . EY 31
Coelho Neto (R. de) . . . . FY 34
Dr Tiogo de Almeida (R. do) . . . . DY 45
Dom Afonso Henriques (Av.) . . . . EYZ 46
Dona Filipa de Lencastre (Pr. de) . . . . EY 49
Entreparedes (R. de) . . . . FY 52
Faria Guimarães (R. de) . EX 54
Fonseca Cardoso (R. de). EX 57
Gomes Teixeira (Pr. de) . EY 61
Guedes de Azevedo (R. de) . . . . FXY 64
Heroís e Mártires de Angola (R. dos) . . . EY 66
Infante Dom Henrique (Pr. e R. do) . . . . EZ 69
João das Regras (R. de) . EX 70
Lisboa (Pr. de) . . . . EY 72
Loureiro (R. do) . . . . EY 73
Mártires da Pátria (Campo dos) . . . . DEY 76
Maternidade (R. da) . . . . DY 78
Nova de São Crispim (R.) . FX 82
Oliveiras (R. das) . . . . EY 85
Paraíso (R. do) . . . . EFX 87
Piedade (R. da) . . . . DX 90
Prov. Vicente José de Carvalho (R. do) . . . DY 93
Ribeira (Pr. da) . . . . EZ 96
Sacadura Cabral (R.) . . . . DX 99
São Domingos (L. de) . . EZ 100
São João (R. de) . . . . EZ 102
São João Novo (Pr. de) . DZ 103
São Lázaro (Passeio de) . FY 105
Saraiva de Carvalho (R. de) . . . . EZ 106
Sé (Terreiro da) . . . . EZ 108
Soares dos Reis (L. de) . FY 115
Trinidade (R. da) . . . . EY 120
Vimara Peres (Av.) . . . . . EZ 121
Vitória (R. da) . . . . EYZ 123

Em certos restaurantes de grandes cidades, é muitas vezes difícil encontrar uma mesa livre. É aconselhado reservar com antecedência.

Ẋ **Dom Castro,** Rua do Bonjardim 1078 ☏ 31 11 19, Taberna regional - AE ⓓ E VISA. 🚫
fechado domingo e agosto - **Refeição** lista 2100 a 2800. CV **u**

Ẋ **Chinês,** Av. Vimara Peres 38, ✉ 4000, ☏ 200 89 15, Fax 606 64 44, Rest. chinês - ▤. AE ⓓ E VISA JCB. 🚫
Refeição lista 1660 a 3230. EZ **y**

Ẋ **Casa Victorino,** Rua dos Canastreiros 44, ✉ 4000, ☏ 208 06 68, Peixes e mariscos - ▤. AE ⓓ E VISA. 🚫
fechado domingo - **Refeição** lista aprox. 3100. EZ **v**

Ẋ **Bom Pastor,** Rua Nicolau Marquês Guedes 109, ✉ 4200, ☏ 82 42 53 - AE E VISA. 🚫
fechado agosto - **Refeição** lista 3050 a 5550. BU **u**

Ẋ **Aquário Marisqueiro,** Rua Rodrigues Sampaio 179, ✉ 4000, ☏ 200 22 31 - ▤. E VISA JCB. 🚫
Refeição lista aprox. 3450. EY **a**

na Foz do Douro - ✉ 4100 Porto - ☏ 02 :

Boa Vista, Esplanada do Castelo 58 ☏ 618 31 75, Telex 25574, Fax 617 38 18, Fб - |‡| ▤ TV ☎. AE E VISA. 🚫
Refeição *(fechado domingo e do 1 ao 16 de agosto)* 2500 - **39 qto** ☕ 13100/14850. AV **e**

Portofoz sem rest, Rua do Farol 155-3° ☏ 617 23 57, Fax 617 08 87 - |‡| TV ☎. AE ⓓ E VISA. 🚫
19 qto ☕ 9500/10000. AV **r**

ẊẊẊ **Don Manoel,** Av. Montevideu 384 ☏ 617 01 79, Fax 610 44 37, ≤, Instalado num antigo palacete - ▤ Ⓟ. AE ⓓ E VISA. 🚫
fechado domingo - **Refeição** lista 6665 a 8380. AU **e**

ẊẊ **Portofino,** Rua do Padrão 103 ☏ 617 73 39, 🌂 - ▤. AE ⓓ E VISA. 🚫 AU **c**
fechado sábado meio-dia e do 1 ao 15 de agosto - **Refeição** lista 3100 a 3800.

ẊẊ O Bule, Rua do Timor 128 ☏ 618 87 77, 🌂, « Terraço junto do jardim », 🌂 - AU **g**

em Matosinhos - ✉ 4450 Matosinhos - ☏ 02 :

Ẋ O Gaveto com snack-bar, Rua Roberto Ivens 826 ☏ 937 87 96 - ▤ AU **a**

Ẋ **Esplanada Marisqueira Antiga,** Rua Roberto Ivens 628 ☏ 938 06 60, Fax 937 89 12, Peixes e mariscos - ▤. AE ⓓ E VISA JCB. 🚫
fechado 2ª feira - **Refeição** lista 3850 a 5800. AU **v**

Ẋ **Marujo** com snack-bar, Rua Tomaz Ribeiro 284 ☏ 938 37 32 - ▤. AE ⓓ E VISA. 🚫
fechado 3ª feira - **Refeição** lista 2450 a 6300. AU **a**

Ver também : ***Vilanova de Gaia*** por ⑥ : 2 km
Leça da Palmeira NO : 11,5 km
Santo Tirso por ② : 22 km

PORTO MONIZ Madeira - ver Madeira (Arquipélago da).

PORTO SANTO Madeira - ver Madeira (Arquipélago da).

PÓVOA DAS QUARTAS Coimbra - ver Oliveira do Hospital.

PÓVOA DE VARZIM **4490** Porto 440 H 3 - 23 846 h. - ☏ 052 - Praia.

Ver : O bairro dos pescadores★ AZ.

Arred. : Rio Mau : Igreja de S. Cristóvão (capitéis★) por ② : 12 km.

ℹ Av. Mousinho de Albuquerque 160 ☏ 62 46 09.

◆Lisboa 348 - Braga 40 - ◆Porto 30.

Plano página seguinte

Sopete Vermar, Rua Alto de Martim Vaz NO : 1,5 km ☏ 61 55 66, Telex 25261, Fax 61 51 15, ≤, 🏊 climatizada, 🎾 - |‡| ▤ TV ☎ 🚗 Ⓟ - 🪑 25/700. AE ⓓ E VISA JCB. 🚫
Refeição 2800 - **208 qto** ☕ 9650/11900. AY **a**

Sopete G.H., Passeio Alegre 20 ☏ 61 54 64, Fax 61 55 65, ≤ - |‡| TV - 🪑 25/150. AE ⓓ E VISA. 🚫
Refeição 2100 - **92 qto** ☕ 10500/13000. AZ **r**

Luso-Brasileiro sem rest, Rua dos Cafés 16 ☏ 61 51 61, Fax 62 47 13 - |‡| ▤ TV ☎. AE ⓓ E VISA. 🚫
62 qto ☕ 7000/9700. AZ **r**

Costa Verde sem rest, Av. Vasco da Gama 56 ☏ 61 55 31, Telex 27698, Fax 61 59 31, ≤ - |‡| TV ☎. AE ⓓ E VISA JCB. 🚫
50 qto ☕ 8000/9600. AY **e**

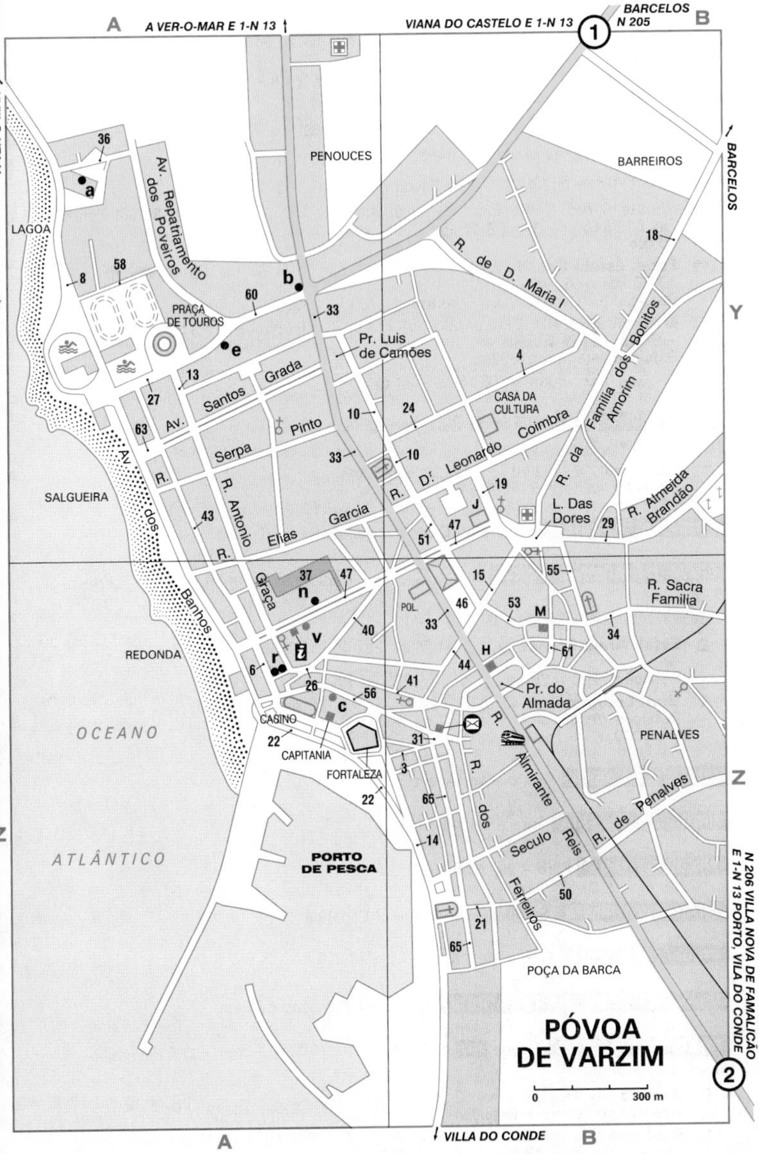

A. da Silveira (R.) . . . . BZ 3
Alberto Sampaio (R.) . . . . . BY 4
Alegre (Passeio) . . . . AZ 6
Alto de Martim Vaz (R. do) . AY 8
Camilo (R. de) . . . . ABY 10
Casa dos Poveiros (R.) . . . AY 13
Caverneira (R. da) . . . . . . BZ 14
Cidade do Porto (R.) . . . . . BZ 15
Comendador Francisco
A. Quintas (R. do) . . . . . BY 18
Cons. Abel Andrade (R.) . . BY 19
Coronel Oudinot (R.) . . . . . BZ 21
Descobrimentos (Av. dos) . AZ 22
Dr Alberto Pimentel (R.) . . BY 24
Dr D. Alves (Largo) . . . . . . AZ 26
Dr José Pontes (Largo) . . . AY 27
Dr Josué Trocado (R.) . . . . BY 29
Elísio da Nova (Largo) . . . . BZ 31
Gomes de Amorim (R.) . ABYZ 33
Igreja (R. da) . . . . BZ 34
Impresa Regional (R. da) . AY 36
João XXIII (Praça) . . . . AZ 37
José Malgueira (R.) . . . . . . AZ 40
Junqueira (R. da) . . . . BZ 41
Latino Coelho (R.) . . . . AY 43
Manuel Silva (R.) . . . . BZ 44
Marquês de Pombal (Praça) . BZ 46
Mousinho
de Albuquerque (Av.) . ABYZ 47
Pereira Azurar (R.) . . . . BZ 50
Ramalho Ortigão (R.) . . . . . BY 51
Rocha Peixoto (R.) . . . . BZ 53
S. Pedro (R. de) . . . . BZ 55
Tenente Valadim (R.) . . . . . AZ 56
Varzim S. Clube (R. do) . . . AY 58
Vasco de Gama (Av.) . . . . . AY 60
Visconde (R. do) . . . . BZ 61
5 de Outubro (Praça) . . . . . AY 63
31 de Janeiro (R.) . . . . BZ 65

🏠 **Gett** sem rest, Av. Mousinho de Albuquerque 54 ☎ 68 32 06 - |‡| 📺. E VISA. ✂ AZ **n**
22 qto ☐ 7000/9000.

🏠 Avô Velino sem rest, Av. Vasco da Gama ☎ 68 16 28 - 📺 AY **b**
10 qto.

XX **Euracini,** Av. Mousinho de Albuquerque 29 ☎ 62 71 36, Fax 61 50 51 - ▤. E VISA. ✂
fechado domingo noite e 15 agosto-2 setembro - **Refeição** lista 3450 a 4350. AZ **v**

X Leonardo, Rua Tenente Valadim 75 ☎ 62 23 49, Peixes e mariscos - ▤ AZ **c**

pela Estrada N 13 - ✉ 4490 Póvoa de Varzim - ☎ 052 :

🏨 Sopete Santo André Estal. 🐦, Aguçadoura, NO : 7 km ☎ 61 56 66, Telex 28339, Fax 61 58 66, ≤, ⛱ - 📺 ☎ Ⓟ
49 qto.

🏨 **Estal. Estela Sol,** N : 8,7 km ☎ 60 21 88, Fax 60 21 12 - |‡| 📺 ☎ 🚗 Ⓟ - 🎤 25. AE ⓓ E VISA JCB. ✂
Refeição lista aprox. 3600 - **38 qto** ☐ 7000/11000.

XX **O Marinheiro,** NO : 2 km ☎ 68 21 51, Fax 68 21 51, Imitação dum barco. Peixes e mariscos - ▤ Ⓟ. AE ⓓ E VISA. ✂
Refeição lista aprox. 3920.

X Chelsea, NO : 2 km ☎ 68 15 22 - ▤ Ⓟ.

PRAIA DA AGUDA 4405 Porto 440 I 4 - ☎ 02 - Praia.
♦Lisboa 303 - ♦Porto 15.

XX **Dulcemar,** ☎ 762 40 77 - ▤. AE ⓓ E VISA
Refeição lista aprox. 4500.

PRAIA DA AMOROSA Viana do Castelo - ver Viana do Castelo.

PRAIA DA AREIA BRANCA Lisboa 440 O 1 - ✉ 2530 Lourinhã - ☎ 061 - Praia.
ℹ ☎ 421 67.
♦Lisboa 77 - Leiria 91 - Santarém 78.

🏠 **Estal. Areia Branca** 🐦, ☎ 41 24 91, Fax 41 31 43, ≤, ⛱ - |‡| 📺 ☎ Ⓟ. AE ⓓ E VISA. ✂
Refeição 2200 - **29 qto** ☐ 9500/12200 - PA 4400.

🏡 **Dom Lourenço,** ☎ 42 28 09, Fax 42 28 09 - ▤ rest 📺. E VISA. ✂ rest
Refeição *(fechado do 1 ao 20 de outubro)* 1500 - **11 qto** ☐ 6000/6500, 7 suites - PA 3000.

PRAIA DA BARRA Aveiro - ver Aveiro.

PRAIA DA FALÉSIA Faro - ver Albufeira.

PRAIA DA GALÉ Faro - ver Albufeira.

PRAIA DA RAINHA Setubal - ver Costa da Caparica.

PRAIA DA ROCHA Faro - ver Portimão.

PRAIA DA SENHORA DA ROCHA Faro - ver Armação de Pêra.

PRAIA DAS MAÇÃS Lisboa 440 P 1 - 606 h. - ✉ 2710 Sintra - ☎ 01 - Praia.
♦Lisboa 38 - Sintra 10.

🏠 **Océano,** Av. Eugenio Levy 52 ☎ 929 23 99, Fax 929 21 99, ≤ - 📺 ☎ Ⓟ. AE ⓓ E VISA
fechado novembro - **Refeição** 1900 - **26 qto** ☐ 11500/12500.

🏡 **Real** sem rest, Rua Fernão de Magalhães ☎ 929 20 02 - ⓓ E VISA. ✂
fechado janeiro - **12 qto** ☐ 8500/9000.

PRAIA DA VIEIRA Leiria 440 M 3 - ✉ 2430 Marinha Grande - ☎ 044 - Praia.
♦ Lisboa 152 - ♦ Coimbra 95 - Leiria 24.

🏠 Ouro Verde 🐦 sem rest, Rua D. Dinis ☎ 69 71 56, Fax 69 54 04 - 📺 ☎ Ⓟ
32 qto.

🏠 Estrela do Mar 🐦 sem rest, Rua José Loureiro Botas ☎ 69 57 62, Fax 69 54 04, ≤ - ☎
24 qto.

PRAIA DA SALEMA Faro - ver Budens.

PRAIA DE ALVOR Faro - ver Portimão.

PRAIA DE DONA ANA Faro - ver Lagos.

PRAIA DE FARO Faro - ver Faro.

PRAIA DE LAVADORES Porto - ver Vila Nova de Gaia.

PRAIA DE OFIR Braga - ver Fão.

PRAIA DE SANTA CRUZ Lisboa 440 O 1 - 615 h. - ✉ 2560 Torres Vedras - ☏ 061 - Praia.
♦Lisboa 70 - Santarém 88.

Santa Cruz, Rua José Pedro Lopes ☏ 93 71 48, Fax 93 25 85 - |☆| ☎ Ⓟ - 🏛 25/150. AE ◐ E VISA. ✻
Refeição *(fechado 2ª feira no inverno)* 1700 - **32 qto** ☐ 7500/8500.

✗ **O Galarós,** Urb. do Pisão Lote 2 - Loja 1 ☏ 93 17 65, ☂
fechado 2ª feira e novembro - **Refeição** lista 2300 a 4100.

PRAIA DO CARVOEIRO Faro - ver Lagoa.

PRAIA DO MARTINHAL Faro - ver Sagres.

PRAIA DO GUINCHO Lisboa - ver Cascais.

PRAIA DO PORTO NOVO Lisboa - ver Vimeiro (Termas do).

PRAIA DOS TRES IRMÃOS Faro - ver Portimão.

PRAIA DO VAU Faro - ver Portimão.

QUARTEIRA 8125 Faro 440 U 5 - 8 905 h. - ☏ 089 - Praia.
⛳ Club Golf de Vilamoura NO : 6 km ☏ 336 52 - ⛳ Club Golf Dom Pedro.
ℹ Av. Infante de Sagres 53 ☏ 31 22 17.
♦Lisboa 308 - Faro 22.

Atis, Av. Dr. Francisco Sá Carneiro ☏ 38 97 71, Telex 56802, Fax 38 97 74, ≋ - |☆| ▤ TV ☎. AE ◐ E VISA. ✻
Refeição 1900 - **88 qto** ☐ 12000/16000 - PA 3600.

Zodíaco, Estrada de Almansil ☏ 38 95 89, Fax 38 81 58, ≋, ✂ - |☆| ▤ TV ☎ Ⓟ. AE ◐ E VISA. ✻
Refeição (só jantar) lista 1700 a 3000 - **60 qto** ☐ 13000.

✗ **Alphonso's,** Centro Comercial Abertura Mar ☏ 31 46 14, ☂ - ▤. AE ◐ E VISA. ✻
Refeição lista 2250 a 3750.

✗ **Cataplana,** Av. Infante de Sagres 107 ☏ 38 86 63, ☂ - AE E VISA
fechado 15 novembro-29 dezembro - **Refeição** lista aprox. 3400.

em Vilamoura - ✉ 8125 Quarteira - ☏ 089 :

Vilamoura Marinotel ⛱, O : 3,5 km ☏ 38 99 88, Telex 58827, Fax 38 98 69, ≤, Fб, ≋ climatizada, ▢, ⛵, ✂ - |☆| ▤ TV ☎ Ⓟ - 🏛 25/1200. JCB
Aries - Grill Sirius (só jantar) - **364 qto**, 21 suites.

Atlantis Vilamoura ⛱, O : 3 km ☏ 38 99 37, Telex 56838, Fax 38 99 62, ≤, « Relvado repousante com ≋ », ▢, ✂ - |☆| ▤ TV ☎ - 🏛 25/350. AE ◐ E VISA JCB. ✻
Refeição 4500 - **302 qto** ☐ 28000/37000, 8 suites.

Ampalius ⛱, O : 3,5 km ☏ 38 09 10, Telex 56992, Fax 38 09 11, ≤, Fб, ≋, ▢, ✂ - |☆| ▤ TV ☎ 🚗 Ⓟ - 🏛 25/200
357 qto.

Dom Pedro Marina, O : 3,5 km ☏ 38 98 02, Telex 56307, Fax 31 32 70, ≤, ☂, ≋ - |☆| ▤ TV ☎ Ⓟ - 🏛 25/150. AE ◐ E VISA. ✻
Refeição 3000 - **121 qto** ☐ 12800/16800, 34 suites.

Dom Pedro Golf ⛱, O : 3 km ☏ 38 96 50, Telex 56870, Fax 31 54 82, ≤, ☂, « Relvado repousante com ≋ », ✂ - |☆| ▤ TV ☎ Ⓟ - 🏛 25/600
252 qto, 9 suites.

Motel Vilamoura Golf ⛱, NO : 6 km ☏ 30 29 77, Telex 56833, Fax 38 00 23, ☂, ≋ - ▤ qto TV ☎ Ⓟ. JCB
52 qto.

✗ **Casa da Madeira,** O : 2,5 km, Edifício Delta Marina ☏ 30 17 54, ☂ - ▤. AE ◐ E VISA. ✻
Refeição (só jantar) lista aprox 4500.

QUATRO ÁGUAS Faro - ver Tavira.

QUELUZ **2745** Lisboa 440 P 2 - 47 864 h. alt. 125 - ☎ 01.
Ver : Palácio Nacional de Queluz★ (sala do trono★) - Jardins do Palácio★ (escada dos Leões★).
ℹ no Palácio ☎ 436 34 15.
♦Lisboa 12 - Sintra 15.

XXX **Cozinha Velha,** Largo do Palácio ☎ 435 02 32, Fax 436 22 34, « Instalado nas antigas cozinhas do palácio » - AE ⓓ E VISA. ✈
Refeição lista aprox. 7000.

em Tercena O : 4 km - ✉ 2745 Queluz - ☎ 01 :

X **O Parreirinha,** Av. Santo António 5 ☎ 437 93 11, Fax 439 33 30 - ▤. E VISA. ✈
fechado domingo - **Refeição** lista 2120 a 3950.

QUINTA DO LAGO Faro - ver Almancil.

REBOREDA Viana do Castelo - ver Vila Nova de Cerveira.

REDONDO **7170** Évora 440 Q 7 - 3 596 h. alt. 306 - ☎ 066.
ℹ Praça da República ☎ 991 12, Fax 990 39.
♦ Lisboa 179 - ♦ Badajoz 69 - Estremoz 27 - Évora 34.

na Estrada N 381 N : 10 km - ✉ 7170 Redondo - ☎ 066 :

Convento de São Paulo 🐦, Aldeia da Serra ☎ 99 91 00, Fax 99 91 04, ←, « Antigo convento », 🏊, 🌳 - 🛗 ▤ TV ☎ ♿ P - 🎪 25/100. AE ⓓ E VISA. ✈ rest
Refeição lista 3650 a 5050 - **16 qto** ☕ 25000/29000.

RESENDE Viana do Castelo - ver Paredes de Coura.

RETAXO **6000** Castelo Branco 440 M 7 - ☎ 072.
♦ Lisboa 240 - Castelo Branco 13 - Castelo de Vide 81.

Motel da Represa 🐦, N : 1,5 km ☎ 999 21, Telex 52731, Fax 986 68, ←, 🏠, Típica ambientação exterior, 🏊, 🎾 - ▤ P - 🎪 25/200. AE ⓓ E VISA
Refeição 2200 - ☕ 650 - **42 qto** 6500/7500 - PA 3600.

RIBAMAR Lisboa 440 O 1 - ✉ 2640 Mafra - ☎ 061 - Praia.
♦Lisboa 55 - Santarém 92 - Sintra 20 - Torres Vedras 22.

X **Viveiros do Atlântico,** Estrada N 247 ☎ 624 38, Fax 624 38, ←, 🏠, Mariscos. Viveiro próprio - P. AE ⓓ E VISA. ✈
fechado 3ª feira e outubro - **Refeição** lista 2400 a 4150.

RIBEIRA BRAVA Madeira - ver Madeira (Arquipélago da).

RIBEIRA DE SÃO JOÃO Santarém - ver Rio Maior.

RIO DE MOINHOS Santarém 440 N 5 - 1 882 h. - ✉ 2200 Abrantes - ☎ 041.
♦Lisboa 137 - Portalegre 88 - Santarém 69.

X **Cristina,** Estrada N 3 ☎ 981 77, Fax 983 43 - ▤ P. E VISA. ✈
fechado domingo noite, 2ª feira, 15 dias em março e 15 dias em setembro - **Refeição** lista aprox. 5300.

RIO MAIOR **2040** Santarém 440 N 3 - 10 793 h. - ☎ 043.
♦Lisboa 77 - Leiria 50 - Santarém 31.

R. M. sem rest, Rua Dr. Francisco Barbosa ☎ 920 87 - 🛗
36 qto.

em Ribeira de São João SE : 8,5 km - ✉ 2040 Rio Maior - ☎ 043 :

Quinta da Ferraria 🐦, Estrada N 114 ☎ 950 01, Fax 956 96, Antigo moinho de água e museu rural, 🏊, 🌳 - ▤ ☎ P - 🎪 25/200. VISA. ✈
Refeição 3500 - **13 qto** ☕ 9900/11700, 2 apartamentos - PA 7000.

ROMEU **5370** Bragança 440 H 8 - 936 h. - ☎ 078.
♦Lisboa 467 - Bragança 59 - Vila Real 85.

X **Maria Rita,** Rua da Capela ☎ 931 34, Telex 29626, Fax 931 33, Decoração rústica regional - ▤. E VISA
fechado 2ª feira - **Refeição** lista 2100 a 2400.

SABUGO **2715** Lisboa 440 P 2 – ☎ 01.
♦Lisboa 11 – Sintra 14.

em Vale de Lobos SE : 1,7 km – ✉ 2715 Sabugo – ☎ 01 :

Vale de Lobos ⛰, ☎ 962 34 01, Telex 44564, Fax 962 46 56, ←, ⬜, ⛳, 🎾 – |‡| ▤ rest TV ☎ P – 🧑 25/400 – **52 qto.**

SAGRES Faro 440 U 3 – 2 032 h. – ✉ 8650 Vila do Bispo – ☎ 082 – Praia.
Arred. : Ponta de Sagres★★ SO : 1,5 km – Cabo de São Vicente★★ (←★).
i Promontório de Sagres ☎ 641 25.
♦Lisboa 286 – Faro 113 – Lagos 33.

Pousada do Infante ⛰, ☎ 642 22, Telex 57491, Fax 642 25, ← falésias e mar, ⛱ – ▤ TV ☎ P. AE ⓓ E VISA. ✗
Refeição lista 2500 a 6090 – **39 qto** ☕ 18500/21500.

Aparthotel Navigator ⛰ sem rest, Rua Infante D. Henrique ☎ 643 54, Telex 57179, Fax 643 60, ← falésias e mar, ⛱ – |‡| ▤ TV ☎ 🚗 P. AE ⓓ E VISA
☕ 750 – **56 apartamentos** 14000/15000.

Baleeira ⛰, ☎ 642 12, Telex 57467, Fax 644 25, ← falésias e mar, 🌳, ⛱, 🎾 – ▤ rest ☎ P. AE ⓓ E VISA. ✗ rest
Refeição 2300 – **120 qto** ☕ 8500/14000 – PA 4600.

na Praia do Martinhal NE : 3,5 km – ✉ 8650 Vila do Bispo – ☎ 082 :

Motel Os Gambozinos ⛰, ☎ 643 18, Fax 643 48, ← praia, falésias e mar, 🌳 – ☎ P. ✗ rest
Refeição *(fechado 4ª feira, e outubro-março)* 2800 – **17 qto** ☕ 14900.

na Estrada do Cabo São Vicente NO : 5 km – ✉ 8650 Vila do Bispo – ☎ 082 :

Fortaleza do Beliche ⛰ com qto, ☎ 641 24, « Instalado numa fortaleza sobre uma falésia dominando o mar » – AE ⓓ E VISA. ✗
Refeição lista aprox. 3230 – **4 qto** ☕ 11500/13500.

SAMEIRO Braga – ver Braga.

SANGALHOS Aveiro 440 K 4 – 4 067 h. – ✉ 3780 Anadía – ☎ 034.
♦Lisboa 234 – Aveiro 25 – ♦Coimbra 32.

Estal. Sangalhos ⛰, ☎ 74 36 48, Telex 37784, Fax 74 32 74, ← vale e montanha, ⛱, 🎾 – ▤ rest TV P. AE ⓓ VISA. ✗
Refeição 2450 – **32 qto** ☕ 5250/8750.

SANTA BÁRBARA DE NEXE Faro – ver Faro.

SANTA LUZIA Viana do Castelo – ver Viana do Castelo.

SANTA LUZIA DE LAVOS Coimbra – ver Figueira da Foz.

SANTA MARIA DA FEIRA **4520** Aveiro 440 J 4 – 4 877 h. alt. 125 – ☎ 056.
Ver : Castelo★.
i Rua dos Descobrimentos ☎ 37 20 32.
♦Lisboa 291 – Aveiro 47 – ♦Coimbra 91 – ♦Porto 20.

Novacruz sem rest, Rua S. Paulo da Cruz ☎ 37 23 11, Fax 37 23 16 – |‡| ▤ TV ☎ ♿ P – 🧑 25/130. AE ⓓ E VISA. ✗
60 qto ☕ 11100/12200, 5 suites.

pela Estrada N 223 O : 4 km – ✉ 4520 Santa Maria da Feira – ☎ 056

Ibis Europarque ⛰, Europarque ☎ 33 25 07, Fax 33 25 09, ⛱ – |‡| ▤ TV ☎ ♿ P – 🧑 25/60. AE ⓓ E VISA
Refeição lista 2120 a 3400 – ☕ 750 – **63 qto** 6500.

na Estrada N 1 – ✉ 4520 Santa Maria da Feira – ☎ 056 :

Pedra Bela, NE : 5 km ☎ 91 15 13, Fax 91 15 95, 🎾 – |‡| TV ☎ 🚗 P. ⓓ E VISA. ✗
Refeição (ver rest. Pedra Bela) – **50 qto** ☕ 5000/7500.

Pedra Bela, NE : 5 km ☎ 91 13 38, Fax 91 15 95 – ▤ P.

Tigre com snack-bar, Lugar de Albarrada - São João de Ver NE : 5,5 km ☎ 31 22 04, Mariscos – ▤ P. AE ⓓ E VISA. ✗
Refeição lista 2700 a 5700.

Si vous cherchez un hôtel tranquille,
consultez d'abord les cartes de l'introduction
ou repérez dans le texte les établissements indiqués avec le signe ⛰ ou ⛰.

SANTANA Setúbal – ver Sesimbra.

SANTARÉM 2000 **P** 440 O 3 – 20 034 h. alt. 103 – 043.

Ver : Miradouro de São Bento ✻★ B – Igreja de São João de Alporão (Museu Arqueológico★) B – Igreja da Graça★ B.

Arred. : Alpiarça : Casa dos Pátudos★ (tapeçarias★, faianças e porcelanas★) 10 km por ②.

Rua Capelo Ivens 63 ☎ 231 40.

♦Lisboa 80 ③ – Évora 115 ② – Faro 330 ② – Portalegre 158 ② – Setúbal 130 ③.

SANTARÉM

Capelo Ivens (Rua) .... AB 9
Serpa Pinto (Rua) .... AB

Alex. Herculano (Rua) ..... A 3
Alf. de Santarém (Rua) .... B 4
Braamcamp Freire (Rua) ... B 6
Cândido dos Reis (Largo) .. A 7
G. de Azevedo (Rua) A 10
João Afonso (Rua) .... A 12
Miguel Bombarda (Rua) B 13
Piedade (Largo da) .... A 15
São Martinho (Rua de) .... B 16
Teixeira Guedes (Rua) ..... A 18
Tenente Valadim (Rua) .... B 19
Vasco da Gama (Rua) ..... A 21
Zeferino Brandão (Rua) .... A 22
1º de Dezembro (Rua) .... B 24
5 de Outubro (Avenida) ... B 25
31 de Janeiro .... A 27

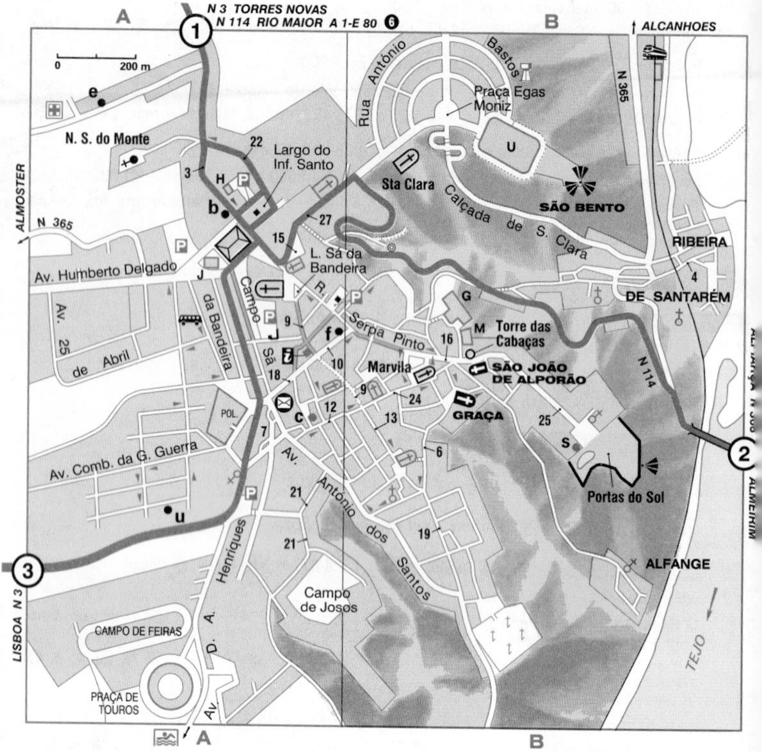

Alfageme sem rest, av. Bernardo Santareno 38 ☎ 37 08 70, Fax 37 08 50 – – 25/200. E VISA. – **67 qto** 7900/9200. A e

O Beirante, Rua Alexandre Herculano 5 ☎ 22547 – – **32 qto.** A b

Abidis sem rest, Rua Guilherme de Azevedo 4 ☎ 220 17, Decoração regional – **28 qto.** AB f

Victoria sem rest, Rua 2º Visconde de Santarém 21 ☎ 225 73 – . E VISA. – **23 qto** 5000/7000. A u

Solar, Largo Emilio Infante da Câmara 9 ☎ 222 39 – *fechado sábado e agosto* – **Refeição** lista 1500 a 2600. A c

Portas do Sol, Jardim das Portas do Sol ☎ 295 20, , « Jardim » B s

em Alto do Bexiga por ① : 2,5 km – ✉ 2000 Santarém – ☎ 043 :

Jardim sem rest, com snack-bar, Rua Florbela Espanca 1 ☎ 30 22 05, Telex 18393, Fax 30 22 05 – ▤. AE ⓓ E VISA JCB
40 qto ☕ 5000/7000.

SANTIAGO DO CACÉM **7540** Setúbal 440 R 3 – 6 777 h. alt. 225 – ☎ 069.

Ver : Á saida sul da Vila ≤★.

♦Lisboa 146 – Setúbal 98.

Albergaria D. Nuno sem rest, Av. D. Nuno Álvares Pereira 88 ☎ 233 25, Fax 233 28, ≤ – |♦| ▤ TV ☎ P. AE ⓓ E VISA. ✗
75 qto ☕ 7500/12000.

Gabriel sem rest, Rua Professor Egas Moniz 24 ☎ 222 45, Fax 82 61 02 – TV ☎. AE ⓓ E VISA. ✗
23 qto ☕ 5500/9500.

XX **Pousada de Santiago** com qto, Estrada de Lisboa ☎ 224 59, Fax 224 59, ≤, 余, Decoração regional, 🏊, 🌳 – P. AE ⓓ E VISA. ✗
Refeição lista aprox. 3900 – **8 qto** ☕ 11500/13500.

SANTO AMARO DE OEIRAS Lisboa – ver Oeiras.

SANTO TIRSO **4780** Porto 440 H 4 – 11 708 h. alt. 75 – ☎ 052.

ℹ Praça do Município ☎ 510 91 (ext. 33).

♦Lisboa 345 – Braga 29 – ♦Porto 22.

X **São Rosendo,** Praça do Municipio 6 ☎ 530 54, Fax 530 54 – ▤. AE ⓓ E VISA
fechado 2ª feira – **Refeição** lista 1900 a 2750.

na Auto-estrada A 3 SO : 13 km – ✉ 4785 Trofa – ☎ 02 :

Ibis Porto-Norte sem rest, Área de Serviço ☎ 982 50 00, Fax 982 50 01 – ▤ TV ☎ ♿ P – 🏛 25. AE ⓓ E VISA
☕ 750 – **61 qto** 6500.

SÃO BRÁS DE ALPORTEL **8150** Faro 440 U 6 – 7 499 h. – ☎ 089.

ℹ Rua Dr. Evaristo Sousa Gago ☎ 84 22 11.

♦Lisboa 293 – Faro 19 – Portimão 63.

na Estrada N 2 N : 2 km – ✉ 8150 São Brás de Alportel – ☎ 089 :

Pousada de São Brás (possível fecho para obras), ☎ 84 23 05, Fax 84 17 26, ≤ cidade, campo e colinas, 🏊, 🎾 – ▤ qto ☎ P. AE ⓓ E VISA JCB. ✗
Refeição lista aprox. 4100 – **24 qto** ☕ 17000/19000.

SÃO GONÇALO Madeira – ver Madeira (Arquipélago da) : Funchal.

SÃO JOÃO DA CAPARICA Setúbal – ver Costa da Caparica.

SÃO JOÃO DA MADEIRA **3700** Aveiro 440 J 4 – 16 239 h. alt. 205 – ☎ 056.

♦Lisboa 286 – Aveiro 46 – ♦Porto 32.

XXX **O Executivo,** Rua Oliveira Júnior 918 ☎ 83 27 85, Fax 83 27 86, 余, « Instalado num belo palacete do início de século », 🌳 – ▤ P. AE ⓓ E VISA. ✗
fechado 4ª feira e agosto – **Refeição** lista aprox. 4200.

SÃO JOÃO DO ESTORIL Lisboa – ver Estoril.

SÃO MARTINHO DO PORTO **2465** Leiria 440 N 2 – 2 318 h. – ☎ 062 – Praia.

Ver : ≤★.

ℹ Av. 25 de Abril ☎ 98 91 10.

♦Lisboa 108 – Leiria 51 – Santarém 65.

Parque sem rest, Av. Marechal Carmona 3 ☎ 98 95 05, Fax 98 91 05, « Antiga casa senhorial rodeada de um jardim », 🎾 – P. ⓓ E VISA. ✗
março-outubro – **36 qto** ☕ 6500/13000.

Albergaria São Pedro sem rest, Largo Vitorino Frois 7 ☎ 98 93 28, Fax 98 93 27 – |♦| ▤ TV ☎
25 qto.

Concha sem rest, Largo Vitorino Frois 21 ☎ 98 92 20, Fax 98 98 35 – |♦| ▤ TV ☎ – 🏛 25/35. E VISA
31 qto ☕ 12000/14000.

X **A Casa,** Av. Marginal ☎ 98 96 33, Fax 98 99 89, ≤ – ▤. AE ⓓ E VISA. ✗
Refeição lista 2700 a 4400.

SÃO PEDRO DE MOEL Leiria 440 M 2 - ✉ 2430 Marinha Grande - ☎ 044 - Praia.
🅸 Praça Eng. José Lopes Viera ☎ 59 91 52.
♦Lisboa 135 - ♦Coimbra 79 - Leiria 22.

Mar e Sol, Av. da Liberdade 1 ☎ 59 91 82, Telex 15529, Fax 59 94 11, ≤ - ▤ TV - 25/100. AE E VISA. ✻
Refeição *(fechado 2ª feira de outubro-maio e 15 outubro-15 novembro)* 2000 - **63 qto** ☐ 8500/12000 - PA 4000.

São Pedro, Rua Dr. Adolfo Leitão 22 ☎ 59 91 20, Telex 18136 - ▤ rest P - **53 qto.**

Santa Rita sem rest, Praceta Pinhal do Rei 1 ☎ 59 94 98 - ✻
9 qto ☐ 7000/10000.

SÃO PEDRO DE SINTRA Lisboa - ver Sintra.

SÃO PEDRO DO SUL **3660** Viseu 440 J 5 - 3 513 h. alt. 169 - ☎ 032 - Termas.
🅸 Estrada N 16 ☎ 71 13 20.
♦Lisboa 321 - Aveiro 76 - Viseu 22.

nas termas SO : 3 km - ✉ 3660 São Pedro do Sul - ☎ 032 :

Do Parque ⛰, ☎ 72 34 61, Telex 52977, Fax 72 30 47 - |‡| TV ☎ 🚗 P - 25/70. AE ⓓ E VISA. ✻
Refeição lista 2200 a 3450 - **56 qto** ☐ 8000/12000.

Das Termas ⛰, ☎ 72 34 42, Telex 53595, Fax 71 10 11, ≤, Fitness - |‡| TV ☎ 🚗
64 qto.

G.H. Lisboa, Estrada N 16 ☎ 72 33 60 - |‡| ▤ TV ☎ P
100 qto.

Lafões sem rest, Rua do Correio ☎ 71 16 16 - |‡| TV
temp - **21 qto.**

Adega da Ti Fernanda, Av. da Estação ☎ 71 24 68, 🏕, Decorãçao rústica - ✻
fechado 2ª feira - **Refeição** lista 1750 a 2250.

SÃO VICENTE Madeira - ver Madeira (Arquipélago da).

SEIA **6270** Guarda 440 K 6 - 5 653 h. alt. 532 - ☎ 038.
Arred. : Estrada★★ de Seia à Covilhã (≤★★, Torre ✳★★, ≤★) 49 km.
🅸 Largo do Mercado ☎ 222 72.
♦Lisboa 303 - Guarda 69 - Viseu 45.

Camelo, Av. 1º de Maio 16 ☎ 255 55, Telex 53630, Fax 255 50, ≤ - |‡| ▤ TV ☎ P - 25/50. AE ⓓ E VISA
Refeição *(fechado 2ª feira)* 1750 - **74 qto** ☐ 7500/10400 - PA 3300.

Estal. de Seia, Av. Dr. Afonso Costa ☎ 258 66, Fax 255 38, ⛱ - |‡| ▤ TV ☎ P - 25/30. VISA
Refeição lista 1700 a 2350 - **34 qto** ☐ 10500/11500.

na Estrada N 339 E : 6 km - ✉ 6270 Seia - ☎ 038 :

Albergaria Senhora do Espinheiro e Rest. Cabana do Pastor ⛰, ☎ 220 73, ≤ vale - ☎ P
24 qto.

SEIXAS Viana do Castelo - ver Caminha.

SERPA **7830** Beja 440 S 7 - 4 941 h. alt. 230 - ☎ 084.
🅸 Largo D. Jorge de Melo 2 e 3 ☎ 903 35.
♦Lisboa 221 - Beja 29 - Évora 111.

Pousada de São Gens ⛰, S : 1,5 km ☎ 537 24, Telex 43651, Fax 533 37, « Terraço com ≤ oliveiras e campo », ⛱ - ▤ TV ☎ P. AE ⓓ E VISA. ✻
Refeição lista aprox. 3850 - **18 qto** ☐ 17000/19000.

SERRA DE ÁGUA Madeira - ver Madeira (Arquipélago da).

SERTÃ **6100** Castelo Branco 440 M 5 - ☎ 074.
♦Lisboa 248 - Castelo Branco 72 - ♦Coimbra 86.

Lagar, Rua 1º de Dezembro ☎ 635 86, 🏕, Rest. típico instalado numa prensa de azeite - P.

SESIMBRA 2970 Setúbal 440 Q 2 - 8 138 h. - ☎ 01 - Praia.

Ver : Porto★.

Arred. : Castelo ≤★ NO : 6 km - Cabo Espichel★ (local★) O : 15 km - Serra da Arrábida★ (Portinho de Arrábida★, Estrada de Escarpa★★) E : 30 km.

Largo da Marinha ☎ 223 57 43.

♦Lisboa 43 - Setúbal 26.

Do Mar, Rua Combatentes de Ultramar 10 ☎ 223 33 26, Telex 13883, Fax 223 38 88, ≤ mar, « Relvado com rodeado de árvores », - 25/220. AE E VISA.
Refeição 4200 - **168 qto** 16900/27000, 2 suites - PA 8000.

Villas de Sesimbra, Altinho de São João ☎ 228 00 05, Telex 16190, Fax 223 15 33, ≤, « Relvado com », - 25/100. AE E VISA JCB.
Refeição 2900 - 1100 - **207 apartamentos** 18000/25000.

Ribamar, Av. dos Náufragos 29 ☎ 223 48 53, Fax 223 43 17, , Peixes e mariscos - . E VISA.
Refeição lista 3600 a 4300.

O Pirata, Rua Heliodoro Salgado 3 ☎ 223 04 01, ≤, - AE E VISA JCB
fechado 4ª feira e dezembro - **Refeição** lista aprox. 2700.

em Santana N : 3,5 km - ✉ 2970 Sesimbra - ☎ 01 :

Angelus, ☎ 268 13 40, Fax 223 43 17 - . E VISA.
Refeição lista 3500 a 4800.

Acht Michelin-Abschnittskarten :

Spanien : Nordwesten 441, *Norden* 442, *Nordosten* 443, *Zentralspanien* 444, *Zentral- und Ostspanien* 445, *Süden* 446, *Kanarische Inseln* 451.

Portugal 440.

Die auf diesen Karten rot unterstrichenen Orte sind im vorliegenden Führer erwähnt.

Für die gesamte Iberische Halbinsel benutzen Sie die Michelin-Karte 990 *im Maßstab 1 : 1 000 000.*

SETÚBAL 2900 P 440 Q 3 - 97 762 h. - ☎ 065.

Ver : Castelo de São Felipe★ (※ ★) por Rua São Filipe AZ - Igreja de Jesus★ - Castelo de São Filipe ※★ por Rua São Filipe.

Arred. : Serra da Arrábida (Estrada de Escarpa★★) por ② - Palmela (castelo★ ※★ - Igreja de São Pedro : azulejos★) por N 252 : 7,5 km - Quinta da Bacalhoa : jardins (azulejos★) por ③ : 12 km.

18 Club de Golf de Tróia, Torralta Tróia ☎ 441 51.

para Tróia, Cais de Setúbal 36 ☎ 351 01.

Rua do Corpo Santo ☎ 295 07 - A.C.P. Centro Comercial da Fonte Nova-Loja 17, ☎ 392 37, Fax 39237.

♦Lisboa 55 ① - ♦Badajoz 196 ① - Beja 143 ① - Évora 102 ① - Santarém 130 ①.

Planos páginas seguintes

Bonfim sem rest, Av. Alexandre Herculano 58 ☎ 53 41 11, Fax 53 48 58, ≤ - - 25/40. AE E VISA. BY **b**
100 qto 13500/15500.

Albergaria Laitau sem rest. com snack bar, Av. General Daniel de Sousa 89 ☎ 534 031, Fax 360 95 - - 25/200. AE E VISA. AY **b**
41 qto 8500/10000.

Albergaria Solaris sem rest, Praça Marquês de Pombal 12 ☎ 52 21 89, Fax 52 20 70 - . AE E VISA AZ **c**
24 qto 8000/9500.

Mar e Sol sem rest, Av. Luisa Todi 606-612 ☎ 53 46 03, Fax 53 20 36 - . AZ **r**
71 qto 5500/8000.

Bocage sem rest, Rua de São Cristóvão 14 ☎ 215 98, Fax 218 09 - . E VISA. BZ **e**
38 qto 4900/6900.

Setubalense sem rest, Rua do Major Afonso Pala 17-1° ☎ 52 57 90, Fax 52 57 89 - . E VISA. BZ **a**
24 qto 5500/9000.

Novoreno, Av. Luisa Todi 440 ☎ 301 15, - AZ **t**

A Roda, Travessa Postigo do Cais 7 ☎ 292 64, - . AE E VISA. BZ **v**
fechado domingo - **Refeição** lista aprox. 2950.

O Beco, Rua da Misericórdia 24 ☎ 52 46 17, Fax 52 56 10 - . AE E VISA BZ **a**
fechado 3ª feira e do 15 ao 30 de setembro - **Refeição** lista 2350 a 3650.

SETÚBAL

Álvaro Castelões (Rua) . . . . **BZ** 7
António Girão (Rua) . . . . . . **BZ** 9
Augusto Cardoso (Rua de) . **BZ** 13
Bocage (Rua do) . . . . **BZ** 18
Dr Paula Borba (Rua) . . . . . **BZ** 25
Santo António (Largo de) . **BZ** 44

Alexandre Herculano (Av. de) . . . . **BY** 3
Almirante Reis (Praça do) . **AZ** 4
Almocreves (Rua dos) . . . . **BZ** 6
António José Batista (Rua) . **CY** 10
Arronches Junqueiro (Rua) . **BZ** 12
Bela Vista (Travessa da) . . . **AZ** 15
Bocage (Praça do) . . . . **BZ** 16
Ciprestes (Estrada dos) . . . . **CY** 19
Clube Naval (Rua) . . . . **AZ** 20
Combatentes da Grande Guerra (Av. dos) . . . . **AZ** 21
Defensores da República (Largo dos) . . . . **CZ** 22
Dr António J. Granjo (Rua) . **BZ** 24
Exército (Praça do) . . . . **BZ** 27
José Filipe (Rua) . . . . **AZ** 30
Machado dos Santos (Praça) . . . . **AZ** 31
Major Afonso Pala (Rua do) . . . . **BZ** 33
Mariano de Carvalho (Av.) . **BY** 34
Marquês da Costa (Rua) . . **AZ** 36
Marquês de Pombal (Praça) . . . . **AZ** 37
Mirante (Rua do) . . . . **CY** 38
Ocidental do Mercado (Rua) . . . . **AZ** 39
Paulino de Oliveira (Rua de) . . . . **AZ** 40
República de Guiné-Bissau (Av.) . . . . **BY** 42
Tenente Valadim (Rua) . . . . **AZ** 43
Trabalhadores do Mar (Rua dos) . . . . **AZ** 45
22 de Dezembro (Av.) . . . . **BY** 46

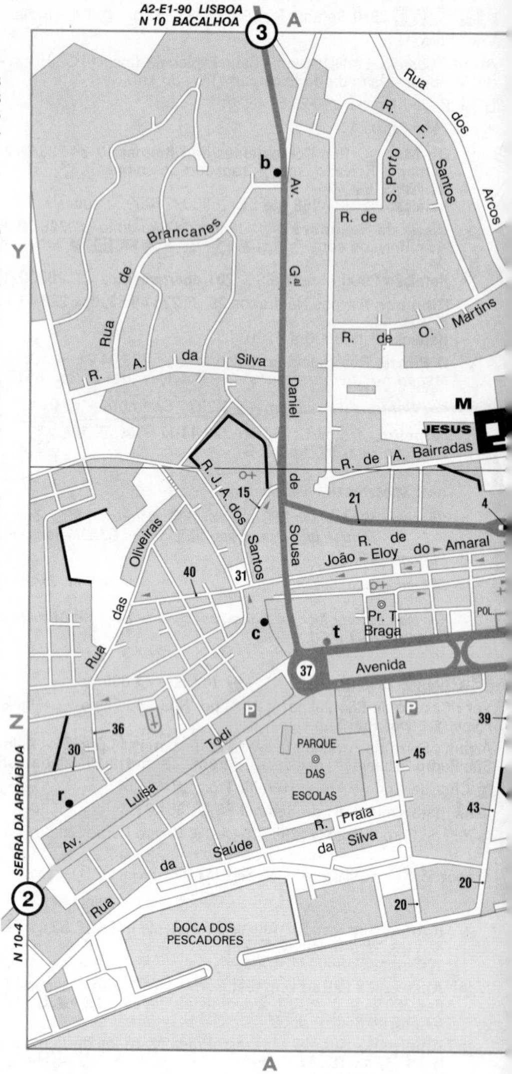

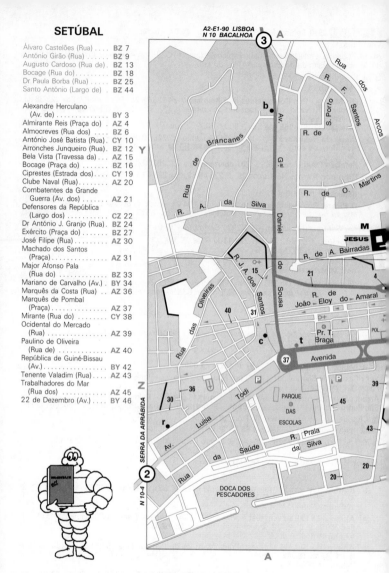

na Estrada N 10 por ① - ✉ 2900 Setúbal - ☎ 065 :

Novotel Setúbal, Monte Belo 2,5 km ☎ 52 28 09, Telex 43470, Fax 52 29 12, - 25/250.
105 qto.

Ibis Setúbal, Vale da Rosa 5,5 km ☎ 77 22 00, Telex 42746, Fax 77 24 47, - 25/60. AE VISA. rest
Refeição 2000 - ☐ 750 - **102 qto** 6800 - PA 4000.

na Estrada de Algeruz por ① : 5 km - ✉ 2900 Setúbal - ☎ 065 :

Campanile, ☎ 75 26 72, Fax 77 24 64 - 25. AE VISA JCB. rest
Refeição 2150 - ☐ 650 - **70 qto** 6500 - PA 4300.

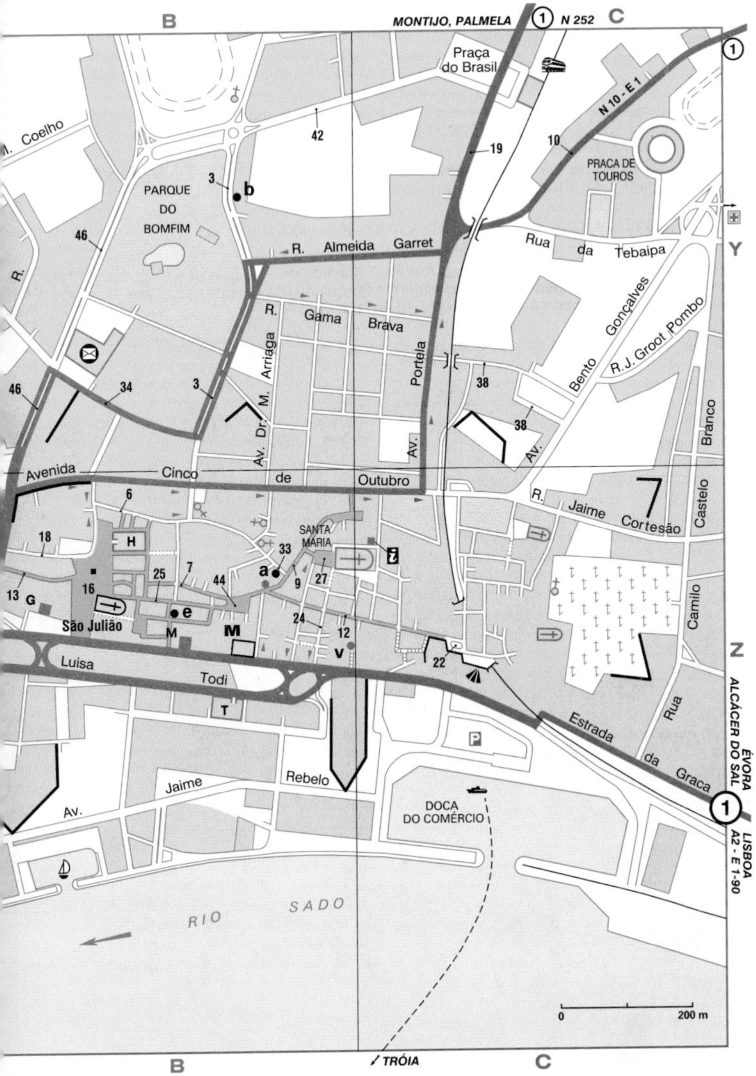

no Castelo de São Filipe O : 1,5 km – ✉ 2900 Setúbal – ☎ 065 :

Pousada de São Filipe ⛰, ☎ 52 38 44, Fax 53 25 38, ← Setúbal e Foz do Sado, 🏖, Decoração rústica, « Dentro das muralhas de uma antiga fortaleza » – ▤ TV ☎ P. AE ⓓ E VISA. ✕ por Rua São Filipe AZ

Refeição lista aprox. 5250 – **14 qto** ☐ 23000/26200.

SILVES 8300 Faro 440 U 4 – 10 205 h. – ☎ 082.

Ver : Castelo★ - Sé★.

◆ Lisboa 17 - Faro 62 - Lagos 33.

Albergaria Solar da Moura, Horta do Pocinho Santo, ✉ apartado 146, ☎ 44 31 06, Fax 44 31 08, ←, 🏖 – |♦| ▤ TV ☎ P – **22 qto.**

SINES 7520 Setúbal 440 S 3 – 12 206 h. – ☎ 069 – Praia.
Arred. : Santiago do Cacém ≤★.
ℹ Av. General Humberto Delgado - Mercado Municipal Loja 4 ☎ 63 44 72.
◆Lisboa 165 – Beja 97 – Setúbal 117.

Aparthotel Sinerama sem rest., Rua Marquês de Pombal 167 ☎ 86 25 20, Telex 12671, Fax 63 45 51, ≤ – |‡| ▤ TV ☎ – ♿. AE ◐ E VISA. ✂
☕ 900 – **105 apartamentos** 12500/13500.

Búzio sem rest, Av. 25 de Abril 14 ☎ 86 25 58, Fax 63 51 51 – TV ☎. AE ◐ E VISA. ✂
☕ 400 – **43 qto** 9000/12000.

SINTRA 2710 Lisboa 440 P 1 – 20 574 h. alt. 200 – ☎ 01.
Ver : Palácio Real★★ (azulejos★★, tecto★★) Y.
Arred. : S : Parque da Pena★★ Z, Cruz Alta★★ Z, Castelo dos Mouros★ (≤★) Z, Palácio Nacional da Pena★★ ≤★★ – Convento dos Capuchos★ – Parque de Monserrate★ O : 3 km – Peninha ≤★★ SO : 10 km – Azenhas do Mar★ (sítio★) 16 km por ①.
ℹ Praça da República 23 ☎ 923 11 57.
◆Lisboa 28 ③ – Santarém 100 ③ – Setúbal 73 ③.

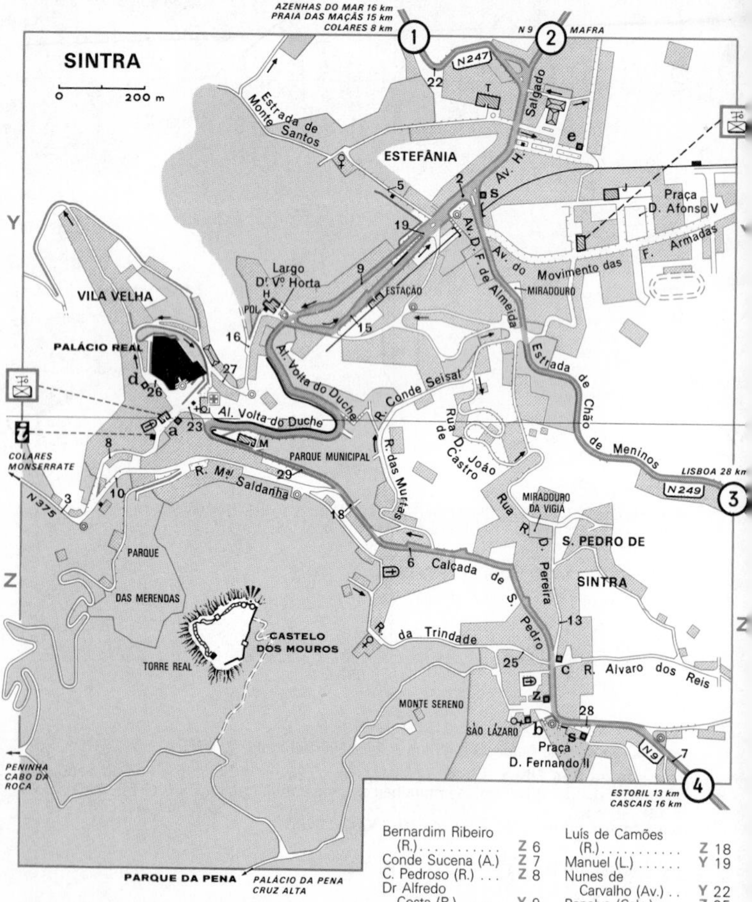

H. Salgado (Av.) . . Y
Pelourinho (Calç.) YZ 23
República (Praça da) . . . . . Y 26

A. de Albuquerque (L.) . . . . Y 2
Almeida Garrett (Al.) Z 3
Barão A. Santos (Av.) Y 5

Bernardim Ribeiro (R.) . . . . Z 6
Conde Sucena (A.) Z 7
C. Pedroso (R.) . . . Z 8
Dr Alfredo Costa (R.) . . . . . Y 9
Dr Carlos França (R.) Z 10
Dr H. de Sousa (R.) . Z 13
Dr M. Bombarda (Av.) Y 15
G. Fernandes (R.) . Y 16

Luís de Camões (R.) . . . . Z 18
Manuel (L.) . . . . . . Y 19
Nunes de Carvalho (Av.) . . Y 22
Penalva (Calç.) . . . Z 25
Rio do Porto (Calç.) . . . Y 27
Tude de Sousa (R.) Z 28
V. Monserrate (R.) . Z 29

Tivoli Sintra, Praça da República 923 35 05, Telex 42314, Fax 923 15 72, ≤ - |‡| ▤ TV ☎ ⇔ P - 25/200. AE ⓓ E VISA JCB. ⚔ rest Y d
Refeição 3800 - **75 qto** ▭ 19000/20800 - PA 7600.

XX **Tacho Real,** Rua da Ferreira 4 923 52 77, Fax 923 09 69, - AE ⓓ E VISA. ⚔ Z a
fechado 4ª feira - **Refeição** lista aprox. 4200.

em São Pedro de Sintra - ✉ 2710 Sintra - 01 :

X **Solar S. Pedro,** Praça D. Fernando II-12 923 18 60, Fax 924 06 78 - ▤. AE ⓓ E VISA. ⚔ Z s
fechado 4ª feira - **Refeição** lista 3000 a 6500.

X **Dos Arcos,** Rua Serpa Pinto 4 923 02 64 - AE ⓓ E VISA JCB. ⚔ Z z
fechado 5ª feira, do 1 ao 16 de junho e do 4 ao 18 de outubro - **Refeição** lista 3700 a 4800.

X **Cantinho de S. Pedro,** Praça D. Fernando II-18 923 02 67 - P. AE ⓓ E VISA. ⚔ Z b
fechado domingo noite e 2ª feira - **Refeição** lista aprox. 4530.

X **D. Fernando,** Rua Higino de Sousa 6 923 33 11, Fax 923 33 11 - AE ⓓ E VISA JCB Z c
fechado 3ª feira e do 15 ao 30 de novembro - **Refeição** lista 3800 a 5900.

na Estefânia - ✉ 2710 Sintra - 01 :

XX **Wiesbaden,** Av. General J.E. Morais Sarmento 1 923 52 68, Fax 923 52 68, - P. AE E VISA. ⚔ Y e
Refeição lista aprox. 3600.

XX **Cintrália** com snack-bar, Largo Afonso de Albuquerque 2 924 22 99, Fax 923 23 19 - ▤. ⓓ E VISA Y s
fechado 2ª feira - **Refeição** lista 3000 a 4100.

na Estrada de Colares pela N 375 - ✉ 2710 Sintra - 01 :

Palácio de Seteais , Rua Barbosa do Bocage 8 - O : 1,5 km 923 32 00, Telex 14410, Fax 923 42 77, ≤ campos em redor, « Luxuosas instalações num palácio do século XVIII rodeado de jardins », climatizada, - |‡| ☎ P. AE ⓓ E VISA. ⚔ rest
Refeição 6500 - ▭ 1600 - **29 qto** 37000/40000, 1 suite - PA 13000.

Quinta da Capela sem rest, O : 4,5 km 929 01 70, Fax 929 34 25, ≤, « Instalado numa quinta », - ☎ P. AE ⓓ VISA
5 qto ▭ 19000/22000, 3 suites.

na Estrada da Lagoa Azul-Malveira por ④ : 7 km - ✉ Linhó 2710 Sintra - 01 :

Caesar Park Penha Longa , 924 90 11, Fax 924 90 07, ≤ campo de golfe e serra de Sintra, , « Numa bela reserva natural com históricos monumentos do século XV », , , , , 18 - |‡| ▤ TV ☎ ⇔ P - 25/280. AE ⓓ E VISA JCB. ⚔
Jardim Primavera : **Refeição** lista 4650 a 6500 - ***Midori*** *(Rest. japonês)* **Refeição** lista 5800 a 7800 - **160 qto** ▭ 31000/34000, 16 suites.

SOBRAL DE MONTE AGRAÇO 2590 Lisboa 440 O 2 - 061.

♦Lisboa 51 - Santarém 61 - Sintra 42 - Torres Vedras 17.

em Folgados - na Estrada N 248 SE : 1,5 km - ✉ 2590 Sobral de Monte Agraço - 061 :

X **O Folgado,** 94 20 89, Rest típico.Carnes na pedra - ▤ P. VISA. ⚔
fechado 5ª feira e agosto - **Refeição** lista aprox. 2700.

SOUSEL 7470 Portalegre 440 P 6 - 068.

♦ Lisboa 185 - Badajoz 73 - Évora 63 - Portalegre 59.

ao Noroeste : 3,5 km - ✉ 7470 Sousel - 068 :

Pousada de São Miguel , Estrada Particular 55 11 60, Fax 55 11 55, ≤ oliveiras, - ▤ TV ☎ P - 25/40. AE ⓓ E VISA. ⚔
Refeição lista aprox. 5700 - **28 qto** ▭ 17000/19000, 4 suites.

TÁBUA 3420 Coimbra 440 K 5 - 2 416 h. alt. 225 - 035.

♦Lisboa 254 - ♦Coimbra 52 - Viseu 47.

Turismo de Tábua, Rua Profesor Dr. Caeiro da Mata 430 40, Fax 431 66 - |‡| ☎. AE ⓓ E VISA. ⚔
Refeição 2000 - **68 qto** ▭ 6000/8500, 2 suites - PA 3800.

TALEFE Lisboa 440 O 1 - ✉ 2640 Mafra - 061.

♦Lisboa 60 - Sintra 33.

Estal. D. Fernando , Quinta da Calada 85 52 04, Fax 85 52 64, ≤, , « Extraordinária localização sobre o mar » - TV P. AE ⓓ E VISA JCB. ⚔
Refeição *(abril-outubro)* (só jantar salvo sábado e domingo) lista 2250 a 3150 - **12 qto** ▭ 9500/11500.

TAVIRA 8800 Faro 440 U 7 - 7 282 h. - 081 - Praia.
Ver : Localidade★.
Praça da República 225 11.
♦Lisboa 314 - Faro 31 - Huelva 72 - Lagos 111.

Quinta do Caracol sem rest, Bairro de São Pedro 224 75, Fax 231 75, « Bungalows num jardim com », - P
7 apartamentos.

Avenida, av. Dr. Mateus T. de Azevedo 6 811 13, - . E VISA.
fechado 3ª feira e maio - **Refeição** lista aprox. 2200.

em Quatro Águas S : 2 km - 8800 Tavira - 081 :

Portas do Mar, 812 55, , Peixes e mariscos - P. AE VISA.
fechado 4ª feira - **Refeição** lista 1900 a 3100.

4 Águas, 32 53 29, , Peixes e mariscos - P. AE E VISA.
fechado 2ª feira e janeiro - **Refeição** lista 2020 a 4020.

na Estrada N 125 NE : 2,5 km - 8800 Tavira - 081 :

Da Bairrada, 32 44 67, Espec. em leitão assado - . E VISA.
fechado 4ª feira, do 15 ao 30 de setembro e do 15 ao 31 de janeiro - **Refeição** lista 2350 a 2900.

TERCENA Lisboa - ver Queluz.

TOLEDO Lisboa 440 O 2 - 2530 Lourinhã - 061.
♦Lisboa 69 - Peniche 26 - Torres Vedras 14.

O Pão Saloio, 98 43 55, Fax 98 47 32, Rest. típico. Grelhados - . AE E VISA.
fechado 2ª feira e 25 setembro-25 outubro - **Refeição** lista 2300 a 3450.

TOMAR 2300 Santarém 440 N 4 - 14 821 h. alt. 75 - 049.
Ver : Convento de Cristo★★ : edifícios conventuais★ (janela★★★), igreja★ (charola dos Templários★★) - Igreja de São João Baptista (portal★).
Av. Dr Cândido Madureira 32 24 27.
♦Lisboa 145 - Leiria 45 - Santarém 65.

Dos Templários, Largo Cândido dos Reis 1 32 17 30, Telex 14434, Fax 32 21 91, <, - P - 25/400. AE E VISA.
Refeição 3500 - **171 qto** 12000/15000, 5 suites - PA 7000.

Estal. de Santa Iria, Parque do Mouchão 31 33 26, Fax 32 10 82, « Num parque » - P - 25/70. E VISA. qto
Refeição 2000 - **14 qto** 12000/13500.

Sinagoga sem rest, Rua Gil Avo 31 32 30 83, Fax 32 21 96 - . E VISA.
23 qto 5000/7200.

Trovador sem rest, Rua 10 de agosto de 1385 32 25 67, Fax 32 21 94 - . AE E VISA.
30 qto 6000/8500.

Cavaleiros de Cristo sem rest, Rua Alexandre Herculano 7 32 12 03, Fax 32 11 92 - . AE E VISA.
17 qto 6000/8000.

Bela Vista, Fonte do Choupo 6 - Ponte Velha 31 28 70, -
fechado 2ª feira noite, 3ª feira e novembro - **Refeição** lista aprox. 2700.

em Castelo de Bode SE : 14 km - 2300 Tomar - 049 :

Pousada de São Pedro , 38 11 59, Fax 38 11 76 - P. AE E VISA.
Refeição lista aprox. 3150 - **25 qto** 17000/19000.

TONDELA 3460 Viseu 440 K 5 - 3 346 h. - 032.
♦Lisboa 271 - ♦Coimbra 72 - Viseu 24.

São José, Av. Francisco Sá Carneiro 81 34 51, Fax 81 34 42, <, , - P - 25/200. AE VISA
Refeição 2500 - **19 qto** 7500/10000 - PA 5000.

Tondela sem rest, Rua Dr. Simões de Carvalho 82 24 11 - P
29 qto.

TORRE DE MONCORVO 5160 Bragança 440 I 8 - 2 457 h. alt. 399 - 079.
Ver : <★ desde a Estrada N 220.
Rua Manuel Seixas, 222 89, Fax 227 28.
♦ Lisboa 403 - Bragança 98 - Vila Real 109.

Brasília sem rest, Estrada N 220 24 30 94, Fax 24 32 55, - P. AE E VISA
27 qto 5000/10500, 1 suite.

TORREIRA Aveiro 440 J 3 - ✉ 3870 Murtosa - ☎ 034 - Praia.
Av. Hintze Ribeiro, ☎ 482 50.
♦ Lisboa 290 - Aveiro 42 - ♦ Porto 54.

Estal. Riabela, Estrada N 327 ☎ 481 37, Telex 37243, Fax 481 47, ≤ ria de Aveiro, - rest TV ☎ P - 25/150. AE O E VISA. rest
Refeição lista aprox. 3100 - **37 qto** 9500/12000.

na Estrada N 327 S : 5 km - ✉ 3870 Murtosa - ☎ 034 :

Pousada da Ria, ☎ 483 32, Telex 37061, Fax 483 33, ≤ ria de Aveiro, -
TV ☎ P. AE O E VISA.
Refeição 3000 - **19 qto** 18000/19500.

TORRES NOVAS **2350** Santarém 440 N 4 - 37 399 h. - ☎ 049.
Largo do Paço ☎ 24910.
♦Lisboa 118 - Castelo Branco 138 - Leiria 52 - Portalegre 120 - Santarém 38.

Dos Cavaleiros, Praça 5 de Outubro ☎ 81 24 20, Telex 61238, Fax 81 20 52 - rest ☎
60 qto.

O Vintém, Rua Miguel Arnide 73 ☎ 23667.

TORRES VEDRAS **2560** Lisboa 440 O 2 - 10 997 h. alt. 30 - ☎ 061 - Termas.
Rua 9 de Abril ☎ 31 40 94.
♦Lisboa 55 - Santarém 74 - Sintra 62.

Imperio Jardim, Praça 25 de Abril ☎ 31 42 32, Fax 32 19 01 - rest TV ☎ -
25/180. AE O E VISA.
Refeição 1800 - **47 qto** 5500/7500 - PA 3600.

Dos Arcos sem rest, Bairro Arenes - Estrada do Cadaval ☎ 31 24 89, Fax 238 70 - TV
☎ - 25/40. AE O E VISA
28 qto 5000/7500.

Moderna sem rest e sem, Av. Tenente Valadim 18 ☎ 31 41 46 - TV
14 qto.

em Paul- pela Estrada N 9 O : 3,5 km - ✉ 2560 Torres Vedras - ☎ 061 :

O Barracão, ☎ 249 08, Grelhados - .
fechado 2ª feira e do 16 ao 31 de agosto - **Refeição** lista 2600 a 3700.

TRÓIA Setúbal 440 Q 3 - ✉ 2900 Setúbal - ☎ 065 - Praia.
Club de Golf de Tróia ☎ 441 51.
para Setúbal, Ponta do Adoxe ☎ 443 24.
♦Lisboa 181 - Beja 127 - Setúbal 133.

na Estrada N 253-1 S : 1,5 km - ✉ 2900 Setúbal - ☎ 065 :

Bar Golf, Clube de Golf ☎ 441 11, ≤, , « Ao pé do campo de golf » - P. AE O
E VISA.
Refeição lista aprox. 3500.

TUIDO - GANDRA Viana do Castelo - ver Valença do Minho.

TURCIFAL Lisboa 440 O 2 - ✉ 2560 Torres Vedras - ☎ 061.
♦Lisboa 49 - Estoril 69 - Sintra 41 - Torres Vedras 9.

Lampião, junto à igreja ☎ 95 11 42 - .
fechado 2ª feira noite, 3ª feira e do 15 ao 31 de julho - **Refeição** lista 2100 a 2850.

VAGOS **3840** Aveiro 440 K 3 - ☎ 034.
♦Lisboa 233 - Aveiro 12 - ♦Coimbra 43.

Santiago sem rest, Rua Padre Vicente Maria da Rocha ☎ 79 37 86, Fax 79 37 86 - . AE
O E VISA
21 qto 5000/7000.

VALE DA TELHA Faro - ver Aljezur.

VALE DE AREIA Faro - ver Ferragudo.

VALE DE LOBOS Lisboa - ver Sabugo.

VALE DO LOBO Faro - ver Almancil.

VALENÇA DO MINHO 4930 Viana do Castelo 440 F 4 - 2 474 h. alt. 72 - ☏ 051.
Ver : Vila Fortificada★ (≤★).
Arred. : Monte do Faro★★ (※★★) E : 7 km e 10 mn a pé.
Estrada N 13 ☏ 233 74 - A.C.P. Estrada N 13 ☏ 224 68.
♦Lisboa 440 - Braga 88 - ♦Porto 122 - Viana do Castelo 52.

Lara, São Sebastião ☏ 82 43 48, Telex 33363 - |♦| ▤ ☎ - **53 qto.**
Val - Flores sem rest, Esplanada ☏ 82 41 06, Fax 82 41 29 - |♦| ☎. AE ⓓ E VISA. ✂
31 qto ☐ 3600/6800.
Ponte Seca sem rest, Av. Tito Fontes - Estrada Monte do Faro ☏ 225 80 - **10 qto.**
XXX **Pousada do São Teotónio** ⑤ com qto, ☏ 82 42 42, Telex 32837, Fax 82 43 97, ≤ vale do Minho, Tuy e montanhas de Espanha, ⛱ - ▤ TV ☎. AE ⓓ E VISA. ✂
Refeição lista 2200 a 4950 - **16 qto** ☐ 15500/17500.

na Estrada N 13 S : 1 km - ✉ 4930 Valença do Minho - ☏ 051 :

Valença do Minho, Av. Miguel Dantas ☏ 82 41 44, Telex 33470, Fax 82 43 21, ⛱ - |♦| ▤ TV ☎ ⇔ P. E VISA. ✂
Refeição 1450 - **36 qto** ☐ 6000/9000 - PA 2900.

em Tuido-Gandra S : 3 km - ✉ 4930 Valença do Minho - ☏ 051 :

XX **Lido,** Estrada N 13 ☏ 82 52 90, Fax 82 52 98 - ▤ P. AE ⓓ E VISA. ✂
fechado 3ª feira - **Refeição** lista aprox. 2000.

no Monte do Faro E : 7 km - ✉ 4930 Valença do Minho - ☏ 051 :

X **Monte do Faro** ⑤ com qto, ☏ 224 11, ⛱, « Num parque » - P. AE ⓓ E VISA. ✂
Refeição *(fechado 3ª feira)* lista 3940 a 4640 - **6 qto** ☐ 6000/8000.

em Monte-São Pedro da Torre SO : 7 km - ✉ 4930 Valença do Minho - ☏ 051 :

Padre Cruz sem rest, Estrada N 13 ☏ 83 92 39, Fax 83 96 47 - P. ✂
31 qto ☐ 4000/6000.

VIANA DO CASTELO 4900 P 440 G 3 - 15 336 h. - ☏ 058 - Praia.
Ver : Praça da República★ B - Hospital da Misericordia★ **C** - Museu Municipal★ (faianças portuguesas★).
Arred. : Monte de Santa Luzia★★, Basílica de Santa Luzia ※★★ N : 6 km - Ponte de Lima : Igreja - Museu São Francisco★ (forros de madeira★) por ① : 23 km.
Rua do Hospital Velho ☏ 226 20.
♦Lisboa 388 ② - Braga 53 ② - Orense/Ourense 154 ③ - ♦Porto 74 ② - ♦Vigo 83 ③.

Plano página seguinte

Do Parque, Parque da Galiza ☏ 82 86 05, Telex 32511, Fax 82 86 12, ≤, ⛱ - |♦| TV - 🏠 25/180. AE ⓓ E VISA. ✂ B **h**
Refeição lista 3000 a 3500 - ☐ 1500 - **123 qto** 13000/17500.
Alfonso III, Av. Afonso III - 494 ☏ 82 90 01, Telex 32599, Fax 266 38, ≤ - |♦| ▤ rest TV. AE ⓓ E VISA. ✂ B **k**
Refeição lista aprox. 2900 - **89 qto** ☐ 9300/12500.
Viana Sol sem rest, Largo Vasco da Gama ☏ 82 89 95, Telex 32790, Fax 82 89 97, ⛱ - |♦| TV ☎ - 🏠 25/145. AE ⓓ E VISA. ✂ B **f**
65 qto ☐ 9700/11500.
Rali sem rest, Av. Afonso III - 180 ☏ 82 97 70, Fax 82 00 60, ⛱ - |♦| TV P. AE E VISA. ✂
38 qto ☐ 7500/10000. B **d**
Albergaria Calatrava sem rest, Rua M. Fiúza Júnior 157 ☏ 82 89 11, Fax 82 86 37 - TV
15 qto. B **n**
Jardim sem rest, Largo 5 de Outubro 68 ☏ 82 89 15, Fax 82 89 17, ≤ - |♦| TV ☎. AE ⓓ E VISA. ✂ B **c**
20 qto ☐ 6250/8500.
Laranjeira sem rest, Rua General Luís do Rego 45 ☏ 82 22 61, Fax 82 19 02 - ✂ B **a**
27 qto ☐ 6000/8000.
Viana Mar sem rest, Av. dos Combatentes da Grande Guerra 215 ☏ 82 89 62, Fax 82 89 62
36 qto. B **b**
XX **Casa d'Armas,** Largo 5 de Outubro 30 ☏ 249 99 - ▤. ⓓ E VISA. ✂ B **t**
fechado 2ª feira (15 setembro-15 junho) - **Refeição** lista 3350 a 4800.
XX **Cozinha das Malheiras,** Rua Gago Coutinho 19 ☏ 82 36 80 - ▤. AE ⓓ E VISA. ✂ B **e**
fechado 3ª feira - **Refeição** lista aprox. 4200.
X **Os 3 Potes,** Beco dos Fornos 7 ☏ 82 99 28, Fax 252 50, Decoração rústica regional - ▤. E VISA B **s**
Refeição lista 2050 a 3440.
X Alambique, com qto, Rua Manuel Espregueira 86 ☏ 82 38 94, Decoração rústica regional
24 qto. A **e**

VIANA DO CASTELO

Bandeira (Rua da) . . . . B
Combatentes da Grande Guerra (Av. dos) . . . . AB 7
República (Praça da) . . . . . B 18
Cândido dos Reis (Rua) . . . . B 3
Capitão Gaspar de Castro (Rua) . . . . B 4
Carmo (Rua do) . . . . B 6
Conde da Carreira (Av. da) . A 9
Dom Afonso III (Av.) . . . . . . B 10
Gago Coutinho (R. de) . . . . . B 12
Humberto Delgado (Av.) . . . A 13
João Tomás da Costa (Largo) . . . . B 15
Luís de Camões (Av.) . . . . . B 16
Sacadura Cabral (Rua) . . . . . B 19
Santa Luzia (Estrada) . . . . . . A 21
São Pedro (Rua de) . . . . B 22

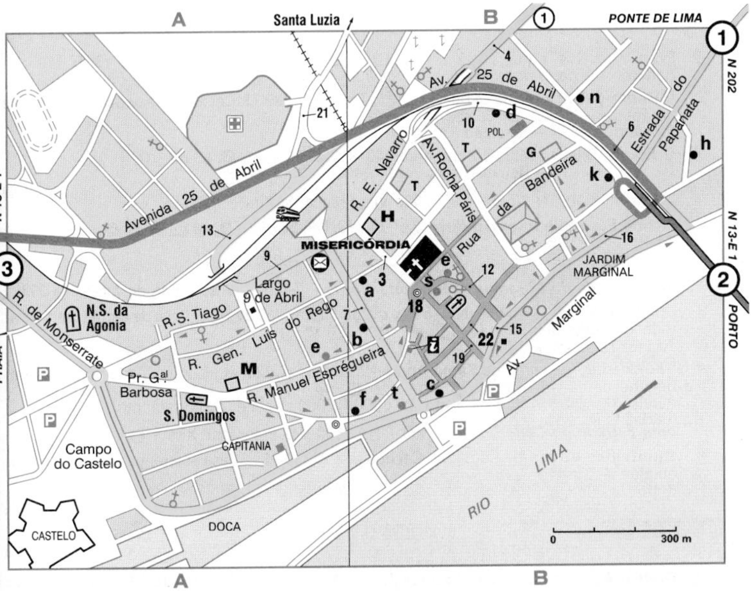

em Santa Luzia N : 6 km – ✉ 4900 Viana do Castelo – ☎ 058 :

Santa Luzia ⛰, ☎ 82 88 89, Fax 82 88 92, « Bela situação com ≤ mar, vale e estuário do Lima », 🏊, 🌳, 🎾 – |‡| 🅿. AE ⓓ E VISA. ✂
Refeição lista aprox. 4550 – **55 qto** ▭ 17000/19000.

na Praia da Amorosa por ② : 8,5 km – ✉ 4900 Viana do Castelo – ☎ 058 :

Amorosa ⛰ sem rest, ☎ 35 10 14, ≤ – AE ⓓ E VISA JCB. ✂ – **20 qto** ▭ 8000.

VIEIRA DO MINHO

4850 Braga 440 H 5 – 2 229 h. alt. 390 – ☎ 053.

♦Lisboa 402 – Braga 34 – ♦Porto 84.

em Caniçada - na Estrada N 304 NO : 7 km – ✉ 4850 Vieira do Minho – ☎ 053 :

Pousada de São Bento ⛰, ☎ 64 71 90, Fax 64 78 67, ≤ serra do Gerês e rio Cávado, 🌳 – ▤ ☎ 🅿. AE ⓓ E VISA. ✂
Refeição lista aprox. 4200 – **29 qto** ▭ 18500/21500.

em Cerdeirinhas - na Estrada N 103 NO : 5 km – ✉ 4850 Vieira do Minho – ☎ 053 :

Mosteiro, ☎ 64 77 77 – 🅿. AE ⓓ E VISA. ✂
Refeição 2550 – **18 qto** ▭ 7200/8500 – PA 5000.

VILA BALEIRA

Madeira – ver Madeira (Arquipélago da) : Porto Santo.

VILA DO CONDE

4480 Porto 440 H 3 – 20 245 h. – ☎ 052 – Praia.

Ver : Convento de Santa Clara★ (túmulos★).

🅘 Rua 25 de Abril 103 ☎ 63 14 72.

♦Lisboa 342 – Braga 40 – ♦Porto 27 – Viana do Castelo 42.

Estal. do Brasão sem rest., Av. Dr. João Canavarro ☎ 64 20 16, Fax 64 20 28 – |‡| ▤ TV ☎ 🅿 – 🏛 25/150. AE ⓓ E VISA. ✂ – **26 qto** ▭ 8500/12000, 4 suites.

Le Villageois, Praça da República 94 ☎ 63 11 19 – AE ⓓ E VISA. ✂
fechado 2ª feira ao meio-dia em julho e agosto (2ª feira resto do ano) e 25 setembro-15 outubro – **Refeição** lista aprox. 2400.

em Azurara pela Estrada N 13 SE : 1 km - ✉ 4480 Vila do Conde - ☎ 052 :

Sopete Santana Motel ⑤, ☎ 64 17 17, Fax 64 26 93, ≤, ⊡ - TV Ⓟ. AE ⓓ E VISA. ✻ rest
Refeição lista aprox. 2000 - ☕ 600 - **35 qto** 13000.

VILA FRANCA DE XIRA 2600 Lisboa 440 P 3 - 19 823 h. - ☎ 063.
🅱 Av. Almirante Cândido dos Reis 147, ☎ 260 53.
♦Lisboa 31 - Évora 111 - Santarém 49.

Flora, Rua Noel Perdigão 12 ☎ 27 12 72, Fax 265 38 - ▤ rest TV ☎. AE ⓓ E VISA. ✻
Refeição *(fechado domingo e setembro)* lista 1950 a 4850 - **21 qto** ☕ 5800/6750.

XX **O Redondel,** Estrada de Lisboa, Praça de Touros ☎ 229 73, Debaixo das bancadas da Praça de Touros - ▤. AE ⓓ E VISA. ✻
fechado 2ª feira - **Refeição** lista 4450 a 6000.

X **O Forno,** Rua Dr. Miguel Bombarda 143 ☎ 321 06 - ▤. AE E VISA. ✻
fechado 3ª feira - **Refeição** lista 2450 a 4000.

na Estrada N 1 N : 2 km - ✉ 2600 Vila Franca de Xira - ☎ 063 :

Lezíria Parque e Rest Aquárius, ☎ 266 70, Fax 269 90 - |♦| ▤ TV ☎ ♿ Ⓟ - 🔔 25/80. AE ⓓ E VISA. ✻
Refeição lista aprox. 5800 - **67 qto** ☕ 10800/12700, 4 suites.

pela Estrada do Miradouro de Monte Gordo - ✉ 2600 Vila Franca de Xira - ☎ 063 :

Quinta do Alto ⑤ sem rest, N : 3,5 km ☎ 268 50, Fax 260 27, ≤, « Casa de campo senhorial rodeada duma quinta », ⚕, ⊡, ⛱, ✂ - TV ☎ Ⓟ
10 qto, 1 apartamento.

São Jorge ⑤, Quinta de Santo André N : 2,5 km ☎ 221 43, ≤, « Instalado numa quinta. Bela decoração interior », ⛱, ⛱ - 🚗 Ⓟ. ✻
Refeição (só jantar) 2500 - **5 qto** ☕ 6000/12000, 1 suite, 1 apartamento.

pela Estrada de Cadafais N : 6 km - ✉ 2600 Vila Franca de Xira - ☎ 063 :

Quinta das Covas ⑤ sem rest, Cachoeiras ☎ 330 31, « Casa solarenga instalada numa quinta » - 🚗 Ⓟ
8 qto ☕ 8000/12000.

VILA FRESCA DE AZEITÃO Setúbal 440 Q 2 y 3 - ✉ 2925 Azeitão - ☎ 065.
♦Lisboa 33 - Sesimbra 14 - Setúbal 12.

Club d'Azeitão sem rest, Estrada N 10 ☎ 218 22 67, Fax 219 16 29, « Antiga casa senhorial », ⛱, ✂ - TV ☎ Ⓟ. ⓓ E VISA. ✻
10 qto ☕ 16000/18000.

VILAMOURA Faro - ver Quarteira.

VILA NOGUEIRA DE AZEITÂO 2925 Setúbal 440 Q 2 - ☎ 01.
♦Lisboa 37 - Sesimbra 13 - Setúbal 24.

X S. Lourenço, Estrada N 10 ☎ 219 10 56 - ▤ Ⓟ.

VILA NOVA DE CERVEIRA 4920 Viana do Castelo 440 G 3 - 1 034 h. - ☎ 051.
🅱 Praça da Liberdade ☎ 957 87.
♦Lisboa 425 - Viana do Castelo 37 - ♦Vigo 46.

Pousada D. Diniz ⑤, Praça da Liberdade ☎ 79 56 01, Telex 32821, Fax 79 56 04, « Instalações dentro dum conjunto amuralhado » - ▤ TV ☎. AE ⓓ E VISA. ✻ rest
Refeição 3500 - **28 qto** ☕ 18500/21500 - PA 6000.

em Reboreda - Estrada N 13 NE : 3 km - ✉ 4920 Vila Nova de Cerveira - ☎ 051 :

Calisto sem rest, ☎ 79 55 60, Fax 79 55 61 - Ⓟ - **36 qto.**

em Gondarem - pela Estrada N 13 SO : 4 km - ✉ 4920 Vila Nova de Cerveira - ☎ 051 :

Estal. da Boega ⑤, Quinta do Outeiral ☎ 79 52 31, ≤ rio Minho, « Antiga casa senhorial rodeada duma quinta », ⛱, ⛱, ✂ - Ⓟ. AE ⓓ VISA. ✻
Refeição *(fechado domingo noite)* 2500 - **30 qto** ☕ 11000/12000 - PA 5000.

VILA NOVA DE FAMALICÃO 4760 Braga 440 H 4 - 4 201 h. alt. 88 - ☎ 052.
♦Lisboa 350 - Braga 18 - ♦Porto 32.

Francesa sem rest, Av. General Humberto Delgado ☎ 31 12 41 - |♦|. E VISA. ✻
☕ 300 - **38 qto** 5600/8000.

XX **Iris,** Rua Adriano Pinto Basto ☎ 31 10 22, Fax 763 68 - ▤. VISA. ✻
fechado domingo e agosto - **Refeição** lista 3350 a 4900.

X **Tanoeiro,** Campo Mouzinho de Albuquerque 207 ☎ 32 21 62 - ▤. E VISA. ✻
fechado domingo - **Refeição** lista 3200 a 3800.

VILA NOVA DE GAIA 4400 Porto 440 I 4 – 63 177 h. – ✪ 02.

🅱 Av. Diego Leite 242 ℰ 30 19 02.

◆Lisboa 316 – ◆Porto 2.

Ver plano de Porto aglomeração

🏯 **Gaiahotel**, Av. da República 2038 ℰ 379 60 51, Telex 24957, Fax 370 24 35, *Ⓕⓢ* – |⧚| 🍽 📺
☎ ⟵ – 🄰 25/200. 🄰🄴 ⓞ 🄴 𝑉𝐼𝑆𝐴. ✼ BV **g**
Refeição 3350 – ☲ 1100 – **90 qto** 14700/16700.

🏠 **Davilina**, Av. da República 1571 ℰ 30 75 96, Fax 30 75 71 – |⧚| 🍽 rest. 🄰🄴 🄴 𝑉𝐼𝑆𝐴. ✼ qto
Refeição 1800 – **29 qto** ☲ 5500. BCV **x**

na Autoestrada A 1 – ⊠ 4400 Vila Nova de Gaia – ✪ 02 :

🏨 **Novotel Porto Gaia**, Lugar Das Chas - Afurada ℰ 781 42 42, Fax 781 45 73, ≼, **ⅉ** – |⧚|
🍽 📺 ☎ ⅋ ⅋ – 🄰 25/200. 🄰🄴 ⓞ 🄴 𝑉𝐼𝑆𝐴 BV **r**
Refeição lista aprox. 3600 – ☲ 1100 – **93 qto** 11900/12500.

🏠 **Ibis Porto-Gaia**, Lugar das Chas - Afurada ℰ 772 07 72, Telex 26544, Fax 772 07 88 – |⧚|
🍽 📺 ☎ ⅋ ⅋ – 🄰 25/80. 🄰🄴 ⓞ 🄴 𝑉𝐼𝑆𝐴 BV **r**
Refeição 2100 – ☲ 350 – **108 qto** 8300/8900.

na Praia de Lavadores O : 7 km – ⊠ 4400 Vila Nova de Gaia – ✪ 02 :

🏯 **Casa Branca Praia** ✎, Rua da Bélgica 86 ℰ 781 35 16, Telex 20811, Fax 781 36 91,
« Ambiente acolhedor em elegantes instalaçoes », *Ⓕⓢ*, 🔲, ✼ – |⧚| 🍽 📺 ☎ ⟵ –
🄰 25/150. 🄰🄴 ⓞ 🄴 𝑉𝐼𝑆𝐴 𝐽𝐶𝐵 AV **s**
Refeição (ver rest. *Casa Branca*) – **56 qto** ☲ 12750/14450.

🍽🍽 **Casa Branca**, av. Beira Mar 413 ℰ 781 02 69, Telex 20811, Fax 781 36 91, ≼, Colecção de
estatuetas de terracota – 🍽. 🄰🄴 ⓞ 🄴 𝑉𝐼𝑆𝐴 𝐽𝐶𝐵. ✼ AV **s**
fechado 2ª feira – **Refeição** lista 2950 a 5550.

VILA PRAIA DE ÂNCORA 4915 Viana do Castelo 440 G 3 – 3 801 h. – ✪ 058 – Termas - Praia.

🅱 Rua Miguel Bombarda ℰ 91 13 84.

◆Lisboa 403 – Viana do Castelo 15 – ◆Vigo 68.

🏨 **Meira**, Rua 5 de Outubro 56 ℰ 91 11 11, Fax 91 14 89, **ⅉ** – |⧚| 🍽 📺 ☎ ⅋. 🄴 𝑉𝐼𝑆𝐴. ✼
maio-outubro – **Refeição** 2200 – **57 qto** ☲ 12000/15000 – PA 4000.

🏨 **Albergaria Quim Barreiros** sem rest, Rua Dr. Ramos Pereira ℰ 95 12 18, Fax 95 12 20,
≼ – |⧚| 🍽 📺 ☎. 🄰🄴 ⓞ 🄴 𝑉𝐼𝑆𝐴. ✼
28 qto ☲ 12900.

VILAR DO PINHEIRO 4480 Porto 440 I 4 – ✪ 02.

◆Lisboa 330 – Braga 43 – ◆Porto 16.

🍽 **Rio de Janeiro**, Estrada N 13-NO : 1 km ℰ 927 02 04, Fax 600 43 37, Cozinha brasileira
– 🍽 ⅋. 🄰🄴 ⓞ 🄴 𝑉𝐼𝑆𝐴. ✼
fechado 2ª feira – **Refeição** lista aprox. 4150.

VILA REAL 5000 🅿 440 I 6 – 13 876 h. alt. 425 – ✪ 059.

Ver : Igreja de São Pedro (tecto★).

Arred. : Solar de Mateus★★ (fachada★★) E : 3,5 Km – Estrada de Vila Real a Amarante ≼★ –
Estrada de Vila Real a Mondim de Basto (≼★, descida escarpada ★).

🅱 Av. Carvalho Araujo ℰ 228 19 – A.C.P. Av. 1º de Maio 68, ℰ 756 50, Fax 756 50.

◆Lisboa 400 – Braga 103 – Guarda 156 – Orense/Ourense 159 – ◆ Porto 119 – Viseu 108.

🏨 **Mira Corgo** sem rest, Av. 1º de Maio ℰ 250 01, Telex 27725, ≼, 🔲 – |⧚| ⅋. 🄰🄴 ⓞ 🄴 𝑉𝐼𝑆𝐴
76 qto ☲ 6500/9000.

🏨 **Cabanelas**, Rua D. Pedro de Castro ℰ 32 31 53, Telex 24580, Fax 741 81 – |⧚| 🍽 rest ⟵.
24 qto.

🏠 **Real** sem rest, Rua Serpa Pinto ℰ 32 58 79, Fax 32 46 13 – 📺 ☎. ✼
12 qto ☲ 3800/5500.

🍽🍽 Espadeiro, Av. Almeida Lucena ℰ 32 23 02, Fax 724 22, 🍴 – 🍽.

VILA REAL DE SANTO ANTÓNIO 8900 Faro 440 U 7 – 13 379 h. – ✪ 081 – Praia.

⚓ para Ayamonte (Espanha), Av. da República 115 ℰ 431 52.

🅱 Av. Infante Dom Henrique (em Monte Gordo) ℰ 444 95.

◆ Lisboa 314 – Faro 53 – Huelva 50.

🏯 **Guadiana** sem rest, Av. da República 94 ℰ 51 14 82, Fax 51 14 78 – |⧚| 🍽 📺 ☎. 🄰🄴 🄴
𝑉𝐼𝑆𝐴. ✼
37 qto ☲ 7000/9600.

🏨 **Apolo** sem rest, Av. dos Bombeiros Portugueses ℰ 51 24 48, Telex 56902, Fax 51 24 50
– |⧚| 🍽 📺 ☎ ⅋. 🄰🄴 ⓞ 𝑉𝐼𝑆𝐴. ✼
42 qto ☲ 10000/12000.

em Monte Gordo O : 4 km – ✉ 8900 Vila Real de Santo António – ☎ 081 :

Casablanca sem rest, Rua 7 ☎ 51 14 44, Fax 51 19 99, ⛱, 🏊 – |♦| ▤ ☎ – **42 qto.**

Paiva sem rest, Rua Onze ☎ 51 11 87, Fax 51 16 68 – ▤ TV ☎ 🚗. ⓓ E VISA. ✻
fechado dezembro-janeiro – **26 qto** ☕ 8680/13000.

Copacabana, Av. Infante Dom Henrique 13 ☎ 415 36, Telex 56054, Fax 51 28 72, ☂, Grelhados – ▤
temp.

VIMEIRO (Termas do) Lisboa 440 O 2 – 1 146 h. alt. 25 – ✉ 2560 Torres Vedras – ☎ 061 – Termas.

⛳ Club Golf Vimeiro Praia do Porto Novo ☎ 981 57.

♦Lisboa 67 – Peniche 28 – Torres Vedras 12.

Das Termas 🐚, Maceira ☎ 98 41 03, ⛱ de água termal, 🎾 – |♦| Ⓟ
temp. – **83 qto**, 3 suites.

Rainha Santa sem rest, Estrada de A. dos-Cunhados - Quinta da Piedade ☎ 98 42 34, Fax 98 42 76 – TV Ⓟ. VISA. ✻ – **19 qto** ☕ 4600/5500.

na Praia do Porto Novo O : 4 km – ✉ 2560 Torres Vedras – ☎ 061 :

Golf Mar 🐚, ☎ 98 41 57, Telex 43353, Fax 98 46 21, ≤, ⛱, 🏊, 🎾, ⛳ – |♦| ☎ Ⓟ – 🏃 25/400. AE ⓓ VISA. ✻ – **Refeição** 3750 – **269 qto** ☕ 13600/17900, 9 suites.

VISEU 3500 P 440 K 6 – 21 454 h. alt. 483 – ☎ 032.

Ver : Vila Velha★ : Museu Grão Vasco★★ **M** (Trono da Graça★, primitivos★★) – Sé★ (liernes★, retábulo★) – Igreja de São Benito (azulejos★).

ℹ Av. Gulbenkian ☎ 42 20 14 – **A.C.P.** Rua da Paz 36, ☎ 42 24 37, Fax 45 24 37.

♦Lisboa 292 ④ – Aveiro 96 ① – ♦Coimbra 92 ④ – Guarda 85 ② – Vila Real 108 ①.

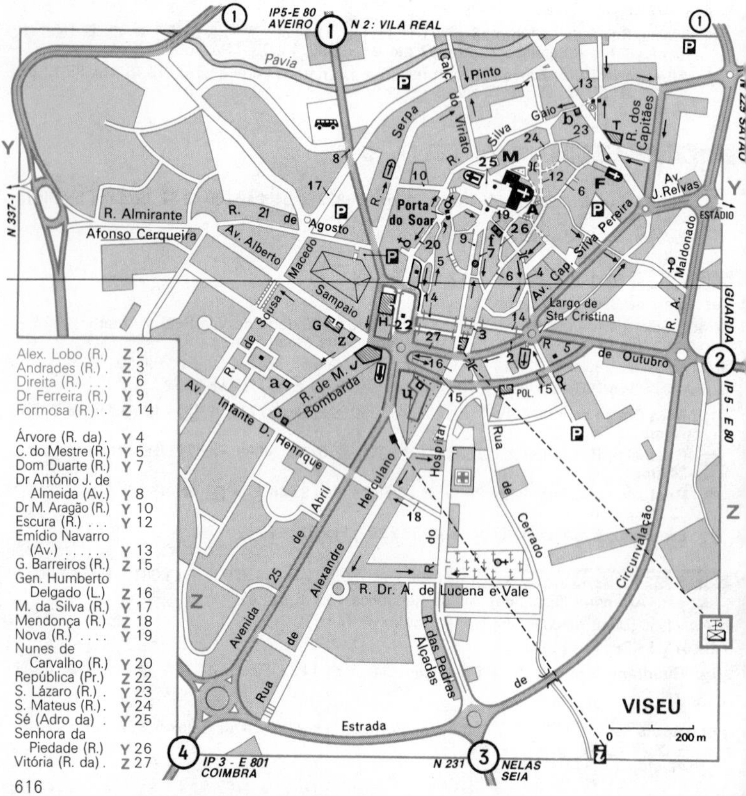

Alex. Lobo (R.) Z 2
Andrades (R.) Z 3
Direita (R.) Y 6
Dr Ferreira (R.) Y 9
Formosa (R.) Z 14

Árvore (R. da) Y 4
C. do Mestre (R.) Y 5
Dom Duarte (R.) Y 7
Dr António J. de Almeida (Av.) Y 8
Dr M. Aragão (R.) Y 10
Escura (R.) Y 12
Emídio Navarro (Av.) Y 13
G. Barreiros (R.) Z 15
Gen. Humberto Delgado (L.) Z 16
M. da Silva (R.) Y 17
Mendonça (R.) Z 18
Nova (R.) Y 19
Nunes de Carvalho (R.) Y 20
República (Pr.) Z 22
S. Lázaro (R.) Y 23
S. Mateus (R.) Y 24
Sé (Adro da) Y 25
Senhora da Piedade (R.) Y 26
Vitória (R. da) Z 27

Grão Vasco, Rua Gaspar Barreiros ✆ 42 35 11, Telex 53608, Fax 270 47, ≤, « Relvado com 🏊 » - |⇕| ▤ TV ☎ P - 🎤 25/180. AE ⊙ E VISA. ✗ rest Z u
Refeição lista 1900 a 3800 - **110 qto** ⊆ 11300/13000.

Moinho de Vento sem rest, Rua Paulo Emilio 13 ✆ 42 41 16, Telex 52698, Fax 42 96 62 - |⇕| ▤ TV ☎. AE ⊙ E VISA. ✗ Z a
30 qto ⊆ 8500/10000.

Avenida, Av. Alberto Sampaio 1 ✆ 42 34 32, Fax 267 43 - |⇕| TV ☎. AE ⊙ E VISA. ✗ rest
Refeição 1800 - **30 qto** 7000/8500 - PA 3600. Z z

Infante, Av. Infante D. Henrique 87 ✆ 278 39, Fax 42 15 53 - ▤. AE VISA. ✗ Z c
fechado 2ª feira - **Refeição** lista 1500 a 3050.

Trave Negra, Rua dos Loureiros 40 ✆ 261 38, Fax 42 48 53 - ▤ P. AE ⊙ E VISA Y b
Refeição lista aprox. 3950.

Varanda da Sé, Rua Augusto Hilário 55 ✆ 42 11 35 - E VISA Y f
fechado 3ª feira e 15 maio-15 junho - **Refeição** lista aprox. 2500.

O Cortiço, Rua Augusto Hilário 43 ✆ 42 38 53, Rest. típico - ▤ Y f

Churrasqueria Santa Eulália, Bairro de Santa Eulália - 1,5 km ✆ 262 83 - ▤. E VISA. ✗
Refeição lista 1820 a 3000. por ④

na Estrada N 16 por ② : 4 km - ✉ 3500 Viseu - ✪ 032 :

Onix, Via Caçador ✆ 47 92 43, Fax 47 87 44 - |⇕| ▤ TV ☎ P - 🎤 25/600. AE ⊙ E VISA. ✗ rest
Refeição 2500 - **73 qto** ⊆ 7000/9000.

Quinta da Magarenha, Via Caçador ✆ 47 91 06, Fax 47 94 22 - ▤ P. AE VISA. ✗
fechado 2ª feira e do 15 ao 30 de junho - **Refeição** lista 2000 a 3550.

na Estrada N 2 por ① : 4 km - ✉ 3500 Viseu - ✪ 032 :

Resthotel Viseu, ✆ 45 12 76, Fax 45 13 71 - ▤ TV ☎ P - 🎤 25/40. AE ⊙ E VISA
Refeição 2200 - **60 qto** ⊆ 8250/9250 - PA 4400.

DISTANCIAS

Algunas precisiones :

En el texto de cada localidad encontrará la distancia a las ciudades de los alrededores y a la capital del estado. Cuando estas ciudades figuran en el cuadro de la página siguiente, su nombre viene precedido de un rombo negro ♦.

Las distancias entre capitales de este cuadro completan las indicadas en el texto de cada localidad. Utilice también las distancias marcadas al margen de los planos.

El kilometraje está calculado a partir del centro de la ciudad por la carretera más cómoda, o sea la que ofrece las mejores condiciones de circulación, pero que no es necesariamente la más corta.

DISTÂNCIAS

Algumas precisões :

No texto de cada localidade encontrará a distância até às cidades dos arredores e à capital do pais. Quando estas cidades figuram no quadro da pàgina seguinte, o seu nome aparece precedido dum losango preto ♦.

As distâncias deste quadro completam assim as que são dadas no texto de cada localidade. Utilize também as indicações quilométricas inscritas na orla dos planos.

A quilometragem é contada a partir do centro da localidade e pela estrada mais prática, quer dizer, aquela que oferece as melhores condições de condução, mas que não é necessàriamente a mais curta.

DISTANCES

Quelques précisions :

Au texte de chaque localité vous trouverez la distance des villes environnantes et de sa capitale d'état. Lorsque ces villes sont celles du tableau ci-contre, leur nom est précédé d'un losange noir ♦.

Les distances intervilles de ce tableau complètent ainsi celles données au texte de chaque localité. Utilisez aussi les distances portées en bordure des plans.

Les distances sont comptées à partir du centre-ville et par la route la plus pratique, c'est-à-dire celle qui offre les meilleures conditions de roulage, mais qui n'est pas nécessairement la plus courte.

DISTANZE

Qualche chiarimento :

Nel testo di ciascuna località troverete la distanza dalle città viciniori e dalla capitale. Quando queste città sono quelle della tabella a lato, il loro nome é preceduto da una losanga ♦.

Le distanze fra le città di questa tabella completano cosi quelle indicate nel testo di ciascuna località. Utilizzate anche le distanze riportate a margine delle piante.

Le distanze sono calcolate a partire dal centro delle città e seguendo la strada più pratica, ossia quella che offre le migliori condizioni di viaggio ma che non é necessariamente la più breve.

ENTFERNUNGEN

Einige Erklärungen :

In jedem Ortstext finden Sie die Entfernungsangaben nach weiteren Städten in der Umgebung und nach der Landeshauptstadt. Wenn diese Städte auf der nebenstehenden Tabelle aufgeführt sind, sind sie durch eine Raute ♦ gekennzeichnet.

Die Kilometerangaben dieser Tabelle ergänzen somit die Angaben des Ortstextes. Eine weitere Hilfe sind auch die am Rande der Stadtpläne erwähnten Kilometerangaben.

Die Entfernungen gelten ab Stadtmitte unter Berücksichtigung der günstigsten (nicht immer Kürzesten) Strecke.

DISTANCES

Commentary :

The text on each town includes its distance from its immediate neighbours and from the capital. Those cited opposite are preceded by a lozenge ♦ in the text.

The kilometrage in the table completes that given under individual town headings in calculating total distances. Note also that some distances appear in the margins of town plans.

Distances are calculated from centres and along the best roads from a motoring point of view – not necessarily the shortest.

Distancias entre las ciudades principales
Distancias entre as cidades principais
Distances entre principales villes
Distanze tra le principali città
Entfernungen zwischen den größeren Städten
Distances between major towns

Madrid - Vigo: 603 km

	Albacete	Alicante/Alacant	Almería	Andorra la Vella	Badajoz	Barcelona	Bayonne	Bilbao/Bilbo	Burgos	Cáceres	Cádiz	Coimbra	Córdoba	La Coruña/A Coruña	Granada	León	Lérida/Lleida	Lisboa	Logroño	Madrid	Málaga	Murcia	Oviedo	Pamplona/Iruñea	Perpignan	Porto	Salamanca	San Sebastián/Donostia	Santander	Segovia	Sevilla	Valencia	Valladolid	Vigo	Vitoria/Gasteiz
Alicante/Alacant	167																																		
Almería	348	288																																	
Andorra la Vella	665	680	930																																
Badajoz	604	771	630	1017																															
Barcelona	517	532	782	190	1014																														
Bayonne	751	787	1058	398	814	536																													
Bilbao/Bilbo	639	806	946	548	701	608	154																												
Burgos	481	649	788	601	542	598	276	164																											
Cáceres	507	674	682	920	95	917	722	610	450																										
Cádiz	586	638	452	1239	340	1103	1127	1015	857	392																									
Coimbra	763	933	923	1130	287	1127	815	701	541	340	633																								
Córdoba	351	517	327	1004	275	868	893	780	623	328	239	568																							
La Coruña/A Coruña	865	1032	1165	1133	706	1130	730	576	511	656	1111	430	1000																						
Granada	354	350	165	991	468	843	926	814	656	520	290	761	170	1033																					
León	591	758	891	792	506	788	467	354	191	414	804	504	726	320	760																				
Lérida/Lleida	491	506	756	159	861	154	394	456	445	764	1084	974	849	954	883	636																			
Lisboa	838	1006	820	1252	232	1248	1012	898	738	324	530	201	507	621	658	701	1096																		
Logroño	549	654	882	478	663	474	222	137	126	571	952	662	718	633	751	316	322	859																	
Madrid	249	417	554	621	397	617	507	394	237	300	624	513	389	612	423	342	465	632	333																
Málaga	464	470	206	1111	427	963	1037	924	767	480	250	720	167	1143	123	870	992	618	861	532															
Murcia	147	83	218	725	745	577	823	789	632	657	568	916	442	1015	280	742	551	936	700	400	400														
Oviedo	701	869	1001	834	617	894	439	285	309	525	914	614	837	302	870	119	741	811	423	452	981	852													
Pamplona/Iruñea	617	657	907	480	797	477	132	159	215	661	1020	754	785	729	819	406	324	951	92	401	929	702	438												
Perpignan	696	711	961	167	1187	185	482	633	771	1090	1283	1300	1049	1203	1022	961	327	1421	647	790	1142	756	912	564											
Porto	810	981	1087	1168	392	1164	819	705	546	445	797	116	674	312	925	397	988	307	667	561	885	964	500	757	1337										
Salamanca	459	626	759	823	308	820	506	394	234	216	606	307	594	468	628	198	667	504	356	209	738	609	309	445	993	355									
San Sebastián/Donostia	698	734	1005	449	760	554	55	100	223	668	1075	761	840	670	874	413	401	958	169	453	984	779	379	79	534	764	452								
Santander	632	800	939	644	667	704	249	95	152	575	1009	666	775	486	808	280	551	863	233	388	919	783	195	255	728	636	359	196							
Segovia	348	516	648	713	393	709	469	356	199	301	718	468	484	567	517	255	557	623	318	99	628	499	406	408	882	515	164	415	350						
Sevilla	494	600	415	1147	217	1011	1036	923	766	270	124	510	148	930	253	681	991	408	860	531	212	530	792	927	1191	616	483	982	917	626					
Valencia	184	177	427	504	747	356	603	604	582	650	753	867	519	966	489	693	331	981	470	350	609	222	802	472	536	914	560	549	693	449	662				
Valladolid	442	610	742	716	423	713	391	279	119	331	812	422	578	453	611	140	560	619	241	193	722	593	258	330	886	470	115	338	244	112	598	543			
Vigo	856	1024	1156	1144	550	1141	795	682	522	603	955	275	831	165	1025	354	965	466	644	603	1042	1007	402	733	1314	158	424	741	585	557	773	957	444		
Vitoria/Gasteiz	592	760	899	563	655	560	157	67	117	563	969	654	735	637	768	308	407	851	89	348	879	743	346	95	636	659	347	104	156	310	878	564	232	635	
Zaragoza	415	498	748	309	709	306	306	307	297	612	932	822	697	805	731	487	153	944	173	313	841	543	586	176	479	839	515	253	396	405	840	322	412	816	259

CARRETERAS PRINCIPALES

N° de carretera .... *N 63.C 535*

Distancia en kilómetros 12

Establecimientos administrados por el Estado :
Parador (España), Pousada (Portugal)

Periodo probable de nieve (ej : Nov. a Abril) 11-4

ESTRADAS PRINCIPAIS

N° da estrada .... *N 63.C 535*

Distancia em quilómetros 12

Estabelecimentos dirigidos pelo Estado :
Parador (Espanha), Pousada (Portugal)

Periodo provável de neve (ex : Nov. a Abril) 11-4

PRINCIPALES ROUTES

N° de route .... *N 63.C 535*

Distance en kilomètres 12

Etablissements gérés par l'État :
Parador (Espagne), Pousada (Portugal)

Période approximative d'enneigement (ex : Nov. à Avril) 11-4

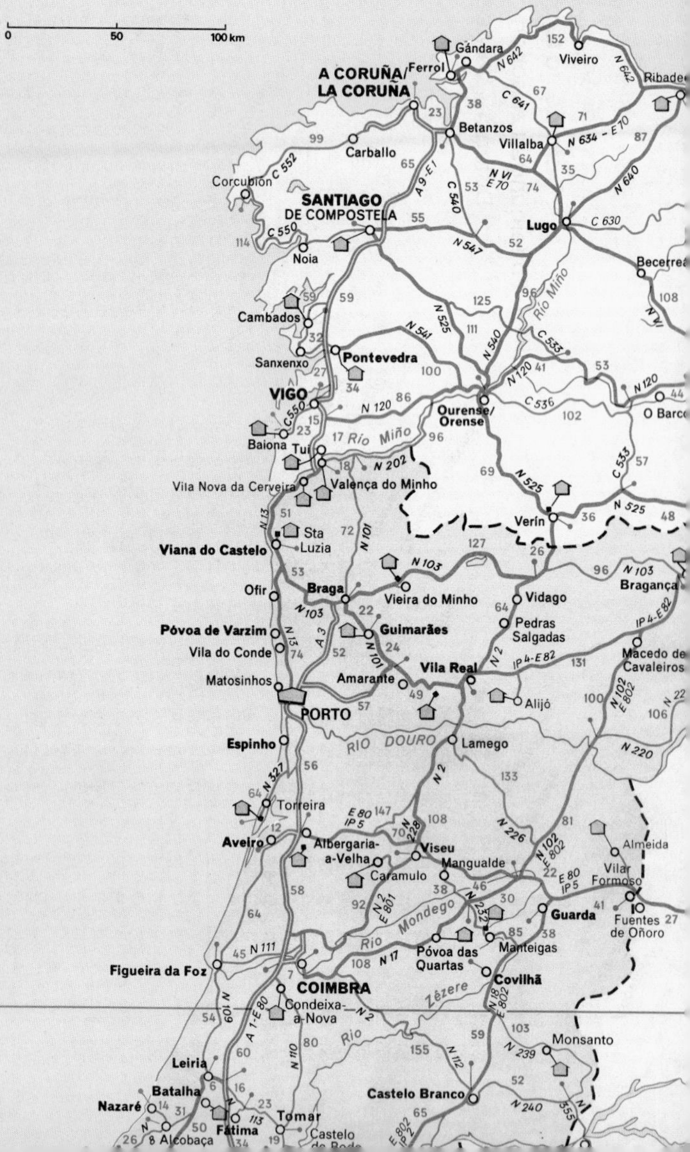

PRINCIPALI STRADE

N° di strada .... N 63.C 535

Distanza chilometrica 12

Esercizi gestiti dallo Stato :
Parador (Spagna), Pousada (Portogallo)

Periodo approssimativo d'innevamento-(esempio : Novembre-Aprile) 11-4

HAUPTVERKEHRSSTRASSEN

Straßennummer .... N 63.C 535

Entfernung in Kilometern 12

Staatlich geleitete Hotels :
Parador (Spanien), Pousada (Portugal)

Voraussichtliche Wintersperre (z.B. : Nov.-April) 11-4

MAIN ROADS

Road number .... N 63.C 535

Distance in kilometres 12

State operated hotels :
Parador (Spain), Pousada (Portugal)

Period when roads are likely to be blocked by snow (11-6 : Nov.-April) 11-4

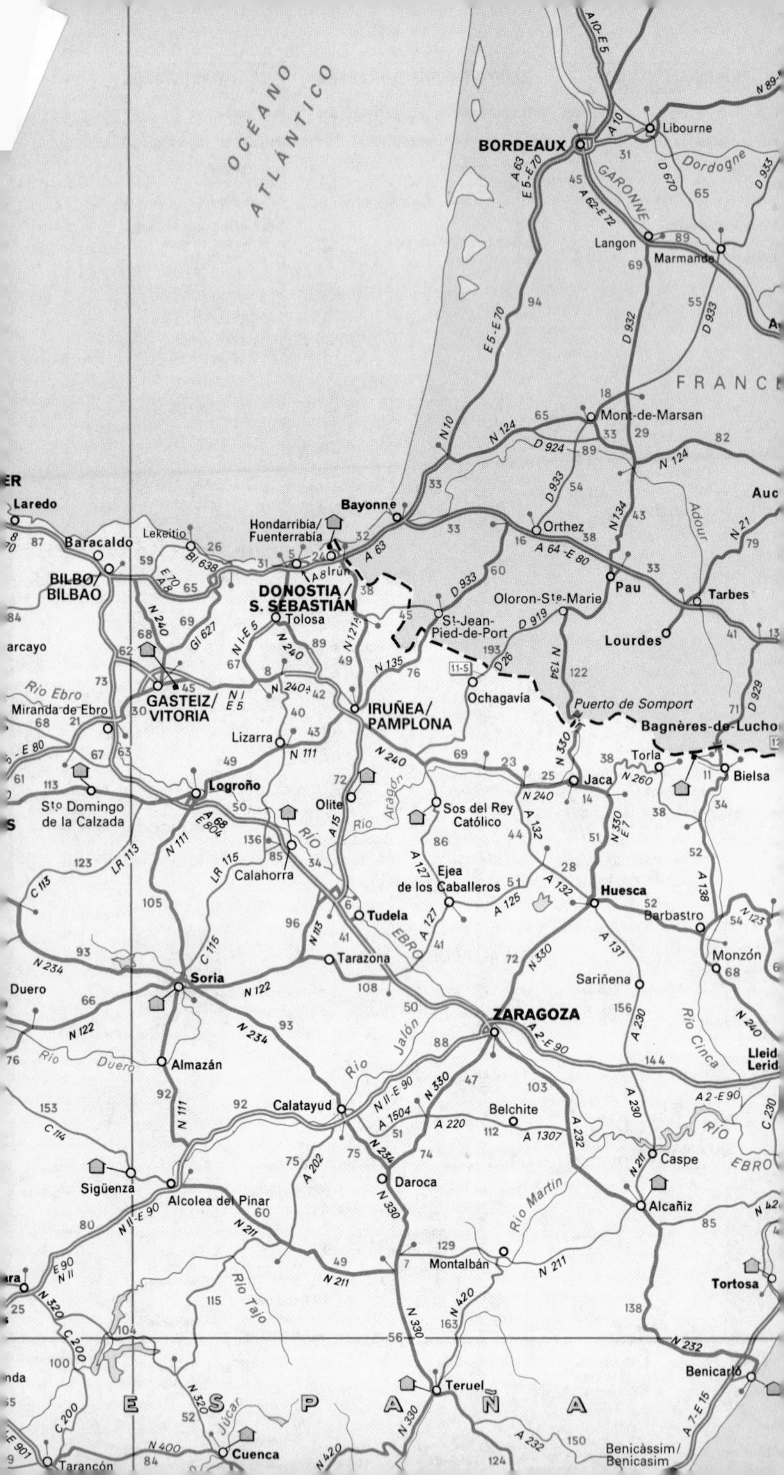

OCÉANO
ATLÁNTICO
FRANCE
E S P A Ñ A
BORDEAUX
Libourne
Dordogne
GARONNE
Langon
Marmande
Mont-de-Marsan
Bayonne
Orthez
Adour
Pau
Tarbes
Lourdes
Oloron-Ste-Marie
St-Jean-Pied-de-Port
Hondarribia/Fuenterrabía
Irún
Laredo
Baracaldo
Lekeitio
BILBO/BILBAO
DONOSTIA/S. SEBASTIÁN
Tolosa
GASTEIZ/VITORIA
Miranda de Ebro
Río Ebro
IRUÑEA/PAMPLONA
Lizarra
Ochagavía
Puerto de Somport
Bagnères-de-Luchon
Torla
Bielsa
Jaca
Logroño
Sto Domingo de la Calzada
Olite
Sos del Rey Católico
Calahorra
Río Aragón
Tudela
Ejea de los Caballeros
Huesca
Barbastro
Monzón
Sariñena
Tarazona
Soria
Duero
Río Duero
Almazán
ZARAGOZA
Río Jalón
Lleida/Lerida
Río Cinca
Calatayud
Belchite
Caspe
RÍO EBRO
Sigüenza
Alcolea del Pinar
Daroca
Alcañiz
Río Martín
Montalbán
Tortosa
Río Tajo
Teruel
Benicarló
Tarancón
Cuenca
Júcar
Benicàssim/Benicasim

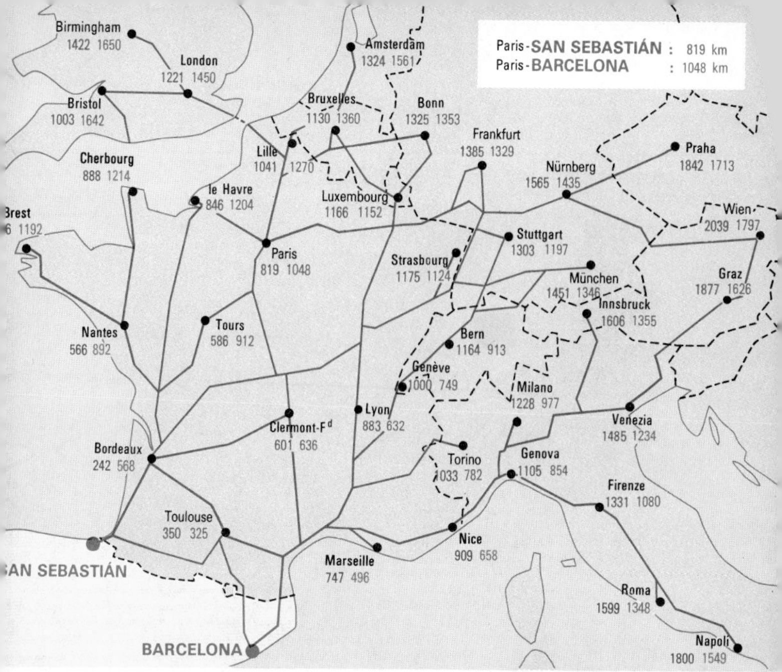

Paris-SAN SEBASTIÁN : 819 km
Paris-BARCELONA : 1048 km
Birmingham 1422 1650
London 1221 1450
Amsterdam 1324 1561
Bristol 1003 1642
Bruxelles 1130 1360
Bonn 1325 1353
Frankfurt 1385 1329
Cherbourg 888 1214
Lille 1041 1270
Praha 1842 1713
Nürnberg 1565 1435
le Havre 846 1204
Luxembourg 1166 1152
Wien 2039 1797
Stuttgart 1303 1197
Paris 819 1048
Strasbourg 1175 1124
München 1451 1346
Graz 1877 1626
Innsbruck 1606 1355
Nantes 566 892
Tours 586 912
Bern 1164 913
Genève 1000 749
Milano 1228 977
Lyon 883 632
Clermont-F^{d} 601 636
Venezia 1485 1234
Bordeaux 242 568
Torino 1033 782
Genova 1105 854
Firenze 1331 1080
Toulouse 350 325
Nice 909 658
Marseille 747 496
SAN SEBASTIÁN
Roma 1599 1348
BARCELONA
Napoli 1800 1549

Vielha
Arties
N 20 E 9
A 9 E 15
Perpignan
N 116
100
CG 2
32
Andorra la Vella
Llivia
D 115
N 114
Cerbère
101
le Perthus
La Seu d'Urgell
N 260
N 152
65
C 151
Figueres/ Figueras
Roses
C 260
79
N 260
Olot
C 149
94
Río Llobregat
C 1411
Río Ter
Girona/ Gerona
C 255
Río Segre
Cardona
C 1410
Aigua Blava
Palafrugell
Vic/ Vich
C 1313
Manresa
N 141
N 152
Palamós
S. Feliu de Guíxols
Tàrrega
Terrassa/ Tarrasa
A 7-E 15
Lloret de Mar
Blanes
A 19
C 240
N II
Igualada
Sabadell
Mataró
Badalona
N 240
E 90
A 2
A 7-E 15
BARCELONA
Sitges
A 16
Reus
Vilanova i la Geltrú
Tarragona
MEDITERRÁNEO
Islas Baleares

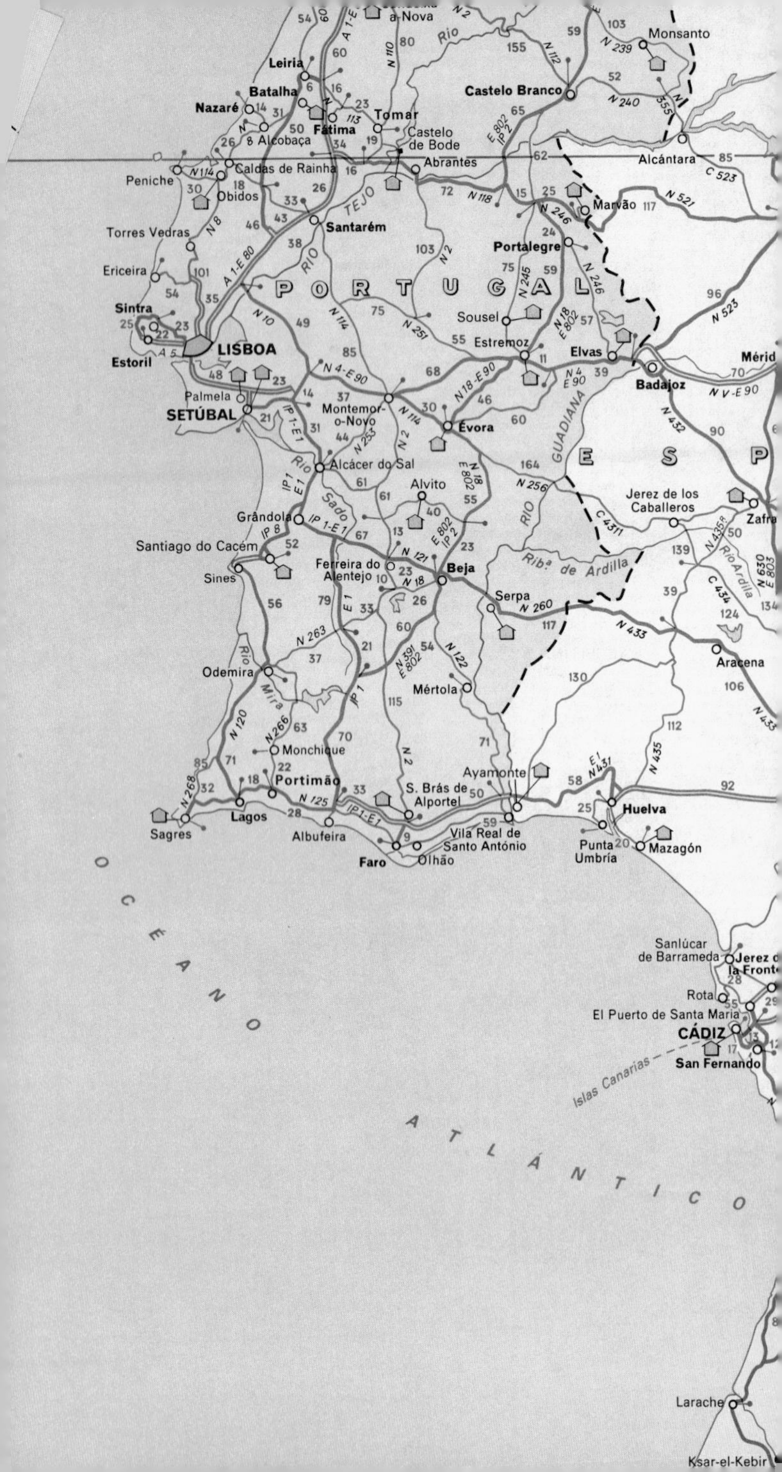

PORTUGAL
ESP
OCÉANO ATLÁNTICO
Islas Canarias
Leiria
Batalha
Nazaré
Fátima
Tomar
Alcobaça
Castelo de Bode
Abrantes
Castelo Branco
Monsanto
Alcántara
Marvão
Portalegre
Caldas de Rainha
Peniche
Obidos
Santarém
Torres Vedras
Ericeira
Sintra
Estoril
LISBOA
Palmela
SETÚBAL
Montemor-o-Novo
Évora
Sousel
Estremoz
Elvas
Badajoz
Mérid
Alcácer do Sal
Alvito
Grândola
Santiago do Cacém
Sines
Ferreira do Alentejo
Beja
Serpa
Jerez de los Caballeros
Zafra
Aracena
Odemira
Monchique
Portimão
Lagos
Sagres
Albufeira
Faro
Olhão
S. Brás de Alportel
Vila Real de Santo António
Mértola
Ayamonte
Huelva
Punta Umbría
Mazagón
Sanlúcar de Barrameda
Jerez de la Front
Rota
El Puerto de Santa Maria
CÁDIZ
San Fernando
Larache
Ksar-el-Kebir
Rio Tejo
Rio Sado
Rio Mira
Rio Guadiana
Ribª de Ardilla
Rio Ardila

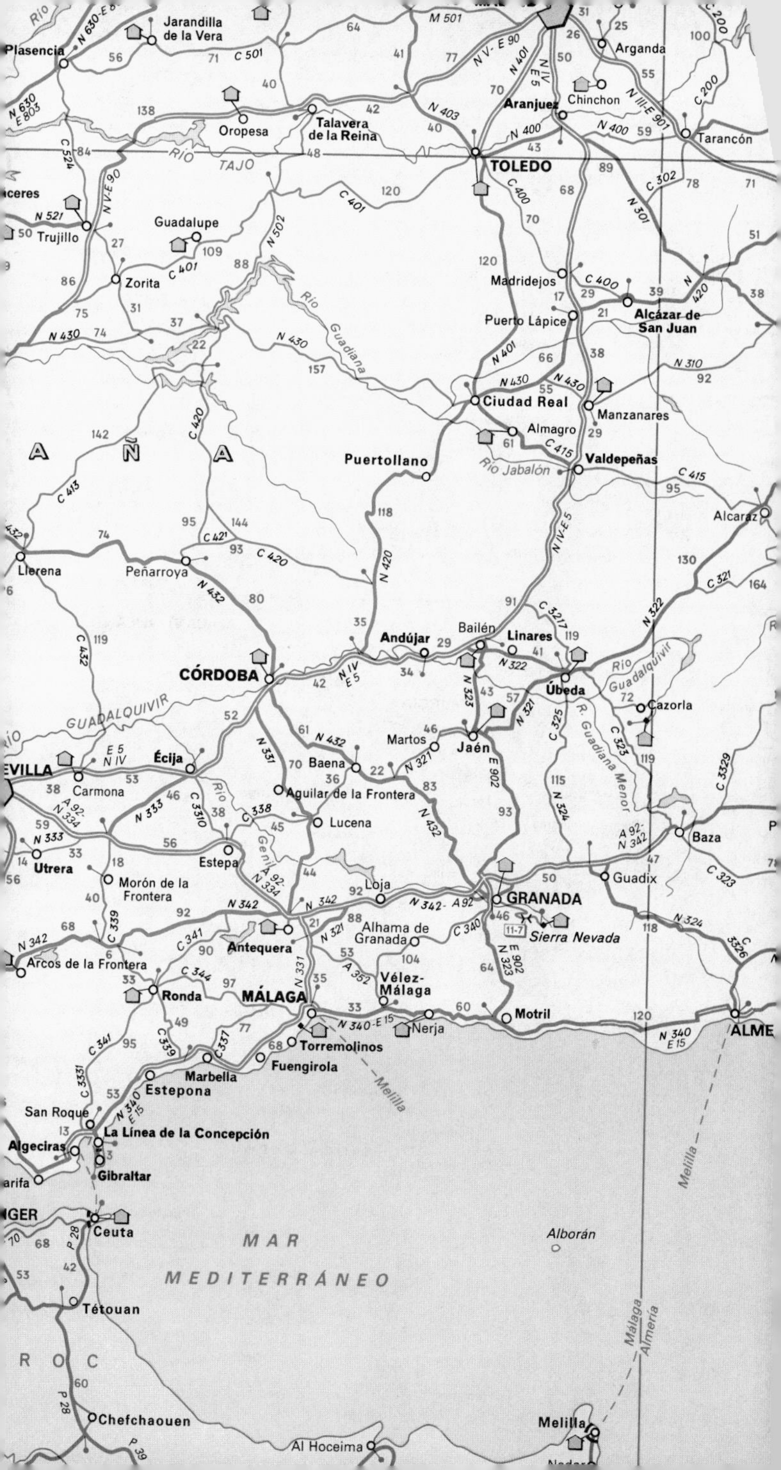

Plasencia
Jarandilla de la Vera
Arganda
Chinchon
Aranjuez
Tarancón
Oropesa
Talavera de la Reina
TOLEDO
Río Tajo
Trujillo
Guadalupe
Zorita
Madridejos
Puerto Lápice
Alcázar de San Juan
Río Guadiana
Ciudad Real
Almagro
Manzanares
Valdepeñas
Río Jabalón
Puertollano
Alcaraz
Llerena
Peñarroya
A Ñ A
Andújar
Bailén
Linares
CÓRDOBA
Úbeda
Cazorla
Río Guadalquivir
Martos
Jaén
R. Guadiana Menor
Écija
Carmona
Baena
Aguilar de la Frontera
Lucena
Estepa
Río Genil
Utrera
Morón de la Frontera
Loja
GRANADA
Guadix
Baza
Alhama de Granada
Sierra Nevada
Antequera
Arcos de la Frontera
Ronda
MÁLAGA
Vélez-Málaga
Motril
Nerja
Torremolinos
Fuengirola
Marbella
Estepona
San Roque
La Línea de la Concepción
Algeciras
Gibraltar
Ceuta
Tétouan
Chefchaouen
Al Hoceima
Melilla
Alborán
MAR MEDITERRÁNEO
Málaga – Almería

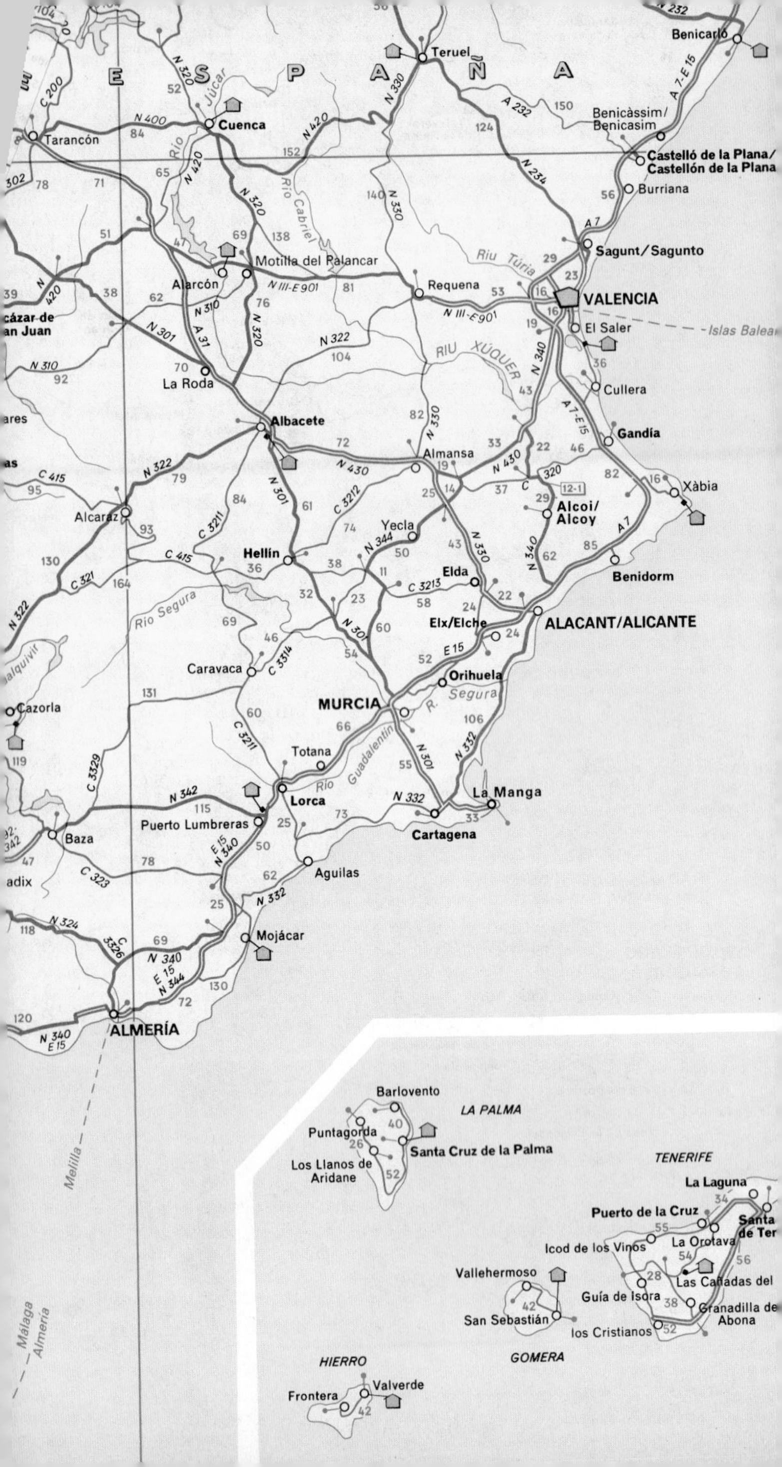

E S P A Ñ A
Teruel
Benicarló
Cuenca
Tarancón
Río Júcar
Río Cabriel
Benicàssim/
Benicasim
Castelló de la Plana/
Castellón de la Plana
Burriana
Sagunt/Sagunto
Riu Túria
Motilla del Palancar
Alarcón
Requena
VALENCIA
El Saler
Islas Baleares
cázar de
an Juan
RIU XÚQUER
La Roda
Cullera
Albacete
Gandía
Almansa
Xàbia
Alcaraz
Yecla
Alcoi/
Alcoy
Hellín
Elda
Benidorm
Río Segura
Elx/Elche
ALACANT/ALICANTE
Caravaca
Orihuela
Cazorla
MURCIA
R. Segura
Totana
Río Guadalentín
Lorca
La Manga
Puerto Lumbreras
Cartagena
Baza
Aguilas
Mojácar
ALMERÍA
Melilla
Málaga
Almería
LA PALMA
Barlovento
Puntagorda
Santa Cruz de la Palma
Los Llanos de
Aridane
TENERIFE
La Laguna
Puerto de la Cruz
Santa
de Ter
Icod de los Vinos
La Orotava
Vallehermoso
Las Cañadas del
Guía de Isora
Granadilla de
Abona
San Sebastián
los Cristianos
GOMERA
HIERRO
Frontera
Valverde
N 320
N 420
N 400
C 200
N 330
A 232
A 7-E 15
N 234
A 7
N III-E 901
N 310
N 301
A 31
N 322
N 340
N 430
C 415
C 3212
C 3211
C 320
12-1
N 344
C 321
C 3213
E 15
C 3314
N 332
C 3329
N 342
C 323
N 324
C 3326

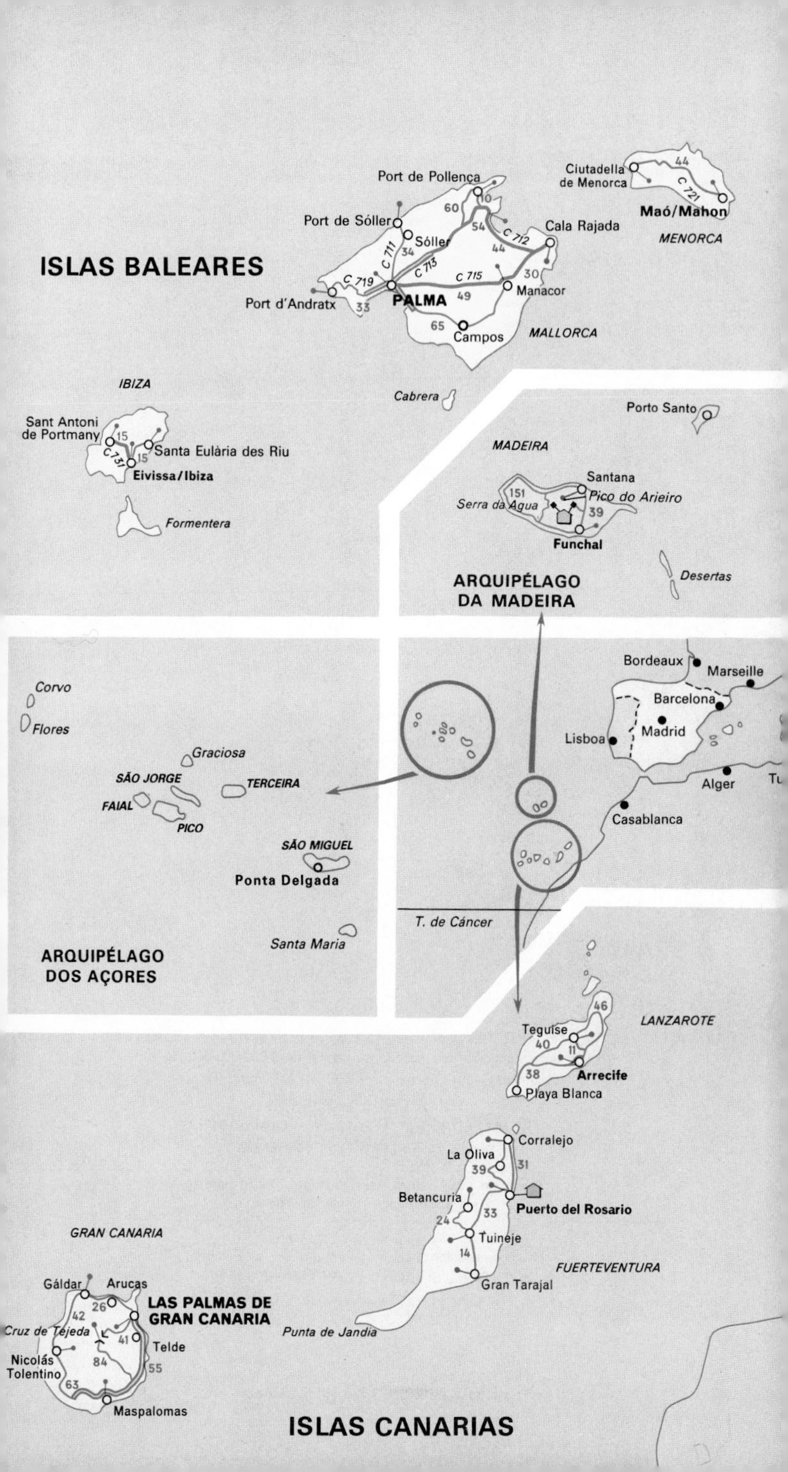
ISLAS BALEARES
Port de Pollença
Ciutadella de Menorca
Maó/Mahon
MENORCA
Port de Sóller
Sóller
Cala Rajada
C 711
C 712
C 713
C 715
C 719
C 721
PALMA
Manacor
Port d'Andratx
Campos
MALLORCA
IBIZA
Cabrera
Sant Antoni de Portmany
Santa Eulària des Riu
C 731
Eivissa/Ibiza
Formentera
Porto Santo
MADEIRA
Santana
Pico do Arieiro
Serra da Agua
Funchal
Desertas
ARQUIPÉLAGO DA MADEIRA
Corvo
Flores
Graciosa
SÃO JORGE
TERCEIRA
FAIAL
PICO
SÃO MIGUEL
Ponta Delgada
Santa Maria
ARQUIPÉLAGO DOS AÇORES
Bordeaux
Marseille
Barcelona
Madrid
Lisboa
Alger
Casablanca
T. de Cáncer
LANZAROTE
Teguise
Arrecife
Playa Blanca
Corralejo
La Oliva
Betancuria
Puerto del Rosario
Tuineje
FUERTEVENTURA
Gran Tarajal
GRAN CANARIA
Gáldar
Arucas
LAS PALMAS DE GRAN CANARIA
Cruz de Tejeda
Telde
Nicolás Tolentino
Maspalomas
Punta de Jandía
ISLAS CANARIAS

MANUFACTURE FRANÇAISE DES PNEUMATIQUES MICHELIN
Société en commandite par actions au capital de 2 000 000 000 de francs.
Place des Carmes-Déchaux - 63 Clermont-Ferrand (France)
R.C.S. Clermont-Fd B 855 200 507

Dépôt légal : mars 95 - ISBN 2-06-006359-0

Printed in France 01-95-70
Photocomposition : MAURY Imprimeur SA - Malesherbes
Impression : ISTRA B.L. Strasbourg - KAPP, LAHURE, JOMBART, Évreux
Reliure : S.I.R.C., Marigny-le-Châtel

Pages 146, 298, 428, 466, 556 : illustrations Rodolphe Corbel.
Pages 310, 313, 565 : Narratif Systèmes/Genclo.

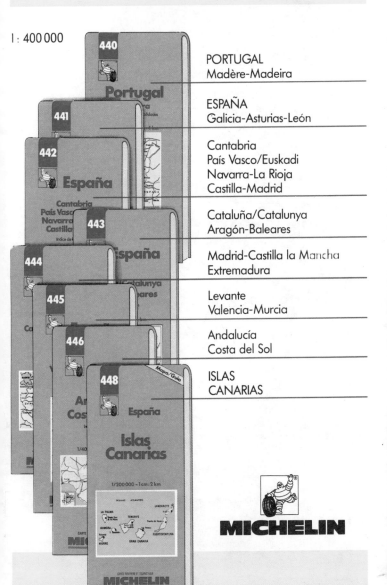

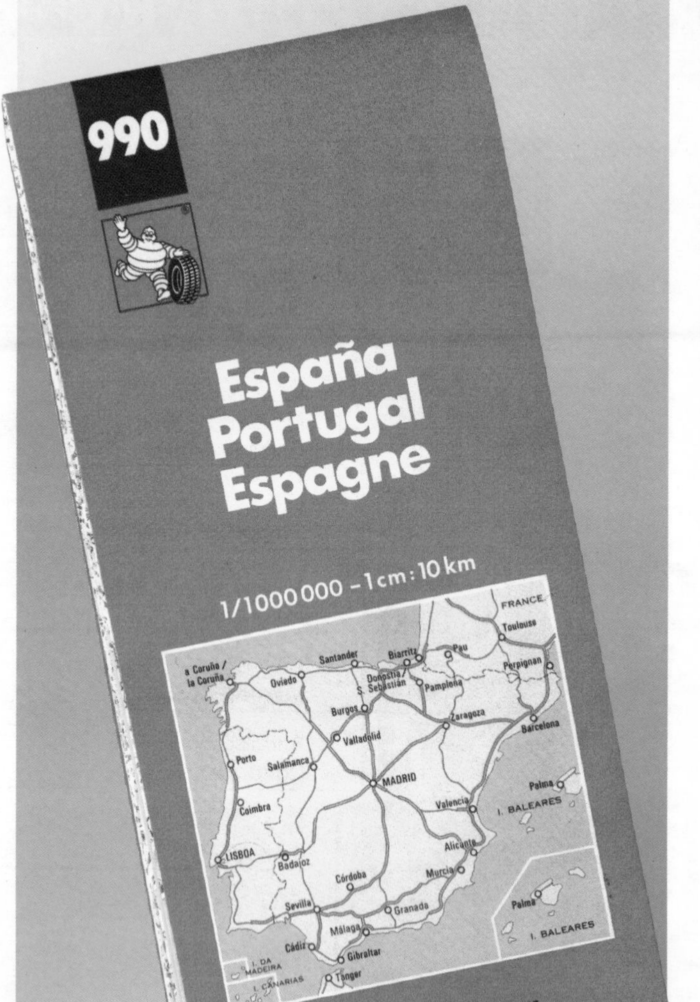
990
España
Portugal
Espagne
1/1000000 – 1 cm : 10 km
FRANCE
Toulouse
Pau
Biarritz
Santander
a Coruña /
la Coruña
Oviedo
Donostia /
S. Sebastián
Pamplona
Perpignan
Burgos
Zaragoza
Barcelona
Valladolid
Porto
Salamanca
MADRID
Palma
I. BALEARES
Valencia
Coimbra
Alicante
LISBOA
Badajoz
Murcia
Córdoba
Sevilla
Granada
Palma
I. BALEARES
Málaga
Cádiz
Gibraltar
I. DA
MADEIRA
I. CANARIAS
Tanger
CARTE ROUTIÈRE ET TOURISTIQUE
MICHELIN
46, Av. de Breteuil 75324 PARIS CEDEX 07 – Doctor Esquerdo,157-28007 MADRID